D0476210

De koning van Luxor

Philipp Vandenberg

De koning van Luxor

Karakter Uitgevers B.V.

Oorspronkelijke titel: Der König von Luxor

Vertaling: Harry Naus

Opmaak binnenwerk: ZetSpiegel, Best
Omslagontwerp: Björn Goud

ISBN 978 90 6112 479 5
NUR 332

De koning van Luxor

15 maart 1939

Natuurlijk regende het tijdens de rit naar Soho.
'Zoals altijd om deze tijd van het jaar!' zei de taxichauffeur verontschuldigend. Vluchtig keek hij over zijn schouder door het raampje. De oude dame zag er keurig uit. Welgesteld, maar niet rijk. Iemand van wie je een fatsoenlijke fooi mocht verwachten. Rijkelui waren in dat opzicht krenterig. Na twintig jaar achter het stuur hoefde je hem niks meer wijs te maken.
'Dat ligt toch niet aan het jaargetijde!' berispte de oude vrouw hem. 'In Notting Hill is het goed weer. Het moet aan Soho liggen.'
'Hebt u iets tegen Soho, mevrouw?' vroeg de chauffeur geamuseerd over zijn schouder.
'Waarom zou ik iets tegen Soho hebben!' zei de oude dame verontwaardigd. 'Ik vind alleen dat het in Soho vaker regent dan elders.'
De taxichauffeur deed er voorlopig het zwijgen toe terwijl zijn passagiere naar de reusachtige, kleurrijke billboards aan de gevels van de bioscopen en theaters keek. In het Leicaster Square draaide voor de laatste keer *De zoon van Frankenstein,* met Boris Karloff in de hoofdrol. In het Haymarket Theatre werd *Design for Living* opgevoerd, met Rex Harrison en Diana Wynyard. En in het Piccadilly, tegenover het Regent Palace Hotel, schitterden Mackenzie Ward en Eileen Peel in het toneelstuk *French without Tears.*
Zoals gewoonlijk was er in de namiddag in de straten rondom Piccadilly Circus geen doorkomen aan. De taxichauffeur nam echter enkele zijstraatjes en stopte plotseling voor een ingang van het hotel. De oude dame keek verbaasd op, want ze had niet verwacht dat ze er zo snel zou zijn.
'Het Ritz Hotel,' zei hij opgewekt. 'Dat is dan vijf shilling, mevrouw!'
Hij had zich niet vergist, want de dame gaf hem zes shilling. Ze stapte uit nadat een bediende in rode livrei het autoportier voor haar geopend had.
Besluiteloos liep ze door de hal van het Ritz Hotel en ze deed geen moeite haar onzekerheid te verbergen. Met enkele bescheiden hoofdknikjes in alle richtingen beantwoordde ze de beleefde begroetingen

van het personeel. Uiteindelijk liep ze met kleine pasjes energiek naar een voornaam uitziende heer in rokkostuum. Met de handen op de rug glimlachte hij haar toe.
Hij had een ovaalvormig hoofd en zilvergrijs, dun haar dat hij met brillantine strak achterovergekamd had. Daardoor leek hij achter in de vijftig. Toch zei de oude dame: 'Jongeman, zou u mij even naar de tearoom willen begeleiden?' Zo noemde ze iedere man die jonger was dan zij.
'De tearoom. Met genoegen, mevrouw!' Met een arm maakte hij een uitnodigende, zwierige beweging vanaf zijn borst naar beneden.
'Niet te snel!' waarschuwde de dame hem resoluut. Vinnig sloeg ze met haar stok op het tapijt. De vrouw op leeftijd was van een koele, ongenaakbare schoonheid, wat je wel vaker zag bij oude dames bij wie de jaren hun gezicht hadden getekend. Ze kregen er iets merkwaardig aantrekkelijks door. Met haar formele hoed kwam ze afstandelijk over. Ze had een groen, getailleerd mantelpak aan waarvan de rok bijna tot aan haar enkels kwam. Al met al een nogal ouderwetse verschijning in de hal van dit mondaine hotel.
De glazen deur, met een gepolijst messing bord waarop 'Tearoom' stond, ging open. Een ober in jacquet liep haar tegemoet. In het gesteven front van zijn overhemd stak een zoetwaterparel. Hij had een gewoon voorkomen, maar zijn gelaatsuitdrukking was opmerkelijk te noemen. Alleen de conservatieven in het parlement keken ernstiger en strenger dan hij.
'Jongeman, ik heb een afspraak met Lady Evelyn Beauchamp,' zei ze nog voordat de ober met het uitgestreken gezicht iets kon vragen. 'Ben ik te vroeg?'
Tegen de verwachting in klaarde zijn gezicht op. In een opwelling van spontane verrukking, waartoe je hem nooit in staat zou hebben geacht, en wat je nog minder van hem zou verwachten, antwoordde hij: 'De dames zijn al aanwezig, mevrouw. Als u mij wilt volgen.'
Het interieur van de tearoom bestond uit donker, glanzend meubilair. Gele lampenkappen van schapenleer verspreidden een diffuus licht. Uit het schemerdonker liep Lady Evelyn naar haar toe. Haar elegante, licht gestreepte grijze mantelpak met twee rijen knopen stond haar goed. Het dophoedje, dat ze ver over haar voorhoofd had getrokken – ze had lichte make-up op – gaf haar een jeugdig, kittig voorkomen.
'Mevrouw Jones!' zei de lady. Ze stak haar handen naar haar uit. 'Fijn dat u gekomen bent.'
'Miss Jones, mylady!' corrigeerde de oude dame haar onverbiddelijk. 'Miss Jones. Ik ben nooit getrouwd geweest. En op mijn oude dag

hecht ik er geen waarde aan de schijn te wekken dat ik dat wel was of nog ben. Miss Jones dus, als u het niet erg vindt.'
Toen ze tegenover elkaar stonden, werd meteen duidelijk dat de lady een kop kleiner was dan miss Jones. Dat wilde echter niet zeggen dat miss Jones lang was. Lady Evelyn was gewoon klein van stuk.
De lady ging haar voor naar een hoektafeltje. Daar wachtte inmiddels Phyllis Walker op hen. Phyllis was half zo oud als miss Jones en had een innemend voorkomen, maar door de wijde, grijze pantalon, het nauwsluitende jasje en het alpinopetje zag ze eruit als een dandy. Haar donkere lokken waren met glimmende gel op haar voorhoofd gekleefd. Geen opmerkelijke verschijning in Soho, maar voor het Ritz zou je haar uiterlijk het predikaat 'nogal gewaagd' kunnen geven.
Tien dagen geleden hadden deze drie vrouwen op het kerkhof van Putney een zeer merkwaardige begrafenis bijgewoond. Ze konden elkaar niet ontlopen, want het aanwezige gezelschap bestond uit slechts acht personen, de hulppredikant inbegrepen. Ondanks de eervolle necrologie in de *London Times* betekende dit al met al toch een treurig einde voor Howard Carter, de beroemdste archeoloog ter wereld.
Lady Evelyn Beauchamp was op het idee gekomen om gedrieën in het Ritz een kopje thee te gaan drinken. Een klein voorval stond aan de basis daarvan. Bij het verlaten van het kerkhof keek Evelyn nog eens om en had toen een landloper gezien. In dit jaargetijde zochten honderden zwervers de warme metrostations op. Deze man, die mank liep, hield even zijn pas in, gooide een pakje in het open graf en liep verder.
Niemand wist waarom hij zich daar ophield of wat zijn vreemde gedrag te betekenen had. Alleen Phyllis Walker dacht die landloper te kennen. In elk geval herinnerde ze zich een man die in het leven van Howard Carter een dubieuze rol had gespeeld.
Deze opmerking had de twee andere vrouwen nieuwsgierig gemaakt. Vooral omdat ieder van hen alles over Carter dacht te weten. Dus besloten ze om op 15 maart 1939 in het Ritz samen thee te drinken en bij te praten.
Het gesprek begon stroef. Maar dat lag misschien aan de leeftijds- en standsverschillen. Bovendien kenden ze elkaar amper. Howard Carter vormde de enige band die ze met elkaar hadden. Het kostte dus enige moeite om het ijs te breken.
'En, dames? Krijgen we straks een oorlog of niet?' begon Lady Evelyn, die de pijnlijke stilte zat was.
Phyllis haalde haar schouders op. Ze wist niet wat ze daarop moest zeggen.

Miss Jones wond zich op. 'In alle kranten lees je over vlootmanoeuvres op de Atlantische Oceaan en troepenbewegingen in Europa. De koning en koningin bezoeken elke dag een andere vliegtuigfabriek. Vandaag Birmingham, morgen Rochester. Laatst las ik dat de burgers werd geadviseerd een levensmiddelenvoorraad van twee maanden in te slaan. Het lijkt er dus op dat het oorlog wordt, mylady!'

'Helemaal mee eens,' zei Lady Evelyn. 'Toen de vorige oorlog uitbrak, was ik nog jong. Mijn vader, Lord Carnarvon, vond dat ik me met muziek en kunst moest bezighouden en niet met politiek. Maar ik herinner me de omstandigheden nog heel goed. Die van nu lijken zeer veel op die van toen.'

'Howard was niet geïnteresseerd in politiek,' zei Phyllis. Eindelijk sneden ze het onderwerp aan waarvoor ze gekomen waren.

'Hij was het gekrakeel tussen de partijen zat,' protesteerde de lady. 'Howard was een eenling, ook in politiek opzicht. Hij kon de ene dag de Labour Party omarmen en de volgende dag de Tory's verdedigen. Mijn vader werd horendol van zijn politieke wankelmoedigheid. Soms kreeg ik de indruk dat hij het wel leuk vond om zo vaak van mening te veranderen, gewoon om anderen te tarten.'

'Wanneer hebt u Howard leren kennen?' vroeg miss Jones. Aan haar toon kon je horen dat ze het niet eens was met de beweringen van Lady Evelyn.

'O, ik was toen nog jong. Vóór de oorlog. Ik ging voor het eerst met mijn vader mee naar Egypte. Indertijd zag Howard me niet staan. Ik bedoel als vrouw. Maar als jong meisje was ik al verliefd op die lange man met de volle, zwarte haardos. Door zijn snor kwam hij nogal als een vechtjas over, als een fanatiekeling. In mijn ogen was Carter de avonturier en schatgraver uit de sprookjes. Een man die op een dag zijn prinses zou ontmoeten. En die prinses was ik.'

'Merkwaardig,' zei Phyllis Walker op een nadenkende toon. 'Zo heb ik dat ook ervaren. Ook ik vond hem een buitengewone man. Een bereisde avonturier en succesvolle schatgraver. Ik had veel ontzag voor hem. Howard noemde mij altijd "prinses". Zo voelde ik me ook in zijn bijzijn... althans in het begin.'

'En u, miss Jones?' Met een vriendelijk glimlachje probeerde Lady Evelyn de oude dame in het gesprek te betrekken. Maar miss Jones leek in gedachten verzonken. Soms glimlachte ze, alsof ze zich iets herinnerde uit een ver verleden.

'En u, miss Jones?' vroeg de lady opnieuw. 'Wat voelde u voor Carter?'

'Ik?' Miss Jones keek op. 'Nee, bij Howard heb ik me nooit een prinses gevoeld. Daar was het leeftijdsverschil te groot voor. Toen ik hem

voor het eerst ontmoette, was ik achtentwintig en Howard vijftien. Ik was zijn onderwijzeres. Toch was Howard mijn grote liefde.'
Phyllis en Lady Evelyn keken elkaar met een veelbetekenende blik aan. Phyllis leek zelfs verontwaardigd. In elk geval kon ze haar verbazing nauwelijks verbergen terwijl ze vroeg: 'Wilt u daarmee zeggen dat u met Howard...' Verder kwam ze niet.
Miss Jones liet haar blik langs haar lichaam glijden. 'U vergeet dat ook ik ooit jong ben geweest, miss Walker. Naarmate de tijd verstrijkt, worden we er niet mooier op.'
'Het spijt me, zo bedoelde ik het niet. Ik dacht dat Howard mij alles verteld had. Wanneer hij over zijn jeugd sprak, had hij het slechts over één vrouw. Hij beweerde dat zij zijn grote liefde was.'
'Dat kan ik bevestigen,' zei Lady Evelyn. 'Toen we het voor het eerst over de liefde hadden, zei hij dat hij nog steeds de grootste moeite had met die herinneringen. Hij noemde maar één naam.'
'Wie was dat dan?' Miss Jones kwam opeens alerter over dan enkele ogenblikken geleden.
'Sarah!' zei Lady Evelyn.
'Ja, Sarah!' zei ook Phyllis.
'Ik ben Sarah. Sarah Jones.' Op haar gezicht verscheen een trots lachje. Daarna wendde ze haar hoofd af, alsof ze zich schaamde, en zei: 'Ja, ik geef toe dat onze relatie nogal ongewoon was. Maar het was beslist geen vergissing. Enkele maanden lang was ik de gelukkigste vrouw ter wereld. Sommige mensen hebben nu eenmaal een half leven nodig om erachter te komen wat geluk is...'
Even leek het of aan de tearoomtafel de tijd stil was blijven staan. Phyllis en Lady Evelyn, die er zojuist nog van overtuigd waren dat zij de belangrijkste vrouwen in het leven van Howard Carter waren geweest, beseften opeens dat een machtige rivale hun die rol betwistte. Nu waren ze erg nieuwsgierig. Ze wilden alles weten over zijn jeugd. Beiden hadden hem immers pas leren kennen toen hij volwassen was. Maar Sarah Jones was juist zeer geïnteresseerd in de omstandigheden die tot het succes van Carter hadden geleid. In de voorbije jaren had ze alle krantenartikelen die over hem verschenen waren uitgeknipt, liefdevol in een album geplakt en ze met tranen in de ogen zo vaak gelezen dat ze de tekst vanbuiten kende. Meer dan eens had ze hardop tegen zichzelf gezegd: Je bent niet goed wijs, Sarah.
Toen ze de overlijdensadvertentie in de *London Times* gelezen had, verzamelde ze moed om zijn begrafenis bij te wonen. Onder aan die tekst stond: *He was unmarried* – hij was niet getrouwd. Dat betekende op zichzelf natuurlijk niets. Of misschien wel? Nu hoopte ze daar meer over te weten te komen.

Hoe langer Sarah Jones, Lady Evelyn en Phyllis Walker met elkaar van gedachten wisselden, hoe minder wantrouwig ze zich opstelden. En hoe meer ze van elkaar te weten kwamen, hoe meer ze beseften dat er sprake was van lotsverbondenheid.
Ze vergaten de tijd terwijl ze over hun verleden vertelden. De herinneringen kwamen boven. Herinneringen uit hun leven met een man die de koning van Luxor werd genoemd.

DEEL EEN

1

Om van Ipswich, in East Suffolk, naar Swaffham te reizen, had je in die tijd – vóór de eeuwwisseling – een halve dag en sterke zenuwen nodig.

'In Norwich overstappen voor de trein naar King's Lynn!' had de loketbediende haar op het hart gedrukt. 'Ik zou maar opschieten als ik u was, want u hebt nog maar tien minuten!'

Tegen de verwachting in haalde Sarah Jones ook de trein naar Swaffham. Later zou ze zich realiseren dat die reis niet zonder complicaties was. Ze zat in haar eentje in de coupé en keek uit het raam naar het voorbijglijdende landschap, het vlakke land met de muurtjes die als donkere strepen de weilanden, akkers en percelen markeerden.

Het was lente. Alles zag er groen uit. Maar niet zo groen als in Sussex. Groener dan daar was bijna niet mogelijk. Toch was het hier veel en veel groener dan de woestenij rondom Ipswich.

Sarah was opgegroeid in Ipswich. Haar vader had in de haven als stukgoedarbeider gewerkt, een graansjouwer. Haar moeder was bij haar geboorte overleden. Ze zou zeker in weeshuis St. Albans terechtgekomen zijn, of ergens anders, als een buurvrouw zich niet om haar lot bekommerd had.

Sarah was zeker niet dom. Haar vader had echter geen geld voor de dure Latijnse school waar de kinderen van de reders, de kolen- en suikerhandelaars en de eigenaars van de pakhuizen naartoe gingen. Ze had heel lang moeten zeuren om ervoor te zorgen dat haar vader haar naar de *Dame School* – de matressenschool – nabij het Christchurch-herenhuis stuurde, waar meisjes als Sarah leerden lezen, schrijven, rekenen en waar ze leerden hoe je naaipatronen uit papier knipt.

Na die school had ze nog een jaar doorgeleerd en werd ze zelfs onderwijzeres aan de *Dame School.* Daarna verongelukte haar vader op een verschrikkelijke manier: een havenkraan kantelde en verpletterde hem. Sinds die dag spookte de gedachte door haar hoofd dat ze in Ipswich nooit gelukkig zou worden. Uiteindelijk besloot ze om te gaan verhuizen. Ze ging naar de predikant – hij was de gemeente voorgegaan tijdens de begrafenisdienst van haar vader – en vertelde

hem hoe verdrietig ze was. Hij had begrip voor haar wens om Ipswich te verlaten. Hij beloofde zelfs dat hij ervoor zou zorgen dat ze een baan als onderwijzeres kreeg. In Swaffham, graafschap Norfolk, was een vacature vrijgekomen aan de *Dame School*. Ze mocht zich daar op zijn voorspraak melden.
Haar bezit paste in een bruine, met zeildoek afgewerkte koffer die nu op de houten zitbank tegenover haar stond. De 'bruidsschat' van haar moeder. Het bijzondere eraan was dat hij door de breedte ervan geen handgreep in het midden had, in tegenstelling tot de moderne koffers. In dat geval zou iemand die sterk genoeg was de koffer alleen kunnen dragen. Die van haar had alleen een handgreep aan de zijkanten, waardoor je hem zonder hulp nooit kon dragen omdat niemand armen had die lang genoeg waren.
Gelukkig was het druk op het station van Norwich. Bovendien zag Sarah er zo keurig uit dat ze niet lang had hoeven wachten op enkele bereidwillige mannen die haar bagage wel in de trein naar Swaffham wilden tillen.
Vol verwachting reed ze nu in deze hobbeltrein haar toekomst tegemoet. De talrijke stations waar onderweg gestopt werd, zagen er min of meer hetzelfde uit: grote en kleine gebouwen van rode baksteen. Sommige zo klein dat ze slechts uit een wachtruimte bestonden. Na anderhalf uur arriveerde ze op haar bestemming. De stationschef kondigde luidkeels aan welk station dit was en bleek zelfs behulpzaam bij het uitladen van haar bagage, die veel ruimte in beslag nam.
Iedereen weet uit ervaring hoe het is als je een vreemde stad nadert: een gevoel van blijde verwachting of afkeer als gevolg van een bang voorgevoel. Sarah was de enige die uitstapte, dus overtrof haar afkeer verreweg haar enthousiasme. Radeloos stond ze voor het stationsgebouw, met naast haar de enorme koffer die ze niet alleen kon tillen. Er was niemand te zien. Op een paar kippen na leek dit oord uitgestorven.
In en rond het station van Ipswich, waar zij vandaan kwam, was het om deze tijd van de dag altijd een drukte van belang. Huurkoetsiers vochten om de beste standplaats. Krantenjongens verkondigden luidkeels het nieuws. En aan kruiers was nooit gebrek. Maar in Swaffham was het een dooie boel. Als op dat moment, terwijl ze hulpeloos op het perron stond, een trein uit de andere richting was gekomen, zou ze meteen zijn ingestapt en teruggegaan naar Ipswich. Maar er kwam geen trein.

De matte lentezon stond laag toen aan de andere kant van de straat een uit de kluiten gewassen jongen opdook. Hij had donker haar en

een bleek gezicht. In zijn linkerhand hield hij een vlindernet vast, en over zijn rechterschouder hing een botaniseertrommel. Met grote passen, wat een beetje komisch aandeed, liep hij voorbij terwijl hij strak voor zich uit keek en het lot van Sarah Jones negeerde. 'Hé!' riep ze zowel hulpeloos als vertwijfeld. 'Kun je me even helpen? Daar krijg je niks van!'
De knul hield zijn pas in, keek even naar haar, stak daarna over en pakte de koffer zonder iets te zeggen bij de rechterhandgreep vast, terwijl Sarah de koffer aan de andere kant optilde. Zonder te vragen waar ze met die draagbare kledingkast heen wilde, liep hij een tijdje naast haar tot Sarah zowel de pijnlijke stilte als de jongen die recht voor zich uit bleef kijken zat was. 'Wil je dan niet weten waar ik heen moet?'
De jongen grijnsde, maar keek haar niet aan. Met een iele stem en ongewoon lange Norfolk-klinkers zei hij: 'Ik weet waar u zijn moet, miss. Ik breng u naar het hotel van meneer Hazelford. Het George Commercial Hotel, aan het marktplein, het enige hotel in deze omgeving.'
Met grote passen liep hij verder. Sarah kon hem met moeite bijhouden en kreeg amper de gelegenheid om hem tersluiks te observeren. Ze zag alleen dat hij een markant hoofd had met een lang, driehoekig gezicht, een nogal grote neus en spitse kin. Hij was lang maar kwam niet sterk over. Daardoor kon ze zijn leeftijd moeilijk schatten.
'Is iedereen in Swaffham zo spraakzaam?' vroeg ze nadat ze weer een tijdje zwijgend naast elkaar gelopen hadden.
De jongen grijnsde. Voor het eerst keek hij haar aan. 'Ach, daar zult u wel aan wennen, miss. In Swaffham wordt iedereen die meer dan vijf zinnen achter elkaar uitspreekt als een praatjesmaker beschouwd. Waar komt u vandaan, miss?'
'Ipswich,' antwoordde ze eveneens kortaf.
Zachtjes floot hij tussen zijn tanden, alsof hij haar bewonderde. Kennelijk had ze zich vergist, want meteen daarna zei hij: 'Londen. Ik kom uit Londen. Brompton, als u dat wat zegt.'
'Nee,' zei Sarah geërgerd. 'Ik ben nog nooit in Londen geweest. Wel ooit in Sussex. Heb ik nu iets gemist?'
'Hm.' De knul hield zijn hoofd schuin en liep zwijgend verder.
Ze naderden een plompe, rechthoekige kerktoren met rondom hoge ramen. Tussen die vensters bevond zich een uurwerk.
'De St. Petrus en Paulus.' Hij zag dat Sarah belangstellend keek. 'Wat komt u doen in Swaffham, miss?' vroeg hij.
Sarah had geen reden om het doel van haar bezoek te verzwijgen. Ze

kon ook niet weten wat voor reactie haar antwoord tot gevolg zou hebben. Dus zei ze zonder er verder over na te denken: 'Ik reageer op een openstaande vacature als onderwijzeres aan de *Dame School*.'
Nauwelijks was ze uitgesproken of de jongen liet de koffer als door de bliksem getroffen uit zijn hand vallen. Zonder iets te zeggen rende hij weg in de richting vanwaar ze gekomen waren. Sarah wist niet wat haar overkwam.
Uit een zijstraatje naderde iemand met een bochel. Sarah durfde hem niet aan te spreken. Hij leek te zwak om haar te helpen met haar bagage. De oude man liep naar haar toe, keek haar met een verholen blik aan en grijnsde toen. Sarah zag zwarte gaten in zijn gebit: hij miste een stuk of drie tanden.
'Waar wilt u heen met die kast, miss?' vroeg hij op een overdreven beleefde toon.
'Is het nog ver naar het George Commercial Hotel?' vroeg ze.
'Nog geen vijf minuten lopen,' zei de oude man met het slechte gebit. Hij wees naar de plompe kerk.
'Zou u zolang op mijn koffer willen passen? Ik loop even naar het hotel om een kruier te halen.'
De oude man knikte en wees weer in de richting van de kerk.
Het duurde langer dan ze dacht voordat ze het hotel gevonden had. Het pand bevond zich niet bij de St. Petrus en Paulus, zoals de oude man haar had wijsgemaakt, maar ertegenover, aan het marktplein. Een wasvrouw die hier bekend was, had gezegd waar ze moest zijn. Meneer Hazelford, de eigenaar van het hotel, was heel vriendelijk en behulpzaam. Hij stuurde meteen zijn zoon Owen op pad nadat ze had verteld waar ze haar bruine koffer had achtergelaten.
Haar kamer had een raam met uitzicht op het marktplein. Je kon er de *Butter Cross* zien, een soort paviljoen: een koepel met zeven zuilen. Ertegenover stond de St. Petrus en Paulus. De knusse kamer was schoon en niet duur. Even later werd haar bagage gebracht. Owen gaf haar de penny terug die zij hem had gegeven om aan de oude man te overhandigen. Hij zei dat hij daar niemand had aangetroffen. Aanvankelijk zocht ze er niets achter. Maar niet lang daarna bekroop haar een afschuwelijke gedachte. Een blik op de koffer bevestigde haar sombere vermoeden. Het slot was opengebroken.
Ze kon het bijna niet geloven en deed van schrik een schietgebedje, wat helemaal niet in haar aard lag. Haastig opende ze haar koffer, trok het wasgoed en haar kleren eruit en merkte meteen dat iemand haar spulletjes doorzocht had. Eindelijk vond ze haar jas. Met een ruk haalde ze die tevoorschijn en ze voelde koortsachtig in de binnenzak. Er zat niets meer in.

Na deze ontdekking was ze totaal van streek. Ze knielde voor de lege koffer, begroef haar gezicht in haar handen en huilde als een kind. Al haar spaarcentjes waren gestolen: zesenzeventig pond en vijf shilling.
Ze vertelde het aan de waard, die meteen de politie waarschuwde. Maar die beschuldigde haar van onbezonnen, roekeloos gedrag. Er was weinig hoop dat ze haar spaargeld ooit nog terug zou zien.
Die nacht in het George Commercial Hotel deed Sarah geen oog dicht. Voor het eerst bekroop haar de gedachte er een eind aan te maken. Ze had zich veel ontzegd en flink gespaard om dat kapitaaltje te vergaren. Nu bevond ze zich zonder een rooie cent op zak in deze vreemde stad en wist niet wat ze moest doen.

De volgende ochtend – een stralende lentedag kondigde zich aan – begaf ze zich naar de *Dame School,* een donker bakstenen pand met getraliede ramen en een hoofdingang met een zware, houten deur. Het gebouw van twee verdiepingen had een linker- en rechtervleugel en veel kamers, waarvan er verschillende leegstonden. Er waren immers maar twee klassen met elk een stuk of tien leerlingen. Bovendien vond ze het oude en vrijwel lege gebouw een beetje eng. Ze vroeg zich af of ze zich hier ooit op haar gemak zou voelen.
Gertrude von Schell was van Duitse afkomst, maar had het uiterlijk en voorkomen van Queen Victoria. Net als de koningin droeg ze uitsluitend zwarte kleren. Haar kapsel had een scheiding in het midden en was strak achterovergekamd. Qua leeftijd en starheid deed ze evenmin voor haar onder. Ook vergat ze zelden om haar inmiddels overleden echtgenoot erbij te halen. Baron von Schell die volgens haar alles beter, slimmer en met meer waardigheid gedaan zou hebben en die het ver gebracht had in het leven. Na elke zin kneep ze haar ogen halfdicht. 'Hebt u mij begrepen,' zei ze dan om datgene wat ze had gezegd te benadrukken.
Ze had iets Pruisisch, iets bazigs. Op de eerste dag twijfelde Sarah al of ze het lang zou uithouden bij deze vrouw. Temeer omdat de barones tijdens die eerste kennismaking als waarschuwing ook meteen haar zes voorgangsters bij naam en toenaam noemde en daarbij vertelde hoelang ze waren gebleven.
De barones – ze wilde graag met de Duitse adellijke titel aangesproken worden – ging haar voor naar een zolderkamer, Sarah's onderkomen. De huurprijs werd van haar beslist redelijke loon afgehouden. Sarah had geen keus. Wat moest ze anders?
De barones en Sarah waren de enige leerkrachten aan de *Dame School* van Swaffham. Ambtenaren, handwerkslieden en zakenlui stuurden

hun dochters – variërend in leeftijd van acht tot achttien jaar – naar deze school voor een bescheiden studie en vormingsperiode.
De volgende dag stelde Gertrude von Schell haar voor aan de leerlingen van de bovenbouw. Eerst noteerde Sarah hun namen in een klassenboek, maar toen stokte ze ineens. Op de achterste rij, helemaal rechts, herkende ze de jongen die ze bij aankomst in Swaffham had ontmoet.
'Naam?' vroeg ze ogenschijnlijk zonder dat het haar iets deed, precies zoals ze dat de meisjes had gevraagd.
De jongen stond op en rechtte zijn rug: 'Howard Carter.'
Sarah voelde dat alle ogen van de meisjes op haar gericht waren. Ze verwachtten natuurlijk een of andere reactie. Een opgeschoten knul in een *Dame School?* Door de totaal onverwachte situatie liet ze zich een opmerking ontvallen waar ze meteen erg veel spijt van had: 'O, een haan in het kippenhok...'
De meisjes giechelden. Sommigen hielden een hand voor hun mond. Twee meisjes verstopten zich zelfs onder hun bankjes om te voorkomen dat iedereen zag dat ze een rode kleur hadden gekregen. Sarah keek de jongen alleen maar aan, die van schaamte rood aanliep en toch dapper terugstaarde alsof hij wilde zeggen: Ja, verneder me maar, dat ben ik gewend.
Wat moest ze nu doen? Met veel moeite lukte het haar haar eigen schaamte te verbergen. Ze realiseerde zich namelijk al snel dat geen enkele jongen van zijn leeftijd vrijwillig naar een *Dame School* ging. Ze kon zich dus heel goed voorstellen dat hij haar op dat moment haatte als de pest.
'Het was niet vervelend bedoeld, Carter!' zei ze verontschuldigend. Howard reageerde niet.
Na de les sprak Sarah de barones erop aan. Ze vroeg haar waarom ze niet had verteld dat er een opgeschoten knul in een meisjesklas zat. Door die onverwachte confrontatie was ze immers in een pijnlijke situatie beland.
Gertrude von Schell haalde diep adem, waarbij haar hals opzwol als een varkensblaas. Uiteindelijk zei ze zachtjes, maar met trillende stem: 'Miss Jones, het is niet aan u om mij te bekritiseren. Als u niet opgewassen bent tegen deze taak, dan wil ik graag dat u mij dat onmiddellijk vertelt. Ik zoek dan iemand anders. Hebt u mij begrepen, miss Jones?'
'Ik was alleen maar verbaasd,' stamelde Sarah hulpeloos. 'Ik had niet verwacht dat ik een jongen in een meisjesklas zou aantreffen. Ik voelde me zo overrompeld dat ik een opmerking maakte waar ik nog steeds spijt van heb. Daar moet u zich toch in kunnen verplaatsen?'

'Ik hoef me helemaal nergens in te verplaatsen,' antwoordde de barones bruusk. 'Wat ik wel merk is dat u uw eerste geschiktheidstoets niet doorstaan hebt, miss Jones. De volgende keer kunt u uw papieren bij mij komen afhalen. Hebt u mij begrepen?'
Sarah had de neiging om het klassenboek voor de voeten van die bazige, oude vrouw te smijten en te zeggen dat dat niet nodig was omdat ze zelf haar ontslag wel nam. Op hetzelfde moment herinnerde ze zich de vervelende situatie waarin ze beland was. Ze had namelijk geen rooie cent meer. En de barones betaalde niet slecht. Ze had elke penny nodig. Dus slikte ze haar woede in, ondanks het feit dat ze zich zelden zo vernederd had gevoeld.
Nadat ze enkele dagen voor de klas had gestaan, besefte ze hoe moeilijk Howard Carter het in die meisjesklas had. Hij werd niet gepest of belachelijk gemaakt. Hij was geen slachtoffer. Zijn zelfbewuste persoonlijkheid liet dat niet toe. Nee, de meisjes lieten hem gewoon links liggen. Ze interesseerden zich niet voor hem, ook al deed hij soms ontroerende pogingen om contact te maken.
Daar stond tegenover dat ze merkte dat hij haar meed. Het leek wel of hij voelde dat ze dringend behoefte had om met hem van gedachten te wisselen. En dat was niet gepast, als het ging om de gedragscode tussen een onderwijzeres en haar leerling.
De gelegenheid deed zich onverwacht toch voor. Sarah benutte de eerste warme aprildagen om de omgeving te verkennen waar het lot haar had gebracht.
Vijf kilometer noordelijk van Swaffham, aan de weg naar Fakenham, bevond zich de kloosterruïne Castle Acre. Een verlaten klooster uit de Normandische tijd. Volgens de plaatselijke bewoners was de ruïne gebouwd op de fundamenten van een Romeinse burcht.
Toen ze naar de ruïne boven de rivier de Nar keek, kreeg ze het gevoel dat ze in een oud schilderij van William Turner verzeild was geraakt. Verbaasd hield ze haar pas in. Uiteindelijk liep ze verder om de betoverend mooie ruïne van dichtbij te bekijken. Het was doodstil om haar heen, op het gekwetter van de vogels na. Niets leek zich te bewegen. Terwijl ze naar een smal, hoog raam keek, schrok ze van haastige voetstappen achter haar rug. Ze wilde achter een vooruitstekend gedeelte van een muur kruipen toen ze achter die muur iemand naar voren zag komen die zich plotseling op de grond wierp, alsof hij een dier aan het vangen was.
Ze herkende Howard meteen. Hij lag op zijn buik in het gras en hield onder zijn handen iets gevangen. Voorzichtig pakte hij het diertje op toen hij opeens de vrouw zag die op enige afstand van hem vandaan stond.

'O, miss Jones!' zei hij vriendelijk, waarna hij met de handen op elkaar naar haar toeliep, ernaar knikte en trots zei: 'Ik heb een hagedis gevangen. Wilt u hem zien?'
Sarah schudde heftig haar hoofd. 'Liever niet. Ze zeggen dat hagedissen hun staart verliezen zodra een mens ze aanraakt.'
'Dat is niet waar, miss Jones!' Hij maakte zich boos. 'Salamanders verliezen hun staart zodra ze zich door mensen bedreigd voelen. Bij hagedissen is dat niet zo. Hier, kijk maar!'
Voorzichtig opende hij zijn handen. Net een kooitje waarin de hagedis gevangen zat. Maar nog voordat ze het ongeschonden, glanzend groene reptiel goed konden observeren, kroop het diertje razendsnel over zijn handen, viel op de grond, rende razendsnel weg en verdween in een van de talloze muurspleten. Je zag duidelijk dat de hagedis zijn staart niet was kwijtgeraakt.
'Het spijt me, Howard,' zei Sarah verontschuldigend.
Maar hij vond dat kennelijk niet erg. 'Ik vang wel een andere,' zei hij. 'Hij was sowieso nogal klein voor wat ik ermee van plan was.'
Ze vroeg zich af wat hij dan met dat diertje had willen doen. Eigenlijk vond ze dat hij voor dat soort kwajongensstreken inmiddels wat te oud was. Het leek of hij wist wat ze dacht, want nog voordat ze die vraag kon stellen zei hij: 'Nu wilt u natuurlijk weten waarom ik hagedissen vang, hè? Wacht even...'
Zonder het antwoord af te wachten verdween hij achter de muur. Hij kwam terug met een schetsboek en gaf het haar. 'Ik wil graag alles weten over planten en dieren!' zei hij.
Het schetsboek bevatte wel vijfentwintig kunstzinnige schetsen van struiken, bloemen, vogels en vlinders.
'Hoe vindt u ze?' Hij keek haar vol verwachting aan.
Sarah kon bijna niet geloven dat de jongen ze zelf getekend had. Nog minder kon ze geloven dat dit de Howard Carter was die in de *Dame School* op de achterste rij meestal afwezig voor zich uit zat te staren. Ze observeerde hem nieuwsgierig: zijn brutale lippen, zijn flonkerende pretogen, zijn lange postuur. Anders dan op school sprak hij nu vrij en natuurlijk, zonder dat hij zich geremd voelde. Nadenkend staarde ze hem aan.
'En? Hoe vindt u mijn tekeningen?' herhaalde hij nu nadrukkelijker.
'Goed. Heel goed zelfs,' zei ze stamelend omdat ze in verwarring was gebracht. 'Van wie heb je dat talent?'
Hij haalde zijn schouders op. 'Van mijn vader. Het zit in de familie.'
'Is hij overleden?'
De jongen pakte het schetsboek uit haar hand. 'Wie zegt dat?' Hij fronste zijn wenkbrauwen.

'Mevrouw von Schell had het erover. Ze zei dat twee tantes jou als hun eigen kind hebben aangenomen.'
'Mevrouw von Schell kan zoveel zeggen!'
'Is dat dan niet zo?'
Hij draaide zich om, deed een paar passen naar de muur en zei onderwijl hard: 'Het is niet waar, miss Jones!' Zijn woorden echoden door de ruïne. Vervolgens liep hij terug en zei zachtjes: 'Mijn vader woont in Londen. Mijn moeder ook. Van 's morgens vroeg tot 's avonds laat citeert ze Shakespeare. Ze heeft elf kinderen, maar denkt nog steeds dat ze een beroemd actrice kan worden. Ze is ervan bezeten. Voor de elfde heeft ze dan natuurlijk weinig tijd meer.'
'Dat wist ik niet,' zei Sarah verontschuldigend.
'Van wie moet u dat ook weten?' Het klonk verbitterd. 'Van wie, miss Jones?' Hij zweeg even en zei: 'Maar ik klaag niet. Fanny en Kate, de zussen van mijn vader, zijn als twee moeders voor me. Heb ik nu al uw vragen beantwoord?' Hij slikte.
Sarah merkte hoezeer hij leed onder deze situatie. Ze durfde eigenlijk niets te zeggen wat hem kon opvrolijken. Toen ze het eindelijk voor elkaar kreeg om te reageren op hetgeen hij haar had toevertrouwd, werd haar vrijwel meteen duidelijk dat ze de verkeerde dingen zei. Dwaze dingen. 'Het is niet gemakkelijk om zonder vader en moeder te moeten opgroeien...' zei ze terwijl ze aan haar eigen verleden dacht. De jongen keek haar een tijdje onderzoekend aan, alsof hij erachter probeerde te komen of ze dat zomaar had gezegd of dat ze dat serieus meende. Opeens zei hij: 'Ik kan niet zeggen dat mijn vader en moeder goed voor me gezorgd hebben. Ik heb heel lang geprobeerd erachter te komen wat daarvan de oorzaak was. Op mijn twaalfde las ik stiekem in *Peddler's Magazine* een verhaal waarin ik mezelf herkende.'
'Maar die lectuur is toch niet geschikt voor twaalfjarigen!' Sarah was oprecht verontwaardigd. 'Hoe heb jij jezelf daarin herkend?'
Hij glimlachte schuchter. 'Het verhaal heet *Het winterkoninkje* en gaat over een kleine jongen in Middlesex. Hij voelt zich ongeliefd en onbegrepen. Zijn ouders bekommeren zich amper om hem en hij loopt het liefst over straat. John heeft een hondenleven en vraagt zich af waarom zijn ouders hem onder de hoede van kinderjuffrouwen plaatsen en hem van het ene internaat naar het andere sturen. Hij vindt zichzelf klein, nietig, net een winterkoninkje. Maar ook dom en lelijk. Op een dag hoort hij van de kruideniersvrouw dat zijn moeder geen kinderen meer wilde en alles geprobeerd heeft om abortus te plegen. Ze zou zelfs van een rijdende kar zijn gesprongen om het zover te laten komen...'

'Je moet die verdrietige dingen niet meer lezen, Howard!' viel Sarah hem in de rede. 'Daar ben je veel te jong voor.'
Hij sprak gewoon verder. 'Wacht nou even, u moet weten hoe dat verhaal eindigt,' zei hij.
Ze luisterde.
'John was niet echt snugger, maar hij kon iets waar alle straatjongens hem om bewonderden. Hij gebruikte een ijzeren buis van een waterleiding, die destijds in Middlesex werd aangelegd, om te koorddansen. Hij kon dat zo goed dat iedereen ontzag voor hem kreeg. Toen een koorddansersgroep in de stad een optreden voorbereidde, vroeg hij of hij zijn kunsten mocht vertonen. Moedig klom hij op het koord en liep met de ijzeren buis probleemloos naar de kerktoren. Vanaf die dag was John koorddanser en reisde hij met de groep door heel Engeland en zelfs naar Amerika.'
'Voel jij je ook een winterkoninkje?'
Howard merkte dat ze hem aandachtig observeerde. 'Ik was klein en ziekelijk. Alle openbare scholen wezen me af. Daarom belandde ik uiteindelijk op de *Dame School.* Tussen allemaal nogal onnozele meisjes die de tafel van een en twee nog niet kennen en die willen leren hoe je naaipatronen uit papier knipt. Daar voel ik me na al die jaren echt te groot voor.'
'Vind je het vervelend op deze school?'
Verlegen sloeg hij zijn ogen neer. 'Ik lieg als ik zeg dat dat niet zo is. Maar ja, wat moet ik anders?'
'Droom je er dan niet meer van om later bij wijze van spreken een beroemde koorddanser te worden? Jij bent toch ook heel getalenteerd?'
'Bedoelt u dit?' Hij liet de bladzijden van het schetsboek tussen duim en wijsvinger glijden. 'Is dat genoeg om beroemd te worden?'
'Je moet erin geloven!' benadrukte ze.
Hij staarde haar heel lang aan. Sarah vroeg zich af wat er in hem omging.
Er stak een briesje op. Ze zei dat ze terug wilde gaan voordat het koel werd en vroeg of hij met haar mee wilde lopen.
Howard schudde zijn hoofd en mompelde dat hij liever bleef om nog een hagedis te vangen. Voor die sluipjacht kon je maar beter alleen zijn. Plotseling en zonder afscheid te nemen verdween hij in de tegenovergestelde richting.
Op de terugweg spookten er merkwaardige gedachten door haar hoofd. Op de een of andere manier voelde ze zich verbonden met die jongen en zijn lot. Hoewel zij geen broers en zussen had, wilde dat niet zeggen dat zij een betere jeugd had gehad dan dat elfde

kind uit een groot gezin. Al sinds ze zich kon heugen dacht ze dat ze anderen alleen maar tot last was. Een last omdat haar vader vroeg weduwnaar was geworden. Een last voor de buurvrouw die zich om haar bekommerde en bij wie ze zich voor elke moeite en inspanning die deze zich getroostte moest uitputten in bedankjes. Een last op de *Dame School* van Ipswich waar ze moest bedelen om een vaste aanstelling.
Ze verbaasde zich over het gelaten oordeel waarmee Howard over zijn lot sprak. Zelfmedelijden en machteloze woede – wat je in die situatie kon verwachten van een jongen van zijn leeftijd – was hem kennelijk vreemd. Het leek zelfs of hij door zijn zware lot sterker in het leven stond. Hij was vijftien en eigenlijk nog een kind. Maar in zijn karakter had ze een zeker natuurlijk gezag ontdekt. Een gezag dat ze soms zelf zo graag gewild had.

2

Sarah had geen spaargeld meer. Dat was een ramp. Nu was ze overgeleverd aan de nukken van barones von Schell. Bovendien ging het lesgeven aan de *Dame School* haar niet gemakkelijk af. Hoewel ze in Ipswich wel wat gewend was, waren de meisjes hier tegendraads en tuttig en gedroegen ze zich ongeïnteresseerd.
Nadat ze een maand les had gegeven, liet de barones haar naar haar kamer komen op de bovenverdieping aan het eind van een lange gang. Aan een dubbele, zwart geverfde deur hing een wit emaillen bordje waarop 'Directie' stond.
Sinds haar aankomst in Swaffham had ze deze kamer maar één keer betreden. Net als toen huiverde ze bij de aanblik van het donkere meubilair en de zware, stoffige gordijnen. Het leek of dit vertrek al tientallen jaren lang niet meer bewoond was.
Roerloos zat Gertrude von Schell achter haar bureau, als een beeld uit het wassenbeeldenmuseum van Madame Tussaud. Een verweerd, monsterlijk bureau met zwarte leeuwenklauwen als decoratie. Een bureau dat waarschijnlijk al in de tijd van koning George dienst had gedaan. George III dan wel te verstaan! Boven haar hoofd hing een verweerd schilderij van Queen Victoria, gehuld in een inktzwarte, dikke lijst van hout.
Toen ze naar dat bureau liep, merkte ze dat de barones zeer geagiteerd was. Ze had een vuurrood hoofd en de kleine rode adertjes waarmee haar wangen doortrokken waren, zagen er nu blauwig uit.
'Ga zitten, miss Jones!' zei ze bars. Ze kon haar ergernis nauwelijks bedwingen.

Sarah nam plaats op de enige stoel die voor het bureau stond. Als een misdadigster wachtte ze op het vonnis van de rechter.
Gertrude von Schell rommelde in een stapel paperassen en formulieren. Uiteindelijk haalde ze een velletje papier tevoorschijn, legde het voor zich en streek het glad. 'Weet u wat ik hier voor me heb liggen? Een brief van een vader die zich beklaagt dat zijn dochter slecht begeleid wordt. Zou het kunnen dat deze baan te hoge eisen aan u stelt, miss Jones?'
Te hoge eisen? Hoezo? Dat wilde Sarah haar voor de voeten werpen. Kijk eens naar mijn getuigschriften! Die zijn uitstekend! Vergeleken met de *Dame School* in Ipswich runt u een belachelijk schooltje! Ze zweeg echter schuchter.
De barones balde haar gerimpelde rechterhand tot een vuist en sloeg met haar knokkels hard op het zware, eikenhouten bureaublad. 'Meneer McAllen beklaagt zich over het gebrek aan gezag van de nieuwe leerkracht. Hij schrijft dat zijn twee dochters goed in het gareel gehouden moeten worden en dat het zo niet langer kan. Meneer McAllen is een van de belangrijkste financiers van deze school, miss Jones. Weet u wat er gaat gebeuren als hij zijn dochters van school haalt en ons niet meer betaalt? Dan staan u en ik op straat. Hebt u mij begrepen?'
Sarah knikte vol begrip, hoewel haar niets te verwijten viel wat haar werk aanging. In Ipswich had ze alleen maar lof geoogst voor haar open, vriendelijke aanpak. Ze was niet gewend streng les te geven en met straf te dreigen.
Zoals verwacht beschouwde de barones het zwijgen van Sarah als een schuldbekentenis. Ze dreigde haar zelfs te ontslaan. En dan moest Sarah zichzelf maar zien te redden.
'U kunt gaan!' zei ze tot slot. Ze maakte een fladderende beweging met haar hand.
Met tranen in de ogen nam Sarah de steile trap naar haar zolderkamer waar ze zich snikkend op bed liet vallen. Haar handen trilden van boosheid en ze staarde strak voor zich uit.
Toen ze weer helder kon denken, nam ze een besluit. Ze had het gehad met Swaffham. Ze wilde weg, het maakte niet uit waarheen. Ergens waar ze weer lucht kreeg, waar de sfeer niet verpest was door wantrouwen, boosheid en vijandigheid.
Maar hoe moest ze dat, gelet op haar financiële situatie, voor elkaar krijgen?

Howards ontmoeting met Sarah deed hem minder dan omgekeerd. Zij was inmiddels zijn derde onderwijzeres. Geen van hen had ook

maar de geringste indruk op hem gemaakt. Een *Dame School* was sowieso niet de juiste plaats als het ging om karaktervorming en emotionele ontwikkeling.
Howard was niet bezig met gevoelens. In mentaal opzicht werd hij gekenmerkt door nuchterheid. Hij was allang tot het inzicht gekomen dat zijn toekomst er niet rooskleurig uitzag. Later wilde hij schilder worden, zoals zijn oudere broers Samuel, Vernet en William dat waren. Iets anders was uitgesloten. Schilders waren eenlingen. Die passie paste dan ook goed bij zijn karakter.
Andere jongens zouden het waarschijnlijk moeilijk vinden om als eenling door het leven te gaan. Misschien vonden ze het vervelend om hele middagen aan de dichtbegroeide oever van de Nar door te brengen, waar je sidderende libellen en vuistgrote kikkers kon observeren. Maar terwijl hij tekende en schilderde, had hij juist veel tijd om na te denken. Hij voelde dat zijn jeugd voorbij was en dat hij volwassen werd.
Op een dag kreeg hij van zijn vader Samuel een brief waarin hij aankondigde dat hij op bezoek kwam. Hij wilde poolshoogte komen nemen en het met zijn jongste zoon over diens toekomst hebben.
Het ouderlijk huis van Howard, aan de weg naar Sporle en net buiten Swaffham, zag er niet veel anders uit dan alle andere huizen in de omgeving. Het pand stond op een wantrouwige, bijna angstige manier verstopt achter weelderige heggen, waardoor het onmogelijk was om door het roedenraam zonder gordijnen – zoals in deze contreien gebruikelijk was – een blik naar binnen te werpen. Howards moeder Martha heette met haar meisjesnaam Sands en was de dochter van een bouwkundige uit Swaffham. Ze had dit huis in haar huwelijk ingebracht en er elf kinderen gekregen, wat de elfde echter maar al te graag verzweeg. Hij beschouwde zichzelf als een Londenaar omdat hij in zijn vroege jeugd met zijn ouders in het stadsdeel Brompton had gewoond. Een buurt waar voorname mensen woonden, maar waar ook *mews* stonden, kleine rijtjeshuizen met op de begane grond werkplaatsen en kruidenierswinkels.
Fanny en Kate, de zussen van zijn vader, leken sprekend op elkaar en hadden hun zondagse kleren aangetrokken: een lange, donkere rok en een witte blouse met ruches. Ze namen ieder aan een kant van de open haard plaats, als porseleinen honden uit Chelsea of Staffordshire die de portalen van voorname huizen bewaakten. Bovendien keken ze streng. Howard kon met veel moeite ernstig blijven. Toen hij zijn vader zag, kreeg hij echter een bang voorgevoel.
Zijn vader was een baardige man met een golvende, grijze haardos. Hij deed meer denken aan een filosofieprofessor uit Oxford dan aan

iemand die als zelfstandige de kost verdiende met dieren schilderen. Bovendien was hij niet zo oud als hij eruitzag. Met de handen op de rug ging hij voor Howard staan, alsof hij een donderpreek ging houden, maar begon heel terughoudend. 'Beste jongen, een week geleden ben je vijftien geworden. Naar aanleiding daarvan heb ik over jouw toekomst nagedacht.'
Fanny en Kate bejegenden hun broer met groot respect en knikten instemmend als twee nonnen, alsof ze al wisten wat hij ging zeggen.
'Op jouw leeftijd weet je nog niet goed wat je met je leven wilt,' vervolgde Samuel Carter. 'Feit is wel dat ik niet eeuwig kostgeld kan betalen. We gaan onzekere tijden tegemoet. De regering wil zelfs Helgoland aan de Duitsers verkwanselen. Het lijkt wel of het Britse imperium in de uitverkoop is.'
Fanny en Kate schudden verontwaardigd hun hoofd, alsof Samuel iets verschrikkelijks had verkondigd.
Uiteindelijk zei hij: 'Wie in deze tijd een vast inkomen heeft, mag zich gelukkig prijzen. Ik heb geïnformeerd of er ergens een geschikte baan voor je is. Helaas. Ja, je kunt in de mijnen in Midden-Engeland gaan werken. Of als ingewandenverwerker in de Londense slachterijen. Voor twee shilling per week. Of voor een kwartje per week sjouwen in de haven. Maar dat is niks voor jou, Howard! Ik heb ook in de familie rondgevraagd. In de haven van Harwich leidt een neef van je moeder het douanekantoor. Hij wil jou voor twee shilling per week inhuren als boodschappenjongen. Met kost en inwoning. Het is niet veel, ik weet het, en op het eerste gezicht zit een veelbelovende carrière er evenmin in. Maar volgens Harold kun je je op termijn zeker opwerken tot kantoorchef. Ik heb tegen hem gezegd dat je eind van dit schooljaar kunt beginnen.'
'Als boodschappenjongen?' stamelde Howard mat. Hij was met stomheid geslagen, niet in staat op te springen en te protesteren. Hij zou het liefst in huilen uitbarsten en was verschrikkelijk boos op zijn vader. Boodschappenjongen voor twee shilling per week! Een stemmetje in zijn hoofd schreeuwde: Nee, nee, nee!
'Ik hoop dat je het eens bent met mijn besluit,' voegde Samuel eraan toe. Het klonk bijna als een verontschuldiging, want de reactie van zijn zoon was hem niet ontgaan. 'Zeg wat je ervan vindt!'
Zwijgend staarde Howard uit het raam. Het leek of de avondlucht in het oosten rood kleurde. In het oosten? Hij stond op en opende het venster. 'Er is ergens brand,' riep hij opgewonden. 'In Sporle!' Hij rende het huis uit.
Het dorp lag ongeveer anderhalve kilometer verder. Van ver zag hij de rook die opsteeg uit het midden van de huizenrij. Hij holde er-

heen en wist niet waarom de vuurgloed zo'n aantrekkingskracht op hem uitoefende.
Hoe dichter hij de brand naderde, hoe meer mensen hij tegenkwam. 'Brand!' riepen ze als in een roes. 'Brand, brand!'
In Sporle stond de touwslagerij in de fik. Een klein witgeschilderd pand waarvan het grote dak het huis bijna de grond leek in te drukken. Uit het dak sloegen gele en blauwe vlammen.
Gefascineerd staarde Howard naar het huiveringwekkende schouwspel en naar de mensen die ogenschijnlijk doelloos rondrenden en opgewonden om brandslangen riepen. Boven die kakofonie uit klonk opeens het verre, maar snerpende klokgelui van de St. Petrus en Paulus. De vlammen reikten steeds hoger. Howard keek angstig toe en zag opeens dat de ruit van een dakvenster brak.
Aanvankelijk dacht hij dat de ruit van het kleine dakraam door de hitte was gesprongen. Opeens ontdekte hij in de opening handen die iets vasthielden. En een gezicht. In de rook herkende hij een meisje dat met open mond naar adem hapte. Ze riep niet om hulp. Ze snakte alleen naar frisse lucht. Howard keek om zich heen, maar in het tumult leek niemand dat meisje te zien.
Moed was niet een van de kenmerkende karaktertrekken van Howard. Maar in deze onverwachte situatie toonde hij zich plotseling zo dapper dat hij zich daar later, toen alles voorbij was, over verwonderde. Toen de gehelmde brandweermannen een inmiddels aangesleepte brandslang in stelling brachten, trok Howard een emmer uit handen van een man met een ooglap voor, goot het water over zijn hoofd en rende daarna zonder na te denken en zonder dat iemand hem kon tegenhouden het brandende huis in.
Het duurde even voordat hij zich kon oriënteren. Intuïtief hield hij een elleboog voor zijn mond en neus terwijl hij voorzichtig om zich heen tastend door de bijtende rook over de smalle trap bij de voordeur naar boven ging. Hoewel hij amper een hand voor ogen zag, wist hij toch heel goed in welke richting hij moest lopen. Toen hij op de overloop was, draaide hij zich om en liep stapje voor stapje in de tegenovergestelde richting. Opeens botste hij met zijn hoofd tegen een muur, waardoor hij zijn elleboog – waarmee hij zich beschermde tegen de rook – moest laten zakken. Hij had nu beide handen nodig om zijwaarts verder te schuifelen. Hier ergens moest het meisje zijn. Inmiddels kreeg hij bijna geen lucht meer.
Boven het sissen en kraken uit hoorde hij opeens iemand hoesten en hijgen. Hier moest het meisje dus zijn. 'Hallo!' riep hij terwijl hij gebukt verder liep. 'Hallo, waar ben je?' Hij kreeg geen antwoord. Hij merkte dat hij beter kon ademen naarmate hij zich dieper bukte.

Uiteindelijk kroop hij in de richting waar hij het levensteken had gehoord. Onderwijl probeerde hij zich de terugweg in te prenten. Plotseling voelde hij iets met zijn rechterhand. Hij greep ernaar. Prompt wist hij het zeker: voor hem lag het meisje op de vloer. Het leek of ze bewusteloos was.
Het lukte hem om de armen van het meisje vast te pakken, waarna hij moeizaam overeind kwam en haar achterwaarts over de overloop naar de trap sleepte op de manier zoals hij zich de terugweg had voorgesteld. Dat kostte veel moeite omdat het meisje bewusteloos was, of misschien zelfs dood. Hij hoestte en snakte naar lucht, alsof zijn longen het elk moment konden begeven.
Intussen had ook de overloop vlam gevat. De vloer zwol op, een bijtende stank benam hem de adem. Zijn ogen traanden en hij wist opeens niet meer waar hij zich precies bevond. Het had dan ook niet veel gescheeld of hij was achterover van de trap gevallen. Alleen het gewicht van het meisje dat op de overloop lag, voorkwam dat dat gebeurde.
Hij sleepte het bewusteloze meisje, dat op haar rug lag, achter zich aan en worstelde zich vier, vijf treden naar beneden. Daarna probeerde hij haar op de schouder te nemen, maar opeens kwam ze bij bewustzijn. In doodsangst greep ze zich vast aan zijn doorweekte kleren. Hoestend, kokhalzend en naar adem happend bereikten beiden de voordeur terwijl zij zich aan hem vastklampte.
Met het laatste beetje kracht dat hij nog over had, nam hij haar over zijn schouder. Gebukt liep hij met haar naar buiten, waar inmiddels tientallen mannen de brand hielpen blussen. Uit een brandslang spoot een krachtige waterstraal richting het dak dat nu in lichterlaaie stond. De mensen renden roepend en schreeuwend rond, waardoor het amper opviel dat Howard opeens met het meisje over zijn schouder bij de voordeur in de rook stond.
Alleen een potige kerel uit Swaffham – Howard kende hem van gezicht – sprong wild om zich heen zwaaiend en hard schreeuwend op hem af, nam het hoestende meisje van hem over en droeg haar in zijn armen weg van het brandende huis. 'Kijk, ze leeft nog!' riep hij telkens.
Howard was buiten adem en strompelde over de straat tot hij bij een gevel uitgeput op de grond zakte en het bewustzijn verloor.
Toen hij in de ochtendschemering onder het roet, haveloos en uitgeput naar huis terugkeerde, was zijn vader al vertrokken. Fanny en Kate vonden het niet gepast om je aan een brand en aan de ellende van andere mensen te vergapen. Het geld voor nieuwe kleren zou van het kostgeld worden afgehouden.

De woning van touwslager Hackleton kon niet meer gered worden en brandde tot de grond toe af. Het zorgde nog lang voor veel gespreksstof. Niet alleen omdat Hackleton en zijn vrouw zich tijdens de brand ver weg in Little Dunham ophielden, maar ook omdat naar verluidt de roodharige vrouw van de touwslager door de duivel bezeten was. De redding van Jane Hackleton, de dochter van de touwslager, zorgde echter voor nog meer opwinding.
In de krant verscheen een groot artikel met als kop: 'Robert Spink, de held van Sporle'. Daarin vertelde de zoon van een fabrikant uit Swaffham hoe hij het meisje uit de vlammen gered had.
Howard was razend. Hij had geen dank verwacht voor wat hij had gedaan, en al helemaal geen publieke erkenning, maar hij kon niet verdragen dat iemand anders zich op de borst klopte door te zeggen dat hij het meisje gered had.
Hij had deze zaak laten rusten als hij geweten had dat het voorval op die avond gevolgen zou hebben voor zijn verdere leven. Maar de wegen van het leven zijn ondoorgrondelijk en je weet nooit waarheen die uiteindelijk leiden.
Bij wie kon hij terecht?
Hij vertelde het hele verhaal aan Sarah. Zij toonde begrip voor zijn situatie en raadde hem aan om Robert Spink ter verantwoording te roepen. Als Howard dat niet deed, zou het onrecht zijn hele leven aan hem blijven knagen.
In heel Swaffham stond de zoon van de fabrikant bekend als verwaand en arrogant. Velen vroegen zich af hoe uitgerekend hij in staat was geweest tot deze onzelfzuchtige heldendaad. Gewoonlijk pronkte hij alleen maar met het geld van zijn vader en met het Latijn dat hij in Cambridge geleerd had. Na enkele dagen ging Howard de confrontatie aan.
De familie Spink woonde in een landhuis aan de westrand van de stad. Op het parkachtige terrein stonden reusachtige eiken en coniferen waarvan de takken breed boven het gazon hingen. Een brede, keurige oprijlaan van rode natuursteen die ervoor zorgde dat vreemden meteen ontzag kregen voor deze overduidelijk rijke mensen, voerde vanaf de poort van wit geverfd houtwerk tot bij de zuilen van de entree.
Bij de deur werd hij ontvangen door een butler. Gemaakt beleefd vroeg hij Howard naar de reden van diens bezoek en wie hij mocht aankondigen. Toen de butler na een tijdje terugkwam, zei hij dat de jongeheer, zoals hij Robert noemde, niet thuis was maar dat Howard best een berichtje mocht achterlaten.
Howard schudde zijn hoofd, draaide zich om en liep weg. Hij ge-

loofde de butler niet. Bij de poort kwam hij de tuinman tegen. Hij vroeg hem of hij wist waar Robert uithing.
'Ik heb hem net nog gezien,' zei de hovenier. 'Hij kan niet ver zijn.'
Howard besloot te doen alsof hij wegliep. Hij gaf niet op. Eenmaal uit het zicht van het huis klom hij over de muur die het landgoed omringde en stapte uiteindelijk vanaf de terraskant naar de woning. Daar liep hij Robert Spink bijna letterlijk tegen het lijf.
Voor beiden was die ontmoeting zo onverwacht dat ze elkaar een paar seconden lang zwijgend aanstaarden. Ze waren bijna even lang. Robert was echter een forsgebouwde kerel en in blakende gezondheid. Howard was daarentegen mager en hij oogde tenger. Daarom was wat toen gebeurde des te verrassender: Howard haalde uit en verkocht Spink een kletsende oorvijg.
Kennelijk was Spink zo verbouwereerd door de moed van die zwakkeling dat hij zich niet verweerde en bedremmeld zijn ogen neersloeg als een kind dat net betrapt was op een leugen.
'Waarom heb je de boel bedonderd?' vroeg Howard rustig. Zijn ogen flonkerden echter van woede.
Het leek of Robert bekomen was van de schrik, want voor het eerst grijnsde hij cynisch en zei minachtend: 'Denk je soms dat ik niet in staat was dat meisje uit dat brandende huis te halen?'
'Waarom heb je het dan niet gedaan?' riep Howard.
'Dat heb ik toch gedaan? Het staat in alle kranten.'
'Je weet heel goed dat dat niet waar is! Je bent een zielige leugenaar!'
'Dat vind jij, Carter!'
'Ja, dat vind ik.'
'Niemand zal je geloven, hoor je? Niemand!'
Howard wreef met een hand over zijn gezicht. Die vent had gelijk. Niemand zou hem geloven. Zeker niet nu het al een week geleden was.
De schaamteloze grijns van Spink verdween. 'Ik wil je een voorstel doen, Carter. Jij krijgt van mij twee pond en we vergeten de zaak, oké?'
Nog voordat Howard antwoord kon geven, en nog voordat hij zich ervan bewust werd hoe beledigend het voorstel was, drukte Spink twee pond in zijn hand en liep weg. Uiteindelijk draaide hij zich nog een keer om, stak zijn wijsvinger bezwerend naar hem uit en zei: 'Nog een goeie raad: Doe dat nooit meer! Nooit meer, hoor je?'
Bedremmeld keek Howard naar de twee pond in zijn hand terwijl hij terugliep naar de poort. Twee pond. Dat was veel geld voor een jongen van zijn komaf. Maar meteen schoot de gedachte door hem heen: Heb jij dan geen eergevoel, Howard? De waarheid is niet te koop.

Halverwege de poort kwam hij de tuinman tegen. De man knikte hem vriendelijk toe.
Howard hield hem tegen, gaf hem de twee pond en zei: 'Geef ze aan Robert en zeg dat een Carter zich niet laat omkopen. Niet door een Spink!'

Met haar eerste salaris – Gertrude von Schell had correct en punctueel uitbetaald – ging Sarah naar het George Commercial Hotel om haar achterstallige huur te betalen.
Hazelford was een kleine, sluw kijkende maar zeer vriendelijke man. Hij vroeg of ze gewend was in Swaffham en of de politie de dief van haar spaargeld al op het spoor was.
'Het zal nog wel even duren voordat ik hier mijn draai heb gevonden,' zei Sarah vriendelijk. 'En de politie heeft twee weken lang niets meer van zich laten horen. Hopelijk is het onderzoek niet gestaakt.'
Hazelford knikte ijverig en schraapte zijn keel, alsof hij iets wilde zeggen. Uiteindelijk riep hij over zijn schouder naar de gang, die naar de binnenplaats voerde: 'Owen, miss Jones is hier!' Daarna zei hij tegen Sarah: 'Ik weet niet of het u interesseert, miss Jones, maar Owen heeft een interessante ontdekking gedaan. Maar dat kan hij u beter zelf vertellen.'
De zoon van de hoteleigenaar was qua uiterlijk de tegenpool van zijn vader. Een lange, slungelachtige kerel die er niet snugger uitzag.
'Vertel de juffrouw wat je gezien hebt,' commandeerde Hazelford toen Owen eindelijk naar binnen liep.
'Nou ja, dat was met die koffer,' begon hij terwijl hij verlegen zijn ogen neersloeg. 'Het schemerde al toen ik op de plaats aankwam waar u zei dat ik die koffer moest halen. Toen ik daar niemand zag staan, keek ik natuurlijk om me heen. U zei dat een oude man op die koffer zou passen.'
Ongeduldig gaf Hazelford zijn zoon een por in de zij. 'Ja, ja! Vooruit, schiet op. Vertel eindelijk wat je gezien hebt!'
Owen haalde zijn schouders op. 'Ik zeg dit natuurlijk niet graag, omdat ik niets kan bewijzen, miss. Ik vertel het alleen omdat ik er ook van verdacht word dat geld gejat te hebben. Ik was het zeker niet, miss, dat moet u van me aannemen.'
Sarah knikte. Ook zij werd langzamerhand ongeduldig.
'Het zat zo,' zei de zoon van de waard. 'Toen ik me omdraaide om te kijken waar die oude man gebleven was, zag ik voor het huis van de apotheker... nog geen vijftig meter verder... een lange, slungelige jongen. Volgens mij was het Carter.'
'Howard Carter?' Het klonk alsof ze van de wijs was gebracht.

'Ja, die! Maar daarmee wil natuurlijk niet gezegd zijn dat, eh... dat hij... begrijpt u?'
'Heb je dat tijdens het verhoor ook aan de politie verteld?'
'Nee, miss Jones, niet met zoveel woorden. Ik kan het me namelijk nu pas herinneren. Toen leek het niet van belang.'
'Dat is nog maar zeer de vraag!'
'Dat weet ik.' Verlegen haalde hij zijn schouders op. Zijn vader knikte instemmend.
Haastig legde ze het geld voor de achterstallige huur op de tapkast en na een afscheidsgroet verliet ze het hotel.
Op weg naar huis dacht ze koortsachtig na. Had ze zich dan zo vergist in Howard? Zeker, hij was een buitenbeentje. Maar ze kon zich niet voorstellen dat hij ook een achterbakse dief was. En waarom had Owen Hazelford datgene wat hij gezien had verzwegen?
De volgende dag tijdens de les observeerde Sarah hem met een kritischer blik zonder dat hij dat merkte. Ze voelde zich zeer ongemakkelijk bij de gedachte dat hij haar moeizaam gespaarde geld gestolen had. Opnieuw liet ze de gebeurtenissen na aankomst in Swaffham in gedachten de revue passeren. Ze kon zich niet herinneren dat ze die jongen tijdens hun korte ontmoeting op welke manier dan ook een hint had gegeven dat in haar zware koffer al haar spaargeld was opgeborgen. Uiteindelijk besloot ze iets te bedenken om ervoor te zorgen dat hij haar dat geld probleemloos en ongemerkt terug kon geven.
Na de les vroeg ze hem even te blijven in het klaslokaal. Hij moest haar zogenaamd helpen met het ophangen van een landkaart. Toen de meisjes vertrokken waren, liep Howard naar voren, keek haar met half dichtgeknepen ogen aan en zei zelfverzekerd, bijna hautain: 'Ik heb heus wel gemerkt dat u de hele tijd naar me staarde!'
Howard was veranderd. Sinds iemand anders beweerde de dochter van de touwslager uit het brandende huis te hebben gered, gedroeg hij zich tegendraads, opstandig en boos. Zijn goedmoedige aard leek opeens verdwenen. Sarah had moeite om in deze situatie de juiste woorden te vinden. Uiteindelijk zei ze: 'Ik heb me zorgen over jou gemaakt, Howard. Eigenlijk vraag ik me de hele tijd af of ik me echt zo in jou heb vergist.'
'Wat bedoelt u?' Hij bleef haar strak aankijken.
Ze liep naar het raam, staarde naar de plompe kerktoren van de St. Petrus en Paulus en zei zonder hem aan te kijken: 'Je weet dat toen ik in Swaffham arriveerde iemand mijn geld gestolen heeft.'
'Ja. Ik vind dat heel erg. Maar ik heb het niet gedaan!'
Sarah draaide zich om. 'Iemand heeft gezien dat je je in de buurt van mijn koffer ophield.'

'Wie?'
'Owen Hazelford, die later mijn bagage heeft opgehaald.'
Hij lachte wrang. 'O hij! Hazelford is een zuiplap. Hij kan lezen noch schrijven. En u gelooft hem?'
Ze liep naar hem toe. 'Waarom liet je me met die koffer zitten?'
'Ik vond het te pijnlijk.'
'Wat vond je te pijnlijk?'
'U zei dat u de nieuwe onderwijzeres van de *Dame School* zou worden. Ik vond het te pijnlijk om te moeten zeggen dat ik op die school zit. Daarom ben ik ervandoor gegaan. Dat was misschien stom van me.'
'Waar ben je heen gegaan?'
'Hoezo? Ik liep gewoon weg. Maar ik heb u steeds vanaf een afstandje in de gaten gehouden.'
'Dan heeft Owen Hazelford dus gelijk.'
Hij aarzelde. 'Als u het zo bekijkt,' zei hij uiteindelijk. 'Maar dat wil niet zeggen dat ik uw koffer heb opengemaakt. Of gelooft u serieus van wel?'
'Niet per se. Maar je had er wel de gelegenheid toe.'
'Denkt u nou echt dat ik u bestolen heb, miss Jones?' schreeuwde Howard, alsof ze hem met een mes in de borst stak. 'Doe dan aangifte bij de politie! Vertel dat er in uw klas een verwaarloosde knul zit die geen ouderlijk huis heeft. Iemand die niet weet hoe hij de volgende maand zijn kostgeld moet betalen. Natuurlijk kan niemand anders uw geld gejat hebben!'
Sarah hoorde dat hij de deur achter zich dichtsloeg. Ze liep naar het raam en keek hoe hij kennelijk helemaal van streek het schoolgebouw uitliep en richting marktplein ging.

3

Tweemaal per jaar veranderde het marktplein van Swaffham in een bruisend pretpark. Sinds mensenheugenis verschenen in de lente en herfst rondom het paviljoen op het anders zo rustige plein stalletjes, tenten, stoomcarrousels en andere attracties. Het publiek kwam van heinde en verre – van Thetford, King's Lynn en Downham Market – om zich hier te amuseren. Onder hen zelfs deftige lui van de omliggende landgoederen. Mensen die zich verder zelden in Swaffham lieten zien. Maar de kermis trok ook het gepeupel, de bedelaars en kreupelen aan. Op die dagen konden ze immers meer aalmoezen in de wacht slepen dan anders.
Boven het dorp hing een onzichtbare geurwolk van gebraden rund-

vlees, amandelgebak en brandewijn. De stank van blatende schapen en geiten mengde zich met de geur van inheemse kruiden en specerijen uit Indië. Veehandelaren prezen luidkeels de uitstekende kenmerken van hun vee aan en waren eventueel zelfs bereid de dieren voor de ogen van de klant te slachten en te ontweien.
In de tenten en achter schermen, gespannen tussen palen, was er van alles te beleven. Voor een kwartje kon je in de openlucht een stier met vijf poten bewonderen, en de dikste vrouw ter wereld van dichtbij bekijken. Als lunch at ze glasscherven alsof het biscuitjes waren, en ze kon met haar borsten een volwassen man een por geven en vloeren. Voor de ingang stond een stoomdraaiorgel zo groot als een circuswagen en net zo kleurrijk beschilderd. Erboven stond in een halve cirkel geschreven: 'De grootste show ter wereld'. De verzilverde orgelpijpen, van verschillende lengtes, waren geflankeerd door vier levensgrote, schaars geklede feeën van hout. Met hun scharnierende armen sloegen ze als vanzelf op trommels en triangels. Hoofden met bolle wangen maakten hoekige bewegingen terwijl de ogen van links naar rechts draaiden, al dan niet op de maat van de muziek, vooral marsen en polka's. Menig meisje dat nog nooit de gekunstelde bewegingen van deze technische wonderen had gezien, sloeg krijsend de handen voor het gezicht, alsof ze spoken zag.
Op een rond podium, dat als een grote trommel beschilderd was met rode en blauwe ruiten en dat pal voor het stoomdraaiorgel was opgebouwd, prees een zeer voornaam uitziende variétédirecteur zijn bedrijf aan. Hij was gekleed in een rokkostuum en had een grijze, halfhoge cilinderhoed op. Zijn grote krulsnor had soms op een verontrustende manier de neiging om van zijn bovenlip te vallen. 'Dames en heren, dit is de sensationeelste show tussen Novosibirsk en Alaska, Spitsbergen en Vuurland. Zelfs in Amerika, waar alles kan en bestaat, werd deze show in alle kranten "De grootste show ter wereld" genoemd. Onze show wordt in alle grote steden ter wereld vertoond. In Londen, New York, Rome en Berlijn, overal waar publiek komt kijken dat verstand heeft van kunst. Alleen bij wijze van uitzondering en door toevallige omstandigheden zijn we nu in...'
'Swaffham!' riep iemand uit het publiek.
'... zijn we nu in Swaffham, omdat hier naar verluidt mensen met verstand van kunst wonen zoals je die nergens anders in het Verenigd Koninkrijk vindt.'
De toeschouwers joelden en applaudisseerden van plezier. Voortdurend riep de variétédirecteur: 'Kom binnen, kom binnen! De toegangsprijs hoort eigenlijk twee shilling te zijn, maar nu we in...'

'Swaffham!'
'... maar nu we in Swaffham zijn, betaalt u maar een Sixpence. Kom binnen! Dit maakt u nooit meer mee! Kom binnen!'
De toespraak had effect. Jong en oud verdrong zich bij de ingang. Ernaast bevond zich een bord waarop stond: 'Kermishulpen gezocht die mee willen reizen!' Overal hingen petroleumlampen. Iedereen wilde de sensationele acts zien, en vooral weten wie er nog meer kwam kijken. Onder hen bevond zich ook Sarah Jones. Ze werd begeleid door Charles Chambers, muziekleraar en organist van de St. Petrus en Paulus.
Chambers was een kleine, gezellige man met krullend, zilverwit haar. Sinds Sarah in Swaffham was gearriveerd, probeerde hij haar te versieren. Hij nam bloemen voor haar mee, nodigde haar vaak uit om een wandelingetje te maken en had zulke goede manieren dat je zou denken dat hij uit de vorige eeuw stamde. Dat werd nog eens versterkt door de ouderwetse manier waarop hij gekleed ging. Op school hielden de kinderen hem soms voor de gek als hij in kniebroek en fluwelen rokkostuum kwam opdagen om muziekles te geven.
Zijn genegenheid voor Sarah was oprecht. Hoewel ze dat leuk vond, waren die gevoelens geenszins wederzijds. Ze kon zich moeilijk voorstellen dat Charles überhaupt in staat was meer bewondering voor een vrouw op te brengen dan voor Händel of Haydn. Dus gingen de gesprekjes vaker over muziek dan over gevoelens. Ze vond dat best plezierig, maar het droeg niet bij aan de verdieping van hun relatie. Ze had veel moeite gedaan om hem zover te krijgen dat hij met haar meeging naar de jaarmarkt en ze merkte duidelijk aan hem dat hij zich in deze omgeving niet op zijn gemak voelde.
'Zullen we dan maar teruggaan?' vroeg ze. 'Ik zie aan uw neus dat u dit verschrikkelijk vindt.'
Hij reageerde verontwaardigd. 'Wat denkt u wel? Als ik bij u ben, is elk uitstapje een genoegen.' Desondanks kon hij non-verbaal niet verhullen hoe hij er werkelijk over dacht.
Ze keek hem onderzoekend aan. Hij werd er verlegen van. 'Goed, eerlijk gezegd ben ik nooit zo enthousiast over jaarmarkten,' gaf hij toe.
'Laten we dan ergens anders heen gaan...' Ze hield haar pas in. Want nog geen tien meter verder zag ze Owen Hazelford en Robert Spink met de dochters van McAllen. Wild gebarend waren ze met elkaar in gesprek. Alsof ze geen belangstelling hadden voor de attracties om hen heen.
Sarah duwde Charles voor zich uit en ging met hem achter een huifkar staan.

'Wat krijgen we nou?' zei de musicus nieuwsgierig. 'Vindt u het vervelend dat we samen gezien worden?'
'Nee, er is een andere reden waarom ik dit doe.' Ze gluurde naar de jongelui.
Hij hield zijn hoofd een beetje schuin en zei nogal verontwaardigd: 'We zijn niet verloofd of getrouwd, dat is zo, maar u hoeft zich toch niet voor mij te schamen?'
'Nee, u begrijpt het niet!' suste ze de overgevoelige Chambers. Ze legde een hand op zijn borst. 'Ik zal u zo uitleggen waarom we verstoppertje spelen. Dan zult u het begrijpen.'
Hij werd opgetogen van haar tedere geste en hoefde opeens geen verklaring meer waarom ze zich zo gedroeg. 'Zoals ik u al verteld heb, heeft iemand vlak nadat ik in Swaffham was gearriveerd al mijn geld gestolen,' zei ze. 'Gisteren zei Owen Hazelford, de zoon van de hotelier, tegen me dat toen hij mijn koffer ophaalde hij gezien had dat Carter zich bij mijn bagage ophield.'
'Dat zou ik heel serieus nemen! Ik ken die knaap. Een eenling. Een nogal merkwaardige knul.'
'Dat is misschien zo. Aanvankelijk was ik er ook van overtuigd dat er niet meer aanwijzingen nodig waren. Maar nu ik er over nadenk, begin ik het steeds onwaarschijnlijker te vinden dat hij er iets mee te maken heeft.'
'Hoezo? Er is een getuige...'
'Maar niet meer dan dat.'
'Wat spreekt tegen de verklaring van Hazelford? Ik begrijp het niet!'
Ze nam hem bij de arm. 'Kom!' zei ze terwijl ze verder liepen. 'Het is toch raar dat Owen Hazelford tijdens het verhoor verklaart dat hij niemand gezien heeft? En enkele weken later herinnert hij zich opeens Howard Carter.'
'Dat is inderdaad vreemd. Maar niet onmogelijk! U weet toch, miss Jones, dat het de leeftijd kan zijn? In de hoofden van die jongelui spelen zich allerlei onverklaarbare dingen af. Waarom wilt u niet dat Hazelford u ziet?'
'Ik realiseer me nu pas dat Hazelford en Spink bevriend zijn. Hij mag er niet achter komen dat ik dat weet. Ik vind hem een onnozele hals. Zeker geen gezelschap voor Spink. Die is niet geïnteresseerd in jongens van zijn kaliber. Ik kan me goed voorstellen dat hij de dochters van McAllen opzoekt. Maar bij Hazelford heeft hij toch niets te zoeken? Volgens mij ziet hij Owen als een nutteloze idioot die hij voor zijn karretje kan spannen.'
'Denkt u dat Spink die diefstal in de schoenen van Carter wil schuiven? Met hulp van Hazelford? Maar waarom zou Spink dat doen?'

Sarah haalde haar schouders op. 'Het kwam zomaar bij me op. Carter en Spink haten elkaar als de pest sinds Spink beweert dat hij het meisje uit dat brandende huis heeft gered. Carter zegt dat hij haar uit het huis heeft gedragen. Maar toen ze buiten stonden, ging Spink met haar aan de haal.'
'Gelooft u Carter?'
'Waarom zou ik hem niet geloven?'
'Geldingsdrang. Eerzucht. Egoïsme. Redenen genoeg, miss Jones.'
'Ik kan natuurlijk niets uitsluiten. Maar zou u die karaktereigenschappen niet eerder aan Spink toeschrijven?'
Hij hield zijn pas in. Ze bevonden zich nu wat verder van het bruisende marktplein vandaan. De schelle tonen van het stoomdraaiorgel waren nog steeds goed te horen. 'U vindt Carter aardig, hè?'
'Ik heb hem geconfronteerd met de uitspraken van Hazelford. Dat had ik misschien niet moeten doen.'
'Ach, hebt u hem dat verteld? Hoe reageerde hij daarop?'
'Hij liep weg. Volgens mij huilde hij.'
'Dat kan van alles betekenen,' zei Chambers afwijzend. Hij keek naar een jongen van een jaar of tien die bij de straatrand stond en de indruk maakte dat hij zich verveelde.
'Hé, kom eens even hier!' riep Chambers.
De jongen gehoorzaamde traag en met tegenzin.
'Interesseer je je niet voor de jaarmarkt?'
De jongen keek beteuterd en stak de handen in de zakken van zijn kniebroek. Hij haalde de voering eruit en zei mismoedig: 'Waarmee dan, meneer?'
Chambers boog zich naar hem toe en fluisterde in zijn oor: 'Je kunt een Sixpence verdienen. Ik heb een orgeltrapper nodig.'
'Voor een Sixpence doe ik alles wat u maar wilt, meneer. Wat moet ik doen?'
'Zoals ik al zei, voor orgeltrapper spelen in de St. Petrus en Paulus.'
'Doe ik, meneer.'
'Ik wil graag wat voor u spelen, als u dat goed vindt,' zei Chambers tegen Sarah. 'Met een arm maakte hij een uitnodigend gebaar naar de kerk.
Ze kleurde. 'Gaat u voor me spelen op het kerkorgel? U maakt me verlegen.'
'Dat zou ik heerlijk vinden. Kom!'
In de kerk nam ze plaats in de achterste kerkbank terwijl hij en de jongen de trap namen naar het oksaal. Voordat Charles begon, boog hij zich over het oksaal heen en riep ingehouden naar Sarah: 'Uit *La Traviata* van Verdi: *Ach, dieser Liebe gewaltige Zaubermacht.*'

Toen hij uitgespeeld was, bleef het stil in de St. Petrus en Paulus. Hij gaf de jongen het kwartje dat hij hem beloofd had en haastte zich de trap af.
Beneden ging hij naar haar op zoek. Maar de kerkbank waarin ze gezeten had was leeg.

Op maandagochtend viel het Sarah meteen op dat Howard Carter niet aanwezig was in de les. Ze had daar geen goed gevoel over en verweet zichzelf dat ze het met hem had gehad over de beschuldiging van Hazelford. Toen ze Spink en Hazelford samen zag, besefte ze dat het doorgestoken kaart was. Ze geloofde simpelweg niet dat Howard in staat was haar te bestelen.
Tijdens de les kon Sarah zich moeilijk concentreren. Ze versprak zich steeds, stamelde en na een uurtje lesgeven stuurde ze de meisjes van haar klas naar huis. Ze zei dat ze zich niet lekker voelde.
Ze begaf zich echter meteen naar de Sporle Road, waar Howard bij zijn tantes Fanny en Kate inwoonde. Ze trof de twee vrouwen voor hun huis aan terwijl ze druk in gesprek waren. Het leek of ze boven het gekwetter van de vogels in de bomen uit probeerden te komen.
'Ik ben miss Jones van de *Dame School,*' riep Sarah van ver. 'Waar is Howard?'
Fanny, de oudste, had dit bezoek niet verwacht. Aarzelend deed ze een paar stappen in haar richting. Je kon zien dat ze de situatie pijnlijk vond. Sarah dacht zelfs dat ze gehuild had.
'Ik heb steeds al tegen mijn broer gezegd dat hij hem niet zo moet betuttelen. Howard is een gevoelige jongen. Wij kennen hem veel beter.' Fanny wenkte haar zus naar zich toe en zei: 'Miss Jones is de onderwijzeres van Howard. Dat was ze in elk geval.'
'Hoe bedoelt u?' Sarah keek Fanny onderzoekend aan.
Ze gebaarde naar Kate, waarna haar zus een opgevouwen stuk papier uit de zak van haar ruimvallende rok haalde en het aan Sarah gaf.
'Hij is vertrokken,' legde Fanny uit. Kate had nog steeds geen woord gezegd. 'Deze brief lag vanmorgen op de keukentafel. Lees maar wat erin staat, miss Jones!'
Sarah vouwde de brief open en las:
Maak jullie geen zorgen en vooral geen verwijten. Als jullie dit lezen ben ik allang vertrokken. Ik wil een nieuw leven beginnen. Ik zie gewoon geen andere mogelijkheid. Ik hoop dat jullie dat begrijpen. Ga niet naar me op zoek, het wordt er anders niet beter op. Howard.
'Wanneer hebt u dit briefje gevonden?' vroeg ze.
Fanny keek Kate aan. 'Vanmorgen, even voor zessen.'

'Howard is dus midden in de nacht vertrokken. Wat heeft hij meegenomen?'
'Wat kleren en een oude, versleten reistas.'
'En u hebt geen idee waar hij heen wil? Misschien naar Londen om bij zijn vader te zijn.'
Opeens mengde Kate zich in het gesprek. 'Naar Londen? Zeker niet, miss. En hij wil al helemaal niet bij zijn vader zijn. Hij is juist degene met wie hij in de clinch ligt.'
'Waarover?'
Fanny viel haar zus in de rede. Het leek of ze het niet leuk vond dat Kate dat had verteld. 'Mijn broer Samuel heeft tegen hem gezegd dat hij niet langer kost- en schoolgeld voor hem wil betalen,' begon ze. 'Hij is immers vijftien. Jongens op die leeftijd horen al twee shilling per week te verdienen. Howard werd kwaad toen Samuel tegen hem zei dat hij in Harwich als boodschappenjongen moest gaan werken.'
'Boodschappenjongen in Harwich?' zei Sarah verbaasd. 'Howard is kunstzinnig aangelegd. Hij zou een succesvol schilder kunnen worden.'
'Zoals zijn broers Samuel, Vernet en William zeker!' spotte Kate. 'Die zijn al blij als er een schapenfokker langskomt om een portret van zichzelf te laten maken. Alleen dan verdienen ze wat om kolen voor de winter in te slaan. Praat me niet over kunstenaars! Kunst is iets voor rijke lui.'
Sarah keek Kate vragend aan. 'U bedoelt dat dat de reden is waarom Howard het hier voor gezien houdt?'
Kate haalde haar schouders op. 'Wat anders? Je weet natuurlijk nooit zeker wat er in zo'n jongen omgaat. Ik denk dat die ruzie met zijn vader hem dwarszit. Hopelijk overkomt hem niets!' Haastig sloeg ze een kruisteken.
Sarah voelde zich medeschuldig, ongeacht waarom Howard dat besluit genomen had. Toen ze nadacht over de manier waarop hij Swaffham verlaten kon hebben, en waar hij heen ging, herinnerde ze zich de kermisreizigers die vanochtend in alle vroegte vertrokken waren. Ook herinnerde ze zich het bord voor de ingang van 'De grootste show ter wereld' waarop stond dat er kermishulpen werden gezocht. Howard had in Swaffham nauwelijks vrienden die hem konden helpen. Plotseling wist ze zeker dat hij zich bij die kermisgroep had aangesloten.
Iedereen wist dat kermisreizigers van de ene jaarmarkt naar de andere gingen. Gisteren had ze op het marktplein gehoord dat de kermis de volgende dag naar Cambridge trok, ongeveer tachtig kilometer verder. 'Ik ga hem halen!' zei ze tegen de twee oude dames. Ze liep weg. 'Ik

denk dat ik weet waar Howard is!' Fanny en Kate keken haar met verbaasde blik na.
Tegen de middag vertrok een postkoets naar Thetford. Sarah stopte de noodzakelijkste spulletjes in een tas van zeildoek.
De reis van ongeveer vijftien kilometer voerde door het weidse landschap naar het zuiden. In de coupé had ze gezelschap van een oude man met rode bakkebaarden. Hij kwam uit Sheringham aan de noordkust. Veel meer zei hij niet, wat Sarah de tijd gaf om na te denken over de gebeurtenissen van de afgelopen dagen.
Ze vond het vervelend dat ze gisteren uit de kerk gevlucht was terwijl Chambers op het orgel speelde. Toen ze uit het raampje naar buiten keek, en haar blik over de uitgestrekte weilanden en akkers gleed, vroeg ze zich af wat ze precies tegen hem had. Die vraag was niet gemakkelijk te beantwoorden. Ze wist alleen dat Charles niet de ware was. Zeker, hij was hoffelijk en attent. En wat hij op het orgel in de St. Petrus en Paulus voor haar had gespeeld, had echt wel iets in haar losgemaakt. Misschien was het juist zijn schuchterheid waardoor ze twijfelde of ze ooit van hem kon houden.
Eerlijk gezegd wist ze zelf niet hoe de man op wie ze verliefd kon worden eruit moest zien. Drie jaar geleden had een nare ervaring ervoor gezorgd dat ze na het overlijden van haar vader Ipswich had verlaten. Sam was een boom van een kerel met blond haar. Een handelaar in levensmiddelen die leverde aan vrachtschepen die in de haven van Ipswich lagen. Ze had Sam leren kennen dankzij haar vader, die best graag wilde dat ze verkering met hem kreeg. Sam werkte immers hard en had inmiddels een klein vermogen vergaard. Hij woonde op een oude vrachtschuit, waar hij tevens zijn handeltje dreef. Vanaf de boot verkocht hij aan zijn klanten aardappelen, groenten, gepekeld vlees, ingeblikte vis, bier en brandewijn.
Maar Sam maakte de relatie stuk voordat die goed en wel begonnen was. Hij hield van een borrel en dronk veel omdat hij wist dat hij veel alcohol kon verdragen. Op een koude winteravond, enkele dagen voor kerst, ging Sarah naar zijn vrachtschuit. De ijzeren kachel in de kajuit gloeide en Sam was ladderzat. Zo had ze hem nog nooit meegemaakt. Lallend noemde hij haar een preutse non omdat hij nog nooit met haar gevreeën had en dus zijn zuurverdiende geld wel naar de hoeren in het havengebied moest brengen. Vanaf dat moment walgde ze van hem. De volgende dag schreef ze in een afscheidsbrief dat ze hem nooit meer wilde zien...
Ze was niet meer teruggekomen op haar woorden en zo gekrenkt dat het haar grote moeite kostte om de genegenheid – ongeacht in welke vorm – van een man te beantwoorden. Sterker nog, ze werd stilaan

bang dat dit soort gevoelens ertoe leidden dat ze straks een hekel kreeg aan mannen in het algemeen.
Misschien deed ze Chambers onrecht aan met haar gedrag. Misschien zou hij een onzelfzuchtige, toegewijde echtgenoot voor haar zijn. Ze voelde echter niets voor hem. Van liefde kon dus geen sprake zijn, van hartstocht al helemaal niet. De volgende keer moest ze hem dat duidelijk maken.
Toen de postkoets in Mundford arriveerde, en de kaarsrechte weg door het Thetford Forest insloeg, was de man met de rode bakkebaarden in slaap gevallen. In draf gingen de paarden over de onverharde weg. Aan beide kanten zag Sarah de bomen langs de ramen voorbijschuiven: muren van groen. Nog dertien kilometer naar Thetford.
Waarom ondernam ze deze vermoeiende reis? Waarom? Dat vroeg Sarah zich af. Waarom al die moeite? Waarom bekommerde ze zich om een opgeschoten knul die misschien – uitsluiten kon ze dat niet – zelfs haar spaargeld had gestolen? Ze wist het niet.
In Thetford nam ze de trein. In de namiddag arriveerde ze in Cambridge. Een jongeman in een spoorweguniform wees haar de weg naar de *Backs.* Aan de oever van de Cam werd de grote jaarmarkt gehouden.
Iedereen kende de verhalen over Cambridge. Ook Sarah had inmiddels veel gehoord over de oude universiteitsstad met de pittoreske universiteitsgebouwen, de romantische bruggen, de deftige hotels en elegante winkels. Ze had echter niet verwacht dat de stad zo sprookjesachtig mooi was. In tegenstelling tot Ipswich waren hier geen fabrieken. Geen rokende schoorstenen die als vuilrode pilaren in de lucht staken. Zelfs de gevels van de oudste panden kwamen vriendelijk en knus op haar over. En de vakwerkhuizen zagen er zo fraai uit dat het leek of Queen Victoria elke dag jarig was.
Op weg van het station – in het oostelijk deel van de stad – naar de *Backs* achter de Cam kwam ze veel scholieren en universiteitsstudenten tegen. Vrolijk liepen ze rond in de meest uiteenlopende soorten schooluniformen.
Van de kermisreizigers waren pas enkele gearriveerd in de *Backs*, rivierlandouwen tussen de traag stromende Cam en Queens Road. De groep deed buitenissig en exotisch aan in deze voorname, degelijke wereld. Ze had weinig hoop Howard hier aan te treffen. Opeens zag ze onder een boom een huifkar met het opschrift 'De grootste show ter wereld'. En ernaast twee witte circuswagens.
Voor de huifkar was een kampvuur gemaakt. Een haveloos geklede vrouw roerde in een ketel die aan een driepoot boven het vuur hing.

Toen Sarah de wagens naderde, herkende ze de man die nu laarzen aanhad. Vloekend liet hij de zweep knallen terwijl hij de paarden uitspande.
'Ik heb u gezien in Swaffham!' riep Sarah naar de baardige man. De indruk die hij nu maakte, was verre van deftig.
'Ik ken u niet. En Swaffham al helemaal niet!' morde hij. Net zo onvriendelijk voegde hij eraan toe: 'Wat wilt u van me? Rot op!' Hij spande de paarden uit.
'Ik zoek een jongen van een jaar of vijftien,' zei Sarah. 'Hij ziet eruit als achttien. Lang, slank, donker haar.'
De man was niet onder de indruk, ging door met zijn werk en keek Sarah niet één keer aan. Hij hing het paardentuig op aan een haak aan de buitenkant van de circuswagen en zei nogal boos: 'Nou en?'
'In Swaffham zag ik een bord waarop stond dat u kermishulpen zoekt. Hij heet Howard en ik dacht dat hij misschien...'
'Waarom? Wat heeft hij uitgevreten?'
'Niets. Hij is pas vijftien en van huis weggelopen. Dat is alles.'
Een jongen liep vanaf de rivier naar hen toe, met in elke hand een emmer water. Sarah draaide zich om en zag dat het Howard was.
'Deze juffrouw zegt dat je pas vijftien bent!' bulderde de man. 'Ga je me nou vertellen dat ze liegt?' Daarna zei hij tegen Sarah: 'Wie bent u trouwens? Zijn zus? Of een tante?'
Nog voordat ze antwoord kon geven, riep Howard woedend: 'Waarom laat u me niet met rust, miss Jones? U mag me niet bespioneren.'
'Ik ben zijn onderwijzeres,' zei Sarah tegen de man, waarna ze zich weer tot Howard richtte. 'Natuurlijk heb ik niet het recht om je terug te brengen, Howard. Ik kom alleen zeggen dat het me spijt dat ik mijn verdenking heb uitgesproken tegen jou.'
'Is de dief gevonden?'
'Nog niet. Maar ik denk dat ik weet wie mij bestolen heeft. Ik kan het alleen niet bewijzen.'
De variétédirecteur volgde het gesprek, maar kon er geen wijs uit worden. Uiteindelijk schreeuwde hij buiten zichzelf van woede: 'Heeft die vent uw geld gestolen? Begrijp ik dat goed?' Hij bedreigde Howard met de zweep.
'Anderen hebben geprobeerd hem verdacht te maken!' zei Sarah snel. 'Maakt u zich geen zorgen.'
Dat was kennelijk voor de oude man voldoende reden om te kalmeren. 'Ik heb hem niet gedwongen met ons mee te gaan,' legde hij uit. 'Neem hem maar weer mee naar huis, miss. Veel werk kan hij toch niet verzetten.'

Howard begon te huilen van woede. 'Ziet u nou wel, miss Jones? Dat hebt u weer mooi voor elkaar. Ik haat u!'
'Ik heb helemaal niks voor elkaar, Howard,' suste Sarah hem. 'Ik wil alleen dat jij dit schooljaar afmaakt. Jij hebt talent en hoeft geen paardenknecht of jaarmarktschreeuwer te worden.'
Nu werd ook de variétédirecteur razend. 'U hebt toch gehoord wat hij zei?' snauwde hij. 'Hij haat u en wil hier blijven. Maak dat u wegkomt, miss. Laat ons met rust!'
'Ja, laat ons met rust!' zei Howard. Toen Sarah naar hem toeliep, pakte hij een emmer en smeet het water in haar gezicht.
Het warme lentebriesje droogde haar kleren sneller dan verwacht. Op weg was naar het station vond ze zichzelf een onnozel wicht. Ze had haar verdiende loon gekregen. Ze had zich niet moeten bemoeien met andermans zaken.
Terug in Swaffham werd ze geconfronteerd met een woedende barones von Schell.
'U hebt zonder mijn toestemming lesuren laten uitvallen en de meisjes naar huis gestuurd. Dat is onacceptabel, miss Jones!'
Natuurlijk was Sarah zich ervan bewust dat ze onbezonnen en overhaast gehandeld had. Ze probeerde uit te leggen wat er gebeurd was. 'Het gaat om Howard Carter, barones. Hij verdween vannacht met de kermisreizigers. Ik vond dat ik hem moest terughalen.'
'O, vond u dat? En is u dat gelukt?'
Sarah liet haar hoofd hangen. 'Ik heb hem gevonden. Maar ik heb hem niet kunnen overhalen om met mij mee terug te gaan.'
'Maar u hebt wel uw klas in de steek gelaten, miss Jones. Dat noem ik onverantwoordelijk gedrag. Ik heb u al eerder gewaarschuwd. U bent ontslagen! Ik geef u drie dagen. Daarna wil ik u hier niet meer zien! Hebt u mij begrepen?'
Sarah keek haar stomverbaasd aan. 'Ik bedoelde het alleen maar goed...'
'O ja?' De barones ergerde zich. Vergeefs probeerde ze haar kalmte te bewaren. 'Al vanaf de eerste dag kreeg ik de indruk dat u niet opgewassen zou zijn tegen uw taak.' De ogen van de oude vrouw flonkerden van boosheid.
Sarah was woedend. Zo woedend dat ze de neiging had om die gemene ouwe tante voor de voeten te spugen en haar te vertellen dat ze al vanaf de eerste dag de indruk had dat zij, mevrouw Gertrude von Schell, een onuitstaanbaar loeder was. Ze realiseerde zich echter dat beleefdheid het beste wapen was, maakte een buiging en antwoordde: 'Zoals u wilt, mevrouw de barones.' Ogenschijnlijk kalm liep ze

de kamer uit. Bij de deur draaide ze zich om en zei: 'Ik was trouwens toch al van plan om ontslag te nemen.'
In werkelijkheid kwam dat ontslag hard aan. Haar toekomst was opeens onzeker.
Geen geld, geen baan, geen dak boven haar hoofd. Sommige mensen gaan bidden als ze wanhopig zijn. Sarah sloot zich echter op in haar kamer. Ze lag op bed en staarde met de handen achter haar hoofd naar het plafond en dacht na.
Cambridge, die opwindende stad met de talrijke universiteiten en scholen, wilde haar hoofd niet uit. Misschien was daar ook een *Dame School* te vinden waar ze als onderwijzeres aan de slag kon. Haar besluit stond vast.
De volgende dag was voor Sarah Jones onverwacht van bijzonder belang, hoewel de aanleiding triest was. Typisch zo'n dag waarop het lot je leven een andere wending geeft, zou ze later zeggen. Het lot is in dat opzicht sowieso creatiever dan de mens.
Gertrude von Schell stond erom bekend dat ze vreselijk streng was tegen haar leerlingen. Strengheid is de leraar van het geluk, zei ze altijd. Die opvatting stond haaks op de mening van Sarah. Meer dan eens hadden ze daar heftig over gediscussieerd. Sarah weigerde namelijk stokslagen uit te delen. Maar de barones vond dat nog geen enkel schoolmeisje slechter was geworden van die tuchtmaatregel.
De burgers van Swaffham wisten hoe de barones erover dacht. Er werd gefluisterd dat de dochters van rijke ouders – zoals de McAllen-dochters – nog nooit lijfelijk kennis hadden gemaakt met haar stok. Maar op kinderen van arme mensen, die minder schoolgeld betaalden, had zij vaak haar wrevel afgereageerd.
Ireen was zo'n kind. Een klein, broos meisje dat zeer naïef overkwam, hoewel ze al bijna zestien was. Haar vader was enkele jaren geleden gestorven aan lepra. Een ziekte die hij had opgelopen tijdens een reis door India. Haar moeder had een kruidenierswinkeltje aan het marktplein. Met de karige opbrengst ervan probeerden zij en haar dochter rond te komen en schoolgeld voor de *Dame School* had ze dan ook eigenlijk niet. Om een onverklaarbare reden werd Ireen door haar medescholieren uitsluitend aangesproken met 'Bloempje'.
Een fragiel meisje als 'Bloempje' had amper vijanden. Medelijden was haar trouwe bondgenoot. Temeer omdat ze op school een middelmatige leerlinge was: ze haalde geen slechte maar ook geen goede cijfers. Barones von Schell liet echter geen gelegenheid voorbijgaan om 'Bloempje' voor de klas te vernederen of belachelijk te maken. Ook had ze het meisje al verschillende keren stokslagen gegeven.

De laatste keer dat 'Bloempje' ervan langs had gekregen, was ze onder de ogen van de strenge barones weggelopen. Gedurende drie dagen had ze geweigerd weer naar school te gaan. Uit angst voor nog meer stokslagen of omdat ze zich schaamde voor de andere meisjes. Dat was een halfjaar geleden.
Op deze stralende lentedag hadden ze geschiedenisles. Door de open ramen klonk het gekwetter van de vogels.
'Wie kan mij de vorsten van de Tudor-dynastie opnoemen?' zei de barones. Het klonk dreigend. Niemand van de klas durfde op te kijken.
'Ireen?'
Het meisje verstarde.
'Wie was de eerste Tudor-koning?' vroeg mevrouw von Schell.
'Eduard IV?' zei 'Bloempje' op een vragende toon.
'Fout. Hendrik VII. Wie kwam na Hendrik VII?'
Met gebogen hoofd staarde Ireen angstig naar de schoolbank.
'Je weet het dus niet. Je weet niet eens dat Hendrik VII werd opgevolgd door Hendrik VIII!'
De andere meisjes giechelden. Ze merkten niet dat 'Bloempje' beefde. Stampend liep Gertrude von Schell naar de oude boekenkast die achter in het klaslokaal stond. Iedereen wist wat er nu ging gebeuren. Op die kast lag de stok van donker fijn hout; zo lang als een arm en zo dun als een meisjesvinger.
Eerst zou de barones 'Bloempje' het bevel geven haar linkerhand uit te steken, met de handpalm naar boven. Daarna zou ze met die stok tot wel vier keer op haar handje slaan, waarbij het zwiepende hout zachtjes floot van venijn. Als het meisje haar hand terugtrok, en de barones haar doel miste, zou ze roepen: Laat dat niet nog een keer gebeuren! Daarna zou ze met de kracht die ze nog over had – ze was de zeventig al gepasseerd – nóg harder meppen. Maar zover kwam het niet.
Nog voordat Gertrude von Schell de gevreesde biezen stok van de kast kon halen, kwam Ireen plotseling uit haar bank, nam haar lange rok op, stapte op de schoolbank en sprong naar de vensterbank.
Als versteend keek de barones toe, met de stok in haar rechterhand. Ze zag nog net hoe het meisje voorover door het open raam verdween. Een ogenblik lang – het leek wel een eeuwigheid – bleef het doodstil. Op het vrolijke gekwetter van de vogels na. Daarna volgde een doffe klap.
In het klaslokaal begon een van de meisjes zachtjes te huilen. Iemand gaf een schreeuw. Anderen begonnen daarna ook hard te huilen. Weer anderen zaten verbijsterd in hun schoolbanken en staarden de barones met grote ogen aan.

4

'Bloempje' overleed op eenendertig mei. Een zonnige lentedag. Twee dagen voordat ze zestien zou zijn geworden. Ze was van de tweede verdieping van het schoolgebouw naar beneden gesprongen en aan haar verwondingen overleden.
Toen de moeder van 'Bloempje' hoorde dat haar kind dood was, viel ze zonder een kik te geven flauw. Het duurde uren voordat ze weer bij kwam. De dokter werd erbij geroepen en deed een vreselijke ontdekking: de moeder van 'Bloempje' was haar spraak kwijt.
Het nieuws over de dood van het meisje verspreidde zich als een lopend vuurtje door het dorp. De burgers van Swaffham waren boos. Een woedende menigte verzamelde zich voor het schoolgebouw terwijl 'Bloempje' in een zijkapel van de kerk werd opgebaard.
'Kindermoord!' riep iemand.
Anderen schreeuwden: 'We slaan je morsdood. Kom naar buiten!'
'Duits loeder!' klonk het in de menigte. 'Misdadigster! Aristocratische sloerie!'
Tegen de avond stonden er bijna honderd woedende mensen voor het schoolgebouw. Sommige mannen waren met stokken bewapend en een van hen zwaaide met een jachtgeweer. De vrouwen vervloekten de directrice van de school.
Sarah had de tegenwoordigheid van geest om op tijd de zware voordeur te sluiten. Het was echter nog maar de vraag hoelang die stand zou houden tegen de aanvallen van de woedende burgers. Ze hoopte dat de meute zich tegen het invallen van de duisternis terugtrok. Daarin had ze zich vergist. Met petroleumlampen en fakkels verdrongen steeds meer mensen zich bij de ingang van het schoolgebouw. Onder hen bevonden zich vloekende en tierende zatlappen. Sarah was bang dat een van hen op het idee kwam de school in brand te steken.
Terwijl ze in het trappenhuis uit het venster keek wat er zich voor de *Dame School* afspeelde, waarbij ze er zeker van was dat ze haar bij dat raam niet konden zien, had de barones zich in haar kamer opgesloten. Hoewel Sarah niets te verwijten viel, was ze toch bang dat de woede van de menigte zich ook tegen haar keerde. Wat moest ze doen? Vluchten was uitgesloten. Zelfs de achteringang was belegerd.
Sarah schrok. Ze merkte dat iemand achter haar stond.
'Miss Jones!' Gertrude von Schell zag er meelijwekkend uit. Haar anders zo gepoederde, verzorgde voorkomen zag er nu afstotend en weerzinwekkend uit. Haar holle ogen waren bijna verdwenen in haar

hoekige, rimpelige hoofd. Haar lokken die ze voorheen altijd strak achteroverkamde en achter op haar hoofd met een band opbond tot een knot hingen nu in warrige slierten om haar gezicht. Zelfs haar deftige manier van kleden deed plotseling wanordelijk en haveloos aan. Sarah was echter bang voor het pistool dat ze in haar rechterhand hield.
'Miss Jones!' herhaalde de barones mat. 'Ik ben bang.' Haar lippen trilden, alsof ze koorts had.
Als Sarah niet doodsbang en rusteloos was geweest, had ze zich stiekem geamuseerd over de angst die op het gezicht van mevrouw von Schell geschreven stond. Ze verloor het pistool geen moment uit het oog en deed een stap opzij terwijl de barones het wapen omhoog bracht.
'Dit wapen is nog van baron von Schell geweest. Het is geladen. Hier, pak aan. Ik kan er niet mee omgaan.'
Instinctief, en alleen om de barones dat gevaarlijke wapen uit handen te nemen, greep Sarah naar het pistool. Ontzet riep ze daarna: 'Wat moet ik ermee?'
'Schieten!' schreeuwde ze. Het klonk door het trappenhuis als een roep om hulp. 'De meute zal ons anders vermoorden. Doe wat, miss Jones!'
Het leek of Gertrude von Schell door haar angst haar realiteitszin was verloren. Toen Sarah zonder iets te doen bleef staan, werd de barones nog hysterischer. Opeens ging een ruit aan diggelen. Kort daarna weer een. Buiten zichzelf van angst haastte de barones zich naar de bezemkast op de eerste verdieping. Met een stuk of tien schrobbers en bezems onder de armen strompelde ze de trap af naar de voordeur en begon die koortsachtig te barricaderen door ze schuin tegen de deur en onder de klink te wrikken. Buiten adem liep ze daarna weer zo snel ze kon naar boven, waarbij ze Sarah een verwarde blik toewierp. Sarah hoorde de deur van de kamer van de barones in het slot vallen en daarna werd de sleutel twee keer omgedraaid.
Sarah vroeg zich af wat ze nu moest doen. Gelet op het feit dat er zich voor het schoolgebouw een razende meute bevond, leek het haar raadzaam zichzelf niet over te leveren aan de omstandigheden en dus niet af te wachten tot de menigte het huis binnenstormde. De mensen waren woedend en zouden ook haar niet sparen.
Plotseling kreeg ze een idee. Ze besloot naar buiten te gaan en de bewoners van Swaffham toe te spreken. Ze moest alleen de juiste woorden zien te vinden en geloofwaardig maken dat niemand erbij gebaat zou zijn als de oude barones gelyncht werd. En dat oog om oog, tand om tand niet de juiste keuze was. Het was kortom beter Gertrude von Schell aan de politie uit te leveren.

Nog steeds had ze het pistool in haar hand. Ze bekeek het wapen dat er venijnig uitzag en twijfelde of ze de moed kon opbrengen om de voordeur te openen en de woedende menige tegemoet te treden. Opeens gebeurde er iets merkwaardigs.
Het geschreeuw van de mensen die tot moord opriepen werd minder. Langzaam ebde het tumult weg. In plaats daarvan klonk gefluister en gemurmel. Vervolgens hoorde Sarah een oude vrouw enthousiast roepen: 'Er is een wonder gebeurd!'
Sarah had geen verklaring voor deze griezelige gebeurtenis. Toen de mensen zich in groepjes naar de St. Petrus en Paulus begaven, leek het of de woede en wraakgevoelens als sneeuw voor de zon uit de harten van de mensen waren verdwenen. Ze stopte het pistool in de zak van haar rok, liep de trap af, verwijderde de barricade die door de barones was opgeworpen en opende de deur.
Even daarvoor waren de mensen nog vervuld van haat en moordlust. Nu was daar geen sprake meer van. Niemand leek zich meer te interesseren voor het schoolgebouw. Sarah begaf zich zelfs onder de mensen zonder dat iemand zich daaraan stoorde. Uiteindelijk verzamelde ze moed en vroeg aan een man die ze van gezicht kende wat er was gebeurd.
'Een wonder!' Hij keek haar niet aan. 'Het meisje leeft. In de doodskist deed ze haar ogen open. Het is een wonder.'
Sarah was sprakeloos. Ze had haar buiten op de straatstenen zien liggen. Het bloed liep in straaltjes uit haar neus en mond, een sinistere grimas. Die gruwelijke aanblik zou ze nooit meer vergeten.
Ze wilde dit zogenaamde wonder van dichtbij zien en liep mee in de menigte naar de kleine zijkapel waar het meisje lag opgebaard. De sfeer onder de mensen – net waren ze nog woedend en wraakzuchtig – was er een van verstilde aandacht. Pas toen de mensenmassa het kerkportaal bereikt had, ontstond er opnieuw tumult. Iedereen wilde dat wonder als eerste zien.
Het was tochtig en kil in de kerk. Toch begon Sarah te transpireren. Het was angstzweet, en ze was nu banger dan ze was geweest bij de aanblik van de woedende meute. Bang om geconfronteerd te worden met het vermeende dode meisje.
Als gevolg van het gedrang kon ze niet voordringen naar de kapel, waar 'Bloempje' lag opgebaard. De onzekerheid over haar lot – het was niet bepaald een sfeer van innige deelneming maar vooral van sensatiebelustheid – was er de oorzaak van dat er boos geroepen werd.
'Zeg nou of ze weer leeft!'
'Ik wil het zien!'

Uiteindelijk werd er ontstemd geroepen: 'Allemaal onzin!'
'Bloempje is dood!'
'Drukte om niks!'
Nog voordat de stemming omsloeg, stapte de hulppredikant op een kerkbank en sprak het nieuwsgierige publiek toe.
'Broeders en zusters!' begon hij pathetisch. Met sussende gebaren probeerde hij de toehoorders te kalmeren. 'Broeders en zusters, we zijn getuige geweest van een wonder. Door een afschuwelijke gebeurtenis werd Ireen, ons 'Bloempje', uit ons midden weggerukt...'
'Is ze dood? Ja of nee?' klonk het uit de achterste rijen naast de ingang. 'Ja of nee?' herhaalden andere nieuwsgierigen.
De hulppredikant strekte zijn armen uit en schudde ontstemd zijn hoofd. 'De dood heeft dat jonge meisje gehaald,' zei de geestelijke. 'Niemand die dat arme ding heeft gezien, zal daaraan twijfelen. Maar nadat ze zes uur was opgebaard, hier in de kapel, deed Ireen haar ogen open en begon ze haar lippen te bewegen. Ik en een stuk of tien anderen hebben dat met eigen ogen gezien. Ze zei duidelijk hoorbaar, heel merkwaardig: "Hendrik VII... Hendrik VIII... Hendrik VII... Hendrik VIII." Daarna deed ze haar ogen weer dicht. Voorgoed. Ireen is overleden. De dokter heeft zojuist, nadat hij haar een prik in de hiel had gegeven, bevestigd dat ze definitief dood is.'
De teleurstelling breidde zich uit als een olievlek. Iedereen had gehoopt getuige te zijn van een wonder. Maar dat wonder hadden ze gemist. Sterker nog, de meesten dachten dat er geen wonder was gebeurd, en al helemaal niet in Swaffham, iets wat ze altijd al vermoed hadden.

Teleurgesteld en in verwarring gebracht keerde Sarah terug naar het inmiddels verlaten schoolgebouw. Slechts enkele stokken en uitgebrande toortsen herinnerden aan het oproer. Ze liep naar haar kamer en deed de deur op slot. Toen ze zich wilde uitkleden om naar bed te gaan, klopte de barones schuchter op haar deur.
Sarah deed open. Gertrude von Schell wierp zich huilend in haar armen. 'Dat was geweldig, miss Jones!' zei ze snikkend. Sarah had altijd gedacht dat de barones niet kon huilen en dat ze voor zichzelf net zo streng en onverbiddelijk was als voor anderen. 'Ik weet niet hoe ik u moet bedanken, miss Jones! Vergeef me dat ik u vaak zo slecht behandeld heb.'
Het leek of ze zich bewust was geworden van de fouten en wandaden die ze in haar lange leven begaan had. Alsof ze vergeving zocht voor de boosaardigheid en gemene streken waarmee ze in het verleden anderen geteisterd had. Toch ervoer Sarah deze onverwachte toena-

deringspoging als onaangenaam. Ze had datgene wat er in de afgelopen uren was gebeurd nog niet verwerkt. Ze was simpelweg niet in staat de oude vrouw uit te leggen dat niet zij, Sarah, maar een onverhoopt wondertje ervoor gezorgd had dat de woedende meute zich terugtrok.
'Het is al goed, barones,' zei ze, nadat ze zich uit de omklemming van de oude vrouw bevrijd had. 'Morgen pak ik mijn koffer en vertrek. U en ik zullen ons datgene wat hier is voorgevallen ieder op onze eigen wijze blijven herinneren.'
Gertrude von Schell ging op de rand van het bed zitten, schudde ontstemd haar hoofd en trok – in het lichtschijnsel van de petroleumlamp – een gezicht alsof ze het pijnlijk vond te horen wat Sarah zojuist had gezegd. 'U moet eerst luisteren wat ik te vertellen heb, anders neemt u misschien een verkeerd besluit, miss Jones.'
'Goed, ik luister,' zei Sarah snibbig.
'Wat gebeurd is, kan ik niet meer ongedaan maken,' begon de barones schor. 'Hoewel ik er echt alles aan zou willen doen om ervoor te zorgen dat dit nooit zou zijn voorgevallen. Dat mag u van me aannemen, miss Jones. Ik weet nu niet meer hoe het verder moet. De *Dame School* was mijn levenswerk. Ik zie ervan komen dat alles wat ik heb opgebouwd in duigen valt. Ik geef toe dat dat mijn schuld is...'
Sarah wilde zeggen dat dat inderdaad haar schuld was, maar ze had geen zin in wéér een discussie. 'Waarom vertelt u mij dit nu, barones? Het is bijna middernacht en ik heb nog nooit zo'n verschrikkelijke dag meegemaakt,' zei ze om een eind te maken aan het gesprek.
Een tijdlang zwegen ze. Daarna zei de barones: 'Ik zie maar één mogelijkheid om mijn school van de ondergang te redden, miss Jones. Ik wil graag dat u de leiding overneemt.'
'Ik?' Haar voorstel kwam zo onverwacht en plotseling dat ze met stomheid geslagen was. Pas twee dagen geleden had de barones haar ontslagen en bespot met de bewering dat ze niet tegen haar taak als lerares was opgewassen. En nu zou ze opeens directrice van de *Dame School* mogen worden? 'U bedoelt, dat ik...' Sarah wees met haar wijsvinger naar zichzelf.
De barones knikte. 'Na wat er vandaag gebeurd is, zullen de ouders hun kinderen van school halen. Ik kan het ze niet kwalijk nemen. Zolang dit mijn school is, zal er de smet van deze fatale dag aan kleven. U bent in Swaffham een onbeschreven blad, miss Jones. Niemand verwijt u iets. U kunt deze baan dus accepteren zonder u schuldig te voelen.'

Sarah kon haar oren niet geloven terwijl de barones uitgeblust en met hangende schouders op de rand van het bed zat. Ook om die reden twijfelde ze of dit nog dezelfde strenge, onverbiddelijke en arrogante vrouw was met wie ze vlak na aankomst in Swaffham kennis had gemaakt. Haar bazige, schoolmeesterachtige toon was verdwenen. Net als haar pedante, veeleisende gedrag. Het tegendeel was nu het geval. Sarah kreeg bijna medelijden met de oude vrouw.
'Luister, Sarah,' begon ze opnieuw. Voor het eerst noemde ze haar bij haar voornaam. 'Ik heb geen erfgenamen. De baron en ik zijn helaas kinderloos gebleven. Ik wil dat u mijn erfenis accepteert. Het is zoveel dat u straks nooit meer kunt beweren dat u arm bent. Ik hoop dat u instemt met mijn verzoek.'
De klok in de kerktoren sloeg middernacht. De gedachten van Sarah buitelden over elkaar heen, waardoor ze haar geen antwoord kon geven. Vol ongeloof schudde ze haar hoofd terwijl ze zich telkens afvroeg of ze droomde of dat de opwinding van de afgelopen dagen haar te veel was geworden en ze zich alleen maar inbeeldde wat er zich voor haar ogen voltrok.
Langzaam en verzwakt stond Gertrude von Schell op. In het voorbijgaan legde ze een hand op de schouder van Sarah en knikte. 'Denk er nog maar eens goed over na. Tot morgenvroeg hebt u de tijd, maar langer niet. Welterusten, miss Jones.'
Bij de deur draaide ze zich nog een keer om. 'Ach, geef me het pistool terug.'
Sarah schrok. Het wapen zat nog steeds in de zak van haar rok. Zwijgend gaf ze haar het pistool. 'Welterusten, barones.'
Die nacht deed Sarah bijna geen oog dicht. De dood van het meisje, de onverwachte erfenis en de daaraan verbonden plichten namen haar helemaal in beslag. Natuurlijk was iedereen geschokt door het overlijden van 'Bloempje'. Ook de barones. Temeer omdat zij de schuldige was. Toch vond ze de merkwaardige verandering die in de barones had plaatsgevonden twijfelachtig. Zelfs ongeloofwaardig. Wat was de oorzaak van die plotselinge genegenheid?
De maan hulde haar zolderkamer in een vaal, somber licht. Hoewel het stil was, hoorde ze in gedachten nog steeds het geschreeuw van de woedende menigte voor het schoolgebouw. En de ruiten die aan diggelen gingen. Het bloeddorstige geroep. In het flakkerende licht van de toortsen schoven donkere schaduwen over de muren, en ze zag het overleden meisje in een wit gewaad, en de barones die haar rimpelige lichaam in zwarte sluiers had gehuld. Ze stak haar knokige handen naar haar uit, alsof ze 'Bloempje' wilde vangen. In werkelijkheid werd ze zelf achtervolgd. Mannen met ijzeren stangen, knup-

pels en rieken joegen haar bijna de dood in. Maar ze kregen haar niet te pakken, want toen ze haar vastgrepen verdween de barones als een fantoom. Alsof ze oploste in de lucht. Er viel een schot en alle droombeelden verdwenen plotsklaps. Bezweet lag Sarah in bed.
In alle vroegte, terwijl de dageraad zich aankondigde en de vogels aarzelend maar zo vertrouwd begonnen te fluiten, viel Sarah dan toch eindelijk in slaap. Ze werd wakker van harde geluiden. Het was even na zeven uur.
Haastig trok ze een jurk aan en keek uit het raam. Bij de deur stonden drie deftig geklede heren in donkere jassen en bolhoeden. Zoals ze gekleed gingen leek het of ze in een verkeerd decor waren beland. Een van hen zag Sarah op de bovenverdieping achter het raam staan en riep dat ze van de *School Board* van Norwich waren. Ze wilden binnengelaten worden.
Sarah liep naar beneden, opende de deur en werd geconfronteerd met drie mannen die zich onbeschoft tegen haar gedroegen. De oudste zag eruit als iemand die al minstens vijftig jaar in Norfolk in overheidsdienst was. De twee andere mannen verborgen hun jeugd achter zorgvuldig gekweekte bakkebaarden.
'Barones von Schell?' vroeg het hoofd van de commissie kortaangebonden.
'Boven!' antwoordde ze net zo kortaf. Ze wees naar de trap. Sarah ging voorop, de heren volgden. Eerst de oudere man, daarachter de twee anderen die in de pas van de oudste liepen. Voor de zwarte deur met het witte bordje waarop 'Directie' stond, aan het eind van de gang, bleef ze staan. Ze klopte op de deur. Toen ze geen antwoord kreeg, deed ze voorzichtig open. De mannen deden hun hoed af en liepen langs haar naar binnen.
Gertrude von Schell zat achterovergeleund achter haar bureau. Haar linkerarm hing langs de armleuning. In haar rechterhand bevond zich een pistool. Het was het wapen dat Sarah haar had teruggegeven. Het leek of de barones de indringers aankeek. Maar dat was slechts schijn, zo bleek niet lang daarna. Want van dichtbij was duidelijk het geronnen bloed te zien dat van haar slaap over haar rechterwang in de kraag van haar nette jurk liep. De barones was dood.
Bij Sarah noch bij de schoolinspecteurs wekte deze onverwachte aanblik ontzetting op. Ze betrapte zich er zelfs op dat ze vond dat Gertrude von Schell er veel beter uitzag dan de vorige avond toen ze nog leefde. Ze had zich opgemaakt, gepoederd en een zondagse jurk aangetrokken om te sterven.
'Heren, we zijn te laat,' merkte de oudste van de drie inspecteurs op. Nadat hij een keer om de dode barones heen was gelopen, en een ge-

zicht trok of hij walgde van de aanblik, voegde hij er onverschillig aan toe: 'Dit bespaart ons een heleboel werk, heren.'
Pal voor haar op het bureau lagen een rij sleutels en een brief. Kennelijk had ze die kort voordat ze zelfmoord pleegde geschreven. Een van de inspecteurs boog zich over de schouder van de overledene heen en las zonder de brief op te pakken wat er geschreven stond:
Verre van bedroefd en uit vrije wil neem ik afscheid van het leven. Mijn bezit laat ik na aan miss Sarah Jones met de verplichting dat ze de leiding van de Dame School *overneemt zoals ik dat graag gewild zou hebben.*
Barones Gertrude von Schell.

Het dagelijks leven in Swaffham was verstoord en het duurde een tijd voordat alles weer zijn gewone gangetje ging. 'Bloempje' en Gertrude von Schell werden achter elkaar op twee verschillende dagen begraven. De hele stad woonde de rouwdienst van het meisje bij. Aan het graf van de barones bevonden zich slechts twee mensen: Sarah Jones en Charles Chambers.
Chambers steunde Sarah ook in ongewone, moeilijke tijden. Tot nu toe had ze alleen maar gedaan wat anderen zeiden dat ze moest doen. Vanaf nu diende ze zelf beslissingen te nemen. Charles ontpopte zich als een welkome bondgenoot. Hij bevestigde haar in haar streven om de school te leiden en te moderniseren.
Toen de erfenis onder de loep werd genomen, kwam vast te staan dat de financiële situatie van de *Dame School* veel beter was dan de halve shilling schoolgeld en het voortdurende klagen van de barones deden vermoeden. Alleen al in de kluis – verstopt achter een schilderij in de directiekamer – ontdekte Sarah meer dan tienduizend pond in contanten en staatspapieren die nog véél meer waard waren. Ongetwijfeld mocht Sarah Jones zich nu rijk noemen. Maar de omstandigheden waren er niet naar dat ze daar blij om was.
Geld was overigens niet het enige geheim dat in de kluis was opgeborgen. Vooral de sleutel aan een hartvormige hanger trok haar aandacht. Er was in het hele huis namelijk geen slot te vinden waarop die sleutel paste. Volgens Chambers verloren sleutels in de loop van een leven hun betekenis. Ze werden soms alleen bewaard als herinnering. Sarah nam geen genoegen met dat antwoord. Een sleutel die in een kluis werd opgeborgen moest beslist belangrijk geweest zijn, vond ze.
Vreemde huizen herbergen per definitie allerlei geheimen. In dit geval stapelden de merkwaardige gebeurtenissen en zaken zich op. Zo dacht Sarah in de eerste acht dagen na het overlijden van de barones dat ze een klok hoorde die de Westminster-slagen produceer-

de. In het hele huis was echter geen klok te vinden die op die manier sloeg. Bijna vertwijfeld vroeg ze raad aan Charles Chambers. Maar toen hij de volgende dag zelf getuige van dat fenomeen wilde zijn, bleef het stil.
Een week na het overlijden van 'Bloempje' ging de *Dame School* weer open. De onderwijsinspectie in Norwich had twee leerkrachten naar Swaffham gestuurd: mevrouw Campbell was een kordate, maar sympathieke vrouw van in de zestig, die eigenlijk al met pensioen was, en voor Susan Meller was deze *Dame School* haar eerste betrekking.
Toen Sarah het klaslokaal binnenliep, zag ze meteen de jongen die op de achterste rij zat. Howard Carter. Sarah negeerde hem. Ze had al nagedacht hoe ze de nieuwe situatie aan de schoolmeisjes moest uitleggen. Van vijandige blikken of afstandelijk gedrag was echter geen sprake, hoewel ze daar wel rekening mee had gehouden. Ze geloofde haar ogen niet toen een van de McAllen-dochters haar een bos bloemen gaf.
Toen na de les alle meisjes het klaslokaal verlaten hadden en Sarah haar boeken opstapelde, liep Howard naar haar toe en zei schuchter: 'Ik ben er weer.'
'Inderdaad.' Ze ging door met waar ze mee bezig was en keek niet op.
'Het spijt me, miss Jones. Dat meen ik echt.'
'En "De grootste show ter wereld" dan? Kunnen ze zonder jou wel verder?'
'U houdt me voor de gek!'
'Vind je dat raar?'
Hij wendde zijn blik verlegen af. 'Nee, eigenlijk niet. Ik heb het helemaal verkeerd aangepakt.'
'Zolang je dat maar beseft. En nu?'
'Ik maak dit schooljaar af, miss Jones. Daarna zie ik wel hoe het verdergaat. U weet hoe ik ervoor sta.'
Sarah kreeg opeens weer medelijden met hem. Ze probeerde dat gevoel te onderdrukken. Het was Howard niet ontgaan dat ze voor de tweede keer haar boeken opstapelde.
Opeens zei hij: 'Ik geloof niet dat u erg in de rouw bent, hè?'
Sarah stokte. Voor het eerst keek ze hem aan. 'Ieder mens rouwt op zijn eigen manier,' antwoordde ze onbewogen.
Verlegen schraapte hij zijn keel. 'Begrijp me niet verkeerd, miss Jones. Niemand mag van u verlangen dat u in tranen uitbarst nu de barones dood is. Sympathiek was ze niet. In Swaffham wordt gezegd dat ze een grote erfenis heeft nagelaten.'
'O ja? Zeggen de mensen dat?' Voor het eerst besefte ze dat ze in de

gaten werd gehouden. En voor het eerst vroeg ze zich af of haar vroegere, onopvallende leventje niet beter was.
'Dat hoeft u niet te verbazen, miss Jones,' zei hij lachend. 'Zoiets is in het graafschap Norfolk nog nooit gebeurd. Zelfs de *Daily Telegraph* heeft een verslaggever naar Swaffham gestuurd. Hij zal zeker met u willen praten.'
'Goeie genade, ook dat nog!'
'Waarom, miss Jones? U hoeft zich geen verwijten te maken! Ik zie al helemaal voor me hoe uw foto in de krant komt. Heel Swaffham zal trots zijn...'
'Liever niet. Mensen die in de krant staan, zijn zelden te benijden! En nu moet ik opschieten.' Daarmee beëindigde ze het gesprekje. Ze pakte haar boeken op en liep naar de deur.
'Bent u niet boos meer over hoe ik me in Cambridge gedragen heb?' hield Howard aan. Hij liep met haar mee.
Ze schudde haar hoofd. 'Zand erover. Maak nu maar gauw dat je thuiskomt.'

In de daaropvolgende dagen deed Howard op ontroerende wijze zijn best om weer bij Sarah in de gunst te komen. Zij was echter zeer terughoudend. Soms dacht hij dat haar ogen dezelfde warmte uitstraalden die hij in het begin had ervaren. Zijn blijdschap daarover werd echter meteen gesmoord omdat ze zich plotseling weer vriendelijk onverschillig gedroeg, op een manier zoals ze zich tegenover de meisjes in de klas opstelde. Hij zou er alles aan gedaan hebben om die woordenwisseling in de *Backs* van Cambridge ongedaan te maken. Maar dat was nu eenmaal onmogelijk. Elke nacht lag hij te woelen en te piekeren in zijn bed. Tegen Kate en Fanny gedroeg hij zich steeds wreveliger.
Toen Harold Sands – de douanebeambte uit Harwich – zijn bezoek aankondigde om met Howard van gedachten te wisselen, een soort sollicitatiegesprek om erachter te komen of de jongen wel geschikt was voor de baan als douanebode, kwam het tot een heftige discussie tussen de jongen en de oude dames. Howard dreigde zijn tantes de man met stenen te bekogelen als hij een voet over de drempel zou zetten. Hij had nagedacht over zijn carrière en zou zich na dit schooljaar gaan vestigen als dierenschilder.
Om te laten zien dat hij het meende, liet hij in de plaatselijke krant een advertentie plaatsen, waarin stond: 'Bekende en gewaardeerde dierenschilder vereeuwigt uw lievelingsdier – paard, hond of kat – op papier of doek. Vanaf twee shilling. Howard Carter, Sporle Road, Swaffham.'

Aanvankelijk bleven de reacties uit, behalve dat enkele meisjes van de *Dame school* hem spottend *dogpainter* noemden. Fanny en Kate deden laatdunkend over zijn keuze en waren niet van plan om het bezoek van douanechef Sands af te zeggen. Midden juni klopte schaapherder Killroy aan. Of Howard een olieverfschilderij van zijn herdershond Freddie wilde maken. Van ene mevrouw Gallagher mocht hij haar papegaai schilderen. En van boer Wheatly kreeg hij opdracht zijn Indische haan – met veren als een reiger – op het doek te vereeuwigen. In minder dan twee weken had Howard Carter zo veel opdrachten binnengehaald dat hij het eerste halfjaar vol zat.
Van zijn eerste verdiende geld kocht hij een fiets van het merk Rover. Een zwarte met gouden strepen en glimmende verchroomde onderdelen. Hij haalde er zich de jaloersheid van de jongens mee op de hals. En de meisjes bewonderden hem. Al fietsend verkende hij de directe omgeving van Swaffham. Maar hij ondernam ook langere uitstapjes over de verlaten weggetjes tot in Watton, Gayton en Fincham.
Het was een ongewoon milde zomer. De rododendrons stonden in bloei. Howard benutte de uitstapjes naar verlaten gebieden om over zichzelf en zijn toekomst na te denken. Vaak zat hij naast zijn fiets op een muurtje langs de weg en observeerde hij de vlinders, waarvan er dat jaar uitzonderlijk veel te zien waren. Vooral de zwart met rode admiraalvlinder, die licht als een veertje over de bonte weiden fladderde, overtrof in aantal de andere soorten. Hij vroeg zich af of het ooit mogelijk zou zijn om zo moeiteloos door de lucht te kunnen vliegen.
Op het Europese vasteland hadden onderzoekers ontdekt dat iemand met ongeveer de helft van Howards lichaamsgewicht tot zweven gebracht kon worden met vleugels die met de voeten werden 'aangedreven'. In kranten en tijdschriften werd daarover uitvoerig bericht, compleet met avontuurlijke illustraties die tot de verbeelding spraken. Zelfs dikke mensen konden op een dag van de ene plaats naar de andere vliegen. Van Londen naar Southampton. Misschien zelfs naar Birmingham. En de magere mensen?
Vlinders had hij al vaak geobserveerd. De meest uiteenlopende soorten had hij gevangen, van dichtbij bekeken en daarna getekend. Volgens hem bestonden er geen levende wezens die de mens beter tot voorbeeld konden dienen hoe je moest vliegen: het lijfje bestond uit een kop en romp met aan weerszijden ervan beweeglijke vleugels. Tjeses, zo moeilijk kon vliegen toch niet zijn?
Hij wist dat geniale ideeën vaak heel eenvoudig waren. Zo kreeg hij op een dag het idee om een vlinder te bouwen die honderd keer

groter was dan het insect zelf. Vleugels met een spanwijdte van vijf meter in plaats van vijf centimeter. Hij was ervan overtuigd dat de draagkracht dan ook honderd keer zo groot zou zijn. Bevestigd aan zijn fiets – en met een lange 'startbaan' – moest het met die constructie lukken om het luchtruim te kiezen. Hij zag al voor zich dat hij Cambridge en de torens van King's Lynn vanuit de lucht zou kunnen zien.
Van de ene dag op de andere stopte hij met fietsen. Hij sleepte houten latten, bamboe en dun linnendoek aan en was elke dag, tot de duisternis inviel, te vinden in de schuur achter het huis aan de Sporle Road. Kate en Fanny, van nature nieuwsgierig, wilden per se weten met welke sinistere zaken hij zich in de schuur bezighield. Hij liet zich echter niet overhalen. De dames werden nog bezorgder toen de jongen amper nog wat at en in korte tijd zoveel afviel dat hij er haveloos begon uit te zien in kleren die als vlaggen na een onweer slap aan de stok hingen.
Zelfs miss Jones – de oude dames hadden noodgedwongen haar hulp ingeroepen – mocht niet in de schuur kijken. Hij wimpelde haar af bij de deur en liet alleen los dat James Watt vijfentwintig jaar aan de uitvinding van de stoommachine had gewerkt, maar als men hem drie weken met rust liet, zou hij de mensheid paf laten staan.
Op een zondag, kort na zonsopgang, legde Howard de constructie op zijn fiets. Met veel moeite bond hij de enorme vlindervleugels in de lengterichting aan weerskanten van de fiets vast, waarna hij het merkwaardige gevaarte ongemerkt uit de schuur reed. Er was op de fiets geen plaats meer om te gaan zitten. Hij begaf zich op het veld dat op dit vroege uur glinsterde van de dauw en dat zich noordwaarts uitstrekte. Met zijn kostbare vracht bereikte hij uiteindelijk de smalle veldweg die van Little Dunham naar Castle Acre voerde. In de ruïne van het klooster voelde hij zich voor het eerst onbespied. Daar hoefde hij geen lastige vragen te beantwoorden.
Voor het monteren van zijn constructie dacht hij ongeveer vijf uur nodig te hebben. Maar het werk vorderde langzaam. Voor een deel was dat te wijten aan de ingewikkelde techniek van de reuzenvlinder. En voor een ander deel aan het feit dat hij steeds uitgelatener werd naarmate hij de verschillende onderdelen aan de fiets bevestigde, wat de snelheid waarmee hij alles in elkaar zette niet ten goede kwam. Hij twijfelde niet aan de luchtwaardigheid van zijn vlindermachine, een getrouwe kopie op schaal van een echte vlinder. Natuurlijk op de fiets na, die in de plaats kwam van de zes dunne poten van het insect. De enige vraag waar de luchtvaartpionier mee zat was of zijn lichaamsgewicht, ondanks het feit dat hij in de afgelopen drie

weken met opzet flink was afgevallen, tegemoet zou komen aan de vereisten van het vliegen zelf.
De vleugels had hij inmiddels aan weerskanten van de stang gemonteerd, gevolgd door iets heel ingewikkelds. Met behulp van twee extra pedalen, bevestigd aan de voorste as van de fiets, moest hij de vleugelslag nabootsen. Een gecompliceerd plan waar hij lang over gepiekerd had en wat hem vaak in uiterste verwarring had gebracht. De bedoeling was dat de vleugelslag heftiger werd naarmate hij sneller fietste. En dat hij aldus los zou komen van de grond.
Om de startsnelheid van zijn reusachtige vlinder te verhogen, had hij ervoor gekozen om ermee naar de heuvel bij Castle Acre te gaan. Hij kende het oneffen terrein en was ermee vertrouwd. Nu was er geen weg terug meer. Howard haalde diep adem en begon te trappen.
Hoe geluidloos elegant vlogen de echte vlinders rond in de natuur! Het reuzeninsect van Howard rammelde, bonkte, waggelde en bolderde onstuimig het dal in. Hij kon niet meer stoppen, zelfs niet als hij dat gewild had. En hij ging steeds harder trappen omdat zijn vlinder maar niet van de grond wilde komen.
Een hobbel, zo klein dat het een onkundige getuige van deze vliegpoging niet eens zou zijn opgevallen, zorgde ervoor dat hij in vervoering werd gebracht omdat de machine heel even 'zomaar' zwevend van de grond leek te komen. Wat een ongelooflijk geluksgevoel voor de luchtvaartpionier!
Maar geluk en leed zijn elkaars metgezellen. Zijn opgetogenheid duurde dan ook niet veel langer dan een seconde. Onverbiddelijk gehoorzaamde zijn reuzenvlinder de wetten van de zwaartekracht en viel zo hard terug op de grond dat de bevestigingspunten van de vleugels als lucifershoutjes afbraken. Ook de aandrijfstangen van de pedalen waren niet bestand tegen dat geweld. Vanuit een ooghoek zag hij nog net twee mensen die een zondagswandelingetje aan het maken waren. Gillend renden ze weg omdat ze merkten dat de rem van zijn fiets haperde, of omdat ze zich realiseerden dat hij kennelijk niet wist wat hij op dat moment moest doen. Howard maakte een salto over het stuur en viel hard op het gras. Toen hij zich realiseerde dat hij niets gebroken had, werd het plotseling zwart voor zijn ogen.
Toen hij weer bij kennis kwam, zag hij pal voor zich het bange gezicht van Sarah. Naast haar herkende hij Charles Chambers. Zonder dat Howard dat wist, waren ze tijdens hun zondagswandelingetje getuige geweest van deze vliegpoging.
'Heb je je pijn gedaan?' vroeg Sarah bezorgd.
Hoewel hij de indruk had dat hij aan de dood ontsnapt was, waar-

bij hij over zijn hele lichaam beefde, zijn hoofd zeer deed en hij het gevoel had dat iemand hem met een voorhamer een mep had gegeven, en hoewel hij op het punt stond om in huilen uit te barsten – misschien door de pijn, maar het kon ook van kwaadheid zijn, of beide – deed hij zijn uiterste beste om er luchtig over te doen. 'Ach, niks aan de hand,' zei hij, terwijl hij glimlachte als een boer met kiespijn.

Zonder getuigen was de mislukte vliegpoging zeker minder pijnlijk geweest. Uitgerekend Sarah had zijn nederlaag van dichtbij gezien. Tot overmaat van ramp was ze ook nog eens in het gezelschap van die musicus. Inderdaad, heel vernederend. Toen Sarah hem ook nog eens hielp om tussen de brokstokken van zijn 'vliegtuig' overeind te komen, knikten zijn knieën en viel hij in haar armen.

Dat gebeurde beslist niet met opzet. Het zorgde er echter voor dat hij overspoeld werd door totaal andere gevoelens. Ervoer hij zijn nederlaag zonet nog als vernederend, de emoties van dat moment veranderden van de ene seconde op de andere in wellustig geluk. Hij voelde haar borsten onder de gesteven ruches van haar bloes. Borsten die zachtjes meegaven onder zijn gewicht. Instinctief maakte hij misbruik van deze flauwte en genoot hij wat langer van dit heerlijke gevoel dan eigenlijk ongepast was in deze situatie. Hij kon zich niet herinneren dat hij ooit in de armen van een vrouw had gelegen. Niet die van zijn moeder, en al helemaal niet die van Fanny of Kate. Nu wist hij dat ze mooi was. Onbeschrijflijk mooi.

Uiteindelijk lukte het haar om de jongen overeind te helpen. Kennelijk had ze de ommezwaai van zijn gevoelens niet gemerkt. Hij was daar blij om. Gelukkig was zijn fiets heel gebleven, op het verbogen stuur na. Gedrieën – Sarah, Chambers en hij – begonnen ze de onderdelen die her en der verspreid lagen op te rapen en op de fiets te leggen.

Sarah leek belangstelling te hebben voor de merkwaardige constructie. Zo nu en dan bekeek ze een onderdeel aandachtig, schudde dan haar hoofd – alsof ze vond dat hij niet goed wijs was – maar zei uiteindelijk: 'Niet slecht voor een begin. Kennelijk heb je je niet gerealiseerd dat de mens de natuur slechts kan nabootsen en niet kopiëren!'

Howard stopte met wat hij aan het doen was en keek haar verbaasd aan. Hij dacht dat ze hem zou berispen. Nu bleek warempel dat ze zijn pogingen om te vliegen aanmoedigde. 'Hoe bedoelt u, miss Jones?' vroeg hij vol ongeloof.

'Je hebt een gigantische vlinder gebouwd,' zei ze. Haar antwoord stemde hem tot nadenken.

'Ja, honderd keer groter dan een echte vlinder!'

'Precies. Maar niet van hetzelfde materiaal waar de echte vlinder van gemaakt is.'
Hij keek haar vragend aan. 'Bedoelt u dat mijn vliegtuig nog te zwaar was?'
'Natuurlijk.'
'Ik dacht dat een vlinder die honderd keer zo groot is ook het honderdvoudige gewicht kan dragen. Is dat dan niet zo?'
Sarah lachte. 'Dat is geenszins bewezen. En zelfs als dat zo is... reken zelf maar uit. Een vlinder weegt nog geen drie gram. Dan zou jij niet meer dan driehonderd gram mogen wegen, het gewicht van bijvoorbeeld een duif. Vlinders hebben trouwens geen fiets nodig om te vliegen.'
Howard schaamde zich. Hij voelde zich een oliedomme dwaas.
'Ik denk bovendien dat een vlinder slecht vergelijkingsmateriaal is als het op vliegen aankomt. Slimme mensen die zich daarin verdiepen, richten zich meer op vogels. Hun vlucht is gemakkelijker na te bootsen.'
'Bedoelt u dat ik nogal dom bezig ben geweest?'
'Ach, wat heet dom? Aviatiek staat nog in de kinderschoenen. In de bibliotheek van de *Dame School* vind je een hele rij boeken over dat wetenschappelijke onderwerp. Je moet er maar eens gaan rondneuzen.'
'Bedankt, miss Jones!' Hij kon zijn geluk niet op. Dit bood hem de gelegenheid heel dicht bij zijn onderwijzeres te zijn.

5

Harold Sands, de neef van Howards moeder Martha, was douanechef in Harwich en een buitengewone verschijning. Toen hij op de dag van Howards vliegpoging in Swaffham arriveerde, had hij een lange, lichte jas aan en een geblokte pofpet op. Vreemd, want het was toch lekker weer buiten. Zijn grijze snor gaf hem een voorname uitstraling, zoals je dat alleen bij de landadel van het graafschap Norfolk zag. Ook straalde hij een zeker gezag uit. Maar hij had zo'n hoge stem dat zijn overwicht meteen verdween zodra hij zijn mond opendeed.
Harold was in gezelschap van zijn vrouw Nancy. Een onopvallende dame. Naast het feit dat ze klein was, deed de manier waarop ze gekleed ging in geen enkel opzicht onder voor de uitdossing van haar man.
Harold en Nancy Sands waren deftige mensen. Ze logeerden dan ook niet in het bescheiden pand van Kate en Fanny aan de Sporle Road.

Ze namen hun intrek in het George Commercial Hotel, aan het marktplein. Meneer Hazelford had hun de mooiste kamer gegeven. Pas in de namiddag begaven ze zich naar Kate en Fanny om te beoordelen of Howard geschikt was als douanebode.
De twee oude dames hadden Howard bewust niet verteld dat zijn oom op bezoek kwam. Ze dachten namelijk dat hij er anders voor zou zorgen dat hij niet thuis zou zijn, zoals hij al had aangekondigd. Toen Howard eindelijk binnenkwam – Kate en Fanny waren op het ergste voorbereid – verliep de ontmoeting anders dan ze verwacht hadden.
Sands was zeer geïnteresseerd in de dierenschilderijen van Howard. Hardop vroeg hij zich af of een jongen met zo veel talent niet beter schilder kon worden, in plaats van douanebode. Hij was niet onder de indruk toen Kate en Fanny met het bezwaar kwamen dat de familie al vier schilders had die in dat vak de kost probeerden te verdienen. Volgens hem was Engeland groot genoeg voor nog een schilder, vooral voor een kunstenaar die zo getalenteerd was als hij.
Howard was sprakeloos. Onverwacht kreeg hij alle lof van een man die hij stiekem vervloekt had. Toen Harold Sands hem bovendien uitnodigde naar Harwich te komen – als Howard daar tijd voor kon vrijmaken – om daar hun kater Gladstone te schilderen, moest Howard zijn gelukstranen terugdringen en gaf hij Sands een ferme handdruk. Tot slot fluisterde Sands hem toe, om te voorkomen dat iemand anders hem hoorde, dat douanechef een beroep was waar hij goed van kon rondkomen, maar dat het geenszins zijn droombaan was. Al in zijn jeugd had hij dolgraag een beroemde zanger willen worden. Een bijzondere contratenor die Bach en Händel kon zingen. Hij was echter gedwongen 'een fatsoenlijk beroep' te leren, zoals zijn ouders dat noemden. Howard moest vooral niet aarzelen om door te groeien in iets 'onfatsoenlijks'. Het bezoek van de douanechef zou tot ieders tevredenheid verlopen zijn als Sands en zijn vrouw bij terugkomst in het hotel niet met een pijnlijke ontdekking geconfronteerd werden. Hun bagage was doorzocht. Net als de kleerkast en de ladekast, waarvan de laden openstonden. Kennelijk waren de dieven tijdens hun rooftocht gestoord en in allerijl ervandoor gegaan.
Niet zonder reden liep Harold Sands naar de kleerkast waarin hij zijn donkerrode ochtendjas had opgehangen. Zonder die kamerjas ging hij nooit op pad. Hij was eraan gehecht, ondanks het feit dat de zijde al aan het slijten was, vooral bij de brede omslagen die echter een soort geheime kluis vormden waarin hij zijn reisgeld verstopte. De douanechef wist altijd precies hoeveel geld hij bij zich had. Op die

onfortuinlijke dag bestond dat bedrag uit zes pond en twee shilling. Het geld was verdwenen.
Engeland was een luilekkerland voor criminelen. Sommigen beweerden zelfs dat het dievenhandwerk hier was ontstaan. Douanechef Sands was natuurlijk geen politierechercheur, maar vanwege het feit dat hij dagelijks omging met smokkelaars, oplichters en gehaaide zakenlui pakte hij deze zaak – en dat was het beslist – anders aan dan je zou verwachten.
In plaats dat Sands naar de politie ging, liep hij die avond alsof er niets gebeurd was samen met zijn vrouw de gelagkamer in om een hapje te eten. Zijn aandacht was echter meer gericht op de paar aanwezigen dan op het eenvoudige gerecht dat hij nuttigde. Voordat hij zich met zijn vrouw terugtrok in zijn kamer vroeg hij in het voorbijgaan aan meneer Hazelford of hij de twintig shilling die hij nog in zijn zak had wilde omwisselen voor een pondbiljet. Naarstig deed Hazelford wat er van hem gevraagd was en merkte niet hoe aandachtig de gast toekeek.
De volgende ochtend bij het ontbijt bracht Owen, de zoon van Hazelford, de thee voor de twee gasten. Plotseling legde Sands het ingewisselende pondbiljet van de vorige avond op tafel en zei: 'Ik denk dat dit bankbiljet vals is. Tegenwoordig kun je nergens meer zeker van zijn. Hebt u een pondbiljet waarmee ik dit biljet kan vergelijken?'
'Natuurlijk, sir,' zei Owen beleefd. Hij haalde een bundeltje bankbiljetten uit zijn zak. Vervolgens legde hij vijf pondbiljetten naast elkaar op de tafel voor Harald Sands.
De douanechef herschikte de biljetten zodanig dat van elk bankbiljet de beeltenis van Queen Victoria naar boven wees. Uiteindelijk bekeek hij met half dichtgeknepen ogen elk pondbiljet afzonderlijk, waarna hij ging staan en met hoge, luide stem riep: 'Politie! Ik wil dat meteen de politie gewaarschuwd wordt!'
Hazelford holde naar hem toe, bang dat de goede naam van zijn hotel geschaad werd. Hij probeerde Sands te kalmeren. 'Wat is er gebeurd?' zei hij buiten adem en op fluistertoon. 'Ik zorg ervoor dat alles goed komt, sir.'
Sands wees naar Owen. 'Die kerel heeft in mijn kamer mijn reisgeld gestolen. Zes pond en twee shilling,' zei hij woedend.
'Dat is laster, sir. Dat pik ik niet!' antwoordde Owen. Hij wierp zijn vader een hulpeloze blik toe.
Hazelford was aan het twijfelen gebracht. 'Sir, die beschuldiging zult u moeten bewijzen. Wanneer is dat dan gebeurd?'
'Gisteravond. Toen we de kamer binnenliepen, zagen we dat de bagage en de kleding doorzocht waren. Mijn geld had ik op een geheim

plekje in een van mijn kledingstukken verborgen. Het is gestolen.'
'En dat in mijn huis!' Hazelford legde zijn handen tegen elkaar aan, alsof hij in gebed was. 'Hoe heeft het zover kunnen komen? Inbrekers! In mijn huis!'
Sands schudde zijn hoofd. 'Dat lijkt mij onwaarschijnlijk. Toen we terugkwamen, was de kamerdeur afgesloten en niet beschadigd. Een inbreker zou sporen hebben achtergelaten.'
Hazelford fronste zijn wenkbrauwen. 'Beschuldigt u mijn zoon van diefstal? Begrijp ik u goed?'
'Inderdaad, meneer Hazelford. En ik kan het bewijzen ook.'
Owen legde zijn armen over elkaar en was benieuwd. Toen Sands met zijn verklaring kwam, liet hij de armen echter zakken en werd zijn gezicht steeds langer.
'Zoals ik al zei, als douanechef kom ik met allerlei gepeupel in aanraking. Hun gedrag is verfoeilijk, maar je kunt er wel van leren. In die kringen is het bijvoorbeeld gebruikelijk bankbiljetten die je bij je hebt met een bepaalde kleurstreep, een cijfer of enkele letters te merken. Op die manier kunnen bankbiljetten die je in je bezit hebt nooit in de anonimiteit van het geldverkeer verdwijnen. Die boevengewoonte heb ik mij eigen gemaakt. Weet u, meneer Hazelford, deze zes pondbiljetten heeft uw zoon Owen zojuist uit zijn zak gehaald. Ze zijn alle zes rechts onder gemerkt met het initiaal "S". Ik hoef er verder denk ik niets aan toe te voegen.'
Hazelford was een kop kleiner dan zijn zoon Owen. Maar nadat Harold Sands alles had uitgelegd, leek het of de man boven zijn zoon uitgroeide. Hij liep blauw aan en er verschenen donkere adertjes bij zijn slapen. Hij greep de jongen bij zijn haren, trok hem als een meelzak naar zich toe en riep bijna fluisterend: 'Verdomde rotzak, hoe durf je de goede naam van je vader door het slijk te halen! Je besteelt de gasten, alsof je in armoe leeft! Heb ik niet altijd al jouw wensen vervuld om er maar voor te zorgen dat je een gelukkige jeugd had? Heb jij dan geen beter en zorgelozer leven dan alle andere jongens van jouw leeftijd? Wat ben jij toch voor ondankbare hond!'
Na elke zin duwde Hazelford zijn zoon van zich af terwijl hij hem bij zijn haren bleef vasthouden. De knul schreeuwde het uit tot zijn vader hem eindelijk losliet.
'Sir, mijn oprechte excuses!' stamelde hij tegen Harold Sands. 'Je kunt het karakter van je kinderen nu eenmaal niet kneden zoals je dat zelf graag wilt.'
Plotseling stokte Hazelford. Hij keek zijn zoon, die ineengedoken voor hem stond, met een minachtende blik aan en vroeg zachtjes, op

een dreigende toon: 'Heeft mijn veelbelovende zoon misschien ook miss Jones bestolen? Heb jij haar spaargeld ingepikt en...?'
'Nee!' riep Owen, nog voordat zijn vader was uitgesproken. 'Daar heb ik niets mee te maken. Eerlijk!'
De kleine hoteleigenaar gaf zijn zoon een oorvijg. Een kletsend geluid. En opnieuw verkocht hij hem een mep. En weer een.
'Ja, ik heb het gedaan,' riep Owen uiteindelijk. 'Ik heb het geld van miss Jones gestolen. Maar niet voor mezelf!'
'O nee? Voor wie dan wel?' Opnieuw gaf Hazelford hem een venijnige oorvijg. 'Voor wie dan wel?' herhaalde hij woedend.
'Spink!' antwoordde Owen. Hij huilde als een kleine jongen. 'Ik moest van Robert Spink gaan stelen!'
'Waarom? Zijn familie is rijk. De rijkste van Swaffham!'
'Ik weet niet waarom. Gewoon voor de lol, denk ik. Hij krijgt daar een kick van.'
'En ben jij zo dom om alles te doen wat die boef zegt?'
Owen haalde zijn schouders op. 'Hij schold me uit voor van alles en nog wat, en hij dreigde me belachelijk te maken waar iedereen bij stond. Ik was bang.'
Hazelford keek Sands tersluiks aan. 'Wat moet je daar nou op zeggen? Zo'n grote kerel, maar met het verstand van een ezel. U kunt nu natuurlijk een aanklacht indienen, sir. Ik vraag u echter daarvan af te zien. Ik kan mijn hotel dan wel opdoeken.' Daarna ging hij in de houding staan en maakte voor de douanebeambte een buiging als een bediende in Buckingham Palace.
Sands begon de pondbiljetten te verzamelen. Zes stuks met rechts onder in de hoek een 'S'. 'En nog twee shilling,' zei hij droogjes, zonder op te kijken.
Hazelford stak een hand in zijn broekzak en haalde snel twee shilling tevoorschijn. Sands nam ze aan en stopte ze samen met de pondbiljetten in de binnenzak van zijn jas. Bijna terloops voegde hij eraan toe: 'Ik heb mijn geld terug. De zaak is wat mij betreft dan ook afgehandeld.' Aangezien hij het gewend was om het hoofd koel te houden als het om geldzaken ging, zei hij daarna: 'Ik mag aannemen dat mijn vrouw en ik vannacht uw gast zijn geweest in uw hotel, als u begrijpt wat ik bedoel.'
Opnieuw maakte Hazelford een buiging. Nog dieper dan de eerste keer. Op een zeer beleefde toon antwoordde hij: 'Het is mij een eer, sir!'

Spink is het dus geweest. Die verdomde Spink!
Toen Howard te weten kwam wat er gebeurd was, en zich realiseerde

dat Spink achter de diefstal van Sarah's spaargeld zat, zon hij op wraak. Van het gestolen bedrag kon Owen nog maar zestig pond teruggeven. De rest werd aangevuld door meneer Hazelford. Zoals verwacht ontkende Spink dat hij betrokken was geweest bij die verwerpelijke schurkenstreek. Bovendien beweerde hij dat hij Owen amper kende. Hij ging nu eenmaal niet om met buffetbedienden en ander gepeupel.

Het ongeluk met de zelf in elkaar geknutselde vlinder had bij Howard geen sporen achtergelaten, behalve dat hij sindsdien bezeten was van de gedachte nog een keer te crashen en in de armen van Sarah wakker te worden. Tijdens de lessen op school kon hij alleen maar aan haar borsten denken. En aan de warmte die ze hem hadden geschonken, en zoals ze er mogelijk in het echt uitzagen onder haar bloes. In *Geographic Magazine* had hij allerlei afbeeldingen gezien van negervrouwen op Zanzibar. Blote negervrouwen. En hij had blote dames gezien in een boek over het Louvre. Naaktbeelden uit de zeventiende en achttiende eeuw. Maar dat was lang geleden. De borsten van Sarah zagen er vast heel anders uit.

Het kwam goed uit dat de bibliotheek van de *Dame School* veel wetenschappelijke studies over de aviatiek bevatte. Nu kreeg hij de mogelijkheid om Sarah ook buiten de lesuren te ontmoeten.

De bibliotheek op de tweede verdieping van het pand had maar één groot raam. Zelfs in de zomer was het er zo donker dat je onder een lamp moest zitten als je wat wilde lezen. De baron was vast en zeker een avonturier geweest, want hij had boeken verzameld over alle mogelijke landen en in vele talen. Er stonden werken over praktisch alle vakgebieden binnen de wetenschap. Ook boeken die over gewaagde zaken gingen waarvan Howard wist dat die alleen in bepaalde boekwinkels te vinden waren, en dat die ook dáár alleen onder de toonbank werden verkocht.

Hij vond allerlei dikke pillen over aviatiek. Voor een deel boeken die meer dan twintig jaar oud waren. Zoals een werk dat geschreven was door ene meneer Springfellow. Hij had een vliegmachine met een enigszins schuin vlak gebouwd, aangedreven door een propeller die de constructie zwevend hield als een vlieger. De Italiaan Forlanini had ook een vliegmachine gemaakt en beweerde dat hij met zijn constructie, aangedreven door een kleine stoommachine en een horizontale propeller, dertien meter hoog had gevlogen. En een Duitser, Otto Lilienthal, beschouwde de vlucht van de vogel als basis van de vliegkunst. Hij zweefde als een vastgebonden pauw van een berg en vloog een afstand van twintig meter. Er waren echter maar twee getuigen die dat konden bevestigen.

Toen hij in de boeken neusde, kwam hij erachter dat vliegen beslist een wetenschapsgebied was. Hoe langer hij zich met dat thema bezighield, hoe meer hij tot het inzicht kwam dat de vliegkunst met bescheiden middelen vermoedelijk nooit geleerd kon worden. En dat hij zijn plannen dus moest opgeven.
Hij zei dat echter niet tegen Sarah. Zij had er immers voor gezorgd dat hij lange namiddagen in haar nabijheid kon vertoeven, al was het dan alleen maar in gedachten. Hij vond die boeken op een eigenaardige manier fascinerend. Zodra hij er een opensloeg, en erin begon te bladeren en te lezen, raakte hij gebiologeerd door wat hij las. Boeken voerden hem naar vreemde, onbekende werelden. Werelden die ver achter de kaarsrechte horizon van het Engelse platteland lagen. Zodra hij een boek van het schap nam – er waren talrijke schappen, van de vloer tot aan het plafond – kreeg hij er een stofwolk als cadeau bij. Menigeen zou dat de zin om te lezen ontnemen. Maar Howard werd er alleen maar enthousiaster van: hoe stoffiger hoe liever. Sterker nog, uit een oppervlakkig verlangen groeide al snel een regelrechte hunkering. En die hunkering veranderde in een verslaving. Gretig snoof hij de stofgeur van oude boeken op, waarmee hij eigenlijk alleen maar de aanwezigheid van Sarah suggereerde.
Tijdens zijn zwerftochten in de wereld van de boeken – een wereld van ongeveer drie bij zes meter – zag hij op een dag op ooghoogte een boek dat hij niet van het schap kon halen. Het leek niet alleen loodzwaar, de titelzijde was bovendien aan de kastwand gelijmd waardoor alle pogingen om in het boek te bladeren mislukten. De rug van het boek gaf geen hint inzake de titel of de auteur. Dat wekte zijn onderzoeksdrift op.
Om zich een beeld te vormen van die curiositeit haalde hij enkele boeken ernaast van het schap. Nu kon hij de achterkant van dat merkwaardige werk openklappen. Maar in plaats van bedrukte vellen zag hij alleen maar een holle ruimte. Er was geen kostbaarheid in verborgen, slechts een kleine, houten hendel die amper groter was dan een wasknijper, en voorzien van een veer.
Voorzichtig, zonder na te denken over de mogelijke gevolgen van zijn nieuwsgierigheid, draaide hij aan de hendel. Dat kostte enige moeite. Gehypnotiseerd door wat hij aan het doen was, realiseerde hij zich aanvankelijk niet dat er plotseling beweging in de boekenwand kwam. Oeroude, krakende en droge scharnieren deden hem beseffen dat de wand in feite een enorme, massieve deur was.
Hij stond op het punt te stoppen met wat hij aan het doen was, maar door nieuwsgierigheid gedreven moest en zou hij een blik achter de boekendeur werpen. Hoewel hij niet wist wat hij kon verwachten, was

hij teleurgesteld toen hij een eenvoudige, grijs geverfde, houten deur zag. Hij duwde de boekendeur terug in de oorspronkelijke positie. Was Sarah op de hoogte van dit geheimzinnige mechaniek?
Hij dacht na. Wat bevond zich achter de grijze deur die door de boekenwand aan het zicht was onttrokken? Was er in dit oude schoolgebouw een kamer waar niemand van op de hoogte was? Hij opende het raam en keek links naar de buitenmuur. Hij zag vier ramen, maar wist niet welke kamers zich daar bevonden.
Toen hij zich omdraaide, stond Sarah voor hem. Verwonderd keek ze hem aan.
'Miss Jones,' stamelde hij verward.
'Heb ik je laten schrikken?'
'Nee, eh... ja. Ik heb zonet iets ontdekt.'
'Ben je het geheim van de vliegkunst op het spoor?'
'Nee, iets totaal anders.'
'Nu word ik toch nieuwsgierig, Howard. Wat is er aan de hand?'
Howard had het geheim veel liever voor zich gehouden. Hij moest er immers rekening mee houden dat Sarah hem ervan beschuldigde dat hij in zaken snuffelde die hem niets aangingen. Maar nu hij zijn mond voorbij had gepraat, restte hem niets anders dan over zijn ontdekking te vertellen.
'Miss Jones,' begon hij aarzelend, 'weet u dat de bibliotheek een geheime deur heeft?'
'Een geheime deur? Hier?' Ze lachte. 'Misschien op Oxburgh Hall. Of op Didlington Hall. Maar toch niet in de *Dame School* van barones von Schell?'
'Maar het is echt waar!' Hij liep naar de boekenwand en deed de truc met de geheimzinnige mechaniek.
Met een gilletje deed ze een stap terug terwijl de boekenwand luidruchtig opendging. 'Howard!' Meer zei ze niet.
Hij duwde de boekenwand naar achteren. Met de blik van een ontdekkingsreiziger keek hij haar aan. 'Zal ik de deur openmaken?'
Ze knikte zwijgend. Als aan de grond genageld keek ze toe.
Hoewel de spanning te snijden was, deed hij er alles aan om rustig en doordacht te werk te gaan. Voorzichtig draaide hij de klink om. De deur was afgesloten. 'Als ik het niet dacht,' zei hij ogenschijnlijk gelaten. Hij streek zijn haren naar achteren. 'Hoelang was barones von Schell al alleen?'
Sarah realiseerde zich de diepere betekenis van die vraag niet. Ze schudde haar hoofd en zei: 'Geen idee. Wanneer ze over de baron sprak, leek het of ze het over een eeuwigheid geleden had.'
Terwijl ze radeloos naar het slot staarden – het geheim achter de deur

werd niet onthuld – genoot Howard ervan dat Sarah onrustiger was dan hij. Hij hoorde haar snel ademen. In gedachten zag hij haar borsten op en neer gaan. Kijken durfde hij niet.
Opeens zei Sarah stotterend: 'De sleutel!'
'Ja? En?' Howard keek haar strak aan.
'De barones heeft alle sleutels van het huis keurig geordend achtergelaten. Eén sleutel paste echter in geen enkel slot.'
Sarah liep meteen de bibliotheek uit. Even later kwam ze terug met een gewone, onopvallende sleutel. Ze gaf die aan Howard. 'Maak jij maar open!'
Zijn hart begon sneller te kloppen en hij was net zo opgewonden als Sarah, maar hij deed er alles aan dat voor haar te verbergen.
Sarah was onder de indruk van de schijnbare rust die Howard in deze situatie uitstraalde. Ze volgde al zijn bewegingen terwijl hij de sleutel in het oude slot stak, en de sleutel daarna tussen duim en gebogen wijsvinger twee keer naar links omdraaide. Daarna legde hij zijn hand om de gebogen klink.
Sarah was zo overrompeld dat ze nog geen tijd had gehad om na te denken wat er zich mogelijk achter die deur bevond. Gertrude von Schell was iemand met een uitzonderlijk karakter geweest. Je kon haar niet met gewone mensen vergelijken. Maar wat kon je in deze wereld normaal noemen? Vooral in Swaffham.
Toen Howard de grijze deur opende, kwam hem een muffe, stoffige geur van oude, versleten gordijnen tegemoet, vermengd met oude tabakslucht. De kamer was verduisterd. Howard zag geen hand voor ogen. Hij ging in de bibliotheek de lamp halen en hield die in de deuropening voor zich uit.
'Wat zie je?' vroeg Sarah opgewonden.
Howard was met stomheid geslagen. Hij wilde wel vertellen wat hij zag, maar was zo overweldigd door de aanblik ervan dat hij geen woord over zijn lippen kreeg. Zwijgend gaf hij de lamp aan haar en deed een stap achteruit.
Sarah hield de lamp voor zich uit en keek rond. Een kamer van ongeveer zes bij zes meter. Op een tapijt in het midden stond een bureau, een bruinzwart chippendale-gevaarte. Erachter zag ze een stoel met een hoge rugleuning. Op de tafel lag een opengeslagen krant, ernaast stonden een petroleumlamp en een hoekig whiskyglas. Links op het bureau zag ze een schaaltje waarin een kromme pijp lag. En een vaas met verdroogde bloemen. Over de stoelleuning hing een donker colbertjasje van stevige stof. Aan de muur erachter pronkte een levensgroot schilderij; een jeugdig uitziende man die als een avonturier voor een woestijnlandschap stond.

Verspreid door het huis hingen nog meer schilderijen waarop hij te zien was. Sarah herkende hem meteen. 'Dat is baron von Schell!' zei ze tegen Howard, die met open mond naast haar stond. Hij nam de lamp van haar over.
Ze zou zich niet verbaasd hebben als de baron plotseling in de deuropening had gestaan om te vragen wat ze hier te zoeken hadden. Rechts naast het bureau stond een leren prullenmand. Ernaast zag ze twee stoffige pantoffels.
Howard schrok. 'Miss Jones, kijk daar eens!' Hij lichtte bij. Onder het enorme schilderij lag een opgezette krokodil van pakweg zes meter lang. Levensecht, alsof het beest sliep. Rechts in de hoek zag hij een geamputeerde olifantenpoot waarop een leren kussen lag zodat je hem als stoeltje kon gebruiken. Links van het schilderij bevond zich een hoge, ronde kachel van ijzer.
Tegen de hele linkermuur stond een donkere stellingkast met boeken, landkaarten en stapels papieren. En potten, schalen en beeldjes: archeologische vondsten uit verre landen die Howard alleen uit tijdschriften kende.
Door het venster scheen nauwelijks licht naar binnen. Het raam was met een grijze doek verduisterd. Rechts, tegenover de olifantenpoot, ontdekte hij een staande klok die groter was dan hij. Alleen al de slinger van messing had een lengte van negentig centimeter. Toen hij tegen het glazen deurtje klopte, begon de klok als vanzelf te tikken. Prompt klonken vier Westminster-gongslagen, waarna het meteen weer stil werd.
Sarah schudde haar hoofd. 'Dat waren dus de klokslagen die ik een week na het overlijden van de barones nog steeds 's nachts hoorde. En ik maar denken dat ik gek werd.'
Howard begreep niet waarom Sarah zo gefascineerd was door die gongslagen. Hij kreeg het benauwd in deze stoffige kamer. 'Ik doe het raam open, als u het niet erg vindt,' zei hij op vragende toon. Maar zonder het antwoord af te wachten begon hij de punaises waarmee de lap aan de raamkozijnen was bevestigd uit het hout te pulken, waarna hij de doek weghaalde. Een stofwolk was het gevolg en Howard en Sarah moesten er flink van hoesten.
Het dubbele raam klemde. Alsof het jarenlang niet meer geopend was. Met veel moeite kreeg hij er uiteindelijk beweging in. Eerst rechts, daarna links. Toen hij het raam had opengezet, en de frisse zomerlucht binnenkwam, haalde hij kuchend en hoestend diep adem. Met zijn mouwen veegde hij de tranen uit zijn ogen, waarna hij zich omdraaide en vroeg: 'Miss Jones, wat is dit allemaal?'
Ze liep voor de tweede keer om het bureau heen dat in het midden

van het vertrek stond. Zonder iets aan te raken probeerde ze alles tot in de details in zich op te nemen. 'Wist ik het maar,' antwoordde ze uiteindelijk. 'Maar ja, er zijn mensen die na het overlijden van hun geliefde alles laten zoals het was. Alsof de persoon in kwestie nog leeft. Zijn pantoffels, zijn pijp, zijn whiskyglas. Alles wijst erop dat het zo gegaan moet zijn.'
'Vooral die krant!' Howard liep naar het bureau en liet zijn blik over het opengeslagen nieuwsblad glijden. 'Miss Jones, van wanneer is die krant, denkt u?'
'Nou, niet van gisteren!' grapte ze. Ze begon een beetje te bekomen van de schrik.
'Gelukkig niet!' Hij lachte. 'Deze krant is bijna vijftien jaar oud. Van 16 september 1875. Toen was ik amper een jaar, miss Jones!' Hij hield zijn hand op kniehoogte om aan te geven hoe klein hij toen nog was.
'Baron von Schell is vermoedelijk in 1875 gestorven. Dat betekent...'
'... dat de barones inderdaad alles heeft gelaten zoals het was. Kijk maar!'
Nu pas zag Sarah dat er in het glas nog een restje whisky zat. 'Goeie genade,' mompelde ze. Ze hield een hand voor haar mond. 'Het lijkt zelfs of de barones haar gestorven man regelmatig whisky en verse bloemen bracht. En ze vergat ook niet de klok op te winden. Anders zou die niet nog een week lang geslagen hebben en mij bijna tot waanzin hebben gedreven.'
'Waarom doen mensen dat?' Met de armen over elkaar leunde Howard tegen het raam.
'De barones heeft de dood van haar man nooit kunnen verwerken.' Sarah staarde lang naar het schilderij dat aan de muur hing. 'Het lijkt zelfs alsof ze in de loop der jaren steeds meer op haar man is gaan lijken. Ik bedoel zoals hij eruitzag.'
Howard keek aandachtig naar het portret. 'U hebt gelijk, miss Jones. Ik zie duidelijk haar gelaatstrekken in die man. Wat vreemd.'
'Ja, heel merkwaardig, hè? Dat zie je wel vaker bij oudere echtparen die een leven lang samen zijn geweest. Ze nemen dan niet alleen elkaars gewoonten, hun manier van bewegen en gedrag over, ook lichamelijk is het vaak zo dat ze op elkaar gaan lijken. Is jou dat nooit opgevallen?'
'Eerlijk gezegd niet.'
Het raam stond open waardoor het een beetje begon te tochten. Hij liep naar de deur om die dicht te doen. 'Hebt u dat al gezien, miss Jones?' riep hij even later opgewonden.
Door de openstaande deur hadden ze het beeld van wit marmer niet

opgemerkt. Het stond op een halfhoge sokkel, was amper negentig centimeter groot en stelde een naakte godin voor die met beide armen haar borsten en kruis bedekte. Nog nooit had hij zo'n kunstwerk van dichtbij gezien.
'Een heel mooi vrouwenfiguur,' merkte Sarah op. Ze leek in gedachten verzonken bij de aanblik ervan.
'Hoe oud zou dat beeld zijn?'
Ze stak haar onderlip uit, een teken dat ze nadacht. 'Misschien twee-, tweeënhalfduizend jaar,' zei ze. 'Het stelt in elk geval de Griekse godin van de liefde voor...'
'... Aphrodite!'
'Heel goed, leerling Howard Carter!' Ze lachten beiden. 'Lord Elgin heeft in het begin van deze eeuw hele scheepsladingen klassieke kunstwerken van Athene naar Engeland verstuurd. Tegenwoordig is die verzameling in het British Museum in Londen te bewonderen.'
'Dat weet ik,' zei Howard zelfbewust. 'De schilder William Turner reisde indertijd met Elgin mee!'
'Jij bent een slimme jongen, Howard!' Sarah knipoogde naar hem. Dat had ze nog nooit gedaan. Het bracht hem zeer in verwarring omdat hij de achterliggende betekenis ervan niet kon doorgronden. Hij had altijd gedacht dat een knipoog een teken van affectie was. En hij vroeg zich af of er wel eens eerder iemand op deze vergelijkbare, leuke manier naar hem geknipoogd had. Maar hij kon zich een soortgelijke ervaring niet herinneren.
'Howard?' Haar stem sleurde hem uit zijn dagdroom. 'Ik wil niet dat iemand te weten komt wat wij ontdekt hebben. Althans voorlopig niet. Ben ik duidelijk?'
Howard werd opeens timide door de ferme toon waarop ze dat zei. Hij boog zijn hoofd een beetje, sloeg zijn ogen neer en antwoordde bezwerend: 'Natuurlijk, miss Jones. Ik zeg niks, tegen niemand. Ik zweer het!' Hij stak drie vingers van zijn rechterhand op.
Sarah fronste haar wenkbrauwen. Hij vond dat leuk. Haar neuspuntje ging dan iets omhoog. 'Alleen wij twee weten van deze kamer,' zei ze. 'Als wij dat geheim niet verklappen, zal er nooit iemand achter komen. Ik ga eerst eens goed nadenken over wat er met dat merkwaardige vertrek moet gebeuren. Jij kunt mij daar misschien bij helpen. Jij bent immers degene die de kamer ontdekt heeft!'
'Ach wat!' zei Howard toch wel een beetje trots, waarbij hij tegelijk een geringschattend gebaar maakte. 'Maar ik mag toch nog steeds in de bibliotheek komen, hè, miss Jones?'
'Natuurlijk. Je mag ook wanneer je maar wilt deze kamer binnenlopen. Als je daar tijd voor kunt vrijmaken, mag je wat mij betreft de

inventaris opmaken. Ik wil je daar ook goed voor belonen. Denk daar maar eens over na.'
Howard deed het venster dicht, wat net zo moeilijk ging als toen hij het opende. 'Nee, hoor!' zei hij meteen. 'Daar hoef ik niet over na te denken. Ik doe dat graag.'
'Goed.' Sarah legde een hand op zijn schouder en duwde hem zachtjes de kamer uit. Hij sloot de deur af en gaf haar de sleutel. 'Je mag de sleutel altijd bij mij komen halen,' zei ze toen hij de boekenwand weer tegen de muur schoof. 'Wel wil ik graag dat je je in de bibliotheek opsluit om te voorkomen dat je onverwacht bezoek krijgt.'
'Geen probleem, miss Jones!' Met die woorden gingen ze ieder weer hun eigen dingen doen.
Terwijl Howard op zijn fiets stapte, dreven dikke regenwolken boven de St. Petrus en Paulus. De wind trok aan, en door de droge zomerperiode waaide het stof voor hem uit. Hij had een uitstekend humeur en trapte flink door. Hij deelde een geheim met Sarah. Niemand wist ervan. Dat betekende dat hij macht over haar had. Hij, Howard Carter, had macht over miss Sarah Jones.
Dat bracht hem zo in verwarring dat hij bij de afslag naar de Sporle Road het tweespan niet zag. De koets kwam hem tegemoet en had bijna de hele breedte van de straat nodig. Nog voordat hij het in de gaten had, reed hij tussen de twee paarden in. Van schrik klampte hij zich vast aan de manen van het paard dat zich links van hem bevond. Uiteindelijk was de menner in staat om met veel geschreeuw te stoppen waarmee hij voorkwam dat Howard ernstig gewond zou zijn geraakt. Zijn fiets was onder de hoeven terechtgekomen en veranderd in een blikken kluwen waar de spaken uitstaken.
'Hé, stommerik, kun je niet uitkijken?' De koetsier droeg een blauw uniform met messing knopen. Hij klom achterwaarts en vloekend van de bok. Het getier en gescheld drong gelukkig niet tot Howard door omdat hij koortsachtig controleerde of hij niets gebroken had. Het viel allemaal mee, afgezien van zijn linkervoet. Hij had een verstuikte enkel en kon er moeilijk op staan. Dus hinkte hij naar de straatrand om voor de deur van een smal rijtjeshuis op het stenen trapje te gaan zitten.
'Heb je geen ogen in je kop?' schold de koetsier, nu iets milder.
De koetsdeur ging open. Een voornaam geklede heer stapte uit, gevolgd door een meisje dat niet ouder was dan achttien. Ze keken bezorgd toe. De man riep de koetsier – hij heette Albert – tot de orde. De jongeheer had immers geen schuld aan het ongeluk. Albert had de koets naar de kant van de straat moeten manoeuvreren. Hij vroeg aan Howard of hij zich bezeerd had.

Hij zei dat er niks ergs aan de hand was en dat hij het alleen vervelend vond dat zijn fiets in de prak was gereden. De schroothoop lag onder de voorwielen van de koets en zag er dramatisch uit.
'Amherst,' zei de deftige man. Hij keek op Howard neer. 'Lord William George Tyssen-Amherst. Natuurlijk zal ik uw fiets vergoeden. Waar woont u?'
Howard keek naar hem op. Op zo veel voorkomendheid had hij niet gerekend. 'Aan de Sporle Road, niet ver van hier,' antwoordde hij.
'Albert! Laad die fiets op! Daarna brengen we de jongeheer naar huis.'
'Alstublieft, mylord, dat is echt niet nodig. Ik red me wel.'
De koetsier nam de woorden van Howard serieus. Hij haalde de tot schroot gereden fiets onder de koets uit en maakte aanstalten om alles naar de kant van de straat te slepen, maar dat wilde de lord niet.
'Hoor je niet wat ik zeg, Albert? Ik wil dat je de fiets op de koets laadt. Daarna brengen we de jongeheer naar huis.'
Albert gehoorzaamde. De lord en zijn dochter hielpen Howard overeind en begeleidden hem naar de koets.
Fanny en Kate konden zich niet herinneren dat er ooit zo'n deftig tweespan voor hun huis had gestaan. Nadat Howard hun had verteld wat hem was overkomen, en hij hen ervan verzekerd had dat hij niet gewond was en dat de lord alle schade aan de fiets wilde vergoeden, nodigden ze Amherst en zijn dochter uit om binnen te komen voor een kop thee.
Lord William wilde niet onbeleefd zijn en nam de uitnodiging aan. Heel even, zei hij, want hij was al laat. Nog afgezien van de vertraging door het ongeluk.
Terwijl ze theedronken, zat Albert roerloos op de bok en staarde verveeld naar het platteland achter de huizen. Howard, die door het raam naar buiten keek en het tafereel gadesloeg, kreeg er geleidelijk steeds meer plezier in en begon de positieve kanten van het ongeluk te zien. Want buiten dromden de mensen samen rond de mooie koets en ze wezen heimelijk naar het eenvoudige huis van de familie Carter.
Bij het afscheid zei Lord William tegen de twee oude dames: 'Als ik zo vrij mag zijn... ik zie overal voortreffelijke dierenschilderijen. Wie is de schilder?'
'Ik,' zei Howard meteen. 'Ik heb ze geschilderd, mylord.'
Lord Amherst keek verbaasd op. 'O ja? Ze zijn prachtig.'
'Dank u, mylord.'
'Schildert u alleen dieren?'

Howard haalde zijn schouders op. 'Ik doe dat graag en het verdient goed.'
Terwijl de lord rondkeek langs de muren van de kleine woonkamer, en hij zijn blik over de schilderijen liet glijden waarop kraanvogels, paarden en katten waren afgebeeld, vroeg hij: 'Vertelt u eens, jongeheer, wilt u bij mij in dienst treden? Ik zoek een vakkundig iemand met een scherpe blik.' Zonder zijn antwoord af te wachten, en terwijl hij opstond en naar de deur liep, voegde hij eraan toe: 'Kent u Didlington Hall, bij Brandon?'
'Alleen van naam, mylord. Het moet een prachtig landgoed zijn.'
'Goed. U kunt zich de volgende week bij mij melden. Laten we zeggen woensdagochtend. Dan bespreken we de rest. O ja...' Hij stak een hand in de binnenzak van zijn deftige rokkostuum en haalde enkele bankbiljetten tevoorschijn. 'Voor uw nieuwe fiets. Dat zal wel voldoende zijn, denk ik.'
Na een vluchtige blik wist Howard dat hij van dat geld wel twee fietsen kon kopen. 'Dank u, mylord,' stamelde hij confuus. 'U bent erg gul.'
Toen de lord en zijn dochter vertrokken waren, liep Howard naar zijn kamer op de bovenverdieping. Hij hoopte dat hij de vragen van de oude dames zo kon omzeilen. Vermoeid liet hij zich in de oude, versleten fauteuil vallen – de leunstoel die hij had meegebracht uit Londen – en staarde naar het matte licht van de petroleumlamp. Hij legde zijn handen achter zijn hoofd, probeerde zijn gedachten en belevenissen van die dag te ordenen en vroeg zich af waarom er in hemelsnaam van die dagen waren dat het lot zich meer deed gelden dan de rest van het jaar.
Plotseling voelde hij een ontembare kracht in zich opwellen. De kracht om een hoger doel te bereiken. Hij moest de eerste trede van die carrièreladder nemen. Daar had hij hulp bij nodig, iemand die hem hielp zijn leven een nieuwe impuls te geven. Nu leek het warempel of iemand hem de hand reikte om die levensvervulling vorm te geven. Hij hoefde die hand maar te grijpen.
In gedachten verzonken schrok hij op. Er klopte iemand op de deur.
'Howard?' Het was Kate. Als elastiek rekte ze de klinkers van zijn naam uit.
'Ja, tante Kate?'
'Dit is onbeleefd van je. Waarom blijf je in je kamer?'
'Ik moet nadenken, tante Kate.'
'Je bent ons een verklaring schuldig, Howard. Vind je ook niet?'
'Ik weet het, tante Kate. Vandaag ben ik daar echter niet voor in de stemming. Morgen, tante Kate. Welterusten.'

'Dat is heel onbeleefd van je.'
'Ja, tante Kate. Dat is onbeleefd. Morgen leg ik jullie alles uit.'

6

Even na tienen stalden de winkeliers buiten hun waar uit rond het marktplein van Swaffham. Owen Hazelford liep met zijn tweewielige handkar in noordelijke richting naar het station. Meneer James Marvin had aangekondigd dat hij 's ochtends met de trein uit Norwich zou arriveren. Hij wilde enkele dagen van het zomerse platteland genieten.
Rond deze tijd was het niet druk in Station Street. Een Hansom-Cabriolet kwam hem tegemoet. De man was van ver te herkennen. Robert Spink.
'Ik wou net bij jou langsgaan!' riep hij over straat. Hij bracht het tweespan tot stilstand en trok de handrem aan.
'Geen tijd!' zei Owen op een dwingende toon. 'Ik moet een gast van het station afhalen. Ik wil trouwens niks meer met jou te maken hebben. Laat me met rust!'
'Hó, hó, wat krijgen we nou?' Spink liep naast Owen, die echter stug bleef doorlopen. 'Zo ga je toch niet met een oude vriend om?'
'Vriend?' Owen zette er flink de pas in. 'Laat me niet lachen. Die zogenaamde vriendschap van jou heeft me een hoop ellende bezorgd.' Hij spuugde op het plaveisel. 'Maak dat je wegkomt!'
Spink pakte hem bij de schouder, waardoor Owen bijna struikelde, en zei woedend. 'Je hebt zeker weer gin van je vader gejat. Ik ben er niet van gediend als iemand zo'n toon tegen mij aanslaat. Wat is er aan de hand? Het gaat om een heel grote klus!'
'Een grote klus? Zal wel! En anderen laat je het vuile werk opknappen, hè?'
Spink deed of hij dat niet gehoord had. 'Je weet waar de fabriek van mijn vader staat, hè? In een kluisje in het bureau ligt het arbeidersloon dat zaterdagavond wordt uitbetaald... misschien wel vijfhonderd pond.'
Op de hoek van Spinners Lane hield Owen zijn pas in en zette zijn handkar stil. 'Ben je doof, Spink? Die duistere praktijken van jou ben ik spuugzat. Ik doe niet meer mee, hoor je? Ik heb door jou al last zat!'
Spink ging voor hem staan en trok hem bij zijn kraag zo dicht naar zich toe dat hun gezichten elkaar bijna raakten. 'Je wilt daar toch niet mee zeggen dat je ermee ophoudt, hè?'
Hoewel Owen een grote, gespierde kerel was, lukte het hem zelden

zijn kracht doelgericht in te zetten. Dus was de por die hij Spink gaf eerder onbeholpen dan intimiderend. Niettemin verzamelde hij moed, en hij schreeuwde woest tegen hem: 'Ik zeg het niet nóg een keer... zoek iemand anders die jouw vuile zaakjes opknapt. Op mij hoef je niet meer te rekenen!' Hij greep de dissel van zijn handkar vast en liep verder, richting station.
Zo gemakkelijk liet Spink zich niet afschudden. Hij liep op de stoep naast Owen en schold hem uit voor lafaard, schijterd en vaderskindje. Toen dat niet de gewenste uitwerking had, zei hij dreigend: 'Ik ga je verlinken bij je vader. Hij zal verbaasd staan wat die brave zoon van hem allemaal op zijn kerfstok heeft.'
Owen lachte cynisch. 'Je doet maar. Daar kom je dan wel laat mee. Mijn vader schrikt niet, want hij weet alles al.'
'Dat geloof ik niet!'
'Ik zeg het je toch?'
'Heb jij je vader alles opgebiecht? Vooruit, vertel op!' Spink hield Owen bij zijn arm tegen.
Owen bleef staan en keek hem strak aan. 'De hele waarheid... niets meer en niets minder.'
'Weet je vader dus dat jij miss Jones bestolen hebt?' vroeg Spink vol ongeloof.
Owen knikte.
'Ik mag hopen dat je mijn naam niet genoemd hebt!' bulderde Spink. 'Vertel op!'
In het oosten klonk de fluit van de stoomtrein. 'Geen tijd!' riep Owen. Hij holde verder met zijn kar. Onderwijl keek hij even om en riep naar Spink, die was blijven staan: 'Ik moest jou wel verlinken, Spink. Er zat niks anders op!'
De trein uit Norwich kwam piepend en knarsend tot stilstand. De kleine locomotief, waarvan de schoorsteen als een vuurtoren in de lucht stak, maakte sissende, stampende geluiden. Witte stoomwolken dreven over het perron en de rails. 'Swaffham! Swaffham!' riep de stationschef. Met zijn uniform en rode pet haalde hij zich de jaloersheid van de jongens van Swaffham op de hals. Je moest je oren spitsen om zijn aankondiging te horen. Temeer omdat hij zich steeds omdraaide terwijl hij de plaatsnaam riep. En niet in de laatste plaats omdat hij van de twee lettergrepen één maakte, waardoor je alleen het onbegrijpelijke 'Swam' verstond.
Ondanks dat kon meneer James Marvin op tijd uit de laatste wagon derde klas stappen. Owen Hazelford begroette hem beleefd. Marvin had niet veel bagage bij zich. Slechts twee kleine reiskoffers, die vele landen hadden bezocht of betere tijden hadden gekend. Owen – hij

beoordeelde de gasten die hij naar het George Commercial Hotel bracht altijd aan de hand van hun bagage – dacht aan het laatste. Zijn vermoeden werd bevestigd door het voorkomen van Marvin: hij ging voornaam gekleed, maar het hield niet over.
Meneer Marvin was allesbehalve spraakzaam. Op de vriendelijke vragen van Owen gaf hij slechts kort antwoord met een 'ja' of 'nee'. Op de vraag waar hij vandaan kwam, antwoordde hij eveneens kort en krachtig: 'Norwich.'
Dus vroeg Owen niet verder. Zwijgend duwde hij de handkar en observeerde meneer Marvin, die op de stoep naast hem liep. Tersluiks hield hij hem in de gaten. Hij was een jaar of veertig, misschien iets ouder. Zijn bril – draadloos montuur – met dikke glazen en zijn kroezige bakkebaarden maakten hem er niet jeugdiger op. Zijn sloffende tred wekte het vermoeden dat hij gebukt ging onder zijn lot.
Ze arriveerden bij het hotel. Marvin bekeek het pand met een kritische blik, waarbij hij zijn bril met zijn wijsvinger steviger op zijn neus drukte. Kennelijk kon hij dan beter zien. Toen Owen de bagage van de handkar haalde, werd Marvin plotseling spraakzamer. 'Swaffham. Een prachtig oord. Ik zal hier enkele dagen blijven.'
'U zult het hier zeker naar uw zin hebben, sir!' zei Owen snel. 'Om deze tijd van het jaar is het in Swaffham altijd mooi weer.'
Meneer Hazelford begroette de zonderlinge gast. En terwijl Marvin zich inschreef in het gastenboek bekeek de hoteleigenaar hem van top tot teen. Meer uit verlegenheid dan uit nieuwsgierigheid vroeg hij aan de vreemdeling: 'Bent u op zakenreis of komt u hier van de zomer genieten?'
Het leek of Marvin dat geen prettige vraag vond. Onwillig schudde hij zijn hoofd, alsof hij wilde zeggen dat hem dat niet aanging. 'Ik blijf een week en betaal vooruit,' zei hij zonder dat dat enig verband hield met het voorgaande.
Hazelford had dat soort gasten het liefst. Wie de rekening betaalde voordat de diensten geleverd waren, onttrok zich aan elke kritische beoordeling. 'In elk geval wens ik u een aangenaam verblijf in mijn hotel!' zei Hazelford onderdanig. Hij overhandigde hem de sleutel. 'Owen brengt de bagage naar uw kamer.'
Zwijgend verdween Marvin naar de bovenverdieping.
'Kijk nou eens!' zei Owen, nadat hij de twee koffers had afgeleverd en hij zijn vader liet zien wat er in zijn hand lag. 'Een penny. Van dat soort gasten word ik niet rijk.'
Hazelford grinnikte. 'Een vreemde kerel. Wat moet hij hier? Hij maakt niet bepaald de indruk dat hij met vakantie is.'
Owen ging dichter bij zijn vader staan. Hoewel niemand in de ge-

lagkamer was, fluisterde hij bij zijn oor: 'Meneer Marvin heeft mij de weg gevraagd naar de *Dame School.* En waar miss Jones woont.'
'Zo,' zei Hazelford. Hij ging weer verder met zijn werk.

Het schooljaar liep ten einde. Howard Carter werd daar erg zenuwachtig van, terwijl jongens van zijn leeftijd toch doorgaans in een euforische stemming kwamen naarmate de lange zomervakantie dichterbij kwam. Zijn nervositeit was niet te wijten aan zijn vrees dat hij een slecht rapport zou krijgen. Nee, het zat heel anders. Hij vond het vreselijk dat hij Sarah dan niet elke dag meer zou zien. Heimelijk had hij haar tijdens de les gadegeslagen: haar streng opgestoken zwarte haardos, haar smalle, licht gewelfde hals en haar oren die bij de geringste opwinding zo rood werden als herfstblaadjes. Hij kende inmiddels elk gebaar van haar. En hij zou haar aan haar tred herkennen als ze hem in de duisternis aan de andere kant van de straat passeerde.
Hoewel hij als succesvolle dierenschilder weinig vrije tijd meer had, ging hij toch elke namiddag naar de geheime kamer van de overleden baron. Daar voelde hij de nabijheid van Sarah.
Meteen op de eerste dag, terwijl hij zich bezighield met het bekijken en archiveren van de verzameling documenten, tekeningen, foto's en archeologische vondsten, ontdekte hij iets wat hij niet verwacht had. Toen hij op het punt stond de opengeslagen krant terzijde te leggen, zag hij toevallig de kop van een artikel.
'Goeie genade,' stamelde hij zachtjes. Daarna rende hij de trap op naar de directiekamer. Zo snel dat het leek of de honden achter hem aan zaten. 'Miss Jones! Miss Jones!' riep hij opgewonden. Zonder te kloppen stormde hij de kamer in. Hij trof haar echter niet achter haar bureau aan, maar op de versleten sofa waar hij haar nog nooit had zien zitten.
'Carter!' zei Sarah streng. Die toon sloeg ze alleen aan tijdens de les. Geërgerd blikte ze om zich heen en sprong overeind terwijl ze koortsachtig haar kleren schikte. Howard vond het vreselijk te zien dat Charles Chambers naast haar zat.
Howard staarde stomverbaasd naar Sarah. Zijn wereld stortte in. 'Het spijt me, miss Jones!' zei hij met trillende stem. 'Er... ik bedoel... ik heb iets ontdekt.'
'O ja?' begon Chambers belangstellend.
'Dat is toch iets wat alleen ons aangaat, Howard?' viel Sarah hem in de rede.
Howard knikte hulpeloos.
'Meneer Chambers wilde toch net gaan,' voegde Sarah eraan toe. 'Bedankt voor uw bezoekje, meneer Chambers!'

Chambers stond op en nam stijfjes afscheid. Howard was woedend. Hij ergerde zich groen en geel aan dit pijnlijke tafereel. Alsof hij te jong en te onnozel was om te merken wat zich hier afspeelde. Waarschijnlijk had ze onder haar kleren niet eens een korset aan. Waarschijnlijk was Sarah überhaupt geen fatsoenlijke vrouw. Waarschijnlijk had hij zich in haar vergist. Hij kon wel huilen.
'Howard!' Haar stem sleurde hem terug naar de realiteit. Chambers was al weg. 'Wat heb je voor opwindends te melden? Vertel nou!'
Hij was te trots om te laten merken dat hij plotseling zo verdrietig was geworden. Daarom deed hij of hij die verdomde Chambers niet had gezien. Die miezerige musicus kon hem geen lor schelen.
Toen ze zich in de bibliotheek bevonden, deed hij de deur op slot en zei tegen haar dat ze hem voor moest gaan. In de kamer van de baron lag de krant nog steeds op het bureau.
'Volgens mij gaat dit u een heleboel sores opleveren, miss Jones,' zei Howard. 'Hier, lees maar!' Hij wees naar een artikel op de eerste bladzijde.
Sarah las zachtjes voor wat er stond, eerst stokkend, daarna steeds sneller: 'Inbraak op Didlington Hall. Tot nu toe onbekende daders hebben zich in de nacht van zondag op maandag toegang verschaft tot de kunstverzameling van Lord Amherst en waardevolle kunstvoorwerpen uit de Griekse en Egyptische periode gestolen. Met behulp van een touw zijn de daders via het dak door een raam op de bovenverdieping naar binnengegaan. Onder de ontvreemde kunstvoorwerpen bevinden zich meer dan drieduizend jaar oude Egyptische grafgiften en de "Aphrodite van Samos", een Grieks beeld van ongeveer negentig centimeter groot uit de vijfde eeuw voor Christus. Het beeld weegt bijna vijfenveertig kilo en werd in 1816 door het museum aangekocht van de diplomaat en kunstverzamelaar Lord Thomas Elgin. De geschatte waarde ervan is duizend guinjes. Tot nu toe is niet duidelijk hoe de daders op het dak hebben kunnen komen. En het is vooralsnog een raadsel hoe het ze gelukt is de roof uit te voeren zonder de aandacht van het personeel te trekken.'
Sarah wierp een blik op het witte beeld. Daarna keek ze Howard vragend aan. 'Inderdaad, dit is een probleem,' zei ze uiteindelijk. Ze ging in de stoel achter het bureau zitten, trommelde nerveus met haar vingers op de armleuningen, legde haar hoofd in haar nek en staarde naar het plafond, alsof daar de oplossing van het probleem geschreven stond.
Howard stond bij het raam en keek vol verlangen naar haar terwijl ze uit haar doen was. Zo had hij haar nog nooit meegemaakt. Hoe had ze zich in hemelsnaam ooit kunnen verslingeren aan een lieder-

lijke musicus? Iedereen wist toch hoe ze waren? Met enkele akkoorden konden ze het hart van een vrouw veroveren. Maar omdat hij inzag dat Sarah niet wist wat ze moest doen, zei hij: ' Ik denk dat u maar beter aangifte kunt doen bij de politie, miss Jones!'
'Ben je helemaal, Howard!' Ze schudde heftig haar hoofd. 'En dan?'
'De waarheid vertellen. U moet opbiechten wat er is voorgevallen!'
'Denk jij dat iemand mij gelooft? Dus dat barones von Schell een geheime kamer had, waar niemand het bestaan van wist en waar ze een regelrechte dodencultus praktiseerde voor haar overleden man? En dat al vijftien jaar lang? Nee, Howard. Geen mens zal me geloven!'
'Maar het is wel de waarheid.'
'De waarheid! De waarheid is vaak zo ongeloofwaardig dat er heel wat leugens voor nodig zijn om er iets begrijpelijks van te maken.'
'Dat kan wel zo zijn, maar als u niet de waarheid vertelt, moet u gaan verzinnen hoe en waarom dat beeld juist nu boven water is gekomen.'
'Het veroorzaakt in elk geval een schandaal. En dat is niet bevorderlijk voor de goede naam van de *Dame School*. Een schandaal is hoe dan ook het laatste wat ik in deze situatie kan gebruiken.'
Het waren glasheldere, overtuigende argumenten waar Sarah mee kwam. Een gewaardeerde privéschool, waar vijftien jaar lang het meest gezochte kunstwerk van het koninkrijk verborgen werd gehouden, zou het mikpunt van spot worden. 'Wat denkt u nu te gaan doen, miss Jones?'
'Niets, Howard, zolang ik niet weet hoe ik dit probleem moet oplossen.'
Hij knikte instemmend en zei: 'Je kunt je haast niet voorstellen dat de baron zoiets gestolen heeft. Een wonderlijke man!'
'Dat was hij zeker. En niet alleen hij. Ook de barones had zo haar eigenaardigheden.'
'Zou zij op de hoogte zijn geweest van die kunstroof?'
Ze haalde haar schouders op. 'Eigenlijk kan ik me niet voorstellen dat ze niet geïnteresseerd was in de herkomst van dat beeld. Overigens is het geenszins zeker dat baron von Schell iets te maken had met die roof. Mogelijk had hij het van iemand gekocht en wist hij niet eens dat het gestolen was.'
Howard liep weg van het raam, begaf zich naar de stellingkast ertegenover en haalde een stapel losse bladen tevoorschijn. 'Ik heb iets gevonden wat uw argwaan mogelijk bevestigt. Een rekening van veilinghuis Phillips in Londen voor een opgezette krokodil. En een factuur van Samson-Antiques in Kensington voor een Egyptisch kalksteenreliëf. Hier is er nog een. Voor een Grieks mengvat van

vijfentwintig centimeter groot. Gekocht voor vijftig guinjes en twaalf shilling.'
Sarah wees naar de stellingkast. Er stond een rode kruik van aardewerk in, voorzien van zwarte figuurtjes. Daarna keek ze Howard een tijdje aan. 'Volgens mij was de baron niet de geweldige avonturier waar hij zichzelf graag voor uitgaf. Ik denk dat hij in een droomwereld leefde. Zijn zogenaamde avonturen beleefde hij in zijn bibliotheek. Vermoedelijk reisde hij tussen de omslagen van zijn boeken naar verre landen. Er zijn mensen die zichzelf voor de gek houden omwille van hun ego.'
'Waarom?'
'Dat zou je aan de baron zelf moeten vragen. Maar die is vijftien jaar geleden gestorven. Of aan de barones. Maar...'
'Ja, dat hoeft u mij niet te vertellen. Het zal dus wel altijd een geheim blijven.'
'Tenzij het ons lukt om uit de chaos van zijn nalatenschap zijn karakter te reconstrueren. Maar dat vergt zeer veel tijd. En het zal misschien niet eens veel opleveren.'
'Ik wil u daar graag bij helpen, miss Jones. Het heeft ook geen haast.' Howard vond haar idee fascinerend. Op die manier kon hij zeker nog enkele maanden langer toegang tot de *Dame School* hebben.
Toen Howard om zeven uur 's avonds ophield met werken en de sleutel van de kamer van de baron terugbracht naar de directiekamer, klopte hij eerst en wachtte lang alvorens hij naar binnenliep. Hij wilde immers niet dat Sarah voor de tweede keer door zijn toedoen in een gênante situatie terechtkwam. Hij dacht niet zozeer aan haar – in zijn ogen had ze haar fatsoen verloren – maar aan zichzelf. Hij wilde zichzelf een dergelijke teleurstelling, die nederlaag, simpelweg besparen. Howard was zeer teleurgesteld in Sarah. Heimelijk had hij haar al afgezworen. Dat probeerde hij althans.
Sarah bedankte hem en gaf hem een hand, wat ze nog nooit gedaan had. Daarna stopte ze hem twee pond toe en zei dat dat een voorschot was op zijn archiveringswerk.
Eigenlijk wilde Howard dat geld weigeren. Hij voelde zich gekrenkt dat ze hem in dat opzicht als een dienstbode behandelde. Daar stond tegenover dat hij binnenkort toch voor zichzelf op moest komen, en twee pond was geen slechte beloning. Door het geld aan te nemen, maakte hij haar duidelijk dat hun verhouding van nu af aan puur zakelijk was.
Ondanks het feit dat het al laat was, stond de zon op deze tijd van de dag nog een heel eind boven de kim. Met de gespeelde onverschilligheid van een afgewezen minnaar ging hij met gemengde ge-

voelens terug naar huis. Sarah was geen haar beter dan de meisjes die op schunnige ansichtkaarten te zien waren. Kaarten die je bij de tabakswinkel kon kopen voor een shilling per stuk. Hij had nooit gedacht dat hij ooit zo teleurgesteld zou zijn in haar. Maar ze had het verdiend.
In gedachten verzonken liep hij het schoolgebouw uit en begaf zich naar het marktplein. Daardoor zag hij de vreemdeling niet die een eindje verder naar hem stond te kijken.

Twee dagen voor het einde van het schooljaar liep Charles Chambers ongemerkt de *Dame School* binnen. Hij had een gunstig moment gekozen om ervoor te zorgen dat niemand hem zag. Door zijn voorkomen werd namelijk meteen duidelijk wat hij in zijn schild voerde. Om deze tijd, zo vroeg in de middag, was er amper iemand op straat. En dat kwam goed uit. Hoewel het warm was – de eerste echte zomerdagen kondigden zich aan – liep hij zoals gewoonlijk in kniebroek en fluwelen rokkostuum rond. Vandaag had hij echter zijn zondagse pak aan. Compleet met een wit, gesteven overhemd, voorzien van revers, en witte sokken. Hij kon zo uit een schilderij van Gainsborough zijn gestapt. In zijn linkerhand hield hij een boeket vast, gewikkeld in krantenpapier. Met zijn rechterhand trok de kleine man met het zilverwitte haar zich aan de trapleuning naar boven. Van traplopen raakte hij steevast buiten adem.
Zoals te verwachten was, liep hij meteen door naar de directiekamer. Hij klopte beleefd op de deur en wachtte geduldig tot hem gevraagd werd binnen te komen. Eerst opende hij de deur op een kier. Daarna stak hij de ruiker om de deur naar binnen. Sarah moest weten dat alleen hij achter die kwajongensstreek zat. Toen hij echter geen reactie kreeg, liep hij naar binnen.
Chambers was van nature snel van zijn apropos. Hij kreeg dan een knalrood gezicht. Maar toen hij plotseling als ongenode gast in de directiekamer stond, ging die rode kleur over in blauw. Want naast Sarah zaten mevrouw Campbell en miss Susan Meller, de twee hulpleerkrachten. Vragend staarden ze hem aan.
'Het spijt me dat ik kom binnenvallen, dames. Ik wist niet...' stamelde hij hulpeloos. Hij maakte aanstalten om achteruitlopend het vertrek weer te verlaten.
Sarah doorbrak de nogal pijnlijke situatie. Lachend riep ze hem toe: 'Maar, Charles, je denkt toch niet dat er in deze wereld ook maar één vrouw rondloopt die iemand met een ruiker afwijst? De vraag is alleen voor wie van ons drieën die bloemen zijn.'
Susan Meller en mevrouw Campbell gniffelden en keken verlegen op-

zij. Sarah voegde er vervolgens aan toe: 'Kom gerust binnen, Charles. De bespreking is toch voorbij.'
Nadat de twee dames met een hoofdknikje de kamer uit waren gelopen, en Charles en Sarah alleen waren, zei hij: 'Het spijt me verschrikkelijk dat ik me zo onhandig heb gedragen. Ik had dit bezoekje eerst moeten aankondigen.'
'Ach wat!' Sarah lachte. 'Je drinkt toch een kopje thee met mij?'
'Graag!' zei Charles, waarbij hij met gespreide vingers door zijn krulhaar streek. Een teken dat hij niet op zijn gemak was. 'Ik bedoel dat dit misschien niet het gepaste moment is. Vannacht heb ik echter over mijn moeder zaliger gedroomd. Ze zei tegen mij: "Doe het gewoon, mijn jongen. Je moet het gewoon doen. Vandaag nog."'
Sarah was van haar stuk gebracht. 'Vandaag nog?' Ze keek hem wanhopig aan.
Prompt haalde Charles de ruiker uit het krantenpapier. Toen hem dat eindelijk gelukt was, ging hij voor haar staan, zakte door zijn rechterknie – zoals een pastoor voor het altaar – en gaf Sarah, op wie hij zeer verliefd was, het boeket rode gladiolen. Theatraal deed hij zijn ogen dicht, slikte een keer en zei: 'Lieve Sarah! Sinds onze eerste ontmoeting ben ik totaal verliefd op je. Zodra ik jou zie, raak ik helemaal van de kook, en als ik niet bij je ben, ben ik niet gelukkig. Ik ben niet rijk, maar wel deugdzaam en mijn hart stroomt over van muziek. Samen zullen we het goed hebben, en financieel zul je het goed krijgen. Misschien kun je lerares worden aan een muziekschool, waar de meisjes uit de betere gezinnen zich bekwamen in zang, piano en luit. Zou dat niet fantastisch zijn? In elk geval wil ik jou hier en nu heel officieel...'
'Niet doen, Charles, alsjeblieft!' onderbrak Sarah hem. 'Ik weet wat je wilt zeggen. Alsjeblieft, niet doen. Ik moet je dan teleurstellen. En dat is pijnlijk voor je.'
Ze nam het boeket uit zijn handen en deed of ze niet gehoord had wat hij allemaal gezegd had. 'Mooie bloemen. Dank je. Waar heb ik dit aan verdiend?' Daarna stak ze haar hand uit en hielp hem overeind.
'Sta daar niet zo beteuterd te kijken!' riep ze na een tijdje terwijl Chambers met hangende schouders en gebogen hoofd voor haar stond. 'Er is toch niks gebeurd om verdrietig van te worden? Je hebt niet om mijn hand gevraagd, en ik heb je niet afgewezen. Zo is het toch?'
Chambers knikte ontmoedigd. 'Volgens mij vind je me niet aardig, Sarah,' zei hij met neergeslagen ogen.
'Charles!' zei ze. Het klonk opeens fel. 'Maak er alsjeblieft geen probleem van. Ik vind jou echt heel aardig. Maar elkaar aardig vinden is wat anders dan van elkaar houden. Weet je zeker dat je van me

houdt en me niet slechts aardig vindt? Muziek is jouw passie. Voor jou gaat er niks boven muziek. Daar is niks mis mee, maar een ideale basis voor een huwelijk is het niet. Huwelijken van musici lopen altijd op de klippen, Charles. Als je datgene waar je van houdt niet hebt, moet je houden van hetgeen je hebt. Ik hoop niet dat je nu kwaad op me bent, Charles.'

Hij schudde slechts zijn hoofd en zweeg.

Toen ze zijn vochtige ogen zag, liep ze naar hem toe en omhelsde hem.

Het was niet zijn gewoonte om door sleutelgaten te kijken. Niet eens als kind had hij dat gedaan. Howard kon zich dat althans niet herinneren. Maar het voorval van gisteren had hem zo erg in verwarring gebracht dat toen hij de sleutel van de geheime kamer van de baron wilde halen hij eerst door het sleutelgat van de deur van de directiekamer keek om er zeker van te zijn dat hij niet wéér in een onaangename situatie verzeild raakte.

Hij geloofde zijn ogen niet toen hij zag dat Sarah die verdomde musicus omarmde. Natuurlijk, hij had het kunnen weten. Hoewel hij Sarah, die losbandige vrouw, allang had afgezworen, werd hij woedend door hetgeen hij zag. Zo woedend dat hij heftig op de deur bonsde omdat hij op dat moment verschrikkelijk jaloers was op Chambers. 'Miss Jones,' riep hij. 'Ik wil u niet storen, maar ik heb de sleutel nodig. Anders kan ik niet verder met mijn werk.'

Vrijwel meteen ging de deur open. Sarah gaf hem de sleutel, waarna Howard zonder iets te zeggen wegliep.

Zoals altijd deed hij in de bibliotheek de deur achter zich op slot. Bijna routinematig opende hij de boekenwand en betrad de kamer van de baron.

Op deze warme zomerdag had hij eigenlijk niet veel zin in archiveringswerk. Daarom liet hij zich achter het bureau in de grote stoel vallen en keek naar de verzameling samengeraapte kunstwerken. Een collectie die door baron von Schell in de loop van zijn leven was vergaard. Veel kunstvoorwerpen, zoals de Afrikaanse maskers en potscherven uit de Romeinse tijd, vond hij minder aantrekkelijk. Maar andere voorwerpen, waaronder de Egyptische kruiken en beelden, bevielen hem steeds meer. Telkens werd zijn aandacht getrokken naar de Aphrodite van wit marmer. Met een gretige blik staarde hij naar de perfecte lichaamsvormen van de Griekse godin.

Uiteindelijk pakte hij een vel papier en een potlood, waarna hij het marmeren beeld natekende. Tot zijn verbazing verdween het statische karakter ervan en kreeg de figuur op papier iets dynamisch, alsof er een levend model voor hem stond. Zijn fantasie leidde zijn

potlood waardoor hij zijn ideale vrouw op papier zette. Precies zoals ze inmiddels ontelbare malen in zijn dromen was verschenen, de vrouw naar wie hij hunkerde. Geen maagdelijk wezen, zoals die sculptuur voorstelde, maar een opwindend vrouwenlichaam, een zinnelijk naakt met volle borsten en het gezicht van Sarah. Talloze keren had Howard haar gezicht geobserveerd. Hij kende elk detail, zoals haar brede voorhoofd en dat strenge kapsel van haar. Haar krachtige, gewelfde wenkbrauwen, de lange wimpers en raadselachtige ogen die zo donker waren dat je amper de pupillen zag. Links boven haar lip had ze een moedervlekje dat grappig meebewoog zodra ze iets zei. Maar haar mond vormde de grootste uitdaging voor een schilder. Een mond die in het midden breed was, zinnelijk als een kers, en golvend naar de mondhoeken smaller.
Howard schrok toen er drie keer geklopt werd. Het afgesproken teken. Het voorkwam dat je betrapt werd wanneer iemand anders bij de deur stond.
'Schiet het al op?' vroeg Sarah terwijl Howard de deur van de bibliotheek weer op slot deed.
'Niet echt. Aardig dat u dat vraagt,' antwoordde hij mismoedig. Heimelijk was hij al tot het besluit gekomen om een punt te zetten achter het archiveringswerk. Hij wilde alleen het geschikte moment afwachten om dat tegen Sarah te zeggen. En ook dat Chambers of wie dan ook zich daar maar verder mee moest bezighouden.
Sarah was goedgehumeurd. Howard kreeg daar echter nog slechtere zin door. Plotseling zag ze de tekening. Hij had die op het bureau laten liggen. Nog voordat hij de schets kon weghalen, nam ze het papier in haar hand. Hij merkte dat het bloed naar zijn hoofd steeg. Krampachtig zocht hij naar een smoes of verklaring. Maar ze gaf hem daar geen gelegenheid toe.
Sarah had zichzelf allang in de tekening herkend. Ze liep naar hem toe en gaf hem een oorvijg.
Het was niet de pijn die hem verlamde, niet eens de vernedering, maar meer de schaamte. Hij voelde zich machteloos en kon wel huilen. Er was geen reden om die tranen te onderdrukken. Verstard staarde hij langs Sarah heen en merkte niet dat ook zij tegen haar tranen vocht. De reden daarvan was echter van een heel andere aard. Sarah was kwaad op zichzelf, op haar onbeheerste gedrag. Hij had een naakttekening van haar gemaakt. Dat was geen reden om hem straf te geven. De schets streelde haar ijdelheid. Ze ervoer het als een compliment dat hij haar op het tekenvel het lichaam van een Griekse godin had gegeven. Verder was die jongen een kop groter dan zij. Een oorvijg was dus volkomen misplaatst.

'Kijk me aan, Howard!' zei ze.
Na lang aarzelen deed hij wat ze van hem vroeg. Sarah merkte dat die grote knul bijna in tranen uitbarstte. Ze nam zijn hoofd tussen haar handen en drukte zijn linkerwang tegen de hare. 'Dat was niet de bedoeling, Howard. Het spijt me!' zei ze zacht.
Hij was nog steeds niet bekomen van wat er was voorgevallen. Willoos liet hij zijn armen hangen en hij ontweek het om haar aan te raken. Op Sarah maakte hij de indruk dat haar tederheid hem onverschillig liet. Daarom greep ze hem bij zijn polsen en legde zijn armen om haar heen terwijl haar zinnelijke mond zich naar zijn lippen boog.
Toen haar lippen de zijne beroerden, en ze haar mond opende, ervoer Howard iets wat hij nog nooit had meegemaakt. Alsof er stroom op stond. Een soort statische elektriciteit die zich over zijn hele lichaam verspreidde. Een merkwaardige warmte ontsproot aan haar mond en trok door zijn ledematen. Een gloed die hem de diepte in liet tuimelen en hem van zijn verstand beroofde.
Nog geen minuut geleden had hij Sarah verwenst en zich vast voorgenomen om uit haar leven te verdwijnen. Nu wilde hij zo graag, smeekte hij zelfs, dat dit moment eeuwig duurde. Was dat liefde? Howard wist het niet. Hij had immers nog nooit op die manier van een vrouw gehouden. Niet van zijn moeder, noch van Fanny en Kate. Maar die liefde was sowieso anders. Nu hij dit voelde, was hij stomverbaasd. Het was een machtig verlangen naar haar lichaam. Een drang die zijn penis liet zwellen. En hij schaamde zich niet om haar dat te laten merken; hij drukte zijn lichaam tegen haar aan. Sarah beantwoordde zijn opwinding met zachte tegendruk.
Hij had altijd gedacht dat de liefde zich uitte in dromerijen en allerlei tederheden. Precies zoals hij dat in de romans van Sir Francis Trolopp en Charles Lever had gelezen. Nu ervoer hij wilde hartstocht en een allesoverheersende verlokking. Sarah had zonet nog aanstoot genomen aan een tekening die aan zijn fantasie ontsproten was, nu liet ze willig toe dat hij haar borsten streelde, de knoopjes van haar bloes losmaakte en zijn gezicht in haar decolleté drukte, tussen de melkachtig witte heuveltjes boven haar korset.
Sarah kreunde zachtjes. Alsof ze pijn had. In werkelijkheid was het genot. Een stemmetje in haar binnenste zei dat ze gek was geworden. Dat het niet goed was wat ze deed. Ze wilde er echter niet over nadenken of zich met de vragen bezighouden die haar geweten haar stelde. Ze wilde die jongen voelen, ondanks het risico dat ze op die zwoele namiddag haar maagdelijkheid wel eens zou kunnen verliezen.

Vaak genoeg had ze zichzelf gekweld met de gedachte dat ze als een oude vrijster zou eindigen. Ze was immers al achtentwintig en had het nog nooit met een man gedaan. Dat was geen schande. Maar voor een vrouw met een mooi figuur en moderne levensopvattingen was dat een verre van begerenswaardig doel om naar te streven. De ware was tot nu toe simpelweg nog niet komen opdagen. Ze realiseerde zich dat feit maar al te goed wanneer ze aan Sam dacht, de handelaar in levensmiddelen uit Ipswich, of aan Charles Chambers. Liefdesverhoudingen die de ratio als basis hadden, en niet de hartstocht, eindigden steevast in een catastrofe.
Dit soort belachelijke gedachten kwelde haar terwijl ze met haar rug op het bureau van de baron ging liggen en hem naar zich toetrok.
Howard wist allang niet meer wat hij deed. Hij liet alles over zich heenkomen. Alsof hij in een sprookje was beland en zowel verbaasd als gretig om zich heen keek. Aanvankelijk was er nog sprake van enige terughoudendheid, zoals bij alle stellen die voor het eerst met elkaar vrijen. Maar daar kwam snel verandering in. Hij wist dat ook zij het graag wilde, voelde dat haar tederheid en hunkering het gezond verstand inmiddels resoluut aan de kant hadden gezet. Dit was een totaal nieuwe ervaring voor hem.
Ooit dacht hij dat vliegen zijn lust en zijn leven zou worden. Zo vrij als een vogel in de lucht, cirkelend onder de wolken. Inmiddels was Howard ervan overtuigd dat de ware liefde boven alle fantasieën uittorende. Aanvankelijk had hij de liefkozingen van Sarah niet of alleen aarzelend beantwoord. Maar zijn hulpeloosheid en terughoudendheid waren inmiddels verleden tijd.
Hij ademde sneller, zijn hemd kleefde aan zijn lichaam. Ruggelings lag Sarah op het bureau van de baron terwijl Howard schrijlings op haar zat. Beiden gedroegen zich nerveus en onrustig. Het duurde een eeuwigheid voordat het haar gelukt was om zijn riem en de knoopjes van zijn gulp los te maken. Hij waagde het niet haar te helpen.
Hij raakte van streek toen Sarah met haar rechterhand zijn piemel vastpakte. 'Miss Jones!' schreeuwde hij.
'Ja!' antwoordde Sarah zelfverzekerd. Ze streelde zijn penis tot hij ervan ging kreunen.
'Miss Jones!' herhaalde hij hulpeloos. Haastig trok hij zijn hemd uit, waarna hij zijn ogen sloot. Toen hij ze weer opendeed, wierp hij een blik uit het raam om vast stellen dat hij in Swaffham was en niet in het paradijs.
Sarah genoot van de macht die ze op de jongen uitoefende. Tegelijk groeide haar verlangen. Ongeduldig trok ze haar rokken tot aan haar

borsten omhoog. Als een klein, smekend meisje zei ze met hoge stem: 'Neem me, alsjeblieft!'
Deze drie woorden maakten een chaos van Howards gevoelswereld. Hij was zo in verwarring gebracht dat hij zich inhield, en hij keek geschrokken en wanhopig op haar neer omdat hij niet wist wat hij moest doen. De angst snoerde zijn keel dicht, hij gaf geen kik.
Sarah merkte dat Howard zich hulpeloos voelde. Ook realiseerde ze zich dat ze te ver was gegaan. Met uitgestrekte armen zei ze glimlachend: 'Kom, grote jongen van me!' Ze omarmde hem en streek met haar vingers door zijn zwarte lokken. Daarna drukte ze kusjes op zijn gezicht tot ze beiden buiten adem raakten. Vervolgens liet ze hem los.
Hij stapte van het bureau, zo voorzichtig als een ruiter die voor het eerst in het zadel zit.
'Miss Jones!' stamelde hij toen hij weer vaste grond onder de voeten voelde.
Sarah lag nog steeds halfbloot voor hem en leek het wel fijn te vinden zoals ze zich aan hem toonde. In elk geval maakte ze geen aanstalten om haar kleren te schikken en zich te bedekken. 'Noem me alsjeblieft niet meer miss Jones!' zei ze fel, maar met een glimlach.
'Miss Jones!' herhaalde hij, alsof hij haar niet gehoord had. En hij voegde eraan toe: 'Ik hou van u.'
Sarah kwam overeind. Steunend op haar ellebogen keek ze de jongen strak aan, alsof ze in zijn ziel wilde kijken of hij het echt meende. Daarna staarde ze langs hem heen. Op haar gezicht verscheen een brede glimlach.
'Lacht u me uit, miss Jones? Ik hou echt van u.'
Sarah schudde haar hoofd zo fel dat haar haarknot los ging. 'Nee,' zei ze. 'Ik zag alleen de strenge blik van de baron achter je rug. Daarom moest ik glimlachen.'
Howard draaide zich om. Ze maakte van het moment gebruik om van het bureau te komen en haar kleren te schikken. 'Volgens mij heeft hij zich omgedraaid in zijn graf,' zei Howard, waarna hij zich weer naar Sarah wendde.
Ze legde haar armen op zijn schouders, haar handen om zijn nek, en drukte hem tegen zich aan. 'Ik weet ook niet wat mij plotseling bezielde, Howard.'
'Was dit dus maar een spelletje?'
'Een spelletje? Wat ben je toch een domme jongen, Howard. Het was voor mij even opwindend als voor jou.'
'Maar we hebben toch niet... ik bedoel...'
'Sst!' Sarah drukte haar wijsvinger tegen zijn lippen. 'Het is goed

zo. Waarschijnlijk zouden we er morgen al spijt van hebben gehad.'
Howard werd kwaad. Hij rukte zich los uit haar omhelzing en riep: 'Misschien u wel, miss Jones. Maar ik zeker niet.'
'Zeg dat nooit meer,' zei Sarah op een serieuze toon tegen hem.
Maar hij liet zich niet tegenhouden. 'Denkt u dat ik niet weet wat er tussen u en Chambers aan de hand is? U denkt misschien dat ik dom ben. Maar ook domme jongens hebben ogen.'
Sarah gniffelde. 'Howard, geloof me, je bent geen domme jongen. Je hebt dat zonet bewezen. En wat Chambers aangaat... ja, hij heeft mij een aanzoek gedaan, maar ik heb hem afgewezen.'
'Waarom? Die musicus kan toch een goede echtgenoot voor u zijn?' Hij was nog steeds woedend.
'Hé!' Ze pakte zijn hand vast. 'Volgens mij ben je jaloers.'
'Ik kan hem wel vermoorden!'
'Maak je niet druk, Howard! Chambers is heel aardig. Maar een aardige kerel hoeft nog niet geschikt te zijn om mee te trouwen. Ik weet niet of je begrijpt wat ik bedoel.'
Hij was veel te trots om toe te moeten geven dat hij geen flauw idee had wat ze daarmee bedoelde. Daarom knikte hij begripvol.
Ze hield nog steeds zijn hand vast en drukte die op haar hartstreek. Onderwijl keek ze hem strak aan en zei: 'Wat wij vandaag samen hebben gedaan, was voor mij de eerste keer. Geloof me, Howard, ik heb nog nooit met een man gevreeën. Ik weet niet waarom ik je dit vertel... het is simpelweg het verlangen jou daar deelgenoot van te maken, denk ik.'
Deze verklaring wekte bij hem een vuurwerk van emoties en gevoelens op. Alsof er diep vanbinnen raketten het luchtruim kozen. Raketten die hem meenamen naar hogere sferen. Hij liefkoosde en kuste haar, vervuld van een liefdeshonger die zijn hart, zo vermoedde hij, tot in eeuwigheid zou laten overlopen van gelukzaligheid.
Als van een verboden drug genoot ze van de stormachtige tederheden waarmee haar jonge geliefde haar beminde. Toen ze elkaar eindelijk loslieten, en ze zich weer bewust werden van de realiteit, zei ze: 'Morgen is de laatste schooldag. Het is beter dat we elkaar daarna enkele dagen niet zien. Het zijn maar een paar dagen, begrijp je?'
'Natuurlijk begrijp ik dat,' zei Howard ontdaan. Hij deed een stap achteruit en bekeek haar van top tot teen, alsof hij voor de komende dagen elk detail van haar lichaam in zich wilde opnemen: haar gezicht, haar hals, de welving van haar borsten, haar armen, haar hele lijf. Voor Howard waren de geheimen van haar lichaam geen geheim meer.
Toevallig zag hij de tekening die door de vrijpartij verkreukeld was.

Hij moest erom lachen. Toen Sarah zag wat hij zo grappig vond, schoot zij eveneens in de lach. Daarna schaterden ze het uit.
'Hopelijk is de werkelijkheid mooier geweest dan jouw fantasieën,' zei ze even later giechelend.
Beschaamd sloeg hij zijn ogen neer en antwoordde timide: 'De werkelijkheid heeft mijn fantasieën ver overtroffen, miss Jones!'
Toen ze afscheid van elkaar namen, drukte ze een kus op zijn voorhoofd. Na elkaar verlieten ze de bibliotheek. Eerst Howard. Daarna Sarah. Hij stapte op zijn nieuwe fiets, die hij inmiddels had aangeschaft, en reed of de duivel achter hem aanzat. Hij kreeg het er warm van, transpireerde omdat de zwoele zomeravond te weinig verkoeling bood. Hij kon wel juichen van plezier. Dit was dus hartstocht. Dat ongecontroleerde in lichaam en geest dat maar één doel had: datgene wat je hart begeert helemaal bezitten.
Toen hij thuiskwam – zijn ouderlijk huis aan de Sporle Road – was hij een ander mens geworden. Een volwassene. Een man. In zijn kindertijd had hij gedroomd dat hij bemind werd door een mooie, grote vrouw met zwart haar. Precieze voorstellingen over de betekenis ervan had hij indertijd niet. Maar sindsdien had hij zich ongelukkig genoeg gevoeld om voortdurend naar dat onbestemde gevoel van liefde en hartstocht te verlangen.
Fanny en Kate hadden gemerkt dat hun neef was veranderd. Ze zwegen echter omdat ze wisten dat een jongen van zijn leeftijd nooit zou vertellen wat er in hem omging. Wat had hij ook moeten zeggen? Dat hij van zijn onderwijzeres hield? Of dat hij – stel je voor! – een verhouding met haar had? Ze zouden hem niet voor vol hebben aangezien. En Howard zou hen dat niet eens kwalijk hebben genomen. Voor een jongen van zijn leeftijd was het niet ongewoon om verliefd te worden op zijn onderwijzeres. Ongewoon was alleen dat die onderwijzeres dat verlangen beantwoordde. Sterker nog, dat die hartstocht van haar uitging. In elk geval ervoer hij het zo. Howard zou het liefst willen dat de tijd stilstond.

De laatste schooldag brak aan. Een dinsdag. Er leek geen eind aan te komen. Sarah en Howard deden er alles aan om te voorkomen dat hun blikken elkaar kruisten. Zelfs toen Howard zijn diploma in ontvangst nam, keken ze langs elkaar heen, alsof ze beiden gekweld werden door een slecht geweten.
Onopvallend bleef hij haar gadeslaan. Hij kon zijn ogen niet van haar afhouden. Ze was zo mooi en verleidelijk! Bevend probeerde hij zijn gevoelens onder controle te houden. Ook dacht hij na hoe hij de komende dagen dat ze van elkaar gescheiden zouden zijn – dagen die

ze hem opgelegd had – moest doorkomen. Enkele dagen had ze gezegd. Wist ze wel dat enkele dagen een eeuwigheid konden duren? Dat hou ik niet uit, dacht hij. Dat kan ze me niet aandoen. Waarom doet ze zo gemeen? Zij wil het toch ook?
Alleen met zijn gedachten dwaalde hij die namiddag over de velden richting Dereham. In dit jaargetijde stond de natuur in volle bloei. Hij maakte een ruiker van de mooiste bloemen die hij kon vinden, waarna hij ongezien thuis probeerde te komen. Hij had immers nog nooit bloemen geplukt, en met een boeket in zijn hand voelde hij zich nogal belachelijk. Om die reden legde hij de bos bloemen voor de deur neer voordat hij naar binnenging. Ongemerkt liep hij daarna naar zijn kamer, waar hij uit een tekenvel een briefkaart knipte. Sierlijk en in zijn fraaiste handschrift schreef hij: *Voor de mooie Aphrodite die van Griekenland naar Swaffham is gekomen. Howard Carter.*
Daarna fietste hij met zijn boeket richting marktplein naar de *Dame School*. Hij wilde niet gezien worden. En al helemaal niet met bloemen. Daarom liep hij door de achterdeur naar binnen en sloop door het koele trappenhuis naar de tweede verdieping, naar de kleine kamer waar Sarah sinds haar aankomst in Swaffham woonde. Hij legde de bos bloemen met het kaartje voor haar deur. Ongemerkt, dat dacht hij althans, verdween hij door de achterdeur weer naar buiten.
Liefde maakt blind. Dus zag hij ook ditmaal de man met de dikke brillenglazen en de kroezige bakkebaarden niet. Van een afstand had hij Howard zien komen en gaan.
Amper had Howard het pand verlaten of de vreemdeling ging eveneens door de achterdeur naar binnen. Doelgericht liep hij naar boven en pakte de ruiker die voor de deur van Sarah's kamer lag. Een verdieping lager klopte hij op de deur van de directiekamer. Prompt hoorde hij Sarah zeggen dat hij binnen mocht komen.
'Ik ben Marvin. James Marvin,' zei de vreemdeling, waarna hij eraan toevoegde: 'We kennen elkaar nog niet.'
Sarah ging ervan uit dat het om iets belangrijks ging. Ze bood de vreemdeling een stoel aan. 'Wat kan ik voor u doen, sir?' vroeg ze vriendelijk.
Marvin nam plaats en draaide de ruiker verlegen in zijn hand, waardoor het kaartje op de grond viel. Sarah zag dat en vond het vreemd dat hij het niet oppakte, terwijl hij dat toch eveneens gemerkt had.
'Tja, hoe zal ik het zeggen,' begon hij omstandig. 'Ik heb vernomen dat u, miss Jones, de erfenis van de overleden barones von Schell hebt aanvaard. Geld dat ze lang geleden in het huwelijk heeft gebracht.'
'Natuurlijk, dat is geen geheim,' antwoordde Sarah. 'Hebt u daar een

probleem mee, meneer Marvin? Bent u een ver familielid? Wilt u de mij toegewezen erfenis aanvechten?'
'Goeie genade, miss Jones! Zeker niet!' Hij stak zijn handen omhoog. 'U moet echter weten dat ik de baron gekend heb. Mijn vader was min of meer een vriend van hem.'
'Wat bedoelt u met min of meer?' vroeg ze snibbig.
'Nou ja, hij hielp de baron zo te leven zoals hij dat graag wilde. Helaas is mijn vader afgelopen jaar overleden. Ik behartig nu zijn belangen.'
'Ik heb geen idee waar u het over hebt, meneer Marvin!' Ze rechtte haar rug terwijl ze achter haar bureau zat en de vreemdeling met een kritische blik aankeek. 'Kunt u zich wat helderder uitdrukken?'
'Zoals u wilt.' Marvin haalde diep adem. 'Baron von Schell leidde een dubbelleven. Gelet op het preutse, stugge karakter van de barones lijkt me dat niet verwonderlijk, als ik zo vrij mag zijn. Op zeker moment liet hij zich bij mijn vader ontvallen dat hij alleen om het geld met de barones was getrouwd. Het huwelijk ervoer hij als een kwelling. Daarom ondernam hij reizen naar verre landen.'
'Ik begrijp het.' Sarah legde haar armen over elkaar en wachtte geamuseerd op verdere onthullingen.
'U begrijpt het helemaal niet, miss Jones!' zei hij bijna boos. 'Die maandenlange verre reizen van de baron eindigden namelijk allemaal in Londen. Preciezer gezegd in de Abbey Road, waar een dame van twijfelachtig allooi, maar met een aantrekkelijk uiterlijk, een losbandig leven leidde. Met die vrouw... laten we zeggen in dat niet bepaald fraaie gezelschap... bracht baron von Schell elk jaar meer tijd door dan bij zijn vrouw.'
Sarah schudde haar hoofd. 'En om ervoor te zorgen dat hij in zijn omgeving geen argwaan wekte, kocht hij in de veilinghuizen Phillips en Christies, of bij handelaren in Kensington, trofeeën uit Afrika en archeologische vondsten uit Egypte, Rome en Griekenland.'
'Goed geraden, miss Jones!'
'Het was geen gokje, meneer Marvin. Ik heb in zijn nalatenschap rekeningen gevonden die mij in die richting deden denken. Vreemd dat de barones daar niet achter is gekomen. Ze heeft immers vijftien jaar de tijd gehad!'
'Waarom denkt u dat de barones niet het vermoeden had dat haar man een dubbelleven leidde?'
'Omdat ze hem steeds de hemel in prees. Ze aanbad de dingen die hij had nagelaten alsof het relikwieën waren. Ze...' Sarah stokte. Er was geen reden om die raadselachtige Marvin nog meer te vertellen. In plaats daarvan vroeg ze: 'Welke rol heeft uw vader gespeeld in dit complot tegen de barones?'

'Een complot? Dat is wel erg sterk uitgedrukt, miss Jones. U als vrouw zult zeker minder begrip kunnen opbrengen voor het gedrag van die man. Maar wat ik zoal gehoord heb...'

'U houdt het misschien niet voor mogelijk, meneer Marvin, maar ik begrijp heus waar die baron von Schell mee zat. Ik heb haar stemmingen en boze buien van dichtbij meegemaakt. Na die ellende met "Bloempje" heb ik op het punt gestaan het bijltje erbij neer te gooien en te vertrekken. Waarschijnlijk bent u op de hoogte van wat er destijds is voorgevallen.'

Marvin knikte. Sarah zei: 'Maar u bent vast niet gekomen om mij hierover bij te praten. Dus vraag ik u nogmaals welke rol uw vader in deze affaire heeft gespeeld.'

'Hij hielp de baron. Hij droeg alles aan wat een ontdekkingsreiziger van zijn wereldreizen en opgravingen zoal mee naar huis neemt. Van opgezette krokodillen tot gouden bekers uit Mycene.' Hij keek naar de bos bloemen die hij nog steeds in zijn hand hield.

'Dat klinkt nogal louche.'

'Miss Jones, wat denkt u wel!' Het klonk verontwaardigd. 'De baron heeft altijd alles correct betaald. Ook de kostbare kunstvoorwerpen.'

'Dat weet ik,' flapte Sarah eruit. Ze realiseerde zich meteen dat ze dat niet had moeten zeggen.

'Zijn die kunstvoorwerpen er dan nog?' vroeg James Marvin opgewonden.

'Waarom wilt u dat weten?'

'Nou ja, barones von Schell was na de dood van haar man niet bereid ook maar één kunstvoorwerp van de hand te doen. Maar voor u, miss Jones, hebben die voorwerpen geen emotionele waarde. Sterker nog, sommige kunstobjecten kunnen gevaarlijk voor u zijn.'

'Dat moet u me uitleggen.'

Hij plukte met zijn vingers aan de ruiker, alsof hij verlegen was. 'Miss Jones, u moet weten dat niet alles wat baron von Schell in zijn leven heeft verzameld legaal verworven is,' zei hij zonder haar aan te kijken.

'Was de baron daarvan op de hoogte?'

'Natuurlijk niet. Maar hij was nu eenmaal de ideale afnemer! Je kon er zeker van zijn dat die kunstvoorwerpen in zijn verzameling terechtkwamen en nooit meer zouden opduiken.'

'Ook de Aphrodite?'

Marvin verstarde. 'Is het beeld er dan nog?'

Sarah gaf geen antwoord.

'Ik ken namelijk iemand die belangstelling heeft voor dat kunstobject,' zei de vreemdeling. 'Vergeet niet dat kunstvoorwerpen die zo bekend zijn als de Aphrodite praktisch onverkoopbaar zijn. Misschien kun je het kwijt aan iemand die niet goed bij zijn hoofd is. Stel dat u van plan zou zijn om de Aphrodite aan de rechtmatige eigenaar terug te geven. Dan nog zult u diep in de problemen zitten. Niemand zal u geloven als u vertelt hoe u aan dat beeld bent gekomen.'

'Wie zegt dat ik dat beeld überhaupt heb?' Sarah leek zeker van haar zaak en was niet van plan zich in een of andere duistere aangelegenheid te laten verwikkelen. Ze had echter niet gerekend op de sluwheid van de vreemdeling.

Want hij gaf haar de bos bloemen. En toen ze hem vragend aankeek, haalde hij het kaartje van de vloer en overhandigde dat aan haar. 'Dit lag voor uw deur, miss Jones. Kennelijk hebt u een hartstochtelijke aanbidder, als ik zo vrij mag zijn.'

Ze las wat er op het kaartje stond. De tekst vond ze zeer ontroerend. Tegelijk voelde ze zich ook betrapt. Prompt merkte ze dat ze kleurde. 'Van een goede vriend van mij!' zei ze, alsof het kaartje een bagatel was. Ze tikte ermee op haar handpalm.

'Dat weet ik,' antwoordde Marvin ogenschijnlijk vol begrip. 'Ik hou hem al enkele dagen in de gaten.' Met een zelfgenoegzaam glimlachje haalde hij een kleine, messingkleurige verrekijker uit de zak van zijn colbert. 'Is die knul niet wat te jong voor een vrouw van uw leeftijd, miss Jones? Ik ben erachter gekomen dat hij een leerling van u is.'

'Wat wilt u daarmee zeggen?' Sarah werd almaar ongeruster.

'Nou ja, in de toekomst zult u de ramen moeten sluiten als u het met uw leerling doet... ook al is het buiten nog zo warm. De lariksen aan de achterkant van het schoolgebouw bieden namelijk een fantastisch uitzicht op alle kamers.'

'Eruit! Maak dat u wegkomt! Nu meteen!' riep Sarah. Ze was tot het uiterste getergd. 'U bent een onbeschofte ploert, meneer Marvin. Eruit!'

Zonder te aarzelen ging hij op haar eis in. Het leek zelfs of hij erop gerekend had. Toen hij naar de deur liep, zei hij nog: 'Begrijp me niet verkeerd, miss Jones. Uw privéleven gaat mij niet aan. Mij maakt het niet uit dat u het met uw leerling doet. Maar in de samenleving heersen nu eenmaal ouderwetse morele opvattingen. Van mijn kant hebt u in elk geval niets te vrezen als u zich in een bepaald opzicht erkentelijk toont.'

'Eruit!' schreeuwde Sarah opnieuw. Ze pakte hem bij zijn mouw en trok hem naar de deur. 'Ik wil u hier nooit meer zien!' riep ze hem woedend na. Daarna liep ze naar haar bureau, waar de bos bloemen lag en het kaartje dat Howard had geschreven. Ze huilde en snikte als een klein kind.

7

Op woensdag had Howard op Didlington Hall een afspraak met Lord Amherst. Ook die nacht was het nauwelijks afgekoeld. Hij vreesde de hitte van de dag, temeer omdat hij voor de reis zijn beste en enige pak had aangetrokken om een goede indruk te maken op de lord. Rond zeven uur 's ochtends stapte hij op zijn fiets. Op de bagagedrager had hij een map met zijn mooiste tekeningen vastgemaakt.
De heuvelachtige weg naar Didlington Hall, ongeveer vijftien kilometer van Swaffham, bij het dorpje Brandon, was onder normale omstandigheden al lastig genoeg. Op die warme dag transpireerde hij ook nog eens flink. Toen hij bij het plaatsje Mundford het Thetford Forest bereikte, deed hij zijn colbert uit en hing zijn doorweekte hemd over het stuur. Alleen iemand die niet goed wijs was, fietste in deze verschrikkelijke hitte tien mijl door Norfolk.
Al fietsend door het dichte bos, en in zijn blote bast, was de zwoele warmte een stuk draaglijker. Howard had al bedacht wat hij zou zeggen om Lord Amherst voor zich te winnen. Hij had zijn woorden zorgvuldig gekozen. Nu probeerde hij zijn 'speech' nog eens door te nemen, wat niet meeviel omdat hij voortdurend moest denken aan wat er in de afgelopen dagen was voorgevallen. En terwijl de hoge bomen aan weerszijden van de weg als spoken aan hem voorbijtrokken, zag hij in gedachten Sarah weer voor zich. Al trappend op de pedalen dacht hij haar zelfs onder zich te voelen. Bovendien vond hij het vreselijk dat hij haar enkele dagen niet zou zien.
Toen hij bij Didlington Hall – een groot bakstenen herenhuis in een uitgestrekt, parkachtig landschap – was gearriveerd, zette hij zijn fiets tegen een notenboom om bij de vijver, vlak bij de poortingang, het zweet van zijn lijf te wassen. Waterlelies dreven in het donkergroene water. Met zijn handen vormde hij een kom, schepte wat verkoelend water op en bracht het naar zijn gezicht. Daarna trok hij zijn hemd en colbert weer aan, waarna hij met de fiets aan de hand naar de voordeur liep.
Hij trok een keer aan het belkoord. Prompt deed een butler in livrei open. Hij had witte handschoenen aan en keek streng op Howard neer. 'Wat wenst u, sir?' vroeg hij korzelig.
'Ik ben Howard Carter en heb een afspraak met Lord Amherst.' Nauwelijks had hij dat gezegd of hij herkende de koetsier in hem. 'U kent mij al,' voegde hij eraan toe.

'Zoals u wilt,' zei de bediende, die niet onder de indruk leek. 'De dienstingang.' Hij wees vluchtig met zijn duim. Howard moest kennelijk door de achterdeur naar binnen.
Howard wierp de butler een minachtende blik toe omdat die kerel hem, nog voordat hij het met de lord eens was geworden, als een dienstbode had behandeld terwijl Amherst hem steeds met 'jongeheer' had aangesproken, dat herinnerde hij zich nog heel goed. Toch gaf Howard gehoor aan het onaardige verzoek en liep met zijn tekenmap onder de arm naar de achterdeur.
In tegenstelling tot de voordeur, omhangen met klimop die tot de bovenste verdieping reikte, moest hij bij de achterdeur eerst vier treden naar beneden lopen, naar het keukengewelf. Er stonden flessen, op elkaar gestapelde kisten en grote potten. Een dikke kokkin – haar lokken verborgen onder een hoofddoek – keek hem onverholen wantrouwend aan en dacht dat hij de nieuwe bediende was. Ze drukte haar gebalde vuisten tegen haar heupen en morde: 'Koester geen valse hoop, hoor je! Op meer dan tien shilling hoef je op Didlington Hall niet te rekenen. Dat geldt ook voor chique lui als jij!' Nadat ze dat gezegd had, bekeek ze hem van top tot teen.
Howard knikte vriendelijk. Hij wilde op de eerste dag niet meteen een slechte indruk maken op het personeel. Vooral niet op de kokkin. Tante Kate had hem vaak gewaarschuwd dat je het in een herenhuis met iedereen aan de stok mocht krijgen, maar dat je de kokkin hoe dan ook te vriend moest houden.
'De lord is bereid u te ontvangen!' Achter zijn rug hoorde Howard de manende stem van Albert. Zwijgend volgde hij de butler.
De koelte in het herenhuis was weldadig. Didlington Hall straalde niet de ongenaakbaarheid uit van een herenhuis als Oxburgh Hall, dat versterkt was met torens en omringd door een gracht. Dit grote pand was in de loop van zijn lange geschiedenis talrijke keren verbouwd, compleet met allerlei aanbouwsels, waardoor je je in een doolhof waande en gemakkelijk kon verdwalen als je de weg niet wist in het gebouw.
De inrichting van het herenhuis van Amherst deed geenszins onder voor vergelijkbare landgoederen. De muren van de grote kamers hadden lambriseringen van walnotenhout, en er hingen kostbare schilderijen en wandtapijten. Het degelijke, traditionele meubilair stamde uit alle mogelijke tijdperken in de Engelse geschiedenis. Her en der stonden reusachtige Chinese vazen, honden en fabeldieren van porselein, alsof ze de aandacht niet waard waren. Het felle zomerlicht scheen door de hoge ramen van de hal – met de voordeur waar Howard niet door naar binnen mocht – en tekende fel oplichtende vlak-

ken op de rode en blauwe ornamentele dessins van de oosterse tapijten. Howard kon zich moeilijk voorstellen dat in de massieve, solitaire fauteuils – zonder tafels – ooit een bezoeker zou plaatsnemen. Vanuit de grote hal voerde een deur naar de werkkamer van de heer des huizes. De butler klopte en meldde de bezoeker aan.
Howard was niet klein. Maar zo voelde hij zich wel toen hij naar binnen liep. Het vertrek deed hem vaag denken aan de kamer van de baron in Swaffham. Alleen was deze ruimte veel groter. Aan de muren hingen, van de vloer tot aan het plafond, kunstvoorwerpen en archeologische vondsten, voornamelijk uit Egypte. Het rook er bovendien merkwaardig. En het was er drukkend warm.
Lord Amherst was in gezelschap van een man. Howard kende hem niet. Ze stonden gebogen over een tafel die in het midden van het vertrek stond. Er lagen stapels landkaarten, tekeningen en oude documenten op.
De lord begroette Howard vriendelijk en vroeg belangstellend: 'Hebt u niets overgehouden aan dat betreurenswaardige ongeluk?'
'Nou, dat viel erg mee!' Howard maakte een gebaar of het niets voorstelde.
'En uw fiets?'
'Ik heb een nieuwe gekocht, mylord. Ik ben ermee naar Didlington Hall gereden.'
'Dan kunnen we deze zaak als afgehandeld beschouwen,' antwoordde Amherst. Hij wees naar de andere man, een jonge kerel van een jaar of vijfentwintig. 'Meneer Newberry, ik wil u graag voorstellen aan meneer Howard Carter, over wie ik u al verteld heb. Een zeer begaafde tekenaar die ik graag in dienst wil nemen.' De lord keek Howard aan en vervolgde: 'Dit is Percy Edward Newberry, een aankomende Egyptoloog, voortreffelijke botanicus en uitmuntende tuinhistoricus.'
Newberry gaf hem een hand. 'Lord Amherst heeft me al verteld over de merkwaardige wijze waarop u met elkaar kennis hebt gemaakt. Wie weet waar het goed voor was. Vaak bepalen de eigenaardigste toevallen in het leven het lot van een mens.'
Howard knikte vriendelijk en legde zijn tekenmap op de tafel. Daarna draaide hij zich om naar de lord en zei: 'Ik heb enkele proeftekeningen gemaakt. Er zitten ook opdrachttekeningen bij. Paarden en huisdieren. En enkele landschapsaquarellen, gemaakt in de omgeving.'
Belangstellend en met een kritische blik bekeken Lord Amherst en de andere man zijn werk. Onderwijl observeerde Howard diens reacties en gedragingen.

Lord Amherst, een statige man van een jaar of zestig met een dun snorretje, had een vitale blik en strenge, ernstige gelaatstrekken die nauwelijks deden vermoeden dat hij zachtmoedig van aard was en van de mooie dingen des levens hield. Hij bezat vierduizend hectare heideland. En een gigantische veestapel: paarden, koeien en schapen. Met de opbrengst ervan konden hij en zijn vrouw Margaret en hun vijf dochters – hij had geen zoon – leven zonder financiële zorgen. Hij kon zich zelfs dure hobby's permitteren die zijn leven vormgaven en waarover Howard later nog te horen kreeg. Bovendien vereerde hij Queen Victoria op bijna religieuze wijze. Op een schilderij, dat in het midden aan de muur achter in de werkkamer hing, pronkte ze levensgroot met alle kroningsinsignes.
Nadat Amherst en Newberry zijn tekeningen nauwkeurig bestudeerd hadden, en elkaar regelmatig instemmend even hadden aangekeken, bood de lord hem een stoel aan en vroeg: 'Meneer Carter, welk beroep oefent u momenteel uit? Naar ik me meen te herinneren verdient u de kost als dierenschilder, zo is het toch?'
'Inderdaad, mylord. Ik heb net mijn laatste schooljaar achter de rug en moet gaan nadenken wat ik met mijn leven wil doen. Gelet op de omstandigheden en financiële situatie van mijn vader kan ik in elk geval niet verder gaan studeren. Maar ik bekijk het van de positieve kant, ik krijg veel opdrachten.'
Amherst stond tegen de tafel geleund, beide duimen in de zakken van zijn vest gehaakt, en zei: 'Dat geloof ik graag, jongeman. U levert voortreffelijk werk. Maar bent u er zeker van dat u in de toekomst voldoende opdrachten zult blijven krijgen? We gaan onrustige tijden tegemoet. Opgestookt door kortzichtige heethoofden leggen arbeiders in de katoenindustrie het werk neer. Ze zijn in "staking", zo noemen ze dat. In wat voor een tijd leven we toch! Straks willen de vrouwen nog kiesrecht! Enfin, ik bied u een vast inkomen aan als tekenaar. Om te beginnen vijftien shilling per week. Later gaat u meer verdienen. En gratis kost en inwoning.'
Vijftien shilling per week? Ofwel een vast inkomen van drie pond per maand! Dat was zeker geen slecht aanbod, vond Howard. Zeker niet als schoolverlater. Plotseling realiseerde hij zich – de gedachte trof hem als een bliksemflits – dat hij dan moest verhuizen! Swaffham. Niet bepaald een oord waar een jongen als Howard Carter een leven lang tevreden zou toeven. Maar Sarah Jones was een heel ander verhaal. De gedachte dat hij vijftien kilometer van haar vandaan zou wonen, vond hij opeens ondraaglijk.
'Nee,' zei Howard, zonder er lang over na te hoeven denken. 'Het is een royaal aanbod, mylord. Beschouw mij dus niet als ondankbaar

nu ik het toch afwijs. Ik blijf liever in Swaffham... bij mijn tantes,' voegde hij eraan toe.
Amherst en Newberry keken elkaar verbouwereerd aan. Ze hadden niet verwacht dat hij die baan liet schieten. De lord al helemaal niet. Howard meende zelfs op diens voorhoofd een loodrechte woederimpel te zien.
'U wilt dus onderhandelen,' zei Lord Amherst. Hij was het niet gewend dat hij werd tegengesproken. 'Goed, jongeman, ik verhoog het salaris naar twintig shilling per week. Hoger ga ik echt niet!'
Vier pond per maand! Howard begreep de wereld niet meer. Dat was bijna zoveel als zijn vader als illustrator en gevestigd kunstenaar bij de *Illustrated London News* verdiende. De gedachte aan Sarah Jones, die dan vijftien kilometer van hem vandaan zou wonen, bracht hem zo in verwarring dat hij alleen maar hulpeloos zijn hoofd kon schudden. 'Mylord, ik kan die opdrachten toch ook in Swaffham uitvoeren?' zei hij uiteindelijk om Amherst niet voor het hoofd te stoten: 'Als ik u goed begrijp, moet ik kunstvoorwerpen en inschriften gaan reproduceren.'
De lord schoot in de lach. Het klonk gemaakt, gekunsteld, bijna meewarig. 'Hoe stelt u zich dat voor, jongeman? Wilt u mijn kunstschatten op de fiets heen en weer tussen Didlington Hall en Swaffham vervoeren? U schijnt de waarde van die kunstobjecten te onderschatten. Hier, deze papyrus...' Hij klopte zachtjes met de knokkels van zijn vuist op de tafel, '... is drieduizend jaar oud. Ik heb er duizend pond voor betaald. Duizend pond! Ik stel voor dat u nog eens goed nadenkt over mijn voorstel. Ik geef u een week de tijd.'
Lord Amherst gaf hem de map met de tekeningen terug. Meneer Newberry stak een hand naar hem uit. Als geroepen verscheen opeens butler Albert in de deuropening om hem terug te begeleiden, precies zoals hij binnen was gekomen. Howard had de indruk dat Albert aan de deur had staan luisteren, want hij keek nu nog korzeliger dan hij voorheen al deed. Toen besefte hij dat hij er een vijand bij had als hij ooit voor Lord Amherst ging werken.
Het was inmiddels middag. Buiten was het broeierig warm. Aangezien Howard veel te dik gekleed was, deed hij zijn colbert uit en maakte die vast op de bagagedrager. Daarna stopte hij even bij de fontein. Met zijn handen schepte hij water om te kunnen drinken. Opeens zag hij een schaduw die bewoog. Hij draaide zich om en herkende de dochter van Lord Amherst. Tijdens het ongeluk met de fiets zat zij bij haar vader in de koets. Ze had een wit matrozenpakje aan. Haar rok kwam tot aan haar kuiten. Een grote blauw met rode strik hing op het voorpand. En ze liep op blote voeten.

'Hé, ben jij dat? Heb jij je fiets onder onze koets gereden? Ik ben Alicia!' Ze stak haar hand uit.
De ontmoeting was zo onverwacht dat hij even niet wist wat hij moest zeggen. Zwijgend gaf hij haar een hand en knikte verlegen.
'En? Heeft mijn vader je een baan aangeboden?' vroeg het meisje.
'Ja,' antwoordde Howard bedeesd.
'Heb je die geaccepteerd?'
'Nee.'
Alicia stak haar hand even in de fontein, schepte er wat water uit en gooide het in zijn gezicht.
'Praten doe je niet graag, hè?' riep ze lachend. Geamuseerd keek ze hoe Howard het water uit zijn gezicht wreef.
'Sorry, miss Alicia. Ik ben een beetje in de war na het gesprek met uw vader.'
'Miss Alicia?' aapte ze hem na. 'Ik wil dat je me bij mijn voornaam noemt. Hoe heet je?'
'Howard.'
'Goed, Howard, vertel op. Betaalt mijn vader je te weinig? De gierigaard! Alle rijke mensen zijn vrekkig. Daarom zijn ze zo rijk geworden. Als je geduld hebt, neemt hij opnieuw contact met je op en biedt hij je het dubbele.'
Het tengere meisje was kennelijk een brutaaltje, en eigenwijs voor haar leeftijd. Toen hij haar tersluiks bekeek, kwam ze eerder apart over dan mooi. Ze was ook veel kleiner dan Howard, maar wel recht van lijf en leden. En haar volle bos roodblond haar – aan weerszijden in de krullen gezet – glom in de zon.
'Hij betaalt goed, dat is het punt niet,' zei hij uiteindelijk, waarna hij eraan toevoegde: 'Maar ik moet hier gaan wonen.'
Ze maakte haar handen nat en wreef over haar gezicht, waarbij ze ervan genoot dat het koele water langs haar hals en in haar kleren liep.
'Wat is er dan zo leuk aan Swaffham?' vroeg ze terwijl ze verbaasd opkeek. 'Als je bijvoorbeeld uit Cambridge of Londen komt, dan kan ik me daar iets bij voorstellen. Maar Swaffham? Of heb je daar een vriendinnetje? Ja, ik zie het, ik heb gelijk!'
'Nee hoor, dat is echt niet zo!' verzekerde hij haar snel. Zoals dat zo vaak gebeurde als het moment daarom vroeg, viel hem prompt het passende antwoord in. 'Je hebt nou eenmaal maar één plekje waar je je thuis voelt. Zou jij van de ene op de andere dag willen verhuizen en Didlington Hall achterlaten?'
Alicia vouwde haar handen en sloeg haar ogen met een hemelse blik op. 'Liever vandaag dan morgen. Ik word depressief bij de gedachte

dat ik hier mijn hele leven moet wonen. Ik haat die grote gezinnen op Engelse landgoederen. De kinderen, ouders, grootouders en soms ook nog eens de overgrootouders werken elkaar op de zenuwen en ruziën over de erfenis. Eigenlijk zou het zo moeten gaan als bij de vogels. Zodra de jongen kunnen vliegen, moeten ze het nest uit.'
Hij luisterde aandachtig toe. 'Waarom woon je hier dan nog?'
'Goeie vraag. Maar het antwoord is al net zo eenvoudig. Omdat mijn vader me niet laat gaan. Hij houdt er ouderwetse gedachten op na en vindt dat een meisje van stand het ouderlijk huis niet voor haar eenentwintigste mag verlaten. Tenzij ze eerder trouwt. In elk geval wil hij mij mijn erfdeel pas geven als ik eenentwintig ben. Er blijft hoe dan ook toch niet veel voor mij over. Ik ben namelijk de jongste van vijf zussen.'
'Moet ik nou medelijden met je hebben, Alicia?'
'Nee, zeker niet! Ik wil alleen maar zeggen dat mensen verschillend aankijken tegen hun geboortestreek of -plaats. Toch zou ik als ik jou was nog eens goed nadenken over zijn aanbod. Wat wil je later worden?'
'Ik ben dierenschilder,' zei hij zelfbewust.
'Ik dacht dat je nog op school zat!'
'Sinds gisteren niet meer. Vanaf vandaag ben ik dierenschilder van beroep.' Hij haalde een visitekaartje dat hij zelf ontworpen had uit zijn broekzak en gaf het aan haar. In een mooi handschrift had hij erop geschreven: *Howard Carter, Dierenschilder, Swaffham.*
Ze was onder de indruk van dat kaartje. 'Kun je daar dan van leven?' waagde ze het te vragen.
Howard lachte schalks en zei vlotjes, als een man die wist wat er in de wereld te koop was: 'Ach, als je niet te veel eisen stelt...'
'Toch zou het fijn zijn als je voor Didlington Hall koos. Weet je, soms heb ik het gevoel dat ik in een bejaardenhuis woon. Je ziet hier alleen maar grijze hoofden.'
'En Newberry? Die is toch nog niet oud?'
'Dat is zo. Maar ik kan hem niet uitstaan.'
'Waarom niet?'
'Hij is vijfentwintig, amper zeven jaar ouder dan ik. Maar zodra hij zijn mond opendoet, krijg je de indruk dat je met een bejaarde van doen hebt. Newberry heeft alleen maar hiëroglyfen in zijn hoofd. Net als mijn vader. Alleen is hij veertig jaar ouder.'
'Vind je het vervelend dat je vader zich met egyptologie bezighoudt?'
'Ach, papa moet doen waar hij zin in heeft. Zolang hij zijn familie maar niet verwaarloost.'
Howard hield een hand boven zijn wenkbrauwen en keek met knip-

perende ogen naar de oude muren van Didlington Hall. 'Jij vindt dat je te weinig aandacht krijgt, hè?'
Alicia haalde haar schouders op. 'Niet alleen ik. Vooral mijn moeder. Mijn ouders zijn vijfendertig jaar getrouwd. Kun je je voorstellen hoe lang dat is? Ik krijg de indruk dat zijn verzamelwoede een vlucht is. Didlington Hall is volgepropt met oude troep uit alle mogelijke uithoeken van de wereld. Ik snap niet waarom papa het huis wil delen met een verschrompelde Egyptische koning uit vervlogen tijden.'
'Wat bedoel je? Leg eens uit?'
Alicia gniffelde. Maar het was ook een verbitterd lachje. 'Vroeger had Didlington Hall een grote wijnkelder. Die moest geruimd worden om plaats te maken voor een mummie. Vanwege de juiste temperatuur; in de kelder is het koud. Daar ligt hij dan te slapen, vermoedelijk nog eens drieduizend jaar. Ik laat je de mummie wel zien als je dat wilt.'
Howard keek haar vol ongeloof aan, alsof ze zojuist iets ongehoords had verteld.
'Geloof je me niet? Kom!' Ze pakte zijn hand vast en trok hem mee naar een zijdeur, die op slot zat. Een herenhuis als Didlington Hall had weliswaar slechts één voordeur, maar verschillende achter- en zijdeuren. Mede daardoor kreeg je in een groot huis als dit het mysterieuze gevoel dat je je in een doolhof bevond.
'Wacht hier even!' zei ze resoluut, waarna ze om de hoek verdween. Even later werd de deur van binnenuit geopend.
Zwijgend liepen ze door een lange gang. Rechts zag Howard verscheidene deuren die er allemaal hetzelfde uitzagen. Hij vroeg zich af van welke ezelsbruggetjes de bewoners zich bedienden om te voorkomen dat ze telkens de verkeerde deur namen. Thuis bij Fanny en Kate was het zo eenvoudig wonen. Zelfs in een inktzwarte nacht en zonder een petroleumlamp kon hij zijn kamer moeiteloos vinden.
Aan het eind van de gang namen ze een trap naar beneden, met twee deuren van ruw hout tegenover elkaar.
'Hier woont hij,' zei Alicia ironisch. En ze voegde eraan toe: 'We hoeven niet zachtjes te praten. Hier hoort niemand ons. Alleen Newberry en mijn vader durven hier te komen.'
'En jij? Ben jij niet bang?'
Alicia liep nog steeds op blote voeten. Ze maakte de deur open, die niet eens op slot was, haalde een petroleumlamp van de muur en stak die aan. 'Waar zou ik bang voor moeten zijn?' vroeg ze.
Howard knikte begripvol en zei: 'Meisjes van jouw leeftijd zijn voor alles en iedereen bang.'

Alicia stopte, draaide zich om en hield de lamp omhoog, waardoor die recht in zijn gezicht scheen terwijl hij haar op de voet gevolgd had. 'Hoe weet jij dat? Ken jij dan veel meisjes van mijn leeftijd?'
Reken maar. Dat wilde Howard tegen haar zeggen. Maar het zou misschien pijnlijk voor hem zijn als hij toegaf dat hij als enige jongen op de *Dame School* had gezeten. Daarom zei hij: 'Dat is misschien wat overdreven. Maar geloof me, de meisjes die ik ken zouden dit nooit durven.'
'Puh,' zei Alicia snibbig. Ze draaide zich weer om. Enkele treden verder lichtte ze het gewelf bij. Massieve kelderzuilen, zo dik als boomstammen, waarboven rondbogen die elkaar kruisten en van ruwe steenblokken gemetseld waren. Voor zover hij dat kon beoordelen bij het schemerige licht was dit gewelf ongeveer vijftien meter lang en tien meter breed. De vloer van vierkante zandsteentegels, zo groot als wagenwielen, was opvallend schoon. En omdat er geen vensters of luchtgaten waren, was het hier zo ijzig koud als 's winters in Norfolk. Het leek of achter in de kelder opeens iets vreemds uit de duisternis opdoemde. Een menselijke gestalte, met ronde vormen, op twee zaagbokken. Goudglinsterend met een blauwrode beschildering.
'Dat is mister Peabody!' zei ze lachend. Ze hield de lamp omhoog om de ruimte beter te verlichten.
Howard was sprakeloos. Pal voor hem bevond zich de grafkist van een Egyptische mummie. De glimmende doodskist had de vorm van een in goudkleurig linnen gewikkelde dode, met armen die op de borst gekruist waren en gedecoreerd met fabeldieren en hiërogliefen. Op het hoofd was een haardos geschilderd. Het fascinerendst waren echter de zwart omrande ogen die star naar het plafond staarden en de indruk gaven dat niemand in staat was de rust van deze mummie te verstoren.
De mummie oefende een onweerstaanbare aantrekkingskracht op hem uit. De 'persoon' die daar lag was dan wel dood, maar de uitstraling ervan was zodanig dat het leek of de dode elk moment weer terug kon komen in het land van de levenden. Dat maakte Howard zeer nieuwsgierig. Hij moest zich zelfs inhouden om te voorkomen dat hij met de mummie in gesprek ging. Waar kom je vandaan? Hoe oud ben je? Hoe heet je?
Hij stelde die vragen niet om te voorkomen dat hij het meisje alsnog de stuipen op het lijf joeg. In plaats daarvan vroeg hij: 'Hoe ben je op de naam "mister Peabody" gekomen?'
Alicia giechelde. 'Mijn vader mag niet weten dat ik hem zo noem. Hij wil dat we respect tonen voor de ouderdom van de mummie. Maar eigenlijk ziet hij eruit als een grote, uitgedroogde erwt.'

Ze liep naar de doodskist alsof dat de gewoonste zaak van de wereld was, gaf hem de lamp aan en schoof aan de voorzijde van de kist heel voorzichtig het deksel naar achteren. Ze zagen een uitgedroogd, gemummificeerd hoofd dat er veel minder imposant uitzag dan de kunstzinnige kist. Een leerachtige, zwartbruine huid omspande de knokige schedel met kroezig, geplet haar. De ogen in de kassen waren uitgedroogd en zo dood als ze maar zijn konden.
'Mijn vader en Newberry vragen zich al jaren af wie dat geweest zou kunnen zijn. De hiëroglyfen geven daarover geen uitsluitsel. Volgens Newberry was hij een ambtenaar aan het hof van een farao. Mijn vader heeft natuurlijk liever de mummie van een Egyptische koning in zijn kelder. Mij kan het niet schelen, ik noem hem gewoon mister Peabody.'
Samen schoven ze het deksel terug op zijn plaats. Daarna nam ze de petroleumlamp van hem over en liepen ze zwijgend terug.
Buiten voelde de warmte als een weldaad aan. 'Hoe is mister Peabody eigenlijk hier gekomen?' vroeg hij in gedachten verzonken.
Ze haalde haar schouders op. 'Geen idee. Mister Peabody woont al een tijdje bij ons. Al vóór papa mijn moeder en zussen vertelde dat hij hier was. Men zegt dat hij met de boot naar Ipswich is gebracht, en daarna naar Didlington Hall. Over de bijzonderheden laat papa zich niet uit. Eerlijk gezegd interesseert het me ook niet echt. Zou jij een mister Peabody in je kelder willen hebben?'
'Zeker niet!' zei Howard zonder te aarzelen. Hij zei er echter niet bij dat hij het verleden van mister Peabody graag zou onderzoeken. Hij vond dat een zéér fascinerende gedachte.
Toen hij afscheid nam van Alicia stond de zon al vlak boven de horizon. Nog een keer hield hij zijn hoofd onder de fonteinstraal en dronk wat water uit zijn hand, waarna hij op zijn fiets stapte en wegreed.
Voordat hij de weg naar Brandon insloeg, keek hij nog een keer over zijn schouder. Hij zag dat Alicia naar hem zwaaide. Howard deed echter of hij dat niet gemerkt had.

In het bos bij Cockley Cley, ongeveer anderhalve kilometer van Swaffham waar de weg glooiend naar beneden ging, genoot hij van de wind die om zijn hoofd waaide. Hij zag dat een jonge vrouw hem onzeker tegemoet fietste. Van ver dacht hij dat het misschien Sarah was. Hij zette dat idee echter meteen van zich af. De hele weg naar huis had hij alleen maar aan haar gedacht. Het was dan ook niet vreemd dat zijn zintuigen hem om de tuin leidden.
Toen ze elkaar bijna gepasseerd waren, herkende hij haar stem.

'Miss Jones?' riep Howard vragend. Hij schudde zijn hoofd.
'Als je me zo wilt blijven noemen,' zei Sarah lachend met een knipoog. 'Ik heb je al eerder gezegd dat je gerust Sarah tegen me mag zeggen.'
'Ja, miss Jones,' zei hij. Na enkele ogenblikken, terwijl ze elkaar verbaasd aankeken, vroeg hij: 'Sinds wanneer fietst u, miss Jones?'
'Sinds vandaag. Dat is denk ik ook wel te zien, hè?'
'Dat kan ik niet ontkennen.' Hij lachte. 'Maar u leert het wel.'
Ze zetten de fietsen tegen een naaldboom aan de rand van het bos. Aangezien ze beiden dezelfde behoefte voelden, omarmden ze elkaar meteen.
'Miss Jones,' stamelde hij zachtjes. 'Ik heb de hele weg naar en van Didlington Hall alleen maar aan u gedacht.'
Sarah legde haar handen om zijn hoofd, trok hem naar zich toe en kuste hem op de mond. 'Mij verging het niet anders, Howard. Ik had gehoopt dat ik mijn gezond verstand zou gebruiken als ik jou enkele dagen niet zou zien. Maar je ziet wat er gebeurd is... ik heb een fiets gekocht.'
'Vanwege mij?'
Beschaamd sloeg ze haar ogen neer. 'Ik dacht dat we dan samen uitstapjes in de omgeving konden maken, waar men ons niet kent. Al jaren hebben we niet meer zo'n mooie zomer gehad.'
'U bedoelt... wij twee samen?'
'Misschien vind je het niet leuk om met een meisje op leeftijd fietstochtjes te maken. Nog wel met je ex-onderwijzeres.'
Hij legde een hand op haar mond om ervoor te zorgen dat ze zweeg. 'Ik zou dat heel fijn vinden,' zei hij. Hij drukte haar zo stevig tegen zich aan dat ze het zachtjes uitgilde. 'Howard, zo krijg ik geen adem meer!'
Hand in hand, als twee kinderen, slenterden ze doelloos over een smal bospad dat aan weerskanten begroeid was met varens. De gele brem geurde heerlijk. Zodra ze hun pas inhielden, hoorden ze het bos geheimzinnig ruisen. Langs de kant van het pad lag de stam van een ontwortelde boom. Ze gingen er achter elkaar schrijlings op zitten.
'Hoe wist u dat we elkaar hier zouden tegenkomen?' vroeg hij.
Ze leunde naar achteren, tegen de borst van Howard, en staarde naar de boomkruinen. 'Ik wist dat niet,' antwoordde ze zonder hem aan te kijken. 'Ik voelde het alleen. Begrijp je dat dan niet?'
Hij gaf geen antwoord. Genietend snoof hij de geur van haar donkere haar op en legde zijn armen om haar heen. Hij merkte meteen dat ze niets onder haar luchtige kleding droeg, werd daar opgewonden van

en begon haar borsten te strelen. Sarah leunde tegen hem aan en zuchtte van verlangen.
Opeens verstarde ze. Howard draaide haar hoofd naar zich toe en keek haar vragend aan.
'Ik moet je wat vertellen,' zei ze behoedzaam.
'Wilt u liever niet dat ik u op die manier aanraak, miss Jones?'
'Integendeel. Sinds we niet meer bij elkaar zijn, verlang ik voortdurend naar jouw tedere aanrakingen. Nee, het gaat om iets anders.'
'Wat dan?'
Ze ging rechtop zitten, nog steeds met haar rug naar hem toe. Langzaam, haperend, begon ze het hem uit te leggen. 'Ik heb bezoek gekregen van een man...' Ze staarde voor zich uit.
In een fractie van een seconde veranderde zijn onbehagen in een doffe druk die het bloed uit zijn hersenen leek te persen. Hij voelde zich opeens niet lekker, alsof zijn borstkas door iets onzichtbaars werd samengedrukt waardoor hij bijna ademnood kreeg. Dit is dus het einde, dacht hij berustend. Hij luisterde wat Sarah te vertellen had; haar stem klonk ver weg. 'Hij stelde zich voor als James Marvin,' hoorde hij haar zeggen, 'en na een lang gesprek was ik verrast toen hij zei dat zijn vader de baron van geheelde spullen voorzag. Ik bedoel daar ook de Aphrodite mee.'
Heel geleidelijk drong het tot hem door dat Sarah wat anders aan het vertellen was dan hij verwacht had. Hij schaamde zich en probeerde zijn warrige denkwereld voor haar te verbergen. Ogenschijnlijk onbewogen vroeg hij: 'Waarom maakt u zich ongerust?'
'Hij is een boef. Net als zijn vader. Hij wil het beeld terughebben.'
'Dat is belachelijk!' zei hij boos. 'Die vent mag blij zijn dat u hem niet aangeeft bij de politie!'
'Howard!' Ze draaide zich om en greep hem bij zijn bovenarmen vast. 'Die man chanteert me. Dit is een zeer ernstige kwestie.'
'Chanteert hij u? Dat begrijp ik niet. Waarmee chanteert hij u dan? U moet naar de politie gaan, miss Jones!'
'Dat maakt alles alleen maar erger. Het zal een lawine van vragen en aantijgingen tot gevolg hebben. Die Marvin heeft gezien dat wij aan het vrijen waren, Howard. Hij is van alles op de hoogte en weet zelfs hoe je heet.'
'Dat is onmogelijk!' Hij kwam met een ruk overeind, liep een eindje van de boomstam vandaan, draaide zich vervolgens om en zei zachtjes, alsof hij bang was dat iemand kon horen wat ze tegen elkaar zeiden: 'Dat is onzin, miss Jones! De deur van de bibliotheek was op slot. Dat weet ik zeker, want toen ik wegging moest ik de sleutel ge-

bruiken. Wie kan ons dan gezien hebben? Bovendien is er geen wet die u verbiedt met een man om te gaan.'
Sarah glimlachte hem dankbaar toe. 'Maar volgens de wet mag een onderwijzeres geen minderjarige leerling verleiden. Marvin heeft met een verrekijker door het open raam naar binnen gekeken en gezien wat wij deden.'
'Dan moet hij in een van de bomen bij het huis hebben gezeten.'
'Dat heeft hij ook, Howard. Marvin wist heel goed wat hij deed. In elk geval heeft hij jou dagenlang geschaduwd. Hij weet ook dat je een bos bloemen en een kaartje bij mijn deur hebt gelegd. Het is trouwens de mooiste liefdesverklaring die ik me kan voorstellen.'
Hij viel op zijn knieën voor Sarah, die nog altijd op de boomstam zat, en vlijde zijn hoofd op haar schoot, alsof hij zich schaamde. Teder legde Sarah een hand op zijn kruin. Toen hij opkeek, zag hij dat haar lippen trilden. 'Geef die vent dan dat beeld!'
Sarah stak haar onderlip uit. 'Oplichters kennen geen grenzen,' zei ze nadat ze even had nagedacht. 'Geef ze een vinger en ze willen je hele hand. Hij zal met nieuwe eisen komen. Nee, ik mag niet toegeven. Dat zou stom zijn. Die kerel is in te veel intriges verwikkeld. Hij weet heel goed dat hij zich aan de rechter uitlevert zodra hij aangifte doet bij de politie.'
'Dat geloof ik graag,' zei Howard. Maar de wens was hier duidelijk de vader van de gedachte. Hij drukte de handen van Sarah tussen de zijne en vroeg bijna timide: 'Maar tussen ons hoeft er dan toch niks te veranderen?'
Sarah keek diep in zijn ogen. Ze merkte dat hij onzeker was en zag de hoop in zijn blik. Uiteindelijk glimlachte ze gekunsteld. 'Weet je, Howard, wat wij doen is onverstandig en dom. Het leidt misschien zelfs tot de ondergang van ons beiden. Toch mis ik de moed en de kracht om er een punt achter te zetten. Dat kan ik simpelweg niet. Je ziet dat het me niet eens gelukt is datgene te doen wat ik mezelf heb opgelegd: ervoor zorgen dat we elkaar enkele dagen niet zien. Ik herken mezelf niet eens meer. Ik vraag me dus in alle ernst af hoe dit gaat eindigen.'
'Waarom denkt u steeds aan het einde terwijl we nog maar aan het begin staan?' vroeg hij boos. 'Waarom kunt u niet gewoon van het moment genieten? Waarom moeten we steeds rekening houden met anderen? Waarom kunnen we niet gewoon van elkaar houden? Waarom is dat onmogelijk?' Hij was bijna in tranen. 'U bent zo verschrikkelijk volwassen, miss Jones!' Hij had meteen spijt van zijn woorden.
Want ze hingen als een kwaad omen in de lucht. Hard en genadeloos

had hij de uitzichtloosheid van hun situatie in enkele woorden vervat: Sarah was een volwassen vrouw die met beide benen op de grond stond, en Howard een puber, eigenlijk nog een kind.
Vanwege deze ontsporing zou hij zijn tong wel kunnen afbijten. Hij zag haar vergevingsgezinde lachje en zei: 'Het was niet zo bedoeld, miss Jones. Het spijt me.'
'Nee, je hebt gelijk, Howard,' zei ze meteen. 'Ik ken mijn zwakke kanten. Maar ik ben nu eenmaal opgegroeid in een bescheiden milieu. In die omstandigheden word je sneller volwassen. Soms heb ik zelfs de indruk dat ik volwassen op de wereld ben gekomen.'
Hij begreep heel goed wat ze bedoelde en zei: 'Kunnen we niet gewoon vergeten dat u volwassen bent en directrice van de *Dame School* in Swaffham, miss Jones?'
Ze moest er hartelijk om lachen. 'Denk je dat ik hier bij jou zou zijn als ik dat niet allang gedaan had? Als ik de afgelopen dagen niet alles overboord had gegooid wat een vrouw van mijn leeftijd als sociale bagage bij zich moet hebben om volgens de huidige fatsoensregels te leven? Dan had ik me heus niet als een verliefd bakvisje gedragen. 's Nachts lig ik te draaien in bed en vraag ik me af of ik nog wel goed bij mijn hoofd ben. Volgens mij haal ik nu in wat mij in mijn jeugd ontzegd werd. Eerlijk gezegd geniet ik ervan of ik iets heb ingenomen.'
Ze stak een hand naar hem uit en hielp hem overeind, waarna ze terugliepen over het smalle bospad en genoten van het feit dat ze samen waren.
'Lord Amherst heeft me een job aangeboden,' begon hij nadat ze een tijdje zwijgend naast elkaar hadden gelopen en naar de geluiden in het bos luisterden. 'Een baan als tekenaar. Hij biedt me vier pond per maand. Maar ik heb het aanbod afgewezen.'
'Wat?' Sarah hield haar pas in. 'Ben je gek geworden, Howard? Dat is bijna vijftig pond per jaar! Dat verdiende ik nog niet toen ik al vijfentwintig was!'
'Lord Amherst is inderdaad heel royaal. En het is interessant werk. Maar er zit een voorwaarde aan vast waar ik geen zin in heb.'
'En?'
'Ik moet op Didlington Hall gaan wonen. Op het landgoed van de lord.'
'Ik begrijp jou niet. Er zijn akeligere omstandigheden dan wonen in een kasteel op het platteland.'
'Maar Didlington Hall ligt vijftien kilometer van Swaffham vandaan, miss Jones! Beseft u dat wel? Ik zie u dan amper meer.'
Ze wist niet of ze moest lachen of huilen. Indringend begon ze op de

jongen in te praten. 'Howard, ik vind het geweldig dat je bij mij wilt blijven. Maar daar mag jij je carrière niet van afhankelijk maken. Vergeet niet dat onze liefde heftig maar misschien slechts van korte duur is. Over een halfjaar is het misschien voorbij.'
'Nee!' riep hij verontwaardigd. 'In elk geval niet als het aan mij ligt.' Zijn ogen flonkerden van kwaadheid.
'Je mag blij zijn dat je in deze beroerde tijden een goedbetaalde baan krijgt aangeboden. Nog wel een waar je plezier in hebt. Of wil je je hele leven de honden en katten van anderen schilderen?'
'Waarom niet?' zei hij koppig. 'Daar kan ik best van leven.'
Sarah hing aan zijn arm terwijl ze verder liepen. 'Wat moet er van ons worden?' zei ze. Het was een retorische vraag.
Ze zuchtte zo moedeloos dat hij er bijna tranen van in zijn ogen kreeg. Natuurlijk waren haar bedenkingen terecht. Ze hadden immers geen eenvoudige liefdesrelatie. Maar was het nodig dat ze voortdurend aan de volgende dag, week en maand dacht en aldus hun liefde beetje bij beetje vergiftigde?
'Ik word ook ouder,' zei hij uiteindelijk. Maar wat als troost of relativering bedoeld was, kwam onbeholpen en onnozel over.
'Je bedoelt dat we hier ter plekke afscheid moeten nemen om elkaar over tien jaar weer te ontmoeten?' vroeg ze lachend.
Ook hij schoot in de lach. Hij trok haar naar zich toe. Het geluksgevoel van voorheen, dat even plaats had gemaakt voor deprimerende gedachten, kwam terug omdat er niets mooiers bestond dan haar warme, zachte lichaam tegen zich aan te voelen. Het geluk dat hem overspoelde, zorgde ervoor dat hij alles om zich heen vergat. Hij had nu nog maar één wens: hij wilde dat Sarah Jones helemaal de zijne werd.
Haar donkere, fluwelige stem haalde hem terug naar de realiteit. Hij wist niet hoelang hij met gesloten ogen in deze droom had vertoefd.
'We moeten naar huis, Howard,' hoorde hij haar zeggen. 'Het is beter dat ik een eindje voor je uit fiets.'
'Ja, miss Jones,' zei hij.
Hij keek haar na tot ze over de heuveltop uit het zicht verdwenen was.

8

Owen Hazelford, de zoon van de eigenaar van het George Commercial Hotel, was geen snuggere jongen. Toch had hij een talent dat intelligente mensen vaak missen. Owen was namelijk gezegend met een uitzonderlijk observatievermogen. In die periode stonden er in de *Daily Telegraph* – deze krant berichtte graag over dat soort zaken – vaak artikelen over inbraken in de grote herenhuizen rondom Norwich. Op Blickling Hall en Rainthorpe Hall waren kostbare schilderijen ontvreemd. Een tuinman had gezien dat drie mannen op klaarlichte dag een inbraak probeerden te plegen op Mannington Hall. Maar nog voordat de politie arriveerde, was het drietal onverrichter zake gevlucht. De hovenier had een bruikbare beschrijving gegeven van de inbrekers. Een beschrijving – in feite een opsporingsbericht – die door de *Daily Telegraph* werd gepubliceerd. De tip die tot de aanhouding van de drie mannen leidde, zou beloond worden met vijf pond.

Een van de drie beschrijvingen was zonder meer van toepassing op James Marvin, de merkwaardige vreemdeling die al bijna een week in het George logeerde. Dat had Owen nieuwsgierig gemaakt. Sinds Marvin in Swaffham verbleef – inmiddels zes dagen – had hij de gewoonte om het hotel meteen na het ontbijt te verlaten en in de late namiddag pas weer terug te komen. Soms zelfs pas tegen de avond. Daarna at hij wat en trok hij zich terug in zijn kamer. De regelmaat waarmee dat gebeurde, deed vermoeden dat de zonderlinge hotelgast – hij was nooit in voor een praatje – naar zijn werk ging of zakelijke belangen afhandelde.

Des te merkwaardiger vond Owen het dat Marvin door Swaffham zwierf als een Duitse herder die een geurspoor volgt en afgelegen paden en weggetjes nam om vervolgens onverrichter zake terug te keren bij het begin van zijn speurtocht. Kennelijk gaf Marvin er soms ook de voorkeur aan om urenlang als een werkloze aan de straatrand op een bankje te blijven zitten.

Aangemoedigd door deze observaties, en het krantenartikel, benutte Owen de afwezigheid van de hotelgast om zich met een loper toegang te verschaffen tot diens kamer. Aanvankelijk was hij bang dat zijn vader hem zou betrappen, maar zijn nieuwsgierigheid en het vooruitzicht op de beloning van vijf pond wonnen het uiteindelijk van zijn angst.

Ontsproot de vrees aan de mogelijkheid dat hij zichzelf zou verraden terwijl hij de bagage van Marvin onder de loep nam? Of had hij zich blindgestaard op een absurd idee en was deze hotelgast gewoon een man van onbesproken gedrag die ontspanning zocht op het platteland? In elk geval beëindigde Owen zijn zoektocht zonder de geringste aanwijzing dat Marvin zich met duistere praktijken bezighield.

Toen Owen de kamer weer wilde afsluiten, herinnerde hij zich plotseling dat Marvin vanmorgen zonder colbertjasje was vertrokken omdat het zo warm was buiten. In allerijl liep Owen terug de kamer in, deed de kleerkast open en zocht in de zakken van het jasje naar mogelijke buit. Door vroegere inbraken in hotelkamers, met de bedoeling zich te verrijken, was hij erachter gekomen dat mannen de binnenzak van hun colbert als een veilige haven beschouwden voor al hun kostbare zaken. Bij Marvin was dat niet anders.

Owen haalde twee paspoorten uit diens binnenzak. Een paspoort stond op naam van James Marvin. Het andere paspoort was van Alex Yerby, hoewel het duidelijk om een en dezelfde persoon ging. Belangrijker vond Owen echter het opgevouwen velletje papier waarop drie namen en adressen stonden. Owen kende ze allemaal. Alfred McAllen, Kenneth Spink en Sarah Jones.

McAllen en Spink behoorden tot de rijkste mannen van Swaffham. De eerstgenoemde verdiende zijn geld als transportondernemer. En Spink was eigenaar van een fabriek waar stoommachines werden gemaakt. Sarah Jones hoorde in dat rijtje dus beslist niet thuis, vond hij. Niettemin besloot hij om de politie te melden wat hij te weten was gekomen. Zijn vader nam hij bewust niet in vertrouwen. Om de goede naam van het hotel niet te schaden zou zijn vader namelijk nooit toelaten dat een gast van het George Commercial Hotel aan de politie werd uitgeleverd.

Het politiebureau aan de Spinners Lane was op geen enkele wijze toegerust voor de 'opvang' van zware criminelen. En als de observaties van Owen klopten, moest de politie toch vrezen dat het om dat soort lieden ging. Dus werd eerst versterking opgeroepen alvorens de volgende ochtend een groep van vijf agenten het hotel aan het marktplein binnenstormde om James Marvin alias Alex Yerby te arresteren. Hij werd afgevoerd in een getraliede paardenwagen, wat veel opzien baarde in Swaffham. Een luidruchtige kinderschaar volgde op blote voeten. Ze maakten een lange neus naar hem, en ze lachten hem uit.

Na een lang verhoor bekende Marvin alias Yerby de inbraken op Blickling Hall en Rainthorpe Hall. Hij was er in zoverre bij betrokken geweest dat hij zijn kornuiten tips had gegeven en dat hij op de uitkijk had gestaan. Waar de buit was opgeborgen? Helaas, dat wist hij niet. Wel was hij bereid de namen van de twee andere daders te noemen in ruil voor strafvermindering. Het namenlijstje dat hij in zijn bezit had, was hem door een van zijn kornuiten toegestopt. Hij, Marvin alias Yerby, had daar geen gebruik van gemaakt.

De volgende dag werd inspecteur Grenfell aan Sarah Jones voorgesteld.

Sarah schrok zich wezenloos toen ze in de directiekamer opeens de inspecteur voor zich zag staan. In dat soort situaties zorgt een slecht

geweten in een fractie van een seconde dat alle zonden uit het verleden zich als een film voor je ogen afspelen.
Grenfell, een lange man en uiterst correct gekleed in rokkostuum en bijpassend vest, was kennelijk bijziend omdat hij voortdurend zijn ogen half dichtkneep en geen bril op had. Daardoor kon Sarah zijn pupillen niet zien. Hij sprak terwijl hij stram en roerloos bleef staan, zonder zijn handen te bewegen. 'Miss Jones, u mag van geluk spreken dat er bij u niet is ingebroken. Uw naam stond op de lijst van een bende die in Norfolk al sinds geruime tijd actief is en bij voorkeur inbraken pleegt in herenhuizen van vooraanstaande personen.'
Ze moest meteen aan Marvin denken. Haar liefdesrelatie met Howard Carter had voor een slecht geweten gezorgd. In eerste instantie dacht ze dat ze het bezoek van de inspecteur daaraan te danken had. Dus ervoer ze datgene waar Grenfell meteen mee op de proppen kwam bijna als een opluchting. Ook was ze bereid de inspecteur de kamer van de baron, en alles wat erin stond, te laten zien. Maar het liep anders.
'Staat mijn naam op de lijst van een bende?' vroeg Sarah. Ze keek hem nietsvermoedend aan.
'Maakt u zich maar geen zorgen, miss Jones!' zei Grenfell meteen. 'De leider van die kliek hebben we al in de kraag gegrepen. Ene Derby. Alias Marvin. We zijn nog niet achter zijn ware identiteit gekomen.'
Op dat moment besefte ze dat Grenfell zou vragen of ze die naam al eens eerder had gehoord. Sterker nog, of ze hem al eens ontmoet had. Ze vroeg zich af of ze niet beter een bekentenis kon afleggen. Maar een stemmetje in haar binnenste weerhield haar daarvan. Dus antwoordde ze ongegeneerd en bijna verveeld: 'Inspecteur, hoe kan ik u helpen een misdaad op te lossen die niet gepleegd is?'
'Tja, mij houdt natuurlijk de vraag bezig waarom dat inbrekerstrio, en daar hebben we het over, uitgerekend uw naam op hun lijst heeft staan. Hebt u daar misschien een verklaring voor, miss Jones?'
Ze keek de inspecteur met een onderzoekende blik aan om erachter te komen of hij niet meer wist dan hij deed voorkomen. Grenfell was echter moeilijk te doorgronden omdat zowel zijn starre lichaamshouding als de totale afwezigheid van mimiek er de oorzaak van was dat ze geen non-verbale signalen kreeg.
'Het is namelijk zo dat de andere personen die op hun lijstje staan niet bepaald arm zijn, en nu druk ik me nog zwak uit. Het betreft Alfred McAllen en Kenneth Spink. De boeven hebben zich toegang verschaft tot Blickling Hall en Rainthorpe Hall, twee grote herenhuizen van lui die als zeer rijk bekendstaan. Wat ik wil zeggen is dat

er op Blickling Hall en Rainthorpe Hall wat te halen viel. Ook bij McAllen en Spink zou dat...'
'Ik begrijp wat u bedoelt,' viel Sarah hem lachend in de rede. 'U vraagt zich natuurlijk af wat de *Dame School* van Swaffham zo interessant maakt voor die boevenbende. Die vraag stel ik mezelf ook, inspecteur. Kijkt u maar rond. Barones von Schell was een oude dame en had in haar leven allerlei snuisterijen en pruldingen om zich heen verzameld. Als enige erfgename zijn die spulletjes nu van mij. Ik betwijfel echter of de waarde ervan ook maar in de verste verte te vergelijken is met de spullen in de genoemde herenhuizen of het bezit van Spink en McAllen.'
'Mag ik even rondkijken?' vroeg Grenfell. 'Alleen voor uw eigen veiligheid!'
'Natuurlijk, inspecteur!' antwoordde Sarah. Op haar gemak voelde ze zich echter niet.
Als een marionet die aan een koord plotseling tot leven kwam, begon hij zijn hoofd te bewegen en keek hij om zich heen. Met half dichtgeknepen ogen en een onderzoekende blik zocht hij naar verborgen kostbaarheden. Nadat hij grondig had rondgekeken in de directiekamer, waarbij hij geen woord had gezegd, vroeg hij haar vriendelijk om de kluis te openen. Toen hij daar niets opmerkelijks had aangetroffen, liet hij zich naar de andere vertrekken leiden.
Zojuist had ze nog het gevoel dat haar niets kon gebeuren, maar tijdens de rondgang werd ze opeens erg ongerust. Had Marvin, of hoe die kerel ook mocht heten, verteld welke schatten zich in dit huis bevonden? Uitgesloten was dat in elk geval niet, hoewel onwaarschijnlijk omdat die oplichter zichzelf dan zou hebben verraden. Ze werd nerveuzer naarmate ze zich dichter bij de bibliotheek bevonden. Ze was al aan het bedenken wat ze zou zeggen als hij haar verweet dat ze verzwegen had dat dit huis een geheime kamer kende. De inspecteur stak zijn hoofd even om de deur van de bibliotheek en liep toen zwijgend naar het volgende vertrek.
Toen hij de ontdekkingsreis door het huis had voltooid, en ze weer in de directiekamer stonden, zei hij voor het eerst weer wat. 'U woont nog niet erg lang in Swaffham, miss Jones,' stelde hij terloops vast.
'Dat hebt u gelijk in,' zei ze. De arglistige toon in zijn stem was haar niet ontgaan. 'Ik kom oorspronkelijk uit Ipswich.'
'In welke relatie stond u met barones von Schell?'
'Geen enkele, meneer Grenfell.'
'Toch hebt u alles geërfd. Dat is nogal ongewoon, vindt u niet?'
'Dat is zo, meneer Grenfell. Maar het leven neemt vaak op onge-

wone wijze zijn loop. Het testament van de barones is rechtsgeldig!'
'U hoeft zich niet te rechtvaardigen, miss Jones! Ik ben alleen geïnteresseerd in de zaak Marvin. Maar in deze samenhang wil ik u toch iets vragen. Kreeg de barones wel eens vreemde lui over de vloer? Wie liep hier in en uit? Had ze bekenden van twijfelachtig allooi, mensen die zich in uw ogen verdacht gedroegen?'
Dit 'vragenuurtje' begon haar langzaam op de zenuwen te werken. Met nadruk antwoordde ze: 'Meneer Grenfell, de barones had haar contacten binnen haar schoolse verplichtingen. Voor de rest kwam hier niemand, laat staan verdachte personen. Ze leefde zeer teruggetrokken. Ik had trouwens geen reden haar te bespioneren. Waarom ook? In Swaffham stond ze immers in hoog aanzien.'
Grenfell nam dezelfde starre lichaamshouding van voorheen aan. Ditmaal hield hij zijn handen op zijn rug, als een voorname lord. Nadat hij een tijdje gezwegen had, zei hij opeens: 'En u, miss Jones? Ook u hebt een verleden. Bent u nooit getrouwd geweest?'
'Nee,' zei Sarah kortaf.
'Merkwaardig,' vond hij. 'Gezien uw uiterlijk en leeftijd... als ik zo vrij mag zijn.'
'Vindt u, meneer Grenfell? Naar mijn weten is er in het Verenigd Koninkrijk geen wet die een vrouw voorschrijft om vóór haar dertigste te trouwen.'
'Daar hebt u helemaal gelijk in!' zei de inspecteur verontschuldigend. 'Het spijt me als ik tactloos ben overgekomen. Maar zou u mij kunnen vertellen waarom u, terwijl u toch van Ipswich bent, uitgerekend Swaffham hebt gekozen om u te vestigen?'
'Natuurlijk. Om persoonlijke redenen. In Ipswich was ik onderwijzeres. Maar na het overlijden van mijn vader had ik geen band meer met die stad. Ik wilde daar weg om mijn niet bepaald prettige verleden te kunnen vergeten. Een predikant adviseerde mij om naar Swaffham te gaan. Uiteindelijk kwam ik in deze *Dame School* terecht.'
'Marvin alias Yerby komt eveneens uit Ipswich,' zei Grenfell prompt.
'O ja? Wat wilt u daarmee zeggen?' bracht ze snibbig in.
Hij ging niet in op haar vraag en vroeg meteen: 'Hebt u Marvin daar wel eens ontmoet?'
Ze merkte dat ze een kleur kreeg. 'Hoezo, meneer Grenfell? Ipswich is een grote stad. Geen dorpje zoals Swaffham, waar iedereen elkaar kent.'
'Het kan mogelijk de reden zijn waarom u op het naamlijstje van Marvin staat. In elk geval bedankt voor uw informatie, miss Jones.'
Grenfell maakte een buiging en liep weg.
Het gesprek met de inspecteur had haar nogal in verwarring ge-

bracht. Het liet haar met een bedrukt gevoel achter. Ze achtte Grenfell in staat om te bluffen en haar om de tuin te leiden. In elk geval had hij haar zover gekregen dat ze in een bepaalde richting dacht. Ze had gewetenswroeging gekregen en begon in zichzelf te praten omdat ze zich zo hulpeloos voelde. Sarah, je hebt achtentwintig jaar van je leven trouw naar de wetten van dit land geleefd, hoorde ze zichzelf kalm zeggen. Je hebt je nergens schuldig aan gemaakt. Wat is er opeens in je gevaren? Je geordende leventje is opeens op zijn kop gezet. Soms denk ik dat het beter zou zijn geweest als je in Ipswich was gebleven. In de duistere teruggetrokkenheid van een leven vol ontberingen, maar zonder last te hebben van akelige oplichters of de politie die alles wat je doet in de gaten houdt. Wil je dat echt? Nee, zei ze resoluut in zichzelf. En wat jouw liefdesband met Howard aangaat: vergeet niet dat de gedragsregel dat een vrouw zich aan een oudere man moet binden pas laat in de geschiedenis tot uiting kwam. Bovendien kent iedereen zo zijn eigenaardigheden waar anderen moeite mee hebben en die ze niet snappen. Begrijp je jezelf wel, Sarah? Nee, ik heb geen idee meer wat er in me omgaat, antwoordde ze op haar eigen vraag terwijl ze aan haar bureau ging zitten, haar hoofd in haar handen steunde en voor zich uit staarde.

Met wie kon ze erover praten? Het was bijna lachwekkend. De enige die ze kon bedenken was Howard, de jongen die ze nog niet zo lang geleden les had gegeven in Engelse literatuur en geschiedenis. Maar ze besefte ook dat een glimlach van hem, een aanraking slechts, haar angst zou verjagen. Dus liep ze naar de Sporle Road.

Fanny en Kate vonden het fijn dat miss Jones weer eens op bezoek kwam. Ze nodigden haar uit om samen met hen thee te drinken. Sarah wilde met Howard praten, maar hij was naar Dunham gegaan voor een opdracht, de ijverige knul. Toch zouden ze graag zien dat Howard in dienst trad van Lord Amherst. Zou miss Jones hem daar misschien toe kunnen overhalen?

Sarah zei dat ze om die reden gekomen was. Als geroepen liep Howard met de tekenmap onder zijn arm naar binnen.

'Ik wil Howard graag onder vier ogen spreken,' zei ze vervolgens tegen de twee oude dames. In hun argeloosheid hadden ze de blik niet gezien die Sarah en Howard elkaar toewierpen en die voor zich sprak. Ze waren dan ook helemaal niet wantrouwig toen Howard en Sarah naar boven gingen en zich terugtrokken op zijn kamer.

Nauwelijks hadden ze de deur achter zich dichtgedaan of ze omhelsden elkaar als twee geliefden die elkaar wekenlang niet meer gezien hadden. Alleen het ruisen van hun kleren was te horen.

'Miss Jones,' fluisterde Howard terwijl hij haar warme lichaam voelde. Meer zei hij niet.
Sarah zweeg met gesloten ogen. Toen ze na een eeuwigheid haar ogen opende, en ze daar nog steeds wang tegen wang stonden, keek ze om zich heen. Op de smalle tafel bij het enige raam lagen stapels tekeningen, schilder- en tekengerei. Ernaast bij de muur zag ze een bed, een lelijk houten ding met twee grote schuifladen. Links stond een oude kleerkast, waarvan de rechterdeur een loodrechte scheur vertoonde waardoor de deuren kennelijk niet meer sloten. Ze stonden in elk geval open. De brede vloerplanken – met vingerbrede kieren – waren roodbruin geverfd. Er lagen schoenen, een stapel boeken en verschillende tekenmappen.
Toen hij achter zijn rug haar kritische blik gewaar werd, zei hij zachtjes: 'Als ik wist dat u zou komen, had ik de kamer natuurlijk opgeruimd. Fanny en Kate mogen hier niet komen, het is maar dat u het weet.'
'Het is al goed,' zei ze gniffelend. Op een ernstige toon voegde ze eraan toe: 'Ik moet met je praten, Howard!'
Hij schoof de enige stoel bij, waarna hij zelf op de bedrand ging zitten. 'Wat is er gebeurd?' vroeg hij bang.
Met zachte stem vertelde ze over het bezoek van inspecteur Grenfell en zijn ondoorzichtige gedrag dat haar zorgen baarde. Marvin was gearresteerd. Niet vanwege het feit dat hij geprobeerd had haar te chanteren maar omdat na verschillende gepleegde inbraken hij medeplichtig bleek te zijn. Kennelijk had hij een namenlijst bij zich van voorname personen. Op die lijst was ook zij vermeld.
Howard schrok. 'Heeft Marvin ook gezegd dat de Aphrodite geheeld is?'
Ze haalde haar schouders op. 'Geen idee. We kunnen het alleen maar vermoeden. In elk geval stelde de inspecteur van die merkwaardige vragen. Daar staat tegenover dat Marvin zichzelf dan alleen maar in een moeilijker parket zou brengen. Waarom zou hij zichzelf aanklagen zolang hij in die kwestie niet onder verdenking staat? Wat mij wantrouwig heeft gemaakt, is dat Grenfell het hele schoolgebouw en mijn woongedeelte wilde zien. Alsof hij iets aan het zoeken was.'
'Wat is er nog meer gebeurd, miss Jones!'
'Niets. Hij keek even in alle kamers. Ook in de bibliotheek. Dat is alles. Daarna ging hij weer en hij zei op de valreep dat ik me moest melden als me iets te binnen schoot ten nadele van Marvin.'
Howard streek nerveus door zijn lokken. 'Inderdaad, dat is eigenaardig. Maar politie-inspecteurs zijn rare lui. Je kunt ze niet vergelijken met gewone mensen.'

'Hoe dan ook, toen Grenfell binnenkwam en zich aan mij voorstelde, was ik in eerste instantie bang dat Marvin verklapt had dat wij iets met elkaar hebben.'
'Marvin is een boef, miss Jones. Niemand gelooft hem.'
'Toch wel, Howard. Die tip geeft voldoende aanleiding om ons in de gaten te houden.'
'Wat verschrikkelijk!'
'Helemaal mee eens. Daarom is er maar één oplossing. We mogen elkaar voorlopig niet meer zien. Het is gewoon te gevaarlijk.'
Er viel een lange stilte. Ze keken langs elkaar heen. Sarah vocht tegen haar tranen. Net als Howard. Ze dachten maar aan één ding: waar eindigt dit?
Howard was zo vertwijfeld dat hij zijn gedachten nauwelijks meer kon ordenen. 'En als ik nu eens naar Didlington Hall ging?' zei hij opeens.
Ze keek hem verbluft aan. Gisteren zei hij nog dat hij het aanbod van de lord definitief had afgeslagen. 'Didlington Hall?' vroeg ze vol ongeloof, alsof ze haar oren niet kon geloven.
'Nou ja, zo ver is het nou ook weer niet. Als ik Swaffham verlaat, zal de aandacht niet meer op ons gericht zijn en verdwijnt het wantrouwen. Bovendien kunnen we elkaar gewoon blijven ontmoeten. Niet in Swaffham, maar ergens halverwege. Bijvoorbeeld in Mundford, Thetford, Wittington of Watton. Ik heb een fiets. En voor u, miss Jones, rijd ik als het moet naar de andere kant van de wereld.'
De ernstige trek op haar gezicht veranderde in een blij lachje. 'Howard!' riep ze terwijl ze moeite moest doen om te voorkomen dat haar stem oversloeg. 'Wil je echt naar Didlington Hall?'
'Het is voor ons beiden de beste oplossing,' gaf hij zelfverzekerd toe. 'Denkt u ook niet?'
Ze stak een hand naar hem uit en trok hem naar zich toe. Toen haar gezicht bijna het zijne raakte, en ze elkaars adem voelden en de vertwijfeling plaatsmaakte voor opluchting, keek hij diep in de ogen van zijn geliefde, alsof hij in haar ziel wilde kijken. Maar toen dat niet lukte en hij niet zeker was van zijn zaak, vroeg hij bijna ontroerend bedeesd: 'Miss Jones, zult u net zoveel van mij houden als ik ver weg op Didlington Hall woon?'
'Natuurlijk, gekke knul van me,' zei Sarah. Ze drukte een kus op zijn voorhoofd. 'Als onze liefde een afstand van vijftien kilometer niet aankan, dan is het geen liefde maar een verliefdheidje, niet meer dan dat. Beschouw het als de vuurproef van onze liefde.'
Hij wilde meteen onstuimig reageren, maar Sarah drukte de vingers van haar rechterhand op zijn mond. Dus restte hem slechts de ge-

dachte dat hij voor Sarah naar Schotland en zelfs naar Ierland zou reizen om maar bij haar te zijn.

De volgende dag ging Howard Carter naar Didlington Hall om Lord Amherst te vertellen wat hij besloten had. De lord was blij verrast. Maar Howards aanvankelijke bedenkingen had hij zich ter harte genomen. Dus stuurde hij zelfs een paard en wagen naar Swaffham om de spullen van de jonge kunstenaar – schilder- en tekengerei, boeken en kleren – naar Didlington Hall te vervoeren.
Hij kreeg een zolderkamer in het hoofdgebouw van het herenhuis. Naast de kamer van butler Albert, tevens koetsier. Dat betekende dat hij in hiërarchisch opzicht boven de dienstboden stond, die in een bijgebouw boven de stallen huisden. Van meet af aan had hij op gespannen voet gestaan met Albert, die verwaande blaaskaak. Door de nieuwe situatie was daar geen verandering in gekomen. Dat hij hem tijdens dat ongeluk zo schandalig had behandeld was tot daar aan toe. Maar dat Howard tijdens zijn eerste bezoek niet door de hoofdingang naar binnen mocht gaan, was voor hem de druppel. Zodra de gelegenheid zich voordeed, zou hij hem dat betaald zetten.
Vanaf de eerste dag vond hij in Alicia – de jongste dochter van Lord William en Lady Margaret – een bondgenote. Hoewel ze al achttien was, had ze de leeftijd waarop meisjes mooi werden nog helemaal voor zich. En daar was ze zich zeer goed van bewust. In elk geval leek dat de reden van haar vlotte, ongedwongen manier van doen, waarbij ze zich soms zo ruw en bot als een staljongen kon gedragen, maar even later ook voornaam terughoudend, zoals het een jongedame van stand betaamt.
Desondanks had ze geen gebrek aan jonge aanbidders die voortdurend haar nabijheid zochten. Het kleine, roodharige meisje was echter niet zo dom om te denken dat het alleen om haar te doen was. Dus vond ze het aangenaam dat die jonge kunstenaar uit Swaffham niet met haar flirtte. Sterker nog, ze kreeg de indruk dat zij hem voor zich moest winnen.
Het ongewone werk was veeleisend. Howard kreeg amper de tijd om aan Sarah te denken. Zelfs het voorstel van Alicia om hem alle kamers van Didlington Hall te laten zien, stelde hij steeds uit.
Een van zijn eerste taken bestond eruit twee kleitabletten met hiëroglyfen in verkleinde vorm op papier te zetten. Geen gemakkelijke opgave voor iemand die al moeite had met de spelling van het gewone alfabet, om maar te zwijgen van de betekenis van vreemdsoortige schrifttekens en symbolen. Ze kwamen net zo raadselachtig op hem over als de steenkring van Stonehenge.

In de grote werkkamer van de lord, tevens de werkplek van Howard, was het lekker koel terwijl het buiten snikheet was en het platteland zinderde. Dat was mede de reden waarom hij plezier had in zijn werk, ondanks het feit dat hij nog moest zien of hij zijn opdrachtgever tevreden kon stemmen. Alicia had hem verteld dat haar vader een jaar geleden een tekenaar van het British Museum had ingehuurd. Na een week was de man naar huis gestuurd omdat hij niet aan de eisen voldeed die de lord aan hem stelde.
Na een korte lunch in het souterrain, samen met het huispersoneel dat hem duidelijk wantrouwig bejegende, ging hij weer aan het werk en bracht de rest van de dag alleen door. Tegen vijf uur kwam Lord Amherst binnen om te vragen hoe het ging.
Howard was onzeker en stamelde verontschuldigend dat hij nog moest wennen aan dit soort werk.
Hij had die woorden nog niet uitgesproken of de lord zei, terwijl hij zijn werk kritisch bekeek: 'Nee, Carter, prima gedaan. Gefeliciteerd!'
Howard keek op om erachter te komen of de lord het ook werkelijk meende, aangezien er in zijn woorden vaak een cynische ondertoon lag, maar kon vervolgens opgelucht ademhalen.
Tevreden liep hij even later naar buiten. Hij stond voor het herenhuis terwijl in de late namiddag de zwoele hitte als een deken over hem heen viel. De kikkers in de vijver kwaakten. En hij rook hooi en gedroogd oeverriet. Howard haalde zijn fiets uit de wagenloods. Toen hij wilde opstappen, ging op de bovenverdieping een raam open. Alicia stak haar hoofd naar buiten. 'Hé!' riep ze. 'Wacht even op mij!'
Niet lang daarna liep ze naar buiten. Ze was ongewoon gekleed in een sneeuwwitte bloes en halflange rok die tot onder haar kuiten kwam. Bovendien had ze rode enkellaarsjes aan. Het meest verbluffend was echter haar breedgerande hoed die ze met een sjaal om haar kin had gebonden.
'Ik word afgehaald,' zei ze lachend, waarbij ze haar ogen liet rollen, alsof ze dat idee een beetje belachelijk vond.
Howard had zich al met de gedachte gevleid dat ze zich voor hem had uitgedost. Nu was hij toch een beetje teleurgesteld, ongeacht dat het hem nauwelijks wat kon schelen hoe ze gekleed ging en wat ze van hem vond. 'En ik maar denken dat je met mij een fietstochtje wilde maken. Kun je trouwens wel fietsen?'
Alicia haalde haar schouders op. 'Albert heeft het me een keer willen leren. Ik ben toen hard gevallen.' Ze trok haar rok omhoog en liet haar rechterknie aan hem zien. De littekens waren duidelijk enkele jaren oud. 'Sindsdien durf ik niet meer op dat stomme ding!' riep ze. Haar knie verdween weer onder haar rok.

Een paard-en-wagen naderde de poort in snelle draf. Een Hansom-Cabriolet. De koetsier hield de teugel strak en draaide zonder vaart te minderen de kiezelweg op naar de hoofdingang. Met veel geschreeuw bracht hij het rijtuig tot stilstand. Het paard steigerde.
Howard kon zijn ogen niet geloven toen de koetsier van de bok sprong. Het was Spink. Robert Spink, de zoon van de fabrikant uit Swaffham.
Spink was al net zo verbaasd toen hij Howard zag. Ongetwijfeld een pijnlijke ontmoeting. Nog voordat Alicia in haar onwetendheid de twee vijanden aan elkaar kon voorstellen, riep Howard: 'Spink, jij verschijnt ook steeds op plaatsen waar je iedereen kunt verwachten behalve jou!'
'Dat zou ik ook van jou kunnen zeggen, Carter!' zei Spink op een verlegen toon.
'Doe het dan! Anders ben je ook niet zo op je mondje gevallen.'
Geamuseerd volgde Alicia de woordenwisseling van de twee kemphanen. Zo had ze zowel Howard als Spink nog nooit horen praten.
'Volgens mij kennen jullie elkaar al,' merkte het meisje droogjes op.
Na een korte stilte voegde ze eraan toe: 'En zo te zien mogen jullie elkaar niet.'
'Dat kun je wel zeggen,' zei Howard terwijl hij Spink bleef aankijken. 'Hoe ben je aan die smeerlap gekomen? Spink is een leugenaar, een oplichter en zo achterbaks als wat.'
Spink werd zo kwaad dat hij naar de zweep greep. Als Alicia niet met gestrekte armen tussen hen in was gaan staan, had Spink hem ermee van langs gegeven.
'Zijn jullie gek geworden?' riep ze opgewonden. 'Jullie gaan elkaar toch geen slaag geven als twee dokwerkers!'
Minachtend draaide Howard zich half om, wees met een duim naar Spink en zei: 'Geweld is de enige taal die hij begrijpt. Het geld dat hij van zijn vader krijgt, is het enige opmerkelijke aan dat armzalige ventje.' Daarna draaide hij zich weer om naar Alicia. 'Je moet niet met dat soort lui op stap gaan. Daar ben je te goed voor.'
'En die nietsnut hoor je al helemaal links te laten liggen!' riep Spink woedend. 'Wat moet die armoedzaaier hier trouwens? Hij schildert honden, katten, vlinders en weet ik wat nog meer. Hij kladdert en kloddert maar wat. En dat noemt zich een kunstenaar! Je moet ervoor zorgen dat hij zich hier nooit meer laat zien.'
'Howard woont op Didlington Hall!' protesteerde ze. 'Hij werkt voor Lord Amherst, als je er niets op tegen hebt.'
'Hij daar?' Spink wees met de handgreep van de zweep naar hem.
'Ja, ik!' zei Howard. Er verscheen een brede grijns op zijn gezicht. Spink

werd er razend van. Met een beledigend lachje voegde Howard eraan toe: 'Ik kan zelf de kost verdienen, Spink. Dat kun jij niet zeggen.'
'Ach, wat ontroerend. Van jouw gezwets krijg ik tranen in de ogen!'
'Ik heb het ook niet nodig om met de veren van anderen te pronken, Spink. En al evenmin hoef ik mezelf als een held op een voetstuk te laten zetten terwijl iemand anders het meisje uit de vuurzee heeft gered. Je begrijpt wel wat ik bedoel, hè, Spink?'
Hij merkte dat Howard hem in het nauw dreef. Als dit zo doorging, zou hij hem voor de ogen van Alicia blijven beledigen tot er niets meer van hem overbleef. Daarom zag hij geen andere uitweg dan zich op zijn vijand te storten, die daar nog steeds naast zijn fiets stond. Howard reageerde instinctief en duwde zijn fiets weg die een eindje verder omviel. Nog terwijl Spink op hem afvloog, sloeg hij hem met twee vuisten in het gezicht. Hij wist zeker dat Spink veel pijn had. Maar die gaf geen kik om zichzelf in het bijzijn van het meisje niet te blameren. Opnieuw haalde Howard uit om met de rug van zijn vuist Spink in het gezicht te slaan. Maar voordat het zover was, ging Alicia weer tussen hen instaan. Ze gilde het uit, alsof ze zelf werd aangevallen.
De vechtersbazen lieten elkaar meteen los. Vooral omdat het gegil van Alicia de aandacht van de butler en het andere personeel trok. Van alle kanten kwamen ze aangerend om de jonge lady te helpen. Uiteindelijk moest Alicia lang praten voordat ze de toegesnelde bedienden had duidelijk gemaakt dat Howard en Spink met elkaar in de clinch lagen, en waarom, waarna ze weer vertrokken.
'Stomkoppen! Hou op met knokken en vecht het uit in een wedstrijd!' zei ze. 'Kunnen jullie paardrijden?' Intussen waren de gemoederen wat tot bedaren gekomen. Maar ze haatten elkaar nog even erg. 'Wat kunnen jullie beter... vechten of paardrijden?' vroeg ze.
'Paardrijden!' zei Spink. Hij was geen ervaren ruiter. Maar hij hoopte dat Howard helemaal niet kon rijden. En daar kon hij wel eens gelijk in hebben.
Howard schudde zijn hoofd. 'Ik kan ook niet paardrijden,' zei hij. 'Maar op mijn fiets ben ik hoe dan ook sneller dan hij met zijn rijtuig!'
'Laat me niet lachen!' riep Spink vals grijnzend. Hij wees naar Howards fiets die een eindje verder op meelijwekkende wijze plat op de grond lag. 'Met dat ding kun je nog geen vijf kilometer per uur. Met dit eenspan haal ik gemakkelijk de vijftien.'
Alicia was altijd in voor een beetje pret. Al was het maar omdat het wat afwisseling bracht in haar anderszins nogal saaie leventje op Didlington Hall. Ze klapte in haar handen en riep enthousiast: 'Ik ben benieuwd! Ik wil zien wie van jullie twee het snelst is.'

Spink stemde zonder te aarzelen in, maar Howard vond haar voorstel belachelijk. Ook was hij opeens niet meer zo zeker van zijn zaak. Ongetwijfeld zou Spink zijn paard de zweep geven om er maar voor te zorgen dat hij sneller was. Hij moest echter instemmen om gezichtsverlies te voorkomen, ook al zou het een ongelijke strijd worden.
'Oké, wat kan mij het schelen,' zei hij. 'Maar ik bepaal de wedstrijdregels!'
'Ah, hij doet het nu al in zijn broek!' zei Spink grinnikend terwijl hij naar Alicia knipoogde.
Howard negeerde de hatelijke opmerking. 'Tot aan die lariks bij de wegsplitsing is ongeveer achthonderd meter,' zei hij terwijl hij zijn tegenstander uit minachting niet eens aankeek. 'We starten hier, rijden om de boom heen en daarna terug. Degene die deze lijn het eerst passeert, heeft gewonnen.' Met de hak van zijn schoen trok hij een streep dwars over de oprijlaan die naar de hoofdingang leidde.
'Afgesproken!' Met de mouw van zijn linnen hemd veegde Spink het zweet van zijn voorhoofd, hield een hand boven zijn ogen om niet verblind te worden door de laagstaande zon en keek naar de grote lariks. Daarna liep hij naar zijn eenspan, gaf een strelend klapje op de kont van het paard, controleerde het hoofdstel en leidde zijn ros naar de streep die Howard over de kiezelweg had getrokken.
Howard had intussen zijn fiets gepakt, controleerde of de wielen, remmen en pedalen nog goed functioneerden en kwam tot de conclusie dat hij probleemloos aan de wedstrijd kon deelnemen. Hij vond zelfs tijd om even aan Sarah te denken en zich af te vragen wat zij ervan zou vinden wat hij nu ging doen. Zou ze het afkeuren? Of zou ze hem veel succes wensen? Hij verlangde ernaar om na een eventuele nederlaag door haar getroost te worden. Daarna pas kwam de gedachte in hem op dat hij graag door haar bewonderd wilde worden als hij Spink verslagen had.
Alicia had gemerkt dat Howard een beetje afwezig was en kreeg opeens een slecht gevoel over datgene waar zij de jongens toe had aangemoedigd. Onzeker ging ze voor hem staan en vroeg: 'Alles oké? Of wil je stoppen? Jij hebt Spink immers uitgedaagd.'
'Ik? Het bijltje erbij neergooien?' Howard grijnsde arrogant, hoewel hij daar moeite voor moest doen. 'Laat me niet lachen. Wat mij betreft kunnen we beginnen.'
'Goed. Klaar?' Met gestrekte armen ging Alicia achter de streep staan. Spink stapte op de bok. Howard sloeg een been over zijn fiets en trok met zijn voet het pedaal waarmee hij zich dadelijk zou afzetten naar boven.

'Ik herhaal even de voorwaarden.' Alicia verhief haar stem. 'Jullie rijden bij de wegsplitsing om de boom heen en daarna terug naar de streep. De winnaar krijgt van mij een kusje terwijl iedereen dat mag zien. Zijn er nog vragen?'
Howard schudde zijn hoofd. Spink bromde iets wat erop duidde dat hij er klaar voor was.
'Klaar! Af!' riep Alicia. Ze sprong opzij omdat Spink zijn paard meteen na het startsein de zweep gaf terwijl hij zijn ros allerlei onverstaanbare bevelen toeschreeuwde. Daardoor sprong het paard heftig naar voren, alsof het zich los wilde rukken van het rijtuig, waardoor Howard heel even benauwd was dat hij onder de hoeven terecht zou komen. Hij ging opzij nog voor hij zich op de pedalen kon afzetten.
Voordat Howard vaart kon maken, zag hij de achterkant van het rijtuig al. De afstand werd groter. Hij fietste echter steeds sneller en na ongeveer vijftig meter werd de afstand niet groter maar ook niet kleiner.
Toen gebeurde er iets wat ervoor zorgde dat Howard alles wat hij aan kracht in zich had in de race bracht. Spink, die tot nu toe in gebukte houding het paard mende, ging opeens rechtop zitten, keek over zijn schouder en riep iets. Howard zou dat zijn leven lang niet meer vergeten. 'Carter, je bent nu eenmaal een eeuwige verliezer!'
Die honende opmerking trof Howard in het diepst van zijn ziel. Spink had hem niet erger kunnen krenken. Hij was buiten adem, zijn bovenbenen verzuurden al en deden pijn, maar Howard voelde zich vernederd zoals nooit tevoren. Door dit gevoel, deze beledigende kleinering, steeg hij boven zichzelf uit. Plotseling merkte hij dat de afstand tussen het rijtuig en de fiets kleiner werd. Spink keek, zag wat er gebeurde en sloeg met zijn zweep nog feller op het arme paard, dat hinnikend en snuivend aan het hoofdstel rukte.
De boom bij de wegsplitsing kwam steeds dichterbij. Howard minderde snelheid om de bocht zo kort mogelijk te maken. Spink deed hetzelfde. Beiden reden met een armlengte afstand om de lariks heen en maakten een scherpe bocht. Toen ze op de terugweg waren, lag Howard een paar meter voor op Spink.
Howard trapte alsof de duivel achter hem aan zat. Het zweet stond op zijn dijbenen en in zijn handpalmen. Om de luchtweerstand te verminderen – het voelde aan als een woestijnwind – maakte hij zich klein. Hij boog zich over het stuur heen en merkte te laat dat hij daardoor aan kracht in zijn benen inboette.
Langzaam haalde Spink hem in. Howard voelde het snuiven van het paard bijna in zijn rug. Om niet overreden te worden, moest hij op-

zij. Dat deed hij echter niet. De onverharde weg was smal. Te smal om een fietser met een ruime, veilige afstand in te halen. Als hij zo doorging zou hij de wedstrijd winnen. Dus bleef hij op het midden van de weg fietsen.
Nog ongeveer driehonderd meter. Howard zag Alicia in de verte staan. Ze maakte opgewonden sprongetjes. Plotseling zag hij bij zijn linkerschouder het hoofd van Spinks paard opduiken. Zijn tegenstander mende het paard zo dat hij Howard opzij dwong. Maar Howard liet dat niet gebeuren en sloeg met zijn linkerhand tegen het hoofd van het ros dat prompt een stap opzij deed.
Die beweging was voldoende om het tweewielige rijtuig aan het slingeren te brengen. Een wiel kwam langs de kant van de oprijlaan terecht, waardoor Spink voorover sloeg, over de kop ging en met een doffe klap tussen het rijtuig en het paard op de grond viel. Spink gaf een schreeuw toen hij onder de hoeven van het paard terechtkwam. Uiteindelijk reed het rijtuig over hem heen.
Als in een trance trapte Howard hard door en had de volle omvang van de ramp niet eens meegekregen omdat het paard – met het rijtuig zonder koetsier – aanvankelijk gewoon met hem op draafde. Hij wilde absoluut niet verliezen. Alicia zwaaide heftig naar hem, alsof ze hem tot stoppen maande. Maar hij beschouwde dat als een aanmoediging.
Pas toen hij met een kleine voorsprong over de streep reed, die hij zelf met de hak van zijn schoen getrokken had, ging hij met een gestrekt been op een pedaal staan; de terugtraprem zorgde ervoor dat het achterwiel blokkeerde en een donker spoor over de vastgereden kiezellaag van de oprijlaan trok. Kennelijk schrok het paard van dat kabaal. Met rijtuig en al sloeg het op hol en galoppeerde ongetoomd over de weide voor het herenhuis naar een groep bomen toe.
Toen Howard zich omdraaide om te kijken waar Alicia bleef, zag hij haar aan de kant van de oprijlaan op haar knieën zitten. Ze riep om hulp.
Met een ruk draaide hij zijn fiets om. Toen hij bij Alicia arriveerde, realiseerde hij zich dat Spink zwaargewond was. Alicia beefde bij de aanblik van de verwondingen. De kleren van Spink waren overal gescheurd. Zijn rechterbovenbeen lag open, uit de huid en de aan flarden gescheurde broekspijp stak een bot. Het bloed stroomde uit de wond en kleurde de stoffige grond zwart.
Spink was bij bewustzijn, maar zei niets. Hij kreunde zelfs niet. Met zijn rechterhand drukte hij op zijn buik. Zijn onderlip maakte af en toe spastische bewegingen, waarbij hij schokkerig overeind probeerde te komen, alsof er stroomstoten door zijn lichaam flitsten.

'Hij gaat dood,' jammerde Alicia zachtjes. 'Doe toch wat!'
Maar Howard had geen idee wat hij moest doen. Hij besefte dat bij zware verwondingen het slachtoffer kon doodbloeden. Daarom maakte hij zijn broekriem los en bond die twee keer om het dijbeen van Spink. Toen hij de riem aantrok, zette Spink het gorgelend op een schreeuwen. Eerst verstond Howard hem niet. 'Flikker op, Carter!' hoorde hij hem even later voor de tweede keer net verstaanbaar zeggen.
'Idioot die je bent!' antwoordde Howard. Hij liet zich niet weerhouden om het been af te binden. Pas toen Spink hem krijsend van de pijn de rug probeerde toe te keren, liet Howard hem los. Tegen Alicia zei hij: 'Hij was, is en blijft een idioot. Probeer jij zijn been maar af te binden. Je moet de riem zo strak aantrekken dat de wond niet meer bloedt. Ik haal intussen hulp.'
Alicia knikte en ging aan de slag.
Terwijl Howard wegliep, hoorde hij Spink gekweld roepen: 'Ik crepeer liever dan dat ik van jou hulp aanneem, Carter!'
Howard draaide zich om en wierp Spink een minachtende blik toe. Daarna maakte hij een handbeweging alsof het hem niet kon schelen en holde naar het herenhuis.
Albert liep hem tegemoet, opgeschrikt door het kabaal dat het paard en het beschadigde rijtuig maakten.
'Spink is onder de wielen gekomen!' riep Howard van ver. 'Hij bloedt dood als hij niet snel hulp krijgt. De dokter moet komen!'
'Dokter Mackenzie!' zei Albert meteen.
'Waar is hij?'
'Hij woont op nog geen tien minuten van hier. Het rijtuig staat klaar.' De butler rende – voor zijn doen snel, maar in de ogen van Howard bedaard – naar de wagenloods.
Zo voorzichtig mogelijk tilden Albert, Alicia en Howard de gewonde in het open rijtuig. Spink liet dat zonder tegenspraak over zich heenkomen. Toen Howard echter naast Albert op de bok plaats nam, ging Spink half rechtop zitten en riep woedend: 'Haal hem daar weg! Ik heb zijn hulp niet nodig. Flikker eindelijk op, Carter! Ik haat je.'
Gedurende twee dagen was Spink in levensgevaar omdat hij veel bloed had verloren. Daarna ging het beter met hem. Maar in het ziekenhuis van Cambridge – zijn vader had hem daar heen laten brengen voor behandeling – maakte men zich weinig illusies. Hij zou aan het ongeluk zeker restverschijnselen overhouden. Volgens de artsen zou hij zijn hele leven mank lopen met zijn rechterbeen, dat enkele centimeters korter was geworden dan zijn linker. Bij het lopen zou

hij altijd een kruk of een stok nodig hebben. Kenneth Spink gaf er de voorkeur aan om zijn zoon daar vooralsnog niet van in kennis te stellen.

Terwijl op Didlington Hall het noodlot toesloeg, twijfelde Sarah Jones of ze inspecteur Grenfell wel op de juiste manier tegemoet was getreden. Misschien had ze beter kunnen vertellen over de geheime bergplaats met de Aphrodite. Dan zou ze nu in elk geval geen slecht geweten meer hebben. De liefdesrelatie met Howard was sowieso al een aanslag op haar zenuwen.
Urenlang bracht ze voor de spiegel door – iets wat ze vroeger nooit deed – en bekeek zichzelf van alle kanten. Ze vroeg zich af of ze niet te oud was voor Howard. Op die momenten maakte ze haar strak naar achteren gekamde haar los en borstelde het zo lang tot het als een waaier op haar schouders viel. Of ze draaide er vlechtjes in, zoals je dat bij jonge meisjes zag. De wenkbrauwen en wimpers maakte ze zwart. Ze bracht ook rode lippenstift aan, waardoor ze er nog zinnelijker uitzag. Opeens amuseerde ze zich over zichzelf. En dat allemaal voor een jongen van vijftien!
Wel honderd keer had ze het kaartje – *'Voor de mooie Aphrodite...'* – gelezen dat Howard haar had geschreven, terwijl ze niet wist dat die paar zinnetjes bepalend zouden zijn voor de rest van haar leven. Sarah droeg het opgevouwen tussen haar borsten met zich mee. Telkens wanneer de twijfel aan haar gedrag haar leek te overweldigen, haalde ze het kaartje tevoorschijn en las het halfluid op. Woord voor woord. Als een schoolkind.
Natuurlijk was degene die dat geschreven had veel te jong voor haar. Maar sprak en dacht hij niet als een volwassene? Nog geen enkele man had deze woorden voor haar op papier gezet. Niemand was het tot nu toe gelukt dat soort heftige gevoelens in haar op te wekken. Inmiddels betreurde ze het dat ze hem had aangemoedigd om naar Didlington Hall te gaan. Nu miste ze hem meer dan ze zich überhaupt had kunnen voorstellen. Een woord, een streling was voldoende geweest om het verlangen dat haar overspoelde even te stillen. De afstand tussen Swaffham en Didlington Hall was slechts vijftien kilometer, maar toch onoverbrugbaar.
Tijdens zo'n aanval van neerslachtigheid herinnerde ze zich Charles Chambers. Hij had haar altijd met raad en daad terzijde willen staan, ondanks het feit dat ze zijn huwelijksaanzoek had afgewezen. Hoewel de dagen al korter werden, was het ondanks het late uur nog licht genoeg toen ze op pad ging.
Chambers woonde niet ver van de school in een van de smalle hui-

zen aan Mangate Street. Een lelijk pand met twee verdiepingen, verstopt achter klimop en andere klimplanten die tot aan de dakrand reikten. Sinds Chambers haar het aanzoek had gedaan, hadden ze elkaar niet meer gesproken. Sarah wist niet eens op welk huisnummer hij woonde. Ze verwachtte dus dat ze eerst ergens moest aankloppen om het juiste adres te vragen. Plotseling hoorde ze door een half geopend raam op de bovenverdieping de jammerende klanken van een harmonium.
Er was geen huisbel. Maar waarschijnlijk zou hij die ook niet eens horen. Het geluid kwam vermoedelijk niet boven de klanken van zijn traporgel uit. Daarom liep ze de kille, vochtige trap op naar de duistere gang, waar het rook naar boenwas en te lang gekookte groenten.
Ze klopte op de deur. Geen antwoord. Dus liep ze de kamer in waaruit de muziek klonk.
Chambers schrok en draaide zich om op het moment dat hij iets hoorde.
'Sarah?' zei hij verwonderd. Hij kwam van zijn orgelbankje, waarna hij nerveus door zijn zilverwitte haar streek. 'Jou had ik al helemaal niet verwacht!'
'Teleurgesteld?'
'Nee, integendeel! Nog wel op dit late uur!'
'Trek daar alsjeblieft niet de verkeerde conclusies uit, Charles.'
'Natuurlijk niet,' zei hij beschaamd. 'Ga toch zitten.' Hij haalde een stapel partituren van een stoel die net als de rest van het interieur betere tijden had gekend. Daarna maakte hij een uitnodigend gebaar.
'Het spijt me dat het zo'n rommel is,' zei hij terwijl hij even om zich heen keek. 'Een vrijgezellenhuishouden. Nog wel van een musicus. Maar ja, het hoeft hier ook niet op Windsor Castle te lijken.'
Sarah stak haar handen sussend omhoog en viel meteen met de deur in huis. 'Charles, je zei laatst tegen me dat ik altijd bij je mocht aankloppen als ik raad nodig had.'
'Inderdaad.' Hij schoof het orgelbankje dichter naar Sarah toe, die op de enige stoel zat. Daarna ging hij zitten en steunde met zijn handen op het bankje. 'Er is toch niks vervelends aan de hand?'
Ze schudde langzaam haar hoofd. 'Ik ben ergens in verwikkeld geraakt. Ik kan er niet van slapen. Voordat ik je vertel waar het over gaat, moet je me beloven dat je het absoluut niet verder vertelt!'
'Erewoord, Sarah! Op mij kun je bouwen.'
Heel even aarzelde ze, alsof ze zich afvroeg of ze hem zo zonder meer wel kon vertrouwen. Daarna vertelde ze alles. Over de ontdekking van de geheime kamer achter de bibliotheek, en wat voor wonder-

lijks ze daar allemaal gezien had. Toen ze over de Aphrodite begon, stokte ze even, alsof ze nog bedenkingen had. Maar daarna vertelde ze de hele waarheid. Dus dat het om een geheeld beeld ging en dat ene Marvin, wiens vader het beeld aan de baron had verkocht, geprobeerd had het in zijn bezit te krijgen. Hij had haar regelrecht gechanteerd. Over de bijzonderheden zweeg ze echter. Ze zei ook dat Marvin uiteindelijk op grond van een ander misdrijf inmiddels gearresteerd was. En dat daarna inspecteur Grenfell bij haar was opgedoken en overal had rondgekeken, op zoek naar kostbaarheden. Hij had die echter niet gevonden en was onverrichter zake weggegaan.
'Goeie genade!' Chambers schudde zijn hoofd alsof hij zijn oren niet geloofde. 'Dat klinkt als een roman van Conan Doyle. En dan te bedenken dat hij alles wat in zijn boeken staat verzonnen heeft. Is het echt waar wat je nu zegt?'
'Precies zoals ik het je verteld heb. Waarom zou ik erover liegen?'
Chambers vouwde zijn handen en drukte ze tegen zijn lippen. Hij dacht na. Daarna vroeg hij: 'Die inspecteur... hoe heet hij?'
'Grenfell.'
'Heeft hij naar dat beeld gevraagd? Hij kwam toch niet zomaar langs? Zijn bezoek moet een reden hebben gehad. Als hij wist dat jij het beeld in je bezit had, mag je toch aannemen dat hij er om gevraagd zou hebben?'
Ze knikte zwijgend. Uiteindelijk antwoordde ze: 'Grenfell beweert dat mijn naam op een lijst is aangetroffen.' Nerveus draaide ze met duim en wijsvinger aan een knoopje van haar bloes.
'Dat is natuurlijk mogelijk. Dan is dat bezoek van Grenfell eenvoudig te verklaren. Heb jij die inspecteur op de een of andere manier een hint gegeven?'
'Absoluut niet. Niets eens vaag! Ik was in paniek en doodsbang dat hij me ervan zou beschuldigen dat ik onder een hoedje speelde met die boeven.'
'Daar had je misschien niet eens ongelijk in. Toch moet je naar de politie gaan en een verklaring afleggen. Jij kunt er immers ook niets aan doen dat je geërfd hebt. Jou valt niet te verwijten dat er zich in jouw erfenis geheelde spullen bevinden. Mits je daarvan aangifte doet. Maar als je dit op z'n beloop laat, laad je elke dag een schuld op je.'
'Als jij het zegt, Charles, zal het wel zo zijn.' Beschaamd sloeg ze haar ogen neer. Hij had gelijk. Zij was van meet af aan dezelfde mening toegedaan. Alleen had ze dat niet durven toegeven.
'En van het bestaan van die geheime kamer heb jij niet geweten?' vroeg hij opnieuw. 'Wat heb je daar aangetroffen?'

'Howard heeft dat vertrek ontdekt. Niet ik! Een geheime deur achter de bibliotheek. Je moet nogal handig zijn om er binnen te komen.'
'Carter? Die brokkenpiloot?'
'Ja, die bedoel ik,' zei ze op een ernstige toon. 'Ik heb hem toestemming gegeven om naar leesvoer over aviatiek te zoeken. Hele namiddagen zat hij daar tussen de boeken. Op een dag ontdekte hij de geheime kamer.'
'Jij geeft die jongen wel veel speelruimte,' merkte hij op. Ze had die spottende ondertoon niet verwacht. Zo sprak hij nooit. Ze had hem daarover op zijn nummer willen zetten, maar het liep anders.
In haar opwinding draaide ze zo fel aan het paarlemoeren knoopje dat het los sprong en over de vloer naar het harmonium rolde. Een pijnlijke situatie. Sarah bukte zich om naar het ronde knoopje te zoeken. Het opgevouwen briefje van Howard gleed uit haar decolleté. Chambers raapte het op en wilde het teruggeven. Zijn nieuwsgierigheid – een eigenschap die doorgaans niet zijn karakter bepaalde – dwong hem echter om een blik op het stuntelige handschrift te werpen. *Voor de mooie Aphrodite die van Griekenland naar Swaffham is gekomen. Howard Carter.*
Chambers was in verwarring gebracht. Hij knielde en deed of hij samen met haar naar het verdwenen knoopje zocht. In werkelijkheid probeerde hij een plausibele verklaring te vinden voor de opmerkelijke tekst die hij op het briefje had gelezen, vooral ook omdat Sarah het in haar decolleté had opgeborgen.
'Hier ligt het, godzijdank!' riep ze blij. Ze hield het knoopje tussen duim en wijsvinger en liet het hem zien.
Hij hielp haar overeind. Nadat ze weer waren gaan zitten, stak hij het opengevouwen briefje naar haar uit terwijl hij haar strak en vragend aankeek.
Sarah kleurde. Ze kreeg het gevoel dat een demon haar de adem benam. Instinctief legde ze haar handen op haar borsten, op de plaats waar ze het briefje al dagenlang had opgeborgen. Ze deed dat zo heftig dat de knokkels van haar vingers wit werden. Haar ogen flonkerden onrustig terwijl ze zijn blik zwijgend beantwoordde. Even later maakte het onzekere gevoel dat ze op iets zondigs betrapt was plaats voor intense woede. Vinnig trok ze het briefje uit zijn hand en stopte het terug in haar decolleté waaruit het op mysterieuze wijze verdwenen was.
Met de bedoeling er geen woord aan vuil te maken, weidde ze uit over de raad – aangifte doen – die hij haar gegeven had, alsof er niets gebeurd was. Op alle andere vragen antwoordde hij nu terughoudend en kortaf, bijna onwillig.

'Het wordt al donker,' zei ze zomaar opeens. 'Zou je zo vriendelijk willen zijn mij naar huis te begeleiden?'
Heel voorkomend, zoals altijd, zei hij: 'Natuurlijk, Sarah.'
Op weg naar de *Dame School,* terwijl ze over het marktplein en langs het Butter Cross-paviljoen liepen waar om deze tijd de verliefde stelletjes elkaar ontmoetten, zeiden ze amper iets tegen elkaar. Sarah vermoedde dat het liefdesbriefje van Howard de oorzaak was van zijn zwijgzaamheid. Maar omdat zij eveneens in verwarring was gebracht, durfde ze er voorlopig niet over te beginnen. Aldus veranderde het wandelingetje in een kwelling waarbij ze sterk de neiging had hard weg te rennen en zich ergens te verstoppen.
Toen ze bijna bij de *Dame School* waren, flapte ze er opeens uit: 'Charles, je vraagt je natuurlijk af wat dat briefje te betekenen heeft.'
In de duisternis zei hij: 'Zeker, Sarah. Volgens mij heb jij een heel jonge minnaar. Nog wel een ex-leerling van jou. Hopelijk neem je het mij niet kwalijk dat mij dat nogal verbaast.'
'Howard is vijftien, bijna zestien. Als je er een rekensommetje op loslaat, is ons leeftijdsverschil dertien jaar. Maar zoals hij en ik met elkaar omgaan, lijkt het of we in hetzelfde jaar geboren zijn.'
'Sarah, ik hoop dat je weet wat je doet!' Het klonk geërgerd en fel.
'Nee, dat weet ik niet!' antwoordde ze kortaf. 'Ik realiseer me alleen dat ik niet anders kan. Ik zeg dat ook om bij jou geen valse hoop te wekken, Charles. Beschouw mijn bekentenis als een bewijs dat ik veel vertrouwen in je heb.'
Zwijgend, en in de beschutting van de duisternis, bereikten ze eindelijk het schoolgebouw. Voor de deur nam Chambers zoals gewoonlijk vormelijk afscheid van haar door een kus op haar handrug te drukken, waarbij hij als een bediende in een voornaam huis een buiging maakte. Vervolgens verdween hij voordat Sarah de kans kreeg hem te bedanken dat hij haar naar huis had begeleid.
Verscholen achter de muur van een huis, ongeveer vijftig meter verder, had Howard alles gezien. Tijdens de lange avonden in de muffe eenzaamheid van Didlington Hall was zijn verlangen naar Sarah, de hunkering haar te strelen, zo intens geworden dat hij zijn fiets had gepakt en de weg naar Swaffham in niet veel langer dan een uur had afgelegd.
Hij had haar willen verrassen met een bezoekje. Toen hij merkte dat de deur op slot zat, en hij in het hele huis geen licht zag, was hij op enige afstand op de uitkijk gaan staan en had hij zich voorgenomen daar te blijven tot zijn geliefde terugkeerde. Al zou dat tot middernacht duren.
Geliefden zijn begiftigd met een merkwaardig voorgevoel wat het

gedrag van de ander betreft. Beter gezegd: ze denken dat te hebben, want vaak genoeg trekken ze uit dat soort gevoelens betreurenswaardige conclusies. Zo ook in het geval van Howard. Uit die onverwachte ontmoeting trok hij een verkeerde conclusie, die later ook nog eens rampzalig zou blijken.
Hoewel het donker was, had hij Chambers natuurlijk meteen herkend. Howard was laaiend op hem, maar meer nog op Sarah die een spelletje met hem speelde en hem als een kleine jongen behandelde. Hij vond het verschrikkelijk dat hij zich door haar had laten beetnemen. Hoe had hij het zover kunnen laten komen? Hoe had hij kunnen denken dat Sarah, een rijke vrouw die gezegend was met een verbazingwekkende schoonheid, uitgerekend op hem verliefd zou worden, een middelmatige tekenaar die nog volwassen moest worden?
Howard wachtte tot hij op de bovenverdieping licht zag. Tranen van woede liepen over zijn wangen. Met zijn aansteker stak hij de petroleumlamp bij het stuur aan, waarna hij door London Street richting Brandon fietste. Hij wenste dat hij dood was en dat zou niet de laatste keer zijn.

9

Elk jaar, aan het eind van de zomer, gaf Lord William George Tyssen-Amherst een groot feest op Didlington Hall. Een feest dat zijn gelijke op het platteland niet kende. Iedereen van aanzien, en degenen die dankzij zakelijke successen in de wandelgangen genoemd werden, waren uitgenodigd op dat feest. Een feest dat strenge regels kende. Regels die door Lady Margaret angstvallig werden gehandhaafd. Niet zelden speelden zich in de betere kringen drama's af, wat ook gold voor degenen die dachten erbij te horen, omdat anderen wel een uitnodiging hadden gekregen terwijl zij, ondanks hun verdiensten, daar kennelijk niet voor in aanmerking waren gekomen.
Honderd fakkels flakkerden aan weerskanten van de lange oprijlaan en voor de ramen van het herenhuis. De gasten arriveerden in hun faëtons, landauers, victoria's en coupés.
In dat opzicht was de aankomst van meneer Alfred McAllen – de stinkend rijke transportondernemer uit Swaffham – beslist zeer bijzonder te noemen. Begeleid door zijn twee dochters arriveerde hij in een knorrend, sputterend – soms gepaard gaand met explosies, alsof iemand zeer luidruchtig hoestte – rijtuig zonder paarden ervoor. Een rijtuig dat, naar men later vernam, van Franse herkomst was en dat qua kracht het equivalent van zes paarden had, ondanks het feit dat

die paarden niet te zien waren. Conform de wetgeving van het land liep een jonge, potige kerel voor het wonderlijke rijtuig, dat automobiel werd genoemd, om de tegemoetkomende koetsiers en andere brave, argeloze weggebruikers te waarschuwen voor wat hen te wachten stond. McAllen had iedereen ervan verzekerd dat de jongen zich op weg van Swaffham naar Didlington Hall uitstekend van zijn taak gekweten had.
Slechts enkele dappere mannen durfden dat monster – tot grote teleurstelling van Engelse patriotten was het in Duitsland uitgevonden – op dichter dan vijf passen te naderen als de motor aan was; in tegenstelling tot de Engelse traditie liep die niet op stoom maar op petroleum of andere gevaarlijke brandstoffen.
Terwijl Alicia de McAllen-dochters verwelkomde – hun chique kleren waren besmeurd met roet en straatvuil – gedroeg de transportondernemer zich als een magiër in een variététheater door de helse machine met een kleine hefboom tot zwijgen te brengen, waardoor je alleen nog het sissen van de glimmende messing koetslantaarns hoorde. Ze brandden op een mengsel van water en carbid en zetten de omgeving in een eigenaardig vaal licht.
McAllen was een jeugdig uitziende man van midden veertig. Zijn afkomst was obscuur te noemen. Alleen zijn ongelofelijke rijkdom maakte hem geschikt voor de plattelandssociety. Die avond verspeelde hij echter zijn reputatie volledig nadat hij in het bijzijn van verschillende lords verkondigd had dat het paard als zodanig zijn beste tijd gehad had en door de automobiel vervangen zou worden. Volgens hem zou het paard over vijftig jaar zijn uitgestorven. De automobiel was de uitvinding van de eeuw. Deze prestatie van de ingenieurs van het Duitse Daimler & Benz was belangrijker dan de brugconstructie over de Firth of Forth of de toren die in Parijs door die gekke Fransozen was gebouwd.
Nee, McAllen hoorde eigenlijk niet thuis in dit fijne gezelschap. Zelf gaf hij dat ook duidelijk te kennen zoals hij gekleed ging. Zijn geruite pak was nogal sportief en meer geschikt voor in zijn automobiel dan voor dit voorname feest. Hij was een weduwnaar van stand wiens vrouw aan de tering was overleden, hoewel boze tongen beweerden dat ze van gramschap haar laatste adem had uitgeblazen, en hij had de uitnodiging alleen maar geaccepteerd omdat hij grote moeite had zijn twee huwelijksrijpe dochters Mary en Jane aan de man te brengen. Toegegeven, schoonheden waren het niet. Ze aten hun verdriet weg wat tot gevolg had dat het spek op hun achterste opvallende vormen begon aan te nemen. Alleen hun respectabele bruidsschat kon mogelijke huwelijkskandidaten nog over de streep

trekken. Papa McAllen liet dan ook geen gelegenheid onbenut om daar de nadruk op te leggen. In adellijke kringen liepen immers nogal wat manspersonen rond die het meer moesten hebben van hun naam dan van hun geërfde bezit.
Van dit illustere gezelschap was 'Porchy' de enige die zich voor de automobilist interesseerde. Zo werd hij althans genoemd door zijn vrienden. En die had hij genoeg. 'Porchy' was lang, slank en had een sportief uiterlijk. Hij was kortom niet alleen een zeer aantrekkelijke man, hij was ook nog snugger en wereldwijs, ondanks het feit dat hij pas vijfentwintig was. In het Verenigd Koninkrijk was hij een van de drie personen die een automobiel bezaten.
George Edward Stanhope Molyneux Herbert – zijn echte volledige naam – stamde uit een oud geslacht waardoor hij al in zijn jeugd de titel 'Lord Porchester' had verworven. Dat feit stemde hem indertijd allesbehalve vrolijk want in Eton, waar elke Britse Lord een paar jaar doorgebracht moest hebben, plaagden zijn medescholieren hem met de bijnaam 'Porchy'.
'Porchy' was opgegroeid op het familielandgoed Highclere Castle, nabij Newbury. Met uitgestrekte paardenweiden en meren waren er duizend avonturen te beleven. Nog voordat hij naar school ging, maakte hij met zijn pony tochten in de omliggende bossen. En in de meren ving hij armdikke snoeken. Een gelukkiger jeugd was nauwelijks voorstelbaar. Helaas overleed zijn moeder bij de geboorte van haar derde kind. 'Porchy' was toen negen.
Na zijn internaatperiode in Eton ging 'Porchy' studeren aan het Trinity College in Cambridge. Zijn vakanties bracht hij door bij zijn vader, de vierde graaf van Carnarvon. Samen werden ze regelmatig aan de Italiaanse Rivièra gezien, waar de lord in de kuststad Portofino een schitterende villa en een zeiljacht bezat. Zeilen werd de nieuwe passie van 'Porchy.' Rukwinden noch hoge golven weerhielden hem ervan om met zijn bemanning uit te varen.
Op zijn eenentwintigste, en net afgestudeerd, kreeg hij het idee om met het zeiljacht een wereldreis te maken. In eerste instantie bereikte hij met zijn bemanning Zuid-Amerika, waarna hij terugkeerde naar huis. Een jaar later ging hij oostwaarts, naar Australië en Japan. Kort nadat 'Porchy' was teruggekeerd, overleed zijn vader. Nu was hij de vijfde graaf van Carnarvon. Zeer rijk en met zeer veel invloed. Maar in zijn hart was hij gebleven wat hij in zijn jeugd altijd al was geweest: een avonturier die zeiljachten, paarden en automobielen belangrijker vond dan de politiek van Hare Majesteit, of gesprekken over Courbet en Monet of de School van Barbizon.
Nadat de lord en McAllen in een hevig dispuut verwikkeld waren

geweest over de voordelen van allerlei soorten carburateurs, wonderlijke apparaten die de brandstof leverden om de motor van een automobiel aan de praat te krijgen, en nadat ze het volstrekt niet eens hadden kunnen worden over het type dat de voorkeur hoorde te genieten, liep Lady Margaret naar 'Porchy' en haakte bij hem in, waarbij ze zich tot McAllen richtte en zei: 'Excuseer, sir, Lord Carnarvon gaat met mij dineren. De andere gasten interesseren zich minder voor helse machines dan voor het feestelijk maal dat door mevrouw Cricklewood is bereid. Ik ben er trouwens van overtuigd dat haar kookkunst ook u enthousiast zal maken. In tegenstelling tot de gebruikelijke Engelse kookkunst let zij er namelijk op dat de gerechten er niet alleen goed uitzien, maar ook heel lekker zijn. Kom, overtuig uzelf.'
Toen Lady Margaret en Lord Carnarvon de hal betraden, die voor deze feestelijke gelegenheid omgetoverd was in een zeer verzorgde eetzaal met talrijke kaarsen aan de muren en op de lange tafel, kon menige gast een verbaasd 'Aah' en 'Oo' niet onderdrukken. Plotseling klonk op de achtergrond een Chinese gong. Het was traditie dat Albert een keer per jaar, bij deze gelegenheid, op die gong sloeg.
De spaarzaam maar kostbaar gemeubileerde grote hal, waarvan de muren gelambriseerd waren met hout dat een warme sfeer uitstraalde, bood wellicht niet de elegantie van Oxburgh Hall of de rijke pracht en praal van Highclere Castle, maar de gezellige, knusse sfeer kon zich meten met elk ander herenhuis. De voorouderportretten aan de muren, waarvan sommige meer dan tweehonderd jaar oud waren, vielen op door de edele trekken en tijdloze schoonheid van de geportretteerden, zo eigen aan de voorvaderen van Amherst. Uiteraard droeg de voortreffelijke wijze waarop ze geschilderd waren daar ook aan bij. Hoewel de werken door verschillende kunstenaars waren gemaakt, kenmerkten ze zich stuk voor stuk door een detail dat bij de gasten grote bewondering opwekte. Waar je ook stond in de hal, de voorouders keken je allemaal aan en volgden elke beweging die je maakte. Dat gold ook voor de portretten van Lord William Amherst en Lady Margaret. Portretten die ongeveer twintig jaar geleden door een bekende schilder uit Londen in de Gainsborough-stijl waren vervaardigd. Vooral het schilderij van Lady Margaret – de vrouw des huizes van Didlington Hall stond in een donkerrode japon voor een venster van het herenhuis terwijl ze uitkeek over het glooiende landschap – oogstte zeer veel bewondering. Zoals in alle oude Engelse vooroudergaleries was het beleefd om even voor de betreffende schilderijen te gaan staan, er zogezegd te verpozen, en het werk van de

schilder – en vooral het model – met passende woorden van goedkeuring te bewonderen.
Lord Carnarvon had daar geen enkele moeite mee. En het klonk niet eens vleierig of flauw, zoals zo vaak in dit soort situaties. 'Mylady, dit is het mooiste portret dat ik ooit gezien heb, waarbij zowel de schilderkunst van de maker als de schoonheid van zijn model evenveel waardering hoort te krijgen!'
Het was nog maar de vraag of 'Porchy' dit meende. In elk geval was aan de sociale conventie tegemoetgekomen. Lady Margaret vroeg Lord Carnarvon en de andere gasten om aan de lange tafel plaats te nemen, waarbij natuurlijk iedereen met behulp van naamkaartjes zijn eigen plekje had toegewezen gekregen.
De tafelschikking van een diner. Er bestonden in Engeland in dat opzicht nauwelijks strengere wetten. Alleen al de vraag wie waar moest of hoorde te zitten, bood verschillende dagen gespreksstof te over. Op merkwaardige wijze kon dit tot euforie of diepe depressies leiden.
Lord Amherst gaf een teken dat iedereen plaats mocht nemen, waarbij hij zich naar het uiteinde van de smalle tafel begaf waar hij de tafelplaatsen, links en rechts van hem, goed kon overzien. Rechts zat Lady Margaret, in de eerste stoel aan de lange kant. Ze had een lange, donkere japon aan met een breed en diep decolleté. Het was echter niet het decolleté van de vrouw des huizes van Didlington Hall dat opzien baarde, maar een detail van de manier waarop ze gekleed ging en dat voor oningewijden verborgen bleef. Bij de kenners zorgde het echter voor bewonderende blikken. Het betrof namelijk een zwart, fluwelen bandje om haar hals. In die epoque, en in beschaafde kringen, raakte men daar meer door in verrukking dan door een kousenband om blanke dijen. Het verwees naar Lady Stutfield uit *Het spook van Canterville,* van Oscar Wilde. Een net verschenen boek dat men gelezen moest hebben. Lady Stutfield droeg die halsband echter alleen om de vijf vingerafdrukken van het spook – ze hadden brandvlekken veroorzaakt – te verdoezelen. De societydames lieten met die halsband iedereen merken dat ze in literair opzicht op de hoogte waren en bovendien geen goed woord over hadden voor de huidige burgerlijke braafheid.
Tegenover Lady Margaret, links naast Lord Amherst, zat Lord Carnarvon. En links van hem Lady Wainwright, een zwartharige schoonheid van Indiase afkomst. Admiraal Wainwright had haar uit de kroonkolonie van Hare Majesteit naar Engeland gehaald. Haar echtgenoot Lord John Wainwright, onlangs in de adelstand verheven, was een lange, magere en zeer bijziende man. Door zijn bril met jampot-

glazen leken zijn ogen op hemdsknopen. Wainwright was het levende bewijs dat zelfs de lelijkste mannen zich met de mooiste vrouwen konden tooien. Wainwright was echter bedreven in de conversatiekunst. Hij kon het in dat opzicht tegen elke andere gast opnemen. Naast hem had Lady Lampson plaatsgenomen. De tweede vrouw van de naast de mooie Indiase geplaatste Lord Harold Lampson genoot op haar manier van de gesprekken dankzij een kleine, zilveren hoorn die ze op decente wijze tegen haar oor zette. Ze hoorde namelijk slecht, ondanks het feit dat ze nog jong was.
Meneer en mevrouw Gordon, de buren van Amherst met wie de familie al jarenlang bevriend was, zaten aan de andere kant van de tafel, niet zozeer omdat dat conform de tafelschikking was, maar vanwege het feit dat meneer en mevrouw Spink op de valreep hadden afgezegd door het ongeval van hun zoon.
En zo gingen alle gasten zitten. Meer dan dertig in totaal. Een voor een klinkende namen. Als je ze allemaal opnoemde, zouden op zeker moment de ruiten springen. Aan het eind van de lange tafel zaten de oudste dochter van Amherst en de jonge Lord William Cecile, een man die zo melancholisch overkwam als een ouvreuse in Covent Garden. Verder hadden daar Alicia en Percy Newberry, de twee McAllendochters en Howard Carter plaatsgenomen.
Howard vond het een onverwachte eer dat hij was uitgenodigd op het feest. Lady Margaret had hem sinds zijn aankomst op Didlington Hall zeer aardig bejegend. Uit de kleedkamer van het huis had ze hem een zwart rokkostuum – een grijszwarte broek en een zilverkleurige plastron van zijde – gegeven. Het stond hem bijzonder goed. Ongeacht het feit, zo peinsde ze, dat een rokkostuum niet bepaald de geschikte kleding was voor een feestelijk diner, toonde hij er nogal voornaam en elegant in.
Dankzij dit alles, en de feestelijke entourage in de vorm van dit illustere gezelschap, kon Howard een tijdlang zijn intense verdriet en woede vergeten. Ook al viel het hem moeilijk, leek het bijna onmogelijk, hij moest aan de gedachte wennen dat Sarah Jones een vrouw als alle anderen was en dat hij zijn diepste gevoelens aan haar verkwist had.
Nog nooit had hij in zo'n bijzonder gezelschap mogen vertoeven. Ook al zat hij op de laatste stoel aan de lange tafel, met een eenvoudig maal zou hij eveneens zéér tevreden zijn geweest. De bedienden van het huis waren in het zwart gekleed en droegen zilveren schalen naar binnen. Op de brede randen ervan brandden kaarsen. Het servies, zoals de borden, de schotels en terrines, was van porselein, en de glazen van kristal. En dan de gerechten! Geglaceerde fazant, gegar-

neerd met vruchten en kleurrijke veren; wilde eend in sinaasappelsaus; en kalkoen met kastanjevulling en gestoofde groenten uit eigen tuin. Er werd rode wijn uit Frankrijk geschonken. Als dessert kwam pudding met cognacboter op tafel.
Hij at zwijgend, bijna ingetogen. Allerlei gedachten schoten door hem heen. Hij wilde het in het leven zover schoppen dat hij elke dag als een lord kon eten.
'Hé, Carter!' De rauwe stem van Jane, de oudste dochter van McAllen, sleepte hem terug naar de realiteit. 'Jij bent een chic ventje geworden. Gefeliciteerd!'
Hij keek gegeneerd naar Alicia, die schuin tegenover hem zat en die de McAllen-dochters net zo min kon uitstaan als hij. Aanvankelijk besloot hij niet op de opmerking van het brutale meisje in te gaan.
Maar Jane liet hem niet met rust. Ze keek haar zus aan en zei zo hard dat iedereen het kon verstaan: 'Nou ja, in het zwart gekleed ziet hij er best goed uit, maar een rokkostuum maakt je nog geen lord. Wat vind jij, Mary?'
Howard flapte eruit: 'En een decolleté nog geen lady.'
Geamuseerd hadden Newberry en Alicia het gekibbel gevolgd. Ze lieten hun ogen rollen terwijl ze een hoofdbeweging maakten naar de twee zussen. Nu schaterden ze het uit en hielden prompt een hand voor de mond omdat het anders te gek werd. Jane had namelijk een japon aan met een gewaagd decolleté dat haar volumineuze borstpartij goed zichtbaar maakte zonder echter ook maar enigszins haar vrouwelijkheid, ofwel haar boezem, te tonen.
'Het was niet zo bedoeld,' zei Jane. 'Is het waar dat Robert Spink tijdens een wedstrijd tegen jou verongelukt is?' voegde ze eraan toe om van onderwerp te veranderen.
Alicia wachtte niet tot hij antwoord gaf en zei meteen: 'Spink heeft Howard uitgedaagd. Hij beweerde dat hij met zijn rijtuig sneller zou zijn dan Howard op zijn fiets.'
Mary, de jongste van de twee, had de gesprekken zwijgend gevolgd. Met haar piepstem – in schril contrast met de stem van haar zus – mengde ze zich in de discussie en riep: 'Een man op een fiets kan nooit een rijtuig bijhouden!' Ze gebaarde zo wild dat de kaarsen die op de tafel stonden begonnen te flakkeren.
'Over een korte afstand, laten we zeggen nog geen kilometer, kan dat wél!' beweerde Howard. Daarmee maakte hij een eind aan de levendige discussie waar langzamerhand het hele gezelschap zich in gemengd had. Toen het dispuut uiteindelijk Lord Carnarvon ter ore was gekomen, toonde hij zich zeer geïnteresseerd in die wedstrijd. Hij vroeg aan zijn gastheer hoe die was afgelopen.

'Een tragisch ongeval, beste Carnarvon,' zei Lord Amherst. 'De zoon van Spink had zijn nek kunnen breken. Hij kwam onder het paard en het rijtuig terecht en raakte zwaargewond. Zijn verdere leven zal hij mank lopen. Ik heb vernomen dat het nooit meer goed komt met zijn rechterbeen.'
Lord Carnarvon trok zijn mondhoeken naar beneden. Na een tijdje keek hij met opgeheven hoofd rond en zei: 'U ziet het, heren, als het lot het wil kom je de dood op weg naar de kerk tegen. En een avonturier als ik, trotseert de dood terwijl hij in de Middellandse Zee met piraten en in Zuid-Amerika tegen bandieten vecht. Mijn vader zei altijd dat ik voorzichtig moet zijn, omdat ik maar één leven heb. Ik heb zijn uitspraak nooit begrepen. Toen ik die zogenaamde voorzichtigheid in de zin zoals hij dat bedoelde in twijfel trok, haalde ik me zijn ongenoegen op de hals. Volgens mij staat het leven van iedereen in een groot boek geschreven. Daarom heeft het geen zin dat de mens zijn welzijn en gezondheid boven alles stelt. U mag me op mijn woord geloven, heren, dat het leven pas aangenaam wordt als je geen doodsangst meer kent.'
Carnarvon hief zijn glas om zijn betoog van een punt te voorzien. Lady Margaret had de uiteenzetting van de lord, die tegenover haar zat, gevolgd en vroeg: 'Begrijp ik het goed als ik zeg dat Spink überhaupt geen kans had om aan zijn noodlot te ontkomen? Is hij dus voorbestemd om mank door het leven te gaan?'
'Precies. Hoe wilt u de dood van de mensen om u heen anders verklaren, mylady? Koorddansers tarten het lot door over een dun touw te lopen dat over een afgrond is gespannen... ze worden stokoud. En een filosoof die in zijn bibliotheek onderzoek doet naar de zin van het leven valt van de ladder, terwijl hij naar een boek reikt, en overlijdt. Nu vraag ik u, mylady, wie van de twee voorzichtiger heeft geleefd: de koorddanser of de filosoof?'
'Waarschijnlijk de filosoof, omdat hij minder risico's nam.'
'Toch heeft de koorddanser hem overleefd, hoewel hij bijna elke dag zo onverstandig was zijn leven op het spel te zetten.'
Het was stil geworden aan de tafel. In de open haard, waarvan de stenen schoorsteenmantel bijna de afmetingen van een poortingang had, knetterde het vuur. Aan het andere uiteinde van de tafel had Howard het gesprek met belangstelling gevolgd. Carnarvon was een slimme kerel. Hij kon ingewikkelde dingen uitstekend in eenvoudige bewoordingen uitleggen.
'Ik heb medelijden met Spink,' bracht Lord Amherst te berde. 'Ik wil echter niet verhullen dat ik zijn onbehouwen gedrag nooit heb goedgekeurd.'

Lady Margaret viel haar echtgenoot in de rede. 'Hij heeft toch maar een meisje uit een brandend huis gered! Dat verdient zeer veel lof! Hij is een held!'
Howard sprong woedend op uit zijn stoel en riep: 'Dat is niet waar! Spink is een verdomde leugenaar!'
Zijn heftige interruptie kreeg onvermoede gevolgen. Meer dan dertig paar ogen draaiden tegelijkertijd zijn kant op, alsof ze met koorden aan elkaar verbonden waren. Met een rood hoofd, terwijl het leek of hij buiten adem was, trotseerde hij de verontwaardigde blikken.
'Maar het nieuws heeft in de *Daily Telegraph* gestaan, meneer Carter!' zei Lady Margaret boos. 'Wie anders heeft volgens u dat meisje uit dat brandende huis gehaald?'
'Ik.'
Dat was kort maar krachtig. Sommige gasten reageerden wrevelig. Vooral admiraal Wainwright – het woord 'held' had voor hem een bijzondere klank – was ontstemd. 'Jonge vriend, volgens mij bent u ons een verklaring schuldig.'
'Er valt niet veel uit te leggen, mylord,' zei Howard meteen openhartig. Lady Lampson zat naast de admiraal en trok korzelig haar wenkbrauwen op, waarbij ze hem een bestraffende blik toewierp. Howard liet zich echter niet intimideren en zei: 'Ik heb Jane Hackleton uit dat brandende huis gehaald. Spink stond bij de deur en wachtte al die tijd tot ik met het bewusteloze meisje in mijn armen naar buiten kwam. Hij rukte haar letterlijk uit mijn handen en droeg haar snel weg. De vraag is nu wie de echte held is... als u dat bedenkelijke woord al wilt gebruiken, mylord.'
Alle ogen waren op hem gericht, als prikkende pijlen. Waarom moet ik me ook mengen in de gesprekken van dit chique gezelschap, dacht hij. Hij werd hun wantrouwen gewaar, het kwam van alle kanten op hem af. En toen hij naar Lord William Cecile keek, die schuin tegenover hem zat, of naar Lord Lampson, iets verder, ervoer hij zelfs minachting van hun kant.
De zwijgzaamheid van de voorheen zo spraakzame gasten werd steeds opvallender en uiteindelijk pijnlijk. Howard had geen andere keus. Hij maakte een kleine buiging naar de gastheer, schoof zijn stoel weg en liep met snelle, stampende passen – hij ergerde zich overduidelijk – naar de deur richting trappenhuis en verdween uit het zicht.
'Een merkwaardige jongeman die zich niet weet te gedragen,' zei de admiraal boos.
Lord Amherst zocht naar woorden en zei verontschuldigend: 'Carter

werkt sinds kort voor mij. Een voortreffelijk tekenaar, echt een groot talent. Maar zo heb ik hem nog nooit horen praten. Mijn excuses, dames en heren.'

In tegenstelling tot de andere gasten kon het Carnarvon weinig schelen wat er was gebeurd. Dat was duidelijk te zien aan het laatdunkende glimlachje dat om zijn mondhoeken speelde. 'Misschien heeft die jongen wel gelijk,' gaf hij hen in overweging. 'Was een van de dames of heren erbij toen dat huis afbrandde?'

'Nee, natuurlijk niet,' zei Lady Lampson geërgerd. Ze had zich tot nu toe op de vlakte gehouden. 'Maar ik heb dat artikel in de *Daily Telegraph* gelezen!'

Lord Carnarvon lachte plotseling zo hard en geforceerd dat zijn gastheer, rechts van hem, een beetje afstand nam. 'Mylady,' zei Carnarvon, 'met alle respect, maar gelooft u alles wat in de krant staat, nog wel in de *Daily Telegraph?* Ik beschouw de *Times* als de enige krant die wat betreft de berichtgeving te vertrouwen is omdat de overlijdensadvertenties op pagina een staan. Maar zelfs dat heeft naar men zegt al tot meningsverschillen geleid.'

Ook Lady Lampson was de ironie van Carnarvon niet ontgaan. Een ironie die soms zelfs omsloeg in sarcasme, een karaktertrek die al generaties lang eigen was aan de heren van Highclere Castle. In deze precaire situatie – niemand durfde het woord te nemen – wierpen de twee McAllen-dochters, Mary en Jane, elkaar steelse blikken toe. Dat gedrag zou gemakkelijker te duiden zijn geweest. Maar niemand merkte de blikken op.

Eindelijk doorbrak Lady Margaret de onaangename stilte. Met korte, snelle bewegingen klapte ze in haar handen, waarna de dames en heren gescheiden naar de salons liepen. De rooksalon van Lord Amherst bevond zich links, de damessalon van Lady Margaret rechts via een doorgang. Niemand, niet eens de oudste leden van het huispersoneel, kon zich herinneren dat Amherst ooit de salon van Margaret betreden had, en vice versa. Hoewel er voor dat gebruik geen duidelijke reden bestond.

De salon van Lady Margaret was ingericht met elegante chippendale-meubels en vrolijk-levendige, lichte vloerbedekking. De ruimte was aangenaam licht in vergelijking met de donkere uitstraling van de meeste andere vertrekken op Didlington Hall. De kristalspiegels die tegenover elkaar aan de muren hingen droegen daar zeker aan bij. In deze vriendelijk aandoende dameskamer hielden sommigen zich bezig met hun favoriete tijdverdrijf: gezellig kletsen en roddelen. Anderen, bij wie de maaltijd zwaar op de maag lag, luisterden liever nieuwsgierig naar wat er verteld werd. Er werd sinaasappellikeur

ingeschonken. Dat was goed voor de vertering. En het smeerde de kelen van de kletskousen.
In de rookkamer gingen dikke havanna's en een kistje 'Star of India' rond. De bijtende, grijze walm hing als een nevel in het vertrek. Rondom tegen de muren stonden open kasten met talrijke kostbare, oude werken. De Schotse whisky droeg ertoe bij dat de herengesprekken – te beginnen met het lievelingsthema van Lord Amherst: het Britse imperialisme in Afrika – zich al snel toespitsten op de actualiteit: de opengestelde telefoonverbinding tussen de Britse eilanden en het Europese vasteland. Via de renpaarden kwam men onvermijdelijk bij het onderwerp vrouwen uit en zoals bekend is dat een onuitputtelijk thema dat niet bevorderlijk is voor het niveau van herenconversaties. Nadat er verschillende verhalen – van niet nader te noemen heren – over vrouwen de ronde hadden gedaan, mondde het thema in elk geval uit in de vaststelling van Lord Lampson dat om pijnlijkheden te vermijden alle vrouwen die men ontmoette Fanny of Amy hoorden te heten. Dat bespaarde immers veel ellende.
Een strijkkwintet installeerde zich intussen in de hal, waar de tafels inmiddels waren afgeruimd en weggedragen. Er werd ingezet met een wals. Sinds *Die Fledermaus* in het Londense Westend was opgevoerd en furore had gemaakt, was heel Engeland verzot op de walsen van Johann Strauss.
Het was al laat op de avond toen de dames en heren, een keurig gezelschap, uit de salons kwamen. Lord Amherst en Lady Margaret gingen als eerste de vloer op. Andere paren volgden.
'Ik heb toch een beetje wroeging gekregen,' zei Lady Margaret terwijl ze in de armen van haar echtgenoot aan het dansen was.
'Wat bedoel je?'
'Howard Carter! Zoals hij daar stond, terwijl hij van alle kanten argwanend bekeken werd. Ik denk dat Carnarvon gelijk heeft. Niemand was bij die brand aanwezig. We weten dus niet wat er destijds werkelijk is gebeurd.'
'In elk geval heeft hij zich zeer slecht gedragen. Zelfs als datgene wat hij beweert de waarheid is, dan nog zou iets meer terughoudendheid gepast zijn geweest.'
'Vind je?' Lady Margaret leek in gedachten verzonken.
Na enkele walsmaten, waarbij Margaret zich op de maat handig een keer helemaal omdraaide, en naar haar gasten keek of ze het ook zagen, zei ze opnieuw: 'William?'
'Ja, schat?'
'Kun jij je Lord Carnarvon als schoonzoon voorstellen? Ik weet dat Alicia erg jong is, een kind nog, maar over een of twee jaar heeft ze

de leeftijd en komt deze vraag beslist aan de orde. Ik vind dat Carnarvon zeker de voorkeur geniet boven, laat we zeggen Newberry. Ik heb niets tegen Newberry, begrijp me goed. Een beschaafde jongeman. Maar in vergelijking met Carnarvon...'
Lady Margaret sprak zachtjes, bijna op een fluistertoon. Als geroepen stond Carnarvon plotseling naast haar en richtte zich lachend tot Lord Amherst voor de volgende dans. 'Ik hoorde zojuist mijn naam fluisteren. Mag ik mylady heel even ontvoeren?'
Stipt om twaalf uur klonk het volkslied van Hare Majesteit Queen Victoria. Traditioneel luidde dat het einde in van het feest op Didlington Hall. Slechts enkelen die in de buurt woonden, stapten in de gereedstaande, verlichte koetsen om naar huis te gaan. De overige gasten trokken zich terug in de kamers van het zijgebouw van het herenhuis. Toen ook de laatste gast vertrokken was, bleven Lord en Lady Amherst voor de hoofdingang staan, omarmden elkaar en staarden naar de bewolkte lucht.
'Het was een mooi feest, hè, William?' Lady Margaret liet de koelte van de nacht op zich inwerken.
'Zeker,' bromde de lord. 'Maar dat gedoe rond Carter was wat je noemt een dissonant. Ik denk dat ik hem ontsla. Hij kan zich niet gedragen.'
'Nee, William! Doe dat alsjeblieft niet! Hij is nog jong, hij mag fouten maken. Niet doen, hoor je, William? Alsjeblieft!'
Lord Amherst keek zijn vrouw verbaasd aan. 'Wat heb je toch met Carter?'
'Je zegt zelf dat hij een begaafd kunstenaar is. Ik mag hem, al sinds hij zich hier voor het eerst liet zien. Waar is hij trouwens?'
De lord haalde zijn schouders op, alsof het hem niet kon schelen. Lady Margaret had dat gemerkt en riep Albert.
'Albert, waar is Howard Carter?'
De butler ontging praktisch niets wat er op Didlington Hall gebeurde. Vriendelijk antwoordde hij: 'Meneer Carter is op zijn kamer. Zal ik hem roepen?'
'Nee, laat maar,' zei Lord Amherst. 'Dat regel ik zelf wel!' Hij liep naar binnen zonder verder iets tegen zijn vrouw te zeggen.
Albert schrok toen hij hem snel de trap op zag lopen. De lord ging nooit naar de bovenverdieping, waar zich de vertrekken van het personeel bevonden. Dat beloofde niet veel goeds. Aangezien hij vermoedde dat Amherst niet wist waar de kamer van Howard was, ging hij op een holletje achter de lord aan en liet hem zien waar hij moest zijn.
Lord Amherst klopte op de deur en liep meteen naar binnen.

Howard lag aangekleed op bed en staarde naar het schijnsel van de petroleumlamp die aan het plafond hing. Om deze tijd was Lord Amherst wel de laatste persoon die hij aan zijn deur had verwacht. Toen hij hem herkende, sprong hij van bed. 'Het spijt me, mylord, ik had u niet verwacht!' Hij streek zijn kleren glad en rechtte zijn rug terwijl hij voor Amherst stond.
'Het is al goed, Carter,' zei de lord vriendelijk en met een sussend gebaar. 'We moeten even praten!'
Howard knikte en zei meteen: 'Mylord, het was niet mijn bedoeling om uw gasten voor het hoofd te stoten. Maar ik heb wel de waarheid verteld. Ik heb haar uit dat brandende huis gehaald. Niet Spink. Het spijt me dat ik zo boos werd. Morgen pak ik mijn spullen.'
Met de handen op de rug keek Lord Amherst hem met een onderzoekende blik aan. Uiteindelijk zei hij kalm: 'Dat gaat niet gebeuren, Carter. U hebt veel talent en dat weet ik te waarderen. Het zal allereerst een verlies voor mij zijn als u Didlington Hall voor gezien houdt. Daarom vraag ik u te blijven. Onze samenwerking moet immers nog groeien. En wat die kwestie met Spink aangaat...'
'Dank u, mylord,' viel Howard hem in de rede. 'Ik blijf als u dat graag wilt. Maar mag ik eerst een paar dagen verlof nemen? Ik beloof u dat ik de verloren tijd zal inhalen.'
Amherst fronste zijn wenkbrauwen. Howard vreesde dat hij zijn verzoek op een ongeschikt moment had gedaan. Tegen de verwachting in zei de lord: 'Goed, Carter. Ik vraag me echter af waarom u vrijaf wilt nemen.'
Howard haalde diep adem, alsof hij op het punt stond zijn hart te luchten. 'Mylord,' zei hij, 'die vervelende kwestie met Spink, zoals u dat noemt, is een zware last op mijn schouders. Misschien ziet u dat anders, maar ik heb het er moeilijk mee dat de mensen mij als een opschepper of leugenaar beschouwen. Daarom wil ik op zoek gaan naar getuigen die mijn versie van de gebeurtenissen kunnen bevestigen.'
Howard was hardnekkig en dat dwong het respect af van de lord. Mensen die zich onwrikbaar toonden, wist hij wel te waarderen. En de standvastigheid waarmee Howard te werk ging, was bijna het bewijs dat hij inderdaad de waarheid sprak.
Het was laat geworden. Lord Amherst gaf Carter een hand. Plotseling zag hij een tekening die aan de muur boven de wastafel hing. 'O!' zei hij verbaasd. 'Eigen werk?'
Howard schrok. Hij had niet verwacht dat de lord ooit in zijn zolderkamer zou komen. Nu stond hij tegenover de tekening die de Aphrodite met de gelaatstrekken van Sarah Jones voorstelde. Am-

herst kon er zijn ogen niet vanaf houden. Die indruk had Howard althans. Ook moest hij er rekening mee houden dat Amherst die tekening bekend voorkwam. Het liefst had hij de petroleumlamp uitgedaan.

In zijn opwinding vergat hij antwoord te geven op diens vraag. De lord dacht vervolgens dat zijn vraag als een onbeleefdheid werd opgevat. Kunstenaars hingen namelijk uitsluitend eigen werk aan hun muren. Voorzichtig vroeg hij: 'Meneer Carter, ik vind het interessant om te weten of die mooie dame op de tekening aan uw eigen fantasie ontsproten is of dat u daarvoor een model hebt gebruikt.'

De nieuwsgierigheid van Amherst – misschien was het geen nieuwsgierigheid maar het begin van een soort verhoor – maakte hem rusteloos. Zijn hart klopte in zijn keel. Toen hij met veel moeite tot het besluit was gekomen dat hij zou zeggen dat de tekening een product van zijn puberale fantasie was, zei de lord opeens: 'U doet er beter aan deze vraag niet te beantwoorden. Dat is iedere kunstenaar zijn goed recht. Welterusten!'

Nadat de lord vertrokken was, deed Howard zijn geleende rokkostuum uit en hing het over de rugleuning van de stoel die onder het halfgeopende raam stond. Boven de weiden van Didlington Hall verschenen de eerste nevelbanken die de herfst aankondigden. Zonet had hij het nog warm, nu rilde hij terwijl hij het licht uitdeed en onder de dekens kroop.

Hij deed zijn ogen dicht. In plaats dat hij langzaam in slaap viel, tuimelden opeens allerlei gedachten door zijn hoofd. In de verte klonk het klagende geluid van een uiltje. Hij opende zijn ogen en keek naar het lage, zwak verlichte plafond. Lang staarde hij in de leegte. Uiteindelijk stond hij op, liep naar het raam en liet zijn blik over de donkere contouren van de bomen en muren van Didlington Hall glijden. Contouren die geheimzinnige lijnen in de duisternis tekenden. De ochtend kondigde zich aan want in de omliggende vennen – net doffe, verstofte spiegels – klonk hier en daar het aarzelende gekwaak van kikkers.

Hij wist dat hij vannacht de slaap niet meer kon vatten. Er was te veel gebeurd wat hem diep getroffen had. Maar waar hij ook aan dacht, uiteindelijk stonden Sarah Jones en het ongelukkige einde van hun liefdesrelatie in het middelpunt. Nee, dat verraad zou hij nooit kunnen vergeten. In deze diepe troosteloosheid had hij graag een moeder gewild die als een moeder van hem hield en die hij in vertrouwen kon nemen. Maar zijn moeder woonde in Londen en had genoeg aan zichzelf. Hij vroeg zich af wanneer hij haar voor het laatst gezien had. Eigenlijk wilde hij het niet eens weten.

Trefzeker tastte hij naar de lucifers en stak de petroleumlamp aan. Daarna pakte hij een tekenvel, vouwde het in een geschikt formaat, ging in het midden van de kamer aan het ovale tafeltje zitten, doopte zijn pen in het buikige inktpotje en begon te schrijven:
'*Miss Jones, mijn geliefde...*' een belachelijke aanhef. Hij verfrommelde het papier en legde het terzijde.
'*Lieve miss Jones...*' Dat was al beter. Maar hoe vaker hij die aanhef in gedachten herhaalde, hoe ongeschikter die leek.
Howard bevond zich in een uitzichtloze situatie. Hij had Sarah nog nooit bij haar voornaam genoemd. Uit respect? Of omdat hij haar op een eerbiedige manier aanbad? Hij had dat simpelweg nooit gekund. Hij wist zelf niet eens wat daarvan de reden was. Opeens vond hij deze aanhef eveneens bespottelijk.
Uiteindelijk pakte hij weer een tekenvel – het derde – en schreef zonder erbij na te denken: '*Lieve Sarah...*'
Deze aanhef maakte hem bijna trots op zichzelf. Hij las die telkens opnieuw. Uiteindelijk schreef hij verder. '*Was ik maar een paar jaar ouder. Ik zou deze zinnen dan gemakkelijker op papier krijgen. Misschien zou het dan niet eens nodig zijn geweest dat ik dit nu schrijf. Er zijn twee dingen die me bezighouden en die ik u wil vertellen. Ik vraag u dringend om daaruit uw conclusies te trekken.*
Ik heb in de afgelopen weken veel domme dingen gedaan. Nu vrees ik dat er weer een aan dat lijstje moet worden toegevoegd. Vandaag liep onverwacht, en tegen alle gebruiken in, opeens Lord Amherst mijn kamer binnen. Ik woon net als de rest van het personeel op de bovenste verdieping. Hij keek heel lang naar de tekening die ik van de Aphrodite heb gemaakt. Het beeld dat voor ons beiden zo belangrijk is geworden. Ik voel nog steeds de oorvijg die u mij gegeven hebt. De klap bracht mij in extase en zorgde ervoor dat ik uw minnaar kon worden. U had iets over zich wat mij onbekend was, wat me in opperste verrukking bracht en mijn verstand uitschakelde. Mijn gezond verstand waarvan ik, hoewel ik nog jong ben, meer heb dan de meeste andere jongens van mijn leeftijd. Maar ik dwaal nu af.
Ik weet niet of Lord Amherst in die tekening het beeld herkend heeft dat ik als voorbeeld heb genomen. Ik moet er echter wel rekening mee houden, want hij keek er een hele tijd zwijgend naar. Het is nu eenmaal moeilijk voorstelbaar dat zo'n intelligente man het beeld dat in zijn huis ontvreemd werd er niet in herkend heeft, ongeacht hoelang geleden die diefstal is gepleegd. Daarom vraag ik u dringend dat beeld aan hem terug te geven. Het is volgens mij de enige manier om niet weer in allerlei situaties verstrikt te raken.
Wat onze liefdesband betreft... ik vraag u die relatie als verleden tijd te beschouwen. Daar bespaart u zich veel ellende mee. En mij menige vernedering. U kunt uw tijd dan voortaan onbekommerd aan meneer Chambers wijden.

Qua leeftijd past hij in elk geval beter bij u dan zo'n domme jongen als ik. Nee, ik maak me geen illusies. Ik ben maar een eenvoudige, middelmatig getalenteerde tekenaar die hoopt in de toekomst iets te kunnen bereiken. Maar misschien valt dat later ook allemaal erg tegen. De enige zekerheid die ik u had kunnen bieden, is dat ik ook ouder word en voor u dan een serieus te nemen geliefde zou kunnen worden. Weet echter dat mijn liefde diep en innig was, ondanks mijn jonge leeftijd. Een liefde die mijn diepste verlangens heeft vervuld. Zo diep dat ik die liefde straks als volwassene nooit meer zo intens zal kunnen ervaren. Maar dat is nu voorbij. Ik hou niet meer van u.
Niettemin heeft mijn liefde voor u mooie sporen achtergelaten in mijn ziel. Ik heb absoluut geen spijt van wat er tussen ons is opgebloeid. Het ontsproot aan de diepste gevoelens en roerselen van de ziel. Ook al ging het allemaal niet op de handigste manier. Ik zal het nooit vergeten.
Hij die van niemand houdt, is er goed aan toe. De gedachte dat u met iemand anders dezelfde dingen gaat doen die wij met elkaar hebben gedaan, is voor mij een bittere kwelling. U hoeft trouwens geen poging te doen de verhouding die u met Chambers hebt te ontkennen. Ik weet namelijk alles! Ik ben vastbesloten. Ik zal u nooit meer zien.
Howard Carter.
PS U kunt de brief nadat u die gelezen hebt maar beter vernietigen, omdat die u mogelijk ooit in opspraak zal kunnen brengen.
Wat Carter virtuoos, keurig en helder op papier had gezet, nam twee kantjes en de rest van de nacht in beslag. De ochtendschemering was al een feit, en door het open raam hoorde hij het personeel dat in alle vroegte aan het werk was. Hij las de brief nog eens door. Daarna was hij bijna in tranen. Hij knikte zwijgend en stopte de brief in een enveloppe.
Toen hij haar naam op die enveloppe wilde schrijven, stokte hij even omdat de herinneringen hem overweldigden. Uiteindelijk schreef hij vlot en vaardig: Miss Sarah Jones, Swaffham, Graafschap Norfolk.

10

Drie dagen waren verstreken. Het leven op Didlington Hall ging weer zijn gewone gangetje. Howard was 's ochtends na het feest naar Swaffham gefietst om getuigen te zoeken. Op Didlington Hall was het personeel onderwijl nog steeds bezig alles wat nog aan de gasten van Lord Amherst en Lady Margaret herinnerde op te ruimen. Het viel dus ook niet op toen in de namiddag een met twee paarden bespannen wagen voor de hoofdingang stopte en een dame van de bok klom. De manier waarop ze dat deed, verraadde meteen dat ze dat niet gewend was. Ze had een donkergroen deux-pièces aan, en een

hoed van dezelfde kleur op waarover ze een sjaal had gebonden die ze onder haar kin had vastgestrikt.
Toen butler Albert op de begane grond zijn hoofd uit een raam stak – eigenlijk kon je dat een toevalligheid noemen, omdat hij haar niet eens had opgemerkt – riep ze naar hem: 'Excuseer, is dit Didlington Hall?'
'Zeker, mevrouw,' antwoordde Albert zo typisch en nogal arrogant. 'Mag ik vragen wat u wenst?'
'Ik wil Lord Amherst spreken.'
'En wie mag ik zeggen, mevrouw?'
'Miss Sarah Jones. Ik ben gekomen om een uiterst delicate kwestie te bespreken. Vertel dat maar aan de lord.'
Nauwelijks was het hoofd van Albert verdwenen of de deur van de hoofdingang ging open. Beleefd vroeg Albert of ze even in de hal wilde wachten. Sarah bekeek aandachtig de portrettengalerij. Vrijwel direct daarna liep Lord Amherst naar haar toe. Nadat ze zich aan elkaar hadden voorgesteld, kwam Sarah ter zake. 'Ik zeg maar meteen wat er aan de hand is, mylord. Wilt u zo vriendelijk zijn met mij naar buiten te gaan?'
Lord Amherst keek de dame die hij niet kende wantrouwig aan. Hij kwam echter aan haar wens tegemoet.
Zonder iets te zeggen liep ze om de wagen heen en trok een plank van de laadbak.
Als versteend bleef de lord staan. 'Goeie genade, dat kan toch niet waar zijn!' stamelde hij mat. Hij werd lijkbleek. Op de wagen lag de Aphrodite, gewikkeld in een wollen deken. 'Nee, dat kan niet,' herhaalde hij nog verbaasder dan zonet.
Vol ontzag ging hij dichter bij het beeld staan en raakte het angstvallig even aan, alsof het kunstwerk broos was en misschien snel beschadigd raakte. 'Miss Jones,' zei hij zachtjes, waarna hij haar voor het eerst weer aankeek, 'kunt u mij uitleggen hoe u aan dit beeld bent gekomen?'
'Dat is een lang en tamelijk ongeloofwaardig verhaal, mylord. Maar ik denk dat u het recht hebt te weten wat er is gebeurd. Het beeld is immers uw rechtmatig bezit. Of vergis ik me nu?'
'Nee,' zei Amherst snel. 'Het is een jaar of vijftien geleden gestolen en sindsdien spoorloos, ondanks het feit dat het vindersloon hoog was. Ik ben dan ook erg verbaasd dat u zo opeens met dit kostbare kunstwerk komt voorrijden.'
'Ik zal het u graag uitleggen,' zei Sarah lachend. 'Het beeld moet wel eerst naar binnen worden gedragen. Thuis hebben drie potige kerels me geholpen om het in de wagen te leggen.'

Albert riep de drie sterkste bedienden. Heel voorzichtig droegen ze het marmeren beeld naar binnen.
Intussen was ook Lady Margaret te weten gekomen dat er onverwacht bezoek aan de deur stond. Toen ze het marmeren beeld zag, viel ze bijna in zwijm. Dat was trouwens niet opzienbarend, omdat ze aan bloedarmoede leed, maar in dit geval zeker geloofwaardig aangezien de Aphrodite tot de favoriete werken van de kunstverzameling van haar man behoorde.
'Er is een wonder gebeurd! Een wonder!' riep ze telkens. Hoofdschuddend klapte ze in haar handen. Tegen Sarah zei ze: 'U drinkt toch een kopje thee met ons? Dan kunt u ons het hele verhaal vertellen.'
Sarah ging op de uitnodiging in. 'Graag, mylady. Maar het mag niet te laat worden. Ik moet voor het donker thuis zijn, anders maakt de eigenaar van het span zich ongerust.'
Daarna vertelde Sarah alles. Ze sprak over de erfenis van barones Von Schell. En dat ze op een dag de geheime kamer had ontdekt. En dat zich daar naast vele andere kunstwerken ook het marmeren beeld bevond. Ook liet ze niet achterwege dat Howard Carter, een ex-leerling van haar, altijd heel behulpzaam was geweest. Uit de voorhanden zijnde documenten kwam hij erachter dat het beeld in het bezit was geweest van een door de politie gezochte heler. Een oude krant die onder de documenten lag, had hem zelfs op het spoor gebracht van de rechtmatige eigenaar.
'Een prachtkerel, die Carter!' zei Lord Amherst goedkeurend.
Lady Margaret was het helemaal met hem eens. 'Een geweldige jongen! Hadden wij maar een zoon als hij. Ja, dat denk ik soms.'
Toen Sarah haar verhaal verteld had, benadrukte ze dat Howard Carter haar al eerder had geadviseerd om Lord Amherst in vertrouwen te nemen. Ze had echter zo haar bedenkingen gehad, omdat ze dacht dat ze dan als medeplichtige van een kunstroof zou worden beschouwd. Daarna vroeg ze onomwonden: 'Waar is Howard eigenlijk? Hij werkt toch voor u?'
'O, het spijt me, miss Jones,' zei Lord Amherst. 'Meneer Carter is naar Swaffham vertrokken. Hij liet doorschemeren dat hij daar iets belangrijk moest afhandelen.'
'Iets belangrijks?' Opeens voelde ze dat het bloed naar haar hoofd steeg. Ze maakte zich ongerust vanwege zijn brief die ze enkele uren geleden had ontvangen. Ze vroeg zich af wat er in het hoofd van die jongen omging.
De ogenschijnlijke rust en beheerstheid die ze zonet nog tentoonspreidde, en waarmee ze de lord en lady voor zich gewonnen had, was plotseling verdwenen. Haar handen begonnen te beven, ze

maakte nerveuze bewegingen en stootte haar theekopje om, waarna ze zich verontschuldigde. 'Ik denk dat ik maar beter kan gaan,' zei ze abrupt. 'Het is vijftien kilometer naar Swaffham. Allemaal veldwegen.'
'Maar we hebben nog niet gesproken over de beloning,' zei de lord terwijl ze al aanstalten maakte om te gaan. 'Voor u en Howard Carter.'
Ze maakte een afwijzend gebaar. 'Toch niet voor mij!' Ze lachte. Ditmaal klonk het gekunsteld, anders dan voorheen. Ze was duidelijk erg ongerust over iets.
Haastig stapte ze op de bok van de paard-en-wagen en reed snel weg. De lord en de lady keken haar verbaasd na.
Halverwege, niet ver van Thetford Forest waar Howard en zij elkaar al eens waren tegengekomen, fietste hij haar tegemoet.
Sarah had grote moeite om het span tot stilstand te brengen.
Misschien had hij haar niet op de bok van een paardenkar verwacht. Maar het zou ook kunnen dat hij haar gewoon voorbij wilden rijden, alsof hij haar niet herkende. In elk geval bleef hij star voor zich uitkijken, en hij zou haar voorbij zijn gereden als ze niet op een roekeloze manier van de kar was gesprongen en met gestrekte armen voor hem was gaan staan.
Howard maakte een afwezige indruk en stamelde verlegen: 'Miss Jones! Eigenlijk wilde ik u niet meer terugzien.' Het klonk schuchter. Met neergeslagen ogen klampte hij zich vast aan het stuur van zijn fiets.
Sarah keek hem slechts zwijgend aan en verwachtte dat hij haar blik zou beantwoorden. In plaats daarvan duwde hij zijn fiets naar voren, wilde erop stappen en vluchten als een schurk die betrapt was op diefstal. Ze kon hem nog net bij zijn jaspand vastgrijpen en tegenhouden.
Was hij kwaad of besefte hij plotseling dat hij zich belachelijk gedroeg? In elk geval stapte hij af en glimlachte verlegen. Sarah zweeg nog steeds. Ze nam de fiets van hem over en zette die tegen een boom, waarna ze terugliep en hem in haar armen sloot.
Snikkend drukte hij zijn gezicht in haar hals terwijl zij hem over zijn rug streek. In tedere omhelzing stonden ze een hele tijd langs de kant van de weg. Geen van beiden durfde als eerste iets te zeggen. Howard geneerde zich. Maar Sarah was een slimme vrouw. Ze wist dat er omstandigheden waren waarin zwijgen een meer helende uitwerking had dan troostende woorden.
'Miss Jones,' begon hij, nadat hij wat gekalmeerd was, 'hebt u mijn brief gekregen?'

'Ja, Howard. De postbode heeft die vanmorgen gebracht.'
'Waarom respecteert u niet wat ik in die brief geschreven heb?'
'Dat doe ik ook, Howard!'
'Dat doet u niet!'
'Toch wel, Howard. Ik kom net van Didlington Hall.' Voor het eerst keek hij in haar ogen. 'Ja, ik heb het beeld aan Lord Amherst teruggegeven. Ik heb hem trouwens ook laten weten dat jij mij dat dringend geadviseerd hebt.'
Haar openbaring maakte hem sprakeloos. Uiteindelijk zei hij vol ongeloof: 'Bent u echt op Didlington Hall geweest? Echt waar?'
'Waarom zou ik tegen jou liegen? De lord en de lady maken zich grote zorgen om jou en vragen zich af waar je uithangt.'
'Hoe reageerde de lord? Liet hij merken dat hij in de tekening de Aphrodite heeft herkend?'
'Volgens mij heeft hij niks gemerkt. Hij was zo verbaasd dat hij even niet wist wat hij moest zeggen. Hij was nog opgewondener dan ik, hoewel ik mijn hart in mijn keel voelde kloppen. Ik kon immers niet weten hoe hij zou reageren. Nadat de lord een beetje gekalmeerd was, herhaalde hij steeds: "Goeie genade, dat kan toch niet waar zijn!" En Lady Margaret riep telkens: "Er is een wonder gebeurd! Een wonder!" Ik had de indruk dat ze dachten dat ze het beeld nooit meer terug zouden zien. Als Amherst iets anders had verwacht, zou hij op een andere manier gereageerd hebben. Hij was gewoon overweldigd. Ik ben in elk geval heel opgelucht.' Daarna vroeg ze plotseling: 'Waar was jij al die tijd, Howard?'
Hij maakte zich los uit haar omarming en boog zijn hoofd. Daarna zei hij gelaten: 'Ik heb in Sporle, Dunham en Swaffham getuigen gezocht die destijds bij de brand waren en kunnen bevestigen dat het niet Spink was die Jane Hackleton gered heeft maar ik.'
'Ben je daar nog steeds mee bezig? Wat ben je toch een stijfkop!'
'Dan ben ik maar een stijfkop! Tijdens het feest op Didlington Hall kwam het tot een pijnlijke confrontatie. Het gesprek ging over Spink, en dat hij een held is omdat hij een meisje uit de vlammen gered zou hebben. Toen zei ik dat ik Jane Hackleton uit dat brandende huis had gehaald. Niemand geloofde me.'
'Heeft die zoektocht van jou wat opgeleverd?'
Hij schudde zijn hoofd. 'Ik heb verschillende ooggetuigen gesproken. Kennelijk heeft niemand gezien dat ik dat meisje eruit heb gehaald. Touwslager Hackleton is met zijn gezin verhuisd naar Newburry, zegt men. En ik sta nu als leugenaar te kijk.'
'Het zit je erg dwars, hè?' zei Sarah voorzichtig.
Hij ging er niet op in. 'Miss Jones, ik heb in de brief geschreven dat

ik u niet meer wil zien. Waarom respecteert u dat niet?' begon hij opnieuw.
Ze deed een stap naar hem toe. Onwillekeurig deinsde hij terug, alsof hij haar nabijheid onaangenaam vond. 'We zijn elkaar hier toevallig tegengekomen,' zei ze op een ernstige toon. 'Noem het een speling van het lot. Ik moet wel zeggen dat ik toch van plan was geweest om de komende dagen met je te praten. Je betekent zoveel voor mij dat ik je niet zomaar kan laten gaan. Ik hou van je, Howard. Ik hou echt heel veel van je!'
Hij werd knalrood van woede en riep: 'U hebt me belogen en bedrogen.' Het klonk zo hard dat hij in het bos te horen was. 'Ik heb met eigen ogen gezien dat die organist midden in de nacht afscheid van u nam. U kunt niet van twee walletjes eten, miss Jones. Het is hij of ik. Ik sta er het slechtst voor, dus wil ik graag dat u me met rust laat.'
Zijn vertwijfelde stem was als een roep om hulp. Ook al zei hij wat anders, het klonk als: Hou van me, Sarah! Ik heb je nodig! Ze kon zijn afwijzing in de juiste context plaatsen.
Dus pakte ze zijn handen vast, alsof hij een kind was, en keek hem strak aan. 'Je kunt je denk ik niet voorstellen dat ik in mijn eenzaamheid soms ook niet meer weet hoe het verder moet. De *Dame School* met alle problemen die zich daar voordoen, inspecteur Grenfell die plotseling opduikt, en niet in de laatste plaats onze relatie. Ik kan er 's nachts niet van slapen, Howard. Is het dan zo raar dat ik een man die ik goed ken om raad vraag? Meer is er niet gebeurd.'
'En... wat heeft Chambers u geadviseerd?' vroeg hij met een ironische ondertoon.
'Hij vindt dat ik naar de politie moet gaan om aangifte te doen. Gewoon uitleggen hoe ik aan dat beeld ben gekomen.'
'Waarom hebt u zijn raad niet opgevolgd?'
'Ik was van plan dat te doen. Toen kreeg ik je brief. Jouw advies vond ik beter.'
Ze merkte dat een vraag op zijn lippen brandde en zag de onrustige blik in zijn ogen. 'Jij wilt natuurlijk weten of ik Chambers over ons verteld heb, hè?' zei ze meteen om hem niet langer te kwellen. 'Ja, dat heb ik zeker. Chambers weet het. Ik heb tegen hem gezegd dat ik van je hou. Alleen van jou, Howard!'
'Maar dat is toch...'
'Krankzinnig, ik weet het. Maar het is wel de waarheid. Bovendien wil ik niet dat hij steeds om me heen vlindert. Hem om raad vragen was dus een goede aanleiding om er een punt achter te zetten.'
Howard draaide zijn hoofd opzij. Hij schaamde zich nu dat hij die

brief geschreven had uit jaloezie en omdat hij zich gekrenkt en bedrogen voelde. Nu kon hij zichzelf wel voor zijn hoofd slaan. 'In die brief staat dat ik niet meer van u hou. Dat is gelogen,' stamelde hij hulpeloos.
Sarah gniffelde en zei: 'Dacht je nou echt dat ik geloofde wat jij geschreven hebt?'
Ze lachten opgelucht. Hij kuste haar, maar Sarah duwde hem van zich af. 'We kunnen maar beter weggaan voordat iemand ons hier ziet,' zei ze ademloos.
Hij knikte en keek om zich heen.
'De paarden!' riep hij opgewonden. Hij wees naar het noorden.
Nu pas zag Sarah wat er gebeurd was. Ongemerkt waren de paarden verder gelopen. Op hun dooie gemak stapten ze richting Swaffham. Howard sprong meteen op zijn fiets en haalde de paarden een halve kilometer verder in.
'Ik wil dat je met me meegaat,' zei ze toen hij haar de teugel gaf.
Hij had die uitnodiging al verwacht. Zonder antwoord te geven tilde hij de fiets in de kar, waarna hij naast haar op de bok ging zitten en ze samen de laatste kilometers naar Swaffham aflegden.

Howard arriveerde de volgende dag rond de middag op Didlington Hall. Er heerste grote opwinding. Ten eerste was hij langer weggebleven dan hij had aangekondigd. Amherst en Margaret hadden zich grote zorgen gemaakt, omdat ze niet wisten waar hij uithing. Ten tweede was er onverwacht bezoek gekomen dat hem wilde spreken.
Hij schrok toen hij Lord Carnarvon in de hal tegen kwam. 'Die zaak met Spink bleef me dwarszitten, Carter. Ik heb mijn secretaris een onderzoek laten instellen. Het resultaat zal u niet verrassen.'
Howard maakte een geringschattende beweging met een hand en zei: 'Eerlijk gezegd, mylord, heb ik eveneens geprobeerd getuigen te vinden die mijn versie van het verhaal kunnen bevestigen. Vergeefse moeite! Touwslager Hackleton is met zijn gezin verhuisd. Naar Newburry, heb ik gehoord.'
'Niet ver van Highclere Castle. Daar werkt hij nu als dagloner.'
'Ik denk dat meneer Hackleton weinig voor mij kan doen, mylord.'
'Daar hebt u gelijk in,' onderbrak Carnarvon hem. 'Maar zijn dochter Jane is een ander verhaal!'
'Met haar heb ik al gesproken, mylord. Ze zegt dat ze zich niets meer kan herinneren van wat er toen gebeurd is.'
Op het gezicht van Lord Carnarvon verscheen een grimas. Het zag er komisch uit, een lord onwaardig. Hij genoot echter van zijn optre-

den en gebaarde naar een schuchter meisje dat op de achtergrond was gebleven. Jane Hackleton.
In de grote hal van het herenhuis leek het meisje nog kleiner en brozer dan hij zich haar herinnerde. Ze maakte een beleefde kniebuiging voor Howard, die zich niet kon herinneren dat iemand dat ooit voor hem had gedaan. Lord Carnarvon moedigde haar nogal bits aan om te praten.
Howard vond de manier waarop Carnarvon het meisje aan hem voorstelde niet prettig. Maar toen Jane begon te vertellen, waren zijn bedenkingen snel verleden tijd.
'Meneer Carter, ik wil u bedanken dat u mijn leven hebt gered,' zei ze. 'Ik herinner me de gebeurtenissen in die nacht nog heel goed. En ook dat meneer Spink u pas hielp toen we ons voor het huis bevonden. Meneer Spink heeft mijn vader vijf pond gegeven om ervoor te zorgen dat ik zou zeggen dat hij mij gered had.'
'Ongelooflijk,' zei Howard zachtjes. Lord en Lady Amherst, Percy Newberry, de butler Albert en mevrouw Cricklewood waren om hem heen gaan staan. Nauwelijks had het meisje haar verhaal gedaan of ze klapten in hun handen en riepen: 'Bravo!'
Daarna liep Jane naar hem toe en drukte een kus op zijn wang. Iedereen was opeens ontroerd.
'Vijf pond was veel geld,' zei ze zachtjes, bijna beschaamd. 'Maar mijn vader zal dat bedrag teruggeven, dat weet ik heel zeker.'
Voor de deur stond de landauer van Carnarvon. De lord maande Jane dat ze moest opschieten.
Howard gaf Carnarvon een hand en bedankte hem. 'Ik mag u wel, Carter,' zei de lord. 'Soms moet je je nek durven uitsteken.'

Nadat de dingen zo'n onverwachte wending hadden genomen, beleefde Howard de mooiste tijd van zijn leven. Hij hield zich bezig met kunstzinnige relicten uit het Egypte van vervlogen dagen. Het nam al zijn aandacht in beslag. Hij kon de uiterst moeilijke taken die Lord Amherst hem gaf aan en kopieerde afbeeldingen, inscripties en hiëroglyfen waarvan de betekenis hem ontging maar die hij snel kon herkennen in de steeds terugkerende schema's.
En zo gebeurde het dat Amherst zijn tekenaar op een dag inwijdde in een geheim dat voor Howard geen geheim meer was omdat Alicia dat al verklapt had. De lord nam hem mee naar de vochtige gewelven waar de mummie lag opgebaard. Ook moest de jongen hem beloven dat hij er met niemand over zou praten. Howard beloofde het. Stiekem vond hij het wel leuk dat de geheimzinnigheid van de lord in schril contrast stond met de loslippigheid van zijn jongste dochter Alicia.

Op warme zomerdagen was het heerlijk toeven in de koele gewelven onder de zijvleugel van Didlington Hall. Maar nu de herfst was ingevallen en de mistbanken boven de akkers en velden zweefden, rilde hij van de kou. Bovendien rook het in de kelders zo muf dat hij niet diep durfde in te ademen. Ook waren de gewelven slecht verlicht. En dat droeg niet bij aan een aangenaam werkklimaat. Zijn taak bestond eruit om de afbeeldingen op de verschillende kanten van de doodskist gedetailleerd op papier te zetten. De tekeningen konden dan vergeleken worden met andere voorstellingen die bij de verschillende opgravingen waren aangetroffen.
Gedurende tien dagen sloot Howard zich op in het gewelf. Amherst wilde dat zo om te voorkomen dat iemand plotseling achter zijn rug stond. Tien dagen. Met mister Peabody als zijn enige gezelschap. Howard zette zelfs de kleinste details op papier. Hij had een jas aan, een hoed op en een dikke sjaal om. Soms betrapte hij zich erop dat hij tegen mister Peabody aan het praten was. 'Goedemorgen, mister Peabody. Hoe gaat het met u? Goed geslapen?' Soms geloofde hij zelfs dat hij antwoord kreeg. 'Bedankt dat u dat vraagt, meneer Carter. In de afgelopen duizenden jaren heb ik weinig aanspraak gehad.' Of: 'Frisjes vanochtend, vindt u ook niet? Ik ben nog niet gewend aan het Engelse klimaat.'
De eenzaamheid waarin hij zijn werk moest doen, werd alleen onderbroken door een bezoekje van Alicia. Op zeker moment had ze zich afgevraagd waar hij was. Newberry had haar toen verteld waar hij zich ophield. Ze klopte op de deur van het gewelf en riep zachtjes: 'Howard, ik ben het... Alicia!'
Eigenlijk zag hij het bezoekje van Alicia niet zitten. Als de lord te weten kwam dat zij hier was, leek het of hij zijn geheime werkplek aan haar verklapt had. Maar ze stelde hem gerust. 'Papa is naar de opening van het parlement in Londen. Zoals elk jaar blijft hij daar drie dagen. Maak je dus maar niet ongerust! Ik wil je trouwens ook niet storen bij je werk. Ik kijk alleen. Dat mag toch?'
Hij knikte. 'Ik kan je helaas geen stoel aanbieden. Wat moet jouw vader bij de opening van het parlement?'
'Hij is parlementslid. Wist je dat niet?'
'Nee.' Hij floot zachtjes tussen zijn tanden.
Hij tekende inmiddels voor de tweede keer het hoofdprofiel van de mummie. 'Papa is maar voor één ding bang in het leven: verveling,' zei ze. 'Hij heeft inmiddels zoveel functies op zich genomen dat hij nauwelijks nog tijd heeft voor zijn familie. Ik ken papa alleen terwijl hij 's avonds gebogen achter zijn bord aan tafel zit te eten. Voor de rest zie ik hem zelden of nooit. Hij vertelt dan over de dingen waar

hij elke dag mee bezig is. Hij heeft mij nog nooit gevraagd hoe het met me gaat, of ik me ergens zorgen over maak of verdriet heb.'
Terwijl Howard zijn potlood soms horizontaal en dan weer verticaal voor zijn ogen hield om de maat te nemen – hij liet zich niet van zijn werk afhouden – vroeg Alicia: 'Heb jij nooit zorgen of verdriet?'
Het roodharige meisje dat altijd grapjes maakte, was opeens ernstig geworden. Ze wreef met de mouw van haar jurk over haar neus. 'Het bevalt me niet dat mijn moeder het als haar levenstaak beschouwt om haar vijf dochters overeenkomstig onze stand op te voeden zonder rekening te houden met onze gevoelens. Dat is haar al vier keer gelukt.'
'Dan ben jij dus de laatste,' stelde Howard vast zonder van zijn werk op te kijken.
'Inderdaad. Soms kan ik haar wel wat doen. Waarom denk je dat ze Lord Carnarvon heeft uitgenodigd?'
'Ik snap het al. Jij vindt Carnarvon geen aardige man, hè?'
'Ik kan die verwaande kwast niet uitstaan. Ik heb ruzie gehad met mijn moeder omdat zij wilde dat ik tijdens het diner naast hem ging zitten. Toen heb ik gedreigd dat ik een rel zou schoppen. Zoals je weet werd ik voor straf helemaal aan het uiteinde van de tafel gezet. Daar was het in elk geval veel leuker.'
'Maar Carnarvon is een interessante kerel, Alicia. Hij is jong, heeft gestudeerd en de wereld bereisd.'
'Dat is nog geen reden om dan maar met hem te trouwen!' spotte ze. 'Nog afgezien van het feit dat ik helemaal geen zin heb om te trouwen. Dat moet je als het even kan zien te vermijden. Voor een vrouw betekent trouwen niets anders dan dat men haar rechten voor een groot deel afneemt en dat ze twee keer zoveel plichten erbij krijgt.'
Hij lachte. 'Jij hebt geen hoge dunk van mannen, hè? Slechte ervaringen opgedaan? Dat zou jammer zijn.'
'Jeetje, nee! Ik heb veel gelezen. Dat is meer dan genoeg om een indruk te krijgen.'
'Ben je nog nooit verliefd geweest?'
'Nee. Dat genoegen heb ik nog niet gehad.'
Het leek of hij in zijn tekening verdiept was. In werkelijkheid was hij in gedachten heel ergens anders terwijl hij met zijn potlood de contouren van de afbeeldingen natrok. Uiteindelijk zei hij: 'Dat gebeurt misschien sneller dan je denkt. Het is er opeens, heel typisch, als een donderslag bij heldere hemel. Het houdt je gevangen en je weet niet meer hoe je het hebt. Je wilt dan alleen nog maar bij je geliefde zijn. Daarvoor ben je bereid je laatste penny uit te geven, jezelf te kleineren, en je maakt je belachelijk. Maar dat kan je

dan niks schelen. Je bent blind voor alles wat er om je heen gebeurt en je ziet alleen nog maar je geliefde voor je. Als je nog een kind bent, is verliefd zijn voldoende om opeens volwassen te worden. En als je volwassen bent, word je weer een kind. Je hele wereld verandert, je tuimelt een afgrond in, je voelt geen grond meer onder je voeten...'

'Hé, Carter!' Alicia greep hem bij de schouders en schudde hem door elkaar, alsof hij zich in een droomwereld bevond. 'Dat heb je volgens mij niet uit een boek gehaald!'

'Heb ik ook niet!' zei hij eigenzinnig.

'O nee?' Het klonk vinnig.

Howard bromde iets wat op een verontschuldiging leek en ging uiterst geconcentreerd verder met zijn werk terwijl ze hem observeerde. Beiden zwegen een tijdje onzeker. 'Het is wel erg interessant,' zei ze. 'Vertel er eens wat meer over.'

'Nee!' zei hij kortaf.

Alicia liet hem niet met rust. 'O nee? Mag ik misschien weten waarom niet?'

'Nee!' zei Howard.

'Dan niet!' Koppig wendde ze zich van hem af en ze maakte aanstalten om het gewelf te verlaten. Nog voordat ze bij de deur was, riep hij haar na: 'Blijf hier, Alicia. Zo was het niet bedoeld. Ik vind het alleen moeilijk om erover te praten. De liefde is iets heel geheimzinnigs. Het berooft je van je verstand.'

Alicia werd nog nieuwsgieriger. Ze draaide zich om en keek hem vragend aan. Hij stond echter in tweestrijd. Hij voelde de behoefte om haar deelgenote te maken van zijn geluk, terwijl hij tegelijkertijd wist dat zijn geweten aan hem zou knagen als hij vertelde van wie hij zo ontzettend veel hield. En terwijl hij zich afvroeg wat hij moest doen, hoorde hij haar zeggen: 'Weet je, ik kan daar niet over meepraten. Ik ben nog nooit verliefd geweest. Soms twijfel ik of dat ooit zal gebeuren.'

'Onzin!' zei Howard meteen. Haar openhartigheid vond hij ontroerend. Hij probeerde haar te troosten. 'Dat dacht ik vroeger ook. Maar opeens kreeg die koorts me te pakken en wist ik hoe het werkelijk zat. Sindsdien denk ik alleen maar aan mijn liefde voor Sarah.'

'Heet ze Sarah? Waar woont ze? Hoe ziet ze eruit?'

Hij pakte een nieuw tekenvel en maakte vluchtig een schets: de contouren van een naakte vrouw die dezelfde houding had als de Aphrodite. Met rood krijt, dat hij met de vlakke hand als een strijkstok vasthield, legde hij hier en daar accenten om de licht- en schaduwwerking te bekrachtigen. Daarna werkte hij aan de details.

'Sarah is heel mooi,' zei hij zonder van de tekening op te kijken. 'Ze heeft zwart, golvend haar dat ze meestal strak achterovergekamd heeft. Ook haar ogen zijn donker, en ondoorgrondelijk. Links boven haar mond heeft ze een piepklein moedervlekje. Zo klein dat je dicht bij haar moet gaan staan om het te zien. Haar lippen zijn gewelfd als de golven van de zee. En haar zachtglooiende borsten werpen onder die welvingen een zweem van een schaduw.'
Verbaasd stond Alicia over het tekenblad gebogen terwijl hij zijn Sarah voor haar ogen bijna levensecht vorm gaf. 'Ze moet wel heel erg mooi zijn,' merkte ze op. Even later voegde ze eraan toe: 'Volgens mij is ze ook wat ouder dan jij, hè?'
Hij knikte.
'Hoe oud is ze? Vertel op! Ze is zeker al twintig. Twintig! Ze kan je moeder zijn!' Ze lachte overmoedig en was buitengewoon onder de indruk van hem.
'Beloof je dat je ons geheim niet verklapt?' zei hij terwijl hij verder tekende. 'Ik heb dit nog aan niemand verteld.'
'Ik beloof het, Howard.'
De potloodstreken werden heftiger. Zo fel dat de punt afbrak. Toen keek hij haar aan en zei: 'Sarah is dertien jaar ouder dan ik. Een paar maanden geleden was ze nog mijn onderwijzeres...'
'Dat méén je niet!'
'Ze heet Sarah Jones en woont in Swaffham. We houden zielsveel van elkaar.'
Ze ging op haar knieën naast hem zitten. Na deze bekentenis bekeek ze de tekening met heel andere ogen. Uiteindelijk zei ze op een ernstige toon: 'Je bent gek, Howard. Maar ik bewonder je wel.'
Hij haalde zijn schouders op, alsof hij zich voor die bekentenis wilde verontschuldigen. 'Nu weet je waarom ik soms een paar uurtjes niet op Didlington Hall ben.'
'Er zijn inderdaad minder ingewikkelde liefdesrelaties,' zei ze hoofdschuddend. 'Tjonge, wat moet er van jullie worden?'
'Daar hebben we ook al over gepiekerd. Zoals je begrijpt zijn we nog niet tot een conclusie gekomen. Voorlopig genieten we van de momenten dat we bij elkaar zijn. Het is immers niet altijd rozengeur en maneschijn.'
Terwijl hij sprak, ging de deur achter in de lege ruimte zonder dat ze dat merkten open. Lady Margaret betrad het schemerig verlichte gewelf. Ze had het diffuse licht gezien, en de stemmen op de achtergrond gehoord. Ongemerkt liep de vrouw des huizes naar voren. Door de dikke peilers die brede, lange schaduwen wierpen, zagen Howard en Alicia haar niet. Ze had verwacht dat ze Alicia hier zou

aantreffen. Maar toen ze zag dat haar jongste dochter op haar knieën naast Howard zat, kwam ze uit de schaduw tevoorschijn en riep verontwaardigd: 'Alicia, wat moet ik hiervan denken?'
Ze schrokken zich wezenloos toen de lady opeens voor hen stond, alsof ze plotseling uit de stenen oprees.
'Mama!' riep Alicia opgewonden en hulpeloos. 'Ik heb alleen maar toegekeken terwijl meneer Carter aan het werk was. Dat geeft toch niks?'
Op hetzelfde moment zag Lady Margaret de tekening die op de knieën van Howard lag. Ze keek er even naar, waarbij ze haar wenkbrauwen nog meer fronste. 'Naar je kamer, Alicia!' zei ze op de commanderende toon van een overste die voor een peloton staat.
Alicia gehoorzaamde morrend.
Daarna richtte Lady Margaret zich tot Howard. Op een boze fluistertoon siste ze: 'Meneer Carter, ik dacht dat u uw fatsoen zou houden. U stelt me zeer teleur!' Ze rukte de tekening uit zijn handen en smeet het vel papier minachtend ver van zich vandaan. 'Alicia is nog maar een kind en te goed voor uw mannelijke fantasieën, ongeacht of ze kunstzinnig van aard zijn of niet. Ik hoop dat ze er geen psychisch letsel aan zal overhouden.'
De manier waarop ze tegen hem optrad, maakte hem sprakeloos. En het idee dat ze zo slecht over hem dacht, vond hij zo verbijsterend dat hij niet in staat was te reageren. Toen hij eindelijk gekalmeerd was en weerwoord wilde geven, liep zij inmiddels weg. Bij de deur draaide ze zich om en riep: 'Lord Amherst zal u daar nog over spreken, meneer Carter.' Haar stem galmde door het gewelf.
Howard hechtte niet veel belang aan het voorval. Hij en Alicia zouden het misverstand uit de wereld helpen. En wat die tekening aanging, hij zou wel iets geloofwaardigs verzinnen. Howard ging verder met zijn werk. Opnieuw was hij alleen met mister Peabody. En hij sprak weer tegen de mummie. 'Waarom denkt een moeder per definitie dat een man die zich te dicht bij haar dochter waagt iets slechts in zijn schild voert? Begrijpt u dat, mister Peabody?'
Mister Peabody gaf geen antwoord.
Toen Lord Amherst de volgende dag uit Londen was teruggekeerd, riep hij Howard naar zijn werkkamer.
Howard was de pijnlijke confrontatie met de vrouw des huizes in de mummiekelder bijna vergeten. In elk geval nam hij argeloos alle tekeningen mee die hij tot nu toe had gemaakt om ze aan de lord te laten zien.
Maar Amherst leek überhaupt geen belangstelling te hebben voor zijn werk. Achteloos legde hij de tekeningen terzijde. Op een voor

hem ongebruikelijk formele toon zei hij: 'Meneer Carter, ik heb u geroepen omdat, eh...'
'Is het vanwege Alicia?' viel Howard hem in de rede.
Ontstemd maakte de lord een fel gebaar en zei meteen: 'Goed, meneer Carter, als u denkt dat u al weet waar het over gaat, kan ik mezelf een lange inleiding besparen. Laten we dan maar meteen tot de kern van de zaak komen.'
'Ik wil het graag uitleggen, mylord.'
Maar toen werd Amherst boos. Hij fronste zijn wenkbrauwen en zei met stemverheffing: 'Ik zit niet te wachten op een verklaring, Carter. U moet gewoon luisteren naar wat ik u te vertellen heb.'
'Zoals u wilt, mylord.'
Hij keek uit het raam naar buiten en had Howard de rug toegekeerd, waarbij hij zijn rechterhand als een Napoleon tussen twee knopen van zijn colbert stak, en de linkerhand in zijn broekzak. 'Carter,' begon hij opnieuw, 'ik heb u als tekenaar ingehuurd en ben zeer tevreden met wat u tot nu toe gepresteerd hebt. U hebt deze baan echter niet gekregen om mijn dochter Alicia het hoofd op hol te brengen. En ik wil al helemaal niet dat u naakttekeningen van haar maakt, meneer Carter! Alicia is nog maar een kind en niet geschikt om model te staan voor erotische schetsen. Op de tekening die ik onlangs op uw kamer heb gezien, heb ik Alicia natuurlijk meteen herkend. Ik had aanvankelijk gehoopt dat dat werk aan uw fantasie ontsproten was. Vergeefs, zo blijkt. Nu heeft Lady Margaret me verteld dat Alicia erg op u gesteld is. Laat echter één ding glashelder zijn... ik wil niet dat u omgang hebt met mijn dochter, afgezien van de contacten in het dagelijks leven. Om van uw kant geen valse hoop te wekken, zeg ik er meteen bij dat voor Alicia alleen een verbintenis in aanmerking komt die in het standsbelang van onze familie is. Onnodig te zeggen dat u natuurlijk niet aan die voorwaarden voldoet. En als u me nu wilt excuseren, meneer Carter.'
Roerloos stond Howard daar en hij kon zijn woede nauwelijks in bedwang houden. Hij was erg gesteld op Lord Amherst. Er waren maar weinig mensen in wie hij zo veel vertrouwen stelde. Maar van het ene moment op het andere was dat vertrouwen veranderd in wantrouwen en vijandigheid. Waarom mocht hij niet uitleggen wat er werkelijk was gebeurd? Waarom behandelde hij hem als een onnozel kind terwijl voor de verdachtmakingen waarmee hij op de proppen kwam toch geen enkele grond bestond? Moest hij, om voor Lord Amherst geloofwaardig over te komen, de zoon van een lord zijn? Hoe rijk moest je zijn om je gelijk te krijgen?
Alweer voelde Howard zich armzalig, miserabel, betreurenswaardig

en inferieur. Hij haatte dat zo verschrikkelijk! Hij haatte het om in de ogen van anderen minderwaardig te zijn. Als kind had hij geleden onder de ellendige sociale verhoudingen en droomde hij ervan ooit voornaam en belangrijk te worden.
Zwijgend draaide hij zich om en hij liep weg terwijl hij maagkrampen kreeg van boosheid. Maar in plaats van dat hij terugging naar het gewelf fietste hij naar Swaffham. Sarah was de enige die hem kon troosten.
Op weg naar Swaffham groeide zijn verontwaardiging over het gedrag van de lord en de lady. Hij vond dat hij de manier waarop ze tegen hem tekeergingen niet hoefde te accepteren. Na alles wat er gebeurd was, liep hij serieus rond met de gedachte om ontslag te nemen, zo teleurgesteld was hij.
Het was inmiddels avond toen Howard in Swaffham arriveerde. De school was dicht. Ongemerkt liep hij door de achteringang naar binnen waar hij drie keer aan de bel trok. Het geheime teken dat ze met elkaar hadden afgesproken.
Sarah was zielsblij. Ze omhelsde en kuste hem. Opeens zag ze dat hij gefronst keek. 'Wat zit je dwars, Howard?' vroeg ze.
Terwijl ze naar boven liepen, vertelde hij wat er was voorgevallen en dat hij van plan was ontslag te nemen. Sarah had de kamers van wijlen de barones inmiddels voor haar eigen doeleinden ingericht en nieuw meubilair aangeschaft. Ze gingen zitten in een gezellig hoekje bij een ijzeren kachel die een behaaglijke warmte verspreidde.
Zwijgend luisterde Sarah naar wat hij nog meer te vertellen had. Toen hij zijn verhaal gedaan had, trok ze de jongen naar zich toe, legde zijn hoofd op haar schoot en zei: 'Weet je, Howard, de Duitsers hebben een gezegde dat nu van toepassing is op jou... Leerjaren zijn geen herenjaren.'
'De Duitsers hebben voor alles een gezegde of spreekwoord.'
'En meestal hebben ze gelijk. Jij moet in elk geval nog veel leren. Vooral dat je moet inbinden, ook al heb je het grootste gelijk van de wereld! Leer jezelf te beheersen! Anders word je nooit volwassen.'
Hij werd boos. 'U praat als een onderwijzeres!'
'Verbaast je dat?' zei ze glimlachend. Het mooiste lachje van de wereld, vond hij. Zijn opstandige stemming veranderde erdoor. Hij was blij dat hij naar Swaffham was gegaan om met haar te praten. In wezen had ze namelijk gelijk. Bepaalde karaktertrekken maakten hem het leven onnodig moeilijk. Zoals zijn eigenzinnigheid en onvermogen om de dagelijkse kleine en grote onrechtvaardigheden te verdragen.
In gedachten verzonken genoot hij van het gevoel van haar handen

die door zijn haar streken. Hij begon er bijna van te snorren als een poes. Uiteindelijk zei hij schuchter: 'Mag ik vannacht bij u blijven, miss Jones?'
Sarah boog haar hoofd en keek hem aan: 'Onder één voorwaarde!'
'Maakt niet uit welke.'
'Dat je morgenvroeg als de zon opkomt weer verdwenen bent en naar je werk gaat.'
'Afgesproken,' zei Howard. Hij nestelde zich nog knusser tegen haar aan. Met gesloten ogen koesterde hij zich in haar warmte en piekerde hij over de vraag of hij haar moest vertellen over het geheim dat hij met Alicia gedeeld had. Hij gaf er de voorkeur aan die zaak, waar hij al heel lang spijt van had, voorlopig voor zich te houden.

Toen Howard in alle vroegte terugfietste, glinsterde de dauw zilverachtig op de velden rondom Didlington Hall. En in de vijvers kwaakten de eenden. Bij de wegsplitsing kwam hij Milky-John tegen, die om deze tijd met zijn groene ventwagen met de schimmel ervoor de melk naar zowel Didlington Hall als de omliggende herenhuizen bracht. Monter floot hij een deuntje.
'Goeiemorgen, sir!' riep hij van ver. 'Al zo vroeg op pad?'
Howard was buiten adem van de inspannende fietstocht en riep verstrooid terug: 'Ja, er zit niks anders op!'
In de keuken onder het herenhuis was mevrouw Cricklewood inmiddels luidruchtig met kannen en pannen aan het schuiven om het personeel van hun ontbijt te voorzien. Haar *scrambled eggs* waren zo beroemd en gewild als de Britse kroonjuwelen. En de bereiding ervan was niet minder geheimzinnig. Zij beheerste de kunst om roereieren perfect te bakken. Sinds Jane Hackleton zich op Didlington Hall had laten zien, en haar verhaal had gedaan, had ze Howard in haar hart gesloten.
Hij nam plaats aan de lange, blank geschuurde keukentafel. Butler Albert en twee kamermeisjes zaten te wachten.
'U ziet er moe uit vanmorgen, meneer Carter,' stelde de kokkin verbaasd vast.
'Hm,' zei Howard terwijl de kamermeisjes elkaar steelse blikken toewierpen. Albert hield zijn kopje tussen twee handen vast en staarde demonstratief naar het plafond, alsof hij op dit vroege uur geen zin had om te praten of zich ergens in te mengen. De relatie tussen Howard en de butler was dan wel enigszins ontdooid, van enige vriendelijkheid over en weer was beslist nog geen sprake.
Terwijl mevrouw Cricklewood de zilveren dienbladen met de *early morning tea* voor de lord en Lady Margaret gereedzette, en Albert

opstond om de thee naar boven te brengen, zei Emily – haar geroddel werd gevreesd bij het personeel – giechelend achter haar hand: 'Volgens mij is op Didlington Hall vannacht een bed onbeslapen gebleven.'
Nog voordat Howard het brutale kamermeisje van repliek kon dienen, bitste mevrouw Cricklewood tegen Emily: 'Wil jij wel eens je grote mond houden! Ga aan het werk!'
De kamermeisjes renden als opgejaagde kippen weg, maar nog steeds giechelend.
Toen mevrouw Cricklewood alleen was met Howard ging ze bij hem aan de keukentafel zitten en legde een hand op zijn arm. 'Je zou die wichten allemaal een schop onder hun kont moeten geven. U hebt zeker de nacht bij uw tantes doorgebracht, meneer Carter!'
Hij knikte tevreden. 'Ja, mevrouw Cricklewood. Af en toe moet ik poolshoogte nemen.'
Het gesprekje zou verder niet van belang zijn geweest als niet dezelfde middag onverwacht bezoek op Didlington Hall verscheen. Vader en moeder Carter waren in gezelschap van Fanny en Kate om te kijken hoe het met Howard ging. Eigenlijk waren ze gewoon nieuwsgierig en wantrouwig. Ze geloofden niet wat de jongen over zijn aanstelling bij de lord had verteld. Een salaris van vier pond voor een knul die nog zestien moest worden? Samuel Carter kon het zich bijna niet voorstellen. Bij de *Illustrated London News* verdiende hij immers amper meer, terwijl hij toch al naar de zestig liep.
Het onverwachte bezoek van zijn ouders en tantes – voor de twee dametjes was dat een indrukwekkende gebeurtenis omdat ze Swaffham al jarenlang niet meer verlaten hadden – was voor Howard al pijnlijk genoeg. Maar door de situatie waarin hij zich nu bevond, kreeg het bezoek een rampzalig karakter. Toegegeven, Fanny en Kate waren beminnelijke oude dametjes die heel goed wisten hoe ze zich in gezelschap moesten gedragen. Maar Didlington Hall was een totaal ander sociaal milieu. De omgangsvormen waaraan Howard snel gewend was geraakt, behelsden meer dan alleen gewone beleefdheid.
Het liefst was hij door de grond gezakt toen Fanny en Kate de vrouw des huizes vroegen om hun het huis te laten zien waar hun neef werkzaam was. Ook de tegenwerping van Samuel Carter dat Didlington Hall boven elke kritiek verheven was, kon hun nieuwsgierigheid niet beteugelen. Ze hielden hardnekkig vol.
Het gedrag van papa Carter gaf bovendien aanleiding tot nog meer ongerustheid. Hij vroeg Lord Amherst namelijk of hij het werk van zijn zoon mocht zien om het aan zijn kritische blik te onderwerpen. Hij liet merken dat Howard weliswaar talent had, maar dat zijn zo-

nen William, Vernet en Samuel, zelfs zijn dochter Amy, betere schilders waren dan hij. Om een eind te maken aan zijn gemopper over Howards tekeningen, waarbij hij vooral afgaf op de futloze penseelvoering van zoonlief, verzamelde Lord Amherst alle tekenvellen en zei niet zonder ironie dat hij de penseelvoering van Howard krachtig genoeg vond.

Met een rood hoofd keek Howard op de achtergrond toe en probeerde krampachtig maar vergeefs een eind te maken aan het pijnlijke optreden van zijn familie. Vaak had hij zich verwaarloosd gevoeld, een lastig aanhangsel van het gezin, en vaak had hij warmte en genegenheid gezocht. Hij haatte dit gevlei en wilde het liefst dat zijn vader, moeder en tantes ophoepelden. Ze pasten gewoon niet meer in zijn leven.

Howard kon het niet meer aanzien. Wanhopig draaide hij zich om en rende naar buiten, naar de vrijheid, waar hij bij de vijver vertwijfeld op de steiger ging zitten en naar de waterspiegel staarde. Nog nooit had zijn vader hem geprezen, dus hoefde hij zijn kritiek ook niet. Hij spuugde met een grote boog in het water.

Hij wist niet hoelang hij daar mismoedig en teleurgesteld had gezeten. Opeens schrok hij omdat hij achter zijn rug iets hoorde. Toen hij zich omdraaide, zag hij zijn moeder. Hij zweeg. Ook Martha zei niets. Totaal onverwacht ging ze echter naast hem op de planken zitten.

'Waar zijn de jaren gebleven.' Ze staarde voor zich uit.

Howard zag geen noodzaak om op deze diepzinnige opmerking te reageren. Hij verwachtte elk moment dat ze een aria ging neuriën. Dat was meestal haar gewoonte wanneer ze een eind wilde maken aan een slepend gesprek of een andere pijnlijke kwestie.

In plaats daarvan zei ze tot zijn grote verbazing: 'Je bent een grote jongen geworden. Je zult je weg in het leven wel vinden. Ik ben trots op je. Soms verwijt ik mezelf dat ik zo weinig tijd aan jou besteed heb. Het spijt me, Howard. Maar je was nu eenmaal de elfde, dat weet je. Dan kwijnen alle goede voornemens weg. En als vrouw heb je niet voor het kiezen hoeveel kinderen je krijgt. Als het aan mij gelegen had, hadden we nu maar drie kinderen. Maar dan zou jij niet geboren zijn!'

Howard was stomverbaasd. Nog nooit had ze zo met hem gepraat. Hevig geëmotioneerd wilde hij vragen waarom ze daar verdomme nu pas mee kwam. Waarom had ze vroeger nooit de tijd gevonden om even in alle rust met hem te praten? Dat zou in elk geval erg geholpen hebben. Voor het eerst in zijn leven bespeurde hij diep vanbinnen een zekere mate van genegenheid voor haar.

Hij wilde antwoord geven, maar hoorde op de achtergrond de indringende stem van Samuel Carter. 'Martha, we gaan!'
Zwijgend stond de kleine, tengere vrouw op, waarna ze Howard vluchtig, bijna verlangend aankeek. Voordat ze zich omdraaide om naar de koets te lopen die voor het herenhuis gereedstond, drukte ze hem zonder iets te zeggen tegen zich aan.
Hij wist niet wat hem overkwam. Het ontging hem waar hij deze opwelling van tederheid en moederliefde aan te danken had en om die reden reageerde hij verwonderd en terughoudend. Hij waagde het niet haar omhelzing te beantwoorden en stond daar maar met hangende schouders verdwaasd te kijken.
'Martha, we gaan!' herhaalde Samuel Carter. Ditmaal zo dreigend als een generaal.
Ze klom naast hem op de bok. Fanny en Kate zwaaiden vriendelijk naar Howard.
'En laat ik geen klachten horen!' riep Samuel Carter nog terwijl hij de paarden de zweep gaf. Zoon Howard keek niet eens om.
Nadat de koets van de oprijlaan de weg op was gereden, bleef Howard een tijdje als aan de grond genageld staan. Het beschamende optreden van zijn vader, moeder en tantes leek wel een nachtmerrie. Het was echter geen droom, maar de harde werkelijkheid.
In deze nogal surrealistische situatie, terwijl sinistere gedachten in hem opkwamen, liep Lord Amherst opeens naar hem toe. Howard vreesde het ergste. 'Mylord, ik wil me verontschuldigen voor het gedrag van mijn vader,' zei hij voordat Amherst iets kon zeggen. 'Hij gedraagt zich soms vreemd. Bovendien heeft hij geen manieren. Het was niet in me opgekomen dat hij wel eens plotseling op Didlington Hall kon opduiken.'
Sussend stak Lord Amherst zijn handen omhoog. 'U hoeft zich niet te verontschuldigen, meneer Carter. Je ouders heb je nu eenmaal niet voor het kiezen. Bovendien wil ik u om begrip vragen voor de harde woorden van gisteren. Alicia heeft mij wat je noemt de oren gewassen en me verzekerd dat jullie alleen maar vrienden zijn, en dat het meisje op de tekening niet zij is maar slechts een product van uw fantasie, zo eigen aan kunstenaars. Zo is het toch, meneer Carter?'
Howard knikte dankbaar. 'Zeker, mylord. Alicia is een alleraardigst, charmant meisje, maar ik beschouw haar meer als een goede kameraad, als ik zo vrij mag zijn. In elk geval zou ik het nooit wagen om haar op een andere manier tegemoet te treden. Met alle respect, ik hou ook niet van roodharige vrouwen!'
Die uitspraak overtuigde Lord Amherst volledig. Hij knikte begrippvol en zei: 'Ik hoop dat u begrijpt waarom ik gisteren zo geagiteerd

was, meneer Carter! Alicia is mijn jongste dochter en het nestkuiken van de familie. In tegenstelling tot haar zussen is ze wild en onstuimig van aard, en ook wat naïef. Voortdurend moet ik haar beschermen tegen haar eigen stommiteiten. Ze is met duizend dingen tegelijk bezig. Eerst wil ze lid worden van de Socialistische Partij en even later onder het pseudoniem van een man romans gaan schrijven, zoals George Eliot. Inmiddels beweert ze dat ze een zesde zintuig heeft en wil ze zich met alle geweld in Cambridge laten onderzoeken door een professor.'
Samen liepen ze het herenhuis in. Door de hoofdingang, stelde Howard tevreden vast.

11

De winter was ingevallen. In Norfolk waren de dagen inmiddels zo kort dat het amper dag werd. De wolkeloze hemel strekte zich laag uit over het platteland, en het melkachtige grijs van hemel en aarde versmolt naadloos aan de horizon. Het landelijke Swaffham was 's zomers op een bepaalde manier nog wel charmant dankzij de oude bakstenen huizen met aan de gevels weelderige klimop. Maar nu in de verlaten stegen de ijzige noordenwind floot, maakte troosteloosheid zich steeds meer meester van het stadje en de omgeving. De flegmatieke inwoners gaven zich over aan eenzame zelfreflectie. Zoals overal in Engeland probeerde men dit onaangename seizoen, dat elk jaar terugkeerde, te verdrinken in alcohol. Niemand wond zich erover op als sommigen rond de middag al zwalkend in de stegen tegen de zwaartekracht vochten. Het hele leven was een gevecht tegen de zwaartekracht.
Om een uur of drie, het werd al schemerig, zag men Charles Chambers met een onvaste tred het marktplein oversteken terwijl hij op weg was naar de *Dame School.* Zijn ruimvallende, zwarte jas en de hoed met brede rand gaven hem het voorkomen van een sinister persoon met wie je liever niets te maken wilde hebben.
Voor de ingang van de school haalde hij als een goochelaar een bos bloemen onder zijn jas vandaan. Haastig schikte hij zijn kleren en trok aan het belkoord dat via een aan de muur bevestigd hoekijzer naar binnen voerde.
Sarah opende een raam van het trappenhuis en keek naar buiten. Toen ze de onverwachte bezoeker herkende, riep ze verbaasd: 'Ach, jij bent het, Charles!'
Zonder iets te zeggen stak hij de ruiker naar haar uit.
Tussen haar en Charles was nu eigenlijk alles wel duidelijk. Dat vond

Sarah althans. Sinds het laatste gesprek dat ze hadden gehad, waren ze elkaar nog enkele keren tegengekomen. Maar verder dan een vrijblijvend babbeltje was het niet gegaan. Toch kreeg ze het gevoel dat hij iets in zijn schild voerde toen hij, terwijl hij voor de deur stond, met een verholen blik naar haar opkeek. Het was alsof hij nog niet durfde uit te leggen wat hij van plan was. Ze had er echter niets achter gezocht, omdat hij in het verleden wel vaker zo naar haar gekeken had. Meteen toen ze de deur achter de ongenode gast had dichtgedaan, en nadat hij haar de bos bloemen had overhandigd – bloemen die door de kou hun kopjes lieten hangen, alsof ze straf hadden gekregen – werd ze opeens bang voor die man. Gelet op het feit dat ze hem nog niet zo lang geleden als vriend was gaan beschouwen en hem om raad had gevraagd, kreeg ze een raar gevoel bij dit bezoek. Een gevoel waar ze geen raad mee wist.

Hij begroette haar met een hoofdknikje. Even stonden ze radeloos en zonder iets te zeggen tegenover elkaar, waardoor Sarah zich genoodzaakt zag hem uit te nodigen voor een kopje thee.

In de duisternis van de winter deden de geheimen van dit oude schoolgebouw zich nog sterker gevoelen. Sarah was echter nooit bang geweest, ook al waren de winteravonden lang. Nu ze hem echter over de trap voorging naar haar woning op de bovenverdieping hield ze elke beweging van hem in de gaten. Eenmaal boven probeerde ze dat onbehaaglijke gevoel te verdringen door te bedenken dat er echt geen reden was om angstig te zijn.

Hoewel ze moeite deed een gesprekje op gang te brengen, bleef de conversatie stroef verlopen – met lange pauzes – en kreeg Sarah de indruk dat hem iets dwarszat waar hij nog niet over durfde te praten. En dat zij het probleem was.

'Waarom ben je gekomen, Charles?' vroeg ze opeens. 'Wat zit je dwars? Heeft het te maken met dat laatste gesprekje tussen ons?'

Hij sloeg zijn ogen neer, waardoor hij een wanhopige indruk maakte. Howard was maar half zo oud als Charles, maar Sarah kon zich niet herinneren dat ze hem ooit in zo'n erbarmelijke toestand had meegemaakt.

'Ja,' zei hij opeens. 'Het heeft me erg geraakt. Sindsdien ben ik een ander mens geworden. Soms herken ik mezelf niet eens meer. En dat is jouw schuld, Sarah!' Hij sprak met stemverheffing. Plotseling keek hij haar voor het eerst strak aan.

'Ik?' Ze legde haar rechterhand op haar hartstreek. 'Verwijt je me nu dat ik niet met je wil trouwen, Charles? Ik heb je al in een eerder stadium gezegd dat ik je aardig vind en je als een vriend beschouw. Maar meer ook niet! Moet ik nu een slecht geweten hebben?'

Het leek of hij niet luisterde naar wat ze zei. 'Sarah, ik hou van je en ben de afgelopen weken door een hel gegaan omdat je me afgewezen hebt,' zei hij nerveus. 'Ik heb gehuild, getobd en gezopen als een dokwerker om mijn verdriet maar te kunnen vergeten. Het was vreselijk. Maar ik heb ook mijn werk als musicus verwaarloosd. Muziek was voorheen mijn enige liefde, als je begrijpt wat ik bedoel. Wat heeft dit alles mij gebracht? Niets! Jij hebt een stuk onbenul van mij gemaakt, een waardeloze vent!'
'Dat was beslist niet mijn bedoeling, Charles. En hoe kun je überhaupt denken dat je een stuk onbenul bent? Je bent een knappe man in zijn beste jaren, een groot kunstenaar.'
Nu werd hij echt boos. Hij sprong uit zijn stoel op en liep met felle pasjes als een wild, gekooid dier heen en weer door de kamer. 'Nu maak je me ook nog belachelijk!' riep hij. Zijn stem sloeg over. 'Dat kun je me niet aandoen, Sarah! Denk je dat ik niet zie wat voor een gedrocht me in de spiegel aankijkt? De vrouwen staan heus niet in de rij voor mijn deur. En de muziek waaraan ik verslingerd ben, is niets anders dan een vlucht naar een beetje erkenning. Maar als organist van de St. Petrus en Paulus in Swaffham word je daar niet mee overstelpt.'
Hij was buiten adem, alsof hij de trap naar de tiende verdieping had genomen. Uiteindelijk liet hij zich met zijn gedrongen lichaam berustend terug in de stoel zakken, waarna hij zijn benen uitstak en zijn armen aan weerskanten over de armleuningen liet hangen terwijl het zweet op zijn voorhoofd stond. Verbeten staarde hij naar de vetergaten van zijn hoge, bruine schoenen die in tegenstelling tot zijn afgedragen kleding tamelijk nieuw waren.
'Charles!' Ze wilde hem bij zijn arm pakken om hem te troosten, maar hij rukte zich los alsof hij niet wilde dat ze hem aanraakte. 'Een tijdje geleden gedroeg je je heel anders tegen mij,' zei hij.
Ze schudde haar hoofd. 'We waren vrienden. Niet meer en niet minder. Ik heb nooit valse hoop gewekt.'
Hij keek naar haar op. Zijn ogen zagen rood. Plotseling flapte hij eruit: 'Wat heeft hij dat ik niet heb, afgezien van het feit dat hij pas vijftien is?'
'Bijna zestien!' zei Sarah fel. Ze besefte meteen dat dat een domme opmerking was. Haastig voegde ze eraan toe: 'Het is nu eenmaal gebeurd. De liefde klopt op je deur als je dat het minst verwacht.'
'Je had dat niet mogen doen!' zei hij afwezig, in gedachten verzonken.
'Wat niet?'
Hij trok zijn kraag los. 'Aanpappen met een jongen van vijftien.'
'Hij is volwassener dan menige dertiger!' riep ze boos.

'Het is onwettig wat jij doet. Het is ontucht met minderjarigen. Ontucht, Sarah!' Hoewel hij zojuist nog als een geslagen hond had gekeken, straalden zijn ogen opeens iets triomfantelijks uit.
Ze rechtte haar rug, keek hem streng aan en zei: 'We hebben het over mijn privéleven, het beetje geluk dat ik mag proeven, Charles. En dat beetje geluk laat ik mij niet ontnemen. Niemand weet ervan en ik doe er niemand kwaad mee. Als niemand klaagt, hoeft ook geen rechter te oordelen.'
'Dat dacht jij!' zei hij boos. 'Ik weet het en mij doe je er kwaad mee.'
'Charles!' riep ze ontzet. Haastig liep ze de kamer uit.
Hij hoorde dat ze in het naastgelegen vertrek met het theeservies bezig was. Hij stond op en volgde haar.
Sarah deed of ze niet merkte dat hij achter haar stond. Ze zette thee terwijl ze vermoedde wat er nu ging gebeuren. Daarom gaf ze geen schreeuw toen hij vlak achter haar ging staan, zijn armen om haar heen legde, haar stevig tegen zich aandrukte en haar borsten begon te strelen. Ze hoorde en voelde dat hij opgewonden was, maar ze durfde zich niet los te maken uit zijn greep. Geveinsd kalm zei ze: 'Wat heeft dit in hemelsnaam te betekenen, Charles!'
Alsof ze hem een mokerslag verkocht. Meteen liet hij haar los. Ze draaide zich om, waardoor ze oog in oog tegenover elkaar stonden. 'Wat heeft dit in hemelsnaam te betekenen, Charles!' herhaalde ze. Ditmaal zei ze het indringender.
'Ik wil met je naar bed!' zei Chambers koppig. Zijn ogen bliksemden. Op een eisende toon voegde hij eraan toe: 'Ik wil je bloot voor me zien!'
Kennelijk had hij verwacht dat ze verbijsterd, geïntimideerd of angstig zou reageren. In elk geval leek het of hij voor het eerst het gevoel had dat hij haar de baas was. Hij genoot van deze triomf als iemand die als winnaar uit een strijd was gekomen. Maar de overwinningsroes duurde niet lang, want ze antwoordde ogenschijnlijk beheerst: 'En als ik weiger?'
Daar had hij niet op gerekend. Zijn zojuist nog onwankelbare blik straalde onzekerheid uit. Demonstratief koeltjes antwoordde hij: 'Ik zou daar dan nog maar eens heel goed over nadenken, Sarah. Aangifte wegens ontucht met minderjarigen kan namelijk je hele leven ontwrichten.'
Sprakeloos legde ze de armen over elkaar en kwam langzaam tot het besef dat hij al geruime tijd zorgvuldig gepland had om haar schaakmat te zetten. Ze achtte hem er ook toe in staat die dreiging concreet te maken. Hij was niet alleen een stuk onbenul, maar ook een klootzak. Vertwijfeld probeerde ze de ontstane situatie tot zich te laten doordringen. Dat lukte haar echter niet.

Ze hoorde zijn stem, alsof die ver weg klonk. 'Ik geef je tot morgenavond bedenktijd, Sarah. Ik verwacht je tegen zeven uur bij mij thuis. Het zou toch jammer zijn als je relatie met die bengel stukloopt.' Met een duivelse grijns maakte hij een buiging. 'Nog een fijne avond, Sarah. Je hoeft niet mee te gaan, ik kom er alleen wel uit.'

Met kloppend hart luisterde ze naar de zware voetstappen die wegstierven in het trappenhuis. Toen de deur in het slot viel, ademde ze opgelucht uit. Nog steeds had ze een drukkend gevoel in haar borst. Howard! Eindelijk was ze in staat haar gedachten te ordenen. Ze moest Howard vertellen wat er gebeurd was! Maar hoe langer ze daarover nadacht, hoe meer ze besefte dat dat misschien toch niet zo'n goed idee was. Ze mocht hem niet in deze ellende verwikkelen. Dat zou alles alleen maar erger maken. Hij zou Chambers in elkaar slaan, of wie weet wat hij nog meer ging doen. Dan zou iedereen van hun liefdesrelatie afweten.

Geld! Ze speelde met de gedachte Charles om te kopen om ervoor te zorgen dat hij zijn mond hield. Hij was immers een armlastige musicus. Toch kende ze hem goed genoeg om te weten dat hij een vrijpartijtje met haar belangrijker vond dan geld.

Ze had zichzelf wel een draai om de oren kunnen geven voor het feit dat ze hem haar geheim had verklapt. Maar gedane zaken namen geen keer. Wat nu?

Sarah zat zo met dat gevoel van uitzichtloosheid in haar maag dat ze serieus overwoog om Chambers te vermoorden. Half dronken van de slaap die ze maar niet kon vatten, waardoor ze af en toe in een soort sluimertoestand terechtkwam, stond ze op, liep op de tast naar de keuken, haalde uit de schuiflade een mes en voelde met de duim van haar rechterhand hoe scherp de snede was. Met het mes in haar hand en het plan in haar hoofd raakte ze op een eigenaardige manier opgewonden. Een soort wellust. Een gevoel dat ze in dit verband niet verwacht had.

Afwezig liet ze haar duim over het scherp van de snede glijden. Plotseling ging er een onverklaarbare warmte vanuit. Alsof haar duim aan het kille, blanke metaal kleefde. Ze schrok. Haastig stak ze met een lucifer de petroleumlamp aan. In het schemerlicht van de aarzelend flakkerende vlam zag ze wat ze had aangericht. Haar hand zat onder het bloed. Overal op de vloer lagen bloeddruppels. Zoals de eerste regendruppels op verstofte straten terwijl onweerswolken zich samenpakten. Uit het topje van haar duim, waarin een diepe snee te zien was, drupte nog steeds bloed.

Sarah had niet gemerkt dat ze zich gesneden had. Ze schrok hevig.

Met een gil, alsof ze datgene wat ze voorheen van plan was geweest al had uitgevoerd, wierp ze het mes een eind van zich vandaan. 'Nee!' riep ze. 'Nee, nee!' Daarna barstte ze in tranen uit.
Ze pakte een kom met water en waste het bloed van haar handen, waarna ze een lapje stof om haar duim wikkelde. Ze realiseerde zich nu dat ze nooit in staat zou zijn om een mens te doden. Goeie genade, zei ze in zichzelf. Hoe heeft het zover kunnen komen! Snikkend liet ze zich op de vloer zakken. Ze voelde zich geketend door omstandigheden van uiteenlopende aard, vergiftigd door het ziekelijke verlangen van een man die ze alleen nog maar minachtte.
Op dat moment, gekenmerkt door woedende onmacht, had Sarah spijt dat ze Ipswich had verlaten en niet voor het rechte, bescheiden pad van een slecht betaalde onderwijzeres had gekozen. Indertijd had ze het gevoel dat in East Suffolk het ongeluk haar op de hielen zat. Ze was ervoor gevlucht en naar Norfolk gegaan. Inmiddels was ze zich ervan bewust dat je het noodlot nooit kon ontlopen. Het haalde je telkens in.
Ze hoorde de klok van de St. Petrus en Paulus. Sarah deed het raam open. Ze had slechts een linnen nachtpon aan waardoor de winterkou langs haar blote lichaam omhoog kroop. Ze had het warm gekregen en genoot enkele ogenblikken van de kilte. Maar het duurde niet lang of ze rilde tot het pijn begon te doen. Haar spieren verstijfden, haar lichaam verstramde. Opeens kreeg ze een idee. Ze deed het raam dicht en kleedde zich aan.
Later kon Sarah zich niet meer herinneren hoe ze de daaropvolgende schooldag was doorgekomen. Ze dacht namelijk maar aan één ding: dezelfde avond moest ze zich bij Chambers melden.
Al in de namiddag – mevrouw Campbell en Susan Meller waren net vertrokken – bracht ze met een krultang haar kapsel in de juiste vorm. Daarna snoerde ze zich in een zwart korset dat ze voor die avond had gekocht. De huidkleurige kousen maakte ze net boven de knie vast met jarretelles. Daarna deed ze enkellaarsjes aan. Het vastsnoeren van die schoenen was zelfs lastig als ze geen korset aanhad. Toen ze de met ruches bezette onderrok over haar hoofd had aangetrokken, kon ze eindelijk haar rode deux-pièces aandoen waarin haar figuur beter uitkwam. Een uur vóór de afgesproken tijd stond Sarah Jones opgedoft en wel voor de spiegel.
Met hetzelfde automatisme begon ze make-up op te doen. Ze poederde haar gezicht. De ogen en wenkbrauwen kregen een donkere schaduw, en ze bracht flink wat lippenstift op tot haar mond felrood was. Daarna deed ze een stap terug om zichzelf in de spiegel te bekijken.

Wat zou Howard zeggen als hij me zo zag? Dat dacht ze terwijl ze zichzelf bekeek. Ze maakte even een grimas en stak haar onderlip uit, waardoor haar mond nog breder werd. In de spiegel zag ze iemand die ze niet kende. Net een van de hoeren die ze wel eens in de haven van Ipswich gezien had. Met deze maskerade had ze geen ander doel voor ogen. Ze wilde zich aan Chambers tonen zoals hij dat graag zag, als een vrouw die hem seksueel gedienstig moest zijn.
Hij had de macht dat van haar te verlangen, maar hij kon haar niet dwingen oprechte genegenheid te tonen.
Zoals hij dat van haar eiste, stond ze stipt om zeven uur voor de woning van Chambers in de Mangate Street. Het duurde lang voordat hij opendeed, alsof hij haar niet verwacht had. Hij had gedronken en deed veel moeite om zijn beschonken toestand te verhullen. Misschien had hij verwacht dat Sarah van streek was en jammerend aan zijn deur zou staan. Niets zou hij opwindender hebben gevonden. Tot zijn verbazing moest hij vaststellen dat zijn geliefde alles heel nuchter, bijna onverschillig, over zich heen liet komen. Hij werd er erg onzeker van.
Sarah liet er geen gras over groeien. Toen ze de kamer binnenliep waar enkele weken geleden alles begonnen was, kleedde ze zich meteen uit. Hij keek toe en was verbluft door de vanzelfsprekendheid waarmee ze dat deed. Inmiddels had hij op de sofa naast het harmonium plaatsgenomen en maakte af en toe een gretig geluidje, waarbij hij telkens haar naam zei.
Toen Sarah haar onderrok langs haar lichaam op de vloer liet glijden en ze – slechts gekleed in kousen en korset – naar hem toe liep, werd hij overmand door wellust. Overhaastig kleedde hij zich uit en stond plotseling poedelnaakt en met een stijve voor haar.
'Ga uw gang, meneer Chambers,' zei ze koeltjes. 'Ik hoop niet dat ik u teleurstel.'
De zakelijke aanpak en haar stramme houding zoals ze daar voor hem stond – vuisten in de zij; het air van een politieagent – had een ontnuchterende uitwerking op hem. Met zijn handen probeerde hij zijn penis te verbergen die zojuist nog trots omhoogstak maar inmiddels onverwacht snel in een beklagenswaardig aanhangseltje was veranderd.
'En?' zei Sarah op een eisende toon, alsof ze niet gemerkt had wat daar beneden was gebeurd. 'Komt er nog wat van, meneer Chambers? Ik mag toch hopen dat u me niet voor niets hebt laten komen!'
De harde aanpak trof hem als een bliksemflits. Bloot ging hij voor de vrouw in korset op zijn knieën zitten en sloeg zijn handen voor zijn gezicht. Hij schaamde zich, maar was niet bereid dat toe te geven.

'En nu?' Sarah kende geen genade. 'Ik kom het zwijggeld betalen!' Plotseling riep hij uit: 'Maak dat je wegkomt, Sarah, en word gelukkig met die knul!'
Voordat ze hem verliet – hij zat nog steeds geknield op de vloer – draaide ze zich nog een keer om en zei: 'Ik had meer verwacht van deze avond. Maar ach, wat maakt het ook uit.'
De gedwongen ontmoeting met Chambers had diepere sporen achtergelaten dan de eerste indruk deed vermoeden. Toen ze weer thuis was, kleedde ze zich haastig uit en waste de make-up van haar gezicht. Toen pas viel er een last van haar schouders en begon ze zachtjes te snikken. Ze wilde er zo graag met iemand over praten. Maar juist degene die daarvoor in aanmerking kwam, mocht niet weten wat er was voorgevallen.

Intussen speelden zich op Didlington Hall geheimzinnige dingen af. Howard was getuige van merkwaardige bijeenkomsten van uitsluitend heren waarop de onontgonnen en mysterieuze gebieden van de wetenschap besproken werden. Op die avonden zochten een stuk of tien geleerde heren bij kaarslicht en cognac naar antwoorden op vragen die gewone mensen met een gewoon verstand zich niet stelden. Dat Lord Amherst ervoor zorgde dat Howard op die bijeenkomsten aanwezig kon zijn, maakte de jongen zo trots dat hij graag zou willen dat Sarah hem tijdens een van die 'vergaderingen' kon zien.
Amherst vervulde talrijke publieke functies. Twee ervan waren bijzonder te noemen: William George Tyssen-Amherst was een invloedrijk lid van het *Egypt Exploration Fund* en grootmeester van de vrijmetselarij in Engeland, Wales en alle kroonkolonies en andere gebieden van het Britse koninkrijk.
In maart barstte de lente los op het platteland. De in saai bruin getooide heide kreeg nu een frisgroene kleur. In die maand kwam een illuster gezelschap bijeen in de bibliotheek van Didlington Hall. Allemaal leden van het genoemde genootschap. Onder de gasten die in het berookte vertrek aan een grote ronde tafel zaten, bevonden zich Percy Newberry; archeoloog en ontdekkingsreiziger Flinders Petrie; meneer Francis Allen, een rijke zakenman uit Cockley Cley, enkele kilometers noordelijk van Didlington Hall; de jonge Francis Llewellyn Griffith, een zelfbenoemde archeoloog met een bijzondere voorliefde voor het oude Egypte en professor Walter B. Painswick, hoogleraar in de geheime leer van de natuurkunde aan de universiteit van Cambridge.
Hoewel het de taak was van Painswick om natuurkundige geheimen te ontrafelen, gedroeg hij zich altijd heel geheimzinnig. Hij praatte

zachtjes, als een orakel, en het feit dat hij lang en mager was, met diepliggende donkere ogen, droeg er niet toe bij dat de nevels van de geheimzinnigheid omtrent zijn persoon en zijn vak oplosten. Amherst had de professor uitgenodigd om erachter te komen hoe serieus hij de beweringen moest nemen van zijn dochter Alicia die zei dat ze af en toe helderziend was.

In die tijd beweerden veel meisjes van haar leeftijd dat ze helderziend waren en profetische gaven hadden. Er waren nogal wat onderzoekers die daar geloof aan hechtten. Amherst had beslist een open oor voor alles wat met de duistere kant van het leven te maken had, maar geloofde niet in dat soort hocus pocus als het om zijn jongste dochter ging. Temeer daar de voorspellingen die ze tot nu gedaan had niet controleerbaar waren omdat ze met een verre toekomst te maken hadden.

De heren die aan de bijeenkomst in Didlington Hall deelnamen, waren zeer geïnteresseerd in dat thema. Ook Howard vond de magie van de toekomstvoorspelling fascinerend. Hij vroeg aan de professor hoe het kon dat iemand klaarblijkelijk in de toekomst kon kijken terwijl anderen van die vaardigheid verstoken bleven.

Een goede vraag, vond Painswick. Als hij daar het antwoord op wist, zou het raadsel van de voorspellingsgave meteen voor eens en voor altijd zijn opgelost. Niettemin was de professor van mening dat de wetenschap ook dat mysterie over niet al te lange tijd zou ontrafelen.

Flinders Petrie, een man met een markant, driehoekig gezicht, krullende bakkebaarden en donkere prikogen, had de gedachtewisseling zwijgend gevolgd terwijl hij voortdurend met zijn vingers nerveus op het tafelblad trommelde. Het toonde duidelijk aan dat de discussie over waarzeggerij en toekomstduiding hem niet onverschillig liet. Uiteindelijk sprong hij op, sloeg met een vuist op de tafel en riep naar Painswick: 'Professor, gelooft u niet dat die zogenaamde gave van de toekomstvoorspelling en het onderzoek op dat gebied niet meer dan charlatanerie is?'

De heren aan de grote, ronde tafel staarden Painswick aan. Hoe zou de professor op deze belediging reageren?

Kennelijk was het niet de eerste keer dat hij dat soort verwijten over zich heen kreeg. 'U hebt zeker in veel gevallen gelijk, sir,' zei hij kalm. 'Dat neemt niet weg dat er eenduidige bewijzen zijn dat waarzeggerij geen bedrog is. Vooral dankzij hypnose, dus op momenten dat de mens willoos is en niet in staat te liegen, zijn er opmerkelijke resultaten geboekt.'

Lord Amherst keek de professor verwachtingsvol aan. 'Beheerst u de kunst van het hypnotiseren?'

Painswick lachte. 'Ik zou een slechte hoogleraar in de geheime leer van de natuurkunde zijn, en een nog slechtere onderdaan van Hare Majesteit, als ik de kunst van het hypnotiseren niet zou beheersen, mylord. Het was immers een Schot die deze wetenschap tot bloei heeft gebracht!'
'Wil dat zeggen dat u mij ook onder hypnose kunt brengen, professor?' Amherst trok uitdagend zijn wenkbrauwen op.
'Dat moet de praktijk uitwijzen, mylord. Maar uw dochter Alicia is beter toegerust voor dat soort dingen. Ze is jong. En jonge meisjes zijn het geschiktst voor dat soort experimenten. In trance zou Alicia ons kunnen bewijzen of ze in staat is in de toekomst te kijken.'
Plotseling zag Amherst dat alle ogen op hem gericht waren. 'Maar is dat niet gevaarlijk?' vroeg hij voorzichtig.
'Geenszins!' zei de professor. 'Waarom zou dat gevaarlijk zijn? Nee, hypnose is niet riskanter dan een middagdutje. Sterker nog, tijdens een middagdutje kun je in bepaalde omstandigheden van de sofa vallen. In trance sta je voortdurend onder toezicht.'
Lord Amherst stond op en verliet peinzend de kamer. De spanning was te snijden. Zou Amherst zijn dochter Alicia overhalen om zich door Painswick onder hypnose te laten brengen?
Howard twijfelde daar niet aan. Hij kende Alicia inmiddels goed genoeg om te weten dat ze altijd in was voor een avontuur. Hij had gelijk. Na korte tijd – intussen werd er heftig gediscussieerd aan de tafel – kwam Lord Amherst terug met Alicia.
In de salon heerste een gespannen, afwachtende sfeer. Dikke rookslierten dreven door de kamer. Het licht van de lamp boven de tafel gaf er een spookachtige sfeer aan. Het deed denken aan de herfst. Boven de grote vijver van Didlington Hall hingen dan altijd nevelbanken.
Het werd stil toen het meisje naast de professor aan de tafel ging zitten. Je kon aan haar gezicht zien dat ze een beetje wantrouwig stond tegenover dit experiment. Haar nerveuze lachje kon je in elk geval op geen andere manier uitleggen.
Painswick drukte zijn sigaar uit in de asbak. Uit zijn vestzak haalde hij een flonkerende, kristallen knikker, zo groot als een kastanje. Daarna zei hij kalm en indringend: 'Alicia, kijk naar de knikker in mijn hand!'
Het meisje deed wat hij van haar vroeg. Het leek of ze het experiment niet serieus nam.
Onverstoorbaar ging Painswick verder. 'Kijk naar het licht van de knikker. Je ogen worden moe, je oogleden zijn zwaar. Je wilt slapen, slapen, slapen... Pas als ik in mijn handen klap, word je weer wakker.'

Daarna klonk de stem van Painswick nog zachter. Alleen de lamp boven de tafel maakte onverminderd een zacht, sissend geluid.
In de ogen van Alicia was eerst een glinstering merkbaar, alsof ze zich verzette tegen een onzichtbare kracht. Al na enkele ogenblikken kwam ze in de macht van iets geheimzinnigs en maakte haar lichte verzet plaats voor totale willoosheid, waarbij ze haar hoofd boog en waarbij haar armen ontspannen naast haar lichaam vielen. Painswick duwde haar zachtjes tegen de rugleuning om te voorkomen dat ze voorover viel. Daarna keek hij rond en verwachtte bijval.
De heren die zojuist nog luid gediscussieerd hadden over de vraag of waarzeggerij en hypnose niet simpelweg naar het rijk der fabelen verwezen moesten worden, durfden nu geen woord meer te zeggen. Ze staarden naar het meisje dat in andere sferen leek te verkeren.
Painswick boog zich naar haar toe, tot vlak bij haar gezicht; op een handbreedte afstand. 'Alicia,' fluisterde hij, 'kun je in de toekomst kijken? Geef antwoord!'
Eerst gebeurde er niets. De professor herhaalde zijn vraag. Ditmaal indringender en met stemverheffing.
Een mondhoek van het meisje trilde even. Heel duidelijk – iedereen kon het verstaan – zei ze: 'Ja, ik kan in de toekomst kijken.'
'Wat zie je, Alicia?'
'Ik zie... mijn... trouwdag,' stamelde het meisje.
Lord Amherst rechtte zijn rug. 'Vraag wie haar echtgenoot is!' fluisterde hij Painswick toe.
'Wie is de bruidegom, Alicia?'
Er volgde een stilte. Haar gezicht was getekend door onrust, alsof ze bang was voor de donderslagen van een voorjaarsonweer. Vervolgens zei ze: 'Hij wil niet dat ik zijn naam noem. Maar hij heeft rode bakkebaarden.'
Het antwoord veroorzaakte onzekerheid. Met een onderzoekende blik keek Amherst rond. Ook Howard bleef er niet van verschoond. Uiteindelijk zei de lord geërgerd: 'Flauwekul. Allemaal onzin.'
'Wat zie je nog meer gebeuren, Alicia?'
'O, prachtige dingen,' zei ze meteen. 'Ik zie goud, edelstenen, onmetelijke rijkdom.'
'Goud en edelstenen?'
'Ja.'
'En van wie is die rijkdom? Vertel het ons, Alicia!'
'Dat weet ik niet. Maar een van de aanwezigen zal de grootste goudschat van de mensheid ontdekken.'
Howard wierp Newberry een verbaasde blik toe. Percy keek vervolgens naar Griffith, die grimaste en Flinders Petrie tersluiks aankeek.

Petrie haalde zijn schouders op, alsof hij zich best kon voorstellen dat hij die goudschat zou vinden, waarna hij naar Amherst blikte. De lord zat er als versteend bij.
'Waar?' fluisterde Amherst tegen de professor.
'Waar?' herhaalde Painswick. 'Waar is die schat verborgen?'
'Dat weet ik niet,' zei ze. 'Ik zie rotspartijen en woestijnzand. En mister Peabody.'
'Mister Peabody? Wie is mister Peabody?'
De heren aan de tafel keken verbaasd op. Francis Griffith zei peinzend dat een tante van zijn moeder Peabody heette. Maar meneer Peabody was jaren geleden overleden. En Lord Amherst meende zich te herinneren dat de brandweercommandant van Brandon een Peabody was. In werkelijkheid kende maar één persoon in dat vertrek de ware betekenis van die naam. Howard Carter. Maar hij hield zijn mond.
Op het voorhoofd van Alicia parelden zweetdruppeltjes. Painswick zei dat hij het experiment wilde beëindigen. Ook maande hij de heren dat ze Alicia nadat ze wakker was geworden vooral geen vragen mochten stellen. Het meisje zou zich namelijk niets kunnen herinneren van wat er was gebeurd. Vragen zouden haar alleen maar zeer in verwarring brengen. Hij klapte een keer hard in zijn handen. Alicia werd wakker.
Lord Amherst leidde zijn dochter de salon uit. Toen hij terugkwam, werd er inmiddels heftig gediscussieerd over de vraag wie van de aanwezigen in staat was die vermeende grootste schat van de mensheid te ontdekken. En terwijl de heren tot voor kort nog twijfelden aan de mogelijkheid dat iemand de toekomst kon voorspellen, stond die kwestie opeens niet meer ter discussie. Griffith en Petrie vlogen elkaar in de haren over wie van hen beiden de succesvolste archeoloog was en voorbestemd om de ontdekking van het millennium te doen, zoals Alicia had aangekondigd. Lord Amherst voelde zich gekrenkt omdat kennelijk niemand hem als potentiële kandidaat zag. Alleen Francis Allen – hij had nog geen woord gezegd – lachte. Vol leedvermaak zei hij: 'Al een eeuw lang lopen Fransen, Italianen, Duitsers en Engelsen in Egypte rond in de hoop dat ze de ontdekking van het millennium doen. En wat hebben ze tot nu toe gevonden? Een paar obelisken, wat stenen zerken, kleischerven en albasten kruiken! Ik vrees dat de echte schatten allang het land uit zijn.'
Francis Allen wist waar hij het over had. Hij was half Egyptenaar en woonde 's winters in Ramla, een buitenwijk van Alexandrië. Alleen in de lente en zomer verbleef hij met zijn gezin op Cockley Cley Hall, een Italiaans aandoend herenhuis op het platteland.

'Meneer Petrie, u bent hier de deskundige,' zei hij tegen de archeoloog. 'Waarom zegt u niets?'
Petrie was van nature in zichzelf gekeerd en terughoudend. Hij haalde zijn schouders op. Hij mocht Allen niet erg. Mensen met geld, vooral degenen die dat graag lieten zien, waren hem een gruwel. Uiteindelijk vatte hij moed en zei: 'Ach weet u, sir, wat u mogelijk als oude rommel betitelt, is voor de wetenschap vaak belangrijker dan een gouden sieraad. Waarbij ik, onder ons gezegd, er natuurlijk niks op tegen heb dat er een goudschat ontdekt wordt.'
De heren aan de tafel lachten. Lord Amherst dronk zijn cognacglas in één teug leeg. En terwijl Albert bijschonk zei de lord op een peinzende toon: 'Stel dat mijn dochter werkelijk de gave heeft om in de toekomst te kijken. Dan zijn wij vergeleken met de rest van de wereld in het voordeel. Een gigantisch voordeel. Wij weten nu immers dat er een schat bestaat. Bovendien weten we dat een van ons die schat zal vinden.'
Het werd stil aan de tafel. Zo stil dat Amherst de professor uit Cambridge een bestraffende blik toewierp omdat de geleerde de rook van zijn sigaar als een stoomlocomotief uitblies. Maar hij keek meteen weer wat vrolijker toen Painswick opmerkte: 'Mylord, ik twijfel er niet aan dat Alicia over die gave beschikt. Ik denk dat u haar uitspraken serieus moet nemen.'
Amherst stond op. Als grootmeester van de vrijmetselaarsbeweging had hij gevoel voor timing als het ging om het aankondigen van een betekenisvolle ceremonie. Met luide stem zei hij: 'Heren, gelet op het belang van dit moment wil ik u vragen een heilige eed af te leggen en niemand te vertellen wat wij vanavond te weten zijn gekomen. Belooft u dat plechtig, heren?'
De heren stonden op. Een voor een zeiden ze: 'Ik beloof het plechtig.' Toen Howard aan de beurt was, merkte hij dat de hand die hij moest opsteken om de eed af te leggen trilde. Of de lord zijn nervositeit gemerkt had of niet – het zou ook kunnen dat hij Howard simpelweg niet voor vol aanzag – in elk geval zei hij nog voordat Howard die belofte had gedaan: 'Heren, daarmee zijn we gezworenen. We moeten een expeditie op touw zetten om de grootste schat van de mensheid te vinden!'
Zelfs bij degenen die aanvankelijk wantrouwig tegenover dat voorstel zouden hebben gestaan, werkte het enthousiasme van Amherst meteen aanstekelijk. Francis Allen, een doorgewinterde zakenman, stelde voor om een fonds in het leven te roepen waarin iedereen naar believen geld kon stoppen en een winstpercentage uitgekeerd kreeg als de onderneming succesvol zou blijken. De meeste aanwezigen

waren het daar echter niet mee eens. Vooral Griffith ging tekeer omdat hij dacht dat Allen met dat voorstel alleen maar persoonlijk gewin najoeg terwijl anderen het werk opknapten en later het nakijken hadden.
Een nog heftigere discussie brandde los toen besloten moest worden wie de leiding van de expeditie op zich diende te nemen. Flinders Petrie maakte zijn deelname aan de onderneming afhankelijk van de toezegging dat hij projectleider werd. Hij had immers veel ervaring. Francis Griffith weigerde om onder Petrie te moeten werken. Als erkend wetenschapper hoefde hij dat niet te dulden. Allen zei daarentegen dat beiden niet geschikt waren om een expeditie te leiden waarin nogal wat geld omging. En het in de juiste banen leiden daarvan was nou precies zijn verantwoordelijkheid. Bovendien had alleen hij de noodzakelijke contacten in Egypte. Zonder die contacten kon een expeditie van dat kaliber niet slagen. Daarover waren Griffith en Petrie zeer verontwaardigd.
In korte tijd was de strijd zo hoog opgelaaid dat Amherst moeite had de partijen uit elkaar te houden. Tegen middernacht werd de zitting verdaagd naar de woensdag na Pasen. Griffith zei echter dat hij niet zou komen als Petrie dan zijn gezicht zou laten zien. Allen beloofde alleen dan te komen als eerst de financiering goed doorgesproken werd. Professor Painswick uit Cambridge wilde met deze hele kwestie überhaupt niets meer te maken hebben.
Dus eindigde de avond zeer onaangenaam. Howard had het potsierlijke gekrakeel nieuwsgierig en met verbazing gevolgd. Hij was er vast van overtuigd dat de plannen van Lord Amherst zouden vervluchtigen naarmate de alcohol in de cognac uit hun bloed verdween, en dat er de volgende dag dus met geen woord meer over gesproken zou worden. Maar dwangvoorstellingen zijn zo hardnekkig als de overlevingsdrang van kakkerlakken. De volgende ochtend werden Percy Newberry en Howard Carter dan ook opnieuw door de lord ontboden in de bibliotheek voor een bespreking.
Hoewel de frisse lentelucht vrijelijk door de open ramen naar binnen kon, was de bijtende stank van sigaren nog steeds onmiskenbaar. Het noopte Amherst tot de opmerking dat Hare Majesteit Queen Victoria gelijk had toen ze zei dat roken alleen goed was om de muggen te verdrijven.
Uiteindelijk kwam Amherst ter zake. ‘Meneer Newberry, wat vindt u van de profetie van mijn dochter Alicia?’
Percy grijnsde verlegen. ‘Als ik eerlijk ben, sir...’
‘Graag, Newberry!’
‘Nou ja, eerlijk gezegd kan ik me niet voorstellen dat ik met Alicia

zal trouwen, mylord. Het is niet zo dat we elkaar niet mogen, maar onze affectie voor elkaar blijft beslist binnen bepaalde grenzen.'
Lord Amherst lachte geamuseerd. 'Meneer Newberry, mijn vraag gaat over de profetie die ze daarna deed. Ik bedoel het feit dat ze voorspelde dat iemand van ons een schat zal ontdekken.'
Newberry kreeg een rood hoofd en stamelde verontschuldigend dat het nog vroeg was. Uiteindelijk kwam hij terug op zijn vraag en zei: 'Mylord, ik kan niet beoordelen of het waarschijnlijk is, of zeker, dat een van de aanwezigen van gisteravond een duizend jaar oude schat zal vinden. In tegenstelling tot meneer Allen ben ik echter van mening dat er in het land aan de Nijl zeker nog ongelofelijke schatten verborgen kunnen liggen. Egypte is groot. Groter dan Engeland, Schotland en Ierland samen. Maar alle opgravingen die tot nu toe zijn gedaan, beperken zich tot een gebied dat niet groter is dan het graafschap Norfolk. De vraag is waar je überhaupt moet beginnen.'
'Waar zou u beginnen?'
Newberry keek naar het plafond. 'Daar waar het minst gegraven is. Midden-Egypte.'
'Hebt u zin om aan die klus te beginnen?'
'Ik?' Newberry keek hem vol ongeloof aan.
'Waarom niet? Ik ben bereid een twee jaar durende onderzoeksreis te financieren. In die periode moet u alle voorbereidingen treffen en proefopgravingen uitvoeren voor een groots opgezette opgraving onder mijn leiding en met hulp van honderd of meer inheemse arbeiders. U hebt zeker wel eens van Schliemann gehoord, die vorig jaar onder erbarmelijke omstandigheden omkwam. Schliemann dacht een schat gevonden te hebben waar niemand geloof aan hechtte. Op een plaats die niet eens bestond en in een periode waarin niemand meer met zoiets rekening hield. Tegenwoordig reizen mensen uit de hele wereld naar Berlijn om die schat te bewonderen. Ik wil dat u iemand als Schliemann wordt, Newberry. Wat vindt u daarvan?'
Het onverwachte voorstel maakte Newberry sprakeloos. Zo'n aanbod kreeg je immers niet elke dag. Maar twee jaar lang wonen en werken in het verre Egypte was een hele tijd.
De lord merkte dat Newberry aarzelde. Daarom voegde hij eraan toe: 'Meneer Carter zal met u meegaan als uw assistent. Zo is het toch, meneer Carter?'
Howard schrok. Hij was zo in verwarring gebracht dat hij de vragende blik van Amherst met een hoofdknik beantwoordde.
'Dankzij William Gladstone mag u zich in Egypte helemaal thuis voelen. Per slot van rekening is dat land een kolonie van het Britse

koninkrijk. U hoeft niet vandaag al te beslissen, meneer Newberry. Maar ik wil binnenkort wel een antwoord. Volgende week? Afgesproken?' Hij wendde zich tot Howard. 'Dat geldt ook voor u, Carter.'

12

Het was lang geleden dat de lente op het platteland zo vroeg inzette. En nergens toonde het voorjaar zich zo mooi als in de omgeving van Castle Acre. Het weer was mild, de lucht zijig zacht. De zon tekende fel oplichtende vlakken en lange, donkere schaduwen op de oude muren.

Aangezien Howard en Sarah elkaar hier voor het eerst ontmoet hadden, voelden ze zich aangetrokken tot dit oord, waar je een panoramisch uitzicht had. De redenen om elkaar hier te ontmoeten waren divers. De belangrijkste was ongetwijfeld dat ze er ongestoord samen konden zijn omdat iedereen die Castle Acre naderde al van ver te zien was.

Op een muurtje waarvan de stenen glad gepolijst waren door de vele regens en winterstormen, waardoor ze er nu uitzagen als broden, maakten Sarah en Howard het zich gemakkelijk. Hij zat met gespreide benen en de voeten tegen elkaar aan tegen de muur geleund. Zij zat als in een leunstoel voor hem, waarbij zijn benen en knieën voor armleuningen doorgingen.

Het was lekker warm in de namiddagzon, die je een beetje soezerig maakte. Sarah dacht dan ook dat dat de reden was waarom Howard, die doorgaans heel spraakzaam was, nu weinig zei en loom overkwam.

'Herinner je je nog jouw eerste poging om te vliegen, daar beneden?' Ze wees naar het zuiden, waar de Nar door het landschap meanderde. Een smal stroompje waar de dorpsjongens overheen sprongen en wedstrijdjes verspringen deden.

'Natuurlijk,' zei hij geamuseerd. 'Ik herinner me dat nog als de dag van gisteren. Alweer lang geleden!'

'Lang geleden? Meen je dat nou, Howard? Er is nog geen jaar voorbij!'

'Dat is zo, u hebt gelijk. Maar als u bedenkt wat er daarna allemaal gebeurd is, mag je stellen dat het een eeuwigheid geleden is,' bracht hij in.

Sarah nam voorlopig genoegen met dat antwoord. Even later zei ze: 'Toen ik je destijds met dat vliegapparaat op me af zag komen, dacht ik eerst dat het een draak was uit een of ander sprookje, een fabeldier. Maar toen je dichterbij kwam, dacht ik er opeens een fiets in te herkennen. Je hebt daarna geen poging meer ondernomen. Waarom niet?'

'Ik heb me nog nooit zo erg geschaamd als toen. Als ik eraan terugdenk, schaam ik me nog steeds. Het was al erg genoeg dat ik uitgerekend voor uw voeten crashte. Bovendien was Chambers bij u, miss Jones. Tjonge, hoe hebt u mij dat aan kunnen doen?'

Ze legde haar hoofd in haar nek en kuste hem. 'Arme knul van me, heb ik je zo erg vernederd?'

'En of, miss Jones,' zei hij opgewonden. 'De pijn door de val was niets vergeleken met het feit dat ik me zo verschrikkelijk vernederd voelde. Wekenlang heb ik me uitgesloofd om door u als een man beschouwd te worden. Ik wilde zo volwassen mogelijk overkomen. En toen gebeurde dat.'

'Wil je daarmee zeggen dat je al veel eerder een oogje op me had?'

'Ja.'

'Je bent ondeugend, weet je dat?'

Howard lachte. 'Nu kan ik het wel vertellen. In de les deed ik altijd de grootste moeite om onopvallend tussen de knoopjes van uw bloes door naar uw borsten te kijken. Na zorgvuldige observaties was ik er namelijk achter gekomen dat zodra u zich naar voren boog die bloes opwindende inkijkjes bood. Om u zover te krijgen dat u zich voorover boog, hoefde ik wanneer u naast me stond alleen maar het verkeerde antwoord op uw vraag te geven. Ik hoefde dus alleen maar te antwoordden: "*Dame in het wit* is van Charles Dickens". Of: "*Schateiland* is door Wilkie Collins geschreven". Dan boog u zich meewarig naar me toe en zei wat ik allang wist, namelijk dat *Schateiland* van Louis Stevenson is en *Dame in het wit* van Wilkie Collins. In die paar seconden dat ik ogenschijnlijk wat leerde, keek ik met gebogen hoofd naar wat er in uw bloes zat. En wat ik toen ontdekte, betekende voor mij meer dan alles wat u mij geleerd hebt.'

Sarah kwam overeind en ging op haar knieën voor hem zitten. Heel lang keek ze de jongen verbaasd aan. Hij werd daar echter niet verlegen van, en zich schamen deed hij allerminst. Zijn liefde was immers zo groot dat hij haar alles kon vertellen wat er in zijn hoofd en hart opkwam. Alleen aan haar.

Maar sinds gisteren zat hij met een probleem in zijn maag waar hij nog geen oplossing voor wist. Aanvankelijk, en vrijwel meteen, had hij het voorstel van Amherst om met Newberry op ontdekkingsreis te gaan afgewezen. Maar nadat hij er een nacht over geslapen had, en hij het plan tot zich had laten doordringen, besefte hij dat Lord Amherst hem een geweldige kans bood. Was het mogelijk dat hij,

de hulptekenaar op Didlington Hall, op een dag een beroemd archeoloog zou worden?
Maar die overwegingen werden in de kiem gesmoord zodra hij aan Sarah dacht. Hij kon zich een leven zonder haar niet meer voorstellen. Het was ondenkbaar dat hij pakweg vijfduizend kilometer van haar vandaan was. Nee, hij wilde het niet met haar over de plannen van Amherst hebben. Anders zou hij Sarah ook met zijn probleem opzadelen.
'Wat is er aan de hand, Howard?' Ze doorbrak het stilzwijgen.
'Niets,' zei hij. 'Echt niet!' Hij was echter een slechte leugenaar. En hij was zich daarvan bewust. Hij was iemand die zich anders ging gedragen zodra hij loog. Alleen al non-verbaal merkte je aan hem dat hij niet de waarheid sprak. De nerveuze, schokkerige bewegingen die hij dan maakte, en zijn afgewende blik, waren voor haar een duidelijk teken dat hem iets dwarszat.
'Je verzwijgt iets voor me,' zei ze. 'Kijk me aan!'
'Echt niet!' zei hij onwillig. Hij staarde voor zich uit.
'Kijk me aan!' hield ze vol. 'Heeft het met mij te maken? Ik wil het weten!'
Plotseling draaide hij zijn hoofd naar haar toe. Hij keek haar strak aan. 'De lord wil dat ik op expeditie ga naar Egypte. Om te gaan schatgraven.'
'Maar dat is toch geweldig, Howard!'
'Noemt u dat geweldig? Weet u wel hoelang ik dan van huis ben? Twee jaar! En weet u hoe ver Egypte is? Bijna vijfduizend kilometer! En weet u wat dat betekent? Het einde van onze relatie, miss Jones. Vindt u dat geweldig?'
Sarah kreeg een wee gevoel in haar buik. Ze voelde zich gebroken, intens onzeker en net zo depressief als Howard. Wat moest ze daarop zeggen? Twee jaar was een lange tijd. Die periode was in staat het vuur van hun verboden liefde te verstikken. Zou ze het vertrek van Howard wel kunnen verwerken? Ze betwijfelde het. Ze had zich nog nooit zo gelukkig gevoeld als in de afgelopen periode die ze met hem had doorgebracht. En kwam daar nu opeens een eind aan? Ze hield van deze jongen, ook al was dat verschrikkelijk onverstandig en niet gepast voor een vrouw van haar leeftijd.
'Wanneer?' vroeg ze, alleen om wat te zeggen. Het deed er immers niet toe of ze binnen een dag of een maand afscheid van elkaar moesten nemen.
'Amherst heeft me een week bedenktijd gegeven. Het vertrek zal daarna niet lang op zich laten wachten. Maar ik doe het niet!'
'Je moet het doen, Howard!' hoorde ze zichzelf plotseling zeggen.

Het stond in tegenspraak met haar gevoelens. Desondanks herhaalde ze: 'Je moet het doen! Anders denk ik dat we elkaar een leven lang verwijten dat jij die kans niet gegrepen hebt. Jij hebt het toch altijd al verder willen schoppen dan je vader en je broers? Jij wilde toch geen onbekende tekenaar blijven, zoals er zoveel van zijn?'
'Ja, maar moet dat meteen? En moet dat ten koste gaan van onze liefde?'
'Een kans als deze krijg je maar één keer. Dit soort kansen houdt geen rekening met de omstandigheden waarin je je bevindt. Zodra die kans voorbijkomt, moet je die grijpen. En onze liefde zal duurzaam zijn of wegkwijnen, Howard, ongeacht of we tien of tienduizend kilometer van elkaar vandaan zijn. Weet je nog dat je zo zat te dubben over Didlington Hall? En kijk nu eens? Nu lach je erom. Heb ik gelijk of niet?'
'Ja, maar Didlington is Egypte niet. En de Nar is niet de Nijl. Ik wil niet gaan, dat begrijpt u toch wel, miss Jones?' riep hij boos. De oude muren dempten het geluid.
Sarah stapte van het stenen muurtje, waarna ze onzeker met de armen over elkaar heen en weer liep. Uiteindelijk hield ze haar pas in, keek naar hem op en zei: 'Ik zal trots zijn als ik een bereisd man aan mijn zijde heb. Misschien zelfs een beroemde ontdekkingsreiziger over wie de kranten schrijven. Over enkele jaren ben je twintig en is onze relatie minder aanstootgevend dan nu.'
'En hoe moet dat in de tussentijd?' riep hij terwijl hij op haar neerkeek.
De jongen had gelijk. Ook zij kon zich niet voorstellen dat ze zichzelf haar tedere liefde voor hem, zijn nabijheid, een paar jaar moest ontzeggen. Toch bleef ze koppig en vastberaden – zichzelf pijnigend – op haar standpunt staan. 'We zullen elkaar schrijven. Twee keer per week. Misschien elke dag. Ik kom naar je toe, wanneer je maar wilt. Hoe lang duurt een bootreis naar Egypte?'
Hij haalde zijn schouders op. 'Volgens mij een dag of tien. Miss Jones, u vergeet nu dat niet Alexandrië of Caïro het doel is, maar een of ander oord ver in de woestijn, met alleen zand en rotsen. Je kunt er niet eens fatsoenlijk overnachten. Volgens mij hebt u een heel verkeerd beeld van waar ik heen ga.'
Sarah zweeg. Hij liet zich van het muurtje afglijden. Toen ze tegenover elkaar stonden, zag hij het verdriet in haar ogen en hij vermoedde dat hetgeen ze gezegd had in tegenspraak was met haar overtuiging. Toch bleven haar woorden niet zonder uitwerking.
Hij sloot haar in zijn armen en dacht haar hartslag te voelen terwijl hij haar zwijgend tegen zich aandrukte. Wang tegen wang keken ze voor zich uit om de tranen voor elkaar te verbergen.

'Het leven kan raar lopen,' zei ze. 'De ingeslagen wegen zijn nooit recht. En als er liefde in het spel is, lijkt het leven op een doolhof met dwaalwegen en doodlopende paden. Niemand kent de weg uit dat labyrint.'
Hij werd opeens fel. 'Het kan me niet schelen of de ingeslagen weg goed of fout is. Ik ga niet naar Egypte. En als Amherst mij op straat zet, ga ik weer honden en katten tekenen. Dat is heus geen schande.'
Ze maakte zich los uit hun omarming om hem aan te kunnen kijken. Daarna zei ze een beetje berispend: 'Je bent zo koppig als een kleine jongen. Waarom beschouw je dit gesprek niet als een aanleiding om er nog eens goed over na te denken?'
'Ik wil niet gaan! En u moet nu eindelijk eens niet meer zo betuttelend tegen me doen, miss Jones. Ik zit niet meer bij u op school.'
Zijn barse toon stemde haar verdrietig. Getroffen sloeg ze haar ogen neer. Voor het eerst had hij haar boos toegesproken. 'Volgens mij is het vandaag niet onze dag,' zei ze uiteindelijk.
Terwijl hij nadacht over wat hij moest zeggen om zich te verontschuldigen, leunde ze met haar hoofd op haar armen tegen de muur. Daardoor merkten ze niet dat uit zuidelijke richting een eenspan met koetsier naderde. Een Hansom-Cabriolet. Toen ze de ongenode vreemdeling zagen, was het al te laat. Op een steenworp afstand hield de man in en stapte nogal omslachtig van de bok. Met een trekkend been, waarmee hij telkens een roeibeweging maakte, liep hij de glooiing op, waarbij hij van ver riep: 'Hé, Carter!'
'Goeie genade, dat is Spink!' zei Howard zachtjes. 'Het is beter dat hij ons niet samen ziet.'
Bliksemsnel drong de situatie tot haar door. En toen Spink hen genaderd was, gaf ze Howard een hand en zei luid. 'Tot ziens, Howard. Leuk dat we elkaar weer gezien hebben.' Daarna verdween ze achter de muur waar ze haar fiets had neergezet.
'Wat wil je van me, Spink?' vroeg Howard op een toon waar hij zelf bijna bang van werd.
Spink grijnsde breed. Een brutaal lachje waarmee hij zijn tanden liet zien. De vraag van Howard negeerde hij simpelweg. 'Je ziet dat ik weer kan lopen, Carter!'
'Ik ben niet blind, Spink!' zei Howard bars. 'Wat kom je doen?'
'Er moet van beide kanten nog wat worden gladgestreken, Carter.'
Howard keek hem minachtend aan. 'Niet dat ik weet, Spink!'
'Je denkt toch niet dat tussen ons nu alles geregeld is?'
'Dat denk ik zeker. In elk geval wil ik niets meer met jou te maken hebben, hoor je?'
Spink ging heel dicht bij hem staan en bekeek hem van top tot teen.

Zijn ogen bliksemden van woede terwijl hij siste: 'Door jouw schuld ben ik nu kreupel, Carter. Ik wil revanche.'
Howard lachte gemaakt. 'Is mijn rijtuig of het jouwe over je heen gereden?'
Spink vloog hem naar de strot en riep hees van razernij: 'Jij hebt mijn paard van de oprijlaan verdrongen. Het is jouw schuld dat ik nu kreupel ben!'
Howard duwde hem van zich af, waardoor Spink struikelde en houvast zocht aan de muur. 'Blijf van me af!' zei Howard fel. 'Ik vecht niet met een manke. Maak dat je wegkomt voordat ik echt kwaad word.'
Spink gaf niet op. 'Ik wil revanche!' herhaalde hij. Nerveus verplaatste hij zijn gewicht van het ene been naar het andere, wat hem op een potsierlijke manier aan het wankelen bracht omdat zijn ene been korter was dan het andere.
Het merkwaardige gedrag van Spink begon Howard op de zenuwen te werken. 'Hoe stel je je die revanche voor, Spink?' vroeg hij.
Het gezicht van Spink klaarde op. 'Eenspan tegen fiets. Dezelfde voorwaarden als destijds.'
Howard vroeg zich af wat Spink in zijn schild voerde. Ongetwijfeld had die kerel een achterbaks plan in zijn hoofd. Aangezien hij met het ergste rekening moest houden, wist hij niet hoe hij zich diende op te stellen.
'Een revanche kun je niet weigeren, Carter,' drong Spink aan. Hij stak zijn hand uit. 'Wanneer?'
Howard schudde zijn hoofd. 'Ik zal het mezelf nooit vergeven als ik een kreupele als jij op de knieën dwing. Denk je nou echt dat je kunt winnen met dat invalidenrijtuig? In elk geval niet onder gewone voorwaarden!'
'Waarom aarzel je dan nog?'
'Ik laat me niet meer met jou in. Dat heb ik mezelf beloofd. Maar nu we hier toch staan... Jane Hackleton heeft inmiddels in het bijzijn van getuigen een verklaring afgelegd. Jouw zogenaamde heldendaad heb je voor vijf pond gekocht.'
'Jane Hackleton? Wie is Jane Hackleton...? O ja, dat dochtertje van die touwslager, hè? Ja, dat was best geinig. Het is me in elk geval gelukt om voor vijf pond in de *Daily Telegraph* te komen zonder er een vinger voor te hoeven uitsteken.'
Howard kookte van woede en moest zichzelf in bedwang houden. Iemand als Spink verdiende geen respect. Hij schraapte zijn keel en spuugde voor de voeten van Spink. Daarna draaide hij zich om en liep weg.

In de hoop dat daarmee een eind was gekomen aan de woordenwisseling nam hij zich voor om in het vervolg met een grote boog om Spink heen te lopen. Plotseling hoorde hij opnieuw diens schorre stem. 'Hé, Carter, hoe is die onderwijzeres van jou in bed?'
Prompt hield Howard zijn pas in, alsof hij door de bliksem was getroffen. In zijn hoofd was het een chaos van gedachten. Moest hij gewoon weglopen of hem doodslaan? Langzaam draaide hij zich om, liep naar hem toe en vroeg op een dreigende toon: 'Wat wil je daarmee zeggen, Spink?'
'Ach, niks. In Swaffham wordt nu eenmaal geroddeld. Die miss Jones is geen slechte partij. Bovendien is ze niet lelijk. Geen wonder dat de mannen om haar heen vlinderen. Het gaat mij niks aan, maar ben jij niet een beetje te jong voor haar?'
Howard was in verwarring gebracht en had het gevoel dat zijn hoofd barstte. Spink was op de hoogte. Hoe was dat mogelijk? 'Ik weet niet waar je het over hebt, Spink,' zei hij om zijn wanhoop te verdoezelen. 'We kwamen elkaar hier toevallig tegen.'
'Laat me niet lachen! Een blinde ziet nog wat er tussen jullie speelt. In de ruïne van Castle Acre komen alleen landlopers en verliefde stelletjes. In elk geval lui die iets te verbergen hebben. En jullie hebben wat te verbergen, Carter. Ik denk namelijk dat een onderwijzeres die haar leerling verleidt de wet overtreedt.'
'Maar ik ben geen leerling meer van haar!'
'Ah!' riep Spink vol leedvermaak. 'Je hebt jezelf verraden!'
Howard balde zijn vuisten en zette zich schrap, als een in het nauw gedreven dier. Hij wilde naar hem uithalen, maar Spink riep meteen: 'Je slaat toch geen kreupele in elkaar?' Provocerend draaide hij zijn hoofd naar hem toe.
'Inderdaad, dat zal ik ook niet doen,' zei Howard. Hij liep weg en hoorde dat Spink hem nog iets nariep. Maar ditmaal liet hij zich niet ophouden.
Hij kon zijn gedachten niet ordenen terwijl hij stevig doorfietste, alsof de duivel achter hem aanzat. Hij nam echter niet de kortste weg naar Swaffham, maar koos voor de Peddars Way, via South Acre, in de hoop dat hij Spink op die manier van zich af kon schudden. Hij besefte namelijk dat de volgende ontmoeting wel eens op een ramp kon uitdraaien.
Bij Bartholomew's Hills, waar het langzaam maar gestaag bergop ging, waagde hij het voor het eerst om over zijn schouder te kijken. Hij was buiten adem, het zweet liep over zijn rug. Spink was echter in geen velden of wegen te bekennen. Door deze verwarrende onzekerheid kwam één gedachte bovendrijven: hij had het hier helemaal gezien.

Op Didlington Hall namen de dingen intussen een onverwachte wending. Lord Amherst had Samuel Carter op de hoogte gebracht van zijn plan om diens zoon Howard op ontdekkingsreis naar Egypte te sturen. Hij had echter nog geen antwoord gekregen. Aangezien Howard nog minderjarig was, had hij hoe dan ook de toestemming van zijn vader nodig.
Percy Newberry had ingestemd. Vooral ook omdat Amherst en het *Egypt Exploration Fund* hem een vorstelijk salaris boden. Ook Howard werd een honorarium in het vooruitzicht gesteld. Vijftig pond per jaar. Niet niks. De helft werd betaald door de lord en de andere helft door het *Exploration Fund.*
Tijdens een gesprek met Newberry had Howard zijn akkoord afhankelijk gemaakt van de instemming van zijn vader. Dat was natuurlijk gelogen, want in werkelijkheid had hij allang het besluit genomen niet naar Egypte te gaan. De gedachte uit vrije wil afscheid van Sarah te nemen, was simpelweg ondraaglijk.
In tegenstelling tot Howard was Newberry zeer enthousiast. Hij boekte twee overtochten op de *Prince of Wales,* die in Southampton lag en Port Said als bestemming had. Hij was al begonnen zijn bezittingen in twee enorme hutkoffers te stoppen.
Toen er vijf dagen voor vertrek nog steeds geen antwoord op Didlington Hall was gearriveerd, stuurde Lord Amherst Howard naar Londen om – zoals hij dat noemde – vader Samuel Carter ervan te overtuigen dat diens plannen goed waren.
Aanvankelijk was Howard van plan geweest om aan het verzoek van de lord tegemoet te komen. Maar hij was zo in verwarring gebracht en wanhopig dat hij naar Swaffham ging om Sarah te zien.
Hij merkte direct dat er iets was voorgevallen. Het leek of Sarah hem verwacht had. In elk geval zei ze meteen: 'Fijn dat je gekomen bent, Howard. We moeten dringend wat zaken bespreken.'
'Ja, en of het dringend is,' zei hij terwijl hij met haar de trap opliep naar de bovenverdieping, waar ze woonde. Er was zoveel te vertellen. Het feit dat Spink op de hoogte was van hun liefdesrelatie, en de brief van Amherst aan zijn vader. Maar nog voordat hij van wal kon steken, zei ze onzeker: 'Howard, je weet dat ik heel veel van je hou.'
'Ja, miss Jones,' zei hij braaf.
'En omdat ik zoveel van je hou,' zei ze daarna, 'moet ik je de waarheid vertellen. Ook als ik je daarmee erg veel pijn doe.'
Howard keek haar met grote ogen aan. Hij had geen flauw idee waar ze op aanstuurde. 'Pijn doen? Wat bedoelt u, miss Jones?'
'Je moet me geloven als ik zeg dat ik dit even erg vind als jij. De tijd

die we samen doorgebracht hebben... ik heb me nog nooit zo gelukkig gevoeld. Ik had er geen minuut van willen missen.'
Geleidelijk kreeg hij een vermoeden wat ze hem wilde vertellen. 'U spreekt in de verleden tijd, miss Jones!' riep hij verontwaardigd uit. 'Dat klinkt of alles voorbij is!' Hij zag niet dat er een harde trek op haar anders zo beminnelijke gezicht verscheen. Zelfs toen ze haar handen lief op zijn schouders legde, lag in dit gebaar niet de warmte en tederheid waarmee zij hem van meet af aan voor zich gewonnen had.
'Ik denk dat het aanbod van Lord Amherst de kans van je leven is,' zei ze zachtjes, voorzichtig. 'Je laat Swaffham achter je en je komt op een dag terug als een beroemde ontdekkingsreiziger. Bij de deur van je geboortehuis zal dan een bordje hangen waarop staat: 'Hier werd Howard Carter geboren, de beroemde archeoloog. Als ik dan dat huis passeer, zal ik zowel trots als een beetje verdrietig zijn...'
'Maar ik ga niet naar Egypte, miss Jones!' viel hij haar in de rede.
'Natuurlijk ga je!' zei Sarah onbuigzaam.
'Nee, nee, en nog eens nee!' zei hij boos. 'Ik blijf hier. Ik hou van u, miss Jones!'
'Ik weet dat je van me houdt, Howard. Maar deze liefde duurt niet eeuwig... vooral niet als de tekens aan de wand zo ongunstig zijn. Er komt een tijd dat ik me verschrikkelijk oud zal voelen en jij nog steeds jong bent. Er komt een tijd dat ik rimpels krijg en mijn borsten, die je nu nog heel opwindend vindt, slap gaan hangen. Jij zult dan naar meisjes van jouw leeftijd gaan zoeken. Nee, Howard, je moet beseffen dat de toekomst voor ons een onoverwinnelijke vijand is.'
'Waarom denkt u er opeens zo anders over? Wat is in u gevaren, miss Jones? Heb ik iets verkeerds gezegd of gedaan?'
Ze nam zijn hoofd tussen haar handen. Dat had ze inmiddels al heel vaak gedaan, en hij had er telkens zo van genoten. Ditmaal voelde alles anders. Hij kon het niet geloven toen ze zachtjes zei: 'Howard, ik ga met Chambers trouwen. Dat is het beste voor ons allemaal.'
Met een ruk trok hij zijn hoofd tussen haar handen vandaan. 'Nee,' riep hij uit. 'Dat is niet waar! Zeg dat het niet waar is!'
'Het is echt zo, Howard!'
'Maar u houdt toch niet van Chambers?'
Sarah schudde haar hoofd. 'Tegenwoordig trouwen mensen wel vaker zonder dat ze van elkaar houden. Vreemd genoeg blijken die huwelijken doorgaans het meest solide.'
Zijn wereld stortte in. Waarom deed ze hem dit aan? Was hij maar een soort tijdverdrijf geweest? Een spelletje? Een welkome afwisseling om even uit de dagelijkse sleur te zijn?

'Wat moet ik doen om u op andere gedachten te brengen?' smeekte hij.
'Niets,' zei ze kortaf. 'Mijn besluit staat vast.'
De koele vastbeslotenheid was schokkend. Wat was in haar gevaren? Ze was opeens niet meer de vrouw die hij aanbad.
Ze had zich van hem afgewend en staarde uit het raam naar buiten. Opeens draaide ze zich om. Hij dacht dat ze in tranen zou uitbarsten. Maar hij had zich vergist. Een afwijzende, harde trek verwrong haar mooie gezicht zo erg dat hij haar plotseling niet meer herkende. Het ging niet zozeer om wat ze zei. Het was vooral haar gezichtsuitdrukking waar hij van schrok.
'Sarah?' zei hij onbeholpen. Hij was zich ervan bewust dat hij haar voor het eerst bij haar voornaam aansprak.
Dat was ook tot Sarah doorgedrongen, maar ze reageerde niet.
Toen wist Howard dat alles voorbij was.

Vertwijfeld, woedend en buiten zinnen keerde Howard terug naar Didlington Hall. Er was maar één gedachte die de boventoon voerde: hij moest maken dat hij hier wegkwam, waar alles wat hij kende, elk weggetje, elke boom en elk vogelgekwetter hem aan Sarah Jones herinnerde. Het was zomer. En tot voor kort geurden de velden heerlijk, floten de vogels mooier dan ooit en was de lucht stralender dan in ongeacht welke zomer. Maar deze opgewekte, blijmoedige wereld was verdwenen. Diep vanbinnen knaagde een intens verdriet. Wat restte hem nog? Hij moest zich schikken in het onvermijdelijke.
Op Didlington Hall was het antwoord van Samuel Carter inmiddels gearriveerd. Carter was beslist niet enthousiast geworden van de plannen van Lord Amherst, maar wilde – zo schreef hij – het geluk van zijn zoon niet in de weg staan. Als Howard al gelukkig zou worden van een ontdekkingsreis naar Egypte, had hij eraan toegevoegd. Amherst twijfelde niet dat Howard nu instemde. Niettemin wilde hij graag dat Lady Margaret aanwezig was bij het gesprek dat hij de volgende ochtend in de bibliotheek met de jongen had.
'Meneer Carter, de tijd dringt.' De lord kwam meteen ter zake. 'Hebt u een besluit genomen?'
Lady Margaret was minder zeker dan haar echtgenoot en had de afwijzende houding van Howard opgemerkt. 'Je bent nog jong, Howard. Voor jou is er nog een hele wereld te veroveren. Het zou dom zijn als je dit aanbod afwijst.'
Hij dacht dat al vaker gehoord te hebben. Uiteindelijk zei hij keurig geformuleerd: 'Mylady, mylord, ik accepteer uw aanbod en hoop dat ik u niet zal teleurstellen.'

Lord en Lady Amherst zagen niet dat Howard met zijn gedachten elders was. Alsof het hem niet meer kon schelen wat er gebeurde, terwijl het toch om zijn toekomst ging.
'Dan zou ik als ik jou was maar snel beginnen met inpakken!' zei Lady Margaret opgewonden, alsof ze zelf naar Egypte ging. 'Albert zal je een hutkoffer brengen. Meneer Newberry is al klaar voor vertrek. Ik ben héél jaloers op je!'
'Het schip vaart morgen uit, meneer Carter,' zei de lord al even opgewonden. 'Morgenmiddag moet u de trein nemen naar de haven.'
Toen Lady Margaret de kamer uitliep, nam de lord hem terzijde en zei: 'Ik ben heel blij dat u dit besluit genomen hebt, meneer Carter. En wat die schat aangaat, ik bied u en Newberry na de vondst vijf procent van de totale waarde. Wel verwacht ik uiterste discretie van u. De Egyptenaren hebben zo hun wetten die de uitvoer van unieke archeologische vondsten in de weg staan. Maar wat zijn die Egyptische wetten waard als puntje bij paaltje komt? In feite geldt daar maar één wet: geld. Begrijpt u wat ik bedoel, meneer Carter?'
Howard knikte afwezig.
'Ik weet zeker dat u mij niet teleurstelt.'
'U kunt op mij rekenen, mylord.'
De plotselinge haast kwam niet ongelegen. Het verkortte zijn lijdensweg. Hij liep naar zijn zolderkamer, waar Albert inmiddels een hutkoffer had neergezet. Een smerig bruin gedrocht waarop verschillende stickers waren geplakt. Een teken dat die koffer inmiddels de hele wereld had gezien. Toen hij die opende, kwam hem een vreemde geur tegemoet. Hij deed zijn ogen dicht. Zo ruikt het waarschijnlijk in India, dacht hij. Hij vroeg zich af of Egypte een eigen geur had.
In zijn belevingswereld was Egypte tot nu toe slechts een ver, vreemd land geweest. Een gele vlek op de grote globe die in de bibliotheek van de lord stond. Hoewel hij zich al een tijdje in de cultuur van dat land had verdiept, had hij nooit gedacht dat hij daar ooit heen zou gaan. Zelfs zijn oude vader was nooit verder geweest dan Brighton. Geen wonder dat hij niet enthousiast was toen hij merkte dat zijn jongste zoon zich gereedmaakte om naar verre oorden te gaan.
De koffer was bijna te groot voor zijn bescheiden bezit. Opeens verscheen Lady Margaret met een bundeltje kleren. Een ontdekkingsreiziger heeft een tropenpak nodig, vond ze. En een helm, een linnen broek en een met vilt afgewerkte veldfles, want in die hitte moest je goed blijven drinken.
Nadat hij alles had ingepakt, keek Lady Margaret rond in de leeggeruimde kamer. Haar blik viel op de tekening die aan de muur

hing. In zijn haast had hij die vergeten in de hutkoffer te stoppen. Nu haalde hij de tekening van de muur en scheurde die in duizend snippers.
Fijntjes glimlachend had Lady Margaret toegekeken, waarna ze Howard vragend aankeek.
Hij perste zijn lippen op elkaar, alsof hij bang was dat hij iets verkeerds zou zeggen. Plotseling zei hij kortaf en nauwelijks hoorbaar: 'Dat is geweest.'

Gewoonlijk lag het station van Swaffham er rond de middag verlaten bij. In het donkere bakstenen gebouw was dan amper een levende ziel te bekennen. Zelfs de wachtkamer, waar het pleisterwerk van de muren bladderde en waar 's ochtends vroeg en 's avonds de landlopers en de arbeiders van de verffabriek een onderkomen vonden, had geen toeloop.
Maar op die dag was alles anders. De wijzers van de grote stationsklok wezen elf uur veertig aan. En meneer Killroy – stationschef, kaartjesverkoper, wisselwachter en conducteur – schikte de schouderstukken van zijn blauwe uniform en klemde de rode vertrekstaf onder zijn arm om de middagtrein, die elk moment kon binnenlopen, te 'ontvangen'.
Hij wierp een blik uit het getraliede raam van zijn kantoor en verbaasde zich over de drukte op het perron. Een drukte die zijn ego als stationschef van de *Great Eastern* vleugels gaf.
Het was gaan regenen. Niet hard, maar gestaag. Een teken dat de herfst langzaam naderde.
Lord en Lady Amherst, hun dochter Alicia en een stuk of zes bedienden van Didlington Hall waren naar het perron gegaan om afscheid te nemen van de ontdekkingsreizigers Newberry en Carter. Ook de ouders van Percy waren aanwezig, en misschien wel de helft van zijn familie. Natuurlijk maakten de twee tantes van Howard – Fanny en Kate – van de gelegenheid gebruik om de jongen te overladen met goede raad, en ze pinkten een traantje weg nu het afscheid steeds dichterbij kwam. Uiteindelijk leek het of iedereen elkaar kuste, terwijl toch maar twee personen aan een 'omzwerving in den vreemde' begonnen.
Howard kampte met tegenstrijdige gevoelens. Hij beschouwde zijn vertrek als een afscheid van zijn jeugd. Opeens was hij dus volwassen, en hij droeg nu zelf verantwoordelijkheid. Maar had hij dat als eenling niet altijd gewild? Hij had toch altijd vrij willen zijn, op zichzelf? Tegelijk vreesde hij dat hij als zeventienjarige misschien niet opgewassen was tegen de taak die men hem had opgedragen.

Hij, Howard Carter, was toch maar een eenvoudige tekenaar uit Swaffham?
Maar al die gevoelens waren ook nog eens ondergeschikt aan de pijn die hij ervoer door wat Sarah Jones hem had aangedaan. Hij was terneergeslagen, futloos en twijfelde of hij ooit nog dezelfde zou worden die hij voorheen was. De aanvankelijke woede en treurnis waren geweken voor de grote leegte. Telkens opnieuw, zich steeds herhalend, beukte de vraag op hem in waarom ze dat gedaan had. Waarom? Waarom? Waarom? Waarschijnlijk zou hij nooit begrijpen waarom Sarah de liefde had opgeofferd aan het verstand.
In het oosten, waar het spoor Station Street kruiste, klonk een schrille fluittoon. Sissend en blazend naderde de stoomtrein. Hoewel er achter de kleine, stampende locomotief met de hoge schoorsteen maar drie wagons waren gekoppeld, klonken de remmen oorverdovend hard. Ze krijsten, piepten en knarsten als een horde opgejaagde dieren. Toen de trein eindelijk tot stilstand was gekomen, hulde de locomotief zich als een magiër in een witte stoomwolk. Meneer Killroy liep het perron op en riep twee keer: 'Swaffham! Swaffham!' Maar niemand verstond was hij zei, behalve degenen die het plaatsje al kenden.
De wijzers van de grote stationsklok wezen elf uur vijfenveertig aan. Meneer Killroy maande iedereen op te schieten: 'Instappen, alstublieft! Deuren sluiten! De trein vertrekt!'
De bedienden sleepten de bagage van Carter en Newberry naar de middelste wagon. De twee wereldreizigers gingen bij het raam zitten.
'Veel succes!' riep Lord Amherst zijn twee ontdekkingsreizigers door het naar beneden geschoven raam toe.
Meneer Killroy klonk boven alles uit. 'Achteruit, iedereen achteruit. De trein vertrekt.'
Op dat moment zag Howard haar staan. Sarah Jones. Ze hield zich wat afzijdig van de menigte, onder het afdak van het stationsgebouw. Ze had haar groene deux-pièces aan, waarvan hij vond dat hij haar zo leuk stond, en ze zwaaide schuchter naar hem. Dat kleine gebaar trof hem als een mokerslag. Zonder ook maar een moment te aarzelen, stormde hij de wagon uit, het perron op, en liep Sarah met uitgestoken armen tegemoet.
Meneer Killroy blies op zijn seinfluitje en stak zijn rode vertrekstaf omhoog. Daarna klonk een kort fluitsignaal van de locomotief.
Op hetzelfde moment omhelsden Howard en Sarah elkaar. Hartstochtelijk kusten ze elkaar terwijl dikke regendruppels op hun gezicht vielen.

'Sarah,' fluisterde hij ademloos. 'Ik wens je alle geluk van de wereld. Word gelukkig!' Zijn laatste woorden waren bijna niet te horen omdat de tranen zijn stem verstikten. Maar Sarah had het gehoord. Ze nam zijn hoofd tussen haar handen, zoals ze zo vaak had gedaan, waarna ze zijn gezicht bedekte met kusjes tot ze er bijna buiten adem van raakte. En terwijl ze dat deed, fluisterde ze: 'Ik hou van je, Howard. Ik heb je meer lief dan alles wat me lief is. Er komt een tijd dat je het zult begrijpen. Vergeet me niet.'
Met veel kabaal zette de trein zich in beweging. De achterblijvers, vooral Fanny en Kate, riepen opgewonden door elkaar heen en maanden hem snel in te stappen. Howard maakte zich los uit haar omarming. Alsof zijn ziel in tweeën spleet. Snel stopte ze een dun pakje, zo groot als een hand, in de zak van zijn jas.
'Adieu!' Hij stak zijn hand naar haar uit terwijl hij met de andere nog net de deur van de wagon kon vastgrijpen. Met een mouw wreef hij de regendruppels en de tranen van zijn gezicht. Hij had geen oog meer voor de anderen, die zwaaiend met zakdoekjes op het perron achterbleven. Howard zag alleen nog een groen vlekje tussen de andere. Een vlekje dat steeds kleiner werd. Uiteindelijk barstte hij in tranen uit.
Howards heftige afscheid van Sarah liet de mensen op het perron verward achter. Fanny en Kate mompelden iets onverstaanbaars. Ontstemd schudden ze hun hoofd en wierpen Sarah, die daar nog altijd roerloos stond, wantrouwige blikken toe. Ook Lord Amherst was verbaasd. Maar zijn verwondering week snel, omdat hij bezield was van de gedachte dat hij een duizend jaar oude schat zou ontdekken.
Geleidelijk ging op het perron ieder zijns weegs. Alleen Sarah Jones keek nog in de richting waar de trein uit het zicht verdwenen was. Ze was doornat geworden van de regen. Maar dat kon haar niet schelen. Haar uiterlijk was een spiegel van haar innerlijk.
Sarah begreep niet wat er gebeurde toen het opeens ophield met regenen. Ze draaide zich om. Voor haar stond Lady Margaret, die een paraplu boven haar hoofd hield.
'Ik begrijp hoe u zich voelt,' zei de lady meevoelend.
Sarah haalde een zakdoekje tevoorschijn en probeerde haar gezicht droog te deppen, waarbij ze de grootste moeite deed kalm over te komen. Maar toen Lady Margaret het zakdoekje uit haar hand nam en haar tranen droogde, begon Sarah te snikken en zei zachtjes: 'Ik heb zo ontzettend veel van hem gehouden!'
Lady Margaret legde een arm om haar schouders en liep langzaam met haar naar de uitgang. 'Ik begrijp het, miss Jones,' zei ze bijna

fluisterend. 'Maar geloof me, dit is de beste oplossing voor iedereen.' De wijzers van de stationsklok wezen elf uur vierenvijftig aan. De rust op het station was weergekeerd. Meneer Killroy trok zich terug in zijn kantoor.

DEEL TWEE

13

Boven het Nijldal hing een ondoorzichtige, grijsgele sluier van fijn stofzand. De vochtige lucht was verstikkend. Alleen in de vroege ochtend en tegen de avond lichtten de stofsluiers op in de trieste eentonigheid. Het enige teken dat de zon niet verstek liet gaan.
Het was warm. De oude fellahs hadden een doek om hun hoofd gebonden, met slechts een smalle kijkspleet voor de ogen. Ze konden zich niet herinneren dat het ooit zo heet was geweest. In het halfcirkelvormige keteldal van Tell el-Amarna, halverwege Luxor en Caïro waar de Nijl aan de rand van een gebergte een langgerekte meander maakte en aan de oevers een koele wadi vormde, zweefde een wolk van poederzand. Het rook er naar stof en gloeiend hete stenen. Je durfde nauwelijks diep in te ademen.
Howard Carter had een gescheurde broek aan die tot aan zijn knieën gerafeld was. De rest had hij uitgetrokken, zo warm was het. Zijn zwarte haar droeg er eveneens toe bij dat hij nauwelijks te onderscheiden was van de inheemse opgravingsarbeiders. Verder had hij sinds zijn aankomst in Egypte, inmiddels een halfjaar geleden, verbazingwekkend snel Arabisch geleerd. In elk geval voldoende om met de fellahs – aangeworven als opgravingswerkers – een gesprekje aan te knopen. Daardoor had hij zich onder de talrijke andere archeologen die het Nijldal tussen Gizeh en Aswan bevolkten, en die zich alleen met hulp van tolken verstaanbaar konden maken, een bijzondere positie verworven en was hij in zekere zin populair.
Howard had zich dit werk anders voorgesteld. Wat minder vermoeiend, wat meer comfort. En vooral wat meer succes.
Het werk begon 's ochtends vroeg bij zonsopgang. De hitte was dan nog draaglijk. Rond de middag hield iedereen ermee op. Ook Carter moest met spade en pikhouweel aan de slag. 's Middags en in de avonduren werkte hij aan zijn tekeningen. Met weemoed dacht hij terug aan de tijd die hij op Didlington Hall had doorgebracht. Indertijd werd niet half zoveel van hem geëist. Als troost dacht hij dan aan het feit dat hij niet meer, zoals in het begin, op de steenachtige grond van een rotsslenk hoefde te overnachten. Hij werd er telkens

opgeschrikt door vleermuizen, mangoesten en schorpioenen. Sinds kort deelde hij met Newberry een kamer in de gelijkvloerse woning van gedroogde nijlslikstenen. Het huis was van Flinders Petrie en zijn vrouw Hilda. Een stevige regenbui, of wat er gebeurde als je een spijker in de muur sloeg, rechtvaardigde de vrees dat het pand uiteindelijk zou instorten.
In de eerste drie maanden na aankomst in Amarna was Howard het succesvolst geweest. Hoewel Flinders Petrie, die ouwe vos, hem een perceel had toegewezen dat allang door zijn mensen doorwoeld was, haalde Howard daar nog een half dozijn brokstukken van beelden uit het zand. Niet lang daarna was er van enig succes geen sprake meer. Wekenlang vond hij niets dat de moeite waard was om er Lord Amherst over te berichten.
Howard had er zwaar de pest over in. Ook Newberry, inmiddels een ervaren archeoloog die wist dat elke vondst een toevalstreffer was, kon Carter niet opvrolijken. Howard sprak amper nog een woord met de anderen. Als hij al iets zei, klonk het knorrig en bitsig. Woestijngekte noemden de archeologen dat. Een soort ziekte die je na een halfjaar in de woestijn met enige regelmaat bekroop.
Het verbaasde Percy dan ook niet dat Howard op een dag kort voor de middagpauze op enige afstand scheldend en tierend met een spade in de brokkelige, steenachtige grond hakte.
'Hé, ben je gek geworden!' riep hij naar hem. Toen Howard niet ophield, rende hij naar hem toe. 'Wat is er, Howard?
Carter leek buiten zinnen. Hij hakte in de grond zonder Newberry aan te kijken.
Toen Percy de spade uit zijn hand wilde grissen, zag hij een stuk of vijf koningscobra's. Hij kon niet zien hoeveel het er precies waren. Howard had met zijn spade al enkele slangen doormidden geslagen. Twee cobra's – met opgeheven kop en gezwollen hals – dreigden elk moment toe te slaan.
Newberry wist niet goed wat hij moest doen. Hij stapte achteruit en deed instinctief wat de situatie van hem verlangde. Hij smeet een handvol zand naar die gevaarlijke slangen.
Schreeuwend en met de moed der wanhoop hakte Howard eerst de ene slang en toen de andere doormidden terwijl de beesten al aanstalten maakten om op de vlucht te slaan. De slangenhelften kronkelden in het woestijnzand terwijl Newberry achter Howard ging staan en hem kalm wegtrok uit de gevarenzone.
'Dat was mazzel,' zei hij nadat hij Carter in veiligheid had gebracht. Howard gaf geen antwoord. Hij deed een paar passen en zakte toen bewusteloos op de grond.

'Water!' brulde Newberry naar de inheemse arbeiders die vanaf een afstandje toekeken. '*Kullah!*' riep hij toen hij merkte dat de fellahs hem niet begrepen.

Twee mannen holden naar het archeologenhuis en kwamen terug met een volle *kullah,* een kleikaraf. Meteen gooide Newberry het water over het hoofd van Howard, die prompt spugend en proestend weer bij bewustzijn kwam.

Hij probeerde overeind te komen, wat mislukte, en viel voorover. Percy Newberry kon hem nog net op tijd opvangen en voorkomen dat Howard met zijn hoofd op de grond viel.

'Breng hem naar het archeologenhuis!' Newberry wees naar de arbeiders.

Twee mannen hesen Howard overeind, legden zijn armen over hun schouders en sleepten hem naar het pand.

Intussen had ook Flinders Petrie gehoord wat er gebeurd was. Verder noordelijk was hij met een stel arbeiders bezig het paleis van Amarna uit te graven.

'Het ziet er niet goed uit,' zei Newberry toen Petrie binnenkwam. 'Hij is bij bewustzijn, maar hij maakt een verwarde indruk.'

Petrie liep het donkere vertrek in. Het daglicht kon alleen door een rond kijkgat onder het dak naar binnen. Roerloos lag Howard op zijn rug en staarde naar het plafond.

'Carter, kunt u me horen!' riep Petrie.

Howard knikte aarzelend.

'Wat is er gebeurd, Carter?' Petrie liep naar hem toe.

Howard gaf geen antwoord. Alleen zijn lippen bewogen, alsof hij prevelde.

'Weet u wie ik ben, Carter? Hoe heet ik?'

De jongen die op de houten brits lag, knikte opnieuw maar leek niet in staat te antwoorden.

Hilda Petrie – een pittige dame van een koele, ongenaakbare schoonheid en energiek van aard – stak haar hoofd in de deuropening en vroeg wat er aan de hand was. Zoals altijd had ze een rijbroek aan die haar heupen uitnodigend liet uitkomen en die mannen deed vermoeden dat wat eronder zat de moeite waard was. Ook had ze een tropenhelm op.

'Waarschijnlijk een zonnesteek,' zei Petrie. Newberry voegde eraan toe: 'Hij heeft met verschillende cobra's tegelijk gevochten. Opeens zakte hij ineen.' Met een zakdoek wuifde hij Howard wat koelte toe.

'Heeft iemand eraan gedacht dat hij misschien door een van die cobra's gebeten is?'

De twee mannen staarden Hilda aan.

'Goeie vraag,' zei Newberry. 'Ik heb alleen gezien hoe hij met de spade op die beesten insloeg.'
'Domkoppen,' siste Hilda bijna onverstaanbaar. Ze knielde naast de brits van Howard om zijn verstarde lichaam van dichtbij te bekijken. 'Daar!' zei ze plotseling. Ze wees naar een rode pukkel in zijn linkerkuit.
'Goeie genade, en nu?' fluisterde Petrie. 'Een van de arbeiders moet naar El-Hadsch Kandil lopen en de dokter waarschuwen!'
'Domkoppen!' herhaalde Hilda. Ditmaal klonk het duidelijker. Ze keek Flinders aan en zei: 'Geef me een glas en een karaf water.' Daarna sprong ze op en liep de kamer uit.
Na enkele seconden kwam ze terug. Uit de keuken had ze een glimmend mes en een handdoek gehaald. 'Percy, jij houdt zijn benen vast.' Toen Flinders met het water terugkwam, zei ze tegen hem: 'En jij houdt hem bij de schouders tegen. Begrepen?'
Zonder te aarzelen ging Hilda op haar knieën zitten, greep het linkerbeen van Howard stevig vast en maakte met het mes een snee door de rode pukkel.
De wond begon meteen te bloeden. Hilda hielp een beetje door met haar vingers rondom de wond op de huid te drukken. De handdoek, waarmee ze het bloed wegveegde, kleurde rood. Toen de wond wat minder erg bloedde, boog ze zich over het been van Carter en zoog ze de wond uit. Haastig sprong ze daarna op, rende naar buiten en spuugde het bloed uit. Daarna nam ze een flinke slok water dat ze eveneens uitspuugde. Deze procedure herhaalde ze twee keer.
Verwachtingsvol stonden Petrie, zijn vrouw Hilda en Newberry om Carter heen.
'Ik hoop dat ik niet te laat ben geweest,' zei Hilda zachtjes. Met de handdoek veegde ze het bloed van haar lippen.
Petrie gaf haar het glas om na te spoelen. 'Dat was niet helemaal ongevaarlijk wat je daar deed,' vond hij.
'Had ik Carter dan moeten laten creperen?' zei Hilda fel.
Howard, die roerloos op de brits had gelegen, verkrampte plotseling.
'Volgens mij komt hij bij!' zei Newberry opgewonden.
Verstard en zonder ook maar één keer met zijn ogen te knipperen, zei Howard langzaam, stamelend en op een matte toon, maar duidelijk hoorbaar: 'Jouw stralende wezen aan de hemelrand is zo mooi, Aton, bron van alle leven... Je vervult alle landen met jouw schoonheid zodra je je verheft aan de oostelijke hemelrand. Je bent zo prachtig, zo groot en stralend, hoog boven de aarde... Je stralen omarmen alle landen, alles wat je geschapen hebt...'
Howard richtte zich op, alsof zijn lichaam onder een enorme span-

ning stond, waarna hij langzaam en bevend weer op zijn rug ging liggen.
Hilda keek haar man vragend aan. 'Weet jij wat hij bedoelt?'
Petrie knikte. 'De zonnehymne van farao Achnaton.'
'Sir, als ik zo vrij mag zijn...' Newberry stokte, '... van die hymne zijn slechts fragmenten bekend... afzonderlijke woorden zonder samenhangend verband.'
'Dat bedoel ik nou net.' Petrie veegde met een hand het zweet van zijn voorhoofd. 'Ik begrijp het ook niet.'
'Is hij dood?' vroeg Hilda aarzelend.
Newberry voelde de pols van Howard. 'Langzaam. Extreem langzaam. Maar zijn hart doet het nog!'
Nadat ze een uur lang in onzekerheid hadden verkeerd, verscheen plotseling dokter Ghazal uit het naburige dorp. 'De ezel,' zei hij verontschuldigend toen Petrie hem verwijtend aankeek. 'Het beest wilde halverwege geen stap meer verzetten. Pas nadat ik hem halfdood geslagen had, was hij ertoe te bewegen verder te lopen.' Nadat ook hij de pols van Howard gevoeld had, zei hij: 'Hij overleeft het wel. Wanneer zei u dat hij door een cobra is gebeten?'
'Ik heb helemaal niks gezegd,' zei Petrie ontstemd. 'Het is ongeveer twee uur geleden gebeurd. Mijn vrouw heeft de wond uitgezogen. Ze is net naar buiten gelopen.'
Dokter Ghazal was een Egyptenaar met een olijfkleurige huid, grijs kroeshaar en een draadbrilletje. Hij had medicijnen gestudeerd in Londen en Berlijn, en hij stond erom bekend dat hij hetgeen hij daar geleerd had verafschuwde. Voor elke ziekte was letterlijk wel een kruid gewassen, vond hij. Met die geneesmethode had hij bovendien veel succes.
Hij trok de oogleden van Howard omhoog, onderwierp diens pupillen aan een zorgvuldig onderzoek en haalde daarna een fiool met een bruingeel goedje uit zijn leren tas. Resoluut opende hij Howards mond, waarna hij met duim en wijsvinger van zijn linkerhand diens tong vastgreep en met zijn rechterhand de inhoud van de fiool erop liet druppelen. Daarna drukte hij de kaken van Howard op elkaar en wachtte vergeefs op een reactie van zijn patiënt. Vervolgens deed hij verband om de kuitwond.
'Hij heeft wartaal uitgesproken,' merkte Petrie op terwijl hij net als de dokter naar het gezicht van Howard staarde.
'Typisch,' zei Ghazal.
Aarzelend vroeg Petrie vervolgens: 'Vindt u het ook typisch als de patiënt dingen zegt die hij niet kan weten?'
Dokter Ghazal zette zijn draadbrilletje recht en keek Petrie tersluiks

aan. Zwijgend haalde hij een notitieblokje uit zijn tas en begon te schrijven.
Petrie werd nieuwsgierig. Newberry keek al niet minder aandachtig over zijn schouder mee.
Ghazal scheurde het vel papier van het notitieblokje en overhandigde het aan Petrie. Met de gedachte dat de arts het om welke reden dan ook verkoos zijn ongewone vraag schriftelijk te beantwoorden, las Petrie gretig: '*To regain one's health* – Iemand weer gezond maken. 50 piaster of 10 Engelse shilling.'
Petrie verdween zonder een stom woord te zeggen naar zijn werkkamer, waar hij een stellingkast wegschoof waaronder zich een ijzeren deksel met een slot bevond. In een gat in de aangestampte grond bevond zich een soort kluisje, waarin het loon van de arbeiders werd bewaard. Petrie haalde er vijftig piaster uit, sloot alles af en schoof de stellingkast weer over het kluisje.
Nadat hij de dokter betaald had, draaide Ghazal het bankbiljet vol walging om en zei: 'Sir, u bent een Engelsman. De patiënt ook. Kunt u me niet met Engels geld betalen? U weet toch ook dat die Egyptische flappen nauwelijks wat waard zijn?'
'Nee, dat wist ik niet,' loog Petrie, die wel degelijk op de hoogte was van het probleem. 'Weet u zeker dat u de patiënt genezen hebt?'
Beledigd gluurde Ghazal over de bovenrand van zijn draadbril. 'Met mijn medicijn heb ik doden tot leven gewekt. Over een uurtje springt die jonge kerel weer monter rond.' Toen de arts zag dat Petrie vol ongeloof bleef kijken, voegde hij eraan toe: 'Een geheim medicijn, eigen fabrikaat. Uit paardenbloed gewonnen.'
'Paardenbloed?'
De eigenzinnige arts knikte. 'Mijn paard is bijna twintig jaar. Het maakt hem niet uit of hij door tien cobra's wordt gebeten. Weet u waarom niet? Hij is immuun tegen het gif. Vanaf zijn vijfde heb ik steeds slangengif in zeer lage doses bij hem geïnjecteerd. Hij reageerde door in zijn bloed tegengif aan te maken. Inmiddels is dat tegengif zo sterk dat het ook in kleine doses bij de mens werkt. Wat bedoelde u trouwens toen u vertelde dat de patiënt dingen zei die hij niet kon weten?'
Petrie keek Newberry vragend aan, alsof hij zich afvroeg of hij die arts wel kon vertrouwen. Daarna legde hij breedvoerig uit: 'Ik zou het niet geloofd hebben als ik het niet zelf gehoord had. Hij hallucineerde en reciteerde opeens de zonnehymne van farao Achnaton.'
'Koortshallucinaties zijn niet ongewoon na een slangenbeet, sir. Het gif veroorzaakt bewustzijnsstoornissen.'
'Dat kan wel zo zijn, dokter, maar Carter sprak samenhangende

zinnen uit een tekst waarvan we tot nu toe alleen maar fragmenten hebben gevonden. Bovendien kan die jongen niet eens hiëroglyfen ontcijferen.'
'Dat is inderdaad merkwaardig!' Dokter Ghazal haalde zijn schouders op. '*Insjallah*... zo God het wil. Als hij weer bijkomt, moet u in elk geval vragen hoe hij achter dat soort dingen is gekomen.'
De arts ging op zijn ezel zitten en reed in een drafje weg naar de rivier.
'Vreemde kerel,' zei Percy terwijl ze hun duistere huis inliepen.
Toen Petrie zijn collega Newberry wilde bedanken, merkte hij dat de oogleden van Howard bewogen. 'Kijk nou eens,' zei hij verbaasd.
Howard ging rechtop zitten, vertrok zijn gezicht en zei hees: 'Het lijkt wel of ik in brand sta. Kan ik wat water krijgen?'
Newberry liep weg en kwam terug met een glas water.
Howard dronk het glas in enkele teugen leeg. 'Wat is er gebeurd?' Hij wees naar het verband om zijn linkerbeen.
Petrie keek ernstig. 'Volgens mij heeft mijn vrouw uw leven gered. U bent gebeten door een cobra. Hilda heeft de beetwond uitgezogen. En de dokter heeft u een tegengif gegeven.'
'Tjonge,' zei Howard vol ongeloof. 'Volgens mij heb ik gedroomd. Ik was opeens aan het hof van Achnaton en Nefertete. In een paleis met duizend kamers, omringd door vijvers waar eenden zwommen. En waterbekkens met bloeiende lotusbloemen. De lucht was azuurblauw. En het was lekker warm in de zon. Jammer dat ik opeens weer wakker werd.'
Petrie en Newberry keken elkaar met een veelbetekenende blik aan. Ze durfden hem niets te vragen.
Intussen was Hilda teruggekomen met een korf om in de keuken aan de slag te gaan. De archeoloog ging terug naar het opgravingsgebied terwijl Newberry bij Howard bleef.
'Ik ben een beetje duizelig.' Howard ging weer liggen. 'Het lijkt wel of alles voor mijn ogen vervloeit.'
Newberry knikte begripvol. 'Het was volgens mij kantje boord, Howard. Geweldig wat Hilda heeft gedaan. De ouwe en ik stonden stijf van de schrik terwijl zij met een keukenmes in je been sneed en de wond uitzoog. Gelukkig maar, anders zouden wij nu niet met elkaar praten.'
'Toch mag ik haar niet,' zei Howard. 'Ook al heeft ze mijn leven gered.'
'Niemand vindt haar aardig, Howard. Ik ben in elk geval nog niemand tegengekomen die haar sympathiek vindt. Maar dat neemt niet weg dat ze iets grandioos gepresteerd heeft. Sommige vrouwen komen hard en stug over, terwijl ze eigenlijk heel aardig zijn.'

'Ze kijkt op me neer en doet of ik nog een kind ben. Bovendien heb ik gehoord hoe ze me zwart maakte bij Petrie omdat ik over het eten klaagde. Zij denkt dat ik praatjes heb en dat ik vind dat ze niks goed kan doen in de keuken, en dat ze zich meer moet uitsloven.'
'Ach, je kent haar toch,' suste Newberry. 'Ze meent het niet zo.'
'Je hoeft me niet op te peppen, Percy,' zei Howard zonder hem aan te kijken. 'Wees eerlijk, wat hebben we tot nu toe gevonden? Een paar onthoofde beeldjes en zakken vol potscherven. En dan te bedenken dat we hier al een halfjaar aan het werk zijn. Het zou me niks verbazen als Amherst ons op een dag terughaalt naar Engeland en dat hij dan zegt: "Bedankt en tot ziens."'
'Onzin!' zei Newberry. 'Archeologie bestaat voor tien procent uit kennis en weten wat je moet doen, en voor negentig procent uit toeval en mazzel. Dat weet Amherst ook.'
'Amherst heeft ons gestuurd om een schat te zoeken. Archeologie interesseert hem niet. Of ben je dat vergeten?'
'Natuurlijk niet. Maar hij moet ook begrijpen dat we die goudschat niet binnen een halfjaar vinden.'
Howard dacht lang na en zei uiteindelijk: 'Percy, wees eerlijk, denk je nou echt dat wij hier in Amarna de grote schat ontdekken waar Amherst op hoopt?'
Het was zo benauwd in de schemerige kamer dat je nauwelijks adem kreeg. Percy Newberry hield een zakdoek voor zijn mond en haalde diep adem, waarna hij zei: 'Elke week heb ik minder hoop. In het begin was ik ervan overtuigd dat als er überhaupt nog ergens een schat mocht liggen wij die hier zouden vinden. Amarna is zeer uitgestrekt en was korte tijd de hoofdstad van het Nieuwe Rijk. Daar komt bij dat er al een eeuw lang overal in Egypte gegraven is, behalve hier. Maar ja, we hebben ons de afgelopen maand uitgesloofd, dat is waar, en het resultaat is er helaas niet naar.'
'Waarom, Percy. Waarom lukt het niet?'
Newberry schudde zijn hoofd. 'Als ik dat wist, konden we ernaar handelen. Er kunnen veel redenen zijn. Amarna werd door een revolutionair gesticht. Zijn heerschappij was echter van korte duur. Vermoedelijk werd de stad geplunderd na het overlijden van Achnaton. Alles is hier gebouwd met nijlslikstenen, die niet duurzaam zijn. Alleen het koningspaleis bestaat uit kalk- en zandsteen. Maar daar is Flinders Petrie bezig, daar komen wij niet. Die ouwe vos weet heel goed dat als er wat te halen is hij er in de ruïnes van het paleis naar moet zoeken.'
'En ons laat hij in de rotzooi en tussen oude slikstenen wroeten!'
'Zo is het.' Newberry knikte berustend en gaf Howard een glas wa-

ter. 'Ik zal mevrouw Petrie vragen of ze een kop sterke koffie voor je zet.' Hij liep weg.
Terwijl Howard naar het plafond staarde, gemaakt van gortdroge balken en oeverriet, schoot de gedachte door hem heen dat het beter zou zijn geweest als Hilda haar geneeskunst niet op hem had botgevierd. Van zijn aanvankelijke euforie over het feit dat hij in een ver land naar goudschatten ging graven, was inmiddels niets meer over. Sinds een half jaar leefde hij als een mol. Zijn dagen bestonden uit troep, stof en hitte. Zijn droom een grote ontdekking te doen was niet in vervulling gegaan.
Hij leunde op een elleboog en trok de koffer waarin hij nog steeds al zijn kleren bewaarde onder de brits vandaan. Op die kleren lag het pakje dat Sarah bij het afscheid in Swaffham in zijn jaszak had gestopt. Howard had toen gedaan of hij dat niet gemerkt had. In de trein had hij meteen gekeken wat ze hem had meegegeven. Een foto van haarzelf. Ingelijst en wel.
Die foto was zijn kostbaarste bezit, maar beslist niet geschikt om Sarah te vergeten. Soms, als hij dacht dat niemand het zag, haalde hij de foto tevoorschijn en liet hij zijn herinneringen de vrije loop. Ze was vast al met Chambers getrouwd. Misschien dacht zij ook met weemoed terug aan de tijd die ze samen hadden doorgebracht.
Toen hij voetstappen hoorde, stopte hij de foto terug in zijn koffer die hij onder zijn brits schoof. Newberry kwam met een koperen kannetje aanzetten. Er zat koffie in die aangebrand rook, zoals dat hoorde bij Egyptische koffie. Compleet met een schuimkraag.
'Daar kikker je van op,' meende hij terwijl hij het zwarte brouwsel in een dik glas schonk dat gebruikt werd om tanden te poetsen.
Howard dronk er slurpend van. De koffie deed hem goed.
Het schemerde al toen Hilda met haar keukengong iedereen aan tafel riep. De gong bestond uit het deksel van een marmelade-emmer en was met twee touwtjes aan de deurpost van de keuken opgehangen. Al meer dan een uur trok een scherpe, niet onaangename geur door het archeologenhuis. Dat soort geurtjes rook je niet vaak; de kookkunst van Hilda werd namelijk gevreesd tussen Caïro en Luxor. Alleen Flinders prees haar gerechten. Het was kennelijk nog niet tot hem doorgedrongen dat hij er wel eens een maagzweer van zou kunnen krijgen. De kostelijke geur op die avond had als oorzaak dat ze een soort goulash had bereid. Ze serveerde die in grote stukken, zoals ossenstaart, met daarbij een scherpe, rode saus. Tijdens de maaltijd vond Howard – hij zat aan tafel met Flinders, Hilda en Percy – het juiste moment om haar te bedanken voor het feit dat ze hem gered had van een wisse dood.

Uiteindelijk begon Flinders over de merkwaardige hallucinatie die Howard had terwijl hij bewusteloos was. Hij vroeg of hij zich daar nog iets van kon herinneren.
Howard verklaarde dat hij nog wel beelden in zijn herinnering had, alsof hij gedroomd had, maar dat hij zich niet kon voorstellen dat hij in zijn slaap ook gepraat had.
Percy Newberry prees het gerecht en vroeg belangstellend aan Hilda voor welke kostelijke ingrediënten ze ditmaal had gekozen.
'Dat raad je nooit,' zei ze gniffelend. 'Ik heb die dode slangen gehaald. Dan zijn die beesten tenminste nog ergens goed voor. Er is genoeg!'
Newberry slikte.
Howard rende naar buiten. Hij moest overgeven.
In de daaropvolgende drie dagen kreeg hij geen hap door zijn keel.

Als schatgravers hadden Percy Newberry en Howard Carter weinig succes. Ze raakten steeds minder gemotiveerd naarmate de dagen, weken en maanden verstreken. In alle ernst vroegen ze zich af of het niet beter was het bijltje erbij neer te gooien. Flinders Petrie daarentegen was wel succesvol. Met zijn archeologische vondsten wierp hij telkens een nieuw licht op het Egyptische verleden.
Nu zag Tell el-Amarna er nog als een woestenij uit. Ook de historische betekenis van het gebied lag nog verborgen onder zand en gesteente. Ze groeven stukken kalksteen en potscherven met inscripties op. Het waren echter vooral de stenen stadsgrenspalen die hun vermoeden versterkten dat meer dan 1360 jaar voor Christus farao Achnaton en koningin Nefertete hier hof hadden gehouden.
Howard volgde Petrie op de voet. Hij bewonderde hem om zijn kennis, maar was nog meer onder de indruk van diens voorstellingsvermogen en de manier waarop hij uit een ogenschijnlijk waardeloze potscherf die door een arbeider uit het zand was gehaald indrukwekkende conclusies trok.
Op een nacht was het zo benauwd dat Howard de slaap niet kon vatten. Stilletjes liep hij het archeologenhuis uit en begaf zich naar een omheind gedeelte, op nog geen vijftig stappen van het huis. De maan hing als een gele, diffuse schijf boven het rivierdal. In de verte blaften honden. Hoog in de rotswanden klonk het koeren van de zwarte vogels die overdag boven de vlakte zweefden.
Binnen de omheining, waarvan het poortje openstond, bewaarde Petrie meer dan driehonderd archeologische vondsten. De kleinste waren niet groter dan een hand, de grootste hadden een doorsnede van zestig tot negentig centimeter. Geen enkele steen of scherf was het waard om te stelen. Kostbaar waren ze niet. Maar elk voorwerp

verwees op bescheiden wijze naar de geschiedenis van dit land. Dat beweerde althans Flinders Petrie.
Slechts gekleed in een broek slenterde Howard langs de rijen stenen en scherven, waarvan sommige gedecoreerd waren met een uitgehouwen gezicht, hand of ledemaat, en stuk voor stuk op een merkwaardige manier uitgerekt afgebeeld, als figuren in een spiegelkabinet. Howard ging zitten op een steenblok, waarvan de voorzijde versierd was met een gebeeldhouwde zonneschijf en zonnestralen in de vorm van handen. Plotseling hoorde hij voetstappen in het zand.
'Sir!' groette Howard beleefd. Het was Petrie. 'Kunt u ook niet slapen, sir?'
Petrie knikte afwezig en liet zijn blik over de verzameling stenen glijden. 'Slapen is eigenlijk zonde van de tijd,' zei hij uiteindelijk. Hij ging naast Howard zitten. 'Het bevalt u hier niet echt, hè, meneer Carter?'
'Sir!' zei Howard verontwaardigd. 'Hoe komt u daarbij?'
'Ik ben toch niet blind? U hoeft mij niets voor te spiegelen, Carter. Het is geen verwijt hoor. U bent niet de eerste en zult niet de laatste zijn die het na een paar jaar voor gezien houdt. Het is geen schande. In het gunstigste geval komt een mens gewoon tot het besef dat hij niet voor dit werk in de wieg is gelegd.'
Howard kreeg er hartkloppingen van. Alsof Petrie hem morgen of overmorgen het bevel zou geven terug te keren naar Engeland. Alleen al van die gedachte werd hij kwaad. Hij ervoer het als een vernedering als Petrie dat zou doen.
Daarom zei hij op een nogal onbeschofte toon: 'Sir, hopelijk bent u niet vergeten waarom ik voor Lord Amherst naar Egypte ben gegaan.'
Flinders Petrie wimpelde dat af. 'Lord Amherst is een dromer. Met alle respect, en tussen ons... hij is een fantast. Die gekke dochter van hem heeft voorspeld dat ergens in dit land een eeuwenoude schat verborgen ligt. Daarom zijn wij hier. Maar dat wil niet zeggen dat die voorspelling ook klopt. Amherst is kennelijk overtuigd van haar profetische gaven. Dan moet hij haar ook maar vragen waar we moeten zoeken. Allemaal flauwekul.'
Howard haalde diep adem en staarde naar de lucht. 'Tot dat besef ben ik inmiddels ook gekomen, sir. Ik kan me niet voorstellen dat we hier de schat vinden waar Lord Amherst op hoopt, zoals goud, edelstenen en andere kostbaarheden.'
'Ach, zal ik u eens wat vertellen, Carter,' begon Petrie. Hij maakte een breed gebaar. 'Deze stenen vormen de echte schat. Ze zijn kostbaarder dan goud. Ik zal ervoor zorgen dat ze een verhaal vertellen. Met deze stenen schrijf ik straks geschiedenis.'

'Hoe bedoelt u, sir?'
'We weten praktisch niets over farao Achnaton. Hij staat niet op de officiële koningenlijst. Een verzwegen vorst. Alsof zijn bestaan wordt ontkend.'
'Hoe bent u ervan overtuigd geraakt dat hij echt geleefd heeft?'
Petrie bukte zich en pakte een stenen plaat op. In het vage maanlicht was het ovaal van een koningsring met talrijke hiëroglyfen te zien. 'Deze hiëroglyfen verwijzen duidelijk naar Achnaton.' Hij liet zijn wijsvinger over de stenen ring glijden. De ring is een verwijzing naar het koningschap.'
'Maar er moet toch een reden zijn waarom juist deze farao niet in de oude geschiedschrijving werd opgenomen?'
'Natuurlijk!' zei Petrie lachend. 'In de geschiedenis zijn daar veel voorbeelden van te vinden. Denk maar aan het Groot Schisma in de veertiende eeuw. De kerkscheuring. Er waren toen twee pausen. De ene negeerde de andere, ze erkenden elkaar niet.'
'Waren er dus twee koningen die zich farao noemden?'
'Dat is zeker mogelijk. Maar ik geloof dat niet. Ik denk dat farao Achnaton een onvergeeflijke fout heeft begaan. Hij schafte de goden met de dierenkoppen af en beweerde dat er maar één god was: Aton, de zon.'
Petrie legde de stenen plaat terug en pakte een andere op. 'Kijk maar. Deze schijfvormige afbeelding is het symbool van de enige ware god Aton. Die bewering bracht de samenleving natuurlijk in rep en roer. Stelt u zich eens voor dat Hare Majesteit Queen Victoria opeens verkondigt dat God niet bestaat, terwijl ze toch altijd in God heeft geloofd. Dus dat God slechts een verzinsel is. Stel dat ze zegt dat de zon de ware god is. En dat vanaf nu alle gebeden tot de zon gericht moeten worden. En alle dominees en pastoors worden uit hun functie ontheven.'
'Ik denk dat de koningin dan niet veel medestanders zal hebben.'
'Achnaton had die evenmin. Hij had geen andere keus dan zich hier in Amarna te vestigen, tussen de hoofdsteden van het Oude en Nieuwe Rijk. Ongetwijfeld was hij een sterke persoonlijkheid, want in Amarna veranderde hij praktisch alles wat voor de Egyptenaren van betekenis was. Niet alleen de religie, ook de kunst. Zelfs de dichtkunst. Het moet een schok zijn geweest toen Achnaton, die tot dusver als God werd beschouwd, op wandborden inkijkjes in zijn privéleven gaf. Ziet u die steen daar, meneer Carter? Wat stelt die voor, denkt u?'
'Een verliefd paar, sir. Een man en een vrouw kussen elkaar.'
'Heel goed. De farao liefkoost zijn vrouw Nefertete in alle openheid.

Een soortgelijke voorstelling zult u in de hele Egyptische geschiedenis niet meer vinden!'
'Ze moeten wel erg veel van elkaar gehouden hebben.'
'Daar lijkt het op. Er is echter een probleem. Nefertete is op sommige scherven die we hebben opgegraven afgebeeld als de echtgenote van Achnaton. Maar op andere scherven is ze de gemalin van Amenophis IV.'
'Ik zie het probleem niet, sir. De ene man overleed, de andere man trouwde met de weduwe.'
'Dat is mogelijk, maar niet in dit geval. De twee mannen hadden immers dezelfde troonnaam. En met beide mannen kreeg Nefertete dezelfde kinderen.'
'Dan is er maar één conclusie mogelijk,' zei Howard opgewonden. 'Achnaton en Amenophis waren een en dezelfde persoon. Op zeker moment ging hij zich anders noemen. Zoals Lord Cromer die vroeger Evelyn Baring heette. Zo is het toch, sir?'
'U bent vlug van begrip, meneer Carter. Dat kan ik van sommige van mijn collega's niet zeggen. Tot nu toe sta ik alleen met mijn theorie. De meesten geloven me niet, terwijl ik toch bewijzen heb die mijn theorie staven. Ik heb namelijk een aantal kruiken opgegraven waarop de jaartallen tussen 1 en 17 en de naam van de farao staan gegraveerd. Zoals u weet bestond de tijdrekening van de oude Egyptenaren niet uit een doorlopende nummering. Ze hadden geen referentiejaartal, zoals wij de geboorte van Christus het jaar nul noemen. Bij elke troonsovername van een farao begonnen de Egyptenaren weer bij jaartal 1. Dat maakt de geschiedschrijving achteraf niet gemakkelijker.'
Howard dacht na. In de verte klonk een merkwaardig dreunend geluid. Het leek op het gerommel van een onweer zoals hij dat thuis in Norfolk kende. Geërgerd keek hij om zich heen. Er was niets bijzonders te zien. Slechts enkele dolende sprinkhanen die gonzend rondvlogen in de duisternis. Uiteindelijk zei hij: 'Dat kan als bewijs dienen dat Amenophis en Achnaton een en dezelfde persoon waren.'
Flinders Petrie keek Howard tersluiks aan en zei: 'U hebt de capaciteiten om archeoloog te worden. U bent meer dan alleen een schatgraver. U hebt gelijk. Uw conclusie strookt volledig met de resultaten van mijn onderzoek. Het cijfermateriaal met betrekking tot Amenophis begint met jaartal één en eindigt in het vijfde jaar van zijn regentschap. Van het zesde tot het zeventiende jaar is er alleen nog maar sprake van Achnaton.'
'Dan is het mysterie van Amarna dus opgelost!' zei Howard hardop.
Petrie lachte. 'Een van de mysteries, beste Carter. Slechts één van de

mysteries. Aan mijn vinger zie je het volgende raadsel.' Hij hield een hand met gespreide vingers voor het gezicht van Howard. Om de ringvinger zag Howard een brede ring van goud. Een van de arbeiders had die ring enkele weken geleden in het opgravingspuin zien liggen. Sindsdien droeg Petrie het sieraad aan zijn rechterhand.
'Kijk maar, dit mysterie is min of meer van hetzelfde laken een pak.' Petrie wees met de wijsvinger van zijn linkerhand naar de ring. 'In de ring is een koningsnaam gegraveerd. Toetanchaton. Wat zoveel betekent als "Aton is volmaakt". Volgens mij was Toetanchaton een zoon van Achnaton.'
'Met alle respect, ik begrijp het probleem niet, sir.'
'Een paar honderd kilometer stroomopwaarts, in het Dal der Koningen, hebben archeologen sieraden en bordjes aangetroffen waarop de naam Toetanchamon staat, wat zoveel betekent als "Amon is volmaakt".'
'Als ik het goed begrijp, heeft farao Achnaton die revolutie dus weer teruggedraaid,' concludeerde Howard.
'Dat hebt u dan goed begrepen,' zei Petrie. 'Maar zo eenvoudig ligt de zaak helaas niet. Hoog in de rotsen hebben we het door grafrovers leeggehaalde graf van Achnaton ontdekt. Maar van Toetanchamon, of Toetanchaton, vonden we geen spoor meer. Aangezien zijn naam ook niet in de koningslijsten opduikt, is het nog maar de vraag of er überhaupt een koning met die naam heeft bestaan. Alle faraograven die in het Dal der Koningen te vinden zijn, hebben we ook gevonden. En hier...' Petrie maakte een breed gebaar, '... is ook geen faraograf meer te ontdekken, neem dat maar van mij aan.'
Howard zat nog steeds op de steen. Hij trok zijn linkerbeen op en liet zijn kin op de knie rusten terwijl hij zijn scheenbeen met twee handen omvatte. Starend naar de stenen, die door Petrie als figuren op een schaakbord strak geometrisch gerangschikt waren, vroeg hij na een tijdje afwezig: 'Hoe heet die raadselachtige farao ook alweer?'
'Toetanchaton. Aton is volmaakt.'
'Was hij een zoon van Achnaton en Nefertete?'
'Dat is zo goed als zeker. Waarom vraagt u dat, meneer Carter?'
'Ach, ik ben gewoon even aan het nadenken over dat probleem, sir. Eigenlijk blijven er maar twee mogelijkheden over. Toetanchaton heeft bestaan, of niet. In het laatste geval rijst de vraag wat de mensen indertijd ertoe bewogen heeft een fantoom in het leven te roepen. Maar als die farao echt geleefd heeft, moeten er meer sporen te vinden zijn dan alleen een ring en wat bordjes.'
In de duisternis merkte Howard niet dat Petrie gniffelde. De archeo-

loog realiseerde zich namelijk dat hij zijn jonge collega enthousiast had gemaakt. 'Ik ben pas veertig, maar soms voel ik me bejaard,' zei hij uiteindelijk terwijl hij naar de Nijl staarde. 'U hebt nog het enthousiasme dat een man nodig heeft om een welhaast onoplosbaar probleem te ontraadselen. U moet dat verdomde graf van die Toetanchaton zoeken! U bent jong en hebt nog een heel leven voor u. U vindt dat graf. Maar ik weet ook vrijwel zeker dat u daar uw hele leven voor nodig zult hebben.'
Howard kon zijn oren niet geloven en twijfelde of Petrie serieus meende wat hij zei. Hield die archeoloog hem voor de gek?
Uiteindelijk liep Petrie terug naar het archeologenhuis.
Het was bijna vier uur en Howard vroeg zich af of hij nog naar bed zou gaan. Het was immers nog steeds benauwd buiten. Daarom besloot hij naar de Nijl te slenteren. Boven de bergen in het oosten kondigde de dageraad zich aan. In het noorden kraaiden de hanen al. Hij hield zijn pas in waar de zanderige woestijngrond plaatsmaakte voor de vruchtbare uiterwaarden. Wonderlijk genoeg groeiden daar opeens palmen en struiken. Verderop zag hij een slank meisje, een kind nog, dat naar hem toe liep. Op tien passen van hem vandaan bleef ze staan. Howard zag dat ze een donkere huidskleur had. Een linnen doek was met een touw om haar middel gebonden. Met ontbloot bovenlijf stond ze voor hem.
Een tijdje keken ze elkaar zwijgend aan. Howard wist niet wat hij moest doen en het meisje bekeek hem met een loerende blik.
'Wat doe jij hier?' vroeg Howard in eenvoudig Arabisch.
Het leek of ze zijn vraag niet begreep. Ze zwaaide met haar handen en wees naar haar mond.
'Jij... van El-Hadsch-Kandill?' Howard wees naar het dorp.
'Nee.' Het meisje schudde haar hoofd. 'Ik... dahabija... Nijloever. Ik gevlucht. Ik heet Selima.'
Howard liep naar haar toe. Ze sprak in een moeilijk verstaanbaar dialect. Even later realiseerde hij zich dat ze van Nubische afkomst was. Haar vader had haar in Nubië verkocht aan een slavenhandelaar. Ongeveer een kilometer verderop lag een dahabija voor anker met meer dan dertig slavinnen. Slavinnen die voor de doorverkoop bestemd waren. Selima had een vluchtpoging ondernomen en was naar de oever gezwommen. Ze had honger en dorst. Tijdens de achtdaagse reis van Aswan naar dit oord hadden de meisjes nauwelijks iets te drinken en nog minder te eten gekregen.
Hij had medelijden met het Nubische meisje en zei dat ze met hem mee mocht gaan naar het archeologenhuis.
Onderweg vroeg ze schuchter of Howard misschien een slavin nodig

had. Ze vond zichzelf niet sterk, maar wist van aanpakken en kon het werk in een huishouden goed aan. Geen moeite was haar te veel. Ze wilde alleen niet verkocht worden aan een bruut. Ze was in haar leven al vaak genoeg geslagen.
Intussen was het licht geworden. Iedereen werd wakker in het archeologenhuis van de Engelsen. Newberry was een ochtendmens en stond al onder de douche, een constructie die hij zelf naast de deur gemaakt had en die bestond uit een gieter die aan een balk tussen twee manshoge palen was bevestigd. Hij hoefde alleen maar aan het touw te trekken dat aan de gieter was vastgemaakt om ervoor te zorgen dat het water over hem heen stroomde.
'Hé, waar heb je haar opgeduikeld?' riep Newberry. Hij zag Carter en het meisje aankomen en sloeg een handdoek om zijn middel.
Howard gebaarde met zijn handen, alsof hij wilde zeggen dat Newberry zich gedeisd moest houden en dat dit niet was wat hij dacht. 'Een Nubisch meisje dat vannacht ontsnapt is van een slavenboot,' zei hij. 'Ze heeft honger en dorst. Is Hilda al wakker?'
Percy keek hem vol ongeloof aan. 'Een slavenboot? Dan heeft ze jou wat op de mouw gespeld. In Egypte is de slavernij officieel afgeschaft!'
'Waarom zou ze me beliegen? Kennelijk ligt een boot met dertig slavinnen voor anker op de Nijl.'
Selima knikte heftig en wees westwaarts naar de rivier.
Flinders Petrie had het kabaal voor het huis gehoord en liep naar buiten. Ook hij had een handdoek om zijn middel geslagen en vroeg wat er aan de hand was.
Howard vertelde in het kort wat er was voorgevallen. Hij vond dat de christelijke naastenliefde hen gebood dit verzwakte Nubische meisje wat te eten en te drinken te geven.
Newberry bleef sceptisch. 'In Egypte is de slavernij toch allang afgeschaft, sir?'
Petrie keek naar het meisje. Bang beantwoordde ze zijn blik. Daarna zei hij: 'Volgens de wet wel. Maar ik vraag me af wie zich in dit land aan de wet houdt.'
Plotseling liep Hilda naar buiten, zoals gewoonlijk in een rijbroek en met een tropenhelm op, en zag het halfnaakte meisje. Bovendien was het haar niet ontgaan hoe de drie mannen naar haar keken. Ze glimlachte wrang, wat niets goeds voorspelde, en zei: 'Kan iemand mij misschien uitleggen wat hier aan de hand is?'
Petrie herhaalde wat Howard hem zonet verteld had en zei tegen Hilda dat ze het meisje wat te eten en te drinken moest geven. En iets om aan te trekken.
Met tegenzin deed Hilda wat er van haar gevraagd werd en ze wenkte

het meisje naar binnen te komen. In de keuken gaf ze haar een stuk overgebleven brood en een kruik met water. Gretig begon Selima aan wat haar was voorgeschoteld. Onderwijl liep Hilda weer naar buiten, waar Petrie, Newberry en Howard aan het beraadslagen waren of ze het meisje aan het werk konden zetten in het kamp.
Toen Hilda erachter kwam waar het over ging, werd ze kwaad. Ze dreigde het kamp te verlaten en naar Engeland terug te gaan als Petrie dat jonge ding – zo noemde ze haar – niet wegstuurde nadat ze gegeten had. Selima had hen iets op de mouw gespeld en wilde alleen maar voordeel halen uit haar vermeende lot.
Plotseling stond Selima in de deuropening. Met een angstig gezicht volgde ze de discussie. Ze verstond niet wat er werd gezegd, maar de afwijzende houding van Hilda was haar niet ontgaan. Het was ook te mooi om waar te zijn als ze door de archeologen werd opgenomen. Uiteindelijk ging ze voor Howard staan en zei: 'Selima dankt *effendi*. Selima gaat.'
'Wat zegt ze?' vroeg Petrie.
'Ze bedankt ons hartelijk en wil weer gaan.'
'Maak haar duidelijk dat ze moet blijven!' zei Petrie op een dreigende toon.
Toen Howard dat deed, draaide Hilda zich om en liep naar binnen. Even later kwam ze terug. Zwijgend en stampvoetend liep ze westwaarts.
Flinders Petrie rende achter haar aan en riep: 'Wat ben je van plan, Hilda? Je weet heel goed dat je niet in je eentje op pad mag gaan.'
Hilda draaide zich om, liep een stukje terug en zei: 'Ik wil weten of ze gelogen heeft. Ik wil met eigen ogen zien of daar een slavenboot voor anker ligt. Als dat zo is, mag ze voor mijn part blijven. Maar als ze gelogen heeft, jaag ik haar met de zweep het huis uit.'
'Doe wat je niet laten kunt,' riep Petrie zijn vrouw woedend na. Hij liep terug naar het archeologenhuis.
In de daaropvolgende drie uur hing er een vreemd geruis in de lucht. Niemand wist wat dat was. Een gebrom dat af en toe aanzwol, alsof er een enorme zwerm bijen naderde.
Kennelijk maakte ook het Nubische meisje zich ongerust. Ze tuurde naar de lucht, waarna ze zich opeens half omdraaide en naar de bergketen in het oosten staarde. De bergketen die het Nijldal omsloot. '*Effendi*, kijk daar eens!'
Howard staarde naar de oostelijke horizon, waar het op een dreigende manier donker was geworden.
Selima zei iets wat hij niet verstond. Ze herhaalde het telkens. Maar Howard begreep het nog steeds niet. Uiteindelijk wees ze naar een

van de vliegende sprinkhanen die al dagenlang overal op de vlakte van Tell el-Amarna te zien waren. Plotseling werd Selima paniekerig en ze gebaarde dat de open ramen van het gebouw dichtgespijkerd moesten worden.
Sinds de Bijbelse tijden werd Egypte door sprinkhanenplagen geteisterd. Maar toen er niemand meer was die dat zelf had meegemaakt, dacht men dat die plagen voorgoed verleden tijd waren. Alleen in Nubië, waar de natuur de mens wreder kwelt dan waar ook ter wereld, doken soms sprinkhanenzwermen op die het landschap na enkele dagen nog kaler achterlieten dan het toch al was.
Petrie betwijfelde of sprinkhanen een gevaar vormden. Ook Newberry stak er de draak mee dat het meisje angstig was. Maar op hetzelfde moment vielen een stuk of vier vingergrote insecten op Percy, die meteen zijn arm beschermend voor zijn gezicht hield.
Howard wees naar het oosten. De lucht verduisterde steeds meer. Het onheil naderde in de vorm van zwarte wolken. 'Als dat sprinkhanen zijn, dan hoop ik dat God ons genadig is!' riep hij naar Petrie.
Nu werd ook Petrie bang. Het dreunende geluid in het dal klonk steeds luider. 'Newberry, Carter, naar binnen en barricadeer het huis. Stop alle kieren van de ramen en de deuren dicht. Ook de dakluiken. Gebruik latten, kisten, dekens. Het meisje zal jullie helpen. Ik ga op zoek naar mijn vrouw.'
Terwijl Flinders Petrie in looppas ervandoor ging, zochten Carter en Newberry naar geschikt materiaal om alle openingen van het archeologenhuis dicht te maken. Dat was niet eenvoudig. Ter bescherming tegen de zon en de hitte was het pand voorzien van talloze kleine lichtopeningen zonder glas. Zelfs de huisdeur was gemaakt van slechts een traliewerk van hout.
'Haal stenen, Selima!' Met gebaren maakte Howard haar duidelijk dat hij die nodig had om de vensters dicht te maken.
Selima knikte en liep noordwaarts naar de funderingsmuren van de Aton-tempel. Ze kwam terug met twee dunne, stenen platen. Howard drukte ze voorzichtig in de twee vensternissen. De kieren stopte hij dicht met krantenpapier dat in dit oord kostbaarder was dan zijde. Kranten waren niet alleen heel geschikt om vuur te maken, zelfs Engelse kranten van drie maanden oud vonden in deze wildernis dankbare lezers. Latten en karton – heel geschikt om kieren te dichten – waren hier niet te vinden. Dus propten ze oude kledingstukken in het kierende traliewerk van de deur.
Onderwijl vlogen steeds meer sprinkhanen met een roffelend geluid tegen het huis. Verdoofd of uitgeput door de verre reis over de onvruchtbare woestijn botsten de insecten tegen alles aan wat hen in

de weg stond. Daarna bleven ze kronkelend en stuiptrekkend op de grond liggen. Het gerommel en gedreun klonk almaar luider. Hoewel het al een tijdje licht was, leek het of de zon nu al onderging boven Tell el-Amarna.
Selima kwam met nog meer stenen aanzetten. Ze legde ze voor de deur neer terwijl ze beefde van angst.
'Ben je bang?' vroeg Howard.
Selima sloeg haar ogen neer. Kennelijk schaamde ze zich dat te moeten toegeven.
'Heb je dit al eens eerder meegemaakt?' vroeg Howard voorzichtig.
Selima knikte zwijgend. Uiteindelijk keek ze Howard aan en zei: 'Verschrikkelijk, *effendi*. Zo erg, Selima geen woorden voor.'
'Verdomme, waar hangt Petrie uit,' riep Newberry die voor de deur stond en in de richting keek waar de archeoloog uit het zicht was verdwenen. Het leek of het nacht werd. Het zoemende, brommende geluid veranderde in een akelig geratel en gedreun. Kluwens bruingroene insecten vielen krioelend naar beneden. Talloze andere sprinkhanen vlogen in slierten en vormden bizarre patronen in de verstikkende lucht.
Howard duwde het meisje naar binnen en deed de deur dicht terwijl hij buiten bleef staan. Als pijlen kwamen de sprinkhanen op hem af en prikten in zijn huid. Hij hield een hand boven zijn ogen; het zicht was amper vijftien meter.
'Ik ga Petrie halen!' riep hij naar Newberry, die op nog geen drie meter van hem vandaan stond. Zijn harde stem kwam nauwelijks boven het oorverdovende gezoem en gebrom uit.
Newberry wilde iets terugzeggen. Maar voordat hij daar de kans toe kreeg, zag hij dat Howard lopend met een stok tussen zijn benen een streep in het zand maakte terwijl hij in het krioelende inferno de sprinkhanen van zich afsloeg.
'Meneer Petrie! Meneer Petrie!' schreeuwde Howard in die gistende, dreunende heksenketel. 'Hier moet u zijn, meneer Petrie! Hier!' Hij spuugde en kokhalsde terwijl de sprinkhanen in zijn mond vlogen en hij naar Petrie riep. Toch bleef hij roepen.
Toen hij nog klein was, had Fanny of Kate hem wel eens uit het Oude Testament voorgelezen over de Egyptische plagen. Daarna had hij zich vaak afgevraagd hoe erg het zou zijn om verzeild te raken in een zwerm sprinkhanen die het landschap teisterde. Nu moest hij toegeven dat deze plaag zijn voorstellingsvermogen te boven ging.
'Meneer Petrie! Meneer Petrie!' riep hij. Toen hij op het punt stond om te keren, doken ze plotseling voor hem op. Hilda leek volkomen uitgeput. Snikkend hing ze aan de linkerarm van haar man, die

de situatie echter meester leek te zijn en riep: 'Kom, Carter. Deze kant op!'
'Nee!' brulde Howard. Hij wees naar de onregelmatig getrokken streep in het zand en liep in tegengestelde richting. Hij wist hoe koppig Petrie kon zijn. Daarom greep hij Hilda vast en trok hij haar achter zich aan zonder erop te letten waar haar man bleef.
Terwijl hij haar achter zich aansleurde, verloor hij de streep in het zand geen moment uit het oog. Soms bleef hij staan en wist hij niet zeker in welke richting het zandspoor ging. Hij zwaaide dan wild met een arm om zich heen in een poging sprinkhanen in de vlucht dood te slaan en beter zicht op de omgeving te krijgen. Tastend met zijn stok baande hij zich een weg naar voren in de overtuiging dat Petrie hem volgde.
Inmiddels leek het wel nacht geworden. Het werd steeds moeilijker om het spoor te volgen. Howard begon te twijfelen of hij niet toch zijn doel voorbij was gelopen. Woedend sloeg hij met zijn stok om zich heen en trof enkele fladderende insecten die meteen op de grond vielen. 'Newberry!' riep hij zo hard hij kon terwijl hij enkele sprinkhanen uitspuugde die in zijn mond waren gevlogen. 'Newberry!'
Het was zinloos om op antwoord te wachten. Hij zou hem niet kunnen horen. Het gedreun van de dolle insecten die om hem heen zwermden was oorverdovend. Heel even zag Howard in welke richting hij de streep in het zand had getrokken.
'We lopen goed!' zei hij over zijn schouder tegen Hilda. 'Kom, snel verder!'
Tevreden stelde Howard vast dat Petrie de hand van zijn vrouw vasthield en hen volgde. Howard was aan het eind van zijn krachten. Vooral de gedachte dat hij zich misschien toch vergist had en in de verkeerde richting liep, putte hem steeds meer uit. Zijn halfblote lijf was bezaaid met kleverige uitwerpselen van de vliegende sprinkhanen. Hij durfde er niet naar te kijken. Zijn huid jeukte, een branderig gevoel. Er hing een eigenaardige geur in de lucht. Een mengeling van rotte appels en vochtige kranten.
Ze bevonden zich in een dreunende, gonzende en angstwekkende chaos. Howard dacht dat ze inmiddels verdwaald waren. Anders zouden ze het archeologenhuis allang bereikt hebben. Het spoor dat hij achter zich in het zand had getrokken, was inmiddels onherkenbaar geworden door de talloze insecten die over de grond kropen terwijl ze op zoek waren naar voedsel. Ze moesten omkeren, er zat niets anders op. Maar in welke richting?
'Carter!' riep Hilda opeens. Ze trok aan zijn arm. Al die tijd had ze zich er paniekerig aan vastgeklampt. Nu wees ze naar rechts. Maar

Howard zag niets hoopvols. Die kant zag er hetzelfde uit als links en pal voor hem: een ondoordringbare zwerm woedende, kwaadaardige insecten. Als druiven hingen ze aan de kleren van Hilda. Ze had het opgegeven om ze nog langer van zich af te slaan. Ze bleef echter naar rechts wijzen, alsof ze zeker was van haar zaak, en duwde Howard in die richting.
Plotseling zag hij het archeologenhuis als een fata morgana voor zich opdoemen. En zo beschouwde Howard dat aanvankelijk ook. Als een hersenschim. Want op het moment dat hij het huis dat redding bood vaag zag, verdween het uit zijn gezichtsveld. Maar na enkele ogenblikken dook het opnieuw op.
Petrie schreeuwde van blijdschap. Howard was dat niet van hem gewend. Maar iedereen was dan ook opgelucht. Ook Hilda en Howard begonnen hard te roepen: 'We hebben het gehaald! We zijn er!'
Petrie en zijn vrouw sloegen de sprinkhanen van elkaars kleren terwijl Howard ze vol walging uit zijn haar plukte.
Opgeschrikt door de vreugdekreten opende Newberry voorzichtig de deur waarvan de kieren met kledingstukken waren dicht gepropt. Carter, Flinders en Hilda glipten naar binnen terwijl ze de sprinkhanen van zich afsloegen.
Het woongedeelte was spartaans ingericht met een houten tafel, een versleten oorfauteuil en twee lage sofa's die recht tegenover elkaar stonden. Newberry stak de petroleumlamp aan die op de tafel stond. Uit de glazen cilinder walmde een zwarte roetwolk. De bijtende geur was echter aangenaam in vergelijking met de muffe, ziekelijke stank buiten. In een hoek zat Selima nog steeds halfbloot in kleermakerszit.
Hilda liep naar haar toe. Selima boog angstig haar hoofd. De kleren van Hilda waren besmeurd met donkere, vettige vegen. En aan haar tropenhelm kleefden geplette sprinkhanen en delen ervan. Ze stak haar hand uit naar het meisje, wreef over haar wang en zei: 'Je hoeft niet bang te zijn, je mag blijven.' Daarna richtte ze zich tot de anderen, die nieuwsgierig toekeken, en zei: 'Volgens mij hebben we veel aan dit meisje te danken.'
Hoewel Selima niet begreep wat Hilda zei, merkte ze wel dat ze zich anders gedroeg. Er verscheen een schuchter lachje op haar gezicht.
Petrie keek om zich heen. 'Goed gedaan!' zei hij toen hij de dicht gepropte kieren en ramen van het huis zag. 'De sprinkhanen hadden ons anders opgevreten.'
'Sprinkhanen zijn planteneters, sir!' zei Newberry.
'Volgens mij weten die beesten dat niet,' reageerde Howard sarcas-

tisch. Hij stak zijn rechterarm uit naar Newberry. De bloedsporen waren duidelijk te zien.
Uitgeput liet het drietal zich op de sofa's vallen. Howard deed zijn ogen dicht. Hij had het gevoel dat hij door afschuwelijke omstandigheden in een of ander theaterstuk verzeild was geraakt dat hij niet wilde zien, waarna eindelijk het doek viel. Was dit echt gebeurd? Of was het maar een droom? In alle ernst vroeg hij zich af of dit een nachtmerrie was.
Plotseling hadden enkele sprinkhanen het voor elkaar gekregen om het huis binnen te dringen. In blinde woede vlogen ze tegen de wanden en de glazen cilinder van de petroleumlamp. Newberry sprong overeind en rende naar de deur. Hij vermoedde dat daar een kier nog niet was dichtgestopt. Enkele sprinkhanen kropen door een spleet naar binnen. Hij trapte ze meteen dood.
Howard liep met de lamp naar de deur en inspecteerde elk hoekje. Steeds meer sprinkhanen wisten binnen te komen.
'Carter!' riep Hilda op de achtergrond. 'De rookafvoer in de keuken!'
Newberry en Howard liepen de keuken in. Uit het open, gemetselde haardgedeelte, waarbij een eenvoudige ijzeren buis als rookafvoer diende, kropen de insecten naar binnen.
'Goeie genade!' riep Percy. 'Hoe worden we die de baas?'
'De rookafvoer dichtstoppen!' antwoordde Howard zonder dat hij daar lang over hoefde na te denken. 'Maar dan moeten we de buis uit de muur trekken, en dan komen er nog meer binnen.'
'We steken de haard aan,' zei Newberry. 'Insecten moeten niets hebben van rook.'
'Goed idee!' Howard maakte een prop van een oude *Times* en stak het papier aan met de vlam van de petroleumlamp. Daarna legde hij de prop op de stookplaats. Om het vuur brandende te houden, deed hij er nog wat gedroogde koeienpoep en kamelenmest op waarmee Hilda altijd vuur maakte om op te koken. Ze had dat afgekeken van de fellahs. De mest en de sprinkhanen die in het vuur vielen, veroorzaakten veel rook. Het stonk afschuwelijk. Maar de toestroom van insecten stokte wel. Gewapend met handdoeken sloegen Howard en Percy de sprinkhanen dood die nog in het huis rondvlogen of kropen.
Howard had nooit een hekel gehad aan sprinkhanen. Integendeel, tijdens zijn zwerftochten in en om de ruïne van Castle Acre had hij bijzonder mooie exemplaren gevangen en getekend. Maar nu het er zoveel waren, ervoer hij alleen maar afschuw. Het feit dat ze met miljoenen kwamen opdagen, maakte hem zelfs angstig omdat hij zich heel goed kon voorstellen dat ze je volledig bedekten en een meters dikke laag vormden.

In huis was geen gelegenheid om je te wassen. In de keuken stond alleen een houten vat met water. Met een harde borstel probeerde Howard de kleverige resten van zijn huid te vegen, althans het grootste deel ervan. Daarna liep hij terug naar de woonkamer.
Petrie zat timide in zijn leunstoel. Hilda leek van de schrik bekomen te zijn. Nerveus trommelde Newberry met zijn vingers op de beklede leuning van de sofa. Selima zat nog steeds op de vloer en staarde voor zich uit.
Voor het eerst kreeg Howard de kans om het meisje met de donkere, matte huid te observeren. Door haar lange armen en benen leek ze veel jonger dan ze eruitzag. Vijftien of zestien, ouder was ze niet. Haar profiel, met het korte, zwarte kroeshaar, verleende haar iets edels. Ook haar hoge voorhoofd en de enigszins kromme neus droegen daar aan bij. Nubische vrouwen stonden bekend om hun dikke lippen. Selima had die niet. Haar borsten – om haar middel hing nog steeds die versleten linnen doek – waren klein, rond en stevig.
Kennelijk merkte Hilda dat Howard het meisje observeerde. Ze stond op en liep weg. Even later kwam ze terug met een verwassen kiel, gooide die naar Selima en zei: 'Hier, trek dat maar aan!' Ze glimlachte, of deed althans een poging daartoe. Selima pakte het kledingstuk en knikte enkele keren dankbaar.
Zwijgend zaten ze een tijdje in een kring tegenover elkaar. Telkens wanneer het gonzende, dreunende geluid even wat minder hard klonk, keek iedereen verwachtingsvol op in de hoop dat het uiteindelijk helemaal stil werd. Maar even later zwol het zachte gedreun weer aan tot een ondraaglijk kabaal.
Het was inmiddels middag geworden. Hilda zat net als iedereen versuft voor zich uit te kijken. Ze staarde naar de flakkerende vlam van de petroleumlamp en zei: 'Dat meisje heeft gelijk. Bij de Nijloever ligt een dahabija voor anker. Met aan boord slavinnen. Verschrikkelijk. Stuk voor stuk gekleed in zakken, met alleen een uitsparing voor het hoofd, en aan elkaar vastgebonden. Ze kunnen zich niet eens bewegen. Ik wist niet dat dat nog bestond.'
Selima merkte blijkbaar dat ze het over haar hadden. Ze wierp Howard een hulpeloze blik toe. Hij kalmeerde haar en zei dat de vrouw van de archeoloog alleen maar haar verklaring bevestigde.
'Selima waarheid spreekt!' Het meisje struikelde over haar woorden. Ze knikte heftig.
'Jouw nieuwsgierigheid heeft ons bijna het leven gekost,' zei Petrie tegen zijn vrouw.
'Ik kon toch niet weten wat ons te wachten stond?' riep ze boos. 'Als gisteren iemand voorspeld had dat we belaagd zouden worden

door miljoenen sprinkhanen, had iedereen er hartelijk om gelachen!'
'Inderdaad sir,' zei Newberry. 'Dit had ik ook niet voor mogelijk gehouden. Dat meisje heeft ons gewaarschuwd. Daar mogen we haar dankbaar voor zijn. Stel je voor dat we het huis niet gebarricadeerd hadden. Hoelang kan dit nog duren?'
'Geen idee,' zei Petrie onwillig. 'Wat ik wel weet is dat deze gebeurtenis een heel ander licht werpt op het Oude Testament.'
'Bedoelt u de Egyptische plagen, sir?'
'Ja. De Egyptische plagen.'
'Word je op je ouwe dag ook nog vroom, Flinders?' spotte Hilda.
Hij keek zijn vrouw met een berispende blik aan. 'Dit heeft niks te maken met vroomheid, schat. Maar met geschiedschrijving. Het feit dat een Bijbelse gebeurtenis zich in onze tijd herhaalt, bewijst dat het Oude Testament op historische feiten berust.' Hij keek Newberry aan. 'Dit is bespottelijk, hè, meneer Newberry? Talloze archeologen graven moeizaam naar bewijzen dat de Bijbel een feitenverslag is. Opeens wordt het overdag zo donker als de nacht en biedt de natuur ons precies hetzelfde schouwspel als in het Oude Testament beschreven staat!' Petrie schudde zijn hoofd.
'Als ik zo vrij mag zijn, sir... wat wilt u daarmee zeggen?' vroeg Newberry die aandachtig naar Petrie geluisterd had. 'Waarom heeft het Oude Testament niets met vroomheid te maken?'
'Nou ja, heel eenvoudig. Als je twijfelt aan wat in het Oude Testament staat, ben je een wetenschapper. Twijfel je aan wat ons in het Nieuwe Testament verteld wordt, dan ga je door voor een ketter. Althans in de ogen van de Kerk.'
Newberry lachte beleefd.
Intussen was Selima op de vloer gaan liggen. Ze sliep als een blok. Het leek of het Nubische meisje zich beschermd voelde in haar nieuwe omgeving.
'Wie weet wat zij in de afgelopen dagen heeft meegemaakt bij die slavendrijvers,' zei Howard. 'Eigenlijk zouden we aangifte moeten doen.'
'Ga uw gang, meneer Carter,' zei Petrie. 'Volgens mij woont u nog niet lang genoeg in Egypte om te weten dat u met die aangifte geen succes zult hebben. Laat ik u dit zeggen, meneer Carter, dit land wordt niet door de Engelsen geregeerd. En al helemaal niet door de kedive. Hier heerst maar één macht. En dat is baksjisj, ofwel corruptie. Baksjisj hier, baksjisj daar. Een baksjisj voor elke bewezen dienst. En baksjisj als het erom gaat datgene mogelijk te maken wat niet voor mogelijk wordt gehouden. Zonder baksjisj zou ik hier mijn werk niet kunnen doen. Volgens mij is het eerste woordje dat een

Egyptische baby zegt niet "mama" of "papa", maar "baksjisj". Natuurlijk kunt u zich beroepen op de wetten van dit land en een aanklacht indienen bij de moedir in Minia. Maar ik weet zeker dat de zaak zonder een fatsoenlijke baksjisj op niets uitloopt.'
'Ik heb medelijden met dat meisje,' zei Howard.
Petrie haalde zijn schouders op. 'Medelijden kennen ze niet in dit land, meneer Carter. Knoop dat in uw oren. Ik ben ervan overtuigd dat de slavernij nog een eeuw zal bestaan, al schaf je die tien keer af. Hilda, herinner jij je nog dat toen we op het station in Caïro arriveerden een dikke kerel in een maagdelijk witte galabia naar ons toe liep en ons twee ezels en drie slaven aanbood? De ezels waren duurder dan de slaven. Nubische slaven zijn trouwens het goedkoopst. Ze hebben doorgaans platvoeten, een slecht gebit en zijn hoofdzakelijk geschikt voor het doen van de was en keukendienst. Nog iets... volgens de wet hoor je als slaaf na zeven jaar arbeid in vrijheid te worden gesteld.'
'Heel genereus,' merkte Howard op.
'Je vergeet dat we in het Midden-Oosten zijn,' zei Newberry opeens.
'Zo is het, meneer Newberry. We neigen er nu eenmaal toe om bij de beoordeling van de Egyptische zeden en gebruiken Engelse maatstaven te hanteren. Dat is verkeerd en zelfs gevaarlijk omdat je dan voorbijgaat aan het geluk van deze mensen. Het geluk van een Egyptenaar is van een heel andere orde dan het geluk van een Engelsman. Ik word bijvoorbeeld gelukkig als ik een archeologische vondst doe. Een briefje van honderd piaster kan me daarentegen niet schelen. Maar een fellah zal zeer in zijn sas zijn met honderd piaster, en die archeologische vondst kan hem gestolen worden.'
Newberry had gestudeerd, maar liet dat zelden merken. 'Sir,' zei hij, 'u doet mij denken aan de Griekse geschiedschrijver Herodotus die ongeveer vijfhonderd jaar voor Christus de zeden en gebruiken van de Egyptenaren beschreef en toen concludeerde dat in Egypte alles anders was... de lucht, de rivierbeddingen, de mensen. Egyptenaren plasten zelfs anders. De mannen deden dat gehurkt terwijl de vrouwen staand urineerden. Excuseer, mevrouw Petrie.'
'Maakt niet uit!' riep Hilda op de achtergrond. 'Met mij hoef je geen rekening te houden.'
Nauwelijks had ze dat gezegd of ze schreeuwde zo hard dat Selima ervan wakker schrok en Howard overeind sprong. Zwijgend wees ze naar het plafond. Nu zag Howard het ook. Het plafond was van rietbundels gemaakt en bewoog. De sprinkhanen knaagden aan het riet waardoor er al een paar gaten in het vlechtwerk waren gevallen.
'Heilige Achnaton,' stamelde Petrie. 'Dit krijgt iets apocalyptisch.'

Hij wierp Howard een hulpeloze blik toe, alsof hij hem wilde vragen wat ze nu moesten doen. Hij had hen immers al eerder uit de penarie geholpen.
Maar Howard wist zich ook geen raad.
Op sommige plaatsen vielen de sprinkhanen al van het plafond op de vloer. Petrie en Newberry probeerden ze dood te trappen. Dat lukte echter niet altijd. Het duurde dan ook niet lang of talrijke insecten vlogen gonzend door het huis.
'In Nubië maken we vuur om de sprinkhanen af te schrikken.'
Howard keek het meisje wanhopig aan. 'Moeten we het huis soms in brand steken?'
Selima knikte en wees naar de vloer. Daar moest hij een kampvuurtje maken.
'Sir?' Howard keek Petrie vragend aan.
Petrie dacht even na en zei uiteindelijk aarzelend: 'Misschien heeft ze gelijk en is dat de enige mogelijkheid. In elk geval kunnen we niet lijdzaam toekijken terwijl de sprinkhanen op onze hoofden vallen. Ik stel voor dat u hier een vuurtje maakt en dat we ons daarna terugtrekken in de keuken.'
Howard liep naar de kookplaats, haalde met een schep wat nagloeiend houtskool eruit en schudde het voorzichtig uit op de vloer in de woonkamer. Daarna zocht hij iets brandbaars om het vuur aan te wakkeren. Aangezien brandhout schaars was – bovendien lag het achter het huis bij de wand opgestapeld – haalde hij uit zijn kamer een houten stoel, brak die in stukken en legde het hout op elkaar in het kwijnende vuur.
De rookontwikkeling was enorm. Om gemakkelijker te kunnen ademen, bond Howard een natte handdoek voor zijn mond en neus. De rook was bijna ondraaglijk, maar wel effectief want de sprinkhanen vielen massaal van het plafond op de vloer.
De keuken was koepelvormig gebouwd en afgewerkt met kleitegels. Alle vijf lagen ze op de vloer te dutten tot het ochtend werd. Plotseling hield het dreunen, zoemen en gonzen op. De afgelopen uren hadden ze kuchend en hoestend doorgebracht. Al die tijd hadden ze gezwegen om te voorkomen dat ze in ademnood raakten. Hilda was verschillende keren buiten bewustzijn geweest. Nu wantrouwden ze de stilte. Ze hadden deze nachtmerrie achttien uur doorstaan. Achttien uur hadden ze in doodsangst geleefd en vaak gedacht dat ze het niet zouden overleven. En nu? De stilte was akelig, beangstigend en zelfs dreigend. Alsof dit de voorbode was van nog iets veel ergers. Niemand durfde te gaan kijken, omdat niemand wist wat hen buiten te wachten stond.

'Hilda!' Petrie probeerde zijn vrouw wakker te schudden. Al enige tijd lag ze roerloos op de vloer. 'Hilda!' riep hij weer.
Howard keek angstig toe wat er zich vlak bij hem afspeelde. Net als Petrie zat hij in kleermakerszit op de vloer. Opeens sprong Petrie overeind, liep naar de deur en riep paniekerig: 'Ze gaat dood als ze niet meteen frisse lucht krijgt.'
Nog voordat iemand dat kon verhinderen, trok Petrie de dichtgespijkerde deur open. Verstard van de schrik keken Howard en Newberry toe hoe hij zijn vrouw onder de oksels beetpakte en haar naar buiten sleepte.
Aarzelend volgde Howard hem naar buiten.
'Water!' schreeuwde Petrie. 'Haal een emmer water uit de keuken.'
Howard liep meteen naar binnen. Zonder te aarzelen trok Petrie de emmer uit zijn hand en gooide het water in het gezicht van zijn vrouw. Dat paardenmiddel hielp. Hilda schudde met haar hoofd en opende haar ogen.
'Hilda!' riep Petrie opgewonden. Hij huppelde bijna om zijn vrouw heen terwijl zij op de grond lag. 'Hilda, we hebben het overleefd!'
Aarzelend liepen ook Newberry en Selima naar buiten. Nu pas kreeg Howard de gelegenheid om de omgeving in ogenschouw te nemen.
'Goeie genade!' stamelde hij. 'Goeie genade.'
De zon, die zich in deze verstikkende hitte al dagen schuilhield achter stofwolken, hing nu in het oosten duidelijk zichtbaar boven de bergen die donkere, grillige schaduwen wierpen op de vlakte van Tell el-Amarna. Daardoor werd de aanblik nog absurder, surrealistischer en bijna theatraal. Miljoenen sprinkhanen hadden het land kaalgevreten. De struiken, palmen en andere bomen waren nauwelijks herkenbaar omdat alleen de stammen en dikke takken waren overgebleven. De vraatzuchtige insecten hadden zelfs het oeverriet waarmee het dak van het archeologenhuis was gemaakt niet ontzien, waardoor alleen het poreuze latwerk was overgebleven.
Duizenden sprinkhanen lagen dood, verstard of spartelend in het zand. En boven dat tafereel zweefde een penetrante geur die ze al anderhalve dag hadden geroken.
Met een hand boven zijn ogen zocht Howard turend de vlakte af. Niets roerde zich. Het was doodstil. Zelfs de grote zwarte vogels die rond deze tijd boven Amarna cirkelden lieten zich niet zien.
Flinders Petrie hielp zijn vrouw overeind. Hilda staarde naar de kaalgevreten uiterwaarden. Een landstrook die de Nijl omzoomde, en die eergisteren nog groen was, was nu ook in een kale, dorre woestijn veranderd. Vol ongeloof schudde ze haar hoofd en zei zachtjes: 'Zo heb ik me als kind de dag van het laatste oordeel voorgesteld.'

14

Het duurde weken voordat alle sporen van de sprinkhanenplaag verdwenen waren. En nog langer raakte iedereen in paniek zodra twee of drie van die vliegende insecten opdoken. De vlakte was bezaaid met dode dieren. Honden, katten, zelfs ezels en koeien. Vooral 's nachts als een warme wind het keteldal bezocht, verspreidde zich een afschuwelijke stank. Maar het echte afgrijzen toonde zich tijdens zonsopgang. De kaalgevreten bomen en tot stompjes verworden palmen wierpen dan bizarre schaduwen op de grond. Ze deden denken aan afgekloven skeletten van aangespoelde walvissen.

De maïs-, suikerriet- en katoenoogst was vernietigd. De eigenaars van de plantages ontsloegen de seizoenarbeiders, want er was geen werk meer voor ze. In Midden-Egypte heerste angst. De angst voor hongersnood.

Op een ochtend werd Howard wakker van een dof gebrom en gerommel. Meteen dacht hij paniekerig aan een nieuwe sprinkhanenplaag. Toen hij goed luisterde, hoorde hij echter talloze stemmen.

Howard keek uit het raam en knipperde met zijn ogen. Voor het archeologenhuis hadden zich ongeveer driehonderd mannen verzameld met scheppen, pikhouwelen en knuppels. Een opgewonden menigte. Howard maakte Newberry wakker. En Newberry waarschuwde Petrie.

Ze tuurden naar buiten.

'Wat is er aan de hand?' vroeg Petrie.

'Geen idee,' zei Newberry. 'Maar als ik dat zo bekijk, ziet het er niet best uit voor ons.'

Hilda – ze had zich inmiddels aangekleed – keek naar buiten, trok haar conclusies uit wat ze zag, haalde het geweer dat zich in de werkkamer van Petrie bevond, deed er een kogel in en laadde door. Een handvol patronen stopte ze in de zak van haar rijbroek. Hilda was de dochter van een Britse kolonel en had al vaker bewezen dat ze uitstekend kon schieten.

'Flinders!' zei ze op haar zo typische, commanderende toon. 'Ga naar buiten en vraag wat ze willen. Wie jou een haar krenkt, schiet ik morsdood.' Ze hield het geweer in de aanslag.

Het kabaal voor het huis klonk luider. Wantrouwig liep Petrie naar buiten. Hilda volgde hem op de voet.

Toen de archeoloog zich liet zien, verstomde de menigte.

'Wat willen jullie zo vroeg?' zei Petrie met luide stem.

Een man van een jaar of vijftig met zwart haar en een grijze sik stapte

naar voren. In zijn hand hield hij een stok vast. Hilda richtte haar geweer op hem.
'Goeie genade,' zei Howard op de achtergrond tegen Newberry. 'Als ze nu de trekker overhaalt, maken ze ons allemaal af.'
Een moment lang stonden Petrie en de dorpeling oog in oog tegenover elkaar. In goed verstaanbaar Engels zei de man vervolgens: '*Effendi,* u bent genereus en hebt zeventig arbeiders in dienst. Ze werken voor tien piaster per dag. Maar vijf keer zoveel arbeiders uit El Hadsch Kandil en omgeving hebben geen werk meer. Er is niets te doen, de velden zijn zo kaal als de schedel van de kedive. Geen werk, geen geld. Onze vrouwen en kinderen verhongeren terwijl zeventig dorpelingen het loon krijgen van een moedir.'
'Hoe heet je?' vroeg Petrie.
'Raïs Mehmed Zaki.
'Goed, Mehmed Zaki. Je hebt gelijk. De sprinkhanen hebben de akkers kaalgevreten. Zeer betreurenswaardig. Nog betreurenswaardiger is het feit dat ik geen werk voor jullie heb. Ik heb nu eenmaal niet meer dan zeventig arbeiders nodig.'
'Het is onrechtvaardig dat zeventig dorpelingen het loon van een moedir krijgen terwijl driehonderdvijftig mensen geen werk meer hebben, *effendi*. Alle mannen die u hier ziet, willen voor twee piaster per dag graag aan de slag gaan. Op de katoenplantages kregen ze ook niet meer loon. Geef ons werk, *effendi*. U zult er geen spijt van krijgen.'
Hilda hield nog steeds het geweer in de aanslag. Newberry liep naar haar toe en nam het wapen uit haar hand.
'Wat vindt u van het voorstel, meneer Newberry?' Petrie draaide zich om.
Percy dacht na, waarna hij antwoordde: 'Het is verleidelijk om met meer dan vierhonderd arbeiders aan het werk te gaan, sir. Vooral als je bedenkt dat de meerkosten amper honderd piaster bedragen.'
'Ik heb de lonen altijd al te hoog gevonden. Toen ik hier begon vond Maspero... de toenmalige chef van het Oudheidkundig Bestuurscollege... dat ik tien piaster per dag aan de arbeiders moest geven. Die ouwe boef! Nu begrijp ik waarom we nooit gebrek aan arbeidskrachten hebben gehad.'
Newberry knikte instemmend. 'Het seizoen duurt sowieso nog maar vier tot zes weken, sir. Ik vind dat we het moeten proberen. Misschien lukt het ons om met vierhonderd arbeiders heel Amarna uit te graven.'
'Wat gebeurt er als ik niet akkoord ga?'
Percy staarde naar de gezichten van de dorpelingen. De mannen ston-

den in een halve cirkel om het archeologenhuis en wachtten gespannen op antwoord. 'Kijk eens om u heen, sir. Al die mannen zijn u straks vijandig gezind. Wilt u dat?'
Petrie trok zijn wenkbrauwen op, waarna hij Hilda met een vragende blik aankeek. Toen zij alleen maar wanhopig haar schouders ophaalde, richtte hij zich weer tot de raïs en zei: 'Goed, Mehmed, ik ben bereid jullie aan het werk te zetten als jij tot een schikking kunt komen met de aangestelde arbeiders en de organisatie op je neemt! Jullie kunnen vandaag nog aan de slag. Meneer Newberry zal je wijzen waar jullie kunnen gaan graven.'
Mehmed Zaki draaide zich om en bracht de dorpelingen het goede nieuws. Nauwelijks was hij uitgesproken of de mannen zetten het blij op een schreeuwen. Ze vormden een kring om het archeologenhuis en begonnen stampvoetend te dansen en te krijsen van vreugde. Ze prezen de *effendi* de hemel in.
In de daaropvolgende dagen en weken legden de arbeiders zo veel eeuwenoude muren bloot dat geleidelijk de funderingen en andere resten van een hele stad onder hun voeten zichtbaar werd: straten en paleizen, poorttorens en binnenplaatsen, parken en zuilenhallen, zelfs een met muren omringd waterbekken.
Op een avond na gedane arbeid nam Petrie Howard terzijde en vroeg of hij even naast hem op een muurtje plaats wilde nemen. 'Meneer Carter,' begon hij, 'we zitten hier bij de hoofdstraat van Achetaton. Omdat we de naam van die straat niet kennen, noemen we die eenvoudigweg Koningsstraat. Met wat verbeeldingskracht kunt u zich misschien voorstellen dat we in een herberg zitten. We kijken naar de avonddrukte om ons heen, naar de voorname mensen in hun mooie, dure gewaden terwijl ze over de boulevard flaneren. Werp ook eens een blik op de brug over de Koningsstraat! Rond dit tijdstip verzamelen zich daar de bewoners van de hoofdstad en zij wachten tot farao Achnaton en zijn mooie vrouw Nefertete op de brug verschijnen om gehuldigd te worden door hun onderdanen. Links van de brug zien we de privévertrekken van de koning, en rechts op de achtergrond de grote zuilenhal waar Achnaton de belangrijke personen uit zijn rijk ontvangt. Tegenover ons zien we de magazijnen waar voorraden jarenlang opgeslagen kunnen worden, zoals graan en gedroogde vruchten. Daarachter staat de grote muur die de tempel van Aton omsluit. De poorten ervan worden rond dit tijdstip gesloten. De kaalhoofdige priesters haasten zich naar hun nabijgelegen woningen. Ziet u dat ook voor u, meneer Carter? Ziet u dat in gedachten?'
'Ja, ik zie het,' antwoordde Howard aandachtig.

'Dan is het goed,' zei Petrie trots. 'Ik heb namelijk een opdracht voor u. Ik wil graag dat u de stadsplattegrond van Achetaton gaat tekenen. Compleet met alle straten, pleinen en gebouwen. Geen eenvoudige taak. Maar u zult dan ook de eerste zijn die het lukt om een plattegrond van een drieduizend jaar oude stad te tekenen. Denkt u dat u dat kunt, meneer Carter?'

Howard aarzelde toen hij de talloze restanten van muren zag die voor een deel bijna onopvallend en onregelmatig uit het zand staken. Je had inderdaad veel verbeeldingskracht nodig om daarin de funderingen van gebouwen te herkennen. 'Ik zal mijn best doen, sir,' zei hij zonder er omheen te draaien.

'Ik had niet anders van u verwacht,' zei Petrie.

Met meetlint en tekenbord ging Howard de volgende dag aan de slag. Eerst schetste hij uit de losse hand een overzicht van de stad, waarna hij de afzonderlijke straten en gebouwen ging opmeten. Hij begon in het centrum, waar de grootste muren voor een deel behouden waren gebleven. Dat maakte het tekenwerk eenvoudiger.

Toen tegen de middag de arbeiders ophielden, liep raïs Mehmed Zaki naar hem toe en riep van ver: 'Een telegram voor u, Carter-*effendi*.'

Howard scheurde de bruine enveloppe open, haalde het ruwe vel papier eruit, vouwde het open en las: Je vader Samuel Carter overleden + stop + begrafenis Putney vrijdag + stop + Fanny en Kate + stop +.

'Vervelend nieuws?' vroeg Mehmed Zaki.

'Nee, nee,' zei Howard. 'Wat voor dag is het vandaag?'

'Donderdag, Carter-*effendi*.'

'Dan is het goed.'

De raïs liep weg.

Het overlijden van Samuel Carter – hij was maar zevenenvijftig geworden – trof Howard onvoorbereid. Van verdriet was echter geen sprake. Hij had zijn vader altijd gewaardeerd, maar nooit van hem gehouden. Als schilder was hij een voorbeeld voor hem geweest. Als zodanig had hij hem altijd bewonderd. Maar hij verwenste het vaderschap zoals Samuel dat in praktijk had gebracht. Nee, geen verdriet. Op dat moment maakte hij zich meer zorgen over de toekomst van zijn moeder. Zij had altijd geleund op de sterke persoonlijkheid van Samuel Carter. Nu stond ze er alleen voor. Howard piekerde of ze daartoe wel in staat was.

Op de terugweg besefte Howard plotseling dat hij huilde. Had hij meer van zijn vader gehouden dat hij wilde toegeven? Of ging het alleen om het besef dat het lot onherroepelijk was? Met zijn handen wreef hij de tranen van zijn wangen, waarna hij geërgerd zijn hoofd schudde en verder liep.

Tijdens het karige middagmaal – gepaneerde groenteschijfjes die op komkommer leken; een gerecht dat dankzij de kookkunst van Selima heel lekker was – werd er vrijwel niets gezegd. Gelet op de middaghitte was dat niet ongewoon. Pas na het avondeten spraken de archeologen over van alles en nog wat. Vaak tot diep in de nacht. Die dag hing er een merkwaardige spanning in de lucht. Howard voelde het meteen. Eerst dacht hij dat de zwijgzaamheid van zijn collega's te maken had met de dood van zijn vader. Maar Petrie en Newberry hadden het telegram dat aan hem geadresseerd was toch niet gelezen?
Zwijgend haalde Howard het telegram uit zijn zak en gaf het over de tafel aan Petrie.
Nadat hij het gelezen had, gaf hij het door aan zijn vrouw. 'Gecondoleerd, meneer Carter,' zei hij. 'Ik kan me voorstellen hoe u zich voelt.'
'Het is al goed,' zei Howard nadat ook Hilda en Percy hun medeleven hadden uitgesproken. 'Denk nou maar niet dat ik erg verdrietig ben. Jullie weten dat het hebben van ouders niet hetzelfde is als het hebben van een vader en moeder.'
Opnieuw werd er lang gezwegen. Eindelijk begon Newberry te praten. 'Nee, dit is geen geluksdag. Voor niemand van ons.'
Nu pas zag Howard de enveloppe die naast de pan op de tafel lag. De afzender was *The Egypt Exploration Fund, Oxford House, Londen.*
'Zal ik raden wat er in die brief staat?' zei Howard tegen Newberry. 'Lord Amherst wil dat we het schatgraven staken.'
'Goed geraden,' antwoordde Newberry verbitterd. 'Amherst betaalt ons nog vier weken, tot aan het eind van het seizoen. Ook de overtocht naar Engeland neemt hij voor zijn rekening.'
'Wat royaal van hem,' flapte Howard eruit. 'Maar ach, je kunt het Lord Amherst niet kwalijk nemen dat hij ermee stopt. Want wat hebben we feitelijk bereikt? Niets, laten we eerlijk zijn. In elk geval niets waar de lord enthousiast van wordt. Waarom laat hij ons niet nog een jaar of twee doorwerken?'
'Er speelt een heel andere kwestie, Howard! Lord Amherst heeft ons twee jaar gegeven om die schat te vinden. Nu is er iets tussengekomen wat ons werk zinloos maakt. De Egyptische regering is met een nieuwe wet gekomen die de uitvoer van archeologische vondsten verbiedt. Dat betekent dat...'
'... dat Lord Amherst die schat nooit in handen kan krijgen, ook al zijn we in de toekomst succesvol en doen we een grote ontdekking.'
'Precies!' bevestigde Newberry. 'En aangezien het *Exploration Fund* niet bereid is het salaris dat we van Amherst krijgen door te be-

talen, moeten we hoe dan ook de volgende maand terugkeren naar Engeland.'
Howard sprong op en riep kwaad: 'Nooit van mijn leven! Ik ga niet terug naar Engeland. Ik blijf hier, al moet ik mijn geld als kameeldrijver verdienen!' Hij keek Petrie hulpeloos aan.
Howard had verwacht dat Petrie partij voor hem koos. Maar de archeoloog wendde timide zijn hoofd af en zweeg. Uiteindelijk zei hij: 'Wat mij betreft mogen jullie allebei blijven. U bent een uitstekende Egyptoloog, meneer Newberry. En meneer Carter is een voortreffelijke opgraver en tekenaar; een combinatie van kwaliteiten die je in onze business niet vaak aantreft. Maar ja, ik heb niets in deze zaak te vertellen...'
Petrie greep naar de enveloppe die op de tafel lag, trok de brief eruit en begon voor te lezen: '... en delen wij u mede dat het *Egypt Exploration Fund* in samenspraak met het Oudheidkundig Bestuurscollege in Caïro besloten heeft de archeologische werkzaamheden in Tell el-Amarna aan het eind van het lopende seizoen te staken. Wij willen echter graag van uw gewaardeerde diensten gebruikmaken in Deir el-Bahari, waar Edouard Naville, chef-archeoloog van het *Egypt Exploration Fund,* sinds geruime tijd werkzaam is...'
De laatste zin las hij almaar luider voor terwijl zijn ogen bliksemden van woede. Daarna scheurde hij de brief in duizend snippers en gooide hij de hele boel op de vloer. Zijn stem sloeg over toen hij uitschreeuwde: 'Flinders Petrie laat zich niet commanderen als een circuspaard. Niet door het *Egypt Exploration Fund* en ook niet door het Oudheidkundig Bestuurscollege. Flinders Petrie graaft waar het hem goeddunkt. En als de hoge heren een andere mening zijn toegedaan, moeten ze zelf maar gaan graven.'
Zo had Howard de archeoloog nog nooit meegemaakt. Hij had Petrie leren kennen als iemand die de rust zelve was en zelfs niet van zijn stuk werd gebracht door de eigenaardigheden van zijn vrouw Hilda. Toen hij echter stampvoetend op de verscheurde brief tekeerging, leek hij een ander persoon geworden. Petrie was buiten zichzelf van kwaadheid. Zelfs Hilda, die het in hun huwelijk voor het zeggen had, gaf er de voorkeur aan om zich terug te trekken.
Terwijl Petrie met de handen op de rug en met korte, felle passen door de schaars gemeubileerde woonkamer heen en weer liep, keken Howard en Newberry bedremmeld naar de tafel die nog steeds niet was afgeruimd.
'Ik heb vooral met u te doen, meneer Carter,' zei Petrie toen hij enigszins gekalmeerd was. 'Ik had gehoopt om van u een groot archeoloog te maken. Maar u merkt nu hoe die pennenlikkers te werk

gaan. Ze schuiven stapels dossiers van het ene bureau naar het andere. Meer kunnen ze niet. En zo gaan ze ook met mensen om. Geloof me, meneer Carter, als ik zeg dat kantoorlui funest zijn voor elk onderzoek. Hier...' Hij tikte met zijn wijsvinger op de tafel, '... hier wordt wetenschap bedreven. Niet in een of ander ambtenarenkantoor in Caïro of Londen.'

De laatste weken voor het eind van het opgravingsseizoen verliepen traag en werden gekenmerkt door troosteloosheid. En dan te bedenken dat Petrie met hulp van de ruim vierhonderd arbeiders meer archeologische voorwerpen uit het zand haalde dan alle archeologen voor hem. Voornamelijk reliëfstenen met inschriften en afbeeldingen uit het dagelijks leven in de oude hoofdstad Achetaton.

Intussen probeerde Howard zijn opdracht te voltooien. Hij werkte verder aan de stadsplattegrond van Achetaton. Op sommige dagen legde hij wel dertig kilometer af. In korte tijd kreeg hij zo'n goed gevoel voor afmetingen en proporties dat hij afstanden zeer nauwkeurig kon schatten. Het meetlint had hij alleen nog maar nodig ter controle.

Naast de overzichtsplattegrond maakte Howard ook gedetailleerde tekeningen van gebouwen. Hij deed dat tot op enkele centimeters nauwkeurig. Aan de hand van de archeologische vondsten binnen de funderingsmuren van een bepaald gebouw, en in samenspraak met Flinders Petrie, waagde hij het zelfs om die gebouwen namen te geven die duidden op het vroegere gebruik ervan.

Uiteindelijk had hij zoveel tekeningen in verschillende groottes gemaakt dat hij moeite had alles in mappen op te bergen. Selima hielp hem tijdens de lange wandelingen. Het Nubische meisje was inmiddels goed ingeburgerd bij de Engelsen. Natuurlijk was het haar niet ontgaan dat het avontuur in Tell el-Amarna binnenkort voorbij was.

'Ga jij ook terug naar Engeland, Carter-*effendi?*' vroeg Selima op de terugweg na een lange werkdag.

Howard glimlachte verlegen. 'Nee, Selima. In Engeland zie ik mezelf niet meer wonen. Ik blijf in Egypte.'

Een tijdje liepen ze zwijgend naast elkaar. 'Je houdt van dit land, hè, Carter-*effendi?* Hou je meer van Egypte dan van Engeland?' vroeg ze opeens.

'Daar gaat het niet om, Selima. Ik heb zo mijn redenen waarom ik niet terug wil gaan naar Engeland.'

Ze stak een wijsvinger op en riep: 'Ah, ik begrijp het. Jij bent bang voor de politie!'

'Denk jij dat ik iets gedaan heb wat niet mag? Nee, je hoeft je geen

zorgen te maken, Selima. Dat is niet de reden waarom ik hier blijf.'
'Dan ik weet!' Opnieuw stak ze haar wijsvinger in de lucht.
'Jij weet helemaal niks!'
'Dan gaat het om een vrouw. Zo is het toch, Carter-*effendi?*'
Aanvankelijk zweeg Howard. Hij vermoedde echter dat Selima door zou blijven vragen. Uiteindelijk zei hij: 'Ja, het gaat om een vrouw. Daarom wil ik niet naar Engeland. Ben je nu tevreden?'
Selima knikte begripvol. Ja, ze keek zelfs een beetje verdrietig. 'O jeetje,' zei ze vervolgens. 'O jeetje. O jeetje.'
Toen het archeologenhuis in zicht kwam, bleef het meisje plotseling staan. Ze keek Howard tersluiks aan. 'Was ze niet onderdanig?'
'Onderdanig?'
'Nou ja, vrouw moet onderdanig zijn aan man, anders...' Ze maakte een beweging met haar hand alsof ze iemand een mep verkocht. 'Niet verdrietig zijn, Carter-*effendi!* Er zijn genoeg vrouwen op de wereld.'
Howard lachte en liep verder. Plotseling hield Selima weer haar pas in. 'Is Engeland een mooi land, Carter-*effendi?*'
'Zeker,' zei Howard. 'Een héél mooi land.'
'Mooier dan Nubië?'
'Ik ken Nubië niet, Selima. Maar Engeland is vast en zeker anders dan Nubië. Er zijn geen woestijnen. Het landschap is groen. In sommige steden wonen meer mensen dan in heel Nubië. En ze spreken een andere taal dan jij. 's Winters is het vaak zo koud dat de mensen allerlei kledingstukken over elkaar aantrekken. Kun je je dat voorstellen?'
Ze trok een gezicht. 'Nee!' zei ze kortaf.
De volgende ochtend was Selima verdwenen. Newberry, hij stond altijd vroeg op, was dat het eerst opgevallen omdat ze altijd op een keukenbank de nacht doorbracht. Met geen mogelijkheid kon je haar ertoe overhalen om in zoiets als een bed te slapen.
Hilda was kwaad. 'Die inboorlingen zijn gewoon niet te vertrouwen! Het verwondert me niks als ze ook wat gestolen heeft. Flinders, Percy, Howard! Kijk rond of we iets missen. We moeten de politie waarschuwen.'
Om haar te kalmeren moest het hele huis doorzocht worden, het was alle hens aan dek. Maar ze misten niets.
'Ondankbaar ding!' schold ze. 'Ik had haar beloofd dat ik haar mee zou nemen naar Engeland. Ze had thuis goed dienst kunnen doen in het huishouden. Zo'n kans krijgt een meisje als zij nooit meer!'
Petrie was minder ontstemd toen hij erachter kwam dat Selima vertrokken was. Hij haalde zijn schouders op en zei: 'Ach Hilda, mis-

schien ziet zij het niet als een kans. Misschien is ze bang voor een leven in een vreemd land.'
Howard knikte instemmend. 'Ja, misschien is ze gewoon bang.'
De volgende dag gaf Petrie de arbeiders hun loon. Raïs Mehmed Zaki zorgde ervoor dat enkele mannen achterbleven om de belangrijkste archeologische vondsten in houten kisten te doen. Petrie had ze in Minia laten maken. Daarna kreeg Zaki opdracht het archeologenhuis waarin de kisten stonden te bewaken tot ze naar Caïro werden vervoerd.
'Wat gaat u doen, meneer Carter?' vroeg Petrie op de laatste dag. 'Wilt u echt in Egypte blijven? Hebt u daar goed over nagedacht?'
'Ja, sir,' zei Howard. 'Ik red me wel. Misschien hebben ze in Luxor of in Aswan een ansichtkaartschilder nodig. Rijke lui brengen daar immers hun vakantie door.'
'Wilt u naar Luxor reizen?'
'Hier kan ik in elk geval niet blijven, sir. Hier verhonger ik.'
'Eigenlijk maak ik me over u geen zorgen, meneer Carter. U bent jong en competent. U redt zich wel. Maar ik heb een idee. In Luxor moet u met uw Achetaton-tekeningen naar Edouard Naville gaan.'
'U wilde ze toch meenemen naar Engeland, sir?'
'Dat was ik aanvankelijk ook van plan. Maar ik denk dat ze voor u belangrijker zijn. Als Naville die plattegronden onder ogen krijgt en ook maar een greintje gezond verstand over heeft, neemt hij u in dienst als tekenaar.'
'Denkt u dat echt?'
'Ja, als hij ze nog allemaal op een rijtje heeft wel. Ik heb het nu over realiteitszin. Weet u, Naville is iemand die niet altijd met beide benen op de grond staat. Zo ijdel als een pauw. Keurig gekamd en verzorgd paradeert hij rond op de archeologische sites. Het enige acceptabele aan hem is zijn jonge, beeldschone vrouw Marguerite. Ze is trouwens een gravin.'
'U mag Naville niet erg?'
'Niemand kan met die dandy overweg. Hij gedraagt zich of hij de Egyptische geschiedenis heeft uitgevonden. Op zijn briefhoofd staan drie titels voor zijn naam. Letterkunde, literatuur en theologie. In Berlijn heeft hij egyptologie gestudeerd. Bij Lepsius. Hij is van Genève. Voordat hij benoemd werd tot chef-archeoloog van het *Exploration Fund* was hij verbonden aan het King's College. Die man is bezeten van zijn werk.'
'En u denkt dat ik bij Naville een kans maak?'
'Waarom niet? Zover ik weet heeft hij al twee assistenten. Voortreffelijke tekenaars zijn altijd nodig, meneer Carter. Probeer het gewoon!'

Howard had moeite met afscheid nemen. Hilda vocht tegen haar tranen. Flinders stopte hem vijftig piaster toe zonder dat zijn vrouw dat zag. Met een knipoog zei hij dat hij dat geld mocht teruggeven als hij rijk was geworden. Percy beloofde Howard dat hij hem op de hoogte zou houden van de gebeurtenissen in Swaffham en dat hij hem af en toe een Engelse krant zou opsturen via een postbusnummer in Luxor.

Tegen de middag vertrok Howard met raïs Mehmet en twee ezels naar Minia. Daar zou hij om vijf uur op de postboot stappen naar Luxor. Zijn bagage bestond uit de koffer die hij sinds zijn vertrek uit Engeland bij zich had, een map met de plattegronden van Achetaton, en een leren tas die aan een riem voor zijn borst hing. Daarin bewaarde hij zijn geld, zijn paspoort en een foto in een zilveren lijst.

Howard besefte dat zijn vlucht naar Egypte niet aan het doel beantwoordde dat hij voor ogen had. In elk geval was zijn poging om Sarah uit zijn hoofd te krijgen door Swaffham ver achter zich te laten en naar een ander continent te gaan mislukt. Vrijwel elke dag moest hij aan haar denken. Het veroorzaakte een gevoel van onbehagen. Stilletjes hoopte hij dat bepaalde omstandigheden ervoor zouden zorgen dat hij over niet al te lange tijd weer bij Sarah Jones zou zijn.

De postboot vertrok op tijd, wat zeer ongebruikelijk was. De reis stroomopwaarts over de Nijl kon beginnen. Hij gaf de raïs vijf piaster, waarna Mehmed hem een briefje met een adres overhandigde. Als Howard ooit in de problemen kwam, moest hij zich tot die man wenden en zeggen dat raïs Zaki hem gestuurd had.

Na de ondraaglijke hitte van de voorzomer werd het wat aangenamer weer. Een zacht briesje streelde de rivier. Howard liep naar een kleine, houten keet waar je je kaartje moest kopen.

Voor drie piaster kon hij derde klas naar Luxor reizen. Geen hut, zelfs geen zitplaats. Op de een of andere manier moest hij de veertig uur durende boottocht naar Luxor zien te overleven. Uit de schoorsteen van stoomboot *Ramses* walmde zwarte rook die de kolos met de enorme schoepenraderen aan weerszijden in een geheimzinnige duisternis hulde. Misschien moest op die wijze verborgen blijven dat de oude boot misschien wel gevaarlijk overladen was. Op het achterdek – met slechts twintig zitplaatsen – bevonden zich in elk geval meer dan honderd luidruchtige en elkaar verdringende passagiers, een gigantische stapel kisten en koffers, twee koeien en een verzameling kooien met eenden en kippen. Iedereen zocht een plekje voor de nacht.

De map met de tekeningen vormde zijn grootste zorg. De plattegronden stonden immers garant voor zijn nieuwe aanstelling. Het

kwam dan ook goed uit dat op de wankele, van ruwe planken gemaakte steiger een man met een Europees uiterlijk naast hem stond. Hij had een groezelig pak aan dat ooit wit was geweest. Bovendien keek hij verveeld voor zich uit, alsof hij deze boottocht al vaker had ondernomen.
'Excuseer, sir,' begon Howard. 'U hebt op deze boot vast en zeker een hut.'
De vreemdeling keek hem geringschattend aan, alsof hij zich afvroeg of hij zo iemand wel antwoord moest geven. Uiteindelijk verwaardigde hij zich met enkele tegenvragen: 'Wat wilt van mij? Wie bent u? Hebben we elkaar al eens eerder ontmoet?'
Zijn tongval deed sterk vermoeden dat hij een Amerikaan was. Of een Europeaan die zeer goed Engels sprak. Zelfbewust antwoordde Howard: 'Mijn naam is Carter. Howard Carter. Ik ben een Engelse archeoloog. En wat uw laatste vraag betreft... nee, volgens mij hebben we elkaar nog nooit ontmoet.'
'Zo, u bent dus archeoloog, mister! Amarna?'
'Inderdaad, sir. Zit u ook in het vak?'
De man negeerde de vraag en zei: 'En? Succesvol geweest?'
Howard trok een gezicht. 'Het is maar hoe je het bekijkt, sir. Een grote schat hebben we niet gevonden. Maar mijn baas, Flinders Petrie, is van mening dat de ontdekkingen in wetenschappelijk opzicht beslist de moeite waard zijn.'
De man in het witte pak lachte zuur. 'Zo, vindt meneer Petrie dat.'
'Ken u hem, sir?'
'Vluchtig. Heel vluchtig. Ik ben curator van het Egyptisch Museum in Caïro. Brugsch is de naam. Emil Brugsch. Niet te verwarren met mijn beroemde broer Heinrich Brugsch.'
'Bent u dus een Duitser?'
'Moet ik me nu verontschuldigen?'
'Nee, integendeel. U spreekt uitstekend Engels, als ik zo vrij mag zijn.'
'Ik heb een tijdje in Californië gewoond.'
Bij de ingang van de boot stond een matroos in een potsierlijk uniform en met een grote krulsnor. Het was zijn taak om het kaf van het koren te scheiden: de passagiers derde klas stuurde hij naar het achterdek, mensen als Brugsch verwees hij naar het voorste gedeelte van de boot.
'Om nog even terug te komen op de reden waarom ik u aansprak,' zei Howard haastig, vlak voordat ieder zijns weegs ging. 'Ik heb een map bij me met de stadsplattegrond van Achetaton en tekeningen van afzonderlijke gebouwen. Die map is zeer belangrijk voor me.

Met dit werk wil ik namelijk solliciteren bij Naville in Luxor. Zou u deze map tot in Luxor voor me willen bewaren? Het achterdek is daar niet bepaald geschikt voor. U reist toch naar Luxor?'
Brugsch bromde iets en zei daarna onwillig: 'Oké, mister, geef maar.'
De matroos verzocht hun dringend door te lopen. Howard bedankte Brugsch. Met zijn koffer verdween hij in de menige die zich naar het achterdek bewoog.
Op het schip en aan wal groeide de onrust nadat de kapitein de scheepsklok had geluid en het bevel had gegeven af te varen. Traag en tegen de stroom in begonnen de enorme schoepenraderen te draaien. Door de stroming gedwongen neigde de boeg van de *Ramses* naar het midden van de rivier. Het had er alle schijn van dat het vaartuig afdreef. De passagiers beleefden enkele bange seconden tot de schoepenwielen van de stoomboot voldoende kracht hadden om de postboot stroomopwaarts te dwingen.
Howard vond een plekje naast een kooi met wilde katten. Zodra hij te dicht bij kwam, bliezen en sisten ze als gevaarlijke tijgers. Zijn koffer bleek heel geschikt om op te gaan zitten, en 's nachts zelfs om op te slapen.
Op het achterdek bevonden zich alleen mannen. Howard was de enige Europeaan. Hij schroomde niet om een gesprekje aan te knopen met de handelaars en pingelaars. De stemming was echter bedrukt. Sommigen keken alsof ze op weg waren naar hun eigen executie. Plotseling begon een jonge kerel met doorlopende, borstelige wenkbrauwen, wat hem een woest voorkomen gaf, op twee kleine trommels te slaan die met een vel bespannen waren. Iemand anders haalde een merkwaardig gevormde fluit tevoorschijn. De onderkant ervan vertoonde een welving die deed denken aan de hals van een cobra. De toon van de fluit was klagend. De derde kwam aanzetten met een strijkinstrument dat maar twee snaren had. De klankkast was gemaakt van een waternoot. Met z'n drieën maakten ze een hels kabaal. De mannen vonden het prachtig dat de talloze gekooide dieren daar onrustig van werden.
Ongeveer twee uur later passeerde de *Ramses* Amarna. Weemoedig keek Howard naar het keteldal waar hij de afgelopen twee jaar had gewoond en gewerkt. Het rotsgebergte in het oosten zag er om deze tijd van de dag goudrood uit. Aan de voet ervan lag de stad van Achnaton en Toetanchaton. Hij kende er elke muur die de tand des tijds doorstaan had, en elk huis, elke straat.
Het kabaal deed pijn aan je oren. Howard kwam tot het besef dat hij de afgelopen jaren in stilte had geleefd. Jaren die in het teken hadden gestaan van zwijgen en nadenken. Op sommige dagen had hij

geen woord gezegd. En als hij al iets zei, sprak hij met zichzelf alsof iemand naast hem stond. Hij besefte dat dat de beste manier was om een excentriekeling te worden. Een eenling, een zonderling. Misschien was hij dat al.
Op het bovendek, afgeschermd van het lawaai, hielden de deftige lui zich op. Howard hoorde een stem. 'Hé, meneer Carter! Kent u me nog?' Het was Brugsch aan wie hij zijn map met tekeningen had toevertrouwd.
Howard glimlachte en knikte.
'Neem de trap naar het bovendek!' riep Brugsch naar beneden.
'Maar ik ben een passagier derde klas!' riep Howard naar boven.
'Geen probleem. Kom!'
Howard verbaasde zich dat de Duitser hem zo vriendelijk toesprak. Toch deed hij wat er van hem gevraagd werd. Matrozen hielden streng toezicht op de klassenscheiding. Toch lieten ze Howard met rust terwijl hij de smalle houten trap nam naar het bovendek.
Brugsch zat in een rieten stoel bij de reling en rookte een dikke sigaar. Beneden klonk gedempt de exotische muziek van de inheemsen.
'Ga zitten, meneer Carter!' Brugsch schoof een stoel bij en maakte een uitnodigend gebaar. 'Schotse whisky?' vroeg hij met een sympathieke grijns.
'Graag,' zei Howard, hoewel hij niet veel op had met whisky omdat hij er al na één glas dronken van werd. Maar hij wilde zich tegenover die Duitser niet laten kennen.
Brugsch wenkte een bediende in een witte galabia naar zich toe en gaf de bestelling op. Daarna keek hij naar de linkeroever en vroeg zonder Howard aan te kijken: 'Meneer Carter, denkt u dat in Tell el-Amarna nog schatten te vinden zijn uit de tijd van Achnaton? Of is het zinloos om door te gaan met graven?'
Howard ergerde zich dat uitgerekend de curator van het Egyptisch Museum hem die vraag stelde. Wat moest hij daarop antwoorden? Wat wilde Brugsch? Uiteindelijk zei hij: 'Meneer Brugsch, u hebt ervaring genoeg om te weten dat op die vraag geen antwoord bestaat. In geen enkel vakgebied liggen succes en falen zo dicht bij elkaar als in de archeologie. Maar misschien is het voor u voldoende om te weten dat het *Egypt Exploration Fund* de opgravingen niet langer financiert en dat Flinders Petrie is teruggeroepen.'
De bediende schonk de whisky in. Howard nam een flinke slok. Vanaf de oever, waar de avondschemer langzaam inviel, klonk een heftig trillend geluid. 'Lilililililili.' Howard noch iemand anders schonk er aandacht aan.
'Ik kan me gewoon niet voorstellen dat de oude Egyptenaren in een

zo grote stad als Achetaton geen schatten hebben achtergelaten,' begon Brugsch opnieuw.
'Dan bent u niet de enige, meneer Brugsch! De vraag is alleen waar!'
Onrustig zoog de Duitser aan zijn sigaar en pufte achter elkaar kleine rookwolkjes uit die door de bries werden meegenomen en uit elkaar getrokken. In gedachten verzonken staarde hij naar de oever en zei: 'Kennelijk hebt u een plattegrond gemaakt van die oude stad. U kent Achetaton dus beter dan wie ook. U hebt kortom zo uw vermoedens waar nog wat te halen valt, dat kan gewoon niet anders, meneer Carter.'
Langzaam schudde Howard zijn hoofd. Hij voelde zich niet op zijn gemak bij Brugsch. Die man leek alleen geïnteresseerd te zijn in een mogelijke schat. Hoewel dat niet beledigend of verwerpelijk was – Lord Amherst had Howard in eerste instantie immers als schatgraver naar Egypte gestuurd – vond hij het toch merkwaardig dat een museumcurator alleen maar aan goudschatten dacht.
'Als ik het goed begrijp bent u momenteel werkloos,' begon de Duitser opnieuw. 'Bepaald geen prettige omstandigheid.'
'Als u het zegt, meneer Brugsch! Maar ik vertrouw erop dat ik in Luxor weer aan de slag kan.'
Brugsch wierp het stompje van zijn sigaar over de reling en boog zich naar Howard toe. 'Ik mag u wel, meneer Carter. Ook al bent u een Engelsman. Bent u bereid om voor mij te gaan werken?'
Howard was verbluft. 'Voor het Oudheidkundig Bestuurscollege? Of hoe moet ik dat zien?'
'Voor mij, meneer Carter, zoals ik al zei!'
'Voor u persoonlijk? Dat begrijp ik niet. Dat moet u mij uitleggen.'
'Heel eenvoudig, meneer Carter. Wat verdiende u bij uw vorige opdrachtgever?'
'Vijftig pond per jaar,' stamelde Howard zonder eerst over het antwoord na te denken.
'Goed. Ik geef u hetzelfde bedrag plus een aandeel in de winst van vijf procent voor alle stukken die verkocht worden.'
Howard keek de Duitser vragend aan. 'Het spijt me, meneer Brugsch, maar ik begrijp niet wat u bedoelt. Waar moet ik aan meewerken?'
Plotseling werd Brugsch kwaad. 'Doe niet net of u van niks weet!' siste hij bijna fluisterend. 'Een kind beseft nog wat er in Egypte tussen Aswan en Alexandrië speelt. Overal zijn schatgravers onderweg. In alle hotels hangen agenten rond die op zoek zijn naar vondsten waar verzamelaars overal ter wereld grote bedragen voor neertellen. Kijk eens rond op het bovendek! Die heren reizen hier niet voor hun plezier! Ze zijn allemaal op zoek naar het goud van de farao's!'

Howard observeerde de passagiers die zich op het bovendek bevonden. Hoofdzakelijk mannen, keurig gekleed in het wit. In het gezelschap bevonden zich maar enkele paren. Op de achtergrond stond bij de reling een rijzige dame die naar de kabbelende golven staarde. Ze was donker gekleed en voor haar gezicht hing een sluier.
'Of denkt u soms dat de archeologen die hier met toestemming van de regering hun gang gaan de enige zijn die hier als mollen in de grond graven?' vervolgde Brugsch. Hij lachte geniepig, waardoor hij de aandacht van de andere passagiers trok. Daarna zei hij zachtjes: 'Nee, meneer Carter. Hier speelt zich een wedloop met de tijd af. Wie het eerst komt, die het eerst maalt. Hij heeft dan de grootste kans véél geld te verdienen. In Luxor ontmoet u heren in maatkostuum en met een eigen jacht terwijl ze een paar jaar geleden nog geen fatsoenlijke schoenen aan hun voeten hadden. Waar komt die plotselinge rijkdom vandaan, denkt u? Van mijn salaris als curator kan ik trouwens niet rondkomen...'
'Bedoelt u dat ik dus...'
'Daar hoeven we toch niet geheimzinnig over te doen? De meeste archeologen hebben een tweede inkomstenbron. Ik kan u namen geven van zeer gerespecteerde heren.'
'Een kwestie van eergevoel, meneer Brugsch!'
'Archeologen hebben geen eergevoel, meneer Carter. Wie in de graven van zijn voorouders woelt, mag geen last van zijn geweten krijgen.'
Howard vond diens gevoelloze onverschilligheid, nasale stem en arrogante houding afstotend. Het liefst was hij opgesprongen en weggelopen. Wat hem daarvan weerhield was de gedachte dat hij Brugsch op een dag misschien nodig kon hebben. Daarom zweeg hij en dronk zijn whiskyglas in één teug leeg.
'Heb ik u laten schrikken?' vroeg Brugsch voorzichtig.
Howard haalde zijn schouders op. 'Ik ken de omvang van de zwarte markt niet.'
'Lililililili,' klonk het op de oostelijke oever schril en indringend uit honderd kelen.
Brugsch sprak uitstekend Arabisch. Dat had hij aan zijn echtgenote te danken, een voormalige haremvrouw van de kedive. Hij liet de bediende komen en vroeg wat dat merkwaardige geschreeuw op de oever te betekenen had. Maar ook Kasjef – zo heette hij – had geen idee. Hij wilde alleen kwijt dat dat de klaagzang van rouwende vrouwen was.
'Wel, wat vindt u van mijn voorstel!' Brugsch bleef op hem inpraten. Hij realiseerde zich dat hij deze jonge Engelsman niet gemakkelijk kon omkopen. Een moeilijk geval. Maar om die reden ook heel

interessant. 'Denk er nog maar even over na,' zei hij uiteindelijk. 'Het is nog ver naar Luxor.'
Howard hoorde amper wat Brugsch zei, omdat hij zich niet aan de indruk kon onttrekken dat de gesluierde dame bij de reling hem al een tijdje aan het observeren was. Toen hij haar blik beantwoordde, leek het of ze naar iets keek wat zich achter hem bevond. Maar daar was alleen de donkere Nijl, verder niets.
Inmiddels werd het bovendek verlicht door felle, flakkerende hanglampen. Brugsch babbelde nog een tijdje door over de ondeugden van de archeologen. Howard vatte moed en vroeg: 'Kent u de gesluierde dame die bij de reling staat?'
Brugsch reageerde geërgerd omdat hij zich realiseerde dat de jonge Engelsman niet geïnteresseerd was in wat hij te vertellen had. Toch antwoordde hij gespeeld beleefd: 'Nee, helaas. Maar ze is wel een opvallende verschijning. Bovendien reist ze alleen. Ik zal meteen even navraag doen. Een ogenblikje, ik ben zo terug.'
Brugsch stond op en liep, terwijl hij naar die vrouw bleef kijken, naar een trap die aan stuurboord bij de brug uitkwam. Brugsch was kennelijk geen onbekende op deze Nijlstoomboot want toen hij boven was, ging als vanzelf een deur open waarna de Duitser naar binnen liep. Howard zag dat hij een levendig gesprekje had met de kapitein, een lange Egyptenaar van middelbare leeftijd.
Brugsch kwam terug en vertelde wat hij over die vrouw te weten was gekomen. Volgens de kapitein was ze een Engelse dame die alleen reisde. De nog jonge lady zou onlangs haar man verloren hebben. Met een reis door Egypte probeerde ze over haar verdriet heen te komen. Kennelijk was ze rijk, want voor de reis naar Luxor had ze een suite op het voordek geboekt en vooruitbetaald zonder haar naam te noemen of op te schrijven. 'Zal ik de dame vragen of ze ons gezelschap houdt?'
Howard staarde voortdurend naar die onbekende vrouw. Af en toe lichtte de bries haar sluier op, als de vleugelslag van een ibis. Hij gaf geen antwoord en keek slechts hoe Brugsch naar haar toe liep en een beleefde buiging maakte, waarna de curator een uitnodigend gebaar maakte naar de tafel waar Howard zat.
Howard was opgewonden. Zijn hart klopte in zijn keel. De opwinding was zo heftig dat hij ervandoor wilde gaan. Terug naar beneden, naar het achterdek, waar hij thuishoorde. Toen hij uit zijn stoel wilde komen, zag hij dat de vrouw haar hoofd schudde, zich omdraaide en over het voordek wegliep.
'Ze is nogal stug,' zei Brugsch met een nasale stem. 'Mooi maar gesloten. Ze wees mijn uitnodiging beleefd af. Waarschijnlijk is ze van het soort dat veroverd wil worden.'

Howard zweeg. Maar in zijn schichtige ogen zag Brugsch dat hij haar fascinerend vond. Nog steeds staarde Howard naar de reling waar de vrouw had gestaan.
'Ze heeft donkere ogen!' merkte Howard mat op.
'Ja, hééł donkere!'
'En mooi gevormde, krachtige wenkbrauwen.'
'En of!'
'En een fluwelige stem.' Howard keek Brugsch vragend aan.
'Een fluwelige stem? Dat weet ik niet. Op haar stem heb ik nog het minst gelet. Zou kunnen.'
Howard maakte zijn leren tas open en haalde de foto tevoorschijn. 'Zou het deze vrouw geweest kunnen zijn?'
Brugsch keek een hele tijd naar de foto. Howard zag zich gedwongen zijn vraag te herhalen: 'Zou het deze vrouw geweest kunnen zijn, meneer Brugsch?'
Brugsch aarzelde. Hij trok een gezicht en zei nadat hij de foto wel erg aandachtig bekeken had, alsof hij daardoor zijn mening zou kunnen herzien: 'Moeilijk te zeggen. Op een foto is zoiets altijd lastig te beoordelen. Dat weet u ook, meneer Carter. In een foto-atelier trek je je zondagse gezicht. Maar de meeste mensen ken je alleen van maandag tot zaterdagavond. Nee, volgens mij is dat niet de Engelse weduwe. Mag ik vragen wat u met die foto hebt?'
Howard stopte de foto terug in zijn tas en staarde zwijgend naar de ruwe planken van de boot. Hij wilde er niet over praten en vond Brugsch veel te onsympathiek. Bovendien kende hij hem niet goed genoeg om zijn geheim met hem te delen. Plotseling was hij ervan overtuigd dat die geheimzinnige dame Sarah was. Hij kende immers haar gedragingen, kende elk gebaar, elke blik. Wat Brugsch over haar verteld had, was feitelijk een beschrijving van haar. Het verontrustte hem echter dat Sarah Jones verstoppertje met hem speelde. Waarom in hemelsnaam? Het was om gek van te worden. Hij werd er zelfs duizelig van. En zijn maag speelde op.
'Eh, u drinkt toch nog een glas whisky met mij?' De Duitser onderbrak zijn gedachtestroom.
Howard knikte. Daarna verdiepten de twee mannen zich opnieuw in de intriges en kruiperijen van archeologen; een nogal eenzijdige kijk op het vak. Howard was inmiddels niet meer geïnteresseerd. Hij wachtte tot de raadselachtige dame zich weer liet zien. Zijn besluit stond vast. Hij zou gewoon naar haar toe lopen en haar aanspreken. Voortdurend staarde hij naar de plaats waar ze gestaan had, alsof haar schaduw was gebleven.
Vanaf het achterdek klonk nog steeds het kabaal van de passagiers

derde klas. Howard had zijn koffer zo neergezet dat hij die als slaapplek onder de sterrenhemel kon gebruiken. Maar nu hij de muziek en het luide geschreeuw hoorde, gaf hij er de voorkeur aan om bij Brugsch op het bovendek te blijven.
De kapitein maakte gebruik van het heldere maanlicht om vaart te maken. Met volle kracht stoomde de Nijlboot stroomopwaarts. Soms walmden bijtende rookwolken over het dek. Tegen middernacht bereikte ze Assioet. Het doordringende 'Lililililili', het klaaggeschrei van de vrouwen, was al van ver te horen. Toen de stoomboot bij de aanlegplaats met touwen werd vastgesjord, klonk vanaf de oever luid geroep. 'De kedive is dood! *Masjallah*... zoals God het gewild heeft. De kedive is dood!'
Met morsetelegrammen was de gebeurtenis in Caïro naar alle provinciehoofdsteden doorgeseind. Daarna had het nieuws zich als een lopend vuurtje over het platteland verspreid. Dat was dus de reden van het klaaggeschrei uit duizenden vrouwenkelen op de oevers van de Nijl. Urenlang hadden ze dat gehoord.
'O jee,' zei Emil Brugsch enigszins ironisch.
Howard keek naar de mensen die zich in het halfduister op de toch al overladen stoomboot verdrongen. 'De dood van de kedive is kennelijk geen goed teken voor de toekomst van het land,' zei hij voorzichtig.
'Ach, meneer Carter, ik woon al zo lang in Egypte dat ik me nergens meer over verbaas,' zei Brugsch. 'Ik heb inmiddels twee Egyptische vicekoningen overleefd. Nadat er een was overleden, dacht ik dat het niet erger kon worden. Telkens bleek ik me vergist te hebben. Het is al opmerkelijk te noemen dat Taufik Pasja een natuurlijke dood gestorven is. In deze contreien is dat namelijk niet vanzelfsprekend. En ook Taufik was niet zo oud als hij eruitzag.'
'Ik mag hopen dat u niet de Engelsen de schuld geeft van deze misère, meneer Brugsch! Ik weet dat ze gehaat worden in Egypte. Maar zonder ons zou de chaos nog groter zijn. Egypte was bankroet, dat weet u ook. Wij hebben samen met de Fransen de schulden van dit failliete land overgenomen.'
'Ja, maar daar is een hoge prijs voor betaald, meneer Carter! Egypte bestaat praktisch niet meer. Lord Cromer is de consul-generaal, zijn officiële titel. Maar in feite is hij de koning van Egypte. De kedive heeft, heel pijnlijk, niet meer dan een figurantenrolletje. Bovendien wordt het belangrijkste ministerie, dat van Financiën, geleid door Sir Rivers Wilson. Een Engelsman. Dat zegt denk ik genoeg.'
Het drong amper tot Howard door wat Brugsch vertelde. Zoals het kabbelen van het water bij de oever, zo hoorde hij diens stem, maar

in gedachten was hij bij die geheimzinnige dame. 'Het is Sarah. Dat kan gewoon niet anders!' zei hij zachtjes.
'Wat zegt u, meneer Carter?' Brugsch hield een hand achter zijn oor.
Howard keek geërgerd op. 'O, niets bijzonders.'
De raderboot voer weer af. Op de oevers van de Nijl – de rivier was zuidelijk van Assioet smaller dan waar ook – klonk zoals voorheen het schrille 'Lililililili'.
De whisky sloeg toe. Howard kreeg er loodzware armen en benen van en dacht dat hij straks niet meer zonder hulp naar het achterdek kon gaan. Dus stond hij moeizaam op en wankelde naar de smalle trap die naar beneden voerde.
Op het achterdek was de rust weergekeerd. Met moeite ging hij op zijn koffer liggen, draaide op een zij en gebruikte zijn tas als hoofdkussen. Hij dacht aan Sarah voordat de slaap hem overmande.
Het kraaien van een gekooide haan sleurde hem uit zijn dromen. De dag begon helder terwijl de postboot traag stroomopwaarts voer. Howard voelde zich ellendig. De vermoeidheid had zich in zijn botten genesteld. Uitslapen was echter onmogelijk want al snel leek het achterdek op een bazaar.
Een man met een ingedeukte blikken bus op zijn rug verdrong zich roepend tussen de mensen op het achterdek. Howard verstond geen woord van wat hij zei. Op de blikken bus stond *Qahwa* geschreven, wat zoveel betekende als 'koffiehuis'. Toen Howard op de luide uitnodiging inging, schonk de verkoper wat van het schuimende, gitzwarte en hete brouwsel via een aan de zijkant aangebracht kraantje in een glas dat eruitzag alsof het gebruikt werd om na het tandenpoetsen je mond mee te spoelen. Geduldig glimlachend wachtte hij tot Howard zijn koffie op had. De man had namelijk maar één glas.
In de loop van de ochtend zat Howard op de uitkijk naar Brugsch. Hij was immers de enige die hem toegang tot het bovendek kon verschaffen. Toen Brugsch zich rond de middag nog steeds niet liet zien, slenterde hij naar de portier die bij de trap stond en die met argusogen stond te kijken omdat hij ervoor moest zorgen dat de klassenscheiding in acht werd genomen. Hij vroeg of hij meneer Brugsch kon spreken.
De portier schoof een getralied hekwerk voor de ingang en liep weg. Het duurde lang voordat hij met het antwoord terugkwam. Meneer Brugsch liet zich excuseren.
Howard dacht dat Brugsch zich waarschijnlijk beledigd voelde omdat hij gisteravond zo plotseling afscheid had genomen. Hoe kon hij zijn excuses aanbieden als Brugsch zich niet meer liet zien? Maar

Brugsch interesseerde hem niet werkelijk. Het ging hem om de geheimzinnige dame die zich eveneens op het bovendek bevond. Maar ook zij was de hele dag nergens te bekennen. Had de whisky zijn hersenen zo beneveld dat hij een fantoom najaagde? Had hij zich iets ingebeeld waarnaar hij verlangde maar wat buiten de realiteit lag? Natuurlijk kende het leven merkwaardige toevalligheden. Maar haar uiterlijk, de manier waarop ze zich gedroeg, het feit dat ze Engelse was en de verholen blikken die ze hem had toegeworpen lieten er geen twijfel over bestaan dat zij het was.
Tijdens het afscheid in Swaffham had Sarah hem ervan verzekerd dat ze van hem hield. Waarom was ze dan met Chambers getrouwd? Vrouwen zijn ondoorgrondelijk, realiseerde hij zich weer eens. Het gedrag dat ze gisteren tentoonspreidde, was al net zo moeilijk te vatten. Er was toch geen reden om verstoppertje te spelen? Of was het toch iemand anders?
Howard was kwaad op zichzelf. Waarom had hij niet genoeg moed verzameld om haar aan te spreken? Hij was toch zeker van zijn zaak? Hij zat op het achterdek tussen kisten, zakken en kooien waardoor de dag ondraaglijk lang duurde. Hij bracht die door in een soort roes terwijl hij verlangde naar de vrouw van wie hij zo wanhopig veel hield. De omstandigheden die hem verhinderden contact met haar op te nemen, maakten hem onzeker.
Als een loerende krokodil hield Howard urenlang zijn blik gericht op de reling van het bovendek. Meer kon hij vanaf het achterdek niet zien. Hij vroeg zich af hoe het zou zijn om met Sarah te leven. De beelden in zijn hoofd buitelden over elkaar heen. Hij betrapte zich erop dat hij in gedachten haar borsten streelde terwijl hij achter haar stond, een knie tussen haar dijen schoof en zich overgaf aan de wellust. Twee jaar geleden was hij nog een jonge knul. Nu was hij een man die zich volledig kon overgeven aan zijn hartstocht voor Sarah. Hij zou vechten om haar te krijgen en pas tevreden zijn als ze helemaal van hem was.
De nacht viel in boven het Nijldal. In tegenstelling tot gisteravond heerste er op het achterdek geen uitgelaten stemming. De Egyptenaren rouwden om de dood van hun vicekoning. Geknield bogen ze zich naar het oosten. Sommigen lieten zich zelfs languit op de boot vallen. Zittend op zijn koffer, en wat afzijdig van de anderen, keek Howard hoe de mannen die gisteren iedereen uit de slaap hadden gehouden met hun muziek, dans en kabaal nu verstild rouwden. Alleen op het bovendek werd zachtjes gepraat. En hier en daar klonk op de oever het inmiddels vertrouwde 'Lililililili'.
Howard bracht de nacht half wakend door terwijl hij een plan maakte.

De stoomboot zou rond zes uur in Luxor aanleggen en hij wilde bij de eerste groep horen die van boord ging. Sarah noch Brugsch kon op die manier aan zijn aandacht ontsnappen. Bij het ochtendkrieken posteerde hij zich vlak bij de uitgang, aan stuurboordzijde.
Howard had veel over Luxor gehoord. De elegante oeverpromenades, mondaine hotels en chique winkels trokken beroemdheden en rijke mensen uit de hele wereld aan, als motten naar een lamp. Maar zo vroeg in de ochtend, terwijl de raderboot de aanlegsteiger naderde, zag Luxor er een beetje sjofel uit, en de mensen armoedig. Dat had natuurlijk een reden. Op dit vroege uur waren alleen bedelende kinderen, kruiers en ezeldrijvers onderweg.
Zoals gepland hoorde hij bij de eerste groep die van boord ging. Hij liep naar een plaats waar hij de steiger in de gaten kon houden. Dat was niet gemakkelijk omdat talloze passagiers, kruiers en bedienden elkaar verdrongen terwijl ze aan wal gingen. En vanaf de oever liepen de eerste passagiers ondanks de drukte al de boot op.
Ongeveer twintig minuten later bewoog de mensenmassa zich in tegengestelde richting. Hij had Sarah noch Brugsch van boord zien gaan. Howard werd er wanhopig van. Hij liet zijn koffer staan en liep terug naar de postboot om hen te zoeken.
Hij deed navraag bij een matroos die hij tijdens de reis vaak was tegenkomen. De man haalde zijn schouders op. Pas nadat Howard hem een piaster had gegeven, herinnerde de matroos zich opeens dat de Duitser en de deftige dame 's nachts tijdens een tussenstop in Kena van boord waren gegaan.
'En mijn map met tekeningen dan?' riep Howard opgewonden. 'Ik heb ze bij Brugsch in bewaring gegeven.'
De man schudde zijn hoofd en stak zijn handen in de lucht. '*Insjallah,* mister, als God het wil.'

15

Bij de aanlegsteiger vroeg Howard aan een ezeldrijver naar een goedkoop pension. De man hoefde niet lang na te denken en zei: 'Maamura Palace, mister!'
'Luister, ik zoek het goedkoopste onderkomen in Luxor. Een duur hotel kan ik niet betalen. Ik ben dan wel een Europaan, maar een die geen werk heeft. Begrijp je wat ik zeg?'
'Mister werkloos.' De man knikte meevoelend. 'Maamura Palace.'
Het hotel van niettemin vier verdiepingen in een zijstraatje van de Sharia al-Mahatta, die naar het station voerde, was minder pompeus dan de pretentieuze naam deed vermoeden. In elk geval waren er aan

de straatkant maar twee ramen op elke verdieping en net zo weinig kamers. Het huis stond ingeklemd tussen een lederwarenfabriek en een zakenpand. Een betaalbaar onderkomen, ook voor een man die verre van bemiddeld was.
In Amarna had Howard geleerd om zeer sober te leven. Dus schrok hij niet terug van het karige interieur: een verroest bed met een muf matras, een stoel en een tafel met een porseleinen waskom. Aan een houten stok van muur tot muur kon je je kleren ophangen. De hotelkamerdeuren waren maar een meter hoog, heel merkwaardig, en op romphoogte aangebracht. Zelfs als ze dicht waren, kon je eronderdoor of overheen stappen. Dat was niet bepaald een voordeel, zoals hij later vaststelde.
Op de dag van aankomst begaf Howard zich naar de westelijke Nijloever. Daar wachtte een groep ezeldrijvers met hun dieren. Toen hij vroeg wie van hen hem naar Edouard Naville kon brengen, werd er eerst flink gebakkeleid, wees iedereen in een andere richting en verzekerde iedereen hem van de persoonlijke relatie die ze met de weledelgeleerde heer hadden. Verder waren ze allemaal het goedkoopst en wisten alleen zij, en niemand anders, waar Naville zich op dat moment ophield. Een jonge ezeldrijver die grappig Engels sprak – geleerd van een Française – maakte voor de rest een alleszins betrouwbare indruk en kreeg de klus. Met het dier, en Howard als 'ruiter', doorkruiste ezeldrijver Mohammed in looppas het vruchtbare, groene land. Over een boomstam die als brug diende, stak hij een greppel over en zo bereikte hij een uur later het dorp Koerna, een dertigtal kleurrijke hutten tussen zand- en rotsheuvels. Zoals overal in deze streek waren de vensters niet voorzien van glas maar van groene of bruine luiken. De deur bestond uit enkele lappen.
Aan de rand van dat dorp, een groep oude huizen, had Naville een archeologenhuis laten bouwen. Een statig bakstenen gebouw, omgeven door een muur die bescherming bood tegen indringers.
Howard riep of er iemand thuis was. Even later verscheen een jonge vrouw in de deuropening. Hoewel ze een galabia aanhad, een grijze, was ze duidelijk van Europese afkomst. Aangezien ze bovendien heel mooi was, precies zoals Petrie haar had beschreven, zei hij: 'Ik heet Howard Carter. En u bent vast en zeker mevrouw Naville.'
'Inderdaad. Marguerite Naville.' Ze gaf hem een hand. 'Engelsman, meneer Carter? Welkom in Koerna!'
Nu wist hij bij wie Mohammed Engels geleerd had. Mevrouw Naville had dezelfde tongval als hij.
'Ik kom van Amarna gereisd,' zei Howard. 'In de afgelopen twee jaar

heb ik voor Flinders Petrie gewerkt. Ik zoek nu ander werk. Waar kan ik meneer Naville vinden?'
Marguerite wees met haar linkerhand naar de bergketen in het westen. Lachend voegde ze eraan toe: 'Natuurlijk is hij om deze tijd in Deir el-Bahari! Mohammed zal u brengen, meneer Carter.'
Hij dankte haar voor de informatie en ging weer op de ezel zitten, waarna Mohammed hem in westelijke richting leidde.
'In uw plaats zou ik niet te veel hoop koesteren, meneer Carter!' riep mevrouw Naville hem na. 'U kunt hem maar beter niet vertellen voor wie u gewerkt hebt.'
Howard knikte en zwaaide naar haar. 'Bedankt voor de tip. Ik begrijp wat u bedoelt, mevrouw Naville!'
Nadat ze een paar honderd meter door het zanderige gebied hadden gelopen, arriveerden ze bij een smalspoor dat kaarsrecht naar de rotswand voerde.
'Heeft meneer Naville laten aanleggen!' zei Mohammed vol trots. 'Het opgravingspuin wordt per spoor uit de tempel van meneer Naville vervoerd. Geen locomotief. Maar veel arbeiders om de wagons te duwen.' De ezeldrijver lachte en gedroeg zich zo blij als een kind.
Toen ze de archeologische site naderden, kreeg hij een indruk van het aantal arbeiders dat er werkte. Misschien wel vijfhonderd in totaal. Minstens tien mannen duwden elke lorrie waarmee het puin werd afgevoerd. Aan de voet van de enorme gruishelling – veel meer was er van de archeologische site niet te zien – was een groot zonnescherm gespannen. Daaronder zat Naville achter een tafel waarop plattegronden en landkaarten lagen uitgespreid. Het deed denken aan een commandocentrum. Toen hij Howard zag komen, kwam hij uit de schaduw van zijn werkplek en liep hem tegemoet.
Ingenieur Naville had een wit pak aan. Compleet met stijve boord en strik. Alsof de hitte hem niet deerde. Hij was middelgroot en gedroeg zich gekunsteld. Een elegante verschijning die in de woestijn in een verkeerd decor leek te zijn beland. Zijn roodblonde haar en wijkende voorhoofd verleenden hem iets ongenaakbaars. Nee, hij kwam niet echt sympathiek over, in tegenstelling tot Flinders Petrie. Nadat Howard zich had voorgesteld, en zijn verzoek kenbaar had gemaakt, keek Naville nog strenger dan hij al deed. Op een arrogante toon, alsof hij ongewenst bezoek had gekregen, zei hij met de armen over elkaar: 'En waar hebt u tot nu toe de tijd mee verdreven, meneer Carter?'
Howard slikte. Hij betwijfelde of hij in de toekomst met hem door een deur kon. Op hetzelfde moment vroeg hij zich af of hij onder deze omstandigheden zijn leermeester wel mocht noemen. Maar vroeg

of laat zou Naville er toch achter komen. Dus antwoordde hij: 'Ik heb in de afgelopen twee jaar met Flinders Petrie gegraven, sir.'
'Ah, dan bent u de protegé van Lord Amherst.'
'Als u het zo wilt noemen, sir.'
'Voor zichzelf heeft hij een respectabele verzameling vergaard, maar voor de wetenschap heeft hij niets over. En wat Petrie aangaat... hij heeft zich beslist verdienstelijk gemaakt in de archeologie. Maar wetenschappers in hemdsmouwen en sandalen kan ik nu eenmaal niet uitstaan.'
Howard sloeg zijn ogen neer en keek hoe hij zelf gekleed ging. Zijn afgedragen kloffie kon de goedkeuring van Naville natuurlijk niet wegdragen.
Naville vroeg verder. 'Wat was uw taak toen u voor Petrie werkte, meneer Carter?'
'Ik heb een stadsplattegrond van Achnaton gemaakt, sir. Het was mijn bedoeling om u die te laten zien. Op de postboot naar Luxor ben ik echter bestolen. Ik had de tekeningen aan Brugsch gegeven om ze voor me te bewaren. Hij is ermee aan de haal gegaan.'
'Emil Brugsch?'
'Ja, sir.'
'Gefeliciteerd. Dan hebt u uw tekeningen te grabbel gegooid. Hij is de invloedrijkste antiquiteitenschuiver die ik ken. Hopelijk zijn uw tekeningen niet erg nauwkeurig, anders kan die boef er goed garen van spinnen.'
'U bedoelt dat Brugsch doelgericht in eigen beheer opgravingen kan organiseren?'
'Het zal niet de eerste keer zijn, meneer Carter. In elk geval was het geen goed idee om uw tekeningen uitgerekend aan hem te geven.'
Howard was zich ervan bewust dat in de afgelopen dagen alles mis ging wat maar verkeerd kon gaan. Zijn kans om voor hem te werken, kon hij nu wel vergeten. Het verbaasde hem dan ook niet dat Edouard Naville emotieloos zei: 'Het spijt me, meneer Carter. Op dit moment is er geen vacature. Misschien in de toekomst, als u begrijpt wat ik bedoel. Hebt u al onderdak gevonden?'
'Een pension bij het station,' zei Howard. 'Maamura Palace.' Naville liep terug naar zijn schaduwrijke werkplek en maakte een notitie.
Howard stond nog op dezelfde plaats. 'Mag ik de archeologische site eens van dichtbij bekijken, sir?' vroeg hij op de achtergrond.
'Natuurlijk.' Het strenge gezicht van de archeoloog klaarde prompt op. Hij pakte zijn strohoed met brede rand en zette die op zijn hoofd. 'Volg mij maar, meneer Carter!'
Naville leek op een triomfator terwijl ze een helling opliepen die naar

het eerste terras van de uit de rotsen uitgehouwen tempel voerde. Met zijn hoofd in zijn nek en met half dichtgeknepen ogen liet hij zijn blik van de ene kant naar de andere glijden. Hier en daar hield hij bij een groepje arbeiders zijn pas in, waarbij hij telkens grimmig keek. Er verschenen dan twee loodrechte rimpels op zijn voorhoofd. Rimpels die even later weer verdwenen.
In de galerij stak de archeoloog als een prediker zijn armen uit. Hij glimlachte opeens en zei met trillende stem: 'Welkom in de tempel van koningin Hatsjepsoet. De mooiste tempel van allemaal!' Hij deed zijn ogen dicht, alsof hij genoot van de naklank van zijn eigen stem.
Zo'n feestelijk moment had Howard in de twee jaar dat hij met Petrie had samengewerkt nog nooit meegemaakt. Hij ervoer de situatie geenszins als overdreven of ongepast. Naville was een eigenaardige man. Opwindend en fascinerend tegelijk. Dus reageerde Howard al net zo ongewoon, waarbij hij zijn armen liet hangen en diep boog. Precies zoals je op oude reliëfs zag. 'De dienaar van Hare Majesteit, heerseres van beide landen, is verheugd,' zei hij.
Naville keek geërgerd opzij, alsof iemand zijn feestje verstoorde. Hij had deze reactie niet verwacht. Om te verbergen dat hij paf stond, antwoordde hij: 'Er zijn drie redenen waarom deze grandioze tempel een tijdspanne van meer dan drieduizend jaar heeft doorstaan. In de vroegchristelijke tijd werd op de bovenste verdieping van de tempel een kerk gebouwd. De afbeeldingen van de afgoden op de muren werden bepleisterd en met christelijke fresco's overgeschilderd. Later maakten de Arabieren een vesting van dit bouwwerk. Enkele jaren geleden stond daar nog een grote wachttoren. De stenen waarmee die gebouwd werd, waren afkomstig van de tempel. De derde reden is de natuurlijke omgeving van het complex. Sinds duizenden jaren rollen keien, stenen en gruis naar beneden. Aangezien niemand het puin opruimde, verdween de tempel geleidelijk onder een reusachtige gruishelling.'
Howard knikte aandachtig.
'Mariette dacht dat er zich onder het gruis nog een kleine tempel bevond,' zei Naville. 'Toen hij systematisch ging graven, kwam er steeds meer tevoorschijn. Vooral de muurreliëfs geven uitsluitsel over het ongekende belang van deze vrouw die de faraotroon toekwam. Ze was de dochter van Thoetmozes I en getrouwd met haar stiefbroer Thoetmozes II. In dat huwelijk ontstonden conflicten waar Hatsjepsoet haar voordeel mee deed. Zij werd de eerste vrouwelijke farao in de geschiedenis van het Egyptische rijk. Volg mij, meneer Carter!'

Ze gingen naar de resten van een zuilenhal. Naville werd steeds enthousiaster. Zijn voorheen matte ogen flonkerden nu. 'Kijk, meneer Carter, dat is Makare-Hatsjepsoet, de heerseres van beide landen!' Hij wees naar een reliëf van amper een meter groot. Daarop toonde de koningin zich als een man, compleet met een valse sik, lendendoek en ontbloot bovenlichaam.
'Een geheimzinnige vrouw.' Howard schudde zijn hoofd.
'Zoals alle vrouwen,' vond Naville. 'En zoals alle vrouwen was ook Hatsjepsoet uiterst mededeelzaam. Maar anders dan tegenwoordig liet zij alles wat ze het vermelden waard vond in steen graveren. Ik ben ervan overtuigd dat als we deze tempel helemaal uitgegraven hebben wij praktisch evenveel weten van farao Hapsjepsoet als van Queen Victoria.'
'Hoeveel tijd hebt u daarvoor uitgetrokken?'
'Dat is puur een geldkwestie, meneer Carter. Ik weet niet zeker of ik nog lang genoeg leef om dit werk te voltooien.'
Aan de andere kant van de tempel was de assistent van Naville aan het roepen. Aangezien de afstand groot was, gebruikte hij een megafoon in de vorm van een lange, blikken trechter met een handvat. Naville werd naar een vindplaats geroepen. 'Excuseer,' zei hij kortaf, alsof hij uit zijn droomwereld werd gehaald. 'Zoals ik al zei, als ik iemand nodig heb, laat ik u dat weten. In welk deftig hotel logeert u ook alweer?'
'Maamura Palace, sir.'
'O ja, Maamura Palace. Goed!'
Naville liep weg zonder hem een hand te geven. Howard vond hem fascinerend, ondanks het feit dat de archeoloog niet echt vriendelijk tegen hem was geweest. De man had het enthousiasme dat je als archeoloog nodig had om je werk goed te doen. In dat opzicht leek hij op Petrie, de leermeester van Howard. Maar ook al leken ze alleen in dat opzicht op elkaar, en gedroeg Naville zich allesbehalve innemend, dan nog bewonderde Howard hem intens.
Op de terugweg naar het Nijlveer zat hij zwijgend op de ezel van Mohammed en dacht aan Brugsch die met zijn tekeningen aan de haal was gegaan. En aan die geheimzinnige vrouw. Waarom had Brugsch tegen hem gelogen? Waarom had hij verzwegen dat hij die vrouw kende? Speelde Sarah onder een hoedje met die boef? Waarom had ze zich laten verwikkelen in een achterbaks spelletje? Howard twijfelde. Hij twijfelde aan zichzelf, aan Sarah en of hij überhaupt van haar gehouden had.
Howard sliep slecht omdat het kabaal in de Stationsstraat maar niet ophield. De volgende ochtend trok hij zijn tropenpak aan dat Lady

Margaret hem had meegegeven. Het paste niet echt goed. Maar gelet op wat hij van plan was, moest hij het pak wel aantrekken.
Howard had een stuk of tien visitekaartjes getekend met het opschrift: *Howard Carter, Animal Painter, Hotel Maamura Palace, Luxor.*
Die ochtend ging hij naar Hotel Winter Palace aan de Corniche. De façade van het okerkleurige hotel lag nog in de schaduw. Het zorgde voor een aangename koelte in de straat. In de winkels voor het hotel verschenen de eerste klanten. En op het hotelterras erboven werd het ontbijt geserveerd voor de deftige gasten. Met zijn schildermateriaal onder de arm nam Howard de eenentwintig treden naar de hoger gelegen hotelingang en liep door de draaideur naar binnen. Een paleis kon niet mooier zijn. Bijna had Howard rechtsomkeert gemaakt bij het zien van zo veel deftigheid. Plotseling zag hij zichzelf in de glimmende muurspiegel en hij vond dat hij eigenlijk wel paste in deze omgeving. Zes kwadratische zuilen markeerden het midden van de hal. In het snijpunt van de diagonalen stond een ronde, marmeren tafel met poten in de vorm van gewelfde vissen. Tegenover de ingang bevond zich links een trap die naar boven leidde, naar een galerij waar een elektrische kristallen kroonluchter hing. Nog nooit had Howard zo'n schitterende lamp gezien. Via een draaideur onder de galerij had je uitzicht op een park. Zes treden in het midden aan de linkerkant van de hal voerden naar de kamers 122 tot 140. Die verwijzing stond op een bordje, rechts naast de glazen klapdeuren. De receptieloge aan de rechterkant was gemaakt van kostbaar Afrikaans hout en deed denken aan de inrichting van een chique Londense club. De receptionist was gekleed in een zwart pak, had een rode fez op en boog beleefd voor Howard.
Met de arrogante vanzelfsprekendheid van een hotelgast passeerde Howard de receptieloge, nam rechts enkele treden naar boven en arriveerde in een lange gang waar verscheidene glazen deuren toegang boden tot het restaurant. Hij rook versgezette koffie en gebakken spek. In het restaurant zaten drie oude dames die zonder gezelschap reisden. De andere hotelgasten gaven er de voorkeur aan om buiten te ontbijten. Howard liep naar het terras waar je een prachtig uitzicht had op de Nijl en de andere oever.
Howard viel niet op. In zijn witte tropenpak paste hij perfect tussen de overige heren in dit hotel. Met een kritische blik observeerde hij vooral de dames, die zich gedroegen of ze nooit zonder hun kat of hondje reisden. Doelgericht liep hij naar hen toe, stelde zich voor als dierenschilder en bood hen aan om hun lievelingen op het doek te vereeuwigen.
Er was beslist belangstelling voor zijn werk. Bij iedereen liet hij een

visitekaartje achter. Zijn laatste kaartje, en een baksjisj, wilde hij achterlaten bij de receptionist. Aan een van de tafels draaide zich plotseling een man om die met de rug naar hem toe had gezeten.
'Meneer Brugsch!' zei Howard stomverbaasd.
Brugsch was al even verbaasd. 'Meneer Carter? Wat doet u hier? Ik had u niet herkend.'
Howard kende je inderdaad bijna niet meer terug. Dankzij zijn witte tropenpak zag hij eruit als een heer uit de betere kringen. Maar ook Brugsch was veranderd. Ditmaal droeg hij een witte galabia en had hij een fez op waaronder hij zijn blonde haar had verborgen.
'Ik heb u op de boot gezocht. Het was zoeken naar een speld in een hooiberg,' zei Howard meteen. 'Waarom deed u alsof u er niet was? Waarom bent u in Kena van boord gegaan zonder afscheid te nemen, meneer Brugsch?'
Brugsch glimlachte geniepig. 'Ik ben u geen verantwoording schuldig over mijn doen en laten, meneer Carter. Maar u mag het wel weten hoor. Ik ben voor zaken naar Kena gegaan, met uw permissie.'
'Het kan mij niet schelen waar en wanneer u welke boot verlaat,' zei Howard kwaad. 'Ik ben alleen geïnteresseerd in de map met de tekeningen van Amarna.'
'Hebt u die dan niet gevonden?' Brugsch trok zijn wenkbrauwen op, er verschenen rimpels in zijn voorhoofd. Alsof hij deze zaak serieus nam.
'Helaas, meneer Brugsch. U moet ze nog hebben. Ik wil dat u mij die map teruggeeft.'
'Hó, hó!' zei de verklede Duitser. 'Ik heb uw tekeningen in mijn hut achtergelaten en de kapitein gevraagd om ze u terug te geven zodra u zich bij hem zou melden. Heeft hij dat dan niet gedaan?'
'Nee, meneer Brugsch. En ik geloof uw verhaal niet. Ik weet zeker dat u mijn tekeningen hebt meegenomen.'
'Zegt u daarmee dat ik een leugenaar ben?'
Howard legde zijn armen over elkaar. 'Gelet op de omstandigheden kom ik tot geen andere conclusie, meneer Brugsch. Ik hoef u niet te vertellen dat die tekeningen van onschatbare waarde zijn voor schatgravers.'
Brugsch zette zijn theekopje zo hard op het schoteltje dat de andere hotelgasten ervan schrokken. Met een rood hoofd van opwinding riep hij: 'Dit is schandalig! Ik ben curator van het Egyptisch Museum. Ik heb het niet nodig om tekeningen van archeologen te verduisteren. Hoort u wat ik zeg? En maak nu maar gauw dat u wegkomt, anders laat ik u het hotel uitgooien!'
Howard wist inmiddels zoveel over deze man dat hij zich niet door

diens brute optreden liet intimideren. Ook hij ging tot de aanval over en zei dreigend tegen de Duitser: 'Meneer Brugsch, als u mij die tekeningen morgen niet geeft, doe ik aangifte bij de politie.'
Brugsch werd nu zo kwaad dat hij twee lakeien, die zich om onduidelijke redenen toevallig dicht in zijn buurt ophielden, te hulp riep: 'Haal die Engelsman hier weg. Hij heeft hier niets te zoeken. Hij heet Carter en is een boef, een dief. Dames en heren, let op uw waardevolle spullen!'
Plotseling brak er paniek uit op het hotelterras. Mannen sprongen op om zichzelf in veiligheid te brengen. Voorname dames tastten voorzichtig naar hun sieraden. Howard was inmiddels omsingeld door hotelbedienden. Een potige kerel greep hem bij de armen vast, trok ze achter zijn rug en riep eerst om hulp – hoewel de vermeende misdadiger geen verzet bood – en daarna om de politie. Binnen vijf minuten was het hele hotel in rep en roer, alsof de moedir het slachtoffer was geworden van een moordaanslag. Brugsch, de aanstichter van het tumult, had echter de benen genomen.
Hamdi-Bey, de politiechef van Luxor, trok een ernstig gezicht toen hij een halfuur later op de plaats van het misdrijf arriveerde. Nauwelijks was hij het terras opgelopen, en had hij gevraagd wat er precies aan de hand was, of het tumult dat enigszins geluwd was begon opnieuw. Hotelgasten, obers en lakeien wezen naar Howard Carter en riepen bijna in koor: 'Dat is de dader!' Nog voordat Howard met zijn ogen kon knipperen, werd hij in de handboeien geslagen en afgevoerd naar een gesloten politiewagen met een muildier ervoor. Het span stond voor de ingang aan de oeverpromenade te wachten.
Howard dacht dat hij in een nachtmerrie verzeild was geraakt. Op het politiebureau, waar de lege kamers een ongebruikelijk hoog plafond hadden en de muren turkoois gekalkt waren, werd hij verhoord of hij een crimineel was. De politiechef hechtte zeer aan zijn waardigheid en belangrijkheid. Met gebogen hoofd zat hij achter zijn bureau en keek de delinquent niet één keer aan.
Zijn persoonlijke gegevens werden genoteerd. Dat verliep nogal gecompliceerd omdat de Engelse spelling totaal verschilde van de Arabische. Daarna deed Hamdi-Bey hem de handboeien af en vroeg: 'Verklaart u zich schuldig aan het u ten laste gelegde misdrijf, mister Carter?'
'Wat heb ik dan misdaan?' vroeg Howard onthutst.
'Diefstal!'
'Diefstal?'
'Hotelgasten van het Winter Palace zeggen dat ze bestolen zijn.'
'Wie beweert dat, Hamdi-Bey!'

'Meneer Brugsch, mister Carter.'
'Zo, beweert hij dat. En wat heb ik dan gestolen, als ik vragen mag?'
De politiechef haalde zijn schouders op. 'Meneer Brugsch zal ons dat morgen komen vertellen. Zolang moet ik u in hechtenis houden, mister.' Hij wees naar een soort gevangeniscel die door de open deur aan de andere kant van de gang te zien was. Achter de tralies staarden een stuk of twintig gevangenen naar hem. Mannen, vrouwen, er waren zelfs kinderen bij die niet ouder waren dan twaalf. Nieuwsgierig luisterden ze naar het verloop van het verhoor. Ongetwijfeld de enige afleiding waarvan ze konden genieten in hun droevige dagelijks bestaan.
Geforceerd kalm zei Howard: 'Ik heb de Engelse nationaliteit, Hamdi-Bey. U hebt niet het recht om mij hier op te sluiten.'
'Ook Engelsen hebben zich aan de wetten van dit land te houden,' antwoordde de politiechef terloops en kil terwijl hij het proces-verbaal opmaakte. 'Zodra uw onschuld vaststaat, laat ik u meteen vrij. Voorlopig moet ik meneer Brugsch geloven. Hij is een gerespecteerd man en curator van het Egyptisch Museum in Caïro.'
Hij knipte met zijn vingers. Achter Howard traden twee geüniformeerde politieagenten naar voren. Met een knikje gaf Hamdi-Bey de mannen een teken. Ze hielden Howard bij de armen vast en dwongen hem naar de getraliede gevangeniscel te lopen.
De gevangenen klapten in hun handen terwijl Howard in zijn deftige, witte tropenpak de cel inliep. Twee tandeloze bedelvrouwen met een donkere huid en grijswit haar plukten met duim en wijsvinger aan zijn mouwen en broekspijpen om de kwaliteit van de stof te keuren. Iedereen lachte. 'O, wat een deftige *effendi,*' krijste een bedelares. 'Wat heeft hij gedaan dat hij bij ons in dit krocht zit?'
Howard duwde de twee oude wijven weg, keek waar hij ergens kon gaan zitten en moest tot zijn verbijstering vaststellen dat dat onmogelijk was. Geen zitbank, geen stoelen. Het enige comfort bestond uit een gat in de vloer, rechts in de hoek van de cel, om je behoefte te doen.
Perplex liet hij zich achter in de cel langs het traliewerk op de stenen vloer zakken. Hij voelde dat iedereen naar hem staarde. Maar toen hij opkeek, sloegen de gevangenen hun ogen neer. De meesten klampten zich vast aan de tralies en staarden door de lange gang waar het dagelijks leven in een politiebureau zich afspeelde.
Na een tijdje sprak Howard een medegevangene aan. Een Egyptenaar van een jaar of dertig in een grijze galabia. Hij maakte niet zo'n verwaarloosde indruk als de anderen. Howard vroeg waarom hij achter de tralies was gezet. De man had kennelijk geen zin om te

praten. Hij maakte een afwerend gebaar en schudde onwillig zijn hoofd, alsof hij daarmee wilde zeggen dat Howard hem met rust moest laten.
Alleen een mooi, maar groezelig uitziend meisje met halflang kroeshaar leek zich voor hem te interesseren. Ze zat een eindje verder gehurkt op de vloer en waaide zich met haar lange rok wat koelte toe door het kledingstuk tot aan haar hoofd omhoog te brengen en het dan te laten vallen waarbij ze bedreven haar tong liet klakken. Door de akelige omstandigheden in deze cel was er bij de gevangenen echter geen sprake van seksuele behoeften. Toen het meisje haar rok zo hoog optrok om te laten zien dat ze er echt niets onder droeg, wendde Howard zijn hoofd vol walging af.
Een jongen, klein van stuk maar vermoedelijk ouder dan hij eruitzag, ging bij de voorname celgenoot zitten en zei moeizaam en in bijna onverstaanbaar Engels. 'Waarom bent u gevangengenomen, mister?'
Howard had geen zin meer in een gesprekje. Maar toen hij dat openhartige, eerlijke gezicht zag, antwoordde hij: 'Je kunt rustig Egyptisch met me praten. Hoe heet je?'
'Sayyed,' zei de jongen. 'Ik ben al veertien!'
'Veertien?' herhaalde Howard verbaasd. 'Dan hoor jij op school te zitten en niet in een gevangenis. Wat heb je uitgevreten?'
Sayyed liet zijn donkere ogen rollen en grijnsde ondeugend. Kennelijk vond hij het moeilijk om toe te geven dat hij diefstal gepleegd had. Dus deed hij dat op een omstandige manier. Hij opende zijn hand en draaide die om terwijl hij er een vuist van maakte. 'De handtas van een deftige dame uit Europa. Niet de eerste keer. Wel voor de eerste keer in de kraag gegrepen.'
'Waar?'
'Bij de aanlegsteiger. Hassan heeft mij geleerd hoe ik dat moet doen. Hij is de beste tasjesdief tussen Aswan en Alexandrië. Je moet wachten tot de mensen van boord gaan. Dat is het beste moment, zegt Hassan. Niemand let dan op zijn spullen. Ze kijken alleen maar verwachtingsvol voor zich uit... zegt Hassan.'
'Zo... zegt Hassan dat.'
'Ja, dat zegt Hassan. En Hassan is slim. Hij kent de eerste soera van de Koran vanbuiten. Vanbuiten! Kunt u dat ook, mister?'
'Nee.'
'Nou dan.'
'Wie heeft je in de kraag gegrepen?'
Met een pruillip maakte Sayyed een hoofdbeweging naar het bureau van de politiechef. 'Hamdi-Bey persoonlijk.' Hij boog zich naar Ho-

ward toe en zei achter zijn hand: 'Hij is ook de enige die mij aankan. De anderen in de cel zijn stommelingen en slapjanussen die het geld niet waard zijn dat ze jatten.'
Howard moest erom lachen. Hij mocht dit boefje wel.
Een tijdlang staarden ze naar de vloer. Plotseling zei Sayyed bijna fluisterend: 'Eigenlijk mag ik de Engelsen niet...'
Howard keek de jongen aan. 'Waarom niet als ik vragen mag?'
'Hassan zegt dat de Engelsen Egypte gekocht hebben. Zoals je een kameel of een zak suiker koopt. Hassan zegt dat de Engelsen niet het recht hebben dat te doen. Wij Egyptenaren willen leven zoals wij dat willen. Wij zijn ook mensen, zegt Hassan.'
'Ik geloof dat Hassan een nationalist is, hè? En dat jij er een wilt worden, heb ik gelijk of niet?'
Sayyed knikte heftig.
'Zal ik je in alle vertrouwen eens wat vertellen?' zei Howard zachtjes. 'Ik sta helemaal aan jouw kant. Wat de Engelsen tien jaar geleden in Alexandrië hebben geflikt, is een schande voor het Britse Rijk.'
'Hassan heeft met eigen ogen gezien hoe de Engelse vloot Alexandrië beschoot. Van de bazaar, het Mohammed-Ali-Plein en de weg naar het consulaat bleef niks meer over. Onze leider Arabi Pasja wilde alleen maar voorkomen dat de Engelsen zich met onze zaken gingen bemoeien. Maar Hassan zegt dat Allah zelfs het kuiken in het ei de kracht geeft om de schaal te breken.'
'Arabi Pasja heeft het toch overleefd?'
'Hij werd naar Ceylon verbannen en mag niet meer naar huis. Nu is Hassan onze...' Sayyed stokte.
'Jullie wat?' vroeg Howard.
'Niets. Ik heb al te veel verteld, mister.'
'Carter,' zei Howard. 'Je kunt me vertrouwen. Politiek interesseert me niet. Ik ben archeoloog en heb belangstelling voor mensen die hier drieduizend jaar geleden gewoond en gewerkt hebben. In dat opzicht ben ik een slechte onderdaan van Hare Majesteit Queen Victoria.'
Sayyed trok zijn neus op. 'Als een slang je eenmaal heeft gebeten, ben je zelfs bang voor een stuk touw. Dat zegt Hassan.'
'Die Hassan is een slimme kerel. Waar woont hij?'
De jongen gaf daar geen antwoord op. Uiteindelijk zei hij: 'Hassan haalt me hier uit. Ik kan bij hem ook een goed woordje voor u doen, als u dat wilt.'
'Hoe stel je je dat voor?'
Sayyed lachte overmoedig, alsof hij zeker was van zijn zaak. Het leek

zelfs of het hem niet kon schelen dat hij in de gevangenis zat. 'Bent u nog niet lang in Egypte, *effendi?*' vroeg Sayyed opeens. 'Volgens mij kent u de gewoonten van dit land nog niet.'
'Bijna drie jaar,' zei Howard. 'Maar ik heb wel bijna twee jaar in de woestijn gewoond. Ver weg van de steden, in Midden-Egypte.'
'O,' zei Sayyed gniffelend. 'U moet weten dat er maar één God bestaat. Dat is Allah. In werkelijkheid hebben we naast Allah nog twee goden. Dat zijn baksjisj en contacten. Als je een van beide hebt, dan is dat goed. Heb je beide, dan is dat beter.'
'Zegt Hassan dat?'
'Ik meen het serieus,' zei Sayyed. 'Binnen een dag ben ik weg uit dit stinkhok, let maar op. Hebt u geld bij u?'
'Ja,' zei Howard aarzelend.
'Hoeveel?'
'Waarom vraag je dat?'
'Nou ja, ik denk dat u voor een pond vrij bent.'
Howard keek de knul vol ongeloof aan. 'En voor nog een pond kan ik hier ook weg,' voegde Sayyed er snel aan toe. 'Het bevalt mij hier evenmin.' Vol weerzin keek hij hoe een dikke Egyptenaar gehurkt boven het gat in de vloer ging zitten en zijn behoefte deed.
Howard was sceptisch. De jongen kwam nogal als een gladjanus op hem over. Daar stond tegenover dat het zweet hem uitbrak bij de gedachte dat hij hier twee dagen en nachten moest doorbrengen. Onder zijn overhemd bevond zich het tasje met al het geld dat hij bezat. Bijna zestig Engelse pond. Een vermogen. Dus moest hij met alles rekening houden. Hij zou al zijn geld kwijtraken als zijn medegevangenen hem 's nachts overvielen. Het was hem niet ontgaan dat er enkele sinistere figuren tussen zaten. Misschien bestond zijn enige kans eruit dat hij zijn lot moest toevertrouwen aan die jongen.
Onopvallend ging Howard dichter bij Sayyed zitten. De knul begreep meteen wat de bedoeling was en draaide zich half opzij om Howard de gelegenheid te geven achter zijn rug ongemerkt datgene te doen wat hij van plan was. Behoedzaam knoopte Howard zijn overhemd open en haalde zijn tas tevoorschijn. Eerst pakte hij de foto van Sarah eruit en daarna twee pondbiljetten die hij in zijn hand liet verdwijnen.
Toen hij de foto weer in de tas wilde doen, keek Sayyed er even nieuwsgierig naar. Hij gniffelde en vroeg: 'Is dat uw vrouw, mister Carter?'
'Dat gaat jou niet aan!' mopperde Howard zachtjes. De foto verdween in de tas, waarna hij onopvallend zijn overhemd dichtknoopte.
'Waar is uw vrouw nu, mister?' vroeg Sayyed aarzelend.

'In Engeland,' zei Howard met tegenzin. 'Waarom wil je dat weten?'
Verlegen wendde Sayyed zijn blik af. 'Heel pijnlijk,' zei hij timide. 'Ik weet vrijwel zeker dat dat de vrouw is van wie ik het handtasje heb gejat. Het spijt me, mister Carter.'
Het duurde even voordat Howard weer helder kon denken. Hij begon Sayyed nogal griezelig te vinden. Opnieuw haalde hij de foto van Sarah uit de tas en hield die voor hem.
'Ja, dat is ze! Zij is bij de aanlegsteiger van de postboot gestapt. Haar bagage werd naar Hotel Luxor gebracht. Toen ze over de aanlegsteiger aan wal ging, heb ik... nou ja, dat weet u inmiddels. Het spijt me heel erg, mister Carter. Verschrikkelijk. Kan ik iets doen om het weer goed te maken?'
De jongen klonk oprecht. 'Is die vrouw hier van boord gegaan?' vroeg Howard vol ongeloof. Hij hield de foto nog steeds pal voor hem en kon zijn nervositeit niet verbergen.
'Dat zeg ik toch? Door haar zit ik hier!'
Haastig stopte Howard de foto onder zijn overhemd. 'Ik moet hier weg!' stamelde hij mat. 'Ik moet hier weg!'
Sayyed wees naar de hand waarin Howard nog steeds de twee pondbiljetten verstopt had. 'Als u nu zo vriendelijk wilt zijn...'
Howard maakte zich niet veel illusies. Maar inmiddels kon hem niks meer schelen. Zonder dat iemand het merkte, stopte hij Sayyed het geld toe. Maar niet voordat hij op een dreigende toon tegen hem had gezegd: 'Als je de boel beduvelt, sla ik je dood, geloof dat maar!'
'Komt goed,' zei Sayyed gelaten. Howard vroeg zich af of die knul een uitgekookte bedrieger was of dat hij gewoon zeker was van zijn zaak. In elk geval verloor hij hem geen moment uit het oog terwijl de jongen naar de tralies liep en een bewaker, die aan het eind van de lange gang wat zat te dutten in een stoel, met een fel 'Pssst' naar zich toe riep.
De bewaker had er duidelijk geen zin in. Hij mompelde iets onverstaanbaars, waarschijnlijk een scheldwoord, en slofte op zijn afgetrapte schoenen over de stenen vloer naar hem toe. Je kon horen dat Sayyed hem iets toefluisterde, meer niet. Uiteindelijk liep de bewaker net zo luidruchtig weg als hij gekomen was.
Na een paar minuten verscheen Hamdi-Bey bij de tralies. Sayyed en hij fluisterden een hele poos. Af en toe draaide Sayyed zich om en wees naar Howard. Na een kort dispuut liep de politiechef weg.
Woedend sloeg Sayyed met zijn vuist tegen de tralies en keerde met op elkaar geperste lippen terug naar Howard. De jongen zweeg. Althans zolang de medegevangenen hem in de gaten hielden. Pas toen de belangstelling taande, en het voorval vergeten leek, fluisterde hij

Howard toe terwijl hij de vingers van een hand spreidde: 'Die klootzak is daar niet tevreden mee. Hij wil vijf pond!'
En Howard maar denken dat hij op het punt stond vrijgelaten te worden. Was alles vergeefs geweest? Als hij nu lang bleef wikken en wegen, moest hij er rekening mee houden dat ze zijn hele vermogen wilden hebben. In elk geval wist Hamdi-Bey nu dat hij geld had. Hij haalde nog eens drie pond onder zijn overhemd vandaan en gaf het geld aan Sayyed.
Het spelletje begon opnieuw. Eerst kwam de bewaker, daarna Hamdi-Bey. De vijf pond wisselden bliksemsnel van eigenaar. Hamdi-Bey liep weg.
'Alles oké, mister Carter,' zei Sayyed toen hij terugliep.
'O ja?' siste Howard. 'Ik heb vijf pond betaald. Nu wil ik weg ook!'
Sussend hield de knul de handen voor zijn borst. 'U moet gewoon even geduld hebben! Hamdi-Bey is een boef, maar geen oplichter.'
'Wat is het verschil?' bitste Howard zachtjes en verbitterd. Hij was razend. Maar wat kon hij doen? Moest hij schreeuwen, tieren en iedereen in elkaar slaan? Schichtig keek hij om zich heen en dacht na hoe hij een eind kon maken aan deze uitzichtloze situatie. Koortsachtig speelde hij met de gedachte om een flauwte te veinzen. Zodra een dokter hem kwam onderzoeken, zou hij op de vlucht slaan. Plotseling verscheen de bewaker bij de tralies. Hij wees naar Howard en Sayyed. 'Meekomen! Verhoor!' riep hij.
Sayyed en Howard wierpen elkaar een steelse blik toe en liepen de cel uit. In een mum van tijd stonden ze op de straat voor het politiebureau.
'Ik heb het u toch gezegd?' zei Sayyed. 'Hamdi-Bey is een boef, maar geen oplichter.'
Howard liep eerst naar Hotel Luxor aan de oeverpromenade, niet ver van het politiebureau. Hij was zo opgewonden als indertijd in Swaffham. Hij zocht naar passende woorden waarmee hij haar zou begroeten. In zichzelf mompelend betrad hij het hotel en vroeg aan de receptionist naar mevrouw Sarah Chambers.
'Het spijt me, maar er logeert geen dame met die naam bij ons!' zei de kleine, vriendelijke Egyptenaar bij de receptie.
'Misschien mevrouw Sarah Jones?' Howard keek hem bijna smekend aan.
'Ook geen mevrouw Sarah Jones, sir!'
'Maar er logeert toch wel een Engelse dame in het hotel!'
De kleine receptionist verloor zijn geduld. Geërgerd keek hij op en zei: 'Sir, dit is een groot hotel en er logeren hier niet alleen Engelse dames. Excuseer, ik heb andere dingen te doen.'

Baksjisj! Dat woord schoot opeens door hem heen. Howard herinnerde zich wat Sayyed in de gevangenis tegen hem gezegd had. Hij stak de Egyptenaar die achter de balie stond twee piaster toe en vroeg: 'Mag ik even in het gastenboek kijken?'
Eigenlijk vond de receptionist dat helemaal niet goed, maar nadat hij bezorgd even naar alle kanten had gekeken, schoof hij het gastenboek naar hem toe. De Engelse dames zonder partner waren op de lijst gemarkeerd: mevrouw Showkey uit Gloucester, juffrouw Evans uit Manchester, mevrouw Jane Cullens met dochter Mary uit Brighton en Lady Elisabeth Collingham uit London South Kensington.
Teleurgesteld schoof hij het gastenboek terug. Reisde Sarah misschien onder een andere naam? Hij kon zich niet voorstellen wat de zin daarvan was. Maar het was wel zijn laatste hoop. Inmiddels was het avond terwijl Howard heen en weer voor Hotel Luxor liep. Vanaf de andere kant van de straat hield hij elk raam in de gaten in de hoop dat Sarah hem zou zien en naar hem zwaaide. Maar dat gebeurde niet. Twee uur later was hij doodmoe. Hij gaf het op en liep terug naar zijn pension.
Die nacht sliep hij onrustig. Hij droomde rare dingen. In een van die dromen kwam hij erachter dat Sarah in een politiecel zat. Bij zijn poging haar te bevrijden, werd hij door de bewakers overmand en in een andere cel gestopt. Hard roepend probeerde hij met Sarah te praten. Maar de kale gangen en onderaardse kerkers dempten hun stemmen. Geen van beiden hoorde wat de ander zei.
Kort na zonsopgang liep hij weer naar Hotel Luxor om de ingang en de ramen aan de straatkant in de gaten te houden. Zo vroeg op de ochtend was het druk bij de hotelentree. Rijtuigen en muildierkarren reden voor om de reizigers en hun bagage naar het station te brengen. Handelaars en winkeliers leverden hun spullen af en een grote groep bedienden was in hun blote bast zingend de straat voor het hotel aan het vegen. Dat veroorzaakte stofwolken voor het gebouw waardoor Howard niet goed kon zien wat er zich in en rond het hotel afspeelde.
Nadat hij drie uur vergeefs voor het hotel op en neer had gelopen, ging hij op een bankje aan de oeverpromenade zitten en staarde voor zich uit. Opeens hoorde hij achter zijn rug een vrouwenstem die hem niet bekend voorkwam: 'Excuseer, meneer. Al een paar dagen heb ik het gevoel dat u me in de gaten houdt. Waarom doet u dat?'
Howard schrok zich wezenloos. Maar toen hij zich omdraaide, schrok hij nog erger. Voor hem stond de raadselachtige dame die hij op de postboot had gezien. Het kon Sarah zijn, zo leek ze op haar. Maar haar stem niet. Op dat moment besefte Howard dat hij het slacht-

offer was geworden van zijn eigen zinsbegoocheling. Had hij het dan zo verkeerd gezien en gehoord?
'Ik dacht... ik geloofde... miss Jones?' Hij sprong op en bekeek de vrouw op een bijna onbeschofte manier van top tot teen. 'Miss Jones?' herhaalde hij hulpeloos.
'Ik ben Lady Elisabeth Collingham,' zei de dame. Ze leek als twee druppels water op Sarah.
'Lady Collingham?' herhaalde Howard mat. Hij knikte om een onbegrijpelijke reden. Uiteindelijk stamelde hij: 'Ik ben Howard Carter. Archeoloog.'
'U hebt mijn vraag nog steeds niet beantwoord, meneer Carter!' drong de vrouw aan.
'Inderdaad,' zei Howard. Hij kon zijn verstand en gevoelens niet met elkaar in overeenstemming brengen. Zijn verstand zei dat die vrouw niet Sarah was. Maar zijn gevoelens twijfelden daaraan. 'Kennelijk betreft het een persoonsverwisseling,' zei hij schuchter. 'Anders zou ik dit niet gedaan hebben...'
'Een tamelijk lompe manier om uw gedrag te rechtvaardigen, vindt u ook niet, meneer Carter?'
Howard haalde zijn schouders op. 'Zo komt het misschien op u over, mylady. Maar ik verzeker u dat het niet mijn bedoeling was om u in diskrediet te brengen. Ik hoop dat u mij gelooft.'
Lady Collingham glimlachte fijntjes. Het leek of ze geen woord geloofde van wat die jonge Engelsman zei. Tegelijk moest ze toegegeven dat zijn schuchtere aard haar wel beviel.
Howard werd woedend toen hij zag dat de dame vol ongeloof glimlachte. Hij haalde de tas onder zijn jas vandaan en liet haar de foto van Sarah zien. 'Dat is ze!' zei hij triomfantelijk.
'Een mooie vrouw,' zei de dame snibbig. 'Maar dat is toch geen rechtvaardiging voor uw gedrag?'
'U hebt gelijk. Dat u en miss Jones veel op elkaar lijken, is geen reden om u te schaduwen. Ik zal het uitleggen. Toen Sarah en ik twee jaar geleden afscheid van elkaar namen, was het niet uit tussen ons. De reden van dat afscheid had alles te maken met het feit dat Sarah met iemand anders trouwde terwijl ze alleen van mij hield. Kunt u volgen wat ik zeg? Sindsdien slijt ik mijn tijd als weinig succesvol archeoloog en probeer ik Sarah Jones uit mijn gedachten te bannen. Maar u ziet wat het gevolg is. Het spijt me, mylady.'
'Ik accepteer uw verontschuldiging!' Lady Collingham keek Howard lang aan. 'Maar onder één voorwaarde. Ik wil dat u mij wat meer vertelt over uzelf en die miss Jones.'

Howard kon amper geloven dat die mooie dame serieus geïnteresseerd was in zijn lot. Ook wist hij niet zeker of hij wel bereid was zijn levensperikelen aan haar te vertellen. Besluiteloos keek hij in haar donkere ogen die hem aan Sarah deden denken en zei: 'Moet ik u daar wel mee vermoeien, Lady Collingham? Weet u het zeker?'
'Heel zeker!' Ze droeg een lange gele jurk, afgewerkt met een zwarte bies en kant. En ze had een parasol van dezelfde kleur bij zich. Ze stak die op en haakte haar arm achter de zijne. 'Dit is mijn ochtendwandelingetje. Wat mij betreft mag u me begeleiden.'
Howard wist niet wat hem overkwam. Gisteren zat hij opgesloten in een benauwde politiecel. Nu liep hij gearmd met deze voorname dame langs de Nijl. Een dame die zo ontzettend veel op Sarah Jones leek. Hij was onzeker, in verwarring gebracht, een beetje van streek. Allerlei gevoelens verdrongen elkaar. Diep vanbinnen verzette hij zich ertegen om de intimiteit die deze mooie vrouw uitstraalde te beantwoorden. Maar dezelfde intimiteit zorgde ook voor een behaaglijk gevoel zoals hij dat van Sarah Jones kende.
Door deze verwarrende onzekerheid liepen ze een tijdje zwijgend naast elkaar. Vanuit de woestijn aan de andere kant van de Nijl waaide een zwoele wind. Lady Collingham had zelfs moeite om haar parasol recht te houden. Vertwijfeld zocht Howard naar woorden, maar hij wist niet hoe hij moest beginnen. Wat moest hij deze wildvreemde vrouw vertellen? Dacht ze werkelijk dat hij zijn diepste gevoelens aan haar zou toevertrouwen?
Plotseling hield Howard zijn pas in, trok zijn arm terug en zei vormelijk en beleefd: 'Mylady, als u mij wilt excuseren.'
Howard sloeg op de vlucht nog voordat Lady Collingham daar iets tegenin kon brengen. Hij haastte zich over de Nijlpromenade, alsof hij door een troep woeste honden werd achtervolgd. Bij Hotel Savoy sloeg hij linksaf. Pas toen hij er zeker van was dat de dame hem niet volgde, vertraagde hij zijn pas. Even later liep hij zijn pension binnen. De kleren plakten aan zijn lijf.
'*Effendi!*' riep MahMond Habila, de voortdurend glimlachende eigenaar van Maamura Palace. Hij zwaaide met een papiertje dat hij in zijn hand hield. 'Een boodschap voor u. Van meneer Naville!'
Howard las het bericht. 'Ik verzoek u dringend om naar Deir el-Bahari te komen. Edouard Naville.'

Opnieuw nam het leven van Howard Carter een onverwachte wending. Toen hij op de andere oever van de Nijl Naville ontmoette, kwam hij te weten dat diens assistent Percy Brown een ernstig ongeluk had gehad. Brown hield zich hoofdzakelijk bezig met het ko-

piëren van inschriften en wandreliëfs. Hij was van een steiger gevallen en had zijn rechterdijbeen en beide armen gebroken.
'Bent u bereid de taak van meneer Brown over te nemen?' vroeg Naville op zijn zo typisch kordate en gedecideerde manier.
'Dat wil ik best doen,' antwoordde Howard aarzelend. Hij wist nu dat Naville hem nodig had. 'Maar dat hangt ook van de voorwaarden af, sir.'
Eigenlijk was Naville niet iemand met wie je kon onderhandelen. Maar dit was een noodsituatie. Hij was op de jonge Engelsman aangewezen. Met een gekwelde uitdrukking op het gezicht keek hij Howard aan en zei, alsof hij de grootste moeite had om die woorden over zijn lippen te krijgen: 'U bepaalt de voorwaarden, meneer Carter!'
Howard dacht dat hij droomde. De beroemde Naville zei tegen hem dat hij de voorwaarden mocht bepalen. Hij dacht even na, alsof hij met de archeoloog in een pokerspel verwikkeld was. Vervolgens besloot hij alles op het spel te zetten.
'Ingenieur Naville,' zei hij zelfverzekerd, 'ik wil het dubbele salaris dat ik van Flinders Petrie in Amarna kreeg. Honderd pond.'
'Afgesproken.'
'Bovendien...'
'Ja?' Naville keek Howard verwachtingsvol aan.
'Bovendien wil ik dat u ervoor zorgt dat ik een archeologenopleiding kan volgen.' Howard verbaasde zich over zijn eigen moed.
'Verder nog iets?' vroeg Naville op een provocerende toon.
'Nee, sir. Dat is alles.'
Plotseling was de gekwelde uitdrukking op het gezicht van Naville verdwenen. 'Het laatste vind ik zeer lovenswaardig,' merkte hij tevreden op. 'Het toont dat u hart hebt voor de zaak. Dat bevalt me wel, meneer Carter. Prima, zo doen we het!' Hij gaf Howard een hand. 'Welkom in Deir el-Bahari. Wanneer kunt u beginnen?'
'Laten we zeggen overmorgen.'
'Goed. Overmorgen om zes uur. U kunt zich hier melden.'
Terwijl de veerman het zeil zette en de avondwind de okerkleurige driehoek liet flapperen, werd Howard kwaad op zichzelf. Hij vond dat het niet door de beugel kon zoals hij zich tegen Lady Collingham had gedragen. Ongetwijfeld amuseerde ze zich over zijn dwaze gedrag. Plotseling herinnerde hij zich de eerste ontmoeting die hij met Sarah Jones had. Ook toen was hij weggelopen.
De wind dreef de boot ongewoon snel naar de andere oever. Howard gaf de veerman een vorstelijke baksjisj en wenste hem de zegen van Allah. Toen hij terugliep naar Maamura Palace vroeg hij zich af waarom hij altijd wegliep als hij zich geen raad wist met een situatie.

Natuurlijk was hij destijds in Swaffham nog erg jong. Een bedeesde knul die op de *Dame School* zat. Maar zijn leven was toch totaal veranderd? Hij was inmiddels toch een veelgevraagd tekenaar die honderd pond per jaar verdiende? Dat was meer dan zijn vader ooit gekregen had. Waarom gedroeg hij zich dan als een onnozele hals?
Hij was alleen in zijn pensionkamer, waar je echter nooit helemaal op jezelf was. De ramen waren niet voorzien van glas, waardoor het straatrumoer altijd binnendrong. En de deur kon je slechts symbolisch dichtdoen. Maar in een bepaald opzicht was hij er toch alleen. En hij was alleen met zijn gedachten. De behoefte groeide toen om de mooie dame een brief te schrijven waarin hij zich zou excuseren. Maar nog voordat hij kauwend op een potlood moeizaam de eerste zin op papier had gezet, besloot hij zich persoonlijk bij Lady Collingham te verontschuldigen.
De volgende ochtend ging hij op weg naar Hotel Luxor. Lady Collingham zat in de tuin te ontbijten. Hij had haar bijna niet herkend. Toch wist hij niet in welke zin ze veranderd was. Toen dat besef tot hem doordrong, vroeg hij zich af of Lady Collingham niet slechts een droombeeld van zijn fantasie was.
De dame bood hem aan om samen met haar te ontbijten. Het pijnlijke voorval van de vorige dag had kennelijk weinig indruk op haar gemaakt. In elk geval babbelde ze over het weer en de Nijlvloed die volgens de inheemsen al een week op zich liet wachten. Onderwijl dronk ze van haar zwarte koffie en lepelde ze yoghurt uit een kommetje. Plotseling vroeg ze dan toch helemaal onverwacht: 'Waarom bent u gisteren weggelopen, meneer Carter?'
Howard had net een stukje kaas in zijn mond gestopt. Hij kauwde en slikte het door terwijl hij heftig knikte, alsof hij daarmee wilde zeggen dat dat de reden van zijn bezoek was. 'Ik ben gekomen om me te verontschuldigen, mylady,' zei hij. 'Ik was gisteren eenvoudig niet in staat een wildvreemde vrouw zo zonder meer in vertrouwen te nemen. We kenden elkaar immers niet. Eerlijk gezegd was ik ook bang dat u mij zou uitlachen...'
'Wellicht maak ik het u gemakkelijker als ik eerst wat over mezelf vertel,' zei Lady Collingham. 'Ik moet nu ook moed verzamelen. Dus begrijp ik heel goed hoe u zich voelt. U vraagt zich misschien af waarom ik zonder gezelschap reis. Nog wel zo ver van huis.'
'Natuurlijk niet, mylady!' huichelde Howard.
'Nee, u hoeft niet te doen alsof u zich dat niet afvraagt!' De dame liet haar blik over de andere hotelgasten glijden die in de tuin aan het ontbijt zaten. 'Iedereen vraagt zich dat af. Er wordt zelfs achter mijn rug gekletst.'

'Bent u niet getrouwd?'
'Tot een jaar geleden wel. Zoals dat gaat in mijn kringen werd ik toen ik twintig was... vier jaar geleden... ten huwelijk gegeven aan Lord Collingham. Niemand vroeg me of ik dat wel wilde. En al helemaal niet of ik van de lord hield. Ik diende dat huwelijk kennelijk als een eer te beschouwen. Maar wat als een eer bedoeld was, werd al gauw een schande. Naast zijn respectabele bezit bracht hij ook een opmerkelijke karaktertrek in het huwelijk. Niemand wist dat Lord Collingham een stevige drinker was. Het had zulke proporties aangenomen dat hij zonder een flinke slok tot niets in staat was. Aangezien ik geen zwakzinnig of dom kind ter wereld wilde brengen, ging ik niet met hem naar bed. Ik stelde een ultimatum: de drank of ik. Vier dagen lang dronk hij geen druppel. Op de vijfde dag sprong hij in het Victoria Station voor een trein die binnenreed.'
Ze had haar lange relaas op een afstandelijke manier uit de doeken gedaan. Vervolgens zwegen ze een tijdje. Howard durfde nauwelijks te reageren en zei verlegen: 'Het spijt me, Lady Collingham.'
'U hoeft geen medelijden met me te hebben,' antwoordde de dame koeltjes. 'En nu wil ik graag uw verhaal horen, meneer Carter!'
Nu zij openhartig over haar leven had verteld, had hij geen bedenkingen meer. Hij had medelijden met die vrouw. De levensloop van beiden verschilde aanzienlijk. Toch vond Howard een gemeenschappelijk kenmerk. De dame was kennelijk om dezelfde reden naar Egypte gereisd als hij. Ook zij wilde vergeten.
Dus vertelde Howard over zijn leven in Swaffham. En over zijn liefde voor Sarah Jones. Toen hij over het afscheid op het station begon, alweer bijna drie jaar geleden, staarde hij beschaamd naar de palmkruinen om te voorkomen dat de dame zag dat hij tegen zijn tranen vocht.
'U hebt ongetwijfeld heel veel van haar gehouden,' zei Lady Collingham nadat hij was uitverteld.
Hij glimlachte verbitterd. 'Het is misschien dom, maar ik hou nog steeds van haar... ook al is ze met iemand anders getrouwd.'
'In een bepaald opzicht benijd ik u, meneer Carter. U bent ongelukkig, maar daaraan liggen diepe gevoelens ten grondslag. Waar gevoelens zijn, heerst ook leed. Maar leed duurt niet eeuwig. Op zeker moment komt er een lach voor in de plaats. Ik daarentegen met mijn verkommerde gevoelsleven...'
Howard had de indruk dat de mooie dame zich aan hem opdrong door om zijn medelijden te bedelen of zijn gevoelens los te woelen. Niet dat hij dat onaangenaam vond. Hij vroeg zich alleen af waarom Lady Collingham uitgerekend bij hem haar hart luchtte. Er waren

toch zeker rijke, deftige mannen die haar het hof maakten? Voorname mannen die in hoog aanzien stonden?
Als hem een paar dagen geleden de vraag gesteld was of hij zich kon voorstellen dat er een andere vrouw dan Sarah Jones in zijn leven zou verschijnen, had hij daar verontwaardigd negatief op gereageerd. Met een vragende blik keek hij haar aan. Zou zij die vrouw misschien kunnen zijn?
Plotseling schrok hij. Alsof hij wakker werd uit een erotische droom die de realiteit terzijde had geschoven. Met een ruk stond hij op en hij maakte aanstalten om afscheid van haar te nemen. 'Hopelijk heb ik u niet verveeld met mijn relaas,' zei hij vlug. 'Als u mij nu wilt excuseren.'
'Hebt u geen tijd om met mij een ochtendwandelingetje te maken?'
'Het spijt me, mylady. Ik heb plotseling werk gekregen. Ik ga samen met archeoloog Edouard Naville de opgravingen bij de tempel van Deir el-Bahari superviseren. Misschien een andere keer. Blijft u nog een tijdje?'
'Zou u dat fijn vinden?' Lady Collingham gaf Howard een hand en hield die langer vast dan voor een kortstondig afscheid gepast was.
Howard merkte dat hij bloosde. Hij verzamelde echter moed en zei: 'Ik wil u graag weer ontmoeten, Lady Elisabeth.'
Ze keek naar hem op. Alsof hij in de ogen van Sarah staarde. Op een merkwaardige wijze voelde hij zich aangetrokken tot die vrouw.

16

Het monotone gezang van de arbeiders weerklonk door het dal van Deir el-Bahari. Het werkte de Europeanen danig op de zenuwen. Het begon 's ochtends om zes uur en eindigde pas tegen de middag na gedane arbeid. Naville beweerde dat het werk beter opschoot als de fellahs zongen. Meer dan vierhonderd mannen vormden een eindeloos lange keten van ontelbare met puin gevulde tenen manden waarmee ze van het bovenste terras van de tempel van Hatsjepsoet naar beneden tot in het dal liepen. Daar kiepten ze de manden om in de roestbruine lorries die op het woestijnspoor stonden. Naville had het smalspoor tot in het dorp laten aanleggen. De arbeiders vonden het een eer om voor locomotief te spelen.
Ondanks de eigenaardige gewoonten van de archeoloog, zoals het gemeenschappelijke en zeer schoolse ochtend- en avondgebed, kon Howard steeds beter met hem opschieten. In zijn eentje wijdde hij zich aan de taak die eruit bestond de belangrijkste reliëfs en muurschilderingen te kopiëren. In tegenstelling tot de verongelukte as-

sistent nam hij er geen genoegen mee om de kopieën op dezelfde schaal – 1 : 1 – te tekenen. Hij koos voor gebruikelijkere formaten en maakte er kleurige aquarellen van. Naville was zeer te spreken over het resultaat.
Daarnaast vond hij ook nog tijd om Naville op de vingers te kijken tijdens de opgravingen. Naville was niet alleen een totaal ander persoon dan Flinders Petrie, de eerste leermeester van Howard, ook zijn werkwijze was volkomen anders. Petrie beschouwde het als zijn taak om de aarde nieuwe geheimen te ontfutselen. Naville nam genoegen met de ontdekking als zodanig en streefde ernaar datgene wat voorhanden was wetenschappelijk te verwerken. Naville kon zich bijvoorbeeld dagenlang verdiepen in een petieterig detail of een ogenschijnlijk onbelangrijke hiëroglyfe. Petrie was daarentegen voortdurend op zoek naar nieuwe vondsten en doodongelukkig als hij een dag geen succes had gehad. Naville beschouwde nieuwe vondsten bijna als een belemmering van zijn werk. Hij vond niet het ontdekken van kunstobjecten maar het conserveren ervan het belangrijkste. En daarin onderscheidde hij zich ook van Howard.
Op een avond stond Howard aan de voet van de rotstempel. Met het hoofd in zijn nek keek hij omhoog. Zijn blik gleed langs de ruige, okerkleurige rotswanden die er op elk moment van de dag anders uitzagen. Soms werd de doodse stilte verbroken door afbrokkelend gesteente dat van de gruishelling naar beneden rolde, zoals dat al duizenden jaren het geval was.
Op dit tijdstip zorgden vooruitstekende gedeelten van de rotswanden voor donkere schaduwen op de grond. Op sommige plaatsen vormden ze reusachtige gezichten of fabelwezens zo groot als een huis met vier verdiepingen. Howard keek van de ene kant naar de andere, van boven naar beneden. Elke spleet, elke gebogen vorm en elk vooruitstekend gedeelte vond hij interessant en prikkelde zijn verbeeldingskracht.
Naville had Howard al geruime tijd geobserveerd. Hij naderde hem van achteren en zei: 'Ik denk dat ik weet wat u zoekt, meneer Carter. Maar laat die gedachte varen, als ik u een goede raad mag geven!'
Howard draaide zich om. 'Sinds ik hier ben, vraag ik me af of koningin Hatsjepsoet op deze plaats een grafkamer heeft laten bouwen voor zichzelf. Dat ligt toch voor de hand, vindt u ook niet?'
'Als ik het niet dacht,' zei Naville gniffelend. 'Hebt u een aanwijzing gevonden die uw vermoeden rechtvaardigt? Kunt u mij een hint geven?'
'Nee.' Howard staarde weer naar boven. 'Maar is mijn vermoeden dan zo absurd?'

'Absurd? Geenszins. Archeologie is een aaneenschakeling van absurditeiten. Deze tempel is het beste bewijs daarvan. Natuurlijk kunt u die rotswand afzoeken naar een geheime toegang. Maar geloof me, meneer Carter, dat is zowel gevaarlijk als zinloos.'
'Je zou aan een touw kunnen afdalen en de rotswand afkloppen naar holle ruimtes.'
'Denkt u dat u de eerste bent die op dat idee komt? Ruim twintig jaar geleden ontdekten de gebroeders Abd-er-Rassul op die manier de tot dan toe grootste archeologische schat.'
'In deze rotswand?' vroeg Howard vol ongeloof.
Naville wees naar boven. 'Op die vooruitstekende rotspunt, ongeveer twaalf meter van boven, zag Ahmed, de oudste van de drie broers, op een dag een met stenen gebarricadeerd gat. Je kunt het hier beneden maar ook van boven niet zien. Ahmed kwam er alleen achter omdat hij zich aan een touw naar beneden liet zakken. Nadat hij de stenen verwijderd had, ontdekte hij een gang die naar links afboog en zeventig meter in het gesteente voerde naar een grafkamer. In die kamer trof hij de mummies aan van veertig farao's, onder wie Ramses, Sethos en Thoetmozes III. Bij ieder van hen bevond zich een naambordje.'
'Goeie genade,' zei Howard ernstig.
'Een heel jaar lang verzwegen de drie broers hun ontdekking,' zei Naville. 'Daarna besloten ze geld te gaan verdienen aan wat ze gezien hadden. Ze wijdden consul Mustafa Aga Ayat in, de grootste antiekzwendelaar van Boven-Egypte, en verkochten met zijn hulp jarenlang grafgiften, waaronder gouden sieraden en ringen die ze de koningsmummies van de vingers hadden getrokken.'
Howard was zo onder de indruk van wat Naville hem vertelde dat hij niet wist wat hij moest zeggen. Met half dichtgeknepen ogen staarde hij naar de donkere rotswand waar die ongelofelijke gebeurtenis zich zou hebben afgespeeld. 'Een ding begrijp ik niet,' zei hij schuchter. 'Hoe zijn al die koningen in die ene grafkamer terechtgekomen terwijl er voor deze vorsten toch praalgraven waren gemaakt?'
'Volg mij!' Ze gingen terug naar huis. Onderweg beantwoordde Naville zijn vraag. 'Gelukkig werd in de geheime mummieschuilplaats een bericht gevonden omtrent de bedoeling van die grafkamer. Al rond twaalfhonderd voor Christus hielden zich in het verlaten Dal der Koningen roversbendes op. Tijdens het bewind van Ramses III kwamen de Amon-priesters met een plan. Onder strenge geheimhouding werd er jarenlang gewerkt aan een ontoegankelijk labyrint in de rotsen. Dankzij een perfect georganiseerde, geheime verhuis-

actie werden de mummies van alle farao's naar de bergtop gebracht, waarna men ze aan een touw naar beneden liet zakken tot bij de ingang. De schuilplaats bleef meer dan drieduizend jaar onontdekt.'
'Wie kwam hen uiteindelijk op het spoor? Wie heeft een eind gemaakt aan die roofpraktijken?'
Naville hield zijn pas in en keek hem aan. In de schemering zag Howard duidelijk de grijns op diens gezicht. 'U zult het niet geloven, maar dat was Emil Brugsch,' zei hij grinnikend.
Howard had veel voor mogelijk gehouden maar dit niet. Dat uitgerekend Brugsch, die boef, andere boeven het leven zuur had gemaakt was moeilijk te begrijpen. Terwijl ze verder liepen naar het archeologenhuis legde Naville uit hoe dat gegaan was. 'Ongeveer vijftien jaar geleden verschenen steeds meer kostbare vondsten op de zwarte markt. Kostbaarheden die men tot nu toe nog nooit gezien had. Op veel ervan stonden koningsnamen uit het Nieuwe Rijk. Men moest er dus wel vanuit gaan dat een of andere boef niet één maar verscheidene koningsgraven ontdekt had. Ook in die tijd was Brugsch geen onbekende in helerskringen. Hij onderhield contacten met de onderwereld en kreeg om die reden opdracht zich met schijnkopen bezig te houden om erachter te komen wat er speelde. In bepaalde kringen deed Brugsch navraag waar hij waardevolle archeologische vondsten kon verkrijgen. Hij volgde het spoor tot in Luxor. Consul Mustafa Aga Ayat en de gebroeders Abd-er-Rassul boden hem zo'n beetje alles wat op de internationale zwendelmarkt goed en duur was. Over de herkomst van de kunstobjecten zwegen ze echter. Brugsch liet zich niet met een kluitje in het riet sturen en schaduwde de broers. Uiteindelijk sloeg Soliman, de jongste van de drie broers, door en legde een verklaring af. Het Oudheidkundig Bestuurscollege in Caïro betaalde hem zelfs vijfhonderd Engelse ponden. Ik heb trouwens gehoord dat Brugsch zich weer in Luxor ophoudt!'
'Ja, daar weet ik alles van,' zei Howard. 'Het genoegen was niet wederzijds.'
'Hebt u hem nog aangesproken over de tekeningen van Amarna?'
'Zeker. Het ging echter anders dan ik verwacht had.'
Naville keek hem vragend aan.
'Brugsch haalde de politie erbij en beweerde dat ik iets van hem gestolen had. Ik werd toen gearresteerd en heb een halve dag in een politiecel doorgebracht bij dieven en hoeren. Dankzij een baksjisj kon ik me vrijkopen.'
'Die Brugsch is en blijft een oplichter. Laat u door die kerel niet intimideren, Carter. Roep hem ter verantwoording!'

Howard knikte moedeloos. Bij het archeologenhuis vroeg hij: 'Wat is er van de gebroeders Abd-er-Rassul geworden?'
'Ze zijn niet veroordeeld. De twee jongste broers hebben geld zat en zijn stil gaan leven. Ahmed, die de mummieschuilplaats ontdekt heeft, is benoemd tot hoofdtoezichthouder in het Dal der Koningen. Hij moet zien te voorkomen dat grafrovers hun gang kunnen gaan.'
'Dat meent u niet!'
'Toch is het zo. Vergeet niet, Carter, dat we hier in Egypte zijn!'

Nadat Howard uit Tell el-Amarna was vertrokken, omdat het project was afgeblazen, onderhield hij geen contact meer met Lord Amherst en Lady Margaret. In een brief had hij zich verontschuldigd dat hij geen succes had geboekt. Ook had hij laten weten dat hij de plattegrond van Amarna was kwijtgeraakt. De lord had het kennelijk niet nodig gevonden daarop te reageren. Waarschijnlijk uit teleurstelling.
Howard kon dan ook niet weten dat Lord Amherst de vorige dag in Egypte was gearriveerd. Samen met Lady Margaret, dochter Alicia en haar verloofde Lord Rockley, butler Albert en Emily, het kamermeisje. Toen het reisgezelschap in Alexandrië van boord ging, was het dan ook geen wonder dat er vier vierwielige faëtons nodig waren om het personeel en de enorme hoeveelheid bagage naar het station te vervoeren.
Tot op enkele uitzonderingen na waren de sporen van de verwoesting die de Britse vloot in de stad had aangericht gewist. Op het Mohammed-Ali-Plein en in de straat waar de Europese consuls kantoor hielden, waren nu schitterende gebouwen verrezen. Zoals in vervlogen tijden werd ook nu het stadsbeeld grotendeels bepaald door Europeanen en hun architectuur.
'Kijk daar eens, mama!' riep Alicia. Ze trok Lady Margaret aan haar mouw. De koets sloeg af naar het plein voor het station. Pal voor hen verrees een sprookjeskasteel, compleet met erkers en torentjes, blauw met wit betegelde muren en bonte ramen in spitsboogstijl. Slanke zuilen omzoomden het portaal. Vergeleken met deze pracht en praal leek het Victoria Station in Londen op een armenhuis.
Lord Rockley hielp zijn verloofde galant uit de koets. Lady Margaret twijfelde of haar eenvoudige reiskleding wel gepast was voor deze treinreis door de Nijldelta, wat ze een zeer belangrijke gebeurtenis vond. Noblesse alom, waar je ook keek. Loketbedienden in 'gouden' livreien deden hun werk zoals je dat alleen gewend was in de Bank of England. Aan hun plechtige gezichtsuitdrukkingen konden die bankbedienden geenszins tippen. Een bagagemanager met witte

handschoenen aan bekommerde zich om de koffers van de reizigers. Niet door er zelf mee te gaan slepen. Nee, dat zou beneden zijn waardigheid zijn. Hij commandeerde een grote groep lakeien in witte galabia's.
Er hing een opgewonden sfeer. Niemand wist wat daarvan de reden was. Verkopers duwden hun handkarren door de hal en riepen luidkeels hoe uniek hun noten, honingkoeken en krakelingen waren. Eén verkoper was voldoende geweest om aan de bescheiden belangstelling van de reizigers te voldoen. Maar er waren er minstens vijf die om de gunst van de vreemdelingen dongen terwijl ze elkaar overschreeuwden.
Voor zichzelf en zijn gezin had Lord Amherst een coupé eerste klas gereserveerd. Emily en Albert kregen een coupé derde klas toebedeeld. Daar werd ook de bagage opgeslagen. Houten bankjes voor het personeel, fluwelig pluche voor de deftige familie. Alleen Europeanen mochten in gemengde coupés worden ondergebracht, waar mannen en vrouwen elkaar gezelschap hielden. De Egyptenaren reisden gescheiden.
De reis naar Caïro door de veelarmige Nijldelta – doorgaans nam die rit een halve dag in beslag – leek in alle opzichten nog steeds op een avontuur. Het kwam immers vaak voor dat de spoorbaan overstroomd was, onder het woestijnzand lag of dat de rails verbogen waren door de hitte van de zon die er de hele dag op scheen.
Halverwege Alexandrië en Caïro, nabij Kafr el-Zayat waar de brede westelijke Nijlarm werd overgestoken, kregen de reizigers iets heel bijzonders te zien. De rails eindigde abrupt bij de oever. Pas toen twee boten stroomopwaarts gepasseerd waren, zwenkte vanaf het midden van de rivierarm het spoor weer naar de oever, waarna de treinreis voortgezet kon worden.
Deze draaibrug die door de Engelsen gebouwd was, werd tijdens het bewind van kedive Said Pasja op dubieuze wijze beroemd. De gebroeders Ahmed en Ismail, beiden neven van de kedive, stonden op de eerste en tweede plaats als het ging om de troonopvolging van de vicekoning. Na een familiefeest in Alexandrië ging de hele familie met een speciale trein terug naar Caïro. Onder hen bevond zich ook Ahmed, de troonopvolger. Alleen Ismail was er niet bij. Toen de trein de draaibrug naderde, opende die zich als vanzelf waardoor de trein met de familie van de vicekoning in de Nijl viel. Op die manier werd Ismail de kedive van Egypte.
Lord Amherst en zijn familie arriveerden veilig en wel in Caïro. In Hotel Shepheards hadden ze vijf naast elkaar liggende kamers gereserveerd, met uitzicht op de Nijl en het riviereiland Gesira. Na het

diner op het hotelterras, dat met elektrische lampen in een toverachtig licht werd gehuld, bracht een ober een visitekaartje dat op een zilveren dienblad lag. Lord Amherst pakte het kaartje en las: *J.M. Cook – Thomas Cook, travel agents – Shepheards, Caïro.*
'Met alle plezier!' zei de lord. Even later verscheen een man die zich aan hem voorstelde. Hij was deftig, Engels gekleed.
'Ik heb uw aankomst vernomen, mylord, en dat u met uw familie naar Boven-Egypte wilt reizen. Het zal ons een waar genoegen zijn om die reis tot in de puntjes te verzorgen.'
Lady Margaret keek verontwaardigd, alsof de man een straathandelaar was die ongevraagd zijn handelswaar aanprees. Maar de lord had belangstelling en vroeg aan de Engelsman: 'Bent u een nazaat van de beroemde Thomas Cook?'
'Ik ben zijn zoon, om precies te zijn. Mijn vader Thomas is vier jaar geleden overleden.'
'Dat weet ik,' zei Amherst. 'De kranten stonden er vol van. Uw vader had immers het reizen uitgevonden, als ik me zo mag uitdrukken.'
'Heel aardig van u, mylord. Maar u hebt gelijk, bij de Cooks bent u wat dat betreft aan het goede adres. Zelfs koningen en andere machthebbers reizen met vouchers van Thomas Cook. Zelfs Taufik Pasja was geen uitzondering.'
Alicia had het gesprek aandachtig gevolgd en keek haar vader vragend aan. 'Kan iemand mij misschien uitleggen waarom je met vouchers zou moeten reizen?'
'Heel eenvoudig, mylady!' Cook richtte zich tot Alicia. 'Sinds mensenheugenis moesten mensen die naar verre landen reisden al het geld dat ze voor de reis nodig hadden meenemen. Dat was lastig én gevaarlijk. Er waren immers schurken en dubieuze figuren die je tijdens zo'n reis op de hielen zaten. Thomas Cook biedt de mogelijkheid om alles thuis te betalen. Ons reisbureau neemt de kosten die gemaakt worden als je met de boot of de trein reist, en de hotelreserveringen, voor zijn rekening. Waar je ook heen gaat, alles is van tevoren geregeld.'
'Dat is geweldig!' riep Alicia enthousiast. Ook Lady Margaret knikte nu instemmend.
Lord Amherst hield zijn hoofd schuin. 'We zijn van plan om deze winter in Boven-Egypte door te brengen. Ver weg van Didlington Hall en het koude, mistige weer. Kunt u ons geschikte hotels adviseren?'
'Geen probleem, mylord! Ons agentschap is in dit hotel gevestigd. Hoelang wilt u in Boven-Egypte blijven, als ik vragen mag?'
Amherst keek Lady Margaret aan en zei: 'We zijn voornemens de

kerst in Luxor te vieren. Verder willen we een bezoek brengen aan Amarna, Idfoe en Aswan.'
Cook knikte begripvol. 'In Amarna en Idfoe zal het moeilijk worden om een geschikt hotel te vinden. Eerlijk gezegd... die hotels zijn er niet. Tenzij u genoegen neemt met een onderkomen waar 's nachts de ratten rondscharrelen.'
'William!' riep Lady Margaret. Ze greep zich vast aan de arm van haar man. 'Dan blijf ik liever hier.'
De lord vond de opmerking van Cook zeer ongepast. Hij vreesde namelijk dat Margaret die dreiging waar zou maken. Vandaar dat hij Cook met een hulpeloze blik aankeek.
Cook begreep kennelijk wat Amherst bedoelde en zei: 'In uw geval adviseer ik een dahabija. Een woonboot met een salon, een bibliotheek en zes slaapkamers. Aan comfort geen gebrek. We verhuren die boot met het personeel. Dus met de kapitein, matrozen en een kok.'
'O, wat romantisch!' riep Alicia extatisch. Lady Margaret zei opgewonden: 'William, William, wat sprookjesachtig.'
'Het is ook sprookjesachtig als Egypte aan je voorbijglijdt. Die indruk krijg je namelijk als je met een boot op de Nijl vaart. Alsof het landschap aan je voorbijtrekt, en niet andersom.'
Amherst trok echter zijn wenkbrauwen op. 'Goed, meneer Cook. Wat kost ons dat genoegen?'
'Honderd Engelse pond,' zei Cook onbewogen, waarna hij er nog kalmer aan toevoegde: 'Per maand.'
De lord, Lady Margaret, Alicia en Lord Rockley keken elkaar beurtelings aan. 'Dat is veel geld,' zei Amherst uiteindelijk. 'Dat is zelfs héél veel geld, meneer Cook.'
'Zeker, mylord. Daar staat tegenover dat u transport- en hotelkosten bespaart, als ik zo vrij mag zijn. Bovendien is het op de Nijl veiliger dan aan wal. En op onze boten is het net zo comfortabel als in elke chique hotelsuite. Morgenvroeg rond tien uur legt de *Nefertari* aan voor het hotel. U kunt de dahabija dan in alle rust bekijken en daarna pas beslissen.'
Het besluit om met een woonboot de Nijl op te varen was al gevallen voordat de familie Amherst en Lord Rockley de volgende ochtend het vaartuig in ogenschouw namen. De dahabija was een tweemaster. De hoofdmast bevond zich bij de boeg. En een kleinere bij de achtersteven. De schuine dwarsmasten met de witte zeilen gaven de boot een nogal bizar voorkomen. Een derde deel van de ongeveer dertig meter lange woonboot bestond uit een open voordek met het roer, de takelage en allerlei ander gerei. Daarachter was de witte

opbouw te zien met smalle, hoge hutvensters. Op de opbouw bevond zich een uitnodigend zonneterras, voorzien van rieten stoelen, waar je ontspannen kon vertoeven en het landschap bekijken.
De kamers straalden de gedegenheid van een Engelse salon uit. Donker Afrikaans houtsnijwerk decoreerde de wanden. Alles was met messing afgewerkt. De salon op de achtersteven had zeven ramen, van vloer tot plafond, en herinnerde aan de achtersteven van middeleeuwse galeien. Het karakteristieke scheepsmeubilair van mahonie straalde een gezellige sfeer uit.
'Heb ik te veel beloofd?' vroeg Cook nadat Amherst en Lord Rockley de *Nefertari* nauwkeurig geïnspecteerd hadden.
Amherst nam de reisagent terzijde. 'Ik wil deze boot, met de bemanning, graag voor drie maanden huren.'
'Het zal Thomas Cook & Zonen een eer zijn u en uw familie tevreden te stellen. Dan wil ik u nu graag uitnodigen om met mij mee te gaan naar het kantoor. Wanneer wilt u afreizen, mylord?'
'Vandaag nog, als dat kan.'
'Natuurlijk.'

Het was inmiddels laat in het jaar. De zomerhitte had plaatsgemaakt voor aangenamere temperaturen. Vooral 's ochtends waaide het hard. De *Nefertari* maakte dan ook snelheid, wat gunstig was. 's Nachts werd ergens aan een oever afgemeerd. Dan knarsten de planken en kreunden de masten als lastdieren na een zware werkdag. In het begin sliep iedereen 's nachts dan ook slecht.
Op de vierde dag meerde de *Nefertari* aan in de buurt van het dorp Et-Till, ten zuiden van Mallawi. Op de oostelijke Nijloever was het uitzicht op de woestijnvlakte van Tell el-Amarna, en het rotsgebergte pakweg drie kilometer verder, adembenemend mooi.
Het kwam niet elke dag voor dat een mooie dahabija hier aanmeerde. Doorgaans zagen de dorpelingen de woonboten van rijke Europeanen alleen in de verte voorbijvaren. In een mum van tijd stond een grote groep inheemsen bij de aanlegsteiger te kijken. Ze vermoedden dat de nieuwe kedive Abbas Hilmi aan boord van die boot was. Of Sir Herbert Kitchener, sinds kort sirdar, ofwel opperbevelhebber van het Egyptische leger. Ze hadden zich tot nu toe in Midden-Egypte nog niet laten zien. En zo gebeurde het dat de nasir van Et-Till, een oude, baardige sjeik, en een lange raïs die met de andere dorpsbewoners de *Nefertari* langs de oever gevolgd had, zich in het zand wierpen waarbij ze met hun hoofd de grond raakten, terwijl Lord Amherst gevolgd door Lord Rockley, Lady Margaret en Alicia over een krakkemikkige landingssteiger aan wal gingen.

Kapitein Nagib Afifi sprak naast Engels ook goed Frans. Bovendien kon hij uitstekend zingen. 's Avonds nadat de boot was afgemeerd, bewees hij dat vaak, samen met zijn ukelele. Met de grootste moeite kon hij de inheemsen uitleggen dat de vreemdelingen slechts een reisgezelschap vormden dat uitsluitend geïnteresseerd was in de ruïnes van Achetaton.
Nauwelijks had Nagib dat gezegd of Amherst zag dat de lange raïs zich heimelijk uit de voeten maakte, op zijn ezel ging zitten en zich haastig in de richting van het rotsgebergte begaf. Nogal kortaf droeg Lord Amherst Afifi op om voor hem en Lord Rockley zo snel mogelijk twee ezels te huren. Met een royale baksjisj was dat zo geregeld, waarna de twee mannen de raïs volgden.
'Zie jij wat daar aan de hand is, Rockley?' Amherst wees voor zich uit.
'Een groep arbeiders! Misschien wel honderd, sir. Volgens mij zijn ze met opgravingen bezig.' Met veel moeite kon Rockley zijn koppige ezel in het gareel houden.
'Daar lijkt het inderdaad op,' zei Amherst. 'Ik had al zo'n vermoeden.' Met een paar harde keelklanken spoorde hij de twee ezels aan sneller te lopen.
'Dat begrijp ik niet, sir.'
'Dat komt nog wel, Rockley. Vooruit, opschieten!'
Toen de raïs de archeologische site bereikte, renden de arbeiders alle kanten op. Ze lieten hun gereedschap, pikhouwelen, scheppen en manden achter. Een klein groepje mannen bleef staan terwijl Amherst en Rockley arriveerden.
'Waarom vlucht iedereen?' riep Amherst terwijl hij van zijn ezel afsteeg.
Een Europeaan in een versleten pak en met een strohoed op liep naar hem toe en zei: 'Na gedane arbeid worden die luilakken vlijtig en gaan ze rennen, sir.'
Amherst haalde het zakhorloge uit zijn vestzak, keek hoe laat het was en bracht daar tegenin: 'Houden ze er om elf uur mee op?'
De man met de strohoed haalde zijn schouders op.
Naast een muur stonden twee manden met brokstukken van kleine beelden en potscherven met inscripties. Lord Amherst keek er met een kritische blik naar, klom daarna op het borsthoge muurtje en keek om zich heen, naar de plaats waar zonet nog ongeveer honderd mannen gegraven hadden. 'En? Hoe lopen de zaken?' vroeg hij.
De man aan wie die vraag gesteld was, volgde wantrouwig het merkwaardige gedrag van die vreemdeling. 'Wat bedoelt u?' vroeg hij uiteindelijk onzeker.

'Gaat u me wijsmaken dat u hier uit liefde voor de wetenschap werkt?'
'Ik ben archeoloog, sir!'
'Dat zie ik, vriend. Archeologie bedrijven voor eigen gewin.'
De man met de strohoed werd woedend. 'Ik ben Emil Brugsch, curator van het Egyptisch Museum in Caïro, sir! U zult zich moeten verontschuldigen voor wat u daar allemaal zegt.'
'En ik ben Lord William George Tyssen-Amherst. Ik heb een opgravingslicentie voor dit gebied. U bent mij een verklaring schuldig.'
Het duurde even voordat Emil Brugsch bekomen was van deze onverwachte ontmoeting en schokkende mededeling. Om tijd te winnen klopte hij het stof van zijn pak. Het kwam pijnlijk over zoals hij daar bezig was. Daarna liep hij naar het muurtje, stak zijn hand uit naar de lord en zei: 'Het spijt me ontzettend, mylord. U mag er zeker van zijn dat ik alles zal doen om deze vergissing goed te maken.'
Amherst gaf hem geen hand. 'Een vergissing? Laat me niet lachen, meneer Brugsch! U staat bekend om uw kwalijke praktijken. Gaat u mij nou op de mouw spelden dat u niet op de hoogte was van het feit dat het Oudheidkundig Bestuurscollege mij die vergunning heeft verleend? Meneer Brugsch, het heeft mij een aardige duit gekost om hier in Amarna te mogen graven. Dat er momenteel niet gegraven wordt, wil niet zeggen dat u dan maar uw gang kunt gaan met uw illegale praktijken. Ik zal u en het Oudheidkundig Bestuurscollege aanklagen en een schadevergoeding claimen!'
Brugsch begon zo overdreven als een Egyptenaar te jammeren en te weeklagen. 'Mylord, ik geef toe dat ik onrechtmatig gehandeld heb,' kermde hij. 'Maar u moet mij geloven als ik zeg dat ik dat niet om eigen gewin heb gedaan of om u te bedriegen. Ik bevind me in een uitzichtloze situatie en heb geld nodig. Ik heb geen rooie cent meer. Een vrouw heeft me geruïneerd. Niet voor het eerst trouwens. En niet voor het eerst heeft men mij mijn bescheiden kapitaal afgetroggeld. Ik ben namelijk met een haremvrouw van kedive Ismail getrouwd. Een beeldschone vrouw met alle fraaie oriëntaalse trekken die je je maar kunt wensen. Ze heet Emine en wilde alleen met me trouwen als ik haar mijn huis in Caïro en een grote zak geld zou geven. Volgens haar zou ze dan de levensstandaard krijgen die ze gewend was in de harem van de kedive. Blind van hartstocht kwam ik tegemoet aan haar eisen en hoopte op ongebreideld liefdesgeluk. De inkt van mijn handtekening was nog niet droog of dat achterbakse wijf gooide mij het huis uit en ging met mijn geld aan de haal. Geloof me, mylord, ik heb geen rooie cent meer. Ik heb niet eens een dak boven mijn hoofd. Ik ben be-

reid de ontstane schade te vergoeden. Ik vraag u echter mij niet te verraden. Mijn baan bij het Oudheidkundig Bestuurscollege is alles wat ik nog heb.'
Lord Amherst sprong van het muurtje en keek Rockley heel lang vragend aan. Hij keek echter al net zo radeloos. Kon je geloof hechten aan de woorden van die waardeloze vent?
Toen Emil Brugsch merkte dat de twee mannen aarzelden en dat hij moest vrezen dat zijn lot hen koud liet, voegde hij eraan toe: 'Mylord, ik heb enkele kostbare beelden opgegraven en ze bij de moedir van Minia in bewaring gegeven. Het betreft Achnaton en Nefertete. Ik zal die beelden natuurlijk aan u teruggeven en daar geen gewag van maken bij het Oudheidkundig Bestuurscollege. Ik onderhoud goede contacten met de douaneautoriteiten. Dat levert voor beide partijen winst op!'
'U bent een oplichter van het ergste soort, Brugsch!' riep Amherst. Hij schudde zijn hoofd. 'U ziet zelfs handel in uw eigen nederlagen.'
'Met alle respect, mylord, ik heb in Berlijn geleerd hoe je zaken moet doen.' Brugsch grijnsde achterbaks.
'Zo, leer je dat in Berlijn. Met alles wat erbij komt kijken. Ik wil graag weten waar u die beelden hebt gevonden!'
Brugsch stak zijn armen uit. 'Precies op deze plaats!'
'Hier?' Vol ongeloof schraapte Amherst met een voet in het zand. 'U weet dat Flinders Petrie hier bijna twee jaar heeft gegraven zonder iets spectaculairs te ontdekken. Waarom bent u juist op deze plaats gaan graven?'
Ook Brugsch begon met een voet in het zand te schrapen. Hij deed dat echter uit verlegenheid. 'Ik denk dat u meneer Petrie onderschat,' zei hij uiteindelijk. 'Flinders Petrie zocht niet zozeer naar schatten die op de kunstmarkt te verhandelen zijn. Hij interesseerde zich vooral voor vondsten die informatie bieden over de Amarnaperiode. In dat opzicht heeft hij veel aan het licht weten te brengen.'
Brugsch wees naar het verlaten archeologenhuis, ongeveer een kilometer verder. 'Daar liggen een paar honderd steenreliëfs, voor een deel reusachtige steenblokken met teksten en voorstellingen uit die periode. Ze bieden informatie over het leven van farao Achnaton. Maar ze zijn onverkoopbaar, alleen al door het gewicht en de omvang ervan.'
Amherst knikte begripvol. 'U hebt nog geen antwoord gegeven op mijn vraag. Waarom graaft u uitgerekend hier?'
'Intuïtie,' antwoordde de Duitser sluw. 'Misschien simpelweg het gevoel dat ik op deze plaats wat zou vinden. Kennelijk heb ik toevallig de drieduizend jaar oude werkplaats van een beeldhouwer ont-

dekt. Ik zou anders niet weten waarom ik juist hier zoveel belangrijke sculpturen heb gevonden.'
Brugsch is een gehaaide kerel, dacht Amherst. En bijna onbenaderbaar. Hij mocht blij zijn als Brugsch die beelden daadwerkelijk leverde. 'Meneer Brugsch, ik wil dat u met mij meegaat naar de dahabija,' zei hij om elk risico te vermijden. 'U zeilt met ons naar Minia om bij de moedir de beelden te halen die u hebt opgegraven. Gaat u daarmee akkoord?'
Brugsch aarzelde. Waarschijnlijk had hij al een plan gesmeed om Lord Amherst ondanks alles te bedriegen. Toen hij echter merkte dat de lord zich onbuigzaam opstelde, antwoordde hij geblaseerd: 'Als het absoluut niet anders kan.'
Amherst werd kwaad. 'Luister, Brugsch, ik kan u ook aanklagen! De straf zal niet mild zijn en die baan in Caïro bent u kwijt.'
'Dat in geen geval!' zei Brugsch. 'Laten we dan maar gaan!'
Dus kreeg Lord Amherst zomaar onverwacht enkele buitengewone kunstobjecten in zijn bezit, waaronder twee beelden van Achnaton en Nefertete. Het werden de pronkstukken van zijn verzameling.

Sinds een paar dagen had Howard Carter een muildier. Hij noemde hem Sir Henry. Zijn oorspronkelijke naam klonk zo onbegrijpelijk en onuitspreekbaar voor een Engelsman dat hij het muildier meteen had omgedoopt nadat hij het op de veemarkt in Luxor had aangeschaft.
Sir Henry bracht de nacht door in een stal bij de aanlegsteiger aan de westelijke Nijloever en toonde zich zeer dienstbaar op de lange weg naar Deir el-Bahari. Met Howard op zijn rug sjouwde hij de hele dag van plaats naar plaats terwijl Howard de arbeiders indeelde voor de verschillende archeologische sites. Zoals alle muildieren was ook Sir Henry zo snel als een paard en had hij het uithoudingsvermogen van een ezel. Maar gelukkig zonder de spreekwoordelijke koppigheid.
Elke ochtend draafde Howard met Sir Henry vanaf de Nijl landinwaarts naar het archeologenhuis, en daarna naar de tempel van Hatsjepsoet. Op ongeveer een kilometer van zijn bestemming zakte Sir Henry opeens door zijn voorpoten waardoor Howard van zijn 'paard' in het zand buitelde. Gelukkig raakte hij niet gewond.
'Hé, nog niet helemaal wakker, Sir Henry?' riep Howard terwijl hij het stof van zijn kleren klopte. Opeens zag hij het donkere gat in de grond, in doorsnede zo groot als twee handen. Het zand dat hij met een voet in het gat schoof, verdween geluidloos in de diepte. Ook een vuistgrote kei hoorde hij niet op de bodem vallen.

'Goeie genade,' stamelde Howard. Hij gaf Sir Henry klopjes op zijn hals. 'Volgens mij ben jij de beste archeoloog van ons twee.'
Opgewonden ging hij op zijn muildier terug naar het archeologenhuis. Daar kwam hij Naville tegen. 'Sir, ik denk dat we een ontdekking hebben gedaan!' riep hij van ver. 'Kom snel!'
Nadat Naville op zijn knieën het gat in de grond bekeken had, en ook de onmiddellijke omgeving ervan in ogenschouw had genomen, zei hij eerst niets. Weifelachtig en sprakeloos staarde hij naar het gat, schudde zijn hoofd en stond vervolgens op.
'Wat vindt u ervan?' vroeg Howard ongeduldig.
'Het leven zit vol verrassingen,' zei Naville uiteindelijk. 'Ik ben hier wel honderd keer gepasseerd. Mij is toen niets opgevallen. Gefeliciteerd, meneer Carter. We moeten die plaats markeren en het gat dichtgooien.'
'Wat?' De stem van Howard galmde door het keteldal. 'Het gat dichtgooien? Hoor ik dat goed, sir?'
'Inderdaad. Als we tijd hebben, zullen we ons ermee bezig gaan houden.'
De nonchalante houding van Naville schoot hem in het verkeerde keelgat. 'Misschien heb ik een belangrijke schat ontdekt, sir! Misschien staan we op de ingang van het vergeten graf van Toetanchaton. Misschien is dit de ontdekking van de eeuw! En u zegt dat we het gat moeten dichtgooien?'
Naville legde zijn armen over elkaar, alsof hij een afwerende houding aannam tegenover zijn assistent. Zo had hij Howard nog nooit meegemaakt. Maar dit was zijn eerste ontdekking. Dus probeerde Naville begrip op te brengen voor de woedeaanval van Howard. Niettemin vond hij die scherpe uitval onbehoorlijk. Om Howard te sussen zei hij: 'Wat uw vermoeden betreft dat het een faraograf kan zijn, moet ik u helaas teleurstellen, meneer Carter. Hier werden geen farao's begraven. Vermoedelijk is het de laatste rustplaats van een adellijk persoon. In deze contreien bevinden zich honderden van dit soort graven.'
Howard dacht dat Naville hem die ontdekking niet gunde en werd razend. Een stemmetje in zijn binnenste schreeuwde dat hij deze kans koste wat het kost moest benutten. Hij ging vlak voor Naville staan. Hoewel hij zeer opgewonden was, zei hij verbazingwekkend kalm en zelfverzekerd: 'Sir, ik wil mijn ontdekking zelf opgraven en hoop dat u mijn verzoek niet afwijst. Ik heb drie dagen lang twintig arbeiders nodig.'
Naville reageerde zoals Howard gevreesd had. Hij draaide zich om en liep zonder een woord te zeggen weg. Howard keek hem chagrij-

nig na. Op enige afstand hield Naville plotseling zijn pas in en riep naar Howard: 'Voor mijn part, doe wat u niet laten kunt. Maar op mijn steun hoeft u niet te rekenen, meneer Carter!'
Als aan de grond genageld stond Howard te kijken. Hij voelde dat het bloed naar zijn hoofd steeg en begon te transpireren. Zijn gedachtewereld was een chaos. Howard Carter uit Swaffham, Norfolk, zou als een gevierde ontdekker de geschiedenisboeken ingaan. Kon zijn vader, Samuel, hier maar bij zijn; zijn vader die hem geen knip voor de neus waard vond. Ze zouden hem huldigen, zijn onmiskenbare gevoel dat hij iets op het spoor was bewonderen, en mensen die hoge posten bekleedden zouden hem verantwoordelijke taken aanbieden. Dit soort gedachten flitste door hem heen.
Zo blij als een kleine jongen die eindelijk het speelgoed kreeg waarnaar hij zo vurig verlangd had, danste hij om het kleine gat in de zanderige grond van Deir el-Bahari, schoof met zijn blote handen zand in de opening en was opgetogen dat het in een enorme diepte verdween. Daarna sprong hij overeind en mepte zo hard met de vlakke hand op de kont van het muildier dat het dier naar voren sprong en met de achterpoten sloeg. 'Goed gedaan, Sir Henry! We vormen een geweldig team, hè?'
Nog dezelfde ochtend verzamelde Howard een aantal van zijn beste arbeiders die op het bovenste terras van de rotstempel bezig waren. Met de hint dat het om een faraograf ging, maakte hij de mannen razend enthousiast.
Dezelfde avond hadden ze onder de steenlagen een gewelf van drie bij zes meter blootgelegd dat steil naar beneden voerde en met puin was gevuld.
Het nieuws dat nabij de tempel van Hatsjepsoet een faraograf ontdekt was, verspreidde zich als een lopend vuurtje. Reizigers die in de hotels van Luxor overwinterden, en blij waren met elke afwisseling, kwamen als pelgrims in grote groepen naar Deir el-Bahari om getuige te zijn van deze spectaculaire zoektocht naar een grote schat.
Gepast en geheel in overeenstemming met de gebeurtenis had Howard Carter zijn tropenpak aangetrokken en een strohoed opgezet. Hij vond het krenkend dat Naville zich niet één keer had laten zien. Maar bij nader inzien vond hij het wel best. Onder deze omstandigheden hoefde hij de roem ook niet met hem te delen.
De spanning steeg. Aan het einde van de tweede opgravingsdag hadden ze twintig steile traptreden en een muurtje met daarachter een portaal blootgelegd. Achter de afzetting met palen waartussen touwen waren gespannen, heerste een rusteloze stemming. En het bleef

onrustig. Ook nadat Howard met de hint kwam dat het graf beslist niet in de komende dagen geopend zou worden. Iemand had het gerucht de wereld in geholpen dat faraograven alleen 's nachts en in aanwezigheid van de kedive, een hoge gezagsdrager of een ander belangrijk persoon geopend mochten worden. Dus hielden grote groepen nieuwsgierigen de wacht. En voorname reizigers, die in Hotel Winter Palace over elk stofje dat ze vonden hun beklag deden, schuwden niet om de koele nacht in de open lucht en liggend in het zand onder dekens door te brengen.
De volgende ochtend leek de archeologische site op een kampeerplaats. Bedienden en lakeien van de hotels op de andere Nijloever brachten in korven en kannen het ontbijt voor de hotelgasten. Met ezels werden vaten met drinkwater aangesleept. Linnen doeken werden opgehangen en dienden als afbakening van provisorische badkamers om ervoor te zorgen dat de deftige heren zich op gepaste wijze konden wassen en er verder al hun behoeften konden doen. Het belemmerde in ernstige mate de opgravingswerkzaamheden.
Howard vroeg zich af wat hij moest doen en kwam met een ongewoon idee. Hij klom op een watervat en hield een korte toespraak. 'Dames en heren! We zijn vereerd door de belangstelling die u voor ons werk toont. Het stimuleert ons om door te gaan. Hoewel niemand van ons echt weet wat er zich achter dat stenen portaal bevindt, koesteren we toch de hoop dat we een belangrijke ontdekking hebben gedaan!'
De omstanders klapten in hun handen. Sommigen riepen 'Bravo!' en wierpen hun hoed in de lucht. Enkele Engelse heren die ondanks het vroege uur toch naar de fles hadden gegrepen, probeerden met schorre stem en de inzet van al hun krachten '*God save the Queen*' te roepen. Het kwam er echter pijnlijk klaaglijk uit.
'Maar juist vanwege het feit dat het om een belangrijke ontdekking gaat, mogen we die muur niet simpelweg slopen om als rovers een schatkamer binnen te lopen,' vervolgde Howard. 'Belangrijke deskundigen uit Caïro moeten als getuigen dienen. Tot het zover is zullen we de toegang om veiligheidsredenen weer dichtgooien met zand. In de komende week zal de opening van het graf bekend worden gemaakt in de hotels.'
Op zijn teken begonnen de arbeiders de ingang dicht te gooien. Meer dan honderd kijklustigen vertrokken teleurgesteld.
Met brieven en telegrammen nodigde Howard de verantwoordelijke minister van Cultuur, de heren van het Oudheidkundig Bestuurscollege, de moedir van de provincie, de nasir van Luxor en een groot aantal Engelse, Franse en Duitse archeologen die zich in de contreien ophielden uit om de opening van het graf bij te wonen. Een speciale

uitnodiging was gericht aan Lady Elisabeth Collingham die in Luxor in het gelijknamige hotel logeerde.
De volgende dag keerde Howard terug naar zijn pension en vond daar een brief van Lady Elisabeth. Daarin nodigde ze hem uit voor een diner voor twee. Om zeven uur in Hotel Luxor. Hij zag geen reden de uitnodiging van de aantrekkelijke dame af te wijzen. Mamuura Palace had maar één badkamer voor alle gasten, achter het pand in de open lucht. Toen hij zich daar gewassen had en het stof van zijn kleren had geklopt, liep hij goedgehumeurd naar het hotel aan de oeverpromenade. De dame wachtte op hem in de receptie waar het pluche overheerste.
'Ik wist dat u mijn uitnodiging niet zou afwijzen,' zei Elisabeth.
Hij schaamde zich wel een beetje voor zijn uiterlijk, want Lady Collingham ging zeer smaakvol gekleed en met zijn pak kon hij zich eigenlijk nergens meer vertonen. Maar ja, in de herenkledingzaak in de colonnade van het Winter Palace kostte een pak al gauw vijf tot tien pond. Voor Howard stond dat gelijk aan een maandsalaris. Maar gelet op de aanstaande gebeurtenissen besloot hij om zich binnenkort in het nieuw te steken, in kleding die een ontdekker waardig was.
'Ik hoor verbazingwekkende dingen over u,' begon Lady Elisabeth terwijl ze van het voortreffelijke gebraden lamsvlees aten dat scherp rook naar knoflook en rozemarijn.
'O ja?' zei Howard. Het was Elisabeth niet ontgaan dat hij de kwestie probeerde te bagatelliseren.
'Is het waar dat u de ingang weer dichtgegooid hebt, terwijl u die over enkele dagen weer wilt openen?' vroeg ze belangstellend. 'Is dat niet een beetje raar?'
Hij lachte. 'Lady Collingham.'
'Elisabeth!'
'Lady Elisabeth...'
'Elisabeth!'
'Natuurlijk is dat raar, Elisabeth. Maar er was geen andere mogelijkheid om de toestroom van nieuwsgierigen in te dammen. Je kunt je niet voorstellen hoe het daar toeging. Sommigen kampeerden voor de ingang van het graf. Ze gaven het management van de hotels, op de andere oever van de Nijl, opdracht hun maaltijden te brengen!'
'Weet je zeker dat je het graf van een farao hebt ontdekt?'
'Tamelijk zeker. Ook al denkt Naville daar anders over.' Hij boog zich naar Elisabeth toe. 'Volgens mij gunt hij me dit succes niet. Altijd hetzelfde liedje. Altijd haat en nijd tussen archeologen. Mijn vroegere leermeester Flinders Petrie had geen goed woord over voor

Naville. Maar hij is de kwaadste niet. Een beetje te vroom, wat arrogant... maar iedereen heeft zo zijn fouten!'
'Heb jij dat faraograf helemaal alleen ontdekt?'
Elisabeth keek hem strak aan. Er zat dus niets anders op dan dat hij de waarheid vertelde. 'Als je het niemand verklapt, Elisabeth, niemand, dan wil ik je wel zeggen wie de ware ontdekker is.' Heel even keek hij schichtig om zich heen. 'Hij heet Sir Henry.'
'Sir Henry?'
Hij knikte veelbetekenend en met gesloten ogen. 'Sir Henry, mijn muildier.'
Elisabeth schaterde van het lachen. 'Je steekt de draak met mijn nieuwsgierigheid, Howard!'
'Helemaal niet. Sir Henry stapte in een gat. Hij en ik vielen languit op de grond. Toen ik keek waarom het dier gestruikeld was, ontdekte ik de ingang van het graf.'
'Hoop je daar een schat te vinden? De meeste faraograven zijn toch leeggeroofd? Sommige al drieduizend jaar geleden! Dat beweren althans de gidsen in het Dal der Koningen!'
'De meeste? Er is niet één graf gevonden dat niet door grafrovers leeggeplunderd is.'
'Hoe weet je zo zeker dat er iets in te vinden is, Howard?'
'Het blootgelegde portaal is dichtgemetseld. Doorgaans maken grafrovers dat ze wegkomen zodra de buit binnen is. Of denk je dat die schurken na de inbraak dat portaal van een muurtje hebben voorzien?'
'Daar heb je gelijk in. Ik ben nu al opgewonden en wens je alle succes van de wereld.'
'Mag ik dus rekenen op je aanwezigheid in Deir el-Bahari, Elisabeth?'
'Zeker, Howard. Op één voorwaarde!'
'Geen probleem, Elisabeth! Van jou accepteer ik elke voorwaarde.'
'Ik wil dat je morgen met me meegaat naar "Fantasia", het feestje van consul Mustafa Aga Ayat. De feesten van Ayat zijn beroemd. Ik ben uitgenodigd.'
'Mustafa Aga Ayat?'
'Ja.'
'Weet je dat Mustafa Aga Ayat de grootste antiekzwendelaar van Luxor is? Misschien zelfs van Egypte. Hij was betrokken bij de mummieroof van de gebroeders Abd-er-Rassul. Emil Brugsch, iemand van hetzelfde kaliber, loopt bij hem de deur plat. Weet je wel wat je van mij vraagt, Elisabeth?'
'Dat kan wel zo zijn, Howard, maar Ayat is ook de consul van Engeland, Rusland en België. Een geleerd man die naast het Arabisch

ook vloeiend Engels, Frans en Italiaans spreekt. Hij heeft heel veel contacten. Je mag het als een eer beschouwen als je op een van zijn feestjes wordt uitgenodigd. Alsjeblieft, Howard, ik wil graag dat je me begeleidt!'
Hij schudde onwillig zijn hoofd.
'Het zal me niks verbazen als ook ingenieur Naville en zijn mooie echtgenote op dat feest zijn uitgenodigd,' voegde ze eraan toe.
'Ken je Naville?'
'Niet persoonlijk. Maar zijn vrouw Marguerite heb ik een paar keer ontmoet. Een heel mooie vrouw. Naar men zegt heeft Ayat een zwak voor mooie vrouwen.'
'Dat is dan ook de reden waarom hij jou heeft uitgenodigd, Elisabeth!'
Lady Collingham glimlachte verlegen. 'Op een "Fantasia" is iedereen van rang en stand uitgenodigd,' zei ze. 'Ik kan me voorstellen dat de consul het een eer vindt om jou als gast te hebben.'
Howard merkte dat hij in een innerlijke strijd verwikkeld was. Fatsoen tegen ijdelheid. En het ging zoals het gaan moest... de ijdelheid won.

Hij had een leuke avond gehad met Elisabeth. Na middernacht – hij sliep al – schrok hij wakker omdat de poten van de enige stoel in de pensionkamer met een knarsend geluid over de stenen vloer schraapten. Nog voordat hij in de duisternis kon zien wat er aan de hand was, kwam een schaduw op hem af. Iemand drukte een klamme hand op zijn mond.
'Sst, Carter-*effendi!*' hoorde hij iemand zeggen. 'Ik ben het, Sayyed. U hoeft niet bang te zijn!'
Howard dacht al dat zijn laatste uur geslagen had. Nu ademde hij diep door en zei terwijl hij met trillende handen de petroleumlamp probeerde aan te steken: 'Ben je gek geworden, Sayyed! Ik had me dood kunnen schrikken! Wat moet je hier midden in de nacht?'
In het licht van de lamp zag hij dat Sayyed erg opgewonden was. De jongen ademde snel en oppervlakkig. 'Mister Carter, het gaat om het graf in Deir el-Bahari!' fluisterde hij.
Howard stond op en trok zijn broek aan. 'Wat is er aan de hand? Vertel op, verdomme!'
'Vier mannen zijn bezig het graf te roven.'
'Onmogelijk,' zei Howard. 'Ik heb daar twee wachtposten neergezet.'
'Ze zijn gevlucht, *effendi*. Er zijn nogal wat rovers bij betrokken.'
'Dat zal toch niet waar zijn!'
'Zo waar als ik Sayyed heet.'

'We moeten de politie waarschuwen! Kom mee!' Howard had zijn overhemd en jas aangetrokken. Hij stond op het punt om de kamer uit te lopen.
'De politie? Dat kunt u wel vergeten, *effendi!*' Sayyed maakte een afwerend gebaar. 'Geen enkele politieman waagt zich 's nachts op de andere oever van de Nijl.'
'We moeten toch wat doen!'
De jongen keek hem trouwhartig aan. Precies zoals Howard hem in de politiecel had leren kennen. 'Hassan zegt dat zelfs de slimste man niets met zijn wijsheid kan beginnen als hij geen vrienden heeft. Sayyed is uw vriend, hè?'
'Natuurlijk,' zei Howard geërgerd.
'Ik heb tien mannen met geweren bijeengetrommeld. Ze wachten in een boot bij de aanlegsteiger. Maar ze doen dat niet voor nop. Voor niks gaat alleen...'
'... de zon op. Ik weet er alles van,' zei Howard. 'Maar over de betaling hebben we het straks wel, oké? Dat komt goed.'
In looppas begaven ze zich in de duisternis naar de oever van de Nijl. Zoals aangekondigd zaten er tien gewapende mannen in een kleine boot. Ze hadden zwarte gewaden aan en zaten gehurkt op de planken, hun geweren rechtop tussen de dijen geklemd. Sayyed en de aanvoerder van de groep waren in een heftige discussie verwikkeld. Vervolgens zei de jongen: 'Hij wil vijf pond voor zijn manschappen.'
'Vijf pond?' riep Howard verontwaardigd. Hij weigerde in de boot te stappen.
'Een gevaarlijke klus, *effendi,*' zei Sayyed. 'Neem een besluit! Elke minuut is kostbaar.'
Howard haalde twee pond uit zijn tas en siste: 'Twee pond, en geen shilling meer! Zeg dat maar tegen hem.'
De aanvoerder knikte. Howard sprong in de boot.
'Hoe ben je erachter gekomen?' vroeg Howard tijdens de stille overtocht.
Sayyed liet zijn tong klakken. 'Dat weet u toch, mister Carter? Sayyed weet alles. Sayyed heeft veel vrienden op beide oevers van de Nijl!'
Toen de boot voor de wal kwam, sprongen de gewapende mannen eruit en renden richting Deir el-Bahari. In het rotsgebergte huilden de jakhalzen. Toen de huurlingen het archeologenhuis van Naville naderden, zag Howard in de verte een zwak licht. 'Daar!' zei hij zachtjes. Hij wees naar het schijnsel.
De aanvoerder stak zijn armen uit ten teken dat de gewapende man-

nen langzamer moesten lopen. Behoedzaam en gebukt gingen ze verder. Hoe dichter ze bij het licht kwamen, hoe voorzichtiger ze liepen.
'Pst!' De aanvoerder maakte Howard en Sayyed duidelijk dat ze in de achterhoede dienden te blijven.
Ze hoorden inmiddels gefluister en het schrapen van gereedschap. Howard en Sayyed knielden in het zand en staarden naar het trillende lichtschijnsel. De mannen met hun geweren in de aanslag liepen er zonder het geringste geluid te maken naartoe. Op ongeveer dertig meter van hun doel struikelde een van hen. Zijn doorgeladen wapen viel op de grond en ging af. Howard zag het mondingsvuur, gevolgd door een knal. Het geluid weerkaatste drie keer tegen de rotswanden, telkens wat zwakker.
Toen de echo verzwakte, werd er plotseling geschreeuwd. Uit de schemerig verlichte schacht verschenen vier opvallend kleine mannen. Ze waren schaars gekleed, voor zover dat te zien was. Het klonk of ze vloekten en scholden terwijl ze alle vier in een andere richting wegvluchtten.
De aanvoerder bracht zijn geweer omhoog en loste een schot. De andere huurlingen beschouwden dat als een teken dat ze in de aanval konden gaan. In blinde woede, alsof hun leven ervan afhing, vuurden ze in de richting waar ze de grafrovers het laatst gezien hadden. Maar dat deden ze vooral om hun inzet en het daaraan verbonden loon te rechtvaardigen, en niet zozeer om de grafrovers neer te knallen.
Tijdens de aanval lag Howard plat op zijn buik. Toen het laatste schot geklonken had, kwam hij overeind om de schade aan de ingang van het graf op te nemen. Het opgehoopte puin dat naast de schacht lag, deed het ergste vermoeden. Was het de boeven gelukt? Waren ze in de grafkamer geweest?
Op de bovenste trede flakkerde de vlam van een grote petroleumlamp. De andere lamp, op de onderste trede, verspreidde een diffuus licht. De grafrovers hadden het dichtgemetselde portaal weten bloot te leggen. Maar door de schaduw die het lamplicht op de omgeving wierp, kon Howard niet zien of ze een gat in de muur geslagen hadden.
Met gemengde gevoelens liep hij de trap af. Toen hij halverwege was en naar boven keek, zag hij de onverschrokken gezichten van de mannen die hem argwanend in de gaten hielden. Hij voelde zich toen niet meer op zijn gemak. In hun ijver hielden sommigen hun geweer op hem gericht.
'Alles in orde, meneer Carter?' riep Sayyed van boven.
Met beide handen betastte Howard de muur om er zeker van te zijn dat die nog heel was. Daarna riep hij: 'We hebben geluk gehad, Sayyed. Alles in orde!'

Ze hoorden talloze honden blaffen in het nabijgelegen dorp Koerna. Waarschijnlijk als gevolg van de schietpartij, die kilometers ver te horen was. De dorpelingen leken echter niet geïnteresseerd te zijn in wat er was voorgevallen.
Uit de duisternis dook plotseling een halfblote Naville op. 'Carter!' riep hij. 'Waar is meneer Carter!' Howard bevond zich in de schacht, waardoor Naville hem niet kon zien.
Sayyed wees naar de schemerig verlichte schacht.
'Wat is er gebeurd? Iemand gewond?' riep Naville opgewonden.
Howard liep naar boven en hield sussend zijn armen in de hoogte. In het licht van de petroleumlamp, die van onderop scheen, zag hij eruit als een spook. 'Mazzel gehad,' zei hij kortaf, als een soldaat. 'Ging maar net goed.'
Naville wreef de slaap uit zijn ogen, liep naar de rand van de schacht en keek in de diepte. Daarna schudde hij zijn hoofd en zei: 'Ongelofelijk. En dat in één nacht! Hoelang hebt u nodig gehad om de ingang bloot te leggen, meneer Carter?'
'Bijna drie dagen, sir! Met twintig arbeiders. Wij hebben hier maar vier grafrovers aan het werk gezien. Misschien waren het er meer. Inderdaad, niet te geloven!' Hij keek naar de achtergelaten manden die verspreid in het zand lagen.
'Ik dacht dat u wachtposten had opgesteld.'
Howard haalde zijn schouders op. 'Ja, maar die zijn vertrokken, zoals u ziet, sir!'
'Hoe bent u erachter gekomen?'
Howard wees naar de jongen die naast de huurlingen stond. 'Sayyed, een vriend van mij,' zei hij. 'Hij stond midden in de nacht naast mijn bed. De mannen zaten toen al in de boot te wachten. Dit heeft me twee pond gekost.'
'Een gepaste prijs voor een onderneming als deze. Vooropgesteld dat...'
'Ik weet wat u wilt zeggen, sir! Vooropgesteld dat we achter die muur een faraograf vinden, nietwaar!'
'Inderdaad.'
'U bent dus nog steeds sceptisch?'
Naville zweeg en liep zonder iets te zeggen weg.
Boven de Nijl in het oosten brak de dageraad aan. Geleidelijk werden de sporen zichtbaar die door de grafrovers waren achtergelaten. Spaden, emmers en manden lagen verspreid in het zand. Maar ze boden geen hint wie de daders waren.
Sayyed stuurde de huurlingen naar huis. Daarna stelde hij aan Howard voor om gewapende wachtposten in te huren tot het graf ge-

opend werd. Hij verzekerde hem dat in dat geval de schat zo veilig was als het geld in de Bank of England.
Howard onderhandelde met Sayyed over de prijs. Plotseling zag hij een klein, blinkend voorwerp dat half in het zand lag. Een zakmes. In het tumult had een van de grafrovers het kennelijk verloren. Op een kant van het mes was het merk zichtbaar, op de andere kant een inscriptie: 'E'.
Howard schudde zijn hoofd.

17

Het huis van Mustafa Aga Ayat, niet ver van de Luxor-tempel, leek op een sprookjeskasteel. Ayat had het enkele jaren geleden laten bouwen omdat zijn oude huis gesloopt moest worden. Als een vesting troonde het pand op het dak van de tempel dat toen nog onder het puin begraven lag. Naar verluidt was het uitzicht adembenemend mooi.
Mustafa Aga Ayat was steenrijk. Zo rijk als andere mensen arm waren. Voor de bouw van zijn nieuwe huis had hij kosten noch moeite gespaard om er iets fraais van te maken. Elektrische verlichting, badkamers met stromend water, huisfonteinen en een park.
Naast dertig bedienden, voornamelijk mannen, beschikte de consul ook over zijn eigen gewapende garde. Ze droegen witte uniformen en waren uitgerust met blinkende geweren. Naast de andere feesten hield Ayat twee keer per jaar een 'Fantasia'. Hij nodigde dan illustere gasten uit om zich te vermaken met muziek, dans, lekker eten en gesprekjes die van een wisselend intelligent gehalte waren. De geüniformeerde garde vormde tijdens die feesten een erehaag bij de ingang.
Ter begroeting van hoge gasten, zoals de Pruisische consul die met zijn vrouw en dochter zijn opwachting maakte, loste de garde na een geheim teken drie saluutschoten. De andere gasten die een lange rij vormden om de huisheer de hand te schudden, schrokken zich dan wezenloos.
Dat geheime teken was ook gegeven toen de moedir van Kena en de directeur van het Oudheidkundig Bestuurscollege arriveerden. Ja, zelfs de directeur van het telegraafkantoor in Luxor werd op die manier geëerd toen hij met de deftigste van zijn drie vrouwen naar het pand liep. Maar toen de consul uit Berlijn de rode loper betrad – een loper die vanaf het park tot aan de marmeren treden van de ingang was uitgerold – roerden de geüniformeerde gardisten zich niet.
Het toeval wilde dat Lady Elisabeth Collingham en Howard Carter

vlak achter de Pruisische consul door de poort liepen. Ook al vormden ze een mooi paar, hun aanwezigheid zou niet meer opzien gebaard hebben dan het geval was bij veel andere gasten. Om een onverklaarbare reden werd het geheime teken echter te laat gegeven, waardoor de gardisten hun schoten pas losten toen Howard en Lady Elisabeth hun opwachting maakten. Meteen ontstond er een heftige discussie over de rang en stand van het jonge, onbekende paar. Wilde geruchten deden de ronde tot eindelijk iedereen zich realiseerde dat de jongeman een beroemd archeoloog was die aan de andere kant van de Nijl een faraograf ontdekt had dat hij volgende week wilde openen. De dame was zijn geliefde, een voorname lady uit de Londense society.

Elisabeth vond het gefluister om hen heen wel leuk. Howard niet. Toen ze vooraan in de rij stonden, was het gerucht inmiddels ook Ayat ter ore gekomen. De als een voorname pasja geklede Mustafa, een grote statige man met zwart haar en kleine sluwe ogen, begroette Howard met de woorden: 'Ik ben zeer vereerd, sir, dat u mijn uitnodiging geaccepteerd hebt. U moet mij straks beslist wat meer over uw ontdekking vertellen.' De handkus die hij Lady Collingham gaf, mislukte omdat zijn lange neus niet voor dat soort eerbetoon geschikt was.

Gelukkig had Howard inmiddels een nieuw pak gekocht. Wit en naar de laatste snit. Hij liep dus beslist niet voor gek naast Lady Elisabeth. Nog nooit had hij zulke mooie kleren gezien als op deze avond. Niet eens in de Engelse adelkringen. De meeste dames gingen luchtig gekleed in wijde japonnen met diepe decolletés. Enkele heren verschenen in rokkostuum en met een rode fez op, zoals het nationaal gebruik dat voorschreef. Er liepen echter ook heren rond – en geenszins alleen Egyptenaren – die voor een witte galabia hadden gekozen. Ze zagen er bovendien goed uit in die buitenissige kledij.

In de ontvangstruimte, gehuld in geel elektrisch licht van talloze glazen bollen, was het een drukte van belang. Er hielden zich wel honderd gasten op, misschien wel meer. Luidruchtig deden ze hun best om de gesprekjes op gang te krijgen. Vijf muzikanten – twee violen, een fluit, een darraboeka en een tamboerijn – zorgden voor wilde ritmes en veel klaagtonen. Het orkestje ging zo heftig tekeer dat ernstig gevreesd moest worden dat de kostbare glazen en het fijne porselein in de open vitrines elk moment konden barsten.

Op de okerkleurige marmeren vloer lagen tapijten in rood met blauw. Bolle zitkussens van zijde, voorzien van kwasten en pluimen, nodigden uit om plaats te nemen. Tientallen glimmende waterpijpen van messing en ivoor, sommige bijna manshoog, stonden overal klaar om gebruikt te worden. Houtskool, tabak, hennep en het rozenwater waarmee de rook van de nargileh gefilterd werd, verspreidden een verrukkelijke geur. Maar er hingen nog meer heerlijke geurtjes. Om ogen en neus te strelen had Ayat overal schalen met gedroogde bloesems laten neerzetten. Schalen die zo groot waren als karrenwielen. Wie zich op drie passen van die schalen bevond, werd bevangen door de aanblik van bonte bloesems en een geur die je in een roes bracht als je lang in de buurt van die bloemen bleef en de geur ervan diep opsnoof. Alsof dat niet genoeg was, schreed ook nog eens een opfrisgroepje door de menigte. Drie lakeien, in geelgroene pofbroek en tulband: een lakei goot voor de gast die daar behoefte aan had wat geparfumeerd water uit een koperen kan over de handen, de tweede lakei ving het water op in een schaal, en de derde droogde de gereinigde handen van de gast.

'Het is hier bijna zo deftig als in Maamura Palace,' fluisterde Howard tegen Lady Elisabeth terwijl hij zich liet 'opfrissen' door de lakeien, alsof dat de gewoonste zaak van de wereld was. Van de geur kreeg hij een aangename rilling over zijn rug.

Lady Collingham lachte. 'Of dat opfrissen zin heeft, valt te betwijfelen. Sommigen kunnen beter een stuk zeep gebruiken. Maar één ding moet je Ayat nageven... hij heeft stijl.'

'En geld!' voegde Howard eraan toe.

Vervolgens zei Elisabeth: 'Die dingen gaan vaak niet samen.'

Mustafa Aga Ayat stond een eindje verder en liep als geroepen naar hen toe. Nadat hij Lady Elisabeth met complimenten overladen had, waarbij ook haar betoverend mooie japon en haar verzorgde kapsel aan de beurt kwamen, wendde hij zich tot Carter en zei: 'Ik heb veel over u gehoord, beste vriend.' Ayat kon liegen als de tapijthandelaren in de bazaar. 'Vreemd dat we elkaar niet eerder ontmoet hebben. U moet weten dat ik een gepassioneerd verzamelaar ben van archeologische vondsten en kunstschatten uit het oude Egypte.'

Howard haalde zijn schouders op en zei: 'Excellentie, zeer vereerde aga, ik ben nog jong waardoor ik nog geen grote successen als archeoloog heb geboekt. Ook werk ik nog niet zo lang in Luxor.'

'En het faraograf in Deir el-Bahari dan?'

'Grafrovers hadden zich gisternacht bijna toegang verschaft tot de grafkamer. Ze stonden op het punt om de ingang te forceren. Ik moest een groep van tien gewapende mannen inzetten om ze te verjagen.'

'Hebben ze de grafrovers in de kraag gegrepen?' Ayat deed of hij boos was.

'Nee,' zei Howard.

'Zijn er sporen gevonden? Zijn er al verdachten?'

'Zeer zeker. Maar zolang ik geen bewijzen heb, wil ik daar verder niet over uitweiden.'
Mustafa Aga Ayat leek verbluft. 'Ik hoop toch wel dat u mij uitnodigt om bij de opening van het graf aanwezig te zijn, meneer Carter. Zoals u gemerkt hebt, zijn de eerste gasten al verschenen. Op welke dag vindt de grote gebeurtenis plaats?'
'Woensdag,' zei Howard kalm. 'Natuurlijk bent u uitgenodigd, sir!'
Plotseling klapte Ayat in zijn handen. Aanvankelijk dacht Howard dat hij uiting gaf aan zijn blijdschap over de uitnodiging die hij zojuist gekregen had. Even later realiseerde hij zich dat het een teken was om het eten op te dienen. Howard en Lady Collingham verbaasden zich over de wijze waarop dat gebeurde. En zij niet alleen.
'Kijk nou toch eens, Howard!' riep Elisabeth opgetogen. Ze kneep in zijn hand, alsof ze het eng vond wat er zich voor haar ogen afspeelde. In het midden van de zaal hadden de lakeien een kring gevormd. Als vanzelf opende de vloer zich. Uit de diepte kwam een ronde tafel omhoog die overladen was met kleurrijke, geurende gerechten. De tafel was minstens drie meter doorsnede en voorzien van een glazen tafelblad dat van onderop verlicht werd. Dat was alleen mogelijk dankzij het wonder dat elektriciteit genoemd werd. Een ongetwijfeld nuttige, maar dure uitvinding die je vooralsnog alleen in de grote hotels kon bewonderen.
Midden tussen de feestelijk verlichte gerechten pronkte een knapperig gebraden kalkoen, gegarneerd met zijn oude verenkleed en een rode, porseleinen kop. Eromheen waren kostelijke visgerechten gerangschikt, waaronder zeewolf en zalm, gekookt en gebakken. Sommige grote, vette vissen waren wel langer dan een meter. Er was ook gevogelte bij, waaronder kuikens en zangvogels, gegrild en als piramiden opgehoopt. En lamsbout, op zilver uitgelegd. En in dunne plakjes gesneden, gebraden rundvlees als concessie aan de Europese gasten. Rode, gele en lila bloesems waren als kleurstippen op een eetbaar schilderij.
Opnieuw klapte Ayat in zijn handen. De lakeien bonden de gasten witte, fijn geborduurde servetten voor. Iedereen moest eraan geloven, geen ontsnapping mogelijk. Daarna pas kreeg elke gast een bord overhandigd. Maar geen mes en vork. Je legde de gerechten gewoon met de vingers op je bord, en je at ook met je vingers.
Een merkwaardige traditie. Howard had er minder moeite mee dan Lady Collingham. Verschillende malen wierp ze Howard een hulpeloze blik toe en keek ze bij hem af hoe je mootjes vis, rijst of pittige sauzen naar je mond bracht.
Terwijl de Europeanen staand aten, maakten de Egyptenaren het zich

gemakkelijk door in kleermakerszit op de tapijten te gaan zitten. Dat bood anderen de gelegenheid om hen ongemerkt te observeren.
'Ik wist niet dat je brood ook als lepel kunt gebruiken,' zei Lady Collingham terwijl ze met een hoofdknikje naar een gezette Egyptenaar wees die een homp Turks brood in hapklare stukjes brak en daarmee de saus min of meer van het bord opschepte.
'Oefening baart kunst.' Howard keek verbaasd toe terwijl de nogal nors kijkende man handig zijn 'bestek' hanteerde. 'Maar als ik nog eens op zo'n feest word uitgenodigd, neem ik een lepel mee. Nee, twee... een voor jou en een voor mij.'
Kennelijk had de Egyptenaar gemerkt dat hij in de gaten werd gehouden. Toen hij zijn bord leeg had, stond hij op en liep meteen naar Howard en Elisabeth toe. 'U moet niet denken dat alle Egyptenaren zo eten als ik. Ik ben een plattelander en niet goed opgevoed. Mijn broer en ik waren blij dat we überhaupt wat te eten kregen. Als ik me even mag voorstellen... Ahmed Abd-er-Rassul is de naam.'
'Howard Carter.' Daarna stelde hij Lady Collingham aan hem voor.
'Ik ken de lady inmiddels.' De man met de duistere blik probeerde vriendelijk te glimlachen. 'In Luxor kent iedereen elkaar. Zelfs een vreemdeling is na twee dagen geen vreemdeling meer. Het verbaast me dat we elkaar niet eerder ontmoet hebben.'
'Bent u de toezichthouder in het Dal der Koningen?' vroeg Howard, hoewel hij de levensloop van Abd-er-Rassul maar al te goed kende.
'Hoofdtoezichthouder!' corrigeerde de Egyptenaar hem. 'Kan ik u even spreken? Onder vier ogen, van man tot man.'
'Ik zou niet weten wat Lady Collingham niet zou mogen horen. Waar gaat het over?'
Ahmed Abd-er-Rassul liet zijn ogen rollen alsof hij helse pijnen leed. Elisabeth zag dat en trok zich terug. Tevreden ging Ahmed naast Howard staan. Zonder hem aan te kijken, terwijl hij de gasten in zijn blikveld hield, zei hij: 'Het gaat over uw ontdekking, meneer Carter. Gefeliciteerd. Hebt u al een idee wat u achter die muur kunt verwachten? Hebt u een aanwijzing gevonden?'
'Helaas, niet de geringste. Waarom interesseert u dat, meneer Abd-er-Rassul?'
'Nou ja, het zou kunnen dat u op kostbare schatten stuit waar verder niemand belangstelling voor heeft. Ik ken zeer geïnteresseerde afnemers. Dat kan voor u winstgevend zijn.'
Howard kon niet geloven wat hij hoorde. Het Oudheidkundig Bestuurscollege betaalde Abd-er-Rassul om de zwarte handel in de opgravingsbusiness tegen te gaan. Uitgerekend hij probeerde hem in louche zaken te verwikkelen.

'Hoe stelt u zich dat voor?' siste Carter verontwaardigd. 'Woensdag zijn dertig voorname lui uitgenodigd, onder wie Aga Ayat. U zult met eigen ogen zien hoe ik het graf open!'
'Over Ayat hoeft u zich geen zorgen te maken, meneer Carter. Hij en ik werken samen. Denkt u dat hij alles wat u hier ziet als consul verdiend heeft? Nee, meneer Carter. Hij heeft veel geld opgestreken met wat er aan de andere kant van de Nijl is opgegraven. De meeste graven zijn leeggeroofd, maar er worden nog steeds nieuwe ontdekt. Waarschijnlijk is het gewoon mazzel dat u nog iets gevonden hebt. Ayat heeft mij gemachtigd u een aanbod te doen: tweehonderd Engelse pond als u de wachtposten tot woensdag naar huis stuurt en het graf aan ons overlaat.'
'Tweehonderd pond?' zei Howard bijna fluisterend.
'Oké, dan maken we er driehonderd van. Maar meer zeker niet.'
De gedachten van Howard tuimelden over elkaar heen. Nooit had hij gedacht dat hij in Egypte rijk zou kunnen worden. Het vooruitzicht dat hij driehonderd pond kon verdienen, bracht hem in verwarring. Driehonderd pond was een klein vermogen.'
'Vierhonderd pond. Meer krijgt u echt niet!' hoorde hij Abd-er-Rassul zeggen. Maar Howard was er met zijn gedachten niet meer bij. Vierhonderd pond. Een onvoorstelbaar bedrag voor een jongen van bescheiden afkomst. Het was onvoorstelbaar waar dat geld voor stond: vrijheid, onafhankelijkheid. 'Hoe ziet u dat voor zich, mister,' zei Howard afwezig. 'Ingenieur Naville en anderen hebben gezien dat de toegang tot het graf ongeschonden is.'
Opnieuw liet de lange Egyptenaar zijn ogen rollen. Het leek of ze elk moment uit de oogkassen konden vallen. 'Meneer Carter, laat dat nou maar aan mij over. U zult woensdag niets bijzonders zien aan die grafmuur. Geen sporen van inbraak. Kan ik op u rekenen?'
Plotseling kwam Lady Collingham terug. 'Ik hoop dat mijn aanwezigheid weer geduld wordt.'
Howard verontschuldigde zich. Het was een belangrijk gesprek dat eigenlijk niet geschikt was voor een feestje als dit. 'Heb je je verveeld?'
'Nee, hoor. Je komt hier zo veel bekenden tegen dat je je bijna thuis gaat voelen. Lord Amherst is hier met zijn familie. Ze hebben me over hun woonboot verteld en ons uitgenodigd voor een diner. Natuurlijk heb ik gezegd dat ik onder jouw begeleiding hier ben. De familie wil je heel graag zien.'
Opeens stond Alicia voor hem. Howard had haar bijna niet herkend. De roodblonde wildebras van toen was veranderd in een aantrekkelijke jongedame. Haar haar was niet meer kortgeknipt, maar lang en kunstzinnig opgestoken. Ze droeg een nauwe, lichtblauwe jurk van

zijde die tot aan haar hals was dichtgeknoopt. De slanke contouren van haar lichaam maakten haar langer dan ze feitelijk was.
'Howard!' riep ze. Ze viel hem om de hals en kuste hem zo heftig dat hij bijna geen adem kreeg.
'Niet te geloven,' zei hij verlegen. 'Je bent een schoonheid geworden!'
Alicia liet hem los. 'Dat is zijn schuld.' Met haar duim wees ze naar een man met een rode baard die zwijgend naast haar stond. 'Lord Rockley, mijn verloofde.'
Howard gaf hem een hand. 'Gefeliciteerd, mylord. Alicia is een fantastische vrouw.'
Opeens zag hij Ahmed Abd-er-Rassul die zich wat afzijdig hield en deze onverwachte ontmoeting gadesloeg. De twijfel of hij met die Egyptenaar in zee zou gaan, was plotseling verdwenen. 'Overigens, meneer Abd-er-Rassul,' riep hij hem toe, 'ik doe het niet. En ik zal de wachtposten in Deir el-Bahari verdubbelen, het is maar dat u het weet.'
Zijn toch al sinistere blik werd nog duisterder. Hij maakte een onhandige buiging vanuit zijn heupen, waarbij hij zijn hoofd recht hield. 'Zoals u wilt, mister. Ik hoop alleen dat u daar geen spijt van krijgt!' Daarna liep hij weg.
'Een vervelende kerel,' zei Howard. 'Maar we laten ons humeur door hem niet bederven.' Hij wendde zich tot Alicia. 'Zijn je ouders ook hier?'
Alicia knikte. 'Jij en Lady Collingham zijn uitgenodigd voor het diner. We wonen in een varend hotel, helemaal voor onszelf. De boot ligt aangemeerd op de Nijl. Je krijgt trouwens ook de groeten van mister Peabody.'
Ze moesten er hartelijk om lachen terwijl Elisabeth en Rockley elkaar vragend aankeken. 'Ik denk dat het beter is dat wij hen even alleen laten,' zei Rockley tegen haar. 'Ze hebben elkaar ongetwijfeld veel te vertellen. Dat vinden jullie toch goed?'
Alicia en Howard knikten instemmend terwijl ze elkaar aankeken. Gearmd mengden Lord Rockley en Lady Collingham zich onder de gasten. Howard keek hen grinnikend na.
'Ik kan me jou nog heel goed herinneren toen ik op Didlington Hall werkte,' zei hij afwezig. 'Ik vroeg me toen af of je überhaupt in staat was verliefd te worden op iemand. Zo lang is dat nog niet geleden! En nu stel je opeens je verloofde aan me voor...'
'Ik hou heel veel van Rockley, ondanks het feit dat mijn ouders hem voor mij gekozen hebben. Je weet dat ze nogal een standsgevoel hebben. Maar ik vind hem leuk, ook al is hij niet moeders mooiste. Daar komt bij dat hij me steeds op een ongekende manier in de watten legt. We trouwen volgend jaar. En jij?'

Howard haalde zijn schouders op en keek over de hoofden van de gasten.
'Die Lady Collingham... is het serieus tussen jullie?' vroeg Alicia voorzichtig.
'Ach, ik ken haar amper. We hebben elkaar min of meer toevallig ontmoet. Ja, ik vind haar aardig. Heel aardig zelfs. Maar...'
'Maar?'
'Ze doet me sterk denken aan Sarah Jones.'
'Sarah Jones? Ben je haar nog steeds niet vergeten? Goeie genade, Howard!'
'Ja, ik ben niet goed snik, vertel mij wat. Maar zo is het nu eenmaal. Naarmate de tijd verstrijkt, besef ik steeds meer dat zij de ware voor me zou zijn geweest. Inmiddels zie ik spoken. Op de boot naar Luxor dacht ik dat Lady Elisabeth... Sarah was. Zo hebben we elkaar leren kennen. Hoe gaat het met Sarah? Heb je haar nog gezien of iets van haar vernomen?'
Verlegen sloeg Alicia haar ogen neer, waarna ze zei: 'Nee, Howard. Corresponderen jullie dan niet met elkaar?'
'Ik moet er niet aan denken. Dat maakt alles alleen maar ingewikkelder. Toen we afscheid namen op het station in Swaffham zei ze dat ze heel veel van me houdt. En dat er een tijd aanbreekt dat ik alles zal begrijpen. Dat is inmiddels een eeuwigheid geleden. Maar ik heb nog steeds niet begrepen waarom ze zo nodig met die organist moest trouwen.'
'Howard...'
'Hebben ze kinderen?'
'Ik was van plan om datgene wat ik je nu ga vertellen voor me te houden, Howard. Ik vind echter dat je recht hebt op de waarheid.'
'De waarheid? Wat bedoel je?'
Alicia trok hem mee naar een stil hoekje waar ze zeker wist dat ze ongestoord verder konden praten. 'Nadat mijn vader het besluit had genomen om jou en Newberry naar Egypte te sturen, werd hem al snel duidelijk dat een vrouw de reden was van het feit dat je niet wilde gaan. Mijn vader had een hoge pet op van jou en zei tegen ons dat jij de kans van je leven liet schieten. Toen hij mij vroeg of jij op iemand verliefd was, vertelde ik hem wat jij mij destijds toevertrouwde. Ik geef toe dat ik dat niet had moeten doen. Maar ik kon toen niet vermoeden hoe diep die liefde ging. Bovenal wist ik niet wat mijn ouders in hun schild voerden. In elk geval bracht mijn moeder haar een bezoekje. Ze legde jouw situatie aan haar uit en zei dat jou de kans werd geboden iets van je leven te maken. Dat gesprekje zou nog geen halfuur geduurd hebben. Kennelijk waren ze het snel eens. Ze

smeedden toen een plan. Miss Jones zou jou confronteren met haar voornemen om met Charles Chambers te trouwen.'
'Wil je daarmee zeggen dat Sarah Jones niet getrouwd is?'
Alicia schudde haar hoofd en keek hem aan terwijl ze haar hoofd gebogen hield. 'In elk geval niet met die organist. In Swaffham doet het gerucht de ronde dat ze ruzie hebben gekregen. Niet lang daarna hield Sarah Jones Swaffham voor gezien. De *Dame School* werd verkocht. Sommigen zeggen dat ze nu in Londen woont. Anderen beweren dat ze is teruggegaan naar Ipswich, haar geboortestad.'
Howard was met stomheid geslagen. Zo, ze had dus een spelletje met hem gespeeld. Waarom had Sarah zich daartoe laten verleiden? Hij wist nog precies wat ze gezegd had, en hij had indertijd niet gemerkt wat er werkelijk speelde. Sarah was dus niet met Chambers getrouwd! Howard kon het niet geloven. Het nieuws kwam immers als een donderslag bij heldere hemel. Maar Alicia zou nooit tegen hem liegen over zoiets belangrijks.
Hij moest haar een telegram sturen. Nog beter was het om met het eerstvolgende schip naar Genua te vertrekken, waar hij de trein Parijs-Calais kon nemen, en vervolgens de boot naar Engeland. Maar haar vinden was zoeken naar een speld in een hooiberg. Had ze met opzet alle schepen achter zich verbrand?
'Wie weet waar het goed voor was,' zei Alicia. Een holle frase. 'Miss Jones is immers een stuk ouder dan jij. En mijn moeder vond toen al dat dat soort relaties altijd op de klippen loopt.'
'Zo, vindt zij dat?' zei Howard verbitterd. Hij sloeg enkele keren met een vuist op zijn borst en zei zachtjes: 'Maar het is mijn leven, Alicia. Ik heb het recht mijn eigen ervaringen op te doen. Als je moeder gelijk had, zou ik nu een ervaring rijker zijn en niet verdrietig over de jaren die ik als verloren beschouw. De liefde is een zaak tussen twee mensen. Het veroorzaakt alleen maar ellende als iemand anders zich daarin mengt. Er zijn voorbeelden genoeg die aantonen dat de meest onmogelijke liefdesrelaties het duurzaamst zijn.'
'Het spijt me, Howard. Zo had ik het niet bedoeld. Ik dacht eerlijk gezegd dat je haar vergeten was... na zo'n lange tijd.'
'Vergeten?' Hij sprak zo hard dat er al mensen waren die naar hen keken. 'Vergeten? Ik zal Sarah nooit vergeten!' riep hij opgewonden.
Ze probeerde hem te kalmeren. 'Inderdaad, mijn moeder heeft van alles bekonkeld. Maar ze meende het goed. Dat moet je van me geloven. Ze had het beste met je voor. En helemaal ongelijk had ze natuurlijk niet. Over niet al te lange tijd ben jij een beroemd archeoloog. In elk geval worden er geweldige dingen over je verteld. Is het waar dat jij een faraograf hebt ontdekt?'

Met een zuur lachje antwoordde hij: 'Het is nog lang niet zeker dat het om een faraograf gaat. Bovendien zou ik liever bij Sarah in Swaffham zijn en als dierenschilder de kost verdienen.'
Alicia bolde haar wangen terwijl ze haar adem uitblies, zoals ze dat vroeger altijd deed. Voor een jongedame van stand was dat echter beslist ongepast. 'Had ik mijn mond maar gehouden,' zei ze berustend. 'Nu heb je natuurlijk geen zin meer in dit feest.'
Howard maakte een afwerend gebaar. 'Vroeg of laat was ik er toch achter gekomen. Kom, we gaan kijken waar Lady Collingham en Lord Rockley uithangen!'
Elisabeth merkte meteen dat er iets vervelends was voorgevallen. Howard gedroeg zich anders, in zichzelf gekeerd, alsof hij er met zijn gedachten niet bij was. Ze had zo haar vermoedens wat daar de oorzaak van was. Elisabeth was echter een vrouw met veel levenservaring en zij vond het beter om nu haar mond te houden.
Het was niet verwonderlijk dat de ontmoeting met Lord en Lady Amherst nogal koel en zakelijk verliep. De lord feliciteerde Howard met zijn ontdekking in Deir el-Bahari en sprak de hoop uit dat hij bij de opening van het graf aanwezig mocht zijn. Howard antwoordde beleefd dat hij dat een eer zou vinden. Hij keek Amherst echter aan op een manier of het niet tot hem doordrong wie hij tegenover zich had, alsof de lord een heel eind van hem vandaan stond. Amherst bezwoer dat hij altijd al overtuigd was geweest van het talent van zijn protegé. Maar Howard waande zich in de ruïne van Castle Acre waar Sarah met open armen naar hem toeliep.
Hij hoorde Lady Margaret zeggen dat ze het heel fijn zou vinden als ze hem en Elisabeth op de woonboot mocht verwelkomen voor een diner. De *Nefertari* lag op een steenworp afstand van Hotel Winter Palace aangemeerd. De Egyptische scheepskok zou beslist alles in het werk stellen om zichzelf te overtreffen met overheerlijke gerechten. Elisabeth gaf Howard een por in de zij. 'We komen heel graag,' zei ze.
Howard werd uit zijn gedachtewereld gesleurd en voegde eraan toe: 'Natuurlijk, mylady, met genoegen.'
Intussen was de reusachtige tafel met het kostelijke buffet weer onder de vloer verdwenen. Vervolgens rees uit de geheimzinnige onderwereld van het sprookjeskasteel een enorme spiegel waarop een weelderig gevormde buikdanseres haar kunsten vertoonde. Ze was omhangen met glinsterende lovertjes en doorzichtige doeken. Op de opzwepende muziek van het orkestje bekoorde de zwartharige Egyptische vrouw het publiek met erotische bewegingen. Haar mond verborg ze achter een sluier. Het weinige wat ze aanhad benadrukte dat-

gene wat eigenlijk verhuld moest worden. Met gestrekte armen liet de schoonheid met de glinsterende ogen metalen plaatjes die ze om haar vingers had gestoken ritmisch rinkelen. Toen ze met haar uitnodigende heupen schokkende bewegingen ging maken, raakten de mannen – vooral Egyptenaren – in extase en riepen schunnige woorden. Gelukkig verstonden de Europeanen niet wat er gezegd werd. De danseres leek zich gevleid te voelen, want ze lachte. Hoe harder de mannen naar haar riepen, hoe heftiger en erotischer haar bewegingen werden. Ze had lang haar dat kunstzinnig was opgestoken. Het hing inmiddels los over haar schouders, plakte in haar gezicht en op haar klamme schouders en rug terwijl ze dansend naar Howard liep en haar volle borsten voor zijn ogen liet wiegen.
De mannen joelden. Howard stond in het middelpunt van de belangstelling en voelde zich belaagd, voor de gek gehouden, tot mikpunt van spot gemaakt. Zelfs Elisabeth en Alicia lachten, en ze klapten in hun handen terwijl hij het absoluut niet grappig vond wat de buikdanseres met hem flikte. Het bloed steeg naar zijn hoofd, zijn oren gloeiden. Hij voelde zich opgejaagd wild dat door de meute in een hoek werd gedreven. Vergeefs zocht hij een vluchtweg om aan dit vernederende schouwspel te ontkomen. De bijna blote danseres omarmde hem, zakte met gespreide benen half door haar knieën en boog zich met schokkende bewegingen naar achteren. Op dat moment gaf Howard haar een duw, waardoor ze achteroverviel en hard op haar rug terechtkwam.
De muziek hield meteen op. De uitgelaten, overmoedige stemming veranderde in een sfeer van verontwaardiging en wrevel. Kennelijk realiseerde Mustafa Aga Ayat zich nu pas wat er was gebeurd. Hij baande zich een weg door de menigte. Toen hij de danseres op de vloer zag liggen, gaf hij twee lakeien opdracht om haar overeind te helpen.
Howard, die dit niet had kunnen voorzien, keek Elisabeth hulpeloos aan. Intussen drong het tot haar door wat haar in deze bedreigende situatie te doen stond. Ze pakte hem stevig bij zijn arm en zei zo luid dat iedereen het kon horen: 'Kom, Howard, ik denk dat we nu maar beter kunnen gaan.'
Het orkestje zette weer in terwijl ze hem naar de deur duwde.
'Waarom moest die hoer uitgerekend mij hebben?' morde hij kwaad.
Toen ze op het punt stonden om het pand te verlaten, kwam plotseling Ayat naar voren. Hij riep hen na, alsof er niets gebeurd was: 'Mylady, meneer Carter. Het is nog vroeg!'
Elisabeth draaide zich om. 'We waren toch al van plan om te gaan, meneer Ayat. En gelet op het betreurenswaardige voorval...'

'Het spijt me wat er gebeurd is!' viel Howard haar in de rede. 'Het liep een beetje vervelend af.'
Ayat liep naar hem toe en zei zachtjes: 'Weet u, meneer Carter, als het een tweederangs danseresje was, zou er geen haai naar kraaien. Maar u hebt Leila op de grond geduwd. En Leila wordt in Egypte vereerd als een heilige. Veel hoeren beschouwen we hier als heiligen. Leila is de belangrijkste van allemaal. Ik vrees dat alle Egyptische mannen u nu vijandig gezind zijn.'
'Het zij zo,' antwoordde Howard mat. Maar de toon waarop hij dat zei maakte duidelijk dat hij er niet gerust op was.
'In elk geval zal ik zeggen dat het u spijt,' zei Ayat. Hij gaf eerst Lady Collingham en daarna Howard een hand. Binnen klonk opzwepende muziek en er werd hard en overmoedig gelachen.

Voor de opening van het graf had Howard dertig belangrijke personen officieel uitgenodigd. Sinds enkele dagen was het tot hem doorgedrongen dat de belangstelling enorm zou zijn. Met deze toeloop had hij echter niet gerekend. Een menigte van wel driehonderd dames en heren begaf zich over het pad van de aanlegsteiger naar Deir el-Bahari. Ze hadden klapstoeltjes, parasols en picknickmanden bij zich. Gelet op de feestelijke aangelegenheid waren de meesten keurig gekleed en verwachtingsvol gestemd.
Howard had woord gehouden. De dag en het tijdstip van de opening had hij aangekondigd in de hotels van Luxor. Natuurlijk was er vrijwel niemand die deze unieke gebeurtenis wilde missen. Behalve dan de bedlegerigen en hoogbejaarden. Van Wally Buck, de weduwe van een fabrikant uit Chicago – sinds twee decennia overwinterde ze regelmatig in Luxor – werd gezegd dat ze de negentig al gepasseerd was. Niemand wist dat echter zeker. In elk geval werd mevrouw Buck door twee potige fellahs in een rieten stoel naar Deir el-Bahari gedragen. Aan weerszijden van de stoel, die op een Venetiaanse draagstoel leek, was een draagstang bevestigd. Het was al geen bezienswaardigheid meer, omdat de oude dame zich elke dag op die manier liet vervoeren. Twee andere lakeien liepen voorop met een tafel die bij de draagstoel paste, en een koffer waarin schoon goed zat. Mevrouw Buck was namelijk zeer gesteld op comfort.
Die nacht hadden arbeiders de ingang blootgelegd en het terrein eromheen geschikt gemaakt voor de ontvangst van de gasten. Voor de genodigden waren stoelen neergezet. En gedekte tafels, voorzien van witte tafellakens, met koude drankjes. De minister van Cultuur ging Europees gekleed en was in gezelschap van twee hoge ambtenaren die een fez droegen. Net als de leden van het Oudheidkundig Be-

stuurscollege. Zowel de moedir van Kena als de nasir van Luxor werd geëscorteerd door vier lijfwachten in lange, witte gewaden. Het corps diplomatique verscheen met echtgenotes. Door hun lange witte jurken en de breedgerande hoeden waren de dames nauwelijks van elkaar te onderscheiden. In een wit pak met vlinderdas betrad Howard tegen acht uur de archeologische site en hij werd met applaus ontvangen. Meteen deed hij zijn panamahoed af en zwaaide er hoffelijk mee naar de gasten. Howard was in gezelschap van de beste arbeiders van Naville. Ze hadden manden, voorhamers, beitels, pikhouwelen en zware, puntige stangen bij zich.
'Succes!' fluisterde Lady Collingham hem toe terwijl hij zich naar voren drong. En Ayat zei zachtjes: 'Dat Allah uw hand mag leiden, meneer Carter!'
Howard deelde naar alle kanten als dank bescheiden hoofdknikjes uit. Het was hem niet ontgaan dat Emil Brugsch zich half achter de brede rug van Ayat had geposteerd. Toen Howard bijna gearriveerd was waar hij moest zijn, trok iemand hard aan zijn arm. 'Hé, meneer Carter, gefeliciteerd met uw succes!'
Howard draaide zich om en zag dat Lord Carnarvon, alias 'Porchy', voor hem stond. 'Mylord!' riep hij blij. 'Wat leuk! Ik had u zeker niet verwacht!'
'Een verrassing,' zei Carnarvon met een knipoog. Hij wendde zich tot de mooie vrouw die naast hem stond. 'Almina, dit is nou meneer Carter. De laatste keer dat we elkaar gezien hebben was op Didlington Hall. Hij hield zich toen nog bezig met het kopiëren van oudheidkundige inscripties uit de verzameling van Amherst. Nu is hij een beroemd archeoloog. Meneer Carter, ik wil u graag voorstellen aan mijn vrouw Almina.'
Howard begroette haar. 'Het is voor mij een grote eer dat u hier vandaag aanwezig bent, mylady.'
'Ja, ja, oké,' zei Carnarvon snel. 'Laat je door ons niet ophouden. Succes!'
Een eindje verder ontmoette Howard de familie Amherst. Lord Rockley was er niet bij. 'Waar is je verloofde?' vroeg hij aan Alicia.
Alicia maakte een gebaar. 'Hij gaat liever op konijnenjacht. Dit is niks voor hem.'
Howard richtte zich tot de lord. 'Was u op de hoogte van de aankomst van Lord Carnarvon in Luxor?'
'Ik wist dat hij met zijn jonge vrouw door Egypte wilde reizen, maar niet dat hij uitgerekend op deze belangrijke dag hier zou zijn.'
Lady Margaret deed een stapje naar voren en vroeg bijna fluisterend aan Howard: 'Wat vindt u van zijn vrouw Almina Wombwell?'
'Ze is heel mooi... als ik zo vrij mag zijn.'

'Maar weet u, haar vader is niet Sir Frederik Wombwell, maar baron Alfred de Rothschild,' zei Lady Margaret argwanend, waarna ze haar blik afwendde.

'Ach, dat is ook wat,' zei Howard beleefd terwijl hij met zijn gedachten al bij zijn werk was.

'Inderdaad,' siste Lady Margaret. 'Rothschild heeft Almina tweehonderdvijftigduizend pond geschonken als bruidsschat! Kunt u zich dat voorstellen, meneer Carter?'

'Margaret,' onderbrak Lord Amherst haar. 'Meneer Carter heeft nu wel wat anders aan zijn hoofd dan de familieverhoudingen van de Carnarvons.'

Howard knikte dankbaar. Toen hij eindelijk bij de schacht was, werd het stil. Bedachtzaam als een Egyptische priester uit vervlogen dagen liep hij de stenen trap af, inspecteerde nog een keer de muur en riep toen twee van zijn sterkste arbeiders naar beneden. Daarna wees hij naar het midden van de muur en gaf het tweetal een teken.

Als koorddansers hielden de twee mannen de ijzeren stangen vast, waarna ze ieder op hun beurt in zijwaartse houding met een pendelbeweging op de muur insloegen. De spitse punten ervan drongen in het muurwerk. Het veroorzaakte zo'n kabaal dat er onder het publiek, dat niet kon zien wat er in de schacht gebeurde, vaak 'O!' en 'Ah!' werd geroepen. Het klonk steeds luider naarmate er enthousiaster gesloopt werd.

Waarom hield Naville zich afzijdig? Dat vroeg Howard zich af terwijl hij op een trede ging zitten en toekeek hoe de muur gesloopt werd. Dankzij het zware gereedschap bood het brokkelige gesteente geen noemenswaardige weerstand. Na slechts een halfuurtje hadden de sterke mannen een gat zo diep als een onderarm in de muur geslagen.

Howard droeg de twee arbeiders op om naar boven te gaan. Twee andere mannen die met manden klaarstonden, kregen opdracht het puin te verwijderen. Toen dat gebeurd was, verschenen twee arbeiders met pikhouwelen om het gat tot een armlengte te verbreden. Daarna werd opnieuw het puin weggedragen.

Tijdens het werk werd gezwegen, alsof de arbeiders door de aanwezigen verschillende keren op hun competentie gekeurd werden. De toeschouwers waren verbaasd over de rust en precisie waarmee alles gebeurde. Zelfs de heren van het Oudheidkundig Bestuurscollege en enkele buitenlandse archeologen waren onder de indruk. De spanning steeg.

Na ongeveer een uur riep iemand in de schacht: 'Carter-*effendi!* Carter-*effendi!*'

Nadat Howard de toeschouwers achter de omheining geduwd had, verdween hij in de schacht. Gebiologeerd staarde het publiek naar de bovenste trede waar het hoofd van Howard elk moment weer tevoorschijn kon komen. De gasten gingen staan. Een vrouw in de eerste rij kreeg een flauwte en viel op de grond. Een andere vrouw die zonder ophouden had gepraat, sloeg met haar vuisten tegen haar voorhoofd en riep: 'De farao, de farao!'
In de schacht werd opnieuw heftig geklopt. Toen het kabaal abrupt ophield, daalde een plechtige stilte neer. Opeens dook Howard op. 'Ik heb licht nodig!' riep hij zenuwachtig. Hij had geen aandacht meer voor de omstanders.
Twee mannen staken de gereedstaande petroleumlampen aan. Howard liep ermee de schacht in.
'De farao! De farao!' riep de praatzieke dame. Ze was de echtgenote van de Franse consul en ze maakte zich zo druk dat het leek of ze weeën had.
De omheining bij de schacht dreigde om te vallen. De assistenten hadden de grootste moeite om te voorkomen dat de opgewonden bezoekers zich te dicht bij de rand van de schacht ophielden. De moedir uit Kena, een gedrongen mannetje in een elegant, grijs maatkostuum, had het zweet op zijn voorhoofd staan. Nerveus sprong hij op, duwde zijn lijfwachten weg die meteen ter plekke waren, en riep met de armen over elkaar bij de eerste trede van de schacht: 'Ik ben de moedir. Ik heb het recht om als eerste een blik te werpen op de goudschat van de farao.'
Dat schoot de nasir van Luxor in het verkeerde keelgat. Hij was eveneens klein, maar in tegenstelling tot de moedir tenger van postuur. Gewichtig en met een vuurrood gezicht liep hij met driftige pauwenpasjes naar de moedir, die niet bij zijn vriendenkring hoorde, en maakte hem duidelijk dat hij, de moedir, hier überhaupt niets te vertellen had. Er ontstond een heftige woordenstrijd die uitmondde in een handgemeen, waarbij ook de lijfwachten van beide partijen betrokken raakten. Uiteindelijk dook politiechef Hamdi-Bey tussen de toeschouwers op en riep twee keer achter elkaar hard: 'Ophouden, anders arresteer ik jullie allemaal!' De kemphanen trokken zich terug. Het werd opnieuw stil. Griezelig stil.
Toen er na een kwartiertje nog steeds geen nieuws was, werden de nerveuze genodigden nog onrustiger. De minister van Cultuur stond op en liep de schacht in. Even later kwam hij terug en vertelde wat hij had gezien. 'Een gat in de muur, zo groot dat je er gemakkelijk doorheen kunt kruipen. We moeten geduld hebben.'

'Wat is Carter aan het doen?'
De minister van Cultuur haalde zijn schouders op. 'We moeten geduld hebben, dames en heren.'
Na een halfuurtje nam de onrust toe. Er dreigde zelfs tumult te ontstaan. Plotseling verscheen een ernstig kijkende Edouard Naville. Roerloos stond hij daar en zei geen woord. Gelet op de bijzondere situatie leek dat zeer gepast.
Zwijgend liet hij zich een petroleumlamp aanreiken en liep de schacht in. 'Meneer Carter!' zei hij zachtjes. Hij hield de lamp bij het gat in de muur. 'Meneer Carter?'
Toen hij geen antwoord kreeg, kroop hij door de opening naar binnen. Het duurde een tijdje voordat zijn ogen gewend waren aan de duisternis. Daarna hield hij de lamp boven zijn hoofd.
Hij zag een kamer die ongeveer twintig passen lang was, amper tien passen breed en zo hoog dat je met gestrekte armen het plafond kon aanraken. De wanden waren ruw uit het rotsgesteente geslagen. Geen deur of doorgang die naar een ander vertrek leidde. Het was er stoffig. Een petroleumlamp stond op de grond en verspreidde een diffuus licht.
'Carter?' riep Naville in het halfduister. 'Waar bent u, verdomme!'
Naville bescheen de kale wanden. Geen decoraties, geen schilderingen. Helemaal niets. Alleen rotsgesteente. Het graf was leeg.
Plotseling zag hij iets bewegen dat hij aanvankelijk achter in het vertrek, in de linkerhoek, als een rotsblok had beschouwd. 'Carter!' riep Naville geschrokken.
Howard zat gehurkt in de hoek. Zijn voorhoofd rustte op de armen die hij op zijn knieën had liggen.
'Het spijt me,' zei Naville zachtjes.
Carter keek op. Zijn ogen waren rood van het huilen. 'U vermoedde dit al, hè?'
Naville knikte. 'Dit soort onvoltooide of onbelangrijke graven zijn in deze omgeving overal te vinden. Het zou voldoende zijn geweest om later dat muurtje te slopen en even te kijken. De kans dat we iets belangrijks zouden ontdekken, zou uiterst gering zijn geweest. Om niet te zeggen nihil.'
Howard schudde heftig zijn hoofd, alsof hij het niet wilde inzien. 'U hebt mij gewoon op mijn bek laten gaan!' klaagde hij verbitterd.
'Ach, meneer Carter, alle grote carrières zijn begonnen met een nederlaag. Vergeet dat niet. Mij verging het niet anders.'
'Dit is erger dan een nederlaag. Ik kan het hier verder wel vergeten!'
'Ach, u bent wat te hard van stapel gelopen. Dat mag als je zo jong bent, meneer Carter. Kom, we gaan naar buiten en leggen de mensen

uit wat we hier hebben aangetroffen. Of beter gezegd, wat we niet hebben aangetroffen.'
'Geen denken aan,' zei Howard koppig. 'Ik blijf hier.'
Naville keek een hele tijd naar hem. Hoe langer hij die jonge kerel gadesloeg, hoe meer hij tot het besef kwam dat hij meende wat hij zei. 'Vindt u het goed dat ik de mensen naar huis stuur, meneer Carter? Dit is uw feestje. U moet daarover beslissen.'
Howard gaf geen antwoord en staarde voor zich uit.
'Zal ik de mensen naar huis sturen, Carter?' herhaalde Naville.
'Doe wat u wilt!' riep Howard.
Naville kroop door het gat in de muur naar buiten.
Howard hoorde hem praten, maar verstond niet wat hij zei. Plotseling werd er geschreeuwd en schamper gelachen. Daarna werd er nog harder gejoeld: 'De farao! De farao!' Howard schaamde zich zo erg dat hij het gat in de muur het liefst van binnenuit had dichtgemetseld.
Na ongeveer een uur was het kabaal weggeëbd en zag Howard een schaduw bij de opening. 'Howard, ik ben het, Elisabeth. Doe niet zo kinderachtig. Kom naar buiten!'
Howard zweeg. Uitgerekend Lady Elisabeth! Waarom deed ze hem dat aan? Was het nodig om hem op deze manier te vernederen? Hij wilde alleen zijn, zich verstoppen, niemand zien en niemand horen.
'Waarom laat je me niet met rust!' brulde Howard. Hij zat nog steeds weggedoken in een hoek van de grafkamer.
De schaduw verdween. Geleidelijk werd het doodstil. Hij wist niet hoelang hij voor zich uit gestaard had. De petroleumlamp was allang uit. Alleen een zwak licht viel door het gat in de muur naar binnen. Krampachtig probeerde hij zijn chaotische gedachten te ordenen en een plan te bedenken om te voorkomen dat hij zichzelf nog meer voor schut zette.
Een verbitterde lach weerkaatste tegen de wanden van de grafkamer. Hij lachte terwijl hij aan Sarah Jones dacht die ooit tegen hem gezegd had dat ze trots op hem zou zijn als hij op een dag als een beroemd archeoloog zou terugkeren naar Swaffham. Een beroemd archeoloog? Een beroemde mislukkeling! Het leven kon gruwelijk zijn.
Tegen de avond drong er nauwelijks meer licht door het gat naar binnen en waagde hij zich voor het eerst bij de opening. Hij hapte naar lucht als een stervende vis. Heel even overwoog hij zelfs om deze gevangenis waarin hij zichzelf opgesloten had te verlaten. Hij meende echter stemmen te horen, waardoor hij zich weer terugtrok in de hoek waar hij de hele dag had doorgebracht. Daar voelde hij

zich veilig, beschermd tegen de hoon, de smaad én het medelijden, het ergste van alles.
Geleidelijk viel de stilte als een akelige, onzichtbare deken over hem heen. Soms dacht hij dat er muizen of kevers door het vertrek scharrelden. En hij meende zand te horen dat zich ritselend een weg baande door de rotsspleten. Morgen zal ik mijn schuilplaats verlaten, dacht hij. Alsof er de volgende dag verandering zou zijn gekomen in deze ellendige situatie. Hij zou naar Naville gaan, zijn ontslag aanbieden en terugkeren naar Engeland. Nadat hij dat besloten had, viel hij in slaap.

18

Krijsende wielen sleurden Howard uit zijn slaap. Hij had gedurende vijf dagen amper een oog dichtgedaan. Vermoeid na de lange reis was hij ingedut nadat ze Dover verlaten hadden. Eindelijk kwam de trein tot stilstand.
'Londen, Victoria Station! Londen, Victoria Station!' riep de geüniformeerde stationschef luidkeels.
Howard vond het fijn om weer dat vertrouwde accent te horen. Ook de deftige, afstandelijke houding van de reizigers terwijl ze uitstapten, gaf hem een voldaan gevoel. Hij was kortom weer thuis. Howard had zijn moeder een telegram gestuurd. Ze wist hoe laat hij arriveerde en hij hoopte dat ze hem afhaalde.
Hij sjouwde zijn koffer en het met touwen vastgesnoerde pakket met oriëntaalse souvenirs naar het perron en zocht in de menigte naar zijn moeder. Opgewonden, blije mensen kusten en omarmden elkaar of gaven elkaar een hand. Tien minuten lang stond hij vergeefs op de uitkijk naar een bekend gezicht. Daarna riep hij een kruier. 'Naar de koetsen!'
Londen verwelkomde hem met een stralend blauwe lentelucht. Het leek of de stad zich speciaal voor hem had opgedoft. Stof, vuil en rommel – alsof de gewone troep was weggeveegd terwijl die hem in het afgelopen jaar toch voortdurend gezelschap had gehouden. Zelfs de paarden die voor de koetsen waren gespannen roken hier lekker, zoals op de renbaan van Ascot, terwijl ze in Luxor en Caïro een nietaflatende bestiale, bijtende stank verspreidden.
'Rich Terrace 10, alsjeblieft!' Carter betaalde de kruier en stapte in een zwarte faëton.
De koetsier herhaalde het adres, knikte een keer vriendelijk en gaf de paarden een klap met de teugels. Nadat ze op Buckingham Palace Road afgeslagen waren naar Grosvenor Gardens draaide de koetsier zich om op de bok en vroeg beleefd: 'Op reis geweest, meneer?'

Howard knikte. 'Egypte. Luxor, Caïro, Alexandrië.'
'Goeie genade,' riep de koetsier. 'De koloniën! Afrika!'
Howard lachte. 'Nou ja, eigenlijk is Egypte geen Britse kolonie.'
'O nee?' De koetsier was verbaasd. 'Toch kun je de krant niet openslaan of je leest over de successen van Lord Kitchener. Hij voert immers het bevel over het Egyptische leger.'
'Dat is zo,' zei Howard. 'Toch moet u niet alles geloven wat in de krant staat. Let liever op het verkeer, mister.'
Zonder kleerscheuren bereikten ze Rich Terrace. De buurt maakte een provinciaalse indruk. Toch lag die midden in Kensington, een van de deftigste stadsdelen van Londen. Howard zag aaneengeschakelde huizen, soms op een grillige manier, met twee verdiepingen. En zoals op sommige plaatsen elders in de stad leken alle panden op elkaar. Nummer 10 vormde daarop geen uitzondering. Een oorspronkelijk wit huis dat inmiddels een grijze, doffe kleur had gekregen.
Howard trok aan de deurbel. Niemand deed open. Vervolgens klopte hij hard op de deur. Nog steeds gebeurde er een hele tijd niets. Eindelijk deed Martha Carter open. Howard schrok. Hoewel het al tegen de middag liep, had zijn moeder nog steeds een lange, afgedragen ochtendjas aan. Kennelijk had ze nog geen tijd gehad om zich aan te kleden. 'Ach, jij bent het,' zei ze niet bepaald enthousiast. Alsof ze hem gisteren nog gezien had.
Nadat hij vergeefs geprobeerd had haar te omarmen, vroeg ze niettemin: 'Goeie reis gehad, jongen?'
'Ja,' zei hij. 'Afgezien van het vermoeiende gesjouw dat een vierdaagse scheepsreis van Alexandrië naar Genua, de treinreis door Frankrijk en de overtocht van Calais naar Dover met zich meebrengt. Eerlijk gezegd ben ik doodmoe.'
Bovendien had hij honger. Tijdens de uitputtende reis had hij alleen wat proviand en snacks van straatverkopers bij zich gehad. Martha Carter bood hem alleen een kop thee aan. Hij had verwacht dat ze hem zou overstelpen met vragen. Bijvoorbeeld over hoe het geweest was in Egypte. Maar dat deed ze niet. Eigenlijk was hij daar wel blij om. Hij had zich immers voorgenomen om haar niet te vertellen waarom hij was teruggekeerd.
Vele jaren was hij niet meer in dit huis geweest. Alles lag erbij zoals vroeger. Toch bekroop hem een merkwaardig gevoel. Alsof hij bij vreemden op bezoek was. Hij had zijn bagage naar de kamer op de bovenverdieping gebracht, waar zijn oudere broers Samuel, Vernet en William hun jeugd hadden doorgebracht. Opeens hoorde hij zijn moeder roepen. Ze was al enige tijd in de keuken op de begane grond bezig met theezetten.

Aanvankelijk dacht hij dat ze druk met iemand in gesprek was. Vervolgens schrok hij omdat ze naar zijn vader riep. 'Kom naar beneden, Samuel. Je zoon is terug.' Na een korte stilte riep ze opnieuw: 'Hij is terug uit Egypte. Kom hem eens bekijken.'
Hij hield zich vast aan de trapleuning en durfde niet naar beneden te gaan. Zijn vader was drie jaar geleden gestorven.
'Samuel!' hoorde hij zijn moeder roepen. 'Je drinkt toch thee met ons? Zoals altijd met melk en suiker? Hoe voel je je vanochtend, Samuel? Eindelijk wordt het dan toch nog lente. Heb je al uit het raam gekeken? De forsythia's aan de andere kant van de straat staan al in de knop. Je moet ze echt eens gaan bekijken wanneer je je weer wat beter voelt. Hoor je me, Samuel?'
Nadat het lang stil was gebleven, waagde hij het erop om naar beneden te gaan. Onthutst stelde hij vast dat zijn moeder drie theekopjes op de smalle keukentafel had neergezet. Hij wist niet hoe hij daarop moest reageren.
Maar hij hoefde niets te zeggen. Martha zag de onzekere blik in zijn ogen en zei: 'Je vader voelt zich vandaag niet zo lekker. Hij heeft het op zijn longen. Maar ik denk dat hij dadelijk wel naar beneden komt.'
Howard knikte begripvol. 'Hoe gaat het met Fanny en Kate? Gezond en wel?'
Zijn moeder lachte. 'O, die twee! Het gaat hun beter dan de Londenaren. De kerst heb ik bij hen gevierd. In Swaffham. Je vader wilde dat graag. Volgens hem zit ik te veel thuis.'
'Ik zal ze de komende dagen een bezoekje brengen. Ze zullen wel verbaasd zijn. Ze weten namelijk niet dat ik terug ben.'
Gedurende twee dagen dwaalde Howard door Londen. Van zijn zus Amy, die met de uitgever John Walker was getrouwd, kwam hij te weten dat zijn moeder tijdelijk het besef van de realiteit verloren had. Ze had er wel vaker last van. Meestal was ze heel normaal. Hij hoefde zich echt geen zorgen over haar te maken. Tijdens die zwerftochten door Londen probeerde hij ook Sarah Jones op het spoor te komen.
Natuurlijk was dat zoeken naar een speld in een hooiberg. Al snel werd duidelijk dat als hij Sarah ooit weer wilde ontmoeten, hoe gering die kans ook was, hij hoe dan ook terug moest gaan naar de plaats waar hij haar voor het laatst gezien had – Swaffham.

Fanny en Kate verwelkomden hem hartelijk. In hun ogen was hij nog steeds hun jongen van vroeger. In tegenstelling tot zijn moeder waren ze heel geïnteresseerd in het werk dat hij in Egypte had ge-

daan. Urenlang moest hij vertellen over zijn avonturen in Luxor en Tell el-Amarna. Voorlopig namen ze genoegen met zijn verklaring dat hij voor langere tijd in Engeland op vakantie was.
Daarna ging hij op zoek naar Sarah Jones. Eerst begaf hij zich naar de *Dame School*. Hij trof daar een ouder echtpaar aan. Een typisch voorbeeld van verarmde adel. Lady Langton en haar man Lord Horatio hadden grote schulden gemaakt en het schoolgebouw overgenomen van miss Jones. Tegen een royaal bedrag, zoals de dame zich uitdrukte. Toen Howard naar de burgerlijke staat van Sarah viste, antwoordde Lady Langton dat miss Jones ongetrouwd was. Ze vond dat zeer vreemd omdat Sarah zo innemend was en een aantrekkelijk voorkomen had. Maar er was sprake van een ongelukkige liefde waardoor miss Jones Swaffham had verlaten. Volgens haar was ze naar Londen verhuisd. Waarom wilde hij dat weten?
Howard antwoordde dat hij en Sarah van elkaar gehouden hadden; de zogenaamde ongelukkige liefde waar zij het over had. Hij verzweeg echter dat hij een leerling van Sarah was geweest.
Swaffham vond hij bij nader inzien beslist niet de ideale plek om je dagen door te brengen. Herinneringen aan Sarah waarden rond in elke straat en in alle oude gebouwen. Ongeacht waar hij rondkeek, alles veroorzaakte een zeurende pijn in zijn hart en wekte verlangen in hem op. Deze hartstocht naar Sarah was er de oorzaak van dat hij moedeloos en vertwijfeld als een zwerfhond door de straten doolde en zichzelf de verwondering van de dorpsbewoners op de hals haalde. Na twee lange, zinloze dagen besloot hij in het George Commercial Hotel van meneer Hazelford een biertje te gaan drinken en op een terloopse manier informatie in te winnen over de verblijfplaats van Sarah.
Het bier zorgde in zoverre voor een wending dat de zeer vriendelijke meneer Hazelford hem vertelde dat Chambers en miss Jones samen Swaffham hadden verlaten om in Londen te trouwen. Meneer Spurell, de nieuwe organist van de St. Petrus en Paulus en de opvolger van Chambers, wist daar misschien meer over te vertellen.
Hij ontmoette Spurell in een vervallen huis aan Norwich Road, nabij het Manor House, waar hij een zolderkamer had betrokken. Hij was jong, half zo oud als Chambers en in tegenstelling tot zijn voorganger heel sympathiek. Diens aanvankelijke wantrouwen nam Howard weg met de hint dat Chambers een serieuze rivaal van hem was geweest en dat hij graag wilde weten of zijn jeugdliefde, miss Sarah Jones, met hem getrouwd was.
Spurell was daarna niet terughoudend meer, maar betreurde het dat hij weinig kon vertellen over Chambers omdat hij hem maar één

keer en ook nog toevallig ontmoet had. Chambers had destijds gezegd dat hij een baan had gekregen als organist in een Londens cinematografisch theater, een soort panopticum van bewegende beelden op een wit doek. De nogal spottende toon in diens stem was Howard niet ontgaan.
Eigenlijk had Howard best nog wat langer in Swaffham willen blijven. Maar hij werd erg onrustig van de informatie die Spurell hem had gegeven. Dat dreef hem het stadje uit dat ooit zijn thuisland was geweest.
Eenmaal terug in Londen kon hij de moed niet opbrengen om weer naar zijn moeder te gaan. Een goedkoop hotel, waar er in Lambeth en Soho genoeg van waren, kon hij zich zeker permitteren. Hij gaf er echter de voorkeur aan om doelloos door de stad te dwalen. Hij at in een oosterse gaarkeuken in Soho, overnachtte in metrostation Piccadilly Circus en daarna tussen de landlopers op Trafalgar Square. Lusteloos ging hij in Chelsea op zoek naar een cinematografisch theater. In een zijstraatje van Kings Road vond hij er een.
Op de billboards – alsof het om een theaterstuk ging – werd *De wraak van Lady Cora* aangekondigd. De film beloofde 'een met muziek opgeluisterd jaloeziedrama uit adellijke kringen'. Howard interesseerde zich niet voor het jaloeziedrama, maar wel of Charles Chambers de muzikale opluistering voor zijn rekening had genomen. Hij kocht een kaartje voor twee shilling en betrad het schemerige, pluche etablissement met beklede stoelen en oosterse tapijten. In plaats van een podium, zoals in het theater, zag hij een groot, wit doek met aan weerszijden ervan weelderige potpalmen. Achter de piano, links van het witte doek, nam een musicus in rokkostuum plaats. Het was niet Chambers.
De voorstelling bestond uit trillende, flakkerende beelden met als hoogtepunt een boze echtgenoot die zijn rivaal doodschoot. De pianist sloeg met een liniaal op de piano om het schot van geluid te voorzien. De toeschouwers applaudisseerden enthousiast. Niet omdat het drama hen geroerd had, maar omdat ze beseften dat ze ooggetuige waren van een belangrijke uitvinding.
Ook Howard was zeer onder de indruk van de bewegende beelden. Maar toen de toeschouwers twintig minuten later nog helemaal bevangen de bioscoop verlieten, stapte Howard doelbewust naar de pianist en vroeg of hij ene Chambers kende die als organist in een cinematografisch theater werkzaam was.
De pianist, niet veel ouder dan Howard, zei dat er in Londen maar één bioscooptheater was met orgelbegeleiding. Het Trocadero aan het Piccadilly. Howard liep er meteen heen en vroeg naar organist Chambers.

De vloeren en muren van de foyer waren van grijs marmer. Een vriendelijke, gewaagd geklede dame in een soort kapiteinsuniform, en met een rond hoedje op, verkocht er programmafolders. Inderdaad, Charles Chambers speelde op het bioscooporgel. Hij deed elke dag drie voorstellingen.
Hij haalde een bioscoopkaartje om binnen te komen en Chambers te spreken te krijgen. De film ging over het Rome uit vervlogen dagen. Rode billboards beloofden gladiatorgevechten met leeuwen.
Het Trocadero bood plaats aan meer dan tweehonderd toeschouwers en beschikte over kleine zijloges voor elk vier personen. Op een galerij aan de achterzijde was het orgel geplaatst, een bizar gevormd en kolossaal geval met goudkleurige pijpen en evenzoveel putti.
Hij nam in de laatste rij op de laatste stoel plaats en luisterde naar de vlotte orgelmuziek waarmee de toeschouwers vóór het begin van de voorstelling geamuseerd werden. Daarna ging het licht uit, de film begon.
In de duisternis liep Howard ongemerkt naar de orgelgalerij. Laaghangende lampen verlichtten de toetsen. Chambers was zo veranderd dat Howard de voormalige organist van de St. Petrus en Paulus bijna niet herkend had. Zijn warrige haardos had plaatsgemaakt voor een kortgeknipt kapsel en een Monjou-snorretje. En hij was gekleed in een rood rokkostuum. Door zijn dandyachtige deftigheid leek hij op een circusdirecteur.
Met handen en voeten speelde Chambers de *Intocht van de gladiatoren*. Hij had het daar druk mee. Dus merkte hij niet dat Howard hem in het schemerlicht van opzij naderde. Bovendien keek Chambers voortdurend naar het witte doek om zijn muziek te laten klinken op de bewegingen van de acteurs.
Hij schrok toen Howard plotseling naast hem stond en herkende hem meteen. 'Wat doet u hier?' siste hij. 'Wat wilt u van me?'
'Ik zoek Sarah Jones,' fluisterde Howard. Hij wilde de voorstelling niet storen.
Chambers bracht een hand omhoog. De beweging was geen gebaar naar Howard toe, maar vormde het begin van een nieuwe inzet waarbij de organist fel op de toetsen sloeg. Howard vermoedde dat Chambers zijn vraag niet begrepen had. Nadat het fortissimo was weggeëbd, herhaalde hij: 'Ik zoek Sarah Jones!'
Chambers keek hem tersluiks aan en siste: 'Ik ben niet doof. Laat me met rust. Ziet u niet dat ik bezig ben?'
Howard liet zich niet wegjagen. 'U moet toch weten waar ze uithangt? Waarom vertelt u niet wat er aan de hand is?'

'Ik weet van niks,' siste Chambers. 'En zelfs als ik iets wist, zou ik het u zéker niet vertellen.'
Chambers had even pauze omdat een gladiator op het witte doek onhoorbaar aan het praten was. Voor de toeschouwers werd dat synchroon ondertiteld.
'Wat heb ik misdaan?' fluisterde Howard.
Chambers hield het witte doek in het oog. 'Vraagt u dat nog?' snauwde hij verbitterd. 'U hebt Sarah Jones van me afgenomen.'
'Heb ik haar van u afgenomen? Je kunt alleen iets van iemand afnemen dat hij bezit. Kunt u daarvan spreken in het geval van Sarah Jones?'
'En in uw geval?'
'Dat heb ik nooit beweerd. We hielden alleen van elkaar.'
'Puh, belachelijk! U was een domme schooljongen. Een knulletje dat nog niet droog achter de oren was. Denkt u nou echt dat u indertijd wist wat liefde was?'
'Zeker wist ik dat. We hielden echt van elkaar... of heeft Sarah indertijd ooit tegen u gezegd dat ze van u hield?'
Chambers bleef hem het antwoord schuldig omdat hij weer moest inzetten. Howard kreeg de indruk dat hij zijn woede en verbittering uitleefde op het orgel. Hoewel de gladiator op het witte doek naar een mooie slavin liep, sloeg de organist op de toetsen alsof er sprake was van een woest gevecht.
Nadat de woedeaanval was weggeëbd, en de muziek wat lieflijker klonk, morde Chambers bijna fluisterend en in de hoop dat hij Howard eindelijk van zich af kon schudden: 'Ze is vorige zomer naar Amerika geëmigreerd. Dat is het laatste wat ik over haar gehoord heb.'
'Naar Amerika? Waarom uitgerekend naar Amerika?'
Chambers trok een gezicht. 'Moet ik dat weten? Ze hield toch niet van mij? Maak nu dat u wegkomt, anders laat ik u de zaal uit gooien.'
Zwijgend draaide Howard zich om en liep de bioscoop uit. Het was avond in Londen. Op Piccadilly was het inmiddels druk. Talloze koetsen reden met mensen in deftige avondkledij over het plein naar de theaters in Westend en Soho. Howard nam alles als in een roes waar: de straatlantaarns die een schemerig licht verspreidden, de fel verlichte etalages en de voetgangers die op deze zwoele lenteavond een wandelingetje maakten.
Had Chambers de waarheid verteld? In dat geval kon Howard het wel vergeten. Als ze Engeland verlaten had om in Amerika een nieuwe toekomst op te bouwen, zou hij haar hoogstwaarschijnlijk nooit

meer terugzien. Het had simpelweg niet zo mogen zijn. Hij moest zich schikken in zijn lot.
Bij de ingang van metrostation Piccadilly Circus hield Howard zijn pas in. Hij staarde naar de liefdespaartjes. De nieuwe fontein met de liefdesgodin Eros, midden op het plein, was inmiddels een populaire ontmoetingsplaats.
De krantenverkopers schreeuwden het nieuws uit. Sinds de *Daily Mail* in het voorjaar was verschenen, heerste er in Londen een krantenoorlog. Het boulevardblad met een massaoplage werd op straat verkocht en was in een felle concurrentiestrijd verwikkeld met de *Daily Telegraph,* de sensatiekrant die als eerste op de markt was gebracht. Sindsdien was het vrijwel onmogelijk om je aan de dagelijkse krantenkoppen te onttrekken.
Hij hoorde amper wat er geroepen werd terwijl hij zich afvroeg of Chambers hem misschien toch belogen had. Misschien wilde hij hem op die manier van zich afschudden. Maar het zou ook kunnen dat Chambers graag wilde dat hij zijn zoektocht staakte. Hoe moest hij daar ooit achter komen?
Gedeprimeerd en vertwijfeld hing hij een uurtje rond op Piccadilly Circus. Uiteindelijk besloot hij van stek te veranderen en liep hij richting Trafalgar Square, waar zich meer mannen van zijn soort ophielden. De ontheemden en wanhopigen. Toen hij het helemaal niet meer zag zitten, liep hij onderweg een pub binnen. Een pub die ermee door kon. Een fatsoenlijk drankhol met geslepen glas in de ingangsdeur.
Hij bestelde iets met een hoog alcoholpercentage in de hoop dat hij zijn ellende kon vergeten. Na drie glaasjes gin was dat echter nog steeds niet echt gelukt. Hij bleef zich geconfronteerd zien met zijn oude problemen. Een halfuur later leunde hij met zijn ellebogen op de tapkast, staarde naar de spiegelwand – waar de flessen sterkedrank stonden – en zag hij zichzelf aan de bar zitten terwijl zijn buurman, die min of meer dezelfde houding had aangenomen, zonder hem aan te kijken vroeg: 'Sores?'
Howard twijfelde of dat aan hem gericht was. Hij hield zijn mond. Daarna volgde de tweede vraag, al net zo bondig geformuleerd. 'Vrouwen?'
'Hm,' zei Howard. Hij keek zijn buurman in de spiegel aan. Een man van middelbare leeftijd. In tegenstelling tot Howard zag hij er verzorgd uit. Niets roept zoveel begrip op bij mannen onderling als gemeenschappelijk leed. 'Ik wil er niet over praten.'
'Geeft niks,' antwoordde de vreemdeling begripvol. 'Ik begrijp het.'
Na een tijdje, terwijl ze elkaar in de spiegel aankeken, zei hij: 'John Gallagher.' Hij stak zijn hand naar hem uit.

Met enige tegenzin accepteerde Howard het aangereikte vertrouwen, gaf hem een hand en zei verre van enthousiast: 'Howard Carter.' Daarna viel er weer een lange stilte.
'Mijn moeder,' begon Gallagher uiteindelijk, 'mijn moeder... ach, maakt ook niet uit...'
'Vertel op!' sprak Howard op ietwat geërgerde toon. 'Wat is er met uw moeder?'
'Mijn moeder heeft me altijd afgeraden om te trouwen. John, zei ze, John, mannen als jij mogen niet trouwen. Je bent maandenlang van huis. Dat kan niet goed gaan.'
'Zo, zegt ze dat. Heeft ze gelijk gekregen?'
'Ja. Toen ik vorige week thuiskwam, was mijn vrouw vertrokken. Ze is ervandoor gegaan met mijn beste vriend.'
'Hoelang was u van huis?' vroeg Howard al bijna met dubbele tong.
'Vier weken. Dertig dagen. Ik weet zeker dat ze me vroeger ook bedroog bij het leven. Zo zijn vrouwen nu eenmaal. En u? Heeft uw vrouw ook de benen genomen?'
'Zo kun je dat wel noemen. Ook al zijn de omstandigheden totaal verschillend.'
'Wat bedoelt u?'
'Ik bedoel dat ze niet ontrouw was, maar dat ze onze liefde geen kans gaf.'
'Dat begrijp ik niet, meneer Carter.'
'Ze is dertien jaar ouder dan ik. En ook nog eens mijn voormalige onderwijzeres. Zij vond dat onze relatie geen toekomst had.'
Gallagher floot tussen zijn tanden.
'Vandaag kwam ik te weten dat ze vermoedelijk in Amerika woont. Geëmigreerd. Maar ik weet dat niet zeker. Ik was enkele jaren in Egypte. De man die me dit over haar vertelde, had zelf een oogje op haar. Misschien heeft hij me wat op de mouw gespeld om ervoor te zorgen dat ik die zoektocht staak.'
'Ik wil me er niet mee bemoeien, maar zo te zien gaat u erg gebukt onder die onzekerheid,' zei Gallagher.
Howard knikte. 'Als Sarah Jones... zo heet ze... inderdaad naar Amerika is vertrokken, zie ik dat als een teken dat ze mij definitief als een afgesloten hoofdstuk beschouwt. Dan moet ik daar vrede mee zien te krijgen. Daar staat tegenover dat ik me suf pieker of ze misschien toch in Londen is. Begrijpt u wat ik bedoel, meneer Gallagher?'
De man zweeg. Het leek of hij nadacht, in zoverre zijn beschonken toestand dat toeliet. 'Drink een port met mij,' zei hij uiteindelijk. Zonder op diens antwoord te wachten, gaf hij de bestelling op, waar-

na hij zei: 'Het is helemaal niet moeilijk om erachter te komen of die miss Jones naar Amerika geëmigreerd is.'
Howard keek hem vol ongeloof aan. 'O nee? Men beweert dat ze de vorige zomer vertrokken is.'
'Makkelijk zat. In dat geval gaat het om de overtocht van Southhampton naar New York, de klassieke emigratieroute. Ze moet dan aan boord zijn gegaan van een schip van de rederijen Cunard of White Star. Voor elke overtocht is er een passagierslijst opgesteld. De namen staan in alfabetische volgorde. Van A tot Z. Binnen dat tijdsbestek betreft het vijf tot tien van de lijsten. Gewoon de namen aflopen. Dan weet u het zeker. Kom morgen maar naar mijn kantoor van de White Star. Ik zal kijken wat ik voor u kan doen.'
Howard keek Gallagher tersluiks aan, alsof hij zich afvroeg of hij hem voor de gek hield terwijl hij zich zo ellendig voelde.
Toen hij weer voor zich uitkeek, zei Gallagher bijna terloops: 'Ik ben purser bij de White Star. Over twee weken stap ik aan boord voor mijn volgende Indiëreis. In de tussentijd doe ik bureaudienst aan wal.'
Van het ene moment op het andere was Howard ontnuchterd. Dat dacht hij althans. Morgen. Morgen wordt alles duidelijk.

'Howard, wat is er met jou gebeurd?' riep Martha ontdaan toen hij midden in nacht thuiskwam. Zijn moeder leek totaal veranderd. Het huis was opgeruimd en op de tafel in de kleine salon stond een vaas met lentebloemen.
Een blik in de spiegel naast de voordeur bood een niet al te beste indruk. Howard schaamde zich dat hij het zover had laten komen. Hij zag er eerlijk gezegd niet anders uit dan de bedelaars die bij Trafalgar Square rondhingen en bij wie hij de laatste paar nachten had doorgebracht.
De badkamer van het oude huis had nog geen stromend water. Maar de twee porseleinen waskommen waren voldoende om je op bescheiden wijze van top tot teen te wassen. Daarna kroop Howard doodmoe in bed.
De volgende ochtend in alle vroegte ging hij, nog steeds suf van de drank, naar het Londense filiaal van de White Star. Het plompe gebouw was zo hoog als een oceaanstomer. De hal leek op een kathedraal met marmeren zuilen en zijaltaren waar je reusachtige scheepsmodellen achter glas kon bewonderen. Relatief klein was het hoogaltaar aan de voorzijde. Een in het zwart geklede portier hield toezicht. Achter hem hing een wereldkaart waarop alle overzeese lijnen van de rederij waren aangeduid.

John Gallagher ontving Howard vriendelijk. Samen liepen ze vier trappen op en arriveerden aan het eind van een lange gang in een kantoor waar twee ouwelijke dames, beide gekleed in een lange, zwarte rok en witte bloes, aan het werk waren. Nadat Gallagher had uitgelegd waar het om ging, begonnen de dames het archief te doorzoeken. In een mum van tijd lagen er op een tafel twee stapels dossiers met de passagierslijsten van alle Atlantische oceaanstomers die in de genoemde periode tussen Engeland en Amerika in lijndienst hadden gevaren.
'Hoe heet de juffrouw ook alweer?' vroeg Gallagher nogal plechtig.
'Miss Sarah Jones,' antwoordde Howard.
Gallagher pakte de eerste stapel dossiers. De tweede stapel schoof hij door naar Howard.
Hij kreeg de passagierslijsten van de oceaanstomer *Oceanic* te zien. Een schip dat sinds de stapelloop in 1870 op de lijndiensten Liverpool - New York en Southampton - New York was ingezet. Vele duizenden overwegend arme Engelsen waren met dit schip naar de Nieuwe Wereld gebracht.
'Goeie genade!' riep Howard plotseling. Hij had twee passagierslijsten doorzocht en was nu in de derde verdiept. 'Miss Sarah Jones, Londen.' Hij wees met zijn vinger naar haar naam die in zwarte inkt geschreven was. 'Dat is Sarah!'
Gallagher stopte met zoeken, boog zich naar het papier toe dat talloze keren gevouwen was geweest en keek hem vragend aan.
Howard vocht tegen zijn tranen terwijl hij zei: 'Een gewone aantekening, niets bijzonders, maar voor mij is dit het definitieve einde van de grootste liefde die ik gekend heb.'
'Het spijt me, meneer Carter. Ik kan me voorstellen hoe u zich voelt.'
Howard liet zijn hand over het papier glijden, alsof hij de vouwen glad wilde strijken. In werkelijkheid streelde hij teder haar naam. Hij wist dat dit afscheid definitief was.
In gedachten hoorde hij ver weg de stem van Sarah terwijl hij afscheid van haar nam op het station van Swaffham. 'Ik hou van je, Howard. Ik heb je meer lief dan alles wat me lief is. Er komt een tijd dat je het zult begrijpen. Vergeet me niet.'
'Nee, ik zal het nooit begrijpen,' zei hij fluisterzacht. Voorzichtig vouwde hij de passagierslijst op en liet zijn blik over de namen glijden waarachter menig eigenzinnig lot verborgen ging. Plotseling zag hij een naam. Mr. C. Chambers, Londen.
Howard stokte. Hij las de naam voor de tweede keer, schudde verbijsterd zijn hoofd en stamelde: 'Chambers! Dat is onmogelijk!' Hij was in verwarring gebracht.

Gallagher begreep het niet en vroeg: 'Wat bedoelt u, meneer Carter?'
'O, niets bijzonders,' antwoordde Howard. 'Ik was alleen maar hardop aan het denken. In elk geval bedankt dat u me zo goed geholpen hebt. Ik zal u niet langer storen.'
Verbaasd keek Gallagher hem na. Hij had geen verklaring voor dit plotselinge afscheid. Maar uit eigen ervaring wist hij dat vrouwen een man totaal van streek konden maken.
Howard stond inderdaad versteld. Als een zwerfhond liep hij doelloos door de straten, op zoek naar een onbekend spoor. Zonder op het verkeer te letten stak hij Piccadilly Circus over, liep een heel eind door Regent Street, draaide zich vervolgens om en stond plotseling voor het cinematografisch theater.
Die kerel heeft me schaamteloos belogen, dacht hij terwijl hij de ingang in de gaten hield. Wat moest hij nu doen? Chambers weer aan de tand voelen? Natuurlijk zou die vent opnieuw alles ontkennen. Nee, hij moest hem in het nauw drijven om hem de waarheid te ontfutselen. Ook al zou die waarheid een bittere pil zijn. Besluiteloos liep hij heen en weer voor het Trocadero en piekerde zich suf waarom Chambers in Londen was terwijl hij op de passagierslijst stond van een emigrantenschip dat naar Amerika was afgevaren. De meest buitenissige conclusies schoten hem te binnen. Uiteindelijk maakte hij een plan.
Het was bijna middag. De eerste voorstelling in de bioscoop begon om vijf uur. De laatste voorstelling was rond halftien voorbij. Howard liep weg.
Even voor halftien stond hij weer aan de andere kant van de straat en hield de bioscoop in de gaten. Het was zachtjes geen regenen. De eerste warme lenteregen die de omgeving van Piccadilly Circus een onweerstaanbare charme verleende.
Hij hoefde niet lang te wachten voordat Chambers bij de uitgang verscheen. Howard trok zijn hoed diep over zijn voorhoofd, sloeg de kraag van zijn zomerjas op en begon de man te schaduwen. Chambers liep noordwaarts naar Soho en sloeg Brewer Street in. De huizen waren er donker en smal. In een steegje dat geen naam had, zette de organist de pas erin. Howard kon hem met veel moeite bijhouden.
Van de huizen was het pleisterwerk afgebrokkeld waardoor de ruwe baksteen tevoorschijn kwam. In een krot dat er nog verwaarloosder uitzag dan de rest liep Chambers naar binnen. Even later ging op de bovenverdieping het licht aan.
Howard wachtte enkele minuten, draaide de klink om en stelde verbaasd vast dat de deur niet op slot was. Het was donker in het trap-

penhuis. Voorzichtig liep hij de trap op naar de bovenverdieping en klopte hard op een deur waar hij licht achter het matglas zag.
'Wie is daar?' hoorde hij Chambers zeggen.
'Howard Carter.'
'Wat wilt u van me? Weet u wel hoe laat het is?'
'En of ik dat weet,' zei Howard. 'Ik wil u even spreken!' Hij klopte nog harder op de deur. Uiteindelijk deed Chambers open en zei: 'Hou op, u brengt het hele huis in rep en roer. Ik heb u verteld wat ik weet.'
Howard werd kwaad. 'Nee, meneer Chambers, het belangrijkste hebt u verzwegen! Natuurlijk met een goede reden!' Hij duwde hem aan de kant. Nog voordat de organist kon protesteren, liep Howard naar binnen.
Chambers was onthutst en Howard was juist op alles voorbereid. 'Waarschijnlijk denkt u dat ik gek ben,' zei hij terwijl hij rondkeek in de woning. Het rook er vaag naar armoede. Howard vermoedde dat hier nog nooit een vrouw naar binnen was gegaan. Zo zag het er althans uit. Hij kon zich niet voorstellen dat Sarah Jones hier ooit was geweest. 'Dat ik jonger ben dan u wil nog lang niet zeggen dat ik dommer ben, meneer Chambers.'
'Maak dat u wegkomt, anders...' Chambers was razend.
'Anders wat?' zei Howard. Toen Chambers zweeg, vervolgde Howard: 'Kunt u mij uitleggen waarom zowel u als Sarah Jones op de passagierslijst van de *Oceanic* staat?'
'Wat vertelt u nou voor een onzin?' Chambers was stomverbaasd en liet dat duidelijk merken.
Howard haalde zijn schouders op. 'Ik zei toch dat u denkt dat ik niet goed wijs ben? Het staat als een paal boven water dat u met Sarah Jones naar Amerika bent afgereisd. Dat kunt u toch niet ontkennen?'
Chambers grijnsde hautain. 'Weet u dat zeker, meneer Carter?'
'De passagierslijst! Ik heb die met eigen ogen gezien!'
Opeens kreeg Chambers een andere trek op zijn gezicht. Hij bood Howard een stoel aan en zei kalm: 'Wilt u wat drinken?'
'Daar ben ik niet voor gekomen, Chambers. Ik wil eindelijk weten welk spelletje hier gespeeld wordt.'
Chambers pakte twee bolle glazen, schonk de port in, schoof een glas naar Howard en zei: 'Heel merkwaardig. Sta ik op die passagierslijst, hoor ik dat goed?'
'Ja.'
'Ik ben nog nooit in Amerika geweest, meneer Carter. Er moet echt sprake zijn van een vergissing.'
Howard keek Chambers tersluiks aan. Natuurlijk geloofde hij hem

niet. Chambers was een ploertige, doortrapte, sluwe klootzak. 'Meneer Chambers, nou moet u me eens vertellen wie er belang bij heeft om u op een passagierslijst te zetten waarop toevallig ook Sarah Jones vermeld staat.'
Chambers liep naar zijn harmonium waarop verscheidene ingelijste foto's stonden. Hij pakte een foto op, keek er even naar en hield die daarna voor Howard. De foto toonde een jeugdige Chambers, samen met een andere jongeman.
'Mijn broer Christopher,' zei hij. 'Hij is twee jaar geleden in de zomer naar Amerika geëmigreerd. Ik heb op de kade van Southampton afscheid van hem genomen. Toevallig zag ik onder de reizigers ook Sarah Jones. Zij ging eveneens aan boord van de *Oceanic* met bestemming New York. Ze had veel bagage bij zich. Daaruit kon je concluderen dat ze overzee een nieuw leven wilde beginnen. Ik probeerde een woordje met haar te wisselen, maar ze meed me. Jammer. Ik klaagde daarover tegen mijn broer. Gedurende de overtocht heeft ze ook geen woord tegen hem gezegd.' Chambers pakte zijn glas op en dronk het in één teug leeg.
Nu kon Howard ook wel een slok gebruiken. 'Hoe heet die broer van u ook alweer?'
'Christopher.'
'Dat verklaart inderdaad alles. Op de passagierslijst stond de naam C. Chambers. Het spijt me, meneer Chambers.'
De organist lachte, maar het klonk verbitterd.
'Wat vindt u daar zo grappig aan?' vroeg Howard.
'In feite zijn we vijanden. Nu blijkt dat we beiden aan het kortste eind hebben getrokken. Daar moeten we ons in schikken.'
Howard dronk zijn glas leeg terwijl Chambers met de rug naar hem toe plaatsnam achter zijn harmonium en een treurig stukje speelde. Daardoor merkte hij niet dat Howard zonder iets te zeggen de woning verliet.

Door de gebeurtenissen van de afgelopen dagen begon Howard te twijfelen of hij wel in Engeland moest blijven. Zodra hij aan Swaffham dacht, herinnerde hij zich zijn verdrietige jeugd. Londen ervoer hij als vreemd en afwijzend. Zowel daar als in de hoofdstad voelde hij zich een buitenstaander.
Hij had gehoopt dat Lord Amherst hem een baan zou geven. Ongetwijfeld zou de lord hem ook aangenomen hebben. Nu huiverde hij bij de gedachte dat hij in Didlington Hall in een zolderkamer moest wonen en de dagen doorbracht met het kopiëren van allerlei inschriften. Howard was in de loop der jaren veranderd. Hij verlangde

terug naar het woestijnzand. En naar de brandende zon op het rotsgesteente. Hij miste zelfs het kabaal in de nacht en die alomtegenwoordige stank.
Zonder een vooropgezet plan, maar met de bedoeling de rest van zijn geld te innen, begaf hij zich naar het Oxford Mansion, een kolossaal gebouw waar instanties en verenigingen gehuisvest waren, waaronder het *Egypt Exploration Fund.* In Egypte had Howard op eigen verzoek slechts een deel van zijn honorarium betaald gekregen. Het grootste deel, nog altijd bijna tweehonderd pond, had het *Fund* in Londen achtergehouden.
Sinds kort stond een kordate dame aan het hoofd van het *Egypt Exploration Fund.* Emily Paterson was voormalig secretaresse van de legendarische Amelia Edwards die in herenkleding door Egypte gereisd had en het lot van het *Fund* een positieve wending had gegeven.
Howard en miss Paterson hadden elkaar nog nooit ontmoet. Maar toen hij de met sculpturen, archeologische vondsten en levensgrote muurschilderingen gedecoreerde voorhal van het beroemde genootschap betrad, liep Emily naar hem toe en omarmde hem als de verloren zoon. Howard wist niet wat hem overkwam.
'Mevrouw, ik ben gekomen om mijn geld te halen.' Dat kon hij nog net zeggen voordat miss Paterson hem de mond snoerde.
'Zeker, meneer Carter, ik zal er persoonlijk voor zorgen dat alles geregeld wordt. U komt als geroepen. Naville stuurt me elke dag een telegram waarin hij dreigt zijn werk in Deir el-Bahari neer te leggen als u niet snel terugkeert naar Egypte. Ik smeek u tegemoet te komen aan de wens van Naville, meneer Carter. Anders weet ik zeker dat hij de daad bij het woord voegt. En dat kunnen we ons simpelweg niet permitteren. Deir el-Bahari is ons grootste project. Wat je noemt een prestigeobject. Het *Egypte Exploration Fund* is ervan afhankelijk. Naville schrijft dat vrijwel alle arbeiders het voor gezien houden en dat hij geen mensen meer overhoudt. U bent de enige die hen ertoe kan bewegen weer aan het werk te gaan.'
'Dat begrijp ik niet,' zei Howard, die zich gevleid voelde. Hij had eerder medelijden verwacht. Of verwijten omdat hij zijn Egyptische avontuur zo abrupt beëindigd had. Nu kwam het aanbod van miss Paterson hem best goed uit. 'Dat begrijp ik niet,' herhaalde hij. 'Naville is geliefd bij de arbeiders, ongeacht het feit dat hij de taal amper kent en dus nauwelijks een woord met ze kan wisselen.'
Miss Paterson wees naar de muur waar een landkaart van Egypte hing. Ze legde haar vinger op Aswan. 'De Egyptische overheid laat daar een stuwdam bouwen van twee kilometer breed. De grootste ter wereld. Er zijn tienduizend arbeiders nodig om die klus te kla-

ren. Kennelijk kunnen ze daar meer verdienen dan in Deir el-Bahari.'
'Daar ben ik van overtuigd,' zei Howard. 'Dan blijft volgens mij maar één mogelijkheid over, miss Paterson. We moeten de arbeiders in Deir el-Bahari hetzelfde loon geven als dat ze voor het project in Aswan krijgen. Iedere Egyptenaar werkt het liefst in de buurt van zijn dorp in plaats van dat hij een paar honderd kilometer moet reizen om aan de slag te gaan, ver weg van zijn gezin en familie terwijl hij de nacht in een kamp moet doorbrengen. Niemand doet dat vrijwillig. Geld is de enige reden waarom de arbeiders voor Aswan kiezen. Het zijn geen idealisten die trots zijn dat ze de tempel van Hatsjepsoet uitgraven. Ze willen geld verdienen, dat is alles. Ze zouden ook in het Dal der Koningen gaan graven als er olie te vinden was.'
Miss Paterson, een voorname dame, was zeer geschokt door de boze toon van Howard. Vermoedelijk was dat precies de toon die je moest aanslaan om met de fellahs in Midden-Egypte overweg te kunnen.
'U laat me toch niet in de steek?' vroeg ze onzeker.
Howard deed of hij er nog eens goed over moest nadenken. In werkelijkheid had hij zijn besluit al genomen. 'Goed, als u mij machtigt om de arbeiders hetzelfde loon te geven als ze in Aswan kunnen verdienen, zal ik kijken wat ik kan doen,' antwoordde hij.
De volgende dag begaf Howard zich naar Victoria Station. Hij ging terug naar Egypte.

19

'Attentie! Het *Egypt Exploration Fund* zoekt arbeiders voor de opgravingen in Deir el-Bahari. Het loon is hetzelfde als in Aswan.'
Howard had een stuk of tien van die borden, allemaal in het Arabisch, in Koerna, Luxor en bij de aanlegsteigers neergezet. Het succes liet niet lang op zich wachten. Een week na zijn terugkeer had hij tweehonderd nieuwe arbeidskrachten geworven. En het werden er elke dag meer. Naville droeg alle organisatorische taken aan hem over. Aangezien Howard de arbeiders uitbetaalde, genoot hij al snel meer aanzien dan Edouard Naville.
Howard betrok opnieuw zijn bescheiden hotelkamer in Maamura Palace. Ook Sir Henry, zijn muildier dat hij halsoverkop verkocht had, stond hem weer ten dienste. Wel had hij zijn 'paard' meteen op de eerste dag goed toegesproken en hem vriendelijk verzocht om nooit meer in een gat te stappen.
Tijdens de rit van Deir el-Bahari naar het Nijlveer werd hij ingehaald door Sayyed, de jongen die hem uit de gevangenis had be-

vrijd. Het was inmiddels herfst geworden waardoor het vroeg donker werd.
'Carter-*effendi!*' riep hij van ver. 'Ik heb sensationeel nieuws voor u!'
Howard bracht Sir Henry tot staan en draaide zich half om op zijn muildier. De jongen die op een ezel reed, zwaaide met een petroleumlamp. 'Ik mag het niemand vertellen,' zei hij zachtjes toen hij dichterbij kwam. 'Maar Carter-*effendi* is mijn vriend. En vrienden kennen geen geheimen voor elkaar, zo is het toch, Carter-*effendi?*'
Howard moest erom lachen. 'Laat dan maar eens horen wat er aan de hand is!' zei hij met een knipoog.
'Kent u die Fransman in het Dal der Koningen?'
'Bedoel je Victor Loret?'
'Ik geloof dat hij zo heet.'
'Hij is de directeur van het Oudheidkundig Bestuurscollege in Caïro. Eigenlijk heeft hij hier niets te zoeken. Wat is er met hem?'
'Het is een geheim, Carter-*effendi*. Niemand mag weten dat mister Loret in het Dal der Koningen het graf van een farao heeft ontdekt.'
'Onzin,' morde Howard. 'Loret is geen archeoloog, maar zoiets als een beambte van een instantie. Hij hangt hier al wekenlang rond, bazelt over een of andere ontdekking, maar heeft geen idee wat ons vak behelst. Volgens Naville heeft hij meer verstand van muziek dan van archeologie.'
Sayyed haalde wanhopig zijn schouders op. 'Ik weet zeker dat mister Loret een faraograf heeft ontdekt, Carter-*effendi*.'
'Hoe ben je daar dan achter gekomen? Zeker weer een of ander gerucht.'
'Nee, Carter-*effendi*. Het is geen gerucht. Kom maar mee!'
De vastberadenheid van Sayyed maakte Howard onzeker en nieuwsgierig. Hij kon net zo goed even meegaan. 'Oké, laten we dan maar gaan kijken,' zei hij.
Zoals verwacht was er om deze tijd in het Dal der Koningen geen levende ziel te bekennen. Howard begon zich zelfs af te vragen of Sayyed hem misschien in een of andere hinderlaag lokte. Hij wantrouwde Sayyed nog steeds een beetje. Het liefst had hij rechtsomkeert gemaakt. Plotseling sprong Sayyed van zijn ezel en wees met zijn petroleumlamp naar een trechtervormige holte in het rotsgesteente. Een holte met een doorsnede van niet meer dan tien passen, maar zeker zes meter diep.
Howard knoopte de teugel van Sir Henry vast aan die van de ezel van Sayyed. Een goed besluit, want geen muildier haalt het in zijn hoofd om samen met een ezel op de vlucht te slaan. Daarna volgde hij de jongen die zich behoedzaam naar beneden liet glijden, waarbij hij

met een hand telkens steun vond. Beneden bevond zich een gat dat zo groot was dat je er in gebukte houding doorheen kon kruipen. Howard ging staan en probeerde wat te zien in de schemerige duisternis. 'Geef me je lamp!' zei hij bars tegen Sayyed.

Zonder te morren overhandigde de jongen hem zijn petroleumlamp. Op de plaats waar ze stonden, een platform dat in het rotsgesteente was geslagen en dat enkeldiep met zand, stof en puin was bedekt, voerden steile treden de diepte in. In het zwakke schijnsel van de lamp was de onderste trede ervan niet te zien. Uit ervaring wist Howard dat het levensgevaarlijk was om zonder touwen af te dalen in een graf. De oude Egyptenaren hadden de graven van hun koningen immers voorzien van valkuilen, andersoortige vallen waar je in kon trappen en manshoge blokstenen die van het plafond naar beneden vielen en indringers verpletterden. Howard verbande die gedachten echter. De jagerskoorts had hem te pakken.

'Jij blijft tien passen achter me!' beval hij hem zachtjes. Sayyed gaf geen antwoord. 'Begrepen?'

'Ja, Carter-*effendi*.'

Voorzichtig liep hij naar beneden terwijl hij probeerde te voorkomen dat hij het fijne stof loswoelde dat de treden enkele centimeters bedekte en waar je stoflongen van kon krijgen. Op sommige plaatsen waren duidelijk voetsporen te zien. Na elke stap werd het benauwder. Er hing een merkwaardig zoete geur. De trap leek oneindig diep.

Eindelijk bereikte hij het tweede platform. Hij zag een hoge, smalle en in duisternis gehulde gang.

Hij zwaaide met zijn lamp om Sayyed een teken te geven dat hij hem mocht volgen. 'Langzaam en voorzichtig,' zei hij zachtjes. 'Laat geen stof opwaaien, anders stikken we hier!'

Sayyed deed wat hem was opgedragen. Toen hij beneden was, bleef hij staan terwijl Howard verder liep, alsof een geheimzinnige kracht hem voortdreef. Hij had geen oog voor de kunstzinnige reliëfs op de muren, zoals goden met dierenkoppen die spookachtige rituelen uitvoerden. Noch voor de eindeloos lange, aaneengeschakelde reeksen hiëroglyfen die over het leven van de farao vertelden. Hij hield de petroleumlamp vlak bij de grond terwijl hij de ene voet voor de andere zette. Plotseling doemde een inktzwarte duisternis op. Howard zag een loodrechte schacht die zo diep was dat het licht van de lamp de bodem niet bereikte. Een schacht van drie bij drie meter. 'Goeie genade!' stamelde hij. Op hetzelfde moment had Sayyed hem ingehaald. Samen zaten ze op hun knieën naast elkaar en staarden in de peilloze diepte.

Howard perste zijn lippen op elkaar en schudde zijn hoofd terwijl hij naar de overkant van de schacht staarde, waar de gang verder in het rotsgesteente voerde. 'Die afstand kunnen we onmogelijk overbruggen.'
Sayyed trok aan de mouw van Howard en wees naar de schachtwand, rechts van hen. Nu zag Howard het ook. In zijn opwinding was het hem ontgaan dat dicht bij de rotswand een houten balk over de schacht was gelegd. 'Onmogelijk,' herhaalde Howard nadat ze die avontuurlijke constructie een tijdje bekeken hadden.
Sayyed keurde de balk met een kritische blik. Daarna keek hij Howard aan en zei: 'Allah steekt zijn hand uit naar degene die vertrouwen in hem stelt. Houd de lamp wat hoger, Carter-*effendi!*' Voordat Howard hem kon tegenhouden, schuifelde Sayyed zijwaarts over de balk, waarbij hij zich met zijn handen vasthield aan de rotswand.
De balk gaf mee onder het gewicht van de jongen. Het hout knerpte en kraakte. Toen Sayyed halverwege was, zakte de balk zelfs iets door. Na enkele snelle pasjes was hij aan de overkant. 'Kom, Carter-*effendi!*' riep hij vanaf de overkant, alsof de oversteek een peulenschil was.
Howard was altijd al moedig geweest. Zonder aarzeling had hij Jane Hackleton uit het brandende huis gered. En zijn pogingen om het luchtruim te kiezen waren zonder voldoende lef ondenkbaar geweest. Hij aarzelde dus niet lang, stak zijn broekriem door het hengsel van de petroleumlamp en schuifelde op dezelfde manier als Sayyed over de balk naar de overkant. Enkele seconden later, die een eeuwigheid leken te duren, stond hij naast de jongen.
Hij zag nu dat de gang doodliep. Links bevond zich echter een zijgang die tamelijk smal en ook niet zo hoog was als de hoofdgang. Howard verstarde terwijl hij door de gang keek. Aan het eind ervan zag hij een zwak schijnsel. Hij hield zijn adem in.
Sayyed maakte een gebaar waarmee hij Howard toestemming vroeg om voorop te lopen. Howard knikte zwijgend. Nog ongeveer tien passen tot waar de smalle zijgang uitmondde in een grote kamer. Er waren schaduwachtige contouren te zien. Howard kon niet helder meer denken. Hij was zo in verwarring gebracht dat hij niet eens durfde te denken aan wat hij hier zou aantreffen.
Hij zou zich in alle opzichten vergissen.
Aan het eind van de gang doemde een zaal op met vier zuilen. In het midden ervan stond een manshoge sarcofaag. Het zware deksel was een eindje weggeschoven en een petroleumlamp op het deksel verspreidde een mat licht.
Aarzelend en zachtjes zei Howard: 'Is daar iemand?' Op hetzelfde moment schrok hij zich wezenloos. Nu pas zag hij bij een rotswand

een stuk of tien mummies liggen. Lichamen die in bruine zakken van ruw linnen waren gestopt en daarna dichtgenaaid.
Sayyed was heel wat gewend en gewoonlijk nergens door van zijn stuk te brengen. Hij was opgewassen tegen elke situatie. Nu greep hij Howard aan een arm vast en fluisterde stamelend: 'Carter-*effendi*, ik vind het hier erg griezelig! Is dit het hiernamaals?'
Howard hapte naar adem. Hij dacht dat hij stikte. Zijn hart klopte in zijn keel. Bij Isis en Osiris, bij alle goden van de onderwereld, wie had de petroleumlamp op de sarcofaag aangestoken? Waar was Loret?
Amper was die gedachte weggeëbd of achter in de hoek van de kamer verrees een gestalte. Howard dacht aanvankelijk dat het een mummie was die daar in gehurkte houding was neergezet. Sayyed kneep zo hard in zijn arm dat het pijn deed. Howard duwde hem opzij. Met zijn linkerhand bracht hij de lamp omhoog.
'Bent u dat, Carter?' zei de man die naar hen toe liep. Het was Victor Loret. 'U denkt zeker dat ik gek ben, hè?' zei hij. 'Misschien ben ik dat ook. Ik wilde hier gewoon een paar uurtjes alleen zijn, dat is alles.'
'Ik begrijp het,' zei Howard. 'Waar zijn we hier eigenlijk, meneer Loret?'
Loret pakte de petroleumlamp en verlichtte de zijwand van de sarcofaag. Hij wees naar de koningsring.
'Amenophis II!' riep Howard verbaasd uit.
'Amenophis II!' herhaalde Loret. Hij hield de lamp bij een smalle spleet waar je in de sarcofaag kon kijken. 'Ik durf het bijna niet te zeggen, maar ik denk dat de mummie van Amenophis er nog in ligt,' zei hij zachtjes.
'En die mummies dan?' Howard wees naar de lichamen die bij de rotswand lagen.
'Kijk zelf maar, meneer Carter!' Hij deed een stap naar de wand.
Elke mummie droeg een klein, kunstzinnig vervaardigd amulet op de borst. Op elk amulet was de naam van een farao aangebracht: Thoetmozes, Amenophis, Merenptah, Siptah, Sethos. Dertien namen van dertien koningen die in het Nieuwe Rijk geregeerd hadden. 'Waarom bent u zo stil, meneer Carter?' Loret doorbrak het stilzwijgen.
Howard keek naar het donkerblauw geschilderde plafond van de grafkamer. Compleet met gele sterren. Alsof het nacht was geworden in het Dal der Koningen. 'Ik probeer er wijs uit te worden,' antwoordde Howard.
'En tot welke conclusie komt u?'

'Het Dal der Koningen is niet slechts één mummieschuilplaats rijk, zoals we aanvankelijk dachten. Het zijn er twee. Vermoedelijk werden ze al duizend jaar voor onze tijdrekening gemaakt omdat er ook toen al grafrovers waren als Ahmed Abd-er-Rassul die gewetenloos binnendrongen in graven en alles roofden wat van waarde was. De vraag is alleen waarom de grafrovers uitgerekend deze mummieschuilplaats niet gevonden hebben.'
'Dat heb ik me ook afgevraagd,' zei Loret. 'Ik heb zelfs een verklaring gevonden. Vermoedelijk werd tijdens de bouw van een graf dat zich erboven bevond een enorme hoeveelheid puin op de ingang gegooid. Niemand met gezond verstand kon denken dat zich uitgerekend daaronder nog een graf bevond.'
'Ja, zo moet het wel gegaan zijn. Maar hoe bent u er dan achter gekomen, meneer Loret?'
Loret grinnikte. 'Heel eenvoudig. Ik ben gaan graven op een plaats waar ik het minste succes verwachtte. Al jaren wordt gezegd dat er in het Dal der Koningen niets meer te ontdekken valt. Het zijn trouwens de meest ervaren archeologen die dat beweren. Als ik naar mijn gezond verstand geluisterd had, was ik nooit en te nimmer uitgerekend hier gaan graven. Maar ja, ik voelde me min of meer gedwongen. Ik gaf gehoor aan een stemmetje dat zei: Victor, hier en nergens anders!
'En wat gaat u nu doen?'
'Daar breek ik me al het hoofd over sinds ik hier tien dagen geleden voor het eerst stond.'
'Tien dagen geleden? Waarom hebt u uw ontdekking nog niet bekendgemaakt?'
De archeoloog stak zijn handen uit. 'Wat denkt u wel, meneer Carter? Dat is het stomste wat ik zou kunnen doen. Ik ben een oude archeoloog. Geloof me maar als ik zeg dat in ons vak geheimhouding de helft van het succes is.'
De bedekte toespeling van Loret was niet onopgemerkt gebleven. Howard deed echter of hij het niet begrepen had. Hij liep langs de rotswand en keek naar de mummies die daar lagen.
Plotseling hoorde hij Loret zeggen: 'Hoe hebt u trouwens mijn ontdekking achterhaald? Hoe bent u beneden gekomen?'
Howard draaide zich om. 'Sayyed...' zei hij. Hij zweeg plotseling en keek om zich heen. Daarna wierp hij een blik in de gang die naar de schacht leidde. De jongen was verdwenen en had zijn petroleumlamp meegenomen. 'Die Sayyed is een gewiekste kerel. Soms ook een beetje geheimzinnig. Vaak weet hij dingen die anderen niet weten. Net als in dit geval.'

'Dat is merkwaardig,' vond Loret. 'Ik heb nog nooit van hem gehoord. Alleen mijn raïs en de voorman weten wat zich hier onder de grond bevindt. Kan ik op uw discretie rekenen?'
'Natuurlijk, sir!' zei Howard. 'Toch ben ik heel benieuwd wat u nu van plan bent.'
'Goeie vraag.' Loret deed een paar passen in zijn richting. 'Ik heb een tegenvraag. Wat zou u doen?'
Howard voelde zich gevleid dat de voorzitter van het Oudheidkundig Bestuurscollege hem om zijn mening vroeg. Hij hoefde niet lang na te denken en zei: 'Ik vind dat de koningsmummies naar het Egyptisch Museum van Caïro overgebracht moeten worden om ze bij te zetten bij de andere mummies. Daar zijn ze het veiligst opgeborgen. Maar wat de mummie van koning Amenophis betreft... tja, die zou ik hier laten, in de sarcofaag. Geen beschaafd mens heeft het recht de zielenrust van een overledene te verstoren. Zelfs niet als de betreffende persoon al meer dan drieduizend jaar in zijn graf ligt.'
Plotseling gebeurde er iets waar Howard geen rekening mee had gehouden. Loret liep naar hem toe, gaf hem een hand en zei: 'Bedankt, meneer Carter. Zo denk ik er ook over. En zo zal het gebeuren. Ik kan zelfs leven met de gedachte het graf van de farao weer te sluiten en het onbereikbaar te maken voor grafrovers.'
'Het is uw ontdekking, meneer Loret!' zei Howard. Tjonge, wat was hij jaloers op die kerel. 'Mag ik?'
Howard pakte de overgebleven petroleumlamp op en bekeek de mummies die op de grond lagen. Allerlei vragen en gedachten schoten door hem heen. In zijn verbeelding zag hij een processie van kaalhoofdige, halfnaakte priesters. Twee aan twee droegen ze ieder de mummie van een farao de duisternis in en liepen ze over een smal, platgetreden pad naar het graf van Amenophis II. Ze kwamen uit alle richtingen, begeleid door fakkeldragers, en verdwenen als mieren met hun buit in het zanderige, trechtervormige gat in de grond. Nu lagen daar die mummies. Ooit waren het de machtigste mannen van het voormalige Egyptische Rijk geweest. Howard zag de contouren van hun lichamen, gehuld in broos linnen. Verdroogd, tot stof verworden, vergaan. Lang geleden werden ze als goden vereerd en overladen met de rijkdommen van deze aarde. Nu lagen ze daar als kadavers in de woestijn. Nog nooit was Howard zich zo indringend bewust geweest van de vergankelijkheid van het leven.
Iets wat er stoffig uitzag en dat in een kleine muurnis lag, amper zichtbaar in het schemerige lichtschijnsel van de lamp, trok zijn aandacht. 'Kijk daar eens, meneer Loret!'
Loret liep naar hem toe. 'Wat is dat?'

Howard gaf de lamp aan de Fransman en haalde een handbrede boekrol uit de nis. Uit ervaring wist hij dat papyrus vaak broos was en bij aanraking tot stof verwerd. Deze rol was verbazingwekkend goed behouden gebleven. 'Misschien een bericht voor latere generaties?' Howard overhandigde de boekrol aan Loret.
Toen Loret voorzichtig de papyrus probeerde open te rollen, begon opeens het vlammetje van de lamp bedenkelijk te flakkeren. 'We moeten hier weg!' riep de Fransman zenuwachtig. 'Zonder licht komen we hier nooit meer uit.' Hij stopte de boekrol in zijn overhemd. Haastig liepen de twee mannen terug door de smalle gang.
Bij de schacht klemde Howard de petroleumlamp aan zijn broekriem. Hij gaf Loret een teken dat hij als eerste moest gaan koorddansen op de balk. 'Vooruit, opschieten!' riep hij toen hij merkte dat Loret aarzelde. 'U ziet toch ook dat de petroleum bijna op is!'
Loret liep zijwaarts over de balk en tastte met zijn handen langs de rotswand. De balk waggelde omdat de Fransman zich fel afzette tijdens het nemen van de laatste passen en naar de veiligheid van de overkant sprong.
Howard had het gevoel dat het een eeuwigheid duurde voordat de balk weer stil bleef liggen. Daarna was het zijn beurt om de oversteek te wagen. Ongeveer halverwege – hij beefde over zijn hele lichaam – hield hij zijn pas in omdat de balk verontrustend begon te waggelen. Bovendien maakte hij een onvoorzichtige beweging, waardoor de lamp losraakte van de riem en nog voordat hij ernaar kon grijpen de diepte in suisde. Na een harde knal was het opeens donker.
'Carter!' hoorde hij Loret zeggen. 'Kalm blijven.'
Howard stond verstijfd op de balk en was niet in staat om nog een zijwaartse stap te zetten. Dit is het einde, dacht hij. Merkwaardig genoeg was hij niet nerveus hoewel hij wist dat hij in de afgrond stortte zodra hij een verkeerde beweging maakte.
'Kalm blijven!' herhaalde Loret zachtjes. Opeens zag Howard aan de overkant een vlammetje, dat echter niet voldoende licht gaf om verder te kunnen schuifelen. Maar hij kon zich nu in elk geval oriënteren.
'Neem de tijd, Carter!' fluisterde Loret. 'Ik heb een heel doosje lucifers bij me.'
Loret streek de ene lucifer na de andere af terwijl Howard wankelend verder schuifelde tot hij uiteindelijk aan de overkant Loret in de armen viel. Howard snikte terwijl de spanning langzaam wegebde. Het duurde minuten voordat hij weer gekalmeerd was.
Diep in de nacht kropen de twee mannen als mollen uitgeput uit het

gat. Sir Henry stond geduldig te wachten. Loret streek zijn laatste lucifer af en hield die boven het vuurrode doosje. 'Lucifer Matches' stond er met grote letters op te lezen. De Fransman gaf het doosje aan Howard. 'Een aandenken, meneer Carter. Deze lucifers hebben uw leven gered.'
Howard knikte. Hij kreeg geen woord over zijn lippen.

Eind november veranderde Luxor zoals elk jaar in een centrum van vlijt en bedrijvigheid. Voordat de rijken der aarde arriveerden om in dit milde jaargetijde te overwinteren, werden de hotels aan de Nijlpromenade opgepoetst en opgedoft alsof ze de *grand hotels* in Brighton, Deauville en Monte Carlo naar de kroon moesten steken. Elke ochtend terwijl Howard van het armoedige Maamura Palace naar de aanlegsteiger liep, waar het veer lag te wachten, keek hij met een steelse blik en soms ook jaloers naar die pracht en overvloed die voor zo weinigen was bedoeld en weggelegd. Dat wilde niet zeggen dat hij ontevreden of verbitterd was, of dat hij zich beklaagde over het leven dat hij leidde. Niets was minder waar. Maar nadat hij acht jaar in Egypte had gewoond en gewerkt, tussen de troep, de stof en de stenen zonder dat hij veel succes had geboekt, was hij veranderd. Hij zag er oud uit voor zijn leeftijd. En hij was zwijgzamer geworden, een beetje een zonderling, en hij piekerde meer.
Het zou overdreven zijn om te beweren dat Howard graag alleen was. Maar in zijn leven, dat bestond uit zijn pensionkamer op de oostoever van de Nijl en zijn werkplek op de westoever, had hij nauwelijks tijd vrijgemaakt voor sociale activiteiten. Elk vrij uurtje besteedde hij aan het bestuderen van de Egyptische geschiedenis en aan de studie van de hiëroglyfen, die hij beter kon lezen dan de gestudeerde archeologen. Voor Loret ontcijferde hij ook de papyrusrol die hij in het graf van Amenophis had ontdekt. Aan de hand van wat hij gelezen had, kwam hij erachter dat de dertien koningsmummies tijdens de heerschappij van de 21ste dynastie door Amon-priesters uit hun graven waren gehaald om ze in de grafkamer van Amenophis II te verbergen.
Sayyed vormde de enige verbinding met de 'andere wereld'. Howard mocht hem graag. Dankzij die knul wist hij wat er zich in Luxor zoal afspeelde, en meestal ook wat meer.
Op een ochtend verraste Sayyed hem met het nieuws dat Lady Collingham de vorige avond was gearriveerd en haar intrek had genomen in Hotel Luxor.
Na zijn overhaaste vertrek had Howard niets meer van haar verno-

men. En tijdens zijn verblijf in Londen had hij haar evenmin ontmoet. Hij verheugde zich nu op een weerzien met haar.
'Hoe weet je dat ze hier is?' vroeg Howard.
Sayyed maakte een V-teken met zijn wijs- en middelvinger en wees naar zijn ogen. 'Ik heb die deftige dame zelf gezien!' riep hij verontwaardigd. 'Ze is met de trein gekomen. Dat gaat sneller dan met de stoomboot.'
'Je hebt toch niet weer haar handtasje gestolen, hè?' Howard trok een ernstig gezicht.
Sayyed legde zijn rechterhand op zijn borst en riep: 'Carter-*effendi!* Wat denkt u wel van me? Sayyed zal nooit de geliefde van een vriend bestelen.'
Howard moest erom lachen. 'Laten we het hopen,' zei hij. 'Maar ik neem aan dat je niet helemaal zonder buit bent teruggekomen. Je hangt niet voor niets zo laat rond op het station.'
Sayyed knipoogde naar hem. 'Carter-*effendi* hoeft zich geen zorgen te maken dat ik niet rondkom. Ik vind altijd wel iets van mijn gading.'
'Vraag jij je wel eens af wat je met je leven wil?' vroeg Howard terwijl hij verder liep. 'Moet je niet eens aan het werk gaan en met je handen de kost verdienen?'
'Een tasjesdief werkt altijd met zijn handen, Carter-*effendi!*' Sayyed liet zijn ogen rollen. 'Hassan zegt dat het niet erg is als de armen wat van de rijken afnemen.'
'Nou ja, als Hassan dat vindt. Wil je daarmee zeggen dat je nog nooit iemand bestolen hebt die arm is?'
'Nog nooit!' bezwoer Sayyed hem. Hij stak een hand in de lucht.
'Maar hoe weet je of iemand arm of rijk is?'
De knul zette zijn vuisten in zijn zij en antwoordde: 'Een blik is voldoende, Carter-*effendi*. Sayyed weet dan precies hoe het zit.'
'Het zegt vaak niets hoe iemand gekleed gaat.'
'Dat weet ik.' Sayyed maakte een gebaar. 'Je moet je nooit blind staren op wat ze aan hebben. Dat zegt niks over hun vermogen.'
'Wat dan wel?'
'Dat zal ik u vertellen, Carter-*effendi*. Rijke lui herken je alleen aan hun schoenen.'
Beiden keken naar hun voeten. Howard staarde naar die van de jongen en Sayyed naar de schoenen van Howard. 'Ziet u wel,' zei hij uiteindelijk. 'Een arme kerel als ik loopt op blote voeten en...'
'Ja?'
'Nou ja, als ik die versleten schoenen van u zie, zou ik zeggen dat u niet rijk bent maar ook niet arm. Kortom, iemand als Carter-*effendi* laat ik gaan.'

'Dat stelt me gerust!' zei Howard. 'Hopelijk denken alle tasjesdieven er net zo over als jij.'
Lachend ging ieder zijns weegs.

Die avond deed Howard zijn werkkleren uit en trok een schoon pak en zelfs zijn beste schoenen aan. In de Sharia al-Mahatta kocht hij een bosje jasmijn en daarmee liep hij naar Hotel Luxor om zijn opwachting te maken bij Lady Collingham.
Toen hij navraag wilde doen bij de receptionist hoorde hij achter zijn rug een bekende stem. 'Howard, wat leuk jou weer eens te zien!'
'Elisabeth!' riep hij verbaasd. Nogal onbeholpen gaf hij haar het bosje jasmijn. 'Ik heb gehoord dat je hier was en ben meteen gekomen. Je ziet er schitterend uit, als ik zo vrij mag zijn.'
Complimentjes geven was niet echt aan hem besteed. Ook nu weer merkte hij dat dit beter had gekund, en hij vreesde dat Lady Collingham dat ook vond. In elk geval liet ze haar armen, die ze spontaan naar hem had uitgestoken, plotseling zakken en nam de bloemen in ontvangst. Met een uitnodigend gebaar zei ze: 'Howard, ik wil je graag voorstellen aan mijn man. Ik heb begrepen dat jullie elkaar al kennen.'
Als aan de grond genageld staarde Howard voor zich uit terwijl hij alleen de contouren waarnam van de man die hem naderde. Had hij het goed gehoord? Wilde ze hem voorstellen aan haar man? En dacht ze dat ze elkaar al kenden? Nu pas nam Howard die forsgebouwde kerel waar die op hem af kwam en lachend een hand naar hem uitstak.
'Spink?' zei hij mat. Vol ongeloof liet hij de naam doorklinken.
'Verbaasd?' Spink sloeg Howard, die zijn hand geweigerd had, kameraadschappelijk op de schouder.
'Dat kun je wel zeggen,' mompelde Howard zo zachtjes dat niemand hem verstond.
Elisabeth probeerde de pijnlijke situatie te verdoezelen en zei demonstratief opgewekt: 'Robert heeft me van alles over je verteld, Howard. Ook dat jullie niet bepaald vrienden waren. Maar dat was vroeger. Ik hoop dat dat kinderachtige gedoe voor eens en voor altijd verleden tijd is.'
Spink knikte en Howard zweeg. Hij kon maar niet begrijpen hoe Lady Collingham aan die akelige Spink was gekomen.
Vervolgens zei Elisabeth, alsof ze wist waaraan hij dacht: 'Nu vraag jij je natuurlijk af hoe wij elkaar hebben leren kennen, hè? Kenneth Spink, de vader van Robert, heeft een herenhuis in South Kensington. We zijn met andere woorden buren. Toen Robert hoorde dat mijn

man overleden was, bekommerde hij zich heel liefdevol om mij. Zo is het dus gegaan.'
'Gefeliciteerd,' zei Howard verbitterd. Hij wist niet of Elisabeth de onverzoenlijke toon in zijn stem had gehoord. Spink kon de afkeer van weleer echter niet voor zich houden. Achter die geveinsde glimlach smeulden haatgevoelens. Onvervalste haat.
Op dat moment bekroop hem de gedachte dat het geen toeval was dat zijn eeuwige vijand getrouwd was met de vrouw van wie hij in de loop der tijd op een zeer speciale manier was gaan houden. Het liefst had hij Elisabeth het bosje jasmijn uit haar hand gerukt en was hij daarna weggelopen. Maar zij had nog het minst schuld aan deze situatie. Daarom trok hij een wat vriendelijker gezicht, keek haar aan en vroeg: 'Hoelang blijven jullie?'
Elisabeth wierp Spink een schalkse blik toe en pakte zijn hand vast. 'Waarschijnlijk weet je dat Robert een ongeluk heeft gehad. Sindsdien heeft hij last van het vochtige Engelse klimaat. Volgens zijn artsen zal de droge lucht in Egypte hem goed doen en de pijn verminderen. Robert is van plan om in Luxor een waterpompfabriek te bouwen. De onderdelen worden door zijn vader geleverd, die een fabriek heeft in Swaffham. Egypte heeft in de toekomst duizenden waterpompen nodig om de akkers te irrigeren. Maar eerst gaan we een huis zoeken in Luxor. Misschien kun jij ons helpen. Je woont hier immers al een tijdje. Robert zal zich heel erkentelijk tonen, nietwaar, Robert?'
Niet één piaster neem ik van die kerel aan, dacht Howard. Niet van die rotzak! 'Ik zal kijken wat ik kan doen,' zei hij uit beleefdheid. Hij wist echter dat hij hen nooit behulpzaam zou zijn. Elisabeth had hij altijd heel sympathiek gevonden, maar merkwaardig genoeg was er van die genegenheid absoluut geen sprake meer.
'Eigenlijk wilde Robert weer teruggaan,' zei Elisabeth nogal geamuseerd. 'Toen we gisteravond op het station arriveerden, werd hij namelijk bestolen. Het gaat om een grote som geld die in zijn schoudertas zat.'
Howard verslikte zich en begon te hoesten. 'Nee toch!' Hij deed of hij verontwaardigd was. 'Wat een verdorven wereld! En nergens is het zo erg als in Egypte.'
Met die woorden keek hij vluchtig naar de dandyachtige schoenen van Spink. Inderdaad, hij moest Sayyed gelijk geven.

20

Elisabeth was hij kwijt. Het zou minder pijnlijk zijn geweest als ze niet uitgerekend aan Spink verslingerd was geraakt. Ze zou de ge-

schikte vrouw zijn geweest om zijn leven mee te delen. Maar Spink had zijn hoop de grond ingeboord. Hij moest echter toegeven dat de woorden die hij destijds naar het hoofd van de ongelukkige Chambers had geslingerd nu op hem van toepassing waren: Elisabeth was nooit van hem geweest, dus kon Spink haar ook niet van hem afnemen.
Allerlei gedachten schoten door hem heen toen hij de volgende dag in Deir el-Bahari weer aan de slag ging. Inmiddels had hij meer dan vierhonderd arbeiders onder zich. Arbeiders die de rotstempel van Hatsjepsoet blootlegden en het puin afvoerden.
Rond de middag staakten de mannen hun werkzaamheden. Vanuit Koerna naderde een bode op een muildier. Hij nodigde Howard namens Mustafa Aga Ayat uit voor een diner in het Winter Palace. Ook benadrukte hij dat vrouwelijk gezelschap gewenst was.
Howard accepteerde de uitnodiging, maar zei tegen de bode dat hij alleen kwam. Overigens vroeg hij zich af wat Ayat met die uitnodiging op het oog had. Want één ding stond als een paal boven water: Mustafa Aga Ayat deed nooit iets zonder bijbedoelingen.
Voordat hij terugging naar Luxor doorkruiste hij met Sir Henry het steile gebergte dat de scheiding vormde tussen de tempel van Hatsjepsoet en het Dal der Koningen. Hij wilde het graf van Amenophis – de ontdekking van Loret – inspecteren. Loret was inmiddels in Caïro om het transport van de mummies te regelen. Hij had Howard gevraagd om af en toe poolshoogte te nemen.
Bij de trechtervormige opening stonden twee gewapende mannen op wacht. Ze kwamen op hem af en vroegen wat ze hier eigenlijk met hun wapens bewaakten. Een kijkje in de grafkamer bood geen opheldering waarom Loret hen vijf piaster per dag gaf om hier te staan. Howard lachte en zei dat ze die vijf piaster onder meer kregen om ervoor te zorgen dat ze geen vragen stelden. Maar als ze per se een antwoord wilden, zouden ze twee piaster per dag minder krijgen. Dat antwoord was voldoende. Opeens wilden ze niet meer weten wat Howard mogelijk te vertellen had. Het interesseerde hen niet wat Loret daar beneden had ontdekt. Howard kon met een gerust hart teruggaan naar Luxor.
In het restaurant van Hotel Winter Palace, rechts van de vestibule, werd Howard ontvangen door Mustafa Aga Ayat. Hij was in gezelschap van Leila, de buikdanseres. Geheel naar de nieuwste mode had ze een witte, nauwsluitende japon aan die haar weelderige lichaamsvormen en olijfkleurige huid accentueerde. Leila was beslist een zeer mooie vrouw.
'Waar is die mooie Engelse dame gebleven?' vroeg Ayat terwijl hij zijn gast begroette. 'Ik heb gehoord dat ze weer in Luxor is.'

'O, u bedoelt die dame?' zei Howard bot. 'De dame heeft haar blik verruimd. Laten we hopen dat ze er maar gelukkig mee wordt.'
Ayat trok geamuseerd zijn wenkbrauwen op. 'Zo, dat klinkt niet of haar keuze uw goedkeuring kan wegdragen,' vond hij.
'Daar hebt u helemaal gelijk in,' flapte Howard eruit. En hij voegde eraan toe: 'Ik ken die man van vroeger. We zijn nu eenmaal als water en vuur.' Haastig richtte hij zich tot Leila. 'Ik hoop dat u me kunt vergeven dat ik me ooit zo onbeleefd heb gedragen. Het was absoluut niet mijn bedoeling u te beledigen of om u pijn te doen.'
'Is al vergeven en vergeten!' antwoordde Leila. Ze gaf hem een hand.
Howard nam plaats en liet zijn blik over het voorname gezelschap glijden. Sinds dat vervelende voorval met Brugsch was hij niet meer in dit deftige hotel geweest. Ook was het een poos geleden dat Brugsch voor het laatst in Luxor was gesignaleerd. Van Sayyed had hij echter gehoord dat de Duitser nog steeds zijn invloed aanwendde als er waardevolle vondsten het land uit gesmokkeld moesten worden. In dat verband werd doorgaans ook Ayat genoemd.
Franse koks hadden de leiding in de keuken van het Winter Palace. Het hotelrestaurant kenmerkte zich echter ook door de uitstekend bereide Arabische specialiteiten. Howard bestelde ganzenbout op melokhia-blaadjes. Leila en Ayat gaven de voorkeur aan gegrild lamsvlees, gevuld met in melk gestoofd orgaanvlees en een zure, geronnen saus.
Nog voordat het gesprek op gang kwam, verscheen een donkere bediende in een witte galabia en met een rode fez op. Hij overhandigde Ayat een bericht. Het was dringend, want de bediende wachtte op antwoord.
Ayat las het briefje en zei tegen de bode: 'Zeg tegen de moedir dat ik zo kom!'
'Iets onaangenaams?' vroeg Howard.
'Allah mag het weten. De moedir van Kena is op doorreis en inmiddels in Luxor gearriveerd. Hij verwacht mij op zijn boot. Het spijt me, meneer Carter. Neemt u me niet kwalijk dat we het gesprek een andere keer moeten voortzetten. Zo gaat dat nu eenmaal. Als de moedir roept, moet de aga gehoorzamen.'
Howard toonde begrip. Ayat zei toen: 'Laat u zich daardoor vooral niet de avond bederven. Leila vindt het fijn om alleen met u te dineren. Natuurlijk bent en blijft u mijn gast, meneer Carter. *Insjallah.*'
Nog voordat Howard kon antwoorden, was Mustafa Aga Ayat vertrokken.
Leila keek hem geamuseerd aan. 'Hopelijk vindt u dit niet onaangenaam.'

'Onaangenaam? Zeker niet! Als u tenminste genoegen wilt nemen met mijn gezelschap. Ik betwijfel echter of ik voor u de ideale tafelgenoot ben.'
Terwijl vier obers het diner serveerden, ging Leila plotseling over op het Engels. 'Welke eigenschappen moet mijn ideale tafelgenoot volgens u hebben?'
Howard ging niet op die vraag in en vroeg verwonderd: 'Spreekt u Engels?'
'Verbaast u dat, meneer Carter? Ja, ik spreek Engels. En Frans en Duits. Ik heb in Lausanne op een school voor dochters van goeden huize gezeten.'
Howard was verbijsterd. Hij kreeg geen woord over zijn lippen.
'Dacht u soms dat ik analfabeet was? Ook buikdanseressen kunnen lezen en schrijven, meneer Carter. Misschien niet allemaal. Maar Ayat heeft mij op een goede school gezet. Toen ik acht was, heeft hij mij voor vijftig Egyptische pond gekocht van mijn ouders. Dat klinkt smakeloos, maar voor mij was die koop een lot uit de loterij. Ik was een van de negentien uitverkoren kinderen. Als Ayat mij niet uit de armoede gehaald had, zou ik nu waarschijnlijk ergens moeten bedelen of stelen. Bovendien is zijn handelwijze geheel in overstemming met de zeden in dit land. In Lausanne heb ik alles geleerd wat een meisje in deze moderne tijd kan opsteken. Waarom zou ik Mustafa Ayat dan niet mijn hele leven dankbaar zijn? Hij eist niet het onmogelijke van mij. Een beetje liefde, zo nu en dan kom ik sociale verplichtingen na. Voor de rest laat hij me helemaal vrij. U bent een Europeaan en kunt dat waarschijnlijk niet begrijpen.'
'O, zeker wel!' bezwoer Howard haar, hoewel hij niet wist wat hij met haar biecht aan moest.
'En u? Wat doet een jonge Engelsman besluiten om naar Luxor te gaan? Het is niet mijn bedoeling u te krenken, meneer Carter, maar u komt bij mij niet over als iemand die erg gelukkig is.'
Howard schrok. Hij voelde zich betrapt en schaamde zich bijna. Moest hij toegeven dat Leila gelijk had?
'Ach weet u, alle archeologen die hier lang wonen worden allemaal op de een of andere manier een beetje zonderling.' Voor het eerst keek hij in haar grote, donkere ogen. 'Ze zoeken naar schatten, maar in werkelijkheid zijn ze op zoek naar zichzelf. Ik ben geen uitzondering op de regel.'
'Het is al heel wat als je tot dat besef komt.' Goedkeurend hield ze haar hoofd een beetje schuin. 'Zou het ook zo kunnen zijn dat u ergens voor op de vlucht bent, meneer Carter?'
Howard begon die gewiekste danseres nogal griezelig te vinden. Hij

zag geen reden om haar vermoeden tegen te spreken en zei: 'Ja, een ongelukkige liefde. Daarom ben ik archeoloog geworden. Maar dat is inmiddels lang geleden. Ik praat er liever niet meer over.'
Leila gniffelde. 'Als ik het niet dacht. Er zijn mensen bij wie het verleden op hun gezicht geschreven staat. Volgens mij bent u zo iemand, meneer Carter.'
Howard knikte en was onder de indruk. Leila beviel hem wel. Ze beviel hem zelfs heel erg.
Hij voerde geanimeerde gesprekjes met haar. Toen Ayat twee uur later nog steeds niet was teruggekeerd, vroeg Leila aan hem om haar naar huis te begeleiden.
Hoewel het al laat was, stonden er voor het Winter Palace nog enkele rijtuigen te wachten. De verlichting ervan bestond uit sissende carbidlampen. De Nijl zorgde voor een koel briesje. Leila vlijde zich tegen hem aan, alsof dat de gewoonste zaak van de wereld was. 'U vindt dat toch niet erg, meneer Carter?'
'Integendeel,' hoorde Howard zichzelf zeggen. Hij verbaasde zich over zijn eigen moed. Leila was immers de geliefde van Ayat. Bovendien werd ze vereerd door de helft van alle mannen die in Luxor woonden.
'Al-Bahr an-Nil 160,' zei Leila tegen de koetsier, die de schimmel een klap gaf met de teugel waarna ze in noordelijke richting over de Nijlpromenade reden.
'Een voornaam adres,' merkte Howard met een zekere verwondering op. Ze stopten voor het huis dat midden in een weelderige tuin stond. Een villa met twee verdiepingen, met in het midden een zuilenportaal, en aan weerskanten hoge ramen met luiken ervoor. Howard vroeg toen in alle eerlijkheid en zonder ironie: 'Is dit een cadeautje van Ayat?'
Leila liet haar ogen koket rollen. 'U stelt van die vragen, meneer Carter!'
'Het spijt me. Ik wilde niet indiscreet zijn. Ik dacht alleen, nou ja, gelet op de gulheid van de aga...'
'Nee,' zei de danseres. 'Dat gaat zelfs boven het budget van Mustafa Aga Ayat. Het huis is inderdaad een geschenk. Maar dan van kedive Taufik Pasja.'
'De vicekoning van Egypte?'
'Inderdaad. Taufik Pasja was heel royaal. Als het je lukte om in zijn gunst te komen, overlaadde hij je met geschenken. Hij probeerde in dat opzicht steeds zijn vader Ismail Pasja te overtroeven, over wie ongelooflijke dingen worden verteld. Bezoek uit Europa liet hij op luxueuze schepen naar huis brengen. Natuurlijk mochten de bezoe-

kers die schepen houden. Toen Taufik Pasja, zijn oudste zoon, tien jaar geleden in Caïro een groot feest hield, nodigde hij duizend gasten uit in zijn paleis op het Nijleiland Gesira. Ik werd toen gevraagd een sluierdans op te voeren... overigens was dat niet de eerste keer. De kedive was zo gecharmeerd van mijn dans dat hij mij dit huis schonk waar hij vroeger wel eens de zomer doorbracht.'
Zwijgend zat de koetsier op de bok, alsof hij doof was. Alleen de schimmel schraapte ongeduldig met zijn hoeven over het plaveisel, alsof hij er bij de passagiers op aandrong om hun gesprek ergens anders voort te zetten. De huisdeur werd elektrisch verlicht door twee enorme kandelabers. Twee in het wit geklede bedienden stonden te wachten. Er scheen licht achter de ramen.
Leila zag de bewonderende blikken van Howard en zei: 'Ik laat u het huis graag zien, als u dat wilt.' Ze pakte zijn hand vast en drukte die tegen haar wang.
Howard werd bevangen door een aangename onrust. Haar uitnodiging vond hij vleiend. Hij aarzelde echter geen moment en zei: 'Heel aardig van u, mevrouw, maar het is al laat. Graag wil ik een andere keer op uw uitnodiging ingaan.'
De mooie danseres trok plotseling haar hand terug, alsof ze zich verbrand had. Met neergeslagen ogen zei ze: 'U hebt gelijk, meneer Carter. Het was ook voor u beslist een vermoeiende dag. Waar woont u eigenlijk?'
Bij het zien van de feodale villa werd Howard verlegen. Hij verzweeg liever waar hij woonde. Het pension met de welluidende naam lag immers niet in een voorname buurt. Sterker nog, in het zijstraatje bij het station huisde volk van laag allooi. Dus antwoordde hij: 'Dat vertel ik liever niet. U zou misschien een verkeerde indruk van mij krijgen.'
Met een vluchtige kus op zijn wang nam Leila afscheid van hem. Meteen liepen de bedienden naar voren en begeleidden haar het huis in.
Heel even had Howard spijt dat hij niet op de uitnodiging van haar was ingegaan. Daarna zei hij tegen de zwijgzame koetsier: 'Sharia al-Mahatta!'

De volgende ochtend keerde Loret terug uit Caïro en hij ging eerst naar het Dal der Koningen. Hij was er niet gerust op. Van ver zag hij dat er geen bewakers meer bij het graf van Amenophis stonden. Hij trof hen geboeid en gekneveld aan in het graf. De mannen zeiden dat ze de vorige avond overvallen en neergeslagen waren. Voor de rest konden ze zich niets herinneren.

Toen Loret op onderzoek uitging en de grafkamer inliep, werd zijn ergste vrees bewaarheid. Grafrovers hadden de mummie van Amenophis II uit de sarcofaag gehaald en weggevoerd. Met behulp van ladders hadden ze de buit over de afgrond van de schacht vervoerd. Loret liet Howard komen. Er volgde een heftige woordenstrijd. De Fransman beschuldigde hem ervan dat hij het graf en de kostbare inhoud ervan verraden had. Van het een kwam het ander en het had niet veel gescheeld of ze waren met elkaar op de vuist gegaan.
Nadat de gemoederen enigszins gekalmeerd waren, verontschuldigde Loret zich zelfs. Ook Howard betreurde het voorval. Uitgerekend op de avond dat de roof had plaatsgevonden, zat hij in het Winter Palace te dineren.
'Ik ben net zo kwaad als u,' zei Howard. 'Ik heb tegen niemand ook maar iets losgelaten, daar kunt u zeker van zijn.'
'Het zijn boeven geweest die heel goed wisten wat ze deden,' zei Loret. 'De andere koningsmummies hebben ze laten liggen omdat ze zagen dat die niet voorzien waren van grafgiften, zoals sieraden of andere kostbaarheden.'
'Mogelijk is het een samenzwering tussen de bewakers en de grafrovers. Hebt u daar al aan gedacht?'
'Meneer Carter!' zei Loret verontwaardigd. 'Ik heb die twee mannen geboeid en gekneveld aangetroffen.'
Howard lachte zuur. 'Dat zegt niks, meneer Loret. Voor een baksjisj laten veel mensen van alles met zich doen. En omdat u naïef bent, denken ze dat u hen niet als verdachten beschouwt.'
Loret was in gedachten verzonken. Carter was een sluwe vos. Vermoedelijk kende hij als Europeaan de Egyptische inborst beter dan wie ook. 'Ik kan niet eens de politie waarschuwen,' klaagde de Fransman. 'In elk geval niet vandaag, want dan weet uiteindelijk toch nog iedereen in heel Boven-Egypte dat hier dertien koningsmummies zijn ontdekt. Ik kan pas aangifte doen zodra ze in een boot naar Caïro worden getransporteerd.'
'Wanneer?'
'Ik heb een stoomboot gecharterd. Die arriveert op zijn vroegst morgenavond.' Loret maakte een verslagen indruk.
'Misschien kan ik u helpen.' Howard keek om zich heen, alsof hij bondgenoten zocht.
'Wat bedoelt u?'
'Ik wil me niet opdringen, meneer Loret, maar ik woon al een paar jaar in deze streek,' zei Howard. 'Het voordeel daarvan is dat je dan ook dubieuze lui leert kennen. Wat ik wil zeggen is dat ik mensen ken die archeologen, zoals wij, als uitgesproken vijanden beschouwen.'

Hoewel Loret zijn wenkbrauwen optrok, was de bewondering voor Howard van zijn gezicht te lezen.
'Ik kan de contacten die ik heb aanwenden, als u dat wilt,' zei Howard. 'Het moet al gek lopen als we die grafrovers niet op het spoor komen. De vraag is alleen wat u dat waard is, meneer Loret.'
'Wat krijgen we nou?' Loret was nogal van zijn stuk gebracht. Howard moest hem zelfs kalmeren.
'In deze wereld krijg je zonder baksjisj praktisch niets voor elkaar. Er zijn lui die maar wat rondhangen en leven van de nieuwtjes die ze opvangen. Dat betekent dat u moet betalen voor de informatie die u krijgt.'
'Ik begrijp het.' Loret gebaarde wild. 'Ik wil graag dat u erop toeziet dat Amenophis koste wat het kost wordt teruggevonden, meneer Carter.'

Eerst ging Howard naar Sayyed. Hij woonde met zeven broers nabij het politiebureau in een buurt die door buitenlanders gemeden werd. Ze leefden allemaal van de kruimeldiefstal, en soms deden ze 'klusjes' voor anderen waarbij ze vaak niet eens wisten waar het precies om ging.
Sayyed had niets gehoord over een mummieroof. In elk geval beweerde hij dat met een trouwhartige oogopslag. Howard moest hem wel geloven. Een oudere broer van hem wist echter dat de vorige nacht een geheimzinnig transport over de Nijl had plaatsgevonden. Meer kon hij ook niet vertellen.
Toen Howard hen een beloning van tien Engelse pond in het vooruitzicht stelde als het ze lukte om achter de verblijfplaats van de geroofde mummie van Amenophis te komen, klaarden de gezichten van de aanwezige broers van Sayyed op en wisten ze zich opeens veel meer te herinneren. De jongste, een dwergachtige, onvolgroeide kerel met een wakkere blik, verklaarde dat hij even later Ahmed Abd-er-Rassul Hotel Luxor had zien verlaten en dat hij had gezien dat deze zich naar het Winter Palace begaf. Hij wilde daarmee echter niet beweren dat dat iets te maken had met de mummieroof.
'Hoelang heb je nodig om iets op het spoor te komen?' vroeg Howard aan Sayyed.
Hij keek zijn broers beurtelings aan, haalde zijn schouders op en stak zijn handen afwerend naar Howard uit. 'Dat weet alleen Allah. Maar Allah staat aan onze kant. Allah zal niet toelaten dat het lang duurt voordat we iets te weten komen.'
Die avond meldde Sayyed zich al met het eerste succes. Ahmed Abd-

er-Rassul en Mustafa Aga Ayat hadden een afspraak in Hotel Luxor. Die ontmoeting was niet toevallig, want in de nacht ervoor was de geheimzinnige bootlading naar dat hotel vervoerd.
Het was Sayyeds idee om Ayat en Abd-er-Rassul voor het hotel op te wachten en ze te schaduwen. Dus stapten hij en Howard in een huurrijtuig en gaven de verblufte koetsier opdracht zich niet te verroeren.
Een uurtje later kwamen Ayat en Abd-er-Rassul ieder uit een andere richting aangelopen. Ze werden verwacht. De man die hen tegemoet liep, was geen onbekende van Howard. Robert Spink.
'Een Engelsman!' fluisterde Sayyed hem toe. 'Hij logeert sinds kort in dat hotel.'
'Ik ken hem maar al te goed,' zei Howard. 'Overal waar hij opduikt, kun je ellende verwachten.'
De drie mannen liepen het hotel binnen. Howard maakte aanstalten om hen te volgen.
Sayyed hield hem echter tegen. 'Niet doen, Carter-*effendi*. Dat valt op.'
'Ik wil weten hoe dat afloopt,' bracht Howard te berde. 'Ik moet naar binnen!'
'Komt goed!' Sayyed knikte hem toe als een vader die zijn zoon uitlegt dat hij zich geen zorgen over zijn toekomst hoeft te maken. 'In de hal wacht mijn oudste broer Anis. En in het park heeft mijn jongste broer Ali zich verstopt. Komt goed. Ze horen alles.'
'Je bent een duivelse kerel!' Howard was vol lof.
Sayyed dook weg, alsof hij er met de zweep van langs kreeg, waarna hij zachtjes zei: 'Dat mag u nooit meer zeggen, Carter-*effendi*. De duivel heet Iblis, het ergste woord in onze taal. Zeg liever dat ik een kerel van Allah ben. Sayyed is daar veel meer mee in zijn sas.'
'Goed, Sayyed. Je bent een bovenste beste kerel van Allah.'
Op hetzelfde moment liep Anis naar buiten. Hij keek of hij Sayyed en Howard ergens zag. Toen hij de koets zag staan, gaf hij hun een teken om hem te volgen. Meteen liep het drietal door de lobby waar het zo vroeg op de avond erg druk was. Ze vielen dus niet op in het gedrang terwijl ze naar de achterdeur gingen om het park in te lopen.
Het duurde een tijdje voordat hun ogen gewend waren aan de duisternis. Plotseling stond Ali voor hen. Met zijn korte armen gebaarde hij hen om hem te volgen. Hij kwam zeer opgewonden over.
Achter elkaar liepen de mannen door het dichtbegroeide, donkere park. Uiteindelijk hield Ali zijn pas in bij een soort tuinhuis. Het plompe bouwwerk zonder bovenverdieping was ongeveer tien bij tien meter en had geen ramen. Achter de zware dubbele deur, waar-

van alleen het bovenste gedeelte voorzien was van glas, scheen mat licht. En ze hoorden dat er binnen zachtjes gepraat werd.
Anis, de oudste broer van Sayyed, ging met zijn rug tegen de deur staan, maakte van zijn handen een stijgbeugel en knikte naar Howard om zijn voet erin te zetten. Zonder aarzeling hees Howard zichzelf omhoog, keek naar binnen en was met stomheid geslagen.
De kleine ruimte was gevuld met archeologische vondsten en kostbare grafgiften. De meest bijzondere kunstschatten lagen er op elkaar gestapeld, zoals gouden serviesgoed, beelden, schrijnen, potten, karaffen, reliëfplaten en schilderingen. In het midden van het vertrek lag een mummie. Mustafa Aga Ayat, Ahmed Abd-er-Rassul en Robert Spink stonden er voorovergebogen naar te kijken. Ahmed maakte bovendien aanstalten om met een mes de windsels door te snijden.
Howard was sprakeloos. Toen hij weer op de grond stond, zei hij tegen Sayyed: 'We moeten snel in actie komen voordat het te laat is. Jij waarschuwt politiechef Hamdi-Bey en ik ga Loret op de hoogte brengen van wat er gebeurd is.' Tegen de broers zei hij: 'Jullie houden dit tuinhuis goed in de gaten.'
Toen ieder zijns weegs ging, gebeurde er iets wat niemand voorzien had. De onhandige, dwergachtige Ali struikelde in de duisternis over een boomwortel, gaf een schreeuw en viel. Opgeschrikt door het kabaal verlieten de drie grafrovers het tuinhuis en maakten dat ze wegkwamen.
Dezelfde nacht omsingelden politieagenten het tuinhuis van Hotel Luxor. De volgende ochtend gingen Howard en Loret de in beslag genomen kunstschatten bezichtigen.
'Goeie genade,' stamelde Loret toen hij de mummie zag. 'Precies op tijd, meneer Carter. Als u een paar minuten later was gekomen, zouden ze de windsels van de faraomummie stukgesneden hebben. Gefeliciteerd. U hebt de wetenschap een dienst van onschatbare waarde bewezen.'
'Natuurlijk, had u dan wat anders verwacht? Ik ben een archeoloog in hart en nieren.' Howard bagatelliseerde de zaak. 'Overigens kunt u beter mijn vrienden bedanken. Zij hebben mij op het juiste spoor gezet. Waar zijn ze trouwens gebleven?'
Howard keek waar Sayyed en zijn broers zich ophielden. Het massale optreden van de politie had hen afgeschrikt. Ze waren ervandoor gegaan zonder dat iemand dat merkte.
'U hebt uitstekende contacten in lokale kringen,' zei Loret. Hij was vol lof terwijl hij de op elkaar gestapelde kunstschatten inspecteerde en elk voorwerp catalogiseerde. 'Zoals u ziet kan dat belangrijker zijn dan een duur onderzoek van deskundigen.'

'Nu ik weet wat we in handen hebben gekregen, kan ik u alleen maar gelijk geven, meneer Loret,' zei Carter. 'Waarschijnlijk is dit meer dan tien archeologen in tien jaar hebben ontdekt.'
'De vraag is wie achter deze duistere praktijken zit. Wie zijn de helers in wiens opdracht de grafrovers op pad zijn gegaan?'
Howard schudde zijn hoofd. 'Twee van hen zijn geen onbekenden in helerskringen. Maar het is moeilijk, zo niet onmogelijk, om ze in de kraag te grijpen. Getuigen die hun namen kennen, verliezen hun grootste inkomstenbron zodra ze uit de school klappen. De derde, die andere kerel, ken ik ook.'
'Kent u ze?'
'Iedereen kent ze. Het zijn Mustafa Aga Ayat en Ahmed Abd-er-Rassul.'
'De Mustafa, tevens consul, die de eerste mummieschuilplaats heeft ontdekt?'
'Inderdaad!'
'En de derde dan?'
'Hij is nieuw in dit spel, maar net zo gewetenloos. Robert Spink, een Engelsman. Hij heeft zich onlangs in Luxor gevestigd.'
Loret keek hem stomverbaasd aan. 'Hoe weet u dat allemaal?'
Howard lachte verbitterd en wees naar het glazen gedeelte aan de bovenkant van de deur. 'Ik heb ze met eigen ogen gezien. En die Engelsman ken ik al jaren. Spink is een schurk die voor alles in is.'
Howard en Loret hadden twee dagen nodig om het tuinhuis van Hotel Luxor uit te ruimen en de kunstschatten onder politiebewaking naar een stoomboot vervoerd te krijgen. Naast de mummie van Amenophis II werden ook de overige dertien koningsmummies naar die boot gebracht.
Op de avond voordat de stoomboot koers zette naar Caïro nam Victor Loret Howard terzijde en zei: 'U bent zeer competent, meneer Carter. Ik denk dat u hier in Luxor veel voor het Oudheidkundig Bestuurscollege kunt betekenen. Ik wil u dus graag een nieuwe opdracht geven.'
Howard maakte een afwerend gebaar. 'Ik voel me zeer vereerd, meneer Loret, maar ik ben tevreden met wat ik nu doe, ook financieel. Als assistent van Naville ben ik in dienst van het *Egypt Exploration Fund.* Ik heb in deze periode veel geleerd over het vak, en ik hou van mijn werk. Maar toch bedankt, meneer Loret.'
De Fransman schudde veelbetekenend zijn hoofd. 'Luister eerst eens wat ik u te vertellen heb. Ik bied u een baan aan als inspecteur van alle archeologische monumenten in Boven-Egypte en Nubië. U krijgt alle volmachten om uw werk te doen en u bent hoofdtoezichthouder

van alle archeologen in dit gebied. Dat betekent dat zelfs Naville uw ondergeschikte is.'
Howard dacht dat hij droomde. Het duurde even voordat het helemaal tot hem doordrong wat Loret hem te bieden had. Uiteindelijk antwoordde hij aarzelend: 'Waarom ik?'
'Omdat ik u, en alleen u, de juiste man vind voor die post. Ik bied u vijfhonderd pond per jaar. En?'
Howard slikte. Dat was het tienvoudige van zijn beginsalaris.
De scheepsklok luidde. Het teken dat de boot op het punt stond van wal te steken.
'En?' herhaalde Loret. Hij stak een hand naar hem uit. 'Ik begrijp niet waarom u aarzelt. Ik kan geen reden bedenken waarom u het aanbod zou afwijzen.'
Ik ben misschien nog te jong voor deze baan, dacht Howard opeens. Misschien kan ik niet voldoen aan de gestelde eisen. Opeens hoorde hij een stemmetje in zijn binnenste zeggen: Doe het! Of wil je eeuwig voor belangrijke beslissingen weglopen?
Vanaf de brug riep iemand: 'Meneer Loret, we steken van wal!'
Loret stond nog steeds met een uitgestoken hand voor Howard. Vragend keek hij hem aan.
'Goed, ik doe het.' Howard greep de hand van Loret. 'Hopelijk stel ik u niet teleur.'
Loret klopte op zijn schouder. 'Ik had geen andere beslissing van u verwacht. U hoort van me zodra ik in Caïro ben.'

Wereldwijd brachten alle kranten verslag uit van de spectaculaire vondst in het Dal der Koningen en van hetgeen Howard Carter ontdekt had in het tuinhuis van Hotel Luxor. Vooral in Amerika zorgde het nieuws voor schreeuwende krantenkoppen. Ontelbare nieuwsgierigen uit de Nieuwe Wereld gingen in Alexandrië van boord en informeerden naar Carter en zijn faraoschatten. De teleurstelling was groot toen bleek dat dat avontuur zich zevenhonderd kilometer verder zuidelijk had afgespeeld.
Alle hotels in Luxor waren volgeboekt. Zo'n toeloop was nog nooit voorgekomen. Duizenden begaven zich met scheppen en zandzeven naar het Dal der Koningen, op zoek naar de kunstschatten van de farao's. Zelfs 's nachts kende het dal geen rust. Als gloeiwormpjes in mei liepen de avonturiers met hun petroleumlampen over de zandduinen.
Howard was verhuisd naar een klein, eenzaam gelegen huis tussen de dorpen Dra aboe-el-Naga en el-Tarif. Als hoofdinspecteur van het archeologisch erfgoed aan weerszijden van de Nijl oogstte hij alom

waardering en bewondering, maar ook afkeuring en zelfs misprijzen. Zelfs Naville sprak geen woord meer met hem omdat zijn voormalige assistent hem van het ene moment op het andere in de steek had gelaten. Het *Egypt Exploration Fund* in Londen liet Carter weten dat hij vanaf nu bij die instantie niet meer op een baan hoefde te rekenen.
Dat was ook niet nodig, want als inspecteur van het Oudheidkundig Bestuurscollege gaf hij banen weg. Hij had zelfs een gewapende legereenheid tot zijn beschikking om de archeologische sites en grafkamers in het Dal der Koningen te bewaken. Hij maakte er bovendien een gewoonte van om nooit zonder zijn dubbelloops geweer van Arabische herkomst op inspectietocht te gaan. Niet alleen om die reden werd Howard gevreesd door de fellahs. Vroeger konden ze 's nachts probleemloos illegaal ergens gaan graven. Tegenwoordig verscheen de nieuwe inspecteur met zijn gewapende eenheid op de meest onmogelijke plaatsen en op tijden dat men dat het minst verwachtte. Daardoor kwam er een eind aan het aantal illegale opgravingen. Hij had kortom de dorpelingen van el-Koerna, die hoofdzakelijk van duistere praktijken leefden, in één klap brodeloos gemaakt.
Geen wonder dat Howard bij zijn onderzoek naar de aangetroffen kunstschatten in het tuinhuis van Hotel Luxor geconfronteerd werd met een muur van zwijgen. De manager van het hotel, een gestudeerde Egyptenaar, zwoer bij de baard van de profeet dat er in het tuinhuis alleen maar tafels en stoelen hadden gestaan. Mustafa Aga Ayat wilde met die hele geschiedenis niets te maken hebben. Op het bewuste tijdstip was hij bij de moedir van Kena. Hij kon daar een schriftelijke bevestiging van overleggen. Twee Engelse heren uit Liverpool, met wie Spink zakelijke banden onderhield, wilden onder ede verklaren dat Robert Spink bij hen in Caïro was. Om hun bewering te staven overlegden ze drie treinkaartjes.
Howard stond er alleen voor.

Op de laatste dag van september was het warm en benauwd. Sinds februari had het geen druppel meer geregend. Mustafa Aga Ayat reed in een huurrijtuig noordwaarts over de oeverpromenade. Het was die dag zo heet, zoals zo vaak, dat je hunkerde naar de avond. De zon stond al laag en wierp lange schaduwen.
Het was opmerkelijk dat Ayat in een huurrijtuig zat terwijl er toch verschillende twee- en vierwielige faëtons in zijn wagenloods stonden. Voor Sayyed was dat reden genoeg om hem te schaduwen. Kennelijk wilde Ayat onopvallend ergens heen. Op blote voeten en op

gepaste afstand rende Sayyed achter de koets aan. Toen het huurrijtuig eindelijk voor de grote Karnaktempel stopte, zweette hij als een paard en kleefde de galabia aan zijn dijen.
Sayyed wist dat een man als Ayat niet naar de Karnaktempel ging om de architectuur van de oude Egyptenaren te bestuderen. Als Ayat zich zo onopvallend mogelijk naar Karnak begaf, dan was daar een twijfelachtige reden voor. Met zijn zesde zintuig op scherp schaduwde Sayyed hem. Ze arriveerden bij de eerste pyloon en vervolgens bij de tweede nadat ze de ramskop gepasseerd waren. Opeens, hoewel niet onverwacht, liep de oude Ahmed Abd-er-Rassul naar Ayat toe. Samen begaven ze zich naar de grote zuilenhal, een stenen woud dat bestond uit honderdvierendertig kolossale zuilen van elk vierentwintig meter hoog en tien meter in omvang. Ze waren angstwekkend monumentaal, alsof hier ooit een reus of een mensenschuw monster had gehuisd. Het opgewekte gekwetter van de vogels paste simpelweg niet in deze benauwende omgeving. Voor de rest heerste er een ademloze stilte. Een stilte waarin je bijna elk woord dat de twee mannen elkaar toefluisterden kon verstaan.
Sayyed naderde het tweetal zo dicht mogelijk. Uiteindelijk stonden er nog maar twee zuilenrijen tussen hen in.
'Die kerel heeft ons nu al een vermogen gekost,' hoorde hij Ayat zeggen. 'Niet alleen mij, maar ook jou en de lui die voor jou werken. Als dat zo doorgaat, heeft hij straks alles in beslag genomen. Carter moet verdwijnen. We moeten hem van kant maken.'
'Zeker, eerbiedwaardige aga,' zei Ahmed. 'Mijn mannen en ik hebben al een plan gemaakt. Kijk maar...'
Sayyed zag dat Ahmed Abd-er-Rassul een opgevouwen stuk papier uit zijn donkere galabia haalde en het voor Ayat uitvouwde. Op dat moment naderde vanaf de ingang een groep Engelsen. Een gids, eveneens een Engelsman, had ze op sleeptouw en vertelde luid en duidelijk over het belang van dit tempelcomplex en somde alle bijzonderheden op. Daardoor kostte het moeite om te verstaan wat Ayat en Abd-er-Rassul tegen elkaar fluisterden. Wanhopig moest hij toezien hoe de oude Ahmed zijn handen omhoog stak en met zijn wijsvinger merkwaardige tekens in de lucht beschreef. Wat voerden die twee mannen in hun schild?
Dezelfde avond stak Sayyed de Nijl over. Hij begaf zich naar het dorp Dra aboe el-Naga en zocht Howard thuis op. Howard zag hem al van ver komen. Aan de achterkant van zijn huis had hij een soort uitkijktoren gebouwd. Zodra in de woestijn de duisternis inviel, zat hij daar met zijn verrekijker en geweer te kijken of hij geen sinistere gestalten zag die op weg waren naar Koerna of het Dal der Koningen.

'Carter-*effendi!*' riep Sayyed. 'Ik kom u waarschuwen! Ayat wil u vermoorden!'
Howard dacht dat Sayyed een grapje maakte. Lachend klauterde hij uit zijn hoge uitkijktoren en vroeg: 'Heb je dorst, jongen? Wil je wat drinken?' Hij maakte aanstalten om naar binnen te lopen.
Sayyed ging echter voor hem staan. 'Carter-*effendi*, Ayat heeft samen met Ahmed Abd-er-Rassul een plan gesmeed om u te vermoorden. Ik zweer bij Allah dat ik dat zelf gehoord heb.'
Howard hield zijn pas in en keek de jongen aan. 'Wat heb je precies gehoord?'
'Mustafa Ayat zei tegen Abd-er-Rassul: "Carter moet verdwijnen. We moeten hem van kant maken."'
'Wanneer heb je dat gehoord? En waar?'
'Twee uur geleden, Carter-*effendi*. In de Karnaktempel.'
'In de Karnaktempel?' Howard trok een ernstig gezicht. 'Wat moeten ze daar?'
'Dat weet ik niet, Carter-*effendi*. Maar ik heb gezien dat Ahmed Abd-er-Rassul voor Ayat een plattegrond uitvouwde. Jammer genoeg maakte een groep toeristen plotseling veel kabaal waardoor ik niet kon horen waar het precies over ging. U moet voorzichtig zijn, Carter-*effendi*.'
Howard stak zijn geweer in de lucht. 'Maak je geen zorgen, mij maken ze niet zomaar van kant. Heeft iemand jou gezien? Kan het zijn dat Mustafa en Ahmed jou alleen maar wat hebben voorgespiegeld? Ze weten immers dat je mij komt vertellen wat je hebt gezien. Misschien willen ze me alleen maar bang maken en ervoor zorgen dat ik ontslag neem.'
'Niemand heeft me gezien, Carter-*effendi*. Dat weet ik heel zeker.'
'Goed, zorg ervoor dat je ongemerkt weer thuiskomt. Morgen ga ik in de Karnaktempel poolshoogte nemen.'
Terwijl Sayyed in looppas vertrok, klom Howard weer in zijn uitkijktoren. De zon was al achter de bergketen verdwenen. Boven het Nijldal viel de duisternis in. Howard staarde naar de lucht. In het westen verscheen Venus aan het zwerk. Een onrustig flonkerend lichtpuntje.

Zoals gewoonlijk begon de werkdag van Carter om halfvijf 's ochtends. Nu het herfst was, zadelde hij Sir Henry terwijl het nog donker was, waarna hij naar Geminet Haboe, Der el-Medine of naar het Dal der Koningen vertrok om een oogje in het zeil te houden. Meestal liet hij op een kleine, gebroken zuil of op een uitgegraven muurtje een bericht achter voor de archeologen die pas een uur later zou-

den arriveren. Op die manier leek het of Howard alomtegenwoordig was. Ook dat maakte hem niet populairder.
Toen Howard rond tien uur de Nijl overstak, was hij al meer dan vijf uur in touw. Voor de oversteek had hij een dahabija van het Oudheidkundig Bestuurscollege tot zijn beschikking. Met een tweekoppige bemanning.
Op het moment dat hij in een huurrijtuig wilde stappen om naar Karnak te gaan, stopte naast hem een landaulette, een tweespan. In de koets zat Leila die Europees gekleed ging in een lange, nauwe rok en een dunne, zijden bloes. Haar lange haar had ze opgestoken.
'Waar gaat u zo vroeg heen?' vroeg ze lachend. Ze schoof over de zitbank van de landaulette naar hem toe.
'Naar Karnak,' mompelde Howard morrend terwijl hij het geweer over zijn schouder hing.
'Hebt u daarvoor een wapen nodig?'
'Zeker,' antwoordde hij kortaf. Zijn terughoudendheid was niet ongegrond. Hij vond Leila heel aardig. Maar met haar aantrekkelijke figuur, haar verleidelijke gedrag en haar flonkerogen kon ze iedere man het hoofd op hol brengen. Sinds die laatste ontmoeting was er veel gebeurd. Ondanks de wederzijde sympathie vroeg Howard zich in alle ernst af of Leila door Ayat gestuurd was om een poging te doen zijn taak als toezichthouder te frustreren.
Leila hield haar hoofd schuin. 'Wat is er aan de hand, meneer Carter? We hadden laatst toch een leuke avond samen?'
Howard stak de straat over en ging vlak bij de danseres staan. Daarna zei hij gespeeld kalm: 'Ik heb me door u bijna laten inpakken. Bijna, maar niet helemaal, miss Leila.'
Leila begreep niet wat hij bedoelde. Zo leek het althans terwijl ze hem aankeek. 'Wat is er aan de hand, meneer Carter? Heb ik iets verkeerds gezegd?'
'U houdt me voor dommer dan ik ben. Het kan wel zo zijn dat u andere mannen gemakkelijk om de vinger windt, maar niet Howard Carter uit Swaffham, Norfolk! Dat gevlei van u was niets anders dan een afleidingsmanoeuvre om ervoor te zorgen dat Mustafa Ayat zich in alle rust met zijn duistere praktijken kon bezighouden. Want toen wij elkaar wat beter leerden kennen, heeft Ayat met zijn handlangers de mummie van farao Amenophis naar een schuilplaats in de tuin van Hotel Luxor overgebracht. Slim bedacht, miss Leila. Maar ik trap er niet in.'
Woedend stapte Howard in zijn huurrijtuig en riep naar de koetsier: 'Karnak! Opschieten!' De menner zette er de vaart in.
Het kolossale tempelcomplex lag er om deze tijd van de dag stil en

verlaten bij. Eigenlijk wist Howard niet waarnaar hij op zoek was terwijl hij over de zanderige grond liep. Plotseling hoorde hij voetstappen. Hij draaide zich om. 'Ik moet met u praten, meneer Carter!' Leila was hem naar Karnak gevolgd.
'Wat valt er nog te praten?' vroeg Howard afwijzend. 'Doe wat u doen moet voor Ayat, maar laat mij erbuiten. U maakt mij niks wijs, miss Leila.' Boos liep hij verder.
Leila gaf niet op. Als een schoothondje liep ze achter hem aan. 'Ik was echt niet op de hoogte van die kwalijke praktijken. Met dat soort dingen zou ik me nooit inlaten!'
Howard hield zijn pas in. Hij keek Leila tersluiks aan met een blik alsof hij geen woord geloofde van wat ze zei.
'Het is echt zo.' Smekend staarde ze hem aan. 'Waarom zou ik u anders tot hier gevolgd hebben? Ik weet dat Ayat dingen doet die niet door de beugel kunnen. Maar daar heb ik part noch deel aan.' Schuchter pakte ze zijn hand vast, als een klein meisje dat graag dicht bij haar vader wil zijn.
Howard trok zijn hand niet terug. De warmte en tederheid die Leila hem schonk terwijl ze daar stonden, vond hij beslist niet onaangenaam.
'Waarom zegt u niets, meneer Carter?' vroeg Leila dwingend.
'Wat moet ik dan zeggen? Het is een kwestie van geloven of niet geloven. Beide vind ik moeilijk.'
Teleurgesteld liet ze zijn hand los, waarna ze zich omdraaide en zwijgend terugliep.
'Wees nou niet meteen zo beledigd,' riep hij haar na. 'Ik geloof u heus wel.' Hij verbaasde zich erover dat het Leila zo snel gelukt was om hem op andere gedachten te brengen. Hij wilde datgene wat hij gezegd had al afzwakken, maar Leila liep meteen naar hem toe en omhelsde hem. Hij voelde haar sensuele, weelderige lichaam waarnaar mannen hunkerden. Een gevoel dat hem al heel lang niet meer gegund was. Bovendien was hij in verwarring gebracht omdat uitgerekend deze mooie danseres hem om de hals viel, en omdat de twijfel aan hem knaagde. Hij vroeg zich af of de genegenheid van Leila gespeeld was. Handelde ze alleen in opdracht van Ayat?
Uit wanhoop, omdat hij niets liever zou doen dan haar in zijn armen sluiten, maakte hij zich los uit haar omhelzing, greep zijn geweer dat loodrecht aan een riem over zijn schouder hing, plaatste het met de kolf naar beneden gericht op de grond en leunde erop. Daarna verzamelde hij moed en stelde hij Leila de vraag die hem al heel lang bezighield: 'Weet u wat ik niet begrijp? U kunt iedere man krijgen. Mannen die op één dag meer uitgeven dan ik in een jaar verdien.

Mannen van aanzien. Machtige mannen en zeker ook aantrekkelijkere mannen dan ik. Waarom, bij de baard van de profeet, vlindert u uitgerekend om mij heen?'
Bijna verlegen, en gniffelend, sloeg ze haar ogen neer. 'Misschien juist vanwege het feit dat u zich niet gedraagt als al die hunkerende mannen. Is dat dan zo moeilijk te begrijpen? Toen u mij op het feest van Ayat wegduwde, maakte u mij nieuwsgierig en raakte ik geinteresseerd in u. Sinds we samen in het Winter Palace gedineerd hebben, blijft u in mijn hoofd rondspoken. Bovendien ziet u er best goed uit, meneer Carter.'
Ondanks de herfst was het tegen de middag nog steeds erg warm in de zon. Howard kreeg het er benauwd van. 'Kom, we gaan in de schaduw staan,' zei hij terwijl hij naar de tweede pyloon wees.
In de voorhal, die naar de grote zuilenhal voerde, was het aangenaam koel. Leila ging op een stenen sokkel zitten en keek om zich heen. 'Weet u wat al die godenbeelden en inscripties betekenen, meneer Carter?'
Hij lachte. 'Ja, dat is immers mijn werk. Als ik ze niet kan ontcijferen, kunnen andere archeologen dat ook niet.'
Leila legde haar hoofd in haar nek en staarde naar het plafond. Howard keek naar de gave huid van haar mooie hals. En naar haar borsten die als twee rijpe, ronde vruchten welfden onder haar bloes.
Plotseling zei Leila terwijl ze naar boven bleef kijken: 'Hoe vindt u mijn borsten, meneer Carter?'
Howard verstarde. Hij voelde zich betrapt en schaamde zich. Precies zoals tien jaar geleden toen hij stiekem in de bloes van Sarah Jones had gekeken. Wat moest hij daarop antwoorden? Moest hij zeggen dat hij niet begreep wat ze bedoelde? Belachelijk! Moest hij het ontkennen? Dat was ook belachelijk. Dus verzamelde hij moed en antwoordde, bijna als een man van de wereld: 'Ja, ze zijn heel mooi, in zoverre ik dat kan beoordelen.'
Nauwelijks had hij dat gezegd of hij werd zich bewust van de dubbelzinnigheid van zijn woorden. Nog voordat hij dat kon rechtzetten, knoopte Leila de knoopjes van haar bloes los terwijl ze naar boven bleef staren. Toen ze dat gedaan had, en ze halfnaakt voor hem zat, keek ze hem vragend aan.
Howard was totaal in verwarring gebracht. Stel dat iemand hen zo zag? 'Niet doen!' stamelde hij verlegen. 'Als Ayat erachter komt dat wij...'
'Ach, wat kan ons dat schelen.' Leila stak haar armen naar hem uit. 'Hij is gewoon een van de velen die naar mij verlangen. Of vind je me niet mooi?'

'Natuurlijk wel!' verzekerde Howard haar onbeholpen.
'Waar wacht je dan nog op?' Ze trok Howard naar zich toe. De lange, nauwe rok zat haar in de weg. Ze schoof die over haar dijen omhoog. Howard zag witte jarretelles tevoorschijn komen. Uiteindelijk drukte ze hem tussen haar benen.
Howard kreeg er een vuurrood hoofd van. Zijn penis werd zo stijf dat het bijna pijn deed. Plotseling kon het hem niet meer schelen, en hij gooide zijn geweer in het zand. Hij wilde deze mooie danseres hebben, hij moest het met haar doen.
'Kom!' fluisterde Leila. Daarna voegde ze er iets aan toe wat hem dol maakte van opwinding. 'Alsjeblieft!'
Dat liet hij zich niet twee keer zeggen. Haastig trok hij zijn broek omlaag, waarna hij met een stokstijve penis voor haar stond. Howard voelde zich als de god Min terwijl hij onstuimig verlangend in haar ging.
Zittend steunde Leila met haar handen op de stenen sokkel en ze genoot van zijn ongeremdheid, die ze niet van hem verwacht had. Ze kreunde zachtjes en zei telkens zijn naam.
Buiten zinnen maakte Howard stotende bewegingen. Het was onvervalste lust die hem tussen haar dijen gevangen hield, een onverzadigbare begerigheid. Alsof Leila hem behekst, verblind en betoverd had. Hij was de oeroude archeologische bouwwerken die hem omringden vergeten, niets drong meer tot hem door. Zelfs niet de omstandigheden die ervoor gezorgd hadden dat ze nu samen waren. Vervlogen waren alle bedenkingen. Howard zou zelfs niet gemerkt hebben als iemand een schot had gelost. Vervuld van genot staarde hij naar haar borsten die zacht en vol als zeegolven heen en weer bewogen.
Met een gedempte schreeuw kwam Howard klaar terwijl hij zijn gezicht in haar hals begroef.
'O, Howard,' zei Leila telkens opnieuw. Daarna werd het stil.
Geleidelijk kwam Howard tot bezinning. Haastig, bijna halsoverkop, maakte hij zich van haar los en trok hij zijn broek op. Schichtig keek hij om zich heen, luisterde of hij stemmen of voetstappen hoorde. Toen het doodstil bleef, wendde hij zich weer tot Leila. Ze zat nog steeds in dezelfde houding en met verkreukelde kleren, haar in de war, op de stenen sokkel. Met haar ogen dicht leek het of ze het avontuur dat ze samen beleefd hadden nog een keer de revue liet passeren.
'Ik weet dat ik een belabberde minnaar ben,' zei Howard verlegen. 'Ongetwijfeld ben je wel wat beters gewend.'
Leila deed haar ogen open en lachte.

Howard draaide zich om omdat hij dacht dat ze hem uitlachte. Hij pakte zijn geweer op en liep met gebogen hoofd naar de grote zuilenhal. Ach, hij had niet anders verwacht. Dacht hij nou werkelijk dat Leila voor hem op de knieën ging en uitriep dat hij de beste was? Iemand als Leila?
Midden in het zuilenwoud, waar het broeierig warm was, hoorde hij haar roepen: 'Howard, waarom denk je zo minderwaardig over jezelf? Je was geweldig. Wil je dat horen?'
Hij vroeg zich af of ze het meende. Toen hij zag dat ze naar hem toe liep terwijl ze nog steeds haar kleren aan het schikken was, verborg hij zich achter een enorme zuil.
'Doe niet zo raar, Howard!' riep Leila. 'Waar ben je?' Haar stem klonk als in een kerk, ondanks het feit dat de grote zuilenhal al duizenden jaren geen plafond meer had.
'Hier ben ik!' antwoordde hij met een verwrongen stem. Hij liep van de ene zuil naar de andere. Plotseling waren ze overmoedig verstoppertje aan het spelen: Howard, met het geweer over zijn schouder, werd gevolgd door een halfblote vrouw.
'Hier ben ik!' herhaalde hij voortdurend. Opeens hield hij zijn pas in. Hij dacht dat hij in de verte het gerommel van een onweer hoorde. En een dreunend geluid onder de grond. Geërgerd keek hij naar de vaalwitte, heiige en diffuse lucht. Een heel gewone lucht. Zeker in de middag.
Hij dacht dat hij duizelig was en dat dat aan de opwinding lag, die nog steeds niet helemaal was weggeëbd. In elk geval kreeg hij de indruk dat de zuil die zich pal voor hem bevond bewoog als een palm in de wind. Op hetzelfde moment hoorde hij een felle knal, als van glas dat aan diggelen ging. Gevolgd door weer een knal. En weer een, nu vlakbij.
Howard wreef met een hand over zijn bezwete gezicht. Een vrouw als Leila is in staat een man van zijn verstand te beroven, schoot het door hem heen terwijl hij naar de sokkel van de zuil staarde die aan een kant als vanzelf een stukje omhoogkwam. Voordat hij in staat was zijn gedachten te ordenen, begon de zuil langzaam te kantelen als een duizend jaar oude boom die door houthakkers geveld werd. Door de gewichtsverschuiving verbrokkelde de sokkel onder zijn eigen gewicht. Er ontstond een enorme stofwolk, alsof poeder explodeerde. De zuil was nu uit zijn evenwicht en helde nog meer over.
Als aan de grond genageld keek hij toe. Hij was verbijsterd en kon zijn ogen niet geloven toen hij zag dat de kolossale zuil kantelde en met een enorme knal tegen de volgende beukte. Hij was niet in staat

om te reageren. Als versteend was hij getuige van deze apocalyptische verwoesting.
Het leken wel dominostenen zoals de ene zuil de andere omduwde. De aarde trilde onder het geweld van de stervende reuzen. Stofwolken waren als ondoordringbare, verstikkende nevels. Howard kreeg ademnood en een brandend gevoel in zijn ogen. Hij kuchte en hoestte.
Leila! schoot het door hem heen, alsof hij plotseling weer bij zinnen kwam. 'Leila!' brulde hij zo hard hij kon om boven het donderend geraas uit te komen. 'Leila!' Op de tast bewoog hij zich in de richting waar hij vermoedde dat de uitgang was. Met een enorm kabaal viel pal voor hem een stenen brokstuk in duizend stukken. Een scherf drong als een kogel in zijn rechterdijbeen. Zijn broek kleurde rood van het bloed. 'Leila!' riep hij met trillende stem.
Plotseling ebde het gebulder weg. Het werd griezelig stil. 'Leila!' Tussen de hoestbuien door bleef hij roepen.
Het duurde een tijdje voordat de reusachtige stofwolk zodanig opgetrokken was dat hij weer wat kon zien. Van ver klonk opgewonden geschreeuw. Toen Howard eindelijk in staat was om te zien waar hij zich bevond, realiseerde hij zich meteen dat hij zo snel hij kon moest maken dat hij wegkwam.
Links bevond zich de uitgang. Haastig klauterde hij over de brokstukken en steenblokken. Opeens zag hij Leila met verwrongen ledematen op de steenachtige grond liggen. Haar haarvlecht lag als een slang naast haar hoofd. Ze had haar ogen open.
'Leila!' riep Howard ademloos terwijl hij naast haar knielde. Hij legde haar slappe hand tussen de zijne. 'Heb je pijn?' vroeg hij zachtjes.
Leila glimlachte moeizaam, maar gaf geen antwoord.
'Kun je me horen, Leila?' zei hij wat harder. Zijn bloedende dij kleurde de steenachtige grond rood. Plotseling raakte hij in paniek. Leila had hulp nodig. Voorzichtig schoof hij zijn rechterhand onder haar hoofd om haar in een zittende houding te brengen. Toen zag hij het bloed aan haar achterhoofd. Een steen had haar schedel verbrijzeld. Howard was vertwijfeld en probeerde haar tegen zich aan te drukken. 'Leila!' zei hij snikkend, radeloos, terwijl hij niet wist wat hij moest doen.
Op dat moment bewoog ze haar lippen, alsof ze iets wilde zeggen. Ze verstarde echter terwijl een golfje bloed uit haar mond kwam.
Howard schreeuwde een keer ijzingwekkend hard. De vrouw die in zijn armen lag, was dood.

21

De gevierde danseres was overleden. Heel Egypte rouwde. Kennelijk had Leila veel meer minnaars gehad dan alleen Ayat. De aga brak in tranen uit toen een bode hem het nieuws kwam brengen. 'Hoe kan ze me dat aandoen, terwijl ik toch zoveel geld in haar geïnvesteerd heb,' riep hij vertwijfeld.
Twee andere minnaars – een rijke koopman uit Boelak en een sjeik van negentig – namen het besluit om het lichaam van Leila te laten mummificeren als een farao en een mausoleum voor haar te bouwen op de rotsen boven Deir el-Bahari.
Drie dagen lang doolde Howard Carter door de woestijndalen aan de andere kant van de Nijl. Hij kon maar niet begrijpen wat er was gebeurd. Gefrustreerd schoot hij op de tronies die hij in het rotsgesteente meende te zien. Mensen die met hem kwamen praten, joeg hij meteen weg.
Hij was ervan overtuigd dat het instorten van de zuilenhal in Karnak een aanslag op hem was. De kolossen stonden daar al drieduizend jaar. Ze hadden zelfs aardbevingen getrotseerd, tot Howard Carter en Leila op 3 oktober 1899 de tempel betraden. Dat kon geen toeval zijn.
Pas na zeven dagen durfde Howard terug te gaan naar Karnak. Daar deed hij een uiterst belangrijke ontdekking. Het fundament van de eerste van de elf omgevallen zuilen was voor de helft uitgegraven. Je kon duidelijk zien dat de zuil als gevolg daarvan schuin was gaan staan en een kettingreactie had veroorzaakt. Een klein zetje was voldoende om er een apocalyptische verwoesting van te maken. Howard vond stukken touw. Het leed geen twijfel dat deze achterbakse aanslag uit de koker van Ayat kwam.
Toen hij weer thuiskwam in Dra aboe el-Naga stond een sportief geklede man hem op te wachten.
'Meneer Carter? Ik ben James Quibell.'
'Nou en?' zei Howard.
'Ik vind het heel vervelend dat ik u deze brief van het Oudheidkundig Bestuurscollege moet overhandigen,' zei de vreemdeling aarzelend.
Howard las de brief die hij hem gaf. Gaston Maspero, de nieuwe directeur van het Egyptisch Oudheidkundig Bestuurscollege, beschuldigde hem ervan dat hij in Karnak tekort was geschoten als toezichthouder. Howard werd met onmiddellijke ingang ontslagen.
Quibell haalde zijn schouders op. 'Het spijt me, meneer Carter. Ik ben uw opvolger.'

Bedremmeld wendde Howard zijn hoofd af. 'U verwacht toch hopelijk niet dat ik u nu feliciteer! Bovendien wil ik u erop attent maken dat dit huis van mij is.' Hij bekeek de vreemdeling van top tot teen en zei: 'Vermoedelijk voldoet dit pand sowieso niet aan uw eisen. Wat mij betreft kunt u nu gaan, ik heb het druk.'
Achteraf realiseerde hij zich dat die laatste opmerking natuurlijk belachelijk was. Hij had nu zeeën van tijd. In de eerste dagen na zijn ontslag wist hij niet wat hij met zichzelf aan moest. Ook was hij zich ervan bewust dat in Luxor menigeen zijn ontslag bejubelde.
Hij wilde absoluut niet teruggaan naar Engeland. Moest hij bij het *Exploration Fund* om een baantje gaan bedelen? Nooit! Zat er dan niets anders op dan dat hij weer honden en katten ging schilderen? Geen probleem. Zelfs in Luxor zou hij meer klanten hebben dan in Swaffham.

Howard was een zonderlinge verschijning geworden. Doorgaans liep hij er goed gekleed bij en had hij een panamahoed op, met in de ene hand zijn geweer en in de andere zijn schildergerei. Vanuit de verte observeerde hij de archeologen en arbeiders die nog niet zo lang geleden zijn ondergeschikten waren. Hij meed elk contact met zijn verleden en zou als een kluizenaar zonder tijdsbesef geleefd hebben als Sayyed hem niet zo nu en dan op de hoogte hield van wat er om hem heen gebeurde.
Voor het eerst schilderde hij ansichtkaarten. Tekeningen en impressies van de stad Luxor met de grote hotels, en van Koerna en Deir el-Bahari aan de andere kant van de rivier. Hij verkocht die prentbriefkaarten aan toeristen en deed best goede zaken, maar de verdiensten waren laag. Soms mocht hij aan het eind van de week blij zijn dat hij er een pond aan overhield, natuurlijk na aftrek van Sayyeds aandeel. Hij had het niet breed, maar het was voldoende om van te leven.
Sayyed zou Sayyed niet zijn als hij niet een uitweg vond uit deze betreurenswaardige situatie.
Hij zag natuurlijk ook dat de welgestelde Europeanen die in Luxor overwinterden soms uit verveling de Nijl overstaken om op goed geluk naar schatten te zoeken. Op een dag zei hij tegen Howard: 'U bent een beroemd archeoloog, Carter-*effendi*. U kent de andere oever van de Nijl beter dan wie ook. Misschien moet u de toeristen wijzen waar wat te vinden is. Natuurlijk laat u zich daar heel goed voor betalen.'
Howard lachte om de naïviteit van Sayyed. 'Hoe stel je je dat voor? Naville heeft vierhonderd arbeiders in dienst. Ze mogen blij zijn dat ze om de paar maanden iets vinden.'

'Dan moet het toeval een handje helpen.'
'Aha. En hoe moet ik dat zien, maatje?' vroeg Howard geamuseerd.
'Heel eenvoudig, Carter-*effendi*. U begraaft vandaag de schatten die morgen gevonden worden. De zwarthandelaren voor het Winter Palace bieden veel vondsten aan die niemand wil hebben. Iedereen denkt dat het vervalsingen zijn. Maar wie zelf iets uit de grond haalt, komt überhaupt niet op het idee om aan de echtheid van zijn vondst te twijfelen.' Hij keek zo trouwhartig dat Howard moeite moest doen om serieus in te gaan op zijn voorstel.
Uiteindelijk zei hij: 'Je bent een geniale boef, Sayyed. Dat meen ik echt. Een geniale boef.'
'Sayyed is geen boef!' protesteerde hij. 'Sayyed is alleen slim. Ali zegt dat je beter met een slimmerik naar de hel kunt gaan dan met een stomkop naar het paradijs.'
Howard vond het idee zo uniek dat hij het besluit nam om de daad bij het woord te voegen. In zijn huis bewaarde hij een kist vol oesjebti's, grafbeeldjes zo groot als een handpalm. Ze waren best wel wat waard. Tijdens zijn opgravingen had hij er hier en daar toevallig een gevonden. Een stuk of zes van die voorwerpen begroef hij op verschillende plaatsen kniediep in de grond. De vindplaatsen markeerde hij met stenen die opvallend gevormd waren. Sayyed beloofde klanten te gaan zoeken.
De volgende dag kreeg Howard bezoek van twee Fransen uit Lyon. Ze stelden zich beleefd aan hem voor. Meteen legden ze ieder een biljet van vijf pond op de tafel en lieten hun tas met graafgereedschap zien.
Howard knikte goedkeurend.
Op weg naar de opgravingsplaats drukte hij de Fransen op het hart om niet over dit avontuur te praten. De eventuele vondsten mochten ze bovendien aan niemand laten zien. Het was immers illegaal wat ze deden. Uiteindelijk liet hij de twee mannen een uurtje graven achter een zandduin, waar ze hem niet konden zien. Daarna wees hij hen op een heuveltje waar twee stenen lagen. Als bezetenen groeven de mannen het puin en het zand weg tot ze een kobaltblauw beeldje vonden.
Met blote handen schraapte Howard de zorgvuldig aangebrachte kameelmest van de vermeende vondst. Daarna openbaarde hij aan de trotse archeologen in spe dat ze iets ontdekt hadden uit het Nieuwe Rijk, een vondst van pakweg drieënhalfduizend jaar oud. De oudste van de twee Franse mannen was zo ontroerd dat hij begon te huilen.
Twee dagen later haalde hij dezelfde truc uit. Opnieuw maande Howard de heren om zich uiterst discreet op te stellen en absoluut stil-

zwijgen te betrachten omtrent dit archeologisch avontuur. Als ze dat niet deden, konden ze in de gevangenis belanden. En Egyptische norren waren allesbehalve comfortabel.
Onder de klanten van Howard bevond zich ook Theodore Davis, een kleine maar zeer vermogende Amerikaan. Hij had in Chicago veel geld verdiend in de koperindustrie. Dat belette hem echter niet om in het verre Egypte als een Texaanse cowboy gekleed te gaan. Ook zijn echtgenote Linda, een aantrekkelijke vrouw, trok als cowgirl door het Dal der Koningen. Meneer en mevrouw Davis huisden op een woonboot die van een vriend van hen was. Op de *Ischtar* werden in die dagen grote feesten gehouden.
Nadat Davis een van de blauwe beeldjes had opgegraven, werd hij getroffen door een verslaving die in archeologische kringen 'opgraveritis' werd genoemd. Een onschuldig woord voor een ongeneeslijke ziekte. In elk geval had Howard het er erg druk mee. Davis hunkerde namelijk naar succes. Hem was geen steen te zwaar en geen gat te diep. Nadat Howard zijn beste vondsten van weleer had prijsgegeven – natuurlijk liet hij zich daar goed voor betalen – nam Davis het besluit om ondanks het feit dat hij al zesenzestig was een nieuw leven als archeoloog te beginnen.
Howard had drie dagen nodig om die gekke Amerikaan duidelijk te maken dat je niet overal kon graven waar het je uitkwam. En dat je met geld nu eenmaal niet alles kon kopen. Maar daarin had Howard zich vergist. Geld regeerde de wereld. Dat gold in bijzondere mate voor de archeologiebusiness.
Davis nam de trein naar Caïro en was twee dagen later weer in Luxor met een graafvergunning voor het Dal der Koningen op zak. De enige voorwaarde was dat een deskundige archeoloog hem terzijde moest staan.
Howard was sprakeloos toen de Amerikaan hem aanbood om de opgravingswerkzaamheden te leiden en hem met raad en daad bij te staan.
'Wanneer wilt u beginnen?' vroeg Howard voorzichtig. 'En vooral... waar?'
'Wanneer?' vroeg Davis verbaasd. 'Vandaag natuurlijk! Blijft over de vraag wáár ik moet graven... u bent de deskundige. Zegt u het maar.'
Ze liepen samen naar het Dal der Koningen.
'Het zal niet gemakkelijk zijn om voldoende arbeiders te werven,' zei Howard. 'Naville heeft pakweg vierhonderd mensen in dienst. Sir Robert Mond en de Earl of Northampton houden met kleine opgravingen ieder zo'n vijftig lui aan de gang... er zijn simpelweg niet genoeg arbeiders meer over.'

'Wat betaalt Naville?'
'Vijf piaster per dag.'
'Goed. Bied die lui vijftien.'
'Dat is het drievoudige van wat ze nu krijgen, sir!'
'Precies.'
Ze arriveerden in het Dal der Koningen. Er waren talrijke grondtrechters te zien, alsof reusachtige mieren zich hier hadden genesteld. Maar ook dichtgemetselde grafingangen die met ijzeren roosters afgesloten waren. Midden in deze woestenij hield Howard zijn pas in en vroeg aan de kleine Amerikaan: 'Waar wilt u eigenlijk naar op zoek gaan, meneer Davis?'
Davis fronste zijn wenkbrauwen, alsof hij diep nadacht. Daarna antwoordde hij: 'U hebt gelijk, jonge vriend. Daar moeten we het eens serieus over hebben. Wat stelt u voor?'
Carter schudde zijn hoofd. 'In het Dal der Koningen kun je eigenlijk alleen op zoek gaan naar een koning. Dat willen zeggen naar het graf van een koning of farao. Zo noemden de oude Egyptenaren hun heersers.'
'Dan gaan we op zoek naar een farao. Doet u maar een voorstel!'
'Thoetmozes IV?'
'Oké.'
'Of Toetanchamon?'
'Mij best.'
'Hatsjepsoet?'
'Hatsjepsoet? Is dat niet de dame die de terrassentempel in Deir el-Bahari liet bouwen, meneer Carter?'
'Inderdaad. Ik proef uit uw toon dat u zo uw bedenkingen hebt, sir. U vraagt zich natuurlijk af of een vrouw wel in het Dal der Koningen begraven mag worden. U moet weten dat de farao de wet vertegenwoordigde. En Hapsjepsoet was een farao.'
'Welke aanwijzingen hebt u dat we een van de genoemde koningen hier kunnen vinden?'
'Ik wil geen illusies wekken, meneer Davis, maar als we morgen beginnen met graven dan moet u zich dat voorstellen als roeren in troebel water terwijl we op zoek zijn naar een gouden ring. De waarschijnlijkheid dat we succes boeken is per definitie klein.'
'Dat heb ik wel vaker gehoord, meneer Carter. De directeur van het Oudheidkundig Bestuurscollege in Caïro zei dat in het Dal der Koningen elke steen al drie keer is omgedraaid. Het hele dal is doorzocht tot op de laatste rotsspleet.'
'Dat beweerde die reus Belzoni bijna een eeuw geleden ook. Net als Adolf Erman die hier na hem zijn halve leven heeft doorgebracht.

Pas daarna werden belangrijke ontdekkingen gedaan. Men vond echter niet waarnaar men op zoek was. De ontdekkingen in de archeologie zijn te vergelijken met de grote uitvindingen... de belangrijkste hebben we niet te danken aan de menselijke geest maar aan het toeval.'
Davis dacht na terwijl hij zijn blik over het keteldal liet glijden. Het klonk niet erg bemoedigend wat die jonge Carter te vertellen had. Maar Davis kwam uit het land van de onbegrensde mogelijkheden. Het woord 'onmogelijk' was daar een scheldwoord. Daarom wees hij naar een steile zuidoosthelling en zei plechtig, als een priester in de kerk: 'Dáár beginnen we. Tegen tienen... als u dat uitkomt, meneer Carter.'
Howard haalde diep adem en kon met moeite zijn wrevel verbergen. Uiteindelijk zei hij: 'Sir, met alle respect, maar 's middags wordt er niet gewerkt. Tegen tienen wil dus zeggen dat de arbeiders er een halve werkdag op hebben zitten. 's Zomers werken ze van zes tot twaalf, en 's winters van zeven tot twee. En wat die kavel van u betreft... ik raad u aan niet aan de voet van die helling te beginnen, maar halverwege.'
'Nee!' zei Davis kortaf.
'Waarom niet? Waarom wilt u uitgerekend aan de voet van die helling gaan graven?' Howard was woedend.
Davis keek eerst naar zijn voeten en daarna naar de plaats die Howard voorstelde. Vervolgens zei hij met een ernstige uitdrukking op zijn gezicht: 'Omdat beneden mijn schoenen minder snel vies worden.'
Heel even twijfelde Howard of hij met die excentrieke Amerikaan ooit door een deur kon. Meteen echter waarschuwde een stemmetje in zijn binnenste hem dat samenwerken met Theodore Davis misschien zijn enige kans was om zijn oude vak weer op te pakken. Daarom toverde hij een lachje op zijn gezicht en zei met de grootmoedigheid van een man die niets te verliezen had: 'Zoals u wilt, sir!'
Nog dezelfde dag ging Howard met een leren zak vol geld op zoek naar arbeidskrachten. Ondanks de grote moeite die hij zich getroostte, en hoe hard hij de geldstukken in zijn zak ook liet rinkelen, hij vond niet meer dan vijftig mannen die zich bereid verklaarden om voor Theodore Davis te gaan werken.
De volgende ochtend, er hing nog een grijze nevelsluier boven het Nijldal, schrok Howard wakker van een donderend kabaal. Haastig trok hij zijn kleren aan en liep zijn huis uit. Dwars over de velden aan de oever van de rivier kwam een rokend, stampend en sissend

monster aan. Een ijzeren draak, een machine zoals Howard er nog nooit een gezien had. Een stalen monster met een lange nek en een gretige open bek. Een stoomgraafmachine. Howard kon zijn ogen niet geloven. Het gedrocht zette koers naar het Dal der Koningen. Op blote voeten rende Howard de graafmachine tegemoet. Hij zag Theodore Davis in de bestuurderscabine zitten.

Dat zou toch niet waar zijn! Howard dacht dat hij droomde. Met uitgestrekte armen probeerde hij de zware graafmachine op rupsbanden tegen te houden.

'Bent u gek geworden, meneer Carter?' riep Davis vanuit zijn commandopost. 'Aan de kant!'

Howard zwaaide wild naar hem. Uiteindelijk kwam de machine sissend tot stilstand. 'Dat meent u toch niet, meneer Davis!' riep hij woedend. 'U wilt toch niet met dat monster naar het Dal der Koningen?'

'Waarom niet?' vroeg de Amerikaan van boven. 'Ik heb hem voor een maand gehuurd. Eigenlijk is hij bestemd voor de bouw van de stuwdam in Aswan. Ik heb het dubbele betaald. Desondanks mag je dit een goeie deal noemen. De machine verzet het werk van minstens honderd arbeiders. Reken maar uit.'

Wanhopig probeerde Howard hem op andere gedachten te brengen. 'Sir, u kunt niet met grof geweld door het Dal der Koningen banjeren!'

'Puh!' De kleine man lachte. 'Als de farao's in hun tijd graafmachines hadden gehad, zouden ze die ook gebruikt hebben om hun grafkamers te bouwen, geloof dat maar. Waarom bent u er zo op tegen, meneer Carter?'

'U verwoest er meer mee dan dat het voordeel oplevert. Die machine weegt minstens twintig ton. U laat daarmee elk onontdekt grafgewelf instorten.'

'Ik blijf toch op de weg rijden?'

'Wie zegt dat de graven van Thoetmozes, Toetanchamon of Hatsjepsoet niet onder een weg liggen?'

Dat zette Davis aan het denken. 'Meent u dat echt?' vroeg hij uiteindelijk, alsof Howard hem een sprookje had verteld.

'Laat het Oudheidkundig Bestuurscollege trouwens maar niet horen wat u van plan bent,' voegde Howard eraan toe. 'Dan trekken ze meteen uw vergunning in. Hebt u het contract wel goed doorgelezen? Er staat in dat machines en zwaar gereedschap verboden zijn op de archeologische sites. U kunt beter omkeren en dat monster terugbrengen waar u het vandaan hebt gehaald.'

De Amerikaan spuugde een keer met een grote boog venijnig in het

gras. 'Dat had u mij ook eerder kunnen vertellen,' zei hij mismoedig. Hij trok een gezicht of hij azijn had gedronken.
'Als ik geweten had wat u van plan was, zou ik u dat zeker verteld hebben,' antwoordde Howard.
Davis morde binnensmonds iets wat op een vloek leek. In elk geval kon Howard niet verstaan wat hij zei. Daarna maakte Davis rechtsomkeert met zijn graafmachine – er ontstond een cirkelvormig gat door de omgewoelde aarde – en reed weg in de richting van de rivier. Toen hij terug was, ging Davis mopperend aan de slag. Maar zijn humeur werd op slag beter toen Howard al na drie dagen onder de weg die door het gebergte naar Deir el-Bahari voerde op een muurtje stootte.
'Wat denkt u ervan, meneer Carter?' vroeg Davis suikerzoet, alsof hij hem zijn gram van de afgelopen dagen wilde doen vergeten. 'Ziet er goed uit, hè?'
Howard haalde zijn schouders op. 'We zullen wel zien. In de loop der jaren ben ik voorzichtig geworden met prognoses.'
'Ik zal de Amerikaanse consul, de directeur van het Oudheidkundig Bestuurscollege en de minister van Cultuur uitnodigen en...'
'Dat zou ik niet doen als ik u was, meneer Davis,' onderbrak Howard hem terwijl hij overstelpt werd met een kanonnade van woorden. Hij vertelde de Amerikaan wat hem ooit was overkomen en dat hij zich daar tot op de dag van vandaag voor schaamde.
De vrees van de Amerikaan dat hij voor schut zou staan, overwon zijn zucht naar roem. De ingang van het graf, en daar ging het om, zouden ze openen zonder er ruchtbaarheid aan te geven. Davis was blij dat hij geluisterd had naar zijn archeoloog. De eerste aanblik van de grafkamer was meteen teleurstellend. Ze hadden inderdaad een faraograf ontdekt. Maar dan wel een miezerig klein vertrek dat al in vervlogen dagen was leeggeroofd.
'Bedankt dat u mij voor een blamage behoed hebt, meneer Carter,' zei Davis. Hij kon zijn teleurstelling niet verbergen. Niet eens de mogelijkheid dat het om het graf van Thoetmozes IV ging kon hem troosten.
'U had zich er meer van voorgesteld, hè?' zei Howard.
Davis knikte.
Howard lachte. 'Geduld is de belangrijkste eigenschap van een archeoloog, meneer Davis.'

Het nieuws over de ontdekking van het faraograf, en het feit dat Davis Howard had ingehuurd, arriveerde sneller in Caïro dan beiden lief was. Een week later verscheen Emil Brugsch in het Dal der

Koningen. Howard zag hem al van ver komen. Zijn aankomst voorspelde niet veel goeds.
'U bent ook overal!' riep Howard van enige afstand naar de Duitser. Het klonk niet beleefd. Maar Brugsch werkte dan ook op Howard als een rode lap op een stier.
'Als u dat maar weet!' zei Brugsch terwijl hij naar hem toe liep. 'Ik heb opdracht gekregen u mee te delen dat u van het Oudheidkundig Bestuurscollege geen archeologische werkzaamheden in het Dal der Koningen mag uitvoeren.'
Howard werd lijkbleek. Zonder iets te zeggen bukte hij zich, pakte een steen op en wilde die naar de Duitser gooien. Opeens voelde hij dat iemand hem bij zijn arm vastgreep.
'Stop met die onzin, Carter!' Davis haalde de steen uit diens hand, waarna hij zich tot Brugsch wendde en zei: 'Mister Carter is niet in dienst van de instantie waar u voor komt. Hij is mijn werknemer. En ik heb een vergunning om in het Dal der Koningen te graven. Maak dus maar gauw dat u wegkomt!'
Brugsch wierp zijn hoofd in zijn nek en keek hen arrogant aan. Met een zelfgenoegzaam lachje zei hij op een toon die zo eigen aan hem was: 'U moet weten, meneer Davis, dat meneer Carter door het Oudheidkundig Bestuurscollege ontslagen werd omdat hij als toezichthouder ernstig tekort schoot. U kunt dat besluit niet zomaar naast u neerleggen. Mijn superieuren stellen twee jonge archeologen tot uw beschikking. De heren Arthur Weigall en Edward Ayrton. Ze zullen zich morgen bij u melden.'
Davis stapte op Brugsch af en zei dreigend: 'En als ik weiger om met hen samen te werken?'
'Dat zou ik niet doen als ik u was,' antwoordde Brugsch met neergeslagen ogen, waardoor zijn woorden iets achterbaks kregen. 'In dat geval ziet het Bestuurscollege zich gedwongen om uw graafvergunning in te trekken.'
'Laat maar,' zei Howard op een berustende toon. 'Ik ga al.'
Brugsch gaf Davis een hand en nam snel afscheid.
'Wie heeft u eigenlijk verteld dat meneer Carter voor mij werkt?' vroeg Davis nog voordat Brugsch zich kon omdraaien.
Howard keek Brugsch nieuwsgierig aan.
Brugsch aarzelde even en zei toen: 'Een zekere meneer Spink uit Luxor heeft ons dat bericht toegestuurd. Ik ken hem niet. Maar hij heeft het kennelijk wel bij het juiste eind.'

In de daaropvolgende periode werd Howard gekweld door allerlei negatieve gevoelens, waarvan melancholie en vertwijfeling de diep-

ste sporen achterlieten in zijn ziel. Hij merkte niet dat hij zich geleidelijk steeds meer terugtrok uit het sociale leven. Hij werd uitgelachen omdat hij zich als een zonderling gedroeg. Niettemin ging hij steeds goed gekleed op pad. Ook had hij het penseel weer opgepakt. Hij schilderde wat de mensen wilden en deed goede zaken in de opgravingsbusiness. Nee, armoede leed hij niet in die periode. Noch had hij last van existentiële angsten. Het was de eenzaamheid en afzondering waar hij het erg moeilijk mee had.
In de stilte had hij ook voorheen in zichzelf gepraat, zoals vrijwel iedereen die zich in moeilijke omstandigheden bevindt. Inmiddels betrapte hij zich erop dat hij steeds vaker heftige en luide discussies voerde met een onbekende om plotseling vast te stellen dat die onbekende hijzelf was.
Goede vrienden liepen plotseling in een boog om hem heen zodra ze hem van ver zagen naderen. Wanneer hij zich heimelijk in het Dal der Koningen begaf, meed men hem soms zo duidelijk dat hij het gevoel kreeg dat hij melaats was. Aangezien hij daar inmiddels aan gewend was, meed hij per definitie ook elk contact met vreemdelingen die zich tegenover hem niet geremd opstelden.
Sayyed was de enige die hem trouw bleef. Hij stelde alles in het werk om hem op te vrolijken. Maar Howard leek bedwelmd door zijn eigen zwaarmoedigheid. En melancholie had altijd de eenzaamheid als compagnon. In gedachten verzonken zat hij bij het invallen van de duisternis op een van de rotspartijen en staarde roerloos als een stenen standbeeld voor zich uit.
Met oudjaar, terwijl de oude eeuw plaatsmaakte voor de nieuwe, zaten de archeologen met de rijken uit de hele wereld op hun woonboten feest te vieren, alsof het de laatste keer was. Rood, groen en zilverachtig vuurwerk zette het Dal der Koningen in een sprookjesachtig licht terwijl Howard eenzaam in zijn huis zat en bij het licht van een kaars in gesprek was met een onbekende uit Swaffham.
De tijd verstreek zonder sporen bij hem achter te laten. Sayyed nam oude kranten uit Luxor voor hem mee, voornamelijk de *Egyptian Gazette*. Daarin las hij dat Oscar Wilde, die hij bewonderde, was overleden. Maar ook Queen Victoria, van wie hij dacht dat ze al heel lang onder de Engelse zoden lag. Ook de voltooiing van de Aswandam liet hem niet onberoerd. Heel Egypte had nu stroom. Maar Howard zat niet te wachten op elektriciteit.
Op een avond in september zat Howard weer eens op een rotspartij hoog boven Deir el-Bahari. Hij liet zijn blik over het Dal der Koningen glijden terwijl hij weer met die onbekende uit Swaffham in gesprek was. Plotseling voelde hij dat iemand een hand op zijn

schouder legde. Howard schrok. Hij schrok zoals iemand kan schrikken die veel te lang niemand meer gesproken heeft.
'Meneer Davis!' zei hij zachtjes. 'Wat doet u hier? Ik heb u niet horen komen.'
'Dat is maar goed ook. Anders was u mij weer uit de weg gegaan!' zei de Amerikaan op een ernstige toon. 'Hoe gaat het met u, meneer Carter?'
'Gaat wel,' antwoordde Howard kortaf. Hij hield niet van dat soort vragen.
'Ik heb de indruk dat u lijdt onder de ontstane situatie.'
'Ach.' Howard keek strak voor zich uit.
'Dan kunnen we elkaar de hand geven!'
Howard keek Theodore Davis aan. 'Houdt u me voor de gek?'
Davis ging naast hem op de grond zitten, klopte het woestijnzand van zijn broekspijpen en zei: 'Als ik me goed herinner was de korte periode waarin ik met u heb samengewerkt het vruchtbaarst.'
'Fijn om te horen,' antwoordde Howard verbitterd. 'Ze hebben toch twee archeologen tot uw beschikking gesteld?'
'Weigall en Ayrton?' Davis maakte een gebaar. 'Vergeet het maar.'
'Het zijn niettemin twee jonge, afgestudeerde archeologen.'
'Maar zonder enige ervaring. Weet u wat we in de afgelopen periode opgegraven hebben? Helemaal niets! In elk geval niets wat het vermelden waard is.'
Howard kon zijn leedvermaak niet verbergen. Hij grinnikte.
'Ik wil u een voorstel doen, meneer Carter!'
Geërgerd schudde Howard zijn hoofd. 'Meneer Davis, ik mag van hogerhand niets ondernemen in het Dal der Koningen. Dat weet u net zo goed als ik.'
'Natuurlijk. Maar daar hoef je toch geen ruchtbaarheid aan te geven?'
'Met alle respect, hoe stelt u zich dat voor?' Howard werd nieuwsgierig.
Davis keek om zich heen, alsof hij bang was dat iemand meeluisterde, en zei: 'U spreekt vloeiend Arabisch, meneer Carter. En dankzij uw uiterlijk hebt u meer weg van een sjeik dan van een Engelse archeoloog.'
'Bedankt voor het compliment,' zei Howard ironisch. 'U wilt dat ik als sjeik verkleed ga en op die manier de opgravingen in goede banen leid. Begrijp ik het zo goed? Niet eens een slecht idee.'
'Ik neem u officieel aan als voorman. Natuurlijk moet ik Weigall en Ayrton vertellen hoe de vork in de steel zit.'
Howard trok zijn neus op. 'Denkt u dat ze dat spelletje meespelen?'

'Dat weet ik wel zeker!' Davis haalde een bundeltje dollarbiljetten tevoorschijn en liet het hem zien.
Howard grijnsde. Deze kwajongensstreek beviel hem wel. Dit was precies wat hij nodig had om hem uit zijn eenzaamheid te halen. Bovendien wilde hij die pennenlikkers in Caïro laten zien dat hij, en alleen hij, in staat was om het Dal der Koningen zijn laatste geheimen te ontfutselen.
Sayyed bezorgde hem een spierwitte galabia, een al net zo witte tulband en een monddoek om zich te beschermen tegen stof en opwaaiend woestijnzand. Hij noemde zich sjeik Ibrahim, omdat hem die naam zomaar ineens te binnen schoot, en meldde zich twee dagen later op zijn werkplek. Hij werd niet eens herkend door de mannen die al ooit met hem gewerkt hadden. Ze verbaasden zich over de commanderende toon van de sjeik en dat zelfs de archeologen Weigall en Ayrton hem gehoorzaamden.
Met de goedkeuring van Davis had Howard een tamelijk absurd besluit genomen. Zestig meter noordelijk van het graf van Thoetmozes gaapte een gat in het brokkelige gesteente. Ongetwijfeld was dat de ingang van een grafkamer. Honderd jaar geleden had Napoleon zich tijdens zijn veldtochten in Egypte in die onderaardse gang gewaagd. Nadat er zesentwintig meter gegraven was, hield hij het echter voor gezien. De Duitser Richard Lepsius was tot op zesenveertig meter diepte gegaan, maar ook hij wierp uiteindelijk de handdoek in de ring. Beiden hadden zich laten afschrikken door het puin waarmee de rotsgang was opgevuld. Kalksteen dat onder invloed van regenwater zo hard als beton was geworden en dat alleen met zeer veel moeite eruit gehakt kon worden.
Al na een paar meter graven werd duidelijk dat de gang niet recht liep maar in een boog verder de diepte in ging. Het moest dus om een buitengewoon graf gaan.
'Hebt u een vermoeden wat dat kan zijn, meneer Carter?' vroeg Theodore Davis die avond na de eerste werkdag. Howard drukte zijn wijsvinger tegen zijn lippen en zei: 'Ik ben sjeik Ibrahim, meneer Davis. Laten we dat vooral niet vergeten. We spelen dit spelletje zo serieus mogelijk.'
Davis maakte een kleine buiging. 'Wat denkt u dat we tegenkomen?'
Howard trok zijn wenkbrauwen op en antwoordde met een nasaal klinkende stem. 'Ik zal u tijdig van mijn overwegingen op de hoogte brengen, sir.'
De Amerikaan reageerde geërgerd. Hij was het niet gewend dat men zo met hem omging. Niettemin zei hij beleefd: 'Als u meer arbeiders nodig hebt, moet u dat vooral zeggen, meneer, eh... sjeik Ibrahim.'

Howard wees dat voorstel af. 'Daar zie ik het nut niet van in. De gang is zo smal dat het geen zin heeft om daar meer werklui aan de slag te laten gaan. Ik denk dat ik weet waarom Napoleon en Lepsius er de brui aan gegeven hebben. De smalle gang buigt naar beneden af. Het werd er te benauwd en ze hadden te weinig licht.'
'Hoe wilt u dat probleem oplossen?'
'Heel eenvoudig. We hebben elektriciteit nodig.'
'Een grandioos idee, sjeik Ibrahim. Maar voor elektriciteit moeten we in Luxor zijn. Aan deze kant van de Nijl is geen stroom.'
'Dan moet u ervoor zorgen dat we een aansluiting krijgen. Ach, ik heb geen verstand van dat nieuwerwetse gedoe. Maar als Caïro stroom van de Aswanstuwdam krijgt, dan moet het ook mogelijk zijn dat een beetje van die raadselachtige energie vanuit Luxor naar het Dal der Koningen geleid wordt.'
Davis knikte instemmend. Elektriciteit in het Dal der Koningen sprak tot zijn verbeelding. Een fascinerend idee. 'U zult stroom krijgen, sjeik Ibrahim!'
Enkele dagen later arriveerde in Luxor een stoomboot van de elektriciteitsmaatschappij. Aan boord bevonden zich reusachtige kabeltrommels waarin stroomkabels waren opgerold. Een leger van arbeiders leidde nabij de Luxortempel, waar de Nijl nog geen kilometer breed was, de leidingen over de bodem van de rivier. Dagenlang klonk het geroep van de mannen door het Koernadal terwijl ze op de maat van hun gezang de zware kabels naar het Dal der Koningen sleepten. Drie weken later was er voor het eerst elektrisch licht in een faraograf.
Howard was bijna tot tranen toe geroerd. Voorheen had hij de wandschilderingen en reliëfs alleen kunnen bekijken in het vale schemerlicht van een fakkel of een roetende petroleumlamp. Dankzij elektrisch licht leken de kunstwerken opnieuw te ontwaken. Met behulp van ingewikkelde spiegelconstructies hadden de oude Egyptenaren het zonlicht onderaards laten weerkaatsen om ervoor te zorgen dat ze verder konden werken. Nu was een eenvoudige schakelaar voldoende om het eeuwige duister te verdrijven.
Hoe dieper Howard en zijn mannen in de berg drongen, hoe duidelijker het werd waarom alle archeologen voor hem de werkzaamheden gestaakt hadden. Na elke gegraven meter werd de lucht ijler. Het was onvoorstelbaar dat hier vroeger arbeiders in het licht van fakkels gewerkt hadden. Een fakkel verbruikte immers meer zuurstof dan een mens.
De eerste kamer was leeg. Geen kostbaarheden. Helemaal niets. Ook geen inschriften, reliëfs of wandschilderingen. 'We graven verder!'

commandeerde sjeik Ibrahim. Maar dat was gemakkelijker gezegd dan gedaan. Op veel plaatsen was het verkorste puin niet te onderscheiden van het brokkelige rotsgesteente. En de steile gang was soms bochtig en dan weer kaarsrecht.
'Sjeik Ibrahim, sjeik Ibrahim! Mustafa is dood!' Een twaalfjarige jongen die werd ingezet voor speciale taken omdat hij zo klein van stuk was, kwam uit de graftrechter omhoog. Hij hapte naar adem als een vis op het droge. Hij zei dat Mustafa, een van de beste arbeiders, op veertig meter diepte dood was neergevallen. 'Dat is de vloek van de farao!' Hij weigerde om het graf weer in te gaan.
Howard nam zijn galabia op en daalde af in de gang. Enkele versufte arbeiders kwamen hem wankelend tegemoet. Ze gebaarden heftig en wezen naar het gedeelte van de gang dat zich achter hen bevond.
'Sjeik Ibrahim! Mustafa is dood! De vloek van de farao!'
'Onzin!' riep Howard woedend. 'Aan het werk, domkoppen!'
Geïntimideerd gingen de mannen op hun hurken zitten.
Howard bereikte de plaats waar Mustafa volgens de arbeiders dood op de grond lag. Plotseling werd ook hij duizelig. Hij hapte naar adem en kreeg het benauwd. Hij voelde de halsslagader van Mustafa. De man leefde.
'Sleep hem naar buiten!' brulde hij de bange arbeiders toe. 'Snel! Anders gaat Mustafa echt dood!' De mannen geloofden de sjeik niet. Ze waren ervan overtuigd dat Mustafa overleden was. Apathisch keken ze toe terwijl Howard Mustafa onder de oksels greep en de bewusteloze man achterwaarts door de smalle gang naar het daglicht sleepte. Daar deed de Egyptenaar zijn ogen open.
'Waar zijn de anderen?!' riep Howard opgewonden. 'Beneden liggen nog minstens vijf half bewusteloze mannen.'
Davis leek niet onder de indruk. 'Wat moeten we nu doen?' vroeg hij berustend.
'Die arbeiders naar boven halen!' schreeuwde Howard. Opnieuw wurmde hij zich door de smalle ingang. Vlak voordat hij in de trechter verdween, riep hij Davis toe: 'Als ik over drie minuten niet terug ben, gaat het niet goed met me!'
Beneden trof hij de vijf mannen aan. Gehurkt zaten ze op de grond, zoals hij ze had achtergelaten, en ze staarden zwijgend voor zich uit. Ze leken niet eens te merken dat de sjeik er was. Een voor een schudde Howard hen wakker. 'Kom mee, naar boven! Vooruit, opschieten!'
Verdoofd, alsof hun lot hen niet kon schelen, stonden ze met tegenzin op waarna ze lopend, sommigen kruipend, voor Howard uit gingen. Hij joeg hen op en spoorde hen aan om de moeizame klim naar

boven vol te houden. Halverwege kwam deze karavaan van wankele gestalten tot stilstand doordat degene die vooropliep ineengezakt was. Hoewel Howard zelf bijna van zijn stokje ging, drong hij zich naar voren, hees de man overeind, sloeg hem links en rechts in zijn gezicht tot hij weer bijkwam en duwde hem verder.

Toen Howard zich na een eindeloos lange klim weer door de grondtrechter naar boven wrong en naar adem hapte, zakte hij ineen. Hij kwam weer bij bewustzijn omdat er hard tegen hem geschreeuwd werd. De arbeiders trokken hem aan de armen naar boven. Iedereen probeerde zijn handen te kussen. 'Sjeik Ibrahim! Sjeik Ibrahim!' riepen ze in koor. 'Sjeik Ibrahim heeft ons leven gered!'

Davis gaf de sjeik een fles. Howard nam een flinke slok. Hij wist niet wat de Amerikaan hem gegeven had, maar hij knapte er zichtbaar van op. 'Lucht,' stamelde hij. 'We hebben beneden lucht nodig, anders kunnen we het wel vergeten.'

'Kunnen we niet gewoon een raam openzetten?' grapte Davis. Hij was opgelucht dat Howard de arbeiders gered had.

Howard nam nog een slok uit de fles en knipperde met zijn ogen terwijl hij voor zich uit staarde. 'Een ding staat vast... zo kunnen we niet verder,' zei hij uiteindelijk. 'We mogen van geluk spreken dat die arbeiders er levend uit zijn gekomen. Als er ééntje de pijp uitgaat, durft geen Egyptenaar meer dat graf in! Maar ik heb een idee hoe we lucht in die gang kunnen krijgen.'

'Met een elektrische installatie?'

'Precies. We kunnen pas weer aan de slag als er genoeg lucht is om te ademen. Ik heb een pomp en een slang nodig. We pompen de lucht gewoon die gang in.'

'Komt voor elkaar, sjeik Ibrahim. Ik zal ervoor zorgen dat het gebeurt.'

Howard geloofde zijn ogen niet toen de volgende ochtend Robert Spink op de archeologische site verscheen. Hij verdween meteen in de grafingang. Als hij iemand niet wilde ontmoeten, dan was het Spink wel. Davis wist echter van niets.

Nietsvermoedend ging de Amerikaan bij de rand van de grondtrechter staan en riep naar beneden: 'Sjeik Ibrahim! Hier is een Engelse gentleman die ons probleem kan oplossen. Meneer Spink heeft een pompenfabriek in Luxor.'

Howard trok zijn tulband bijna helemaal over zijn voorhoofd terwijl hij vloekend in het Arabisch boven de grond kwam. Hij legde de zakenman in gespeeld slecht Engels uit waar het om ging en deed er alles aan om maar niet herkend te worden.

Die verdomde Spink staarde hem brutaal aan. Howard besloot om tijdens het gesprek zijn gezicht van hem af te wenden, zoals Egyptenaren dat toch al gewoon waren wanneer ze met vreemden spraken. Howard was opgelucht toen Spink weer wegliep. Met een zucht veegde hij het angstzweet van zijn gezicht. Had Spink hem herkend?

Al na enkele dagen werden de opgravingen voortgezet. Een elektrisch aggregaat voorzag de arbeiders van lucht op een diepte van zestig meter onder de grond. De gang werd steeds nauwer, het gesteente brokkeliger en de hitte ondraaglijker.

Nadat er nog eens honderd meter gegraven was, bleek de luchttoevoer te gering. Er kwam maar geen eind aan de gang die steeds dieper naar beneden leidde. Volwassenen konden al niet meer rechtop werken. Daarom stuurde Howard arbeiders naar beneden die klein van stuk waren – zoals kinderen – om het puin in manden naar boven te sjouwen.

Hij kreeg de indruk dat de geheimzinnige farao hem voor de gek hield. Steeds verder en dieper boorde de onderaardse gang zich in het broze rotsgesteente. De lucht die van boven de diepte in werd geblazen, joeg het puinstof door de gang. Al na enkele minuten zat je neus dicht en verslikte je je in het stof waardoor je amper nog adem kreeg.

Op een avond na het werk nam Howard de Amerikaan terzijde: 'Dit is een uitzichtloze situatie, meneer Davis,' zei hij ernstig. 'Ik denk dat we moeten stoppen.'

'Nooit!' zei Davis. 'Nooit! Weet u hoeveel geld ik in die gang geïnvesteerd heb? Tienduizend dollar! Praat me niet over opgeven!'

'De kinderen bezwijken een voor een. Ze slikken puinstof in en krijgen stoflongen. Ze kunnen en willen niet meer.'

'Ik betaal ze het driedubbele. Voor mijn part het vijfvoudige. Dan hebben ze er weer zin in, geloof dat maar, meneer Carter.'

Er werd verder geploeterd. Howard deelde de kinderen in ploegen in. Elke ploeg mocht maar een kwartier beneden blijven. Davis betaalde het drievoudige én een extra bonus. Tegelijkertijd werd de capaciteit van de luchtpomp vergroot. Nadat er honderdtwintig meter gegraven was, stortte de gang in en werden twee arbeiders en drie kinderen van de buitenwereld afgesneden. Met blote handen en een enorme groep kinderen werd het ingestorte gedeelte gestut en konden ze de slachtoffers bevrijden.

Nadat er honderdzestig meter diep gegraven was, ontdekten ze twee treden in de bodem. Howard dacht dat hij eindelijk was waar hij zijn moest. Eindelijk had hij die verdomde farao te pakken! Dat dacht hij althans. Ze ontdekten een kamer en hadden enkele dagen nodig om het puin te verwijderen. Toen pas beseften ze dat al het

werk vergeefs was geweest. De kamer was leeg. Maar een gang voerde verder de diepte in.
Drie weken later bevond sjeik Ibrahim zich tweehonderd meter diep in het rotsgebergte en ontdekte opnieuw een kamer die tot aan het plafond met puin gevuld was. Ook ditmaal wilde Howard opgeven. Davis pepte hem echter weer op. 'Ik wil nu koste wat het kost doorgaan, meneer Carter! Het kan nooit ver meer zijn! De roem ligt binnen handbereik. U wilt toch ook niet dat andere archeologen deze klus afmaken?'
'Natuurlijk niet,' zei Howard. Hoestend, misselijk, verzwakt en met pijn in zijn rug groef hij versuft verder.
Toen ook deze kamer was uitgegraven, zagen ze dat die net als de vorige leeg was. Maar in de rechterhoek naast de ingang ontdekte Howard een steile trap naar beneden. Hij had drie volle dagen nodig om die bloot te leggen. Howard had al een tijdje de hoop opgegeven dat hij ooit nog zijn doel zou bereiken. Zijn bewustzijn was beneveld, hij realiseerde zich niet eens meer waar hij precies naar op zoek was. Tot wel vijftien keer per dag daalde hij af in die onderwereld. Versuft kwam hij enkele minuten later weer boven om op adem te komen en zijn gedachten te ordenen. Het werk vorderde steeds trager.
Een jongen kwam boven en sleurde hem uit zijn lethargie. 'Sjeik Ibrahim, een muur!'
'Een muur!' riep Howard naar Davis, die op het moment onder een parasol in een comfortabele rieten stoel zat. Samen liepen ze door de ondergrondse gang naar beneden. De Amerikaan had zich tot nu toe maar een paar keer onder de grond gewaagd. Nu drong hij zich naar voren omdat hij er als eerste wilde zijn. Hij duwde de luidruchtige arbeiders weg die in de tegenovergestelde richting manden vol puin naar boven sjouwden.
De lucht werd ijler naarmate ze dieper gingen. Om de twintig passen hing een stoffige gloeilamp die een vaal, nevelig licht verspreidde. Na elke stap werd het ademen moeilijker. Tot aan het diepste punt moesten ze een afstand van tweehonderd meter overbruggen, ongeveer driehonderd stappen. Telkens nadat Howard een eindje gelopen had, kreeg hij een hoestbui. Met Davis was het niet anders gesteld. Hij hoestte de longen uit zijn lijf en vloekte als een dokwerker. Howard probeerde daarentegen alleen door zijn neus te ademen, de kaken stijf op elkaar. Voetje voor voetje ging hij verder. Hij haalde Davis in, die aan het eind van zijn krachten leek te zijn, en liep achterwaarts de trap af waar de arbeiders een muur hadden ontdekt. Onder aan de trap draaide hij zich pas om.

De aanblik trof hem als een mokerslag. Hij zag de muur met in het midden ervan een gat zo groot als een wagenwiel.
Howard probeerde diep in te ademen. Met een beetje lucht dat door de slang in de onderaardse gang werd geblazen zou hij al tevreden zijn. Het bleef bij een poging daartoe. Zijn longen namen meer puinstof op dan zuurstof waardoor zijn ademhaling snel en oppervlakkig werd.
Intussen was ook Davis bijna gearriveerd. Nog voordat hij het gat in de muur kon zien, riep Howard hem toe: 'Ik vrees dat we drieduizend jaar te laat zijn, sir!'
'Wat bedoelt u?' mompelde de Amerikaan bijna onverstaanbaar terwijl hij een hand voor zijn mond hield.
Met een hoofdknik duidde Howard op het gat in de muur.
Verblind door de gloeilamp hield Davis een hand boven zijn ogen. 'Dat zal toch niet waar zijn!' stamelde hij een paar keer. Hijgend, hoestend en kokhalzend schreeuwde hij uiteindelijk zijn teleurstelling, woede en machteloosheid uit en riep met het laatste restje kracht dat hij nog over had: 'Zeg dat het niet waar is!' Daarna zakte hij snikkend op de grond en begroef zijn gezicht onder zijn armen.
Ook Howard was aan het eind van zijn krachten. Met onvoorstelbaar veel moeite – om over de kosten maar te zwijgen – hadden ze tweehonderd meter diep gegraven in het brokkelige gesteente. Meer dan eens hadden ze hun leven op het spel gezet. Hun enige succes bestond uit het besef dat ook dit graf in vervlogen tijden door grafrovers was leeggehaald. Howard schaamde zich. Hij schaamde zich diep voor dit fiasco. Het was immers zijn idee geweest om juist op deze plaats te graven. Bleef over de pijnlijke maskerade zoals hij zich als sjeik had verkleed en elke dag opnieuw doodsbang was geweest dat hij herkend zou worden.
Apathisch, alsof hij onder de medicijnen zat, haalde hij de gloeilamp van de wand, trok de stroomkabel achter zich aan en keek in de grafkamer. Een lege ruimte, ongeveer vijf bij tien meter, in het midden gestut door drie zuilen. Rechts zag hij een opengebroken sarcofaag waarvan het deksel rechtop tegen de wand stond.
Davis volgde hem, tuurde door het gat en keek Howard vragend aan. Howard zweeg. Hij schudde slechts zijn hoofd. Uiteindelijk stapten ze beiden door de opening naar binnen.
De stenen sarcofaag was leeg en met hiëroglyfen gedecoreerd. Howard ging er met de gloeilamp heel dichtbij staan. Plotseling stokte hij. 'Ziet u de naamring, meneer Davis?' zei hij opgewonden.
'Ja. Nou en?'
'Er staat: "Chnemetamoen Hatsjepsoet."'

'Hatsjepsoet? Ik dacht dat het graf van koningin Hatsjepsoet al ontdekt was!'
'Inderdaad, meneer Davis. Kennelijk vond de eigenzinnige koningin het eerste graf niet veilig genoeg. Daarom liet ze aan het eind van haar regeerperiode, die ruim twintig jaar heeft geduurd, dit onbereikbaar veronderstelde schuilgraf in de rotsen uithakken, tweehonderd meter onder de grond. Maar het heeft niet mogen baten, zoals u ziet.'
Davis trok aan een mouw van Howard. 'In de hoek staat nog een andere sarcofaag!'
Howard draaide zich om. In zijn opwinding had hij niet rondgekeken in de grafkamer. Met de gloeilamp in zijn hand liep hij naar de stenen kuip, die eveneens leeg was en voorzien van kunstzinnige opschriften.
'De laatste rustplaats van Thoetmozes,' zei hij nadat hij de hiëroglyfen grondig bestudeerd had. 'Thoetmozes I was de vader van Hatsjepsoet.'
Howard en Davis stonden inmiddels veel te lang in de stoffige, ijle lucht van de ondergrondse grafkamer. 'Kom mee!' zei Howard. Hij duwde de Amerikaan die zo nu dan naar adem hapte voor zich uit. Uitgeput liepen ze de trechter uit, het daglicht in, waar Weigall en Ayrton hen bestookten met vragen.
Niet zonder trots vertelde Howard over hun ontdekking. De grafkamer was leeg, zoals alle faraograven die ze tot nu toe ontdekt hadden. Maar ze hadden niettemin hun doel bereikt en waren tot in het laatste vertrek doorgedrongen. Dat was alle archeologen die dat voor hun tijd geprobeerd hadden niet gelukt.
Verzwakt en doodop hing Davis in zijn rieten stoel. Hij bleef maar water drinken, er kwam geen eind aan. De Amerikaan kon zijn teleurstelling niet verbergen. Het werk lag stil, in het Dal der Koningen heerste weer rust en stilte. Met de blik naar het oosten gericht, waar de nevel zich over het Nijldal uitstrekte, zei hij in gedachten verzonken: 'Het is niet te geloven waar de mens in zijn zucht naar goud toe in staat is! Waar zouden de mummies van Thoetmozes en Hatsjepsoet nu zijn?'
Howard zette de waterkruik neer die hij over zijn hoofd had leeggegoten en zei proestend: 'Dat kan ik u zo vertellen, meneer Davis. In het Egyptisch Museum in Caïro.'
De Amerikaan keek sjeik Ibrahim met een minachtende blik aan, alsof hij dacht dat Howard hem voor de gek hield. Maar zijn gezicht klaarde snel op toen Howard vervolgens zei: 'In de mummieschuilplaats die ruim dertig jaar geleden door Ahmed Abd-el-Rassul ont-

dekt werd, bevond zich ook de mummie van Thoetmozes I. En er werd een houten kist aangetroffen met de naam Hatsjepsoet. In die kist lagen echter twéé mummies van vrouwen. We zullen er dus wel nooit achter komen wie van beiden koningin Hatsjepsoet was.'
Davis grinnikte gekunsteld. Dat deed hij altijd zodra hij een bepaalde situatie als vervelend ervoer en dat trachtte te verbergen. Uiteindelijk stak hij een sigaret op en blies de rook nerveus uit. Even later liep hij naar Howard en zei: 'Oké, meneer Carter, die maskerade is nu nergens meer voor nodig. In elk geval bedankt voor uw medewerking. De rest van uw honorarium zult u een dezer dagen krijgen.' Daarna wendde hij zich weer tot zijn assistenten Weigall en Ayrton.
'Ik begrijp dat u teleurgesteld bent, meneer Davis!' riep Howard hem na, 'maar ik kan er ook niks aan doen dat dat graf is leeggeroofd. Vergeet bovendien niet dat u de wetenschap een grote dienst bewezen hebt.'
Vanaf enige afstand riep Davis terug: 'Ik ben niet gekomen om de wetenschap een dienst te bewijzen, meneer Carter. Ik wil beroemd worden, dat is alles!'
Howard schrok. Nog nooit had Davis zich zo duidelijk uitgesproken over zijn beweegredenen. Op nog geen steenworp afstand stonden ze teleurgesteld tegenover elkaar. Davis omdat hij vond dat hij geen succes had gehad. En Howard omdat hij besefte dat de Amerikaan alleen belangstelling voor zijn werk kon opbrengen als de resultaten hem roem schonken. Voor de rest vond Davis dit gedoe alleen maar vervelend.
'Zal ik u eens wat vertellen,' zei Davis terwijl hij naar hem toe liep. 'In de koperbusiness kun je geld verdienen. Alles goed en wel, maar als je eenmaal onder de zoden ligt, ben je snel vergeten. Niemand heeft het dan nog over je. Als je geluk hebt, plaatsen de erfgenamen een grafsteen waarop je geboorte- en sterfdatum staan. Dat is alles, meneer Carter. Ik wil iets blijvends achterlaten. Ik heb een droom. Ik wil dat de mensen het over honderd jaar nog over Theodore Davis hebben, de grote ontdekker. Begrijpt u wat ik bedoel?'
Howard keek hem lang aan, waarna hij zwijgend knikte en uiteindelijk zei: 'Het spijt me, sir, dat ik geen bijdrage heb kunnen leveren aan uw onsterfelijkheid.'

22

Dezelfde nacht veranderde sjeik Ibrahim weer in Howard Carter, de werkloze archeoloog.

Hoewel ze niet bepaald als vrienden afscheid van elkaar hadden genomen, was Davis zijn belofte nagekomen nadat Howard hem ertoe had overgehaald om de luchtpomp en de elektrische verlichting in het graf van Hatsjepsoet achter te laten zodat er verder onderzoek gedaan kon worden. In werkelijkheid bracht Howard hele nachten door in de onderste grafkamer en woelde hij met blote handen in de met puinstof bedekte bodem. Hij vermoedde namelijk dat er nog een gang was die misschien toegang bood tot een schatkamer.
Vaak kroop hij 's ochtends bij zonsopgang doodmoe en met bloedende handen uit de grondtrechter en liep dan wankelend naar zijn bescheiden onderkomen. Hoe langer zijn werk zonder succes bleef, hoe minder hoop hij koesterde. Eind maart gaf hij het op.
In een groot artikel schreef de *Egyptian Gazette* dat Theodore Davis en zijn ervaren voorman sjeik Ibrahim het tot nu toe diepste faraograf hadden ontdekt. Toen Howard dat las, kreeg hij er geen goed gevoel bij.
Enkele dagen later naderden vanaf de rivier drie ruiters. Het was rond de middag. Door de rust en stilte in het dal hoorde Howard ze al van ver komen.
Ze stopten voor zijn huis. Twee van hen waren geen onbekenden voor Howard. James Quibell was immers zijn opvolger en Gaston Maspero de nieuwe directeur van het Oudheidkundig Bestuurscollege. De man had vroeger al eens die functie bekleed. Howard had de derde ruiter nog het minst verwacht. Het was 'Porchy' Lord Carnarvon.
Nog voordat Quibell en Maspero hem begroet hadden, liep de lord naar Howard toe en omarmde hem als een oude vriend. Howard was sprakeloos.
'Geweldig! Buitengewoon!' riep Maspero. Hij pakte beide handen van Howard vast. Howard dacht dat hij droomde. Nadat hij enigszins van zijn verbijstering was bekomen, vroeg hij aan Maspero: 'Kunt u mij uitleggen waarom u zo blij bent, monsieur?'
De drie mannen keken hem aan en grijnsden veelbetekenend. Quibell liet zijn ogen rollen en zei: 'U hebt een meesterlijke prestatie geleverd. Daar neem ik mijn petje voor af!'
'Ik weet niet wat dit te betekenen heeft, heren,' zei Howard geërgerd. 'Wat is er aan de hand?'
Maspero legde zijn handen op de schouders van Howard en zei met een vriendelijke trek op zijn gezicht: 'U hoeft niet meer te doen alsof, meneer Carter. We weten wie sjeik Ibrahim is... u bent dat, meneer Carter.'
'Onzin!' loog Howard. 'Ik heb niks met sjeik Ibrahim te maken.'

'Niet meer en niet minder dan dat sjeik Ibrahim en Howard Carter een en dezelfde persoon zijn.'
'Wat vertelt u me nou?' zei Howard verontwaardigd. 'U kent sjeik Ibrahim niet. U hebt hem nog nooit ontmoet!'
'O nee?' Maspero glimlachte schalks. 'Hoe weet u dat als u sjeik Ibrahim niet bent?'
Howard voelde zich in het nauw gedreven. 'En als het zo is, wat dan nog?' vroeg hij uiteindelijk op een berustende toon.
'Dan kan ik u eindelijk feliciteren met die geniale streek. U kunt de identiteit van de ontdekker trouwens maar beter niet ontkennen.'
'Hoe bedoelt u?'
'De ontdekking van het graf van Hatsjepsoet is immers een van de grootste archeologische prestaties tot nu toe. De grafkamer bevindt zich tweehonderd meter onder de grond. Geen enkele archeoloog heeft ooit zo diep gegraven.'
'Dat zou zonder elektriciteit nooit zijn gelukt,' zei Howard afwerend. 'Zonder luchttoevoer zouden we daar beneden allemaal gestikt zijn.'
'Geweldig! Geweldig!' mompelde Maspero voor zich uit. 'Ik denk dat u en meneer Davis dankzij deze techniek inmiddels in de annalen van de archeologie zijn opgenomen. Gefeliciteerd, meneer Carter.'
Howard moest erom lachen. 'Laat dat Davis maar niet horen. Voor hem was de ontdekking van het graf van Hatsjepsoet een gigantische teleurstelling. Davis hoopte dat die opgraving hem wereldberoemd zou maken. Nu blijkt het graf leeg te zijn.'
'O, die Amerikaan!' Maspero vouwde zijn handen alsof hij een schietgebedje deed.
Verlegen schudde Howard zijn hoofd. 'Nu moet ik u toch iets vragen, meneer Maspero. Hoe bent u te weten gekomen dat ik sjeik Ibrahim was? Hebben Weigall en Ayrton mij verraden? Ik heb ze van het begin af aan niet vertrouwd.'
Maspero hield de handen voor zijn borst. 'In geen geval. In feite hebt u zichzelf verraden door uzelf sjeik Ibrahim te noemen, zoals de Zwitserse avonturier die bijna honderd jaar geleden als Arabier verkleed de Nubische Woestijn doorkruiste en Aboe Simbel ontdekte. Toen ik hoorde dat een zekere sjeik Ibrahim voor Davis werkte, wist ik meteen dat u dat was.'
Howard geneerde zich toch wel een beetje. Hij was immers zo naïef geweest om te denken dat niemand zijn schelmenstreek doorhad. Ronduit pijnlijk vond hij de volgende vraag van Maspero. 'Waar verdient u momenteel de kost mee, meneer Carter?'

'Over mijn inkomen hoeft u zich geen zorgen te maken, monsieur,' antwoordde Howard boos. 'Zoals u ziet eet ik er goed van en ga ik fatsoenlijk gekleed.'
'Het spijt me, meneer Carter. Ik had die vraag anders moeten formuleren...'
'Meneer Maspero wil alleen maar vragen of u tijd hebt voor de volgende opdracht,' viel Lord Carnarvon hem in de rede.
Howard keek Carnarvon met een vragende blik aan. 'Dat hangt ervan af waar het om gaat, mylord.'
'Ik heb van meneer Maspero een graafvergunning gekregen. Ik zoek nu iemand die de archeologische werkzaamheden leidt. Hebt u tijd en zin, meneer Carter?'
Wat een vraag! Howard perste zijn lippen op elkaar om te voorkomen dat hij het uitschreeuwde van blijdschap. Gespeeld kalm antwoordde hij: 'Dat hangt helemaal van de voorwaarden af.'
'U stelt de voorwaarden, meneer Carter!'
Quibell en Maspero knikten.
Met de handen op de rug liep Howard heen en weer door de kamer. Hij vertrouwde het niet. 'Ik vraag me af waarom u zo plotseling van mening bent veranderd, monsieur,' begon hij met een ironische ondertoon. 'U hebt mij toch ontslagen omdat ik tekortschoot als toezichthouder?'
'Zand erover!' antwoordde Maspero. Hij knikte heftig om zijn woorden te benadrukken. 'Onderzoek heeft uitgewezen dat het een aanslag is geweest. Niemand kan zoiets voorzien.'
'Interessant. Kennelijk ben ik de laatste die dat hoort. Wilt u mij misschien vertellen wie achter die aanslag zat?'
Maspero wierp Quibell een hulpeloze blik toe, waarna hij zei: 'Dat is helaas niet opgehelderd, meneer Carter. De getuigenverklaringen hebben niets opgeleverd. Volgens mij wilden ze degene die aan de touwtjes trekt koste wat het kost beschermen.'
De spanning tussen Carter en Maspero was Lord Carnarvon niet ontgaan. Hij liep naar Howard toe en zei: 'Zullen we de rest bespreken bij een dinertje in het Winter Palace, meneer Carter? Vanavond?'
Howard stemde in.
Dat was lang geleden. Howard kon zich niet eens meer herinneren wanneer en bij welke gelegenheid hij voor het laatst in het Winter Palace gegeten had.
In de lobby, waar om deze tijd van de dag deftig geklede gasten rondhingen, liep een meisje van een jaar of twaalf naar hem toe. Ze had een leuke jurk aan die met ruches was afgezet, en een fraaie strik in haar haar.

'U bent toch meneer Carter, hè?'
'Zeker, meisje!' antwoordde Howard. 'En hoe heet jij?'
'Ik ben Evelyn, de dochter van Lord en Lady Carnarvon. Wij gaan samen eten. Zal ik u voorgaan naar onze tafel?'
'Graag!' zei Howard terwijl hij een buiging voor haar maakte. Geamuseerd liet hij toe dat ze zijn hand vastpakte, alsof dat de gewoonste zaak van de wereld was, en hem naar het restaurant begeleidde dat zich in de rechtervleugel van het hotel bevond. 'Ik heb veel over u gehoord,' zei Evelyn terwijl ze samen verder liepen. 'U bent een beroemd archeoloog en heel slim!'
'Zo, en wie heeft jou dat verteld, juffrouw?'
'Papa.'
'En geloof jij alles wat jouw papa zegt?'
'Sir!' Het meisje hield haar pas in en fronste haar wenkbrauwen. 'Als ik papa niet kan geloven, wie dan wel?'
'Daar heb je gelijk in. Dat had ik niet moeten zeggen.'
'Geeft niet!' Hand in hand begaven ze zich naar het restaurant.
De lord was in gezelschap van Lady Almina. Een opvallende schoonheid die menige blik naar zich toetrok. Howard vond vooral haar handen fascinerend. Ze waren zacht, smal en blank, zoals hij dat nog nooit bij een vrouw gezien had.
Nadat ze plaats hadden genomen, opende Lord Carnarvon het gesprek. 'Herinnert u zich onze eerste ontmoeting nog, meneer Carter?'
Howard lachte. 'Zeker, mylord. Tijdens een diner in Didlington Hall. Ik gedroeg me toen niet zoals het hoorde. Ik had beter mijn mond kunnen houden.' Hij richtte zich tot Lady Almina en zei: 'In de krant stond destijds een verhaal over ene Spink die een meisje uit een brandend huis gered zou hebben. In werkelijkheid was ik degene die haar gered heeft. Niemand geloofde mij echter omdat mijn naam niet in de krant stond!'
'Ik ken dat verhaal,' zei de lady. 'Mijn man was toen zeer onder de indruk van de wijze waarop u stelling nam.'
'O ja?' Howard keek Carnarvon aan.
De lord knikte. 'Weet u, meneer Carter, deze wereld is vergeven van de jaknikkers en conformisten. Ik was gefascineerd door de manier waarop u vasthield aan de waarheid.'
'Papa!' riep Evelyn opgewonden. 'Heeft meneer Carter echt een meisje uit een brandend huis gered? Dan is meneer Carter een held!'
'Ja, schat, meneer Carter is een held omdat hij iets gedaan heeft terwijl het anderen aan moed ontbrak,' antwoordde Carnarvon voordat Howard daar iets tegen in kon brengen.
Howard vond het pijnlijk zoals het meisje hem met grote ogen be-

wonderend aankeek. Uiteindelijk zei hij: 'Dat is lang geleden gebeurd, het heeft niets te betekenen. Hoe gaat het trouwens met de familie Amherst?'
Carnarvon keek zijn vrouw onzeker aan en zei: 'Ik dacht, eh, dat u wist dat...'
'Wat hoor ik te weten?'
'Lord Amherst is overleden aan een hartaanval. Ik dacht dat u dat inmiddels vernomen had.'
'Nee, dat wist ik niet,' zei Howard mat. 'Is Lord Amherst dood...? Ik heb veel aan hem te danken, om niet te zeggen alles. Hij heeft ervoor gezorgd dat ik archeoloog kon worden. Nog belangrijker is dat hij in mij geloofde. Excuseer me even...'
Carter stond op en haastte zich naar het terras. Daar ademde hij diep in en uit terwijl hij in de schemering zijn blik over de traag stromende Nijl liet glijden. Met zijn gedachten was hij op Didlington Hall. Plotseling moest hij aan Alicia denken. En aan het feit dat zij tijdens een herenavond voorspeld had dat een van de aanwezigen een eeuwenoude goudschat zou vinden. Zijn nederlagen hadden ertoe geleid dat hij deze gebeurtenis was vergeten. Nu herinnerde hij zich dat voorval plotseling weer. Hij en Carnarvon zouden een uitstekend team vormen. Howard wilde het nog één keer proberen.
In gedachten verzonken voelde hij opeens een kleine hand in de zijne. 'Bent u nu verdrietig, meneer Carter?' vroeg ze bedeesd. Ze keek naar hem op.
'Hm.' Howard glimlachte krampachtig.
'Papa zegt altijd dat de tijd alle wonden heelt.'
'Daar heeft jouw papa gelijk in. Kom, we gaan weer naar binnen!'
Nadat Howard plaats had genomen, en het eten besteld was, zei Lady Almina glimlachend: 'U hebt een enthousiaste fan erbij gekregen, meneer Carter. Mijn dochter verliest u geen moment meer uit het oog.'
'Ik voel me zeer gevleid,' zei Howard terwijl hij het meisje een knipoog gaf.
Maar dat beviel Evelyn niet. Woedend sloeg ze met haar kleine hand op de tafel en riep: 'Ik wil niet als een klein meisje behandeld worden. Papa zegt steeds dat ik geen kind meer ben. Ik wil dat jullie je daar dan ook naar gedragen!'
De lady zei tegen haar dochter dat ze zich aan tafel hoorde gedragen zoals het een jongedame betaamt. Het gevolg daarvan was dat Evelyn de hele avond haar mond niet meer opendeed.
'Het gaat niet goed op Didlington Hall.' De lord hervatte het gesprek. 'Ik denk niet dat Lady Margaret Amherst het landgoed kan

behouden. Alle dochters zijn het huis uit. Ze woont daar nu alleen... afgezien van het personeel. Ik heb het grootste deel van de Egypteverzameling van Lord Amherst overgenomen. Sindsdien kriebelt het. Ik wil zo ontzettend graag een belangrijke ontdekking doen waar mijn naam eeuwig mee verbonden is. Begrijpt u wat ik bedoel, meneer Carter?'
Howard gniffelde. Dit had hij al eens eerder gehoord. Eerlijk gezegd kon hij zich heel goed verplaatsen in Carnarvon. Uiteindelijk antwoordde hij: 'Ik begrijp dat heel goed, mylord. De vraag is alleen hoe u uw dromen kunt realiseren. Als ik terugkijk op de afgelopen twintig jaar dat ik in Egypte woon, moet ik toegeven dat het een aaneenschakeling van fiasco's is geweest.'
'Maar meneer Carter toch!' viel Lady Almina hem in de rede. 'U bent een bekend archeoloog en onderzoeker. De wetenschap heeft veel aan u te danken.'
Howard hield afwerend de handen voor zijn borst. 'Dat kan wel zo zijn, mylady, maar een echt grote ontdekking waar mijn naam eeuwig mee verbonden is, zoals uw man dat verwoord heeft, heb ik nog niet gedaan. Ik wil dan ook geen al te grote verwachtingen wekken, mylord. Eerlijk gezegd ben ik een geboren pechvogel. Als ik me goed herinner was u aanwezig bij mijn tot nu toe grootste blamage. In Deir el-Bahari heb ik toen in het bijzijn van een illuster gezelschap een leeg graf geopend. En de meest recente slag die ik met Davis heb geslagen, was niet veel beter. Tweehonderd meter heb ik me door dat brokkelige gesteente heen gewerkt om een jaar later vast te moeten stellen dat het vergeefs was. U kunt beter een archeoloog zoeken die meer geluk heeft en die goed staat aangeschreven bij de verantwoordelijke instanties.'
'Maar u hebt een uitstekende naam,' bracht Carnarvon te berde. 'Maspero heeft u naar voren geschoven om dit project te leiden. Weet u wat hij zei? Als iemand in het Dal der Koningen nog wat kan vinden, dan is het Carter wel.'
'Zo... zei hij dat. Dan heeft Maspero kennelijk wat goed te maken. Volgens mij heeft hij opeens last van gewetenswroeging.'
'Ach wat!' zei Carnarvon stuurs. 'Het maakt toch niet uit wat de beweegredenen van Maspero zijn? U en ik moeten elkaar kunnen vertrouwen, daar gaat het om. En ik vertrouw u blind, meneer Carter. Ik zou niet weten met wie ik anders een paar jaar in het Dal der Koningen of elders zou willen graven.'
Howard voelde zich gevleid door de woorden van Carnarvon. Sinds hij hem voor het eerst ontmoet had, tijdens dat feestdiner op Didlington Hall, bewonderde hij zijn eigenzinnigheid, zijn wereldwijze

manier van doen, zijn zelfvertrouwen en zijn welbespraaktheid. Natuurlijk had Howard allang het besluit genomen om samen met die man een groot project aan te gaan.
Daar stond tegenover dat Carnarvon zeker wist dat Howard het aanbod zou accepteren. Hij wachtte diens instemming dan ook niet af en zei zonder er doekjes om te winden: 'Hebt u trouwens al een idee waarnaar u wilt gaan graven?'
Howard had gewacht tot Carnarvon met die vraag kwam, als een acteur die zich van tevoren voorbereid had op deze situatie. Ogenschijnlijk kalm begon hij nu aan zijn opvoering, waarbij hij zonder iets te zeggen een kleine, gouden beker uit zijn jaszak haalde en die midden op de tafel tussen de inmiddels geserveerde gerechten zette. Hoewel het zilveren bestek en het fijne porselein van Hotel Winter Palace uitmuntend was, en als een vanzelfsprekendheid werd beschouwd, stak de fonkelende beker zo af tegen de overige pracht dat Lady Almina verbaasd uitriep: 'O, meneer Carter!' Lord Carnarvon drukte zijn kin op het tafelblad om de beker zonder die aan te raken van dichtbij te bekijken.
'U maakt me nieuwsgierig,' zei hij nadat hij de gouden beker grondig bestudeerd had. 'Wat is het voor iets bijzonders?'
Howard pakte de beker vast en draaide die zo dat de kunstzinnig ingegraveerde hiëroglyfen aan de voorkant zichtbaar werden.
'En?' vroeg Carnarvon.
'Neb-cheperoe-Re. De troonnaam van farao Toetanchamon.'
'Ik heb nog nooit gehoord van die farao.'
'Dat verbaast me niet, mylord. Het is heus geen gebrek aan algemene ontwikkeling. Toetanchamon is namelijk een vergeten farao. Ik laat in het midden waarom dat zo is. Of waarom hij mogelijk vergeten moest worden. In elk geval heeft hij als koning van Egypte geregeerd. Anders had hij die troonnaam niet gekregen.'
'Wanneer leefde die vergeten farao?'
'Meer dan drieduizend jaar geleden.'
Carnarvon doorbrak het ingetogen stilzwijgen met de woorden: 'Waar komt deze beker vandaan?'
'Die heb ik gevonden in het Dal der Koningen.'
De lord schrok ervan. 'Gevonden? Wat bedoelt u met gevonden? Dit soort dingen liggen toch niet voor het oprapen?'
'En of, mylord. Ik zag iets glinsteren tussen de stenen en het puin. Zoals je een tien-piastermunt die iemand verloren heeft ziet blinken. Ik bukte me, schraapte wat zand en stenen weg en haalde deze beker tevoorschijn.'
'Dan gaan we precies op die plaats graven!' riep de lord zo enthou-

siast dat Lady Almina het nodig vond haar man te manen zich wat terughoudender op te stellen. Er waren al gasten die hun kant opkeken.
Howard schudde zijn hoofd. 'Nee, dat doen we niet.'
'Waarom niet, meneer Carter? We kunnen morgen al beginnen!'
'Omdat ik die beker op een plaats niet ver van de ingang van het graf van Ramses VI heb gevonden. Daar ligt het uitgegraven puin van verschillende andere faraograven. Waarschijnlijk is dit kostbare kunstobject diverse malen van de ene plaats naar de andere geschept zonder dat iemand dat gemerkt heeft.'
'Meneer Carter, wilt u daarmee zeggen...'
'... ja, dat het nog heel veel moeite gaat kosten, al dan niet aan de hand van een andere vondst, voordat we daadwerkelijk kunnen gaan graven naar het graf van de vergeten farao.'
'Hebt u een plaats op het oog?'
'Zeker, mylord. Het probleem is dat die precies tussen drie claims ligt. Daar zijn de teams van Theodore Davis, Sir Robert Mond en de Earl of Northampton bezig.'
'Zijn zij dan ook op zoek naar het graf van de vergeten farao?'
'Goeie genade, nee! In Luxor is maar één archeoloog ervan overtuigd dat die farao geleefd heeft. Dat ben ik, Howard Carter.'
Het beviel Carnarvon wel dat Carter zo vasthoudend van aard was. Niettemin vroeg hij: 'Hoe weet u zo zeker dat die Toetanchamon in het Dal der Koningen begraven is en later vergeten werd?'
Er verscheen een superieur lachje om zijn mondhoeken. Hij pakte de kleine, gouden beker op en hield die tegen het licht zodat die fonkelde als een ster aan de avondhemel. Daarna antwoordde hij: 'Mylord, we hebben de graven gevonden van alle Egyptische koningen die in de annalen van de geschiedenis zijn opgetekend. Er ontbreekt echter één naam: Toetanchamon. Ik denk niet dat hij zomaar van de aardbodem verdwenen is. Deze beker is het eerste spoor dat naar hem leidt.'
'O, wat opwindend,' zei Lady Almina. Ze maande haar man om zijn eten niet koud te laten worden.
Na het dessert bestelde Carnarvon champagne. Samen met zijn vrouw en Howard hief hij het glas en zei met een feestelijke ondertoon: 'Op ons project. Op Toetanchamon!'
Carter stak de gouden beker naar hem uit. Carnarvon begreep wat hij wilde en schonk er champagne in. 'Op Toetanchamon!' riep Howard overmoedig, waarna hij de beker in enkele teugen leegde. Daarna stopte hij het kostbare kunstobject weer in zijn jaszak.
Carnarvon schraapte verlegen zijn keel. 'Meneer Carter, mag ik u wat

vragen?' begon hij omstandig. 'Zou u die beker aan mij willen verkopen? Ik geef u er vijfhonderd pond voor.'
Vijfhonderd pond was een hoop geld. Toch schudde Howard zijn hoofd. 'Mylord, deze beker is niet te koop!'

De lord en Howard Carter merkten niet dat ze de hele avond geobserveerd werden door twee mannen die aan een tafeltje aan de zijkant achter een palm zaten. Het waren Robert Spink en Emil Brugsch. Zeer geïnteresseerd volgden ze alles wat zich tussen Carnarvon en Howard afspeelde. George, een corrupte Engelse ober die zich ook ogenschijnlijk liefdevol om de kleine Evelyn had bekommerd, had opdracht gekregen om alles wat de lord en zijn archeoloog tegen elkaar zeiden te onthouden.

In het Dal der Koningen waren zo veel archeologen bezig dat de arbeiders van de verschillende teams elkaar voor de voeten liepen. Daarom gaf Howard er de voorkeur aan om voorlopig in Deir el-Bahari te graven, waar hij al een tijd geleden verschillende grondtrechters had ontdekt. Sir Robert Mond en de Earl of Northampton wilden in de herfst het werk staken. Carnarvon en Howard hadden afgesproken dat ze dan in het Dal der Koningen op zoek zouden gaan naar het graf van Toetanchamon.
De samenwerking met de lord verliep vanaf de eerste dag niet van een leien dakje. Carnarvon had namelijk geen geduld. En ongeduld was de doodsvijand van iedere archeoloog. Het ging hem allemaal veel te traag. De bescheiden ontdekkingen in de eerste weken nam hij niet serieus. Hij noemde het 'rommel' en zei dat hij thuis op Highclere Castle véél en véél mooiere kunstobjecten in zijn verzameling had.
De lord was ook eigenzinnig, waardoor hij zich overal mee bemoeide. Zelfs de aanstelling van de arbeiders nam hij voor zijn rekening, hoewel hij geen woord Arabisch sprak. Bovendien nam hij meer arbeiders aan dan Howard nodig had. Het gevolg was dat hij ze uitschold zodra ze aan het lanterfanten waren. Na drie maanden twijfelde Howard voor het eerst of hij het nog lang zou uithouden bij die excentriekeling.
Na een vermoeiende werkdag stond Howard onder de douche, een gieter die hij voor zijn huis had opgehangen. Uit het niets dook plotseling Elisabeth Spink op. Ze had een hoofddoek om zoals vrouwen dat gewoon waren om zich te beschermen tegen de hitte. Haastig bedekte Howard zijn kruis met een handdoek.
'Het spijt me dat ik zomaar kom binnenvallen.' Elisabeth maakte de hoofddoek los.

'Geeft niet,' zei Howard. 'Hopelijk heb ik jou niet laten schrikken. Ik heb je lang niet gezien. Hoe gaat het met je, Elisabeth? Of moet ik nu mevrouw Spink zeggen?' Hij stokte.

Het linkeroog van Elisabeth was bloeddoorlopen. Haar hele gezicht was opgezwollen. Ze vocht tegen haar tranen.

'Goeie genade, wat is er gebeurd? Vertel op, Elisabeth!'

Ze wendde haar hoofd af omdat ze zich plotseling schaamde. De moed zonk haar in de schoenen.

Hij greep haar bij de schouders vast en zei kalm: 'Voor de draad ermee, Elisabeth. Wie heeft jou zo toegetakeld?' Even later voegde hij eraan toe: 'Spink?'

Elisabeth boog haar hoofd. Opeens flapte ze eruit: 'Ik ben met een monster getrouwd! Sinds we hier wonen, is hij totaal veranderd. Hij drinkt zich suf en is alleen geïnteresseerd in seks en geld. Ik moet lijdzaam toezien hoe hij met andere vrouwen flikflooit. En omdat de pompenfabriek niet voldoende omzet draait, houdt hij zich met duistere zaakjes bezig. Hij handelt in alles wat geld opbrengt. Vooral opium en antiquiteiten. Als Hamdi-Bey, de politiechef, niet een van zijn trouwe maatjes was, zou hij nu allang achter de tralies zitten. Hij duldt geen kritiek en slaat me als ik het ergens niet mee eens ben. Hoe heb ik ooit met die kerel kunnen trouwen?'

Hoewel Howard halfbloot voor haar stond, nam hij haar toch in zijn armen. 'We maken allemaal fouten die we achteraf betreuren.' Hij streelde haar rug. 'Het is niet bedoeld als troost, maar ik ken Spink langer dan jij. Hij is niet veranderd en zal ook nooit veranderen. Wat ga je nu doen?'

Zachtjes maakte ze zich los uit zijn omarming, waarna hij zich aankleedde.

Ze haalde haar schouders op en zei na een tijdje: 'Ik heb daar nog niet over nagedacht. Zal ik in Egypte blijven? Of kan ik beter teruggaan naar Engeland? Met die man wil ik in elk geval niet verder.'

Heel lang staarde Howard in haar donkere, verdrietige ogen. Ze flonkerden niet meer. Het waren bijna de ogen van een dode. Het deed pijn om haar zo te moeten zien lijden. 'Verwacht alsjeblieft niet dat ik je raad geef, Elisabeth. Als het om relaties gaat, ben je bij mij aan het verkeerde adres. En in de liefde heb ik geen geluk. Daarom ben ik een kluizenaar geworden. Of dacht je dat een man als ik vrijwillig de woestijn intrekt? Het Dal der Koningen is een oord voor eenlingen.'

Elisabeth probeerde vriendelijk te kijken. 'Je doet of het altijd zo moet blijven, Howard. Je bent heus nog niet te oud om een nieuw leven te beginnen.'

Howard glimlachte gekunsteld en riep: 'Ik heb geen andere keus, Elisabeth. Ik heb niet veel geleerd in mijn leven. Als er ergens kansen voor mij liggen, dan moet ik die hier zoeken en nergens anders.'
'Ik wil alleen zeggen...'
'We hebben nu wel wat anders aan ons hoofd. Het gaat nu niet om mijn toekomst maar om die van jou.'
Elisabeth leunde tegen de houten omheining die het huis omringde, staarde naar de rivier en dacht na. 'Ik hou van dit land,' zei ze in gedachten verzonken. 'Egypte is mijn tweede thuisland geworden. Toch is het misschien beter dat ik terugga naar Londen. Ik neem de beste advocaat in de arm om me uit de klauwen van dat monster te bevrijden.'
In de daaropvolgende periode ontmoetten Howard en Elisabeth elkaar bijna dagelijks. Om niet op te vallen kozen ze telkens een andere ontmoetingsplaats. Elisabeth bloeide geleidelijk op. Ook haar ogen kregen de flonkering van vroeger terug.
Howard vroeg zich af of hij haar wel moest laten gaan. Maar hoe langer hij daarover nadacht, hoe meer hij zich realiseerde dat Elisabeth in Luxor geen toekomst had. Spink zou haar ongetwijfeld blijven pesten, vernederen en uitbuiten. En Howard moest dan machteloos toezien.
Hij kende Spink sinds zijn vroege jeugd. Eigenlijk had hij kunnen weten dat Spink zijn vrouw zou laten schaduwen, dat hij inmiddels op de hoogte was van de geheime ontmoetingsplaatsen en dat hij daaruit, zoals verwacht, de verkeerde conclusies trok.
Op een dag wachtte Elisabeth in zijn woning in Dra aboe el-Naga op zijn thuiskomst. Spink naderde met drie kerels die vastberaden uit hun ogen keken. Achter een nabijgelegen zandduin gingen ze op de loer liggen. Er stak een storm op, zoals zo vaak in dit jaargetijde, waardoor het opgewaaide zand en stof het zicht beperkten.
Howard liet niet lang op zich wachten. Als een fata morgana dook hij met zijn muildier op in de zandstorm en liep naar binnen, waar Elisabeth ongerust op hem wachtte. Het fijne zand drong door de kieren en spleten het huis in en maakte griezelige geluiden. Elisabeth zocht bescherming in de armen van Howard. Opeens ging de deur met geweld open.
Aanvankelijk dacht Howard dat de storm daarvan de oorzaak was. Prompt zag hij vier vermomde mannen. Voordat hij goed en wel wist wat er aan de hand was, kwamen twee van hen op hem af terwijl de andere twee mannen Elisabeth onder handen namen. Ze krijste, schopte en sloeg om zich heen. Dat was het laatste wat

Howard zag en hoorde, want op hetzelfde moment verkocht iemand hem een venijnige klap tegen zijn hoofd en zakte hij bewusteloos op de grond.
De zandstorm ging net zo snel liggen als die was opgestoken. Toen Howard weer bij bewustzijn kwam, hing er een lugubere stilte in het dal. Zijn hoofd deed verschrikkelijk zeer, het zand knarste tussen zijn tanden en hij had een verdoofd gevoel in zijn handen, alsof ze verdord waren. De deur stond halfopen, een zandduin had zich in zijn huis opgehoopt. De eenvoudige inrichting was vernield.
Geleidelijk kwam de herinnering terug. Howard ging rechtop zitten. Aan zijn arm kleefde geronnen bloed. Nadat hij zich in deze chaos met veel moeite georiënteerd had, drong het langzaam tot hem door dat niet de zandstorm maar de overvallers zijn huis verwoest hadden. Van Elisabeth ontbrak elk spoor.
De gouden beker van Toetanchamon! Howard moest er opeens aan denken. Hij krabbelde overeind en strompelde naar de muurnis waarin hij het kostbare kunstobject had opgeborgen. De beker was verdwenen. Howard was ervan overtuigd dat Spink achter deze aanslag zat. Nu hij deze overval zelf praktisch zonder kleerscheuren overleefd had, maakte hij zich vooral zorgen over Elisabeth. Sinds ze haar martelaarschap aan hem had opgebiecht, voelde hij zich om een onverklaarbare reden verantwoordelijk voor haar.
Hij had bijna een week niks meer van Sayyed gehoord en was dan ook opgelucht toen de jongen hem opzocht terwijl hij aan het werk was in Deir el-Bahari.
'Verdomme, waar heb jij uitgehangen!' Howard klonk boos. 'Je bent er nooit als ik je nodig heb! Als ik dood was, zou je het in de krant lezen.'
Sayyed keek de *effendi* met een onderzoekende blik aan en vroeg zich af of hij voor de gek werd gehouden. Plotseling zag hij aan de ernstige trek op zijn gezicht dat er iets was voorgevallen. 'Wat is er gebeurd, Carter-*effendi?*' vroeg hij. 'Ik ben weggebleven omdat ik u niet wilde storen met onbelangrijke dingetjes.'
'Onbelangrijke dingetjes?' riep Howard verontwaardigd. 'Ik ben thuis door vier mannen overvallen en beroofd. Mevrouw Spink was op dat moment bij mij op bezoek en werd ontvoerd.'
'Ontvoerd, Carter-*effendi?* Dat is onmogelijk. Ik weet zeker... Allah is mijn getuige... dat ik mevrouw Spink vanochtend haar ochtendwandelingetje heb zien maken. De mooie dame passeerde het Winter Palace, liep het kantoor van Thomas Cook binnen en wandelde even later verder over de Nijlpromenade.'

'Weet je zeker dat het mevrouw Spink was?' zei Howard. Het klonk nerveus.
Sayyed wierp zijn hoofd in zijn nek en legde zijn armen over elkaar. 'Is dat een belediging, Carter-*effendi?* Sayyed kent de mooie dames in Luxor. En mevrouw Spink is heel mooi. Maar dat hoef ik u niet te vertellen.'
Howard nam Sayyed – hij was in de loop der jaren bijna even groot geworden als de archeoloog – terzijde. Wat hij hem te vertellen had, mocht verder niemand weten. 'Mevrouw Spink wordt slecht behandeld door haar man. Ze wil scheiden en naar Engeland vluchten. Ik moet weten wat ze uitvoert, hoor je?'
'Geen probleem, Carter-*effendi!*' antwoordde Sayyed. Prompt rende hij het dal in, met een stofwolk in zijn kielzog, als een woestijnvos die op de vlucht is voor jagers.
Het schemerde al terwijl Howard zijn huis aan het repareren was. Sayyed kwam opeens even hard aangerend als hij vertrokken was. 'Carter-*effendi!*' riep hij van ver. Hij zwaaide met een papier dat hij in zijn hand hield. 'Een bericht van mevrouw Spink.'
Howard nam het velletje papier aan en las: *Howard, ik hoop dat het goed met je gaat. Ik vertrek met de nachttrein naar Caïro. Daarna reis ik naar Alexandrië waar ik aan boord ga van het stoomschip* Sudan *met bestemming Napels. Hopelijk gaat alles volgens plan. Kom je afscheid van me nemen op het station? Liefs, Elisabeth.*
Nadenkend wreef Howard over zijn kin, waarna hij vroeg: 'Hoe laat vertrekt de nachttrein naar Caïro, Sayyed?'
Sayyed trok zijn wenkbrauwen op, alsof hij een belangrijke mededeling ging doen. 'Dat hangt er maar helemaal vanaf!' antwoordde hij slim. 'Volgens de dienstregeling hoort de trein om tien minuten over tien te vertrekken. Maar ja, er kan zoveel gebeuren. Je wenst jezelf ook een fijne dag, hoewel je weet wat er allemaal mis kan gaan. Het komt zelden voor dat de nachttrein vóór elf uur vertrekt. Meneer Zaki Rakis, de stationschef, zegt altijd dat haastige spoed zelden goed is.'
Verdrietig gestemd begaf Howard zich die avond naar Luxor. Niet eens de veerman, die hij al jaren kende en altijd wel iets vrolijks zong, kon hem opmonteren. In de bloemenwinkel bij het Winter Palace kocht hij een bosje jasmijn dat hij beschaamd onder zijn jas wegstopte.
Hij gaf er de voorkeur aan om door de zij-ingang het station binnen te lopen, waar de bagage van de passagiers verzameld werd. Daar wist hij zeker dat zijn aankomst niet werd opgemerkt. Hij stond onder een ijzeren afdak waar hij een goed overzicht had op wat er

gebeurde. In tegenstelling tot wat Sayyed gezegd had, arriveerde de trein – met restaurant- en slaapwagon – punctueel op tijd. Niemand leek echter haast te hebben. De machinist, stewards, kruiers en conducteurs wisselden eerst nieuwtjes uit. Toen de grote wijzer van de stationsklok allang de vertrektijd gepasseerd was, liepen de eerste passagiers hun coupés in.

Opgewonden stond hij op de uitkijk of hij Elisabeth zag. Natuurlijk had hij zich afgevraagd hoe ze het voor elkaar zou krijgen om ongemerkt af te reizen. Aangezien hij de omstandigheden niet kende, restte hem niets anders dan alle reizigers die op het perron stonden goed te observeren. Hij moest er immers rekening mee houden dat Elisabeth zich vermomd had. Maar hij kon haar niet ontdekken in de menigte.

Uiteindelijk nam hij het besluit om dan maar op het perron heen en weer te gaan lopen, voor iedereen zichtbaar, waarbij hij zijn blik voortdurend langs de coupéraampjes liet glijden. Hij keek naar de stationsklok. Het was bijna elf uur. Op hetzelfde moment verscheen de stationschef, die van geen haast wilde weten, in een rood uniform en met een megafoon in de hand naast de trein en kondigde het vertrek aan. Omdat zijn zangerige stem zo onverstaanbaar was als het ochtendgebed van de muezzin kon je eigenlijk alleen maar raden dat hij dat omriep omdat de vertrektijd allang overschreden was.

Wanhopig moest Howard toezien hoe de trein zich in beweging zette en in noordelijke richting door de duisternis werd opgeslokt. Ongetwijfeld was er onverwacht iets voorgevallen. Hij kon in elk geval niets anders bedenken. Dus ging hij terug naar Dra aboe el-Naga. Tijdens de overtocht naar de andere oever wierp hij het bosje jasmijn in de Nijl.

Twee dagen later kwam Sayyed met een bericht van Elisabeth. Haar vluchtplan was verijdeld. Spink had het paspoort en het reisgeld van haar afgenomen. Ze was vertwijfeld en wist niet wat ze moest doen. Howard staarde naar het haastig geschreven briefje. Daarna keek hij Sayyed met een onderzoekende blik aan en vroeg: 'Hoe heeft mevrouw Spink jou dit briefje kunnen toestoppen? Ongetwijfeld wordt ze nu intensiever in de gaten gehouden dan ooit!'

'Daar kunt u zeker van zijn, Carter-*effendi*. Ik heb medelijden met de arme mevrouw Spink. Ze drukte me op het hart om u te waarschuwen voor Spink-*effendi*. Hij heeft alleen maar kwaad in de zin. Iedereen is bang voor hem. De bedienden doen alles wat hij zegt uit angst dat ze geslagen worden terwijl ze mevrouw Spink veel aardiger vinden. Er is maar één persoon die zich dicht bij de mooie dame ophoudt... mijn broer Suleiman.'

'Is je broer bediende bij Spink?'
Sayyed knikte nogal onverschillig, alsof het om iets vanzelfsprekends ging. Met een knipoog voegde hij eraan toe: 'Fijn als je veel broers hebt, hè?'
Lord Carnarvon had een suite op de begane grond van Hotel Winter Palace. Lady Almina en hun dochter Evelyn waren een tijd geleden afgereisd en inmiddels in Engeland gearriveerd. Op een dag verscheen in het hotel een Europees geklede Egyptenaar met een fez op. Hij wilde Lord Carnarvon spreken over een belangrijke aangelegenheid. Zijn naam was niet van belang.
De lord reageerde normaal nooit op dat soort onbeleefdheden. Maar nu was hij zo nieuwsgierig dat hij de vreemdeling in de hotellobby ontmoette.
'Wie bent u?' vroeg de lord. Hij bekeek de man van top tot teen. De deftige, donkere kleding kon niet verhullen dat hij met een dubieus persoon te maken had. De onbekende hoorde bij het soort met wie je liever niets te maken had. Dat zag je meteen, ze hoefden niet eens iets te zeggen. Zijn zwarte haar glom van de brillantine en er zat roos in zijn donkere baard. Het pak dat hij aanhad, zag er van dichtbij groezelig uit en glansde vettig.
Carnarvon wilde zich al omdraaien en weggaan. De vreemdeling negeerde zijn vraag en zei: 'Ik heb vernomen dat u antiquiteiten verzamelt, mylord. En dat het rendement van uw opgravingen niet bepaald fameus is.'
De lord aarzelde. 'Nou en?'
'Ik heb iets heel moois te koop, sir. De kroon op elke kunstverzameling. Maar misschien kunnen we ons eerst naar een rustiger plekje begeven waar niemand ons gesprek kan horen.'
Carnarvon knikte en maakte een uitnodigend gebaar naar de zithoek bij de trap naar de galerij. Ze namen plaats.
'Waar gaat het om?' vroeg de lord.
'Een vaas met een gouden deksel. 1ste Dynastie. Een van de oudste kunstobjecten die ooit in Egypte zijn gevonden.'
'Ik wil het meteen zien!'
'*Insjallah,*' zei de vreemdeling. 'Onder bepaalde voorwaarden.'
'En die zijn?'
'Driehonderd Britse pond. Bovendien moet u zich geblinddoekt naar een geheime plaats en weer terug laten brengen. Ik garandeer uw veiligheid, sir. U hebt mijn woord.'
Lord Carnarvon was altijd in voor een avontuur. Op zijn reizen om de wereld had hij wel gevaarlijkere dingen gedaan en meegemaakt. In elk geval vreesde hij de dood noch de duivel. Zonder aarzeling be-

gaf hij zich achter de receptiebalie naar de kluiskamer, liet driehonderd pond uit zijn kluis halen en liep het hotel uit, waar de Egyptenaar op hem wachtte. Ze stapten in een gesloten koets die voor de colonnade stond.
'Excuseer,' zei de vreemdeling terwijl hij Carnarvon blinddoekte. 'Dit is voor uw eigen veiligheid. Als het kunstobject u niet tot tevredenheid stemt, breng ik u weer terug en hebben we elkaar nooit ontmoet.'
Dat klonk bijna plechtig. De koets kwam in beweging.
Na een ritje van tien minuten kreeg de lord de indruk dat de koets rondjes aan het rijden was. Typische geluiden hoorde hij telkens opnieuw. Ongeduldig vroeg Carnarvon: 'Hé, mister, is het nog ver? Ik kan u toch wel vertrouwen?'
Hij hoorde de vreemdeling lachen. De man zat tegenover hem op het bankje. 'Waar moet het heen met de wereld als boeven elkaar niet meer kunnen vertrouwen?'
In Engeland zou hij een man die hem een boef noemde uitgedaagd hebben tot een duel. Maar in Egypte was alles anders. 'Porchy' lachte. Hij moest dit doorstaan. Dit was zijn kans om een kostbaar Egyptisch kunstwerk uit vervlogen tijden te verwerven.
Plotseling kwam de koets tot stilstand. De vreemdeling hielp hem voorzichtig met uitstappen en leidde hem over vier traptreden een huis in naar een lege kamer waar stemmen weerkaatsten tegen de muren. De blinddoek werd afgedaan.
De kamer was witgekalkt. In het midden ervan stond een houten tafel. Een gloeilamp hing aan het plafond en scheen op een vaas van geelgroen albast. Een vaas van zestig centimeter groot, gedecoreerd met hiëroglyfen en voorzien van godenafbeeldingen met langgerekte gezichten. Het halfronde deksel was van goud. Gehypnotiseerd staarde Carnarvon ernaar. Nog nooit had hij zo'n mooi kunstobject gezien. Met een achterbaks grijnslachje, en met de armen over elkaar, observeerde de vreemdeling de gretige blikken van de lord. 'En? Heb ik te veel beloofd?' vroeg hij uiteindelijk. Hij pakte de vaas met beide handen op en hield het kunstobject tegen het licht. Het albast glansde fel, alsof er in de vaas een vlam flakkerde.
'Driehonderd pond?' vroeg de lord onzeker, alsof hij bang was dat de vreemdeling de prijs inmiddels had verhoogd.
De man knikte en zei geen woord.
Haastig peuterde Carnarvon het geld uit zijn zak en gaf het aan de onbekende.
'Dan is de vaas nu van u, mylord.' De man overhandigde het kostbare kunstwerk aan hem.

Alleen verzamelaars van het slag tot wie Lord Carnarvon behoorde, wisten wat er op dat moment door een Engelsman heenging. Sprakeloos en ontroerd drukte hij de vaas tegen zich aan als een vader die voor het eerst zijn pasgeboren kind vasthoudt. Hij was tot tranen toe geroerd. Van opwinding kreeg hij geen woord over zijn lippen. Hij liet zijn rechterhand over het zijdeachtige albast glijden.
Hij schrok toen de vreemdeling achter zijn rug ging staan en zei: 'Het spijt me, mylord, maar ik moet u nu weer blinddoeken.'
'Porchy' liet het met zich doen zonder de kostbare vaas uit handen te geven. En zo werd hij naar buiten geleid.
Het was al laat. Op straat was weinig verkeer meer. Carnarvon interesseerde zich ook niet voor de route die de koets aflegde. Het viel hem alleen op dat de rit nu maar kort duurde. Toen de koets tot stilstand kwam, deed de vreemdeling de blinddoek af en nam met weinig woorden afscheid van hem.
Carnarvon stapte uit, waarna de koets in noordelijke richting verdween. De koele avondlucht deed hem goed. Om geen opzien te baren deed hij zijn colbertjasje uit, wikkelde de vaas erin en betrad het Winter Palace.

De volgende ochtend stuurde de lord een bode naar Deir el-Bahari. Howard werd dringend verzocht om zich naar het Winter Palace te begeven. Hij had er geen goed gevoel over terwijl hij naar Luxor ging. Hij had 'Lordy' – zo noemden de arbeiders hem inmiddels – al vijf dagen niet meer gezien. Bovendien liet hij steeds vaker verstek gaan op de archeologische sites. Het leek of Carnarvon geen zin meer had om verder te graven in Deir el-Bahari. Tijdens de overtocht op de veerboot zocht hij naar passende woorden om de lord ervan te overtuigen dat het hoe dan ook zinvol was om door te gaan tot het herfst werd en er in het Dal der Koningen gegraven kon worden.
Maar alles verliep anders. De lord was niet slechtgeluimd maar opgetogen. Even later vernam Howard wat daarvan de reden was. Carnarvon had de vaas op een tafel voor het raam van zijn hotelsuite neergezet. Het was nog ochtend. Het kostbare object fonkelde goudkleurig in de zon die er iets buitenaards aan gaf.
'Mylord!' riep Howard verbijsterd. Hij liep naar de vaas om het kunstwerk grondig te bestuderen. Na een tijdje vroeg hij: 'Mylord, hoe bent u hieraan gekomen?'
Carnarvon ging niet op die vraag in. In plaats daarvan zei hij: 'Ik wil graag van u weten, meneer Carter, of dit kunstobject echt is of dat ik in de luren ben gelegd.'
'U vraagt aan mij of die vaas echt is?' Howard lachte gekunsteld. 'Die

vraag is niet aan de orde. Niet bij dit kunstobject. Hoe moet je dit staaltje ambacht überhaupt vervalsen? Weet u wel wat u in handen hebt gekregen? Dit is een van de oudste kunstobjecten die ooit door de mens vervaardigd zijn. Vermoedelijk uit de 1ste dynastie, dus bijna vijfduizend jaar oud. Het is niet te koop, mylord!'
'Ik heb er driehonderd pond voor betaald,' zei de lord op een verwaande toon. 'Dus vraag ik me in alle ernst af of het werk aan de andere kant van de Nijl wel lonend is. Al jaren geef ik een veelvoud daarvan uit. Wat u tot nu boven de grond hebt gekregen is, met alle respect, niet bepaald om over naar huis te schrijven. Begrijp me niet verkeerd, meneer Carter. Mijn kritiek is niet gericht tegen u persoonlijk of tegen het werk dat u verzet. Ik vraag me alleen af of ik uw kennis en vaardigheden niet beter kan benutten door u op de zwarte markt op zoek te laten gaan naar dit soort kunstobjecten. Dat is een stuk goedkoper en u krijgt geen vuile handen.'
Howard Carter werd lijkbleek. Als aan de grond genageld staarde hij Carnarvon sprakeloos aan.
'Het spijt me, ik heb u niet willen krenken,' zei Carnarvon toen hij zag wat hij had aangericht. 'Natuurlijk verandert er niets in uw salariëring. Wat vindt u van mijn voorstel?'
Howard slikte. 'Van wie hebt u die vaas gekocht?' stamelde hij zachtjes.
'Van een Egyptenaar. Hij noemde zijn naam niet en deed zeer geheimzinnig. Maar dat is verder niet belangrijk.'
'En of dat belangrijk is!' riep Howard uit. Zijn stem sloeg over. 'Dit kunstobject is namelijk een maand geleden uit het Egyptisch Museum in Caïro gestolen en wordt sindsdien door de politie gezocht.'
'Is dat een grapje, Carter?' stotterde de lord.
'Nee.'
'Weet u zeker dat het om dezelfde vaas gaat?'
'Absoluut zeker. Maspero zei laatst dat hij vreest dat het kunstobject nooit meer opduikt. Volgens hem is het simpelweg te bekend om er een koper voor te vinden. Alleen een idioot neemt het risico om er een grote som geld voor neer te tellen. Alsof je de Mona Lisa steelt en aanbiedt op de zwarte markt. Dat zegt Maspero.'
Carnarvon liep naar het aanrecht. Er stonden flessen en glazen. Hij vulde een whiskyglas voor de helft en goot het goedje meteen door zijn keel. Daarna begon hij te lachen. Hij schaterde het uit. Er kwam geen eind aan en het klonk afschuwelijk.
'Ik wil me niet opdringen, maar misschien is het toch beter om aan de andere kant van de rivier verder te graven,' zei Howard nadat de lord gekalmeerd was.

Carnarvon dacht twee dagen na wat hij moest doen om gezichtsverlies te voorkomen. Daarna schreef hij Gaston Maspero, de directeur van het Oudheidkundig Bestuurscollege, een brief waarin hij uitlegde dat hij het kostbare kunstobject had afgekocht van geldzuchtige zwarthandelaren uit de antiekwereld.

23

Midden mei was het verdriet over de dood van koning Edward VII wat minder geworden en gaf Theodore Davis een groot feest in Hotel Luxor. Doorgaans verlieten archeologen de plek waar ze gewerkt hadden zo stil als ze gekomen waren. Maar Davis was nu eenmaal een avonturier en niet zozeer een archeoloog. Bovenal was hij een rijke Amerikaan die graag in het middelpunt van de belangstelling stond. Daarom overtrof dat afscheidsfeest alle feesten die ooit in Luxor gehouden waren.

De balzaal van het hotel was versierd met Egyptische artefacten zoals eens de operapremière van Verdi's *Aïda* in Caïro van oudheden voorzien was. Niemand wist of het originele stukken waren of dat het om vervalsingen ging. Sfinxen, levensgrote beelden, godenafbeeldingen en reliëfs aan de muren – het was er allemaal. Compleet met een schaars gekleed damesorkestje dat tafelmuziek speelde zoals dat op de wandschilderingen in de grafkamers aan de andere kant van de Nijl te zien was.

Theodore Davis had zich als farao verkleed. Ondanks het feit dat hij al op leeftijd was, had hij een kort gewaad aangetrokken. Om zijn blote armen pronkten gouden armbanden, en een goudkleurig met blauw gestreepte hoofddoek verhulde zijn dunne, grijze haar. Voornaam en afstandelijk vertoonde zijn vrouw zich als koningin Nefertete in een lang, golvend gewaad.

De high society van Luxor was uitgenodigd. Verder alle archeologen die tussen Caïro en Aswan werkzaam waren, Amerikanen en Europeanen. Natuurlijk ook Lord Carnarvon en Howard Carter. Pakweg tweehonderd feestelijk geklede gasten waren aanwezig.

Kort voor het aflopen van zijn graafvergunning ontdekte Davis onverwacht een prachtige grafkamer, alsof hij de finale van zijn verblijf in Egypte zelf in scène had gezet. Het was geen faraograf, maar nog altijd de laatste rustplaats van de schoonouders van Amenophis III. Kostbare grafgiften ontbraken niet. Amerikaanse kranten, waaronder zelfs de *New York Times,* hadden er een hoofdartikel aan gewijd.

Een oude deftige dame, net als Queen Victoria gekleed in zwart flu-

weel en voorzien van een haarsluiertje, trok alle blikken naar zich toe. Davis koesterde zich in de glans van haar aanwezigheid. Ze had in het Winter Palace onder de naam gravin van Pierrefonds haar intrek genomen. Al snel deed het gerucht de ronde dat zich achter die merkwaardige titel niemand minder dan Eugenie verborg, de laatste keizerin van het Franse volk.
De verkleedpartij van de Amerikaan beviel haar wel. 'Waarom hebt u mij niet verteld dat u gekostumeerd zou verschijnen, meneer Davis? Ik had me dan als mummie verkleed,' zei ze op haar eigen kordate wijze, en in het Engels met een Franse tongval.
Davis onderdrukte een lachje en antwoordde: 'Maar Hoogheid, gelet op uw voorkomen en uiterlijk zou dat een schande zijn.'
De oude dame zwaaide met haar zwarte stok die versierd was met een zilveren knop. 'Meneer Davis, op mijn leeftijd zijn complimenten al gauw pijnlijk,' zei ze. 'U kunt die beter voor u houden!'
De Amerikaan was op zijn nummer gezet en begon snel over wat anders. 'Bent u voor het eerst in Luxor, Hoogheid?'
'Nee. Meer dan veertig jaar geleden was ik aanwezig bij de opening van het Suezkanaal. Ik heb toen een reis gemaakt door Boven-Egypte. Dat waren nog eens tijden! Ik voer toen met mijn jacht *L'Aigle* naar Egypte. Het meest imposante schip van het Middellandse Zeegebied. Tegenwoordig mag ik al blij zijn dat ik kan boeken op een lijnstoomschip. Maar ja, zo gaat dat in het leven.'
Opeens zag ze een elegante heer met grijze slapen en een nikkelen brilletje op dat aan weerszijden voorzien was van leren flapjes als bescherming tegen verblinding. Eugenie boog haar hoofd naar Theodore Davis en vroeg zachtjes: 'Is dat niet dokter Munthe? Axel Munthe?'
'O, hebt u hem al eens ontmoet, Hoogheid?'
'Nee, ik heb nog niet dat genoegen gehad. Maar ik heb veel over hem gehoord. Hij heeft lang in Parijs gewoond. En als je in ballingschap leeft, interesseer je je voor alles wat er in het vaderland gebeurt. Naar men zegt is hij een fantastische arts en komt hij bij de Zweedse koninklijke familie over de vloer. Vooral vrouwen lopen met hem weg, alsof hij net als Jezus wonderen kan verrichten.'
De man die zo veel lof ten deel viel, droeg een jacquet alsof hij ermee op de wereld was gekomen. Hij was het gewend omringd te zijn met vrouwen. Zo ook op dit feest. Toevallig, zo leek het, ving hij de blik van de ex-keizerin en hij boog als groet bescheiden zijn hoofd. Davis maakte een uitnodigend gebaar om bij hen te komen staan. Daar was Munthe meteen voor in.

'Wat voert u naar deze contreien, dokter Munthe?' vroeg de oude dame nadat Davis haar zijn voorname gast had voorgesteld.
Het was een ongewone vraag. Maar het antwoord van Munthe overtrof het ongebruikelijke karakter ervan in alle opzichten. 'Ik ben op zoek naar een Egyptische sfinx van rood graniet die in de loggia van mijn toekomstige huis moet komen te staan. Ik heb een bescheiden stukje grond gevonden waarop ik mijn zomerverblijf laat bouwen en een teruggetrokken leven kan leiden onder eenvoudige, ongeschoolde mensen. Ik heb wat dat betreft niet meer nodig dan een gewitte kamer met een hard bed, een dennenhouten tafel, enkele stoelen, een piano, vogelgekwetter uit de vrije natuur en in de verte het ruisen van de zee.'
'Nu moet u me toch eens vertellen waarom u zo wilt gaan leven, dokter Munthe. U hebt als notabele immers lang in Parijs gewoond. Hertoginnen en markiezinnen hebben u om medisch advies gevraagd. En hebt u niet ook enkele Russische grootvorsten en de hertog van Aumale van de ischias afgeholpen? Nu hoor ik van u dat u zich wilt terugtrekken op het platteland. Waarom als ik vragen mag?'
'Ik heb dat onnatuurlijke leven in de grote stad altijd verschrikkelijk gevonden en wil niet langer mijn tijd verdoen in een sfeer van ziekte en verval. Ik hoef van mezelf niet langer high society-arts te zijn. Ik ben zo bang dat ik dan eindig als mijn vriend Guy de Maupassant. Nee, madame, ik laat mijn eigen tusculum bouwen.'
'Waar ligt dat indrukwekkende, maar bescheiden stukje grond, zoals u dat noemt?'
'Op Capri, madame. Op Anacapri, om precies te zijn. Hoog in de bergen met uitzicht op de Golf van Napels. Aldaar, honderden meters loodrecht boven de zee, zal een sfinx van rood graniet over me waken. Ik wil graag dat u me een handje helpt, meneer Davis. Ik verlaat Egypte pas als ik een sfinx heb.'
Davis schudde langzaam zijn hoofd. 'Ik vrees dat u bij mij aan het verkeerde adres bent. Verder raad ik u aan om niet al te veel ruchtbaarheid te geven aan uw wens. De tijd dat je in Egypte alles kon kopen, is definitief voorbij. Ook de kunstobjecten die u hier ziet, zijn geregistreerd en niet te koop.'
Toevallig kwam op dat moment Howard hun kant op gelopen. 'Misschien kan hij u helpen,' zei Davis tegen Munthe. 'Howard Carter geniet een uitstekende naam als archeoloog en heeft zijn halve leven in Egypte doorgebracht. Hoe lang woont u eigenlijk al in Egypte, meneer Carter?'
Howard ging bij het groepje staan, groette iedereen beleefd en zei:

'Twintig jaar, meneer Davis. Maar twintig jaar in Egypte staat gelijk aan vijftig jaar in Europa. Geloof me, ik weet waar ik het over heb, het is niet overdreven.'
'Dit is dokter Munthe,' zei Davis zonder eromheen te draaien. 'Hij is een vermaard arts en zoekt een sfinx van rood graniet. Misschien kunt u hem helpen.'
'Ik?' riep Carter verontwaardigd. 'Hoe komt u op dat idee?'
Verlegen haalde Davis zijn schouders op.
'Ik ben archeoloog en geen zwarthandelaar, meneer Davis,' zei Howard toen. 'Dat hoort u eigenlijk te weten!' Hij draaide zich om en verdween tussen de andere gasten.
'Hij is soms nogal kortaangebonden,' zei de Amerikaan terwijl hij Howard nakeek. 'Ik heb lang genoeg met hem samengewerkt en weet dus waar ik het over heb.'
Howard liep naar het terras. Met gespeelde onverschilligheid keek hij rond of hij Elisabeth zag. Hij had een tijdje niets meer van haar gehoord en was ervan overtuigd dat Spink op dit soorten feesten aanwezig wilde zijn. Plotseling trok iemand aan zijn mouw. 'Meneer Carter?'
Het was Arthur Weigall. 'U mag Davis niet erg, hè?' zei hij.
'Inderdaad,' antwoordde Howard kortaf.
'Ik ook niet,' zei Weigall. 'Ik ervaar het als een straf van God om voor een Amerikaan te werken. Je kunt het vergelijken met de tien Egyptische plagen waar je in de Bijbel over leest.'
Howard was verbaasd. 'Dat u het dan zo lang bij hem hebt uitgehouden?'
'U weet zelf hoe dat gaat als je geld nodig hebt,' opperde Weigall. 'Nu ben ik blij dat alles achter de rug is en ik terug kan gaan naar Engeland. En u? Hoelang wilt u hier nog blijven werken?'
'Tja, hoelang,' zei Howard. Het klonk geërgerd, alsof hij zich nog nooit met die vraag had beziggehouden. 'Hoelang,' herhaalde hij afwezig. 'Ik denk tot ik de vondst van mijn leven heb gedaan. Dat zit nou eenmaal in mijn hoofd, het wil er niet uit.'
'Wat beschouwt u als de vondst van uw leven, meneer Carter?'
'Ergens in die steenwoestijn zal ik het graf van Toetanchamon vinden! En ik zal de eerste zijn die na ruim drieduizend jaar zijn grafkamer binnenloopt!'
Weigall keek ernstig voor zich uit, alsof hij een innerlijke strijd voerde en iets van zich af wilde schudden. Daarna zei hij zachtjes: 'Ik ga u nu iets vertellen wat eigenlijk geheim moet blijven. Davis heeft Ayrton en mij laten beloven om er geen woord over los te laten. Maar als iemand het recht heeft om te weten wat er gebeurd is, dan bent u het wel, meneer Carter.'

Howard keek Weigall met een onderzoekende blik aan. Hield die man hem voor de gek? 'Vertel op, wat is er aan de hand?' vroeg hij toen hij de serieuze trek op diens gezicht zag.
Schichtig keek Weigall om zich heen, krabde vervolgens aan zijn neus en zei: 'Davis heeft het graf van Toetanchamon al ontdekt. In elk geval is hij daarvan overtuigd. Dat is ook de reden waarom hij ermee ophoudt en teruggaat naar Amerika.'
Alsof iemand hem een mokerslag verkocht. Heel even was hij van de wereld, dacht hij dat hij flauwviel. Toen hij enigszins bekomen was van het nieuws, terwijl Weigall hem van zich afhield omdat Howard zich aan hem vastklampte, riep hij hard: 'Dat is onzin! Zeg dat het niet waar is!'
'Hou op, Meneer Carter, maak niet zo'n ophef! Ik zal u alles uitleggen!'
Howard was niet te kalmeren. 'Heeft hij de farao gevonden of niet?'
Toen begon Weigall te vertellen. 'Begin dit jaar ontdekten we in het Dal der Koningen een klein grafgewelf. Eigenlijk was het niet meer dan een schacht zonder decoraties of inscripties. De kamer bevond zich acht meter onder de grond en was tot aan het plafond gevuld met slik dat in de loop der eeuwen als gevolg van grondwater werd aangevoerd. We voerden de gedroogde slik af en hebben bovengronds alles wekenlang zitten zeven. We vonden alleen delen van een kastje dat gedecoreerd was met verschillende goudplaatjes. Op twee ervan stonden de naamringen van Toetanchamon en zijn vrouw Anchesenamon.'
'Dat zegt nog helemaal niks!' riep Howard opgewonden.
'Een paar dagen later ontdekten we op enkele passen ervandaan een groeve met kleikruiken, gedroogde bloemen, guirlandes en een stuk of wat zakjes met natron,' vervolgde Weigall. 'In die kruiken zat slechts puin. Alleen maar puin. Maar een van die kruiken was in een doek gewikkeld waarop de naam Toetanchamon stond, en een datum... "jaar 6". In die kruik vonden we kostbare sieraden van goud, waaronder ringen en armbanden met ingelegd email, gepolijste spiegels en zalfdoosjes van blauwe faience. Davis twijfelde toen niet meer. Volgens hem was dat grafgewelf de laatste rustplaats geweest van Toetanchamon. Het was leeggeroofd. Het was zo veel dat de grafrovers datgene wat ze niet konden dragen achterlieten in de groeve om het misschien later op te halen.'
Howard vouwde zijn handen en zei met een meelijwekkende trek op zijn gezicht: 'Zo, dat beweert dus onze schrandere meneer Davis. Als ik me goed herinner heeft hij in de koperbusiness gezeten, hè? Schoenmaker blijf bij je leest, zou ik zeggen! Denkt hij echt dat

hij het graf van Toetanchamon heeft gevonden? Laat me niet lachen! Waarom moet zijn ontdekking geheim blijven terwijl hij toch zo zeker is van zijn zaak?'
'Dat zal ik u vertellen. Theodore Davis wilde de sieraden per se in zijn eigen collectie hebben. Dus moest hij de vondst wel verzwijgen, ook al ging het om het graf van Toetanchamon.'
'Wat een fantast! Maar het zal hem niet lukken die goudschat het land uit te smokkelen!'
'Dan moet ik u teleurstellen, meneer Carter. Het is hem namelijk al gelukt. Davis heeft de kostbaarheden in zijn hutkoffers gestopt. Alles is al naar New York verscheept.'
'En met die kerel heb ik jarenlang samengewerkt!' Howard schudde zijn hoofd. 'Soms krijg ik de indruk dat ik te fatsoenlijk ben voor dit vak. Gelooft u ook dat het om het graf van de vergeten farao gaat?'
Weigall trok een gezicht alsof hij het vervelend vond om op die vraag antwoord te geven. 'Om eerlijk te zijn was ik er aanvankelijk ook van overtuigd dat we de laatste rustplaats van Toetanchamon hadden ontdekt. We vonden immers enkele grafgiften waarop zijn naam stond. Maar hoe langer ik erover nadacht, hoe meer ik ging twijfelen. Natuurlijk kun je ervan uitgaan dat het om een absoluut onbelangrijke farao gaat. Om die reden heeft hij ook een bescheiden graf gekregen, zonder veel verfraaiingen, decoraties of grafgiften. Maar de kostbare sieraden die we aantroffen, spreken dat tegen, meneer Carter. Ik heb nog nooit zoiets schitterends gezien.'
'Hoe zag de sarcofaag eruit? Was die kunstzinnig vervaardigd of nogal slordig zonder dat er veel eisen aan waren gesteld?'
'Een sarcofaag? Er was geen sarcofaag. Nee, de schacht zou te klein zijn geweest om er een sarcofaag te plaatsen.'
'Dan hebben jullie ook geen faraograf ontdekt, meneer Weigall. In het oude Egypte werden alle farao's in een sarcofaag gelegd. Grafrovers zouden die altijd achtergelaten hebben, ongeacht of ze de mummie meenamen of niet. Nee, ondanks de vondst van Davis blijf ik ervan overtuigd dat het graf van Toetanchamon nog niet ontdekt is.'
Met een vluchtige handdruk nam Howard afscheid van hem en verdween in het donkere hotelpark waar hij op een bankje ging zitten en naar de kruinen van de knoestige bomen keek waarvan de silhouetten donker afstaken tegen de nachtblauwe lucht. Hij huilde en vroeg zich af wat daarvan de reden was. Waarschijnlijk omdat hij kwaad was dat iemand anders hem de roem van die ontdekking wilde ontnemen. Hij vond immers dat alleen hem die roem toekwam.

Plotseling werd hij gegrepen door een soort opwinding. Hij liet zijn verbeeldingskracht de vrije loop. In gedachten zag hij een stoet arbeiders. Ze passeerden hem met kruiken en allerlei kostbaarheden. Halfnaakte tamboers dicteerden het ritme van hun tred. Davis sloeg dat tafereel gade onder een parasol terwijl hij in een gouden stoel zat die door de arbeiders uit een grafkamer was gehaald. Edelmoedig wuifde hij naar de menigte die hem toejuichte alsof hij een farao was. Onder de jubelende mensen herkende Howard zichzelf, terwijl hij Davis toch het liefst de nek om zou draaien.
Toen hij wakker schrok uit die beklemmende nachtmerrie bekroop hem een onverklaarbare angst. Hij voelde zich bespied. Met wijdopen ogen staarde hij in de duisternis en luisterde naar elk geruis. Uiteindelijk haastte hij zich terug naar het fel verlichte terras. Onverwacht dook hij op uit de duisternis, wat alom verwondering opwekte.
Hij dacht dat hij langzaam gek werd. Dat hij zijn verstand aan het verliezen was. En dat allemaal vanwege die verdomde onbekende farao van wie zelfs schrandere lui beweerden dat hij nooit geleefd had! Terwijl hij de grootste moeite deed dit gedoe op een rationele manier te bagatelliseren, waarbij hij zichzelf inprentte dat het leven meer was dan alleen de ontdekking van een verdroogde, onooglijke en onbelangrijke mummie, ervoer hij ook de drang om die geheimzinnige persoon uit vervlogen tijden beter te leren kennen. Alleen al van de naam – Amon is volmaakt – ging een magische kracht uit die hij niet kon verklaren. Sterk maar onzichtbaar trok die kracht hem aan als een magneet.
Howard was in verwarring gebracht door het gesprek dat hij met Weigall had gehad. Hij wilde Davis niet meer zien en verdween als een dief in de nacht. Bij de ingang van de balzaal liep hij Lord Carnarvon tegen het lijf. De lord was in gezelschap van twee dames in feestelijke japonnen.
'Mylord, morgen gaan we graven in het Dal der Koningen,' zei Howard in het voorbijgaan en met een doodernstig gezicht. 'Ik heb de stem van de farao gehoord!'
De twee dames keken de lord vragend aan. Carnarvon trok zijn mondhoeken naar beneden en haalde zijn schouders op. 'Meneer Carter komt soms wat merkwaardig over,' mompelde hij. 'Volgens mij zit hij al veel te lang in die woestijn.'

De volgende ochtend was het Dal der Koningen gehuld in een broeierig, nevelig licht. De stofwolken waren al van ver te zien. Driehonderd mannen stonden in een rij en overhandigden elkaar manden vol

stenen en puin tot in het dal. Hier en daar werd gezongen. Het was bedoeld om de arbeiders te motiveren, maar daar was het gezang eigenlijk te monotoon en slaapverwekkend voor.
Op een zandheuvel zat Howard Carter in een stoel onder een okerkleurige parasol, precies zoals hij gisteravond in gedachten Davis had zien zitten. Met een megafoon riep hij de arbeiders toe: 'Dieper, verdomme! Jullie moeten dieper graven! Veel dieper!'
'Carter-*effendi!*' riep raïs Ali Hussein uit de grondtrechter naar boven. 'Carter-*effendi*, we zitten al op negen meter diepte. Veel los zand. De wanden kunnen elk moment instorten. Mijn mannen hebben een gezin. Ze willen niet dieper meer gaan, het wordt te gevaarlijk.'
'Voor de laatste keer... dieper! Zeg tegen jouw arbeiders dat iedereen die te laf is om dieper te graven meteen naar huis kan gaan. Maar ze hoeven dan niet meer bij mij aan te kloppen voor werk. Zeg dat maar tegen ze!'
Na een korte discussie ging iedereen weer aan de slag. Vertwijfeld groeven ze door.
'We gaan tot tien meter diep,' riep Howard bezeten. 'Eerder verlaat niemand die groeve.'
Toen Lord Carnarvon tegen de middag in het Dal der Koningen arriveerde, ging hij verbaasd voor de enorme grondtrechter staan die door Carter en zijn arbeiders gegraven was.
'Waarom was u gisteravond zo snel vertrokken?' vroeg hij, terwijl hij om zich heen keek of hij iets bijzonders zag liggen.
'Het was mijn feest toch niet? Waarom zou ik mijn tijd moeten uitdienen op een feestje van Davis, de kopermagnaat!' antwoordde Howard kil.
Carnarvon begreep de zinspeling van Howard niet en zei: 'Had u het niet naar uw zin? Er liepen veel interessante mensen rond.'
'Allemaal lui die ik niet ken, wat moet ik met ze?' zei Howard stuurs. Hij wees naar de diepe grondtrechter. 'De enige voor wie ik me interesseer ligt daar begraven. Of daar. Of wat verderop. Of misschien nog een eind verder. Maakt niet uit. Hij ligt hier ergens en ik zal hem vinden ook.'
Lord Carnarvon nam zijn hoed af en veegde met een zakdoek over zijn voorhoofd. 'Hoeveel grondtrechters wilt u maken, meneer Carter?'
'Een stuk of tien, twintig, weet ik veel. Zo veel als er nodig zijn om Toetanchamon te vinden.'
'En als u dan nog steeds geen spoor van hem gevonden hebt, meneer Carter?'
Howard deed enkele stappen in zijn richting en riep opgewonden:

'Mylord, ik voel gewoon dat hij hier ergens ligt. Voelt u de nabijheid van de farao ook?' Theatraal strekte hij zijn armen uit, alsof hij wilde vliegen. Hij verloor zijn evenwicht en struikelde, waarbij hij over de rand van de grondtrechter stapte. Nog voordat hij het in de gaten had, begon het zand onder zijn voeten te schuiven, snel en massaal als een lawine. Hij schreeuwde, sloeg om zich heen als iemand die verdrinkt. Vertwijfeld probeerde hij te voorkomen dat hij naar beneden viel. Maar door zijn heftige bewegingen versnelde hij de instorting van de krater en werd hij als in een draaikolk de diepte in gezogen. Plotseling werd het donker om hem heen en kreeg hij het gevoel dat hij vastzat in vloeibaar beton. Zijn laatste heldere gedachte was: Farao, waarom wil je me doden?
De panamahoed markeerde de plaats waar Howard in het zand verdwenen was. De raïs en enkele arbeiders die het ruisende geluid van de instortende krater hadden gehoord, begonnen koortsachtig met manden het puinzand weg te scheppen. Al na enkele minuten hadden ze een arm te pakken. Even later verscheen Howards hoofd dat onder het zand zat. Ali Hussein boog zich naar hem toe en gaf liefkozende tikjes op zijn wangen. 'Carter-*effendi!* Carter-*effendi!*' riep hij hard. Daarna draaide hij zich om naar de arbeiders. 'Water! Haal water!'
Uit een kleikruik goot de raïs wat water over het gezicht van Carter. De andere mannen hadden hem al tot aan zijn heupen uitgegraven. Versuft opende Howard zijn ogen en zei zachtjes: 'Ik was heel dicht bij hem.'
Het was een wonder dat Howard niets aan het ongeluk had overgehouden. Hij ging daarna ook niet voorzichtiger te werk. De volgende dag liet hij op nog geen steenworp afstand van dat gat opnieuw een grondtrechter graven van tien meter diep. Ook ditmaal ontdekte hij geen spoor van de vergeten farao. De daaropvolgende dag was van hetzelfde laken een pak. En ook de dagen erna.
Nadat er drie maanden lang gewerkt was, leek het Dal der Koningen op een kraterlandschap en waande je je op de maan. De arbeiders begonnen te morren. Ze moesten doorwerken, maar zagen daar het nut niet meer van in. In tegenstelling tot de andere archeologen gaf Howard er de voorkeur aan om op plaatsen te graven die door anderen als uitzichtloos werden bestempeld. Hij werd met de dag zwijgzamer en meer gesloten. Er kwam geen vriendelijk woord meer over zijn lippen. Arbeiders werden in groepjes ontslagen. Haat en afgunst maakte zich meester van het Dal der Koningen. Men haatte de meedogenloze archeoloog en was afgunstig op de mannen die hun werk behielden en goed betaald werden.

In november was het al vroeg donker. Het jaargetijde van de ondraaglijk lange avonden, ver weg van het stadskabaal. Op een dag keerde Howard tijdens het invallen van de schemering terug naar Dra aboe el-Naga. Van ver zag hij de donkere rookzuil die dreigend oprees boven de woestijn. Ongeduldig trok hij aan de teugel van Sir Henry om hem aan te sporen in draf te gaan. Toen hij de plaats bereikt had waar de onverharde weg om een zandduin liep, stokte de adem in zijn keel. Zijn huis stond in brand. Bijna huiveringwekkend mooi likten gele en rode vlammen uit het houten dak. De gloeiende spanten maakten een kreunend geluid en zakten uiteindelijk met veel kabaal in.

Gehypnotiseerd staarde Howard naar de brand. Hij wist dat er niets meer te redden viel.

Spink! Die naam schoot opeens door hem heen. Naarmate de vlammen hoger reikten, werd hij steeds woedender op zijn vijand. Ongetwijfeld kwam deze gemene streek uit de koker van Spink!

Kalm, bijna onverschillig, steeg hij van zijn muildier af, ging op de grond zitten en staarde naar het spookachtige schouwspel. Wat heb ik te verliezen, dacht hij terwijl hij plotseling besefte wat voor een armzalig leven hij tot nu toe geleid had. Opeens begon hij hard te lachen. Hij schaterde het uit terwijl hij naar het brandende huis keek. Proestend, terwijl hij bijna geen adem kreeg, rolde hij door het zand. Zelfs het luide geknetter van het vuur werd overstemd door zijn sardonische geschater.

Later kon hij zich niet meer herinneren hoe lang hij in de greep van deze catalepsie was geweest. Op zeker moment herkende hij bezorgde gezichten in het schijnsel van het vuur. De inwoners van Koerna en Dra aboe el-Naga, aan deze kant van de Nijl, waren snel ter plekke. Maar omdat er tot op een kilometer afstand geen water was, kon er geen poging worden ondernomen om het vuur te blussen.

Van zijn huis bleef niets over. Toen hij de volgende dag doelloos door de smeulende as strompelde, kreeg hij de indruk dat hij in zijn verleden aan het woelen was. Van zijn koffer, die hij al twintig jaar bij zich had, was slechts een jammerlijk geraamte overgebleven. Daarin lag een verwrongen fotolijst die als zodanig vrijwel onherkenbaar was geworden. Van de foto was niets meer overgebleven.

Politiechef Hamdi-Bey kwam met twee assistenten de oorzaak van de brand onderzoeken. Maar dat onderzoek bleek zeer beperkt van omvang. Lusteloos liep hij even rond, pookte hier en daar in de as en kwam tot de conclusie dat de brandoorzaak niet te achterhalen was. Howard had niet anders verwacht. Toen Hamdi-Bey naast hem liep, zei hij op een moment dat zijn twee assistenten hem niet konden horen: 'Ik raad u aan Luxor en omgeving te verlaten, meneer Carter. U hebt te veel vijanden.'

Maar zoals zo vaak wonen geluk en ongeluk onder één dak. Lord Carnarvon was bereid om voor zijn archeoloog een nieuw bakstenen huis te laten bouwen. Howard stelde voor dat dat huis op een heuvel in Elwat el-Diban kwam te staan, pal voor de ingang van het Dal der Koningen. Tijdens de bouw, die maanden duurde, kampeerde hij in een tent bij de bouwplaats. 's Nachts kreeg hij vaak bezoek van woestijnmuizen, ratten en spinnen. Ook sliep Howard met het geweer in zijn slaapzak, en met de vinger aan de trekker.
Op een nacht die maar niet voorbij wilde gaan, werd hij gekweld door akelige dromen en wilde fantasieën. Uiteindelijk liep hij zijn tent uit om buiten op de dageraad te wachten. Bij de Nijl zag hij een flakkerend lichtje dat steeds dichterbij kwam. Met zijn geweer in de aanslag wachtte hij tot het licht zich ongeveer honderd meter van hem vandaan bevond, waarna hij riep: 'Wie is daar?'
'U hoeft niet bang te zijn, ik ben het maar, dokter Munthe!' klonk het antwoord uit de duisternis.
Toch vertrouwde Howard het niet. 'Munthe? Wat doet u hier midden in de nacht?'
'Ik wil u graag spreken, meneer Carter.'
'Daar hebt u dan wel een raar tijdstip voor uitgekozen,' zei Howard op een knorrige toon terwijl ze tegenover elkaar stonden.
Dokter Munthe had een slappe, vilten hoed op en een pelerinejas aan. Zelfverzekerd antwoordde hij: 'Meneer Carter, u staat bekend als iemand die vroeg opstaat. En ik slaap elke nacht niet meer dan drie uurtjes. Slapen is tijdverspilling. Bovendien is het niet nodig dat men ons samen ziet. Volgens mij vond u het vervelend en was het niet bepaald handig van mij om het op het afscheidsfeest met u over een sfinx te hebben.'
'Helemaal mee eens, dokter Munthe. Hebt u trouwens iets van uw gading gevonden?'
Munthe zette de petroleumlamp neer en schudde zijn hoofd. 'Helaas. Maar ik heb de hoop nog niet opgegeven. Uiteindelijk werd mij geadviseerd om bij ene meneer Spink aan te kloppen. Een sluwe Engelsman die mank loopt en al het mogelijke in de aanbieding heeft. Maar geen sfinx. Hij bood me vers opgegraven mummies aan. En een oude beker van goud. Maar ik kan toch geen mummie op mijn terras leggen?'
Daar hoorde Howard van op. 'Een gouden beker?'

Munthe maakte een afwerend gebaar. 'Zogenaamd uit de grafschat van een onbekende farao. Spink wilde er duizend Engelse pond voor hebben.'
Zonder iets te zeggen liep Howard zijn tent in. Eenmaal binnen riep hij: 'Drinkt u een kop thee met mij, dokter Munthe?'
'Graag,' zei de arts. Toen Howard in de tent thee zette, voegde hij eraan toe: 'Ik had niet de moed om u een bezoekje te brengen. Maar een jonge Egyptenaar die ik in Luxor tegenkwam, zei dat u de enige bent die mij verder kan helpen. Sayyed heet hij. Ik moet u de groeten doen van hem.'
Howard stapte zijn tent uit en serveerde de thee op een wankel vouwtafeltje. Twee kisten dienden als stoelen. 'Niet echt comfortabel, maar wel doelmatig,' verontschuldigde hij zich.
Munthe knikte instemmend. 'Ik benijd u om het levensdoel dat u uzelf gesteld hebt. De mens leeft van de levenstaken die hij zichzelf oplegt. Hoe eerder we beseffen dat het levenslot tussen de oren zit, hoe beter dat voor ons is. Geluk vind je alleen in jezelf.'
Genoeglijk slurpte Howard van zijn thee terwijl hij luisterde naar wat de wijze arts te vertellen had. 'En als ik het goed begrijp heeft uw levensgeluk ook alles te maken met een sfinx.'
'Ja, ook al denkt u nu misschien dat ik gek ben.'
'Geenszins, dokter Munthe. Ik heb de indruk dat die sfinx meer voor u betekent dan slechts een decoratief museumstuk. Het gaat om de vervulling van een droom. De sfinx is uw beschermgeest, een symboolfiguur in uw leven, nietwaar?'
'Precies, meneer Carter. Kunt u mij dus helpen?'
'Ik zal zien wat ik voor u kan doen. Tussen Luxor en Karnak bevond zich ooit een sfinxenallee. Een paar honderd, misschien wel duizend sfinxen die nog allemaal opgegraven moeten worden. Eentje meer of minder maakt dan niet uit. Het transport ervan zal een veel groter probleem zijn.'
'Nee, meneer Carter. Voor het vervoer is al gezorgd.'
Boven de rivier gloorde de dageraad. Munthe ging staan om afscheid te nemen.
'Spink heeft u een gouden beker willen verkopen. Heeft hij u die beker laten zien?' vroeg Howard terwijl hij de arts een hand gaf.
'Nee,' zei Munthe. 'Ik denk dat hij dat kostbare kunstobject in een kluis bewaart. Maar ik heb geen interesse. Waarom vraagt u dat?'
'Zomaar,' zei Howard. Daarna keek hij de merkwaardige bezoeker na die in de ochtendschemer verdween.

Bij het aanbreken van de dag ging Howard – met het geweer over de schouder – naar Luxor om een hartig woordje met Spink te spreken. Spink zat half aangekleed op het terras van zijn huis te ontbijten. Hij werd verzorgd door twee Arabisch geklede bedienden. De ene serveerde de gerechten terwijl de andere de teennagels van Spink knipte.

Met geweld had Howard zich toegang tot het huis verschaft. Met zijn geweerkolf had hij een bewaker, die pal voor hem ging staan en gevraagd had wat hij kwam doen, een mep gegeven. De man trok zich daarna geschrokken terug.

'Spink!' riep Howard van ver. 'Ik knal je neer, smerige klootzak die je bent. Jij hebt mijn huis in de fik gestoken en mijn gouden beker gejat!'

Spink leek niet onder de indruk van die harde woorden. Verveeld draaide hij zich om en keek de indringer grijnzend aan. 'O, leuk bezoek op dit vroege uur!' Vervolgens kreeg hij een chagrijnige trek op zijn gezicht en bitste: 'Wat moet je van me, Carter. Ik heb je niet geroepen!'

Howard haalde het geweer van zijn schouder en schreeuwde: 'Geef die beker terug, Spink. Ik weet dat je hem hebt. Vooruit, anders schiet ik dat andere been van jou ook lam!'

Prompt voelde Howard de loop van een revolver in zijn rug. Toen hij voorzichtig over zijn schouder keek, herkende hij de bewaker die hij bij de deur had weggeduwd.

'Leg dat geweer neer,' zei Spink kalm. Toen Howard dat gedaan had, gaf hij de bewaker een teken dat alles in orde was. 'Vertel me liever waar mijn vrouw is, Carter!'

Howard stokte. 'Je vrouw? Hoe moet ik dat weten? Dan had je maar beter op haar moeten letten, Spink! Ik wil weten waar mijn gouden beker is!'

'Jouw gouden beker? Ik weet niet waar je het over hebt, Carter. Dan had je er maar beter op moeten letten. Mijn vrouw is sinds gisteren verdwenen.'

'Dat verwondert me niks,' antwoordde Howard met een ondertoon vol leedvermaak. 'Ik vraag me toch al af hoe ze het zo lang bij jou heeft uitgehouden.'

'Ze heeft alleen het hoogstnoodzakelijke meegenomen. Geen papieren, geen geld. Ver kan ze niet zijn. Als jij daar de hand in hebt, dan maak ik je af, Carter. Laat dat gezegd zijn!' Zijn donkere ogen bliksemden.

Inmiddels merkte Howard dat hij door drie bewakers omsingeld was. Op enige afstand hadden ze hun posities ingenomen, met onder hun galabia een wapen. Howard voelde zich niet op zijn gemak.

Hij achtte Spink tot alles in staat. Maar zijn woede was groter dan zijn angst.
Langzaam en enigszins gebukt, alsof hij zich op zijn tegenstander wilde werpen, naderde hij Spink heel dicht terwijl hij ingehouden, zachtjes zei: 'Jij hebt dokter Munthe die beker proberen te verkopen. Hij heeft het me zelf verteld.'
Voor het eerst zag Spink er nerveus uit. Howard had dat nog nooit aan hem gemerkt. Hij knipperde vaak met zijn ogen en ademde oppervlakkig. Uiteindelijk verscheen die typische grijns op zijn gezicht. 'Munthe is een fantast,' zei hij. 'Hij weet niet waar hij het over heeft, hij leeft in een droomwereld. Net als jij, Carter.'
Howard deed enkele stappen achteruit om zijn geweer op te rapen. De bewakers op de achtergrond hielden hem scherp in de gaten. Hij draaide zich om en zei: 'Je wilt die beker dus niet teruggeven?'
'Ik kan je niet geven wat ik niet heb. Maak dat je wegkomt en val me niet lastig met jouw achterdochtige gedoe.'
Bij de deur wierp Howard hem een minachtende blik toe. 'M'n hele leven loop je me al voor de voeten, Spink. Ik had gehoopt dat ik je in Luxor van me af kon schudden. Laat ik er dit van zeggen... er is hier maar plaats voor een van ons tweeën!'
'We zullen zien wie dat is!' riep Spink hem na.

Gedurende drie dagen vond Howard geen rust. In het Dal der Koningen groeven zijn arbeiders steeds dieper terwijl hij zo nu en dan een heuvel opliep en de horizon afzocht. Naarmate de dagen verstreken, werd hij steeds ongeruster.
Op de vierde dag, tegen de middag, verscheen Sayyed eindelijk. Howard liep hem tegemoet.
'Vertel op!' riep Howard ongeduldig toen Sayyed zwijgend van zijn ezel afsteeg.
Het gezicht van de jongen klaarde op. 'Het was geen gemakkelijke klus, Carter-*effendi*. Maar uiteindelijk kwam ik het toch te weten. Mevrouw Spink is aan boord gegaan van een schip met bestemming Genua.'
'Weet je dat zeker, Sayyed?'
'Heel zeker, Carter-*effendi*. Ik heb gewacht tot het schip wegvoer. Allah is mijn getuige. Maar...'
'Ja?'
'Het was een beetje duur om een vals Brits paspoort te laten maken. Daar staat tegenover dat het van uitstekende kwaliteit is. Ali zegt dat het beter is dan het origineel.'
'Hoeveel?'

Als het om geld ging, keek Sayyed altijd trouwhartig. 'Zeventig pond... alles inbegrepen.' Het klonk veeleer vragend dan eisend. 'Zeventig pond...?' Howard zuchtte. 'Oké,' zei hij toen.

24

Op de dag dat Howard bericht kreeg dat Elisabeth in Londen gearriveerd was, stond de wereld in brand als gevolg van een Servische nationalist die twee fatale schoten had gelost op de Oostenrijkse troonopvolger en zijn vrouw. Zoals een boom die voordat hij sterft nog een keer in bloei staat, zo was ook deze zomer stralend en heet. Zelden had Egypte zo'n zomer gekend. Inmiddels ging er geen dag voorbij of op het politieke toneel pakten zich donkere wolken samen omdat overal landen elkaar de oorlog verklaarden. Oostenrijk aan Servië. Duitsland aan Rusland en Frankrijk. Engeland aan Duitsland. Frankrijk en Groot-Brittannië aan Oostenrijk. Japan aan Duitsland. En het was pas eind augustus.
Howard betrok zijn nieuwe huis op de heuvel bij Elwat el-Diban. Een paleis in de woestijn. Met in de woonkamer een koepeldak dat de ergste hitte buiten hield. En een eetkamer, een werkkamer met bibliotheek, een logeerkamer voor Lord Carnarvon en een kamer voor de bedienden. Er was zelfs aan de badkamer gedacht, hoewel die slechts bestond uit een zinken badkuip op een stenen vloer. En het water moest op de rug van een ezel over bijna een kilometer aangesleept worden. 'Kasteel Carter' noemden de inheemsen uit het nabije dorp het opvallende bouwwerk. Howard voelde zich gevleid.
'Hoe lang kan een oorlog als deze duren?' vroeg hij, toen hij laat op de avond bij Carnarvon in de koepelruimte zat.
De lord rookte een sigaret. Hij blies de rook in kleine wolkjes uit om tijd te winnen. Daarna zei hij: 'Ik waag me niet aan een voorspelling, meneer Carter. Maar ik kan me voorstellen dat het een langdurige kwestie wordt. Zowel het Duitse als het Oostenrijkse leger is voortreffelijk uitgerust. Ze beschikken over artillerie met 150-mm-houwitsers. Daarmee schieten ze vanaf het continent ons oorlogsministerie in puin, als ze willen.'
'Goeie genade!' riep Carter uit. 'En doen ze dat ook?'
'Vooropgesteld dat ze raak schieten!' Carnarvon trok een ernstig gezicht. 'In elk geval ga ik zo snel mogelijk terug naar Engeland. U blijft hier tot die ellende voorbij is, Carter. Kan ik op u rekenen?'
'Natuurlijk, mylord. Ik zal vanuit dit bastion het Dal der Koningen bewaken alsof het de Bank van Engeland is.'
De volgende dag maakte Lord Carnarvon zich gereed voor de reis.

Een niet ongevaarlijke onderneming. Italië had zich aan het begin van de wereldoorlog neutraal verklaard, maar de Middellandse Zee was eveneens bij het strijdtoneel gaan behoren.
In Egypte was het nog steeds rustig. Hoewel je dat een spookachtige rust kon noemen. Velen, vooral de Egyptenaren zelf, geloofden dat deze wereldoorlog aan hen voorbij zou gaan. Maar die hoop bleek ijdel. Het land aan weerszijden van de Nijl werd sinds geruime tijd door Groot-Brittannië geregeerd. Onofficieel heerste Lord Kitchener, de Britse consul-generaal, over Egypte. De kedive die onder de duim van de Turkse sultan zat, had niet veel te vertellen. Toen Rusland, Frankrijk en Engeland aan Turkije de oorlog hadden verklaard, werd Egypte meteen door Engeland geannexeerd. Voor een Engelsman als Howard Carter, die toch al veel vijanden had, was het in die dagen gevaarlijk om zich in de straten van Luxor te begeven.
Wat hield een oorlog werkelijk in? Howard kon zich daar geen voorstelling van maken. Oorlog beschouwde hij als een zaak tussen geuniformeerde heren met titels. Heren die onder elkaar een strijd beslechtten. Overigens haatte hij die uniformen al sinds zijn kindertijd nadat hij van zijn oudste broer Vernet met kerst blikken soldaatjes had gekregen. De figuurtjes waren al zo verweerd dat je vriend en vijand niet meer van elkaar kon onderscheiden en dus ook geen oorlogje meer kon spelen. Ook nu had hij een hartgrondige hekel aan oorlog. Hij zag er de zin niet van in wanneer wildvreemde mannen elkaar de koppen insloegen zonder daar persoonlijk voordeel van te hebben.
Daar kwam bij dat in de daaropvolgende jaren de tijd op onverklaarbare wijze trager leek te verstrijken. Precies zoals vroeger op school de dagen voordat de zomervakantie begon maar niet voorbij wilden gaan terwijl later de vakantie in een zucht om was. Howard had genoeg tijd om over dat soort dingen na te denken. Hij realiseerde zich ook waarom de weken, maanden en jaren opeens zo langzaam verstreken. Dat was te wijten aan de eenzaamheid. Die had zijn leven bijna tot stilstand gebracht.
Voor het archeologische werk waren maar een paar oude mannen uit Koerna gebleven. Samen met hen groef hij nog een aantal grondtrechters uit. Ze waren echter lang niet zo diep als de trechters die hij vóór de oorlog liet graven. Het was en bleef vergeefse moeite. De meeste jonge mannen vochten in de oorlog. Sayyed miste hij nog het meeste.
Regelmatig dempte Howard alle grondtrechters die in de loop der jaren waren gegraven. Maar voordat hij dat deed, markeerde hij de ligging en de diepte ervan nauwkeurig op een landkaart. Toen ook

die klus geklaard was, verbleef hij drie opeenvolgende dagen in het Dal der Koningen om het landschap op zich te laten inwerken. Zijn ervaring had hem niet verder geholpen. Maar misschien zou zijn intuïtie dat wel doen. Drie lange, eenzame dagen bracht hij door in het keteldal. Hij bond een natte doek om zijn hoofd en voor zijn mond en neus om zich te beschermen tegen het stof en de zon. Iedereen die hem tegen zou komen zou zich wezenloos schrikken of zich minstens afvragen of die kluizenaar in de woestijn nog helder van geest was.
Gelukkig zag niemand hem. Dat dacht hij althans. Dus vatte achter die natte hoofddoek de gedachte post dat de vergeten farao niet onder de grond zijn laatste rustplaats had gekregen, maar dat hij net als koningin Hatsjepsoet in een rotsgraf was bijgezet. Toen hij op een rode steen zat die naar boven toe een schotelvormige kom vormde, waardoor die gemaakt leek voor zijn zitvlak, zocht Howard de rotswanden af naar verdachte spleten, groeven of afzettingen. Een verrekijker bleek na een tijdje nutteloos omdat het ongewone perspectief meer verhulde dan openbaarde. Daarentegen kon hij met een opgerolde krant waar hij doorheen keek zijn blik uitstekend focussen. Op die manier had Howard na een paar uur een stuk of twintig verdachte plekken in de rotswanden ontdekt. Zorgvuldig markeerde hij elke plaats op een tekening die hij van tevoren had gemaakt. Maar hoe en waar moest hij beginnen?
Hij voelde zich beroerd bij de gedachte dat hij al die jaren samen met honderden arbeiders op een plaats had gegraven die achteraf een vergissing bleek te zijn. Hij zag al voor zich dat hij belachelijk werd gemaakt en dat alle archeologen de spot met hem dreven. Opnieuw vroeg hij zich af of het niet beter was de zoektocht eindelijk te staken omdat een blamage anders onvermijdelijk was.
Terwijl hij daarover nadacht, werd het langzaam avond. Hij ging terug naar zijn huis op de zanderige heuvel. Hoewel hij elektriciteit had, gaf hij er de voorkeur aan op tijd naar bed te gaan. Hij stond immers altijd vroeg op. Doorgaans sliep hij ook goed. Die nacht lukte dat echter niet, wat heel ongewoon was, en dutte hij pas rond een uur in. Hij had namelijk het gevoel dat iemand in de verte zijn naam riep.
Het is maar een droom, dacht hij. Hij droomde wel vaker. Opnieuw probeerde hij de slaap te vatten. Het lukte niet. In de verte hoorde hij nog steeds zijn naam roepen. In verwarring gebracht drukte hij het kussen op zijn hoofd om het hersenspinsel te smoren. Maar het hielp niet. 'Carter! Carter!' klonk het in zijn hoofd. Er kwam geen eind aan.

Hij stond op, kleedde zich snel aan en ging met de sissende carbidlamp, die een bleek licht verspreidde, naar het Dal der Koningen. Het was niet voor het eerst dat hij zijn weg zocht in het duister. Ditmaal leek alles anders. Alsof hij gedwongen werd, alsof een storm hem voortdreef, haastte hij zich in looppas over het pad zonder te weten wat hij daar midden in de nacht zocht.
Opnieuw hoorde hij ver weg iemand roepen. Dit keer luider dan voorheen. Hij verbaasde zich, want hoewel die stem luid klonk en het tegelijkertijd zo stil was dat hij zijn eigen adem kon horen, veroorzaakte de roep geen echo.
Daar waar het pad zich als een spinnenweb naar alle kanten vertakte, hield hij zijn pas in, zette de lamp op de grond en tuurde in de duisternis. Hij hoorde de stem luid en duidelijk. 'Carter! Carter!'
'Ja?' antwoordde hij aarzelend.
'Carter! Carter!'
Hij pakte zijn lamp op maar het schijnsel was te zwak om de rotswand te verlichten.
'Toetanchamon, ben jij dat?' fluisterde hij. 'Geef me een teken, Toetanchamon!'
Er gebeurde niets. Alleen een steen viel van de rotswand naar beneden en kwam met een knal op de puinhelling terecht.
Was dat een teken?
'Toetanchamon!' riep hij. Het weerkaatste tegen de rotswanden.
Het antwoord bleef uit. In de verte blafte een hond. Verder bleef het stil. Doodstil.
Met de hak van zijn schoen trok hij een streep in het zand in de richting van de plaats waar de steen op de puinhelling was gevallen. Peinzend liep hij terug naar huis.
Bij daglicht zocht hij naar de streep die hij 's nachts getrokken had. Vergeefs was hij er een hele tijd naar op zoek, terwijl hij die plaats toch kende. Hij sloot niet uit dat hij het slachtoffer was geworden van een hallucinatie. Dus nam hij zich voor om de komende nacht weer te luisteren of hij die stem hoorde.
Hij liet een nachtlamp branden. Daarmee wilde hij voorkomen dat hij in slaap viel. Soms is eenzaamheid een groot geluk, dacht hij al duttend. Maar net als geluk verwoest ook eenzaamheid de ziel zodra die de overhand krijgt.
'Carter!' Waarschijnlijk was hij ingedut, want hij schrok wakker. Opnieuw hoorde hij de stem. Ditmaal niet ver weg, maar – heel griezelig – onder de grond. 'Carter!'
In zijn pyjama liep hij naar buiten en bleef voor de deur staan. Met wijdopen ogen en open mond luisterde hij gespannen of hij iets

hoorde in de duisternis. Uiteindelijk ging hij op zijn knieën zitten, boog zich voorover en drukte zijn rechteroor, waarmee hij beter hoorde dan met zijn linker, tegen de grond. Hij dacht dat de geluidsgolven van de roep zich voortplantten in de rotsachtige grond als het zoemen in de kabels van telegraafmasten.

Toen hij de stem niet meer hoorde en het doodstil bleef, liep hij terug naar binnen en wilde gaan slapen. Eenmaal in bed, terwijl hij indommelde, schrok hij opnieuw wakker van de stem. 'Car-ter! Carter!' Ditmaal klonk het zo dichtbij alsof de roeper bij de deur stond. 'Ja?' riep hij geïntimideerd. 'Ben jij dat, farao Toetanchamon?'

Nauwelijks had hij die woorden uitgesproken of hij schrok van zichzelf. Waarom begon hij tegen Toetanchamon te praten? Was hij krankzinnig aan het worden? Hij had de afgelopen maanden inderdaad veel over Toetanchamon gelezen. Hij had theorieën opgesteld en weer verworpen. Theorieën over wie die vergeten farao was en waar hij in vervlogen tijden om welke reden begraven moest worden. Het was dus nog maar de vraag of hij zichzelf onder controle had.

Opnieuw leek het of de stem naar hem riep. In zijn pyjama en op blote voeten liep hij naar buiten, daalde de zandheuvel af en begaf zich naar het Dal der Koningen. De farao roept me, schoot het telkens door hem heen. Toetanchamon roept me.

Bij de vertakking van het pad hield hij zijn pas in, alsof hij daar ontboden was. Opnieuw luisterde hij aandachtig. Ditmaal bleef het stil terwijl hij daar minstens een uur stond. Pas toen hij het koud begon te krijgen, en het zand tussen zijn tenen hem eraan herinnerde dat hij geen schoenen en alleen een pyjama aanhad, kwam hij tot het besef van de werkelijkheid. Hij draaide zich om en liep naar huis.

De terugweg was een kwelling. Op de heenweg had hij niets gevoeld, nu deed opeens elke stap pijn. Messcherp boorden de hoekige puinstenen zich in zijn huid. Hij begreep niet waarom hij dat op de heenweg niet gemerkt had.

Toen hij eindelijk thuis was, stelde hij vast dat zijn voeten bloedden. De volgende ochtend had hij hoge koorts en kon hij zijn bed niet uit. Niet lang daarna kreeg hij het gevoel dat hij doodging en begon hij te bidden. Dat was vreemd voor een man die meer geloof hechtte aan de duivel dan aan God. Hij bad tot de farao dat die hem pas tot zich zou roepen wanneer hij eindelijk diens graf gevonden had. Hij merkte niet eens dat hij aan het verkeerde adres was.

In het algemeen wordt beweerd dat koorts de fantasie prikkelt en nachtmerries veroorzaakt. In het geval van Howard was dat echter beslist niet het geval. Want terwijl het zweet van zijn voorhoofd drupte, zijn hele lichaam klam was en zijn ademhaling in een akelig gerochel veranderde, werd zijn gedachtewereld zo helder als het water in een bergbeek. Nu hij koorts had, hoorde hij ook geen stem meer die zijn naam riep. Daardoor begon hij langzaam te twijfelen welke geestestoestand normaal was. Na zeven dagen zakte de koorts en was hij in staat zijn bed uit te komen. Toen hij weer enigszins kon lopen, begaf hij zich ondanks zijn pijnlijke voeten meteen naar het Dal der Koningen. Hij wilde naar de plaats waar hij 's nachts twee keer was geweest.

Inmiddels besefte hij dat deze gebeurtenis – het was verschillende keren voorgevallen – veeleer de vingerwijzing van een geheimzinnige macht was om juist daar naar het graf van de farao te gaan zoeken. Aan de hand van de landkaart waarop hij alle grondtrechters had ingetekend, kwam hij erachter dat onder de vertakking van het pad nog nooit iemand gegraven had.

Toen hij daar in de vroege ochtend arriveerde, deed hij een onverklaarbare ontdekking. De streep die hij in die eerste nacht met de schoen in het zand had getrokken, en die de dag erna verdwenen was, bleek er nu plotseling weer te zijn. De streep wees duidelijk in zuidwestelijke richting naar de rotswand. Toen hij in die richting keek, zag hij boven op de rotsen iemand die wegdook op het moment dat hij merkte dat Howard hem in de gaten kreeg.

Hoewel zijn voeten zeer deden, rende hij het smalle bergpad op dat aan de andere kant naar Deir el-Bahari voerde. Al wekenlang was hij hier niemand tegenkomen. Wat voerde iemand daarboven in alle vroegte uit?

Boven aangekomen sloop hij behoedzaam naar de afgrond. De gekloofde wand vormde een voortreffelijke schuilplaats voor iemand die niet gezien wilde worden. Plotseling stapte een man uit een loodrechte rotsspleet.

'Spink!' riep Howard onthutst. 'Ik dacht dat ik de duivel zag. Maar ja, jullie verschillen niet veel. Engeland is in oorlog, Spink. Hoor jij niet voor koning en vaderland te vechten?'

'Tja, wat moet ik daarop zeggen.' Spink grijnsde breed. 'Eigenlijk heb ik het aan jou te danken dat de oorlog mij bespaard is gebleven.' Hij wees naar zijn kreupele been dat er de oorzaak van was dat hij mank liep. 'En jij? Jij bent zeker te laf, hè!'

Die woorden waren voldoende om de oude vijandschap weer te laten oplaaien. Carter en Spink haatten elkaar sinds ze elkaar in Swaffham voor het eerst hadden ontmoet. Het leek voorbestemd dat er aan die haat pas een eind kwam wanneer de een de ander van kant had gemaakt. Toen ze bij de afgrond tegenover elkaar stonden, dachten ze hetzelfde. Geen van beiden durfde echter het initiatief te nemen. Als

twee gladiatoren staarden ze elkaar aan. Plotseling bekroop Howard een merkwaardige angst. Het was niet de vrees dat Spink hem de afgrond in duwde, maar dat hij Spink de diepte in smeet en een moord op zijn geweten had.
In het keteldal hoorden ze opeens iemand roepen. 'Carter-*effendi!*'
Verbluft keken de twee mannen in de diepe afgrond. Een bode naderde in looppas en zwaaide met een papier boven zijn hoofd.
Het kwam de twee gezworen vijanden goed uit dat die koerier eraan kwam. Prompt verdween de spanning van hun gezicht, hoewel ze beseften dat dit alleen maar uitstel van executie was.
'We zien elkaar nog wel een keer, Spink!' snauwde Howard. Hij draaide zich om en liep de bode tegemoet. Spink nam de andere richting naar Deir el-Bahari.
Howard dacht al dat de oorlog hem vergeten was. Nu had hij plotseling een brief van de legerleiding in zijn hand. Daarin stond dat hij zich meteen moest melden bij de militaire staf in Caïro.

De Britse legerleiding had haar intrek genomen in het deftige Savoy. Nog niet zo lang geleden bekommerde het vlijtige hotelpersoneel zich hier om het welzijn van de gasten. Nu presenteerden militairen het geweer, en in plaats van zware parfum en sigarenwalm rook het naar laarzenvet en geweerolie.
Zoals gewoonlijk had Howard een tropenpak aan, een vlinderdas om en een panamahoed op. Onder zijn arm hield hij een rijzweep vast. Hij had dat afgekeken van Lord Carnarvon.
De geüniformeerde kolonel die de registratie deed, bekeek de zonderling met half dichtgeknepen ogen. Hij noteerde de persoonlijke gegevens van Howard en vroeg vervolgens: 'Waar hebt u tot nu toe gediend, meneer Carter?'
'Gediend? Ik dien alleen farao Toetanchamon.'
De kolonel keek geërgerd. 'Zo, en aan welke kant staat die farao Toet...'
'Toetanchamon!'
'Goed... aan welke kant van de frontlijn vecht hij?'
Howard boog zich zo ver over de tafel heen dat de kolonel misnoegd achteruitdeinsde. 'Weet u, majoor, daar is nog niet zo gemakkelijk achter te komen,' zei hij zachtjes. 'De farao is namelijk niet spraakzaam. Veel geheimen omsluieren zijn persoon. Zelfs zijn afstamming is niet bekend. Zeker lijkt alleen dat hij op zijn twaalfde met een dertienjarige weduwe was getrouwd.'
'Waarom vertelt u me dat, meneer Carter?'
'U vroeg er toch naar, majoor?'

'Kolonel!'
'Maakt niet uit. In elk geval verklaar ik me bereid het vaderland te verdedigen tegen de vijand. Ik ben namelijk een patriot in hart en nieren, majoor!'
'Dan mag Groot-Brittannië zich gelukkig prijzen,' merkte de kolonel op. Hij rommelde tamelijk verstoord tussen zijn papieren die verspreid over de tafel lagen.
Op dat moment betrad een rijzige generaal in een respect afdwingend uniform – aan zijn rechterborstzak hingen ordetekens – de kamer die in betere tijden als rooksalon gediend had. Verbaasd volgde Howard het stramme begroetingsritueel van de twee mannen. Het deed hem vaag denken aan ochtendgymnastiek. Daarna wendde de generaal zich tot Howard, greep prompt naar zijn voorhoofd en zei: 'Meneer Carter, ik ben Sir John Maxwell! We hebben elkaar al eerder ontmoet!'
Carter sprong uit zijn stoel, wisselde de panamahoed van de rechterhand naar de linker en bracht een militaire groet, die echter jammerlijk mislukte. 'Sir John Maxwell van het *Egypt Exploration Fund?*' vroeg hij vol ongeloof. 'In uw uniform had ik u bijna niet herkend, sir.'
Niet zonder trots bekeek de generaal zichzelf even en streek hier en daar over de kakikleurige stof. 'Ja, zoals u ziet, meneer Carter, zorgt een uniform ervoor dat zelfs een klein mannetje als ik er belangrijk uitziet,' zei hij in een opwelling van zelfironie.
'U maakt een grapje, sir.'
John Maxwell stak afwerend een hand op. 'U wilt niet weten hoeveel zogenaamde patriotten hun uniform belangrijker vinden dan het vaderland.'
Terwijl ze over de oorlog in het algemeen en de voordelen van uniformen in het bijzonder spraken, kwam nog een geüniformeerde man de kamer binnen. Het was maarschalk Neill Malcolm, de hoogste officier van de generale staf. Malcolm had tijdens zijn veldtochten heel Afrika doorkruist en kenmerkte zich door twee karaktereigenschappen. De ene kon je verwachten van een man van zijn slag, maar de andere was nogal ongewoon voor een officier van de generale staf in dienst van Zijne Majesteit de Koning: Malcolm was uitzonderlijk dapper, maar zijn belangstelling ging ook in bijzondere mate uit naar archeologie. Als hij niet het leger was ingegaan, was hij gaan spitten, zei hij altijd.
In een mum van tijd ontstond er een levendige discussie over de uitstekende prestaties van Engelse archeologen. De vijanden, vooral de Duitsers, kwamen er in dat opzicht maar bekaaid vanaf.

Uiteindelijk richtte Neill Malcolm zich tot Carter met de vraag: 'Waar wijdt u zich momenteel aan, meneer Carter? Ik heb gehoord dat u nog steeds in opdracht van Lord Carnarvon in het Dal der Koningen werkt.'
Howard knikte verlegen. 'Mijn missie is geheim, sir,' antwoordde hij.
'Geheim?' Maxwell en Malcolm die voorheen het gesprekje tamelijk onverschillig hadden geleid, deden nu een stap naar voren. Howard voelde zich plotseling in het nauw gedreven door vijandelijke legers. Ernstig staarden ze hem aan. 'Geheim?' herhaalde Malcolm.
Als Howard vermoed had wat een eenvoudig woord als 'geheim' bij volwassen mensen teweeg kon brengen, zou hij beslist een andere term hebben gebruikt. 'Ik ben op zoek naar het graf van een vergeten farao.'
De generaal en de maarschalk keken elkaar vragend aan. 'Een vergeten farao? Hoe heet hij?'
De kolonel hielp hen uit de brand. 'Hij heet Toet...'
'Toetanchamon!' vulde Howard aan. 'Ik ben hem al jarenlang op het spoor en voel zijn nabijheid.'
'En waar denkt u hem te vinden?' Malcolm werd er opgewonden van.
Howard grijnsde listig. 'Ergens in het Dal der Koningen. De rest is geheim, zoals ik al gezegd heb.'
'Hoe geheim?' vroeg maarschalk Malcolm.
'Zo geheim dat alleen ik weet waar ik hem ongeveer moet zoeken.'
'Bent u niet bereid uw geheim prijs te geven?'
'Maarschalk, zou u bereid zijn dat te doen als u een goudschat dacht te vinden?'
'U hebt gelijk,' zei Malcolm. 'Dat geheim hoeft u niet te delen.' Hij richtte zich tot de kolonel. 'Meneer Carter wordt meteen bij het Arabisch Departement ingedeeld, afdeling Civiele Geheime Dienst.'
'Maar dat is toch...' stamelde Howard verward.
'.... de beste oplossing,' bevestigde maarschalk Malcolm. 'U draagt het geheim van een vergeten farao met zich mee. Dus bent u zeer waardevol voor de Britse Kroon. Uw inzetgebied is het Dal der Koningen.'
Het was moeilijk te zeggen wie wie in de maling nam. Hield Carter de militairen voor de gek of namen de officieren de zonderling uit Luxor in het ootje? De oorlog in Egypte was echter van een totaal andere orde dan de gruwelijke slag die geleverd werd tussen de Duitsers en de Fransen of de bombardementen op Londen door Duitse zeppelins. Natuurlijk wemelde het in Caïro van de militairen. Er waren vooral veel soldaten uit de Australische kolonie. In grote aantallen waren ze hierheen verscheept. Maar oorlogshandelingen bleven het

land aan de Nijl grotendeels bespaard. De officieren van Zijne Majesteit de Koning vochten zich hoofdzakelijk door de nachtclubs en de verboden etablissementen van willige dames heen die baden tot Allah, Isis en Osiris en alle andere mogelijke godheden dat de oorlog nog een tijdje zou duren. En die oorlog duurde best lang. Alsof de goden hun gebeden hadden verhoord.
Als geheim agent van Zijne Majesteit de Koning van Groot-Brittannië werd Howard met de modernste vuurwapens uitgerust: een karabijn, een revolver en een pistool. Die wapens maakten zijn Arabische geweer overbodig. Het kostte namelijk enige voorbereiding vooraleer je met dat vuurwapen een schot kon lossen. Howard begroef het op zijn erf.

De oorlog trok plunderende roversbendes aan, als motten naar een lamp. Ze roofden de dorpen leeg waar vrijwel geen mannen meer waren. Ook de archeologische sites lieten ze niet ongemoeid. Howard was er al aan gewend geraakt om niet zonder zijn karabijn, revolver en pistool naar het Dal der Koningen te gaan. Wanneer hij 's nachts in zijn eenzaam gelegen huis bang werd, klom hij op het dak, loste een schot in de lucht en ging daarna weer naar bed.
Aldus gingen vier jaar voorbij. Voor Howard waren het verloren jaren waarin hij vaak de wanhoop nabij was omdat zijn levensdoel steeds onbereikbaarder werd. Wanneer hij 's avonds terugkwam van zijn zwerftochten twijfelde hij of hij ooit nog succes zou boeken. Vooral vroeg hij zich af hoelang Lord Carnarvon nog bereid was archeologische werkzaamheden te financieren die tot niets leidden.
Toen de kranten voorspelden dat de oorlog niet lang meer duurde, omdat Amerika zich in de strijd gemengd had, besloot hij Lord Carnarvon een brief te schrijven waarin hij aankondigde dat hij in de 'magische driehoek – tussen de graven van Ramses II, Merenptah en Ramses VI – naar de laatste rustplaats van Toetanchamon zou gaan zoeken zodra de oorlog voorbij was. Hij was ervan overtuigd dat hij zijn pijlen op dat gebied moest richten.
Zijn bewering had meer te maken met hoop dan met overtuiging, die alleen gebaseerd was op het feit dat er in die driehoek nog niet gegraven was. Hij had nog wat geld over, maar er waren geen arbeidskrachten met wie hij de opgravingen kon voortzetten. Howard telde de dagen. De eenzaamheid werd bijna ondraaglijk. 's Nachts sliep hij slecht. Hij dutte maar wat of hij was in gesprek met zijn vergeten farao.
Op een nacht dat zwaarmoedige gedachten hem kwelden, hoorde hij klaaglijke geluiden. Zijn realiteitszin was al heel lang zoek. Hij was

nauwelijks meer in staat onderscheid te maken tussen inbeelding en werkelijkheid. Om die reden hechtte hij aanvankelijk geen belang aan het jammerende, klaaglijke geluid dat hij steeds hoorde. Toen het gejank niet ophield, en de treurigheid ervan hem door merg en been ging, stond hij op en liep naar de deur.

Uit de duisternis liep een witte poes hem tegemoet. Een merkwaardig dier dat veel groter was dan een gewone poes. Ze had rode ogen die een angstaanjagende gloed vertoonden. Wat deze poes echter zo anders maakte, was een eigenschap die Howard eigenlijk alleen kende van de muurreliëfs in de faraograven. Het dier kon rechtop staan, zoals een mens, en in die houding deed het denken aan een jonge vrouw.

Toen Howard naar de poes liep, verstomden de klaaglijke geluiden. Met grote, rode ogen keek het dier hem aan. Poezenogen duiden is onmogelijk omdat ze de mens die goede of slechte bedoelingen heeft met dezelfde uitdrukking bejegenen. Daarom schrok Howard aanvankelijk terug. Hij wist niet hoe hij zich tegenover dit merkwaardige dier moest gedragen.

'Ik ben Bastet,' hoorde hij de poes plotseling zeggen, 'de mooiste van alle godinnen op Isis na.'

Howard schrok. 'Je bent gewoon een kat, dat is alles,' riep hij onthutst. 'Wat moet je hier trouwens midden in de nacht?'

'Ik wil je leiden.'

'Waarheen dan?'

'Ik wil je dromen vervullen.'

'Ken jij mijn dromen? Je bent maar een kat.'

'In het land van de goden ben jij geen onbekende. Ze observeren je sinds je voor het eerst voet in het Dal der Koningen hebt gezet.'

'Wat weet jij over mij, Bastet?'

'Ik weet alles, Carter,' antwoordde de poes. 'Niets ontgaat de goden.'

'Dan weet je ook naar wie ik op zoek ben.'

'Natuurlijk weet ik dat. Je zoekt Toetanchamon.'

'De zoektocht duurt inmiddels al veel te lang. Bovendien weet ik niet eens of ik op het juiste spoor zit...'

De poes wreef met een poot over haar snoet en hief haar kop. 'Je bent op de goede weg, Carter. Over niet al te lange tijd zul je de farao vinden.'

Het gezicht van Howard klaarde op. 'Ik zou willen dat je gelijk had, Bastet.'

Met een vleiende stem antwoordde ze: 'Ik heb gelijk, Carter. De goden vergissen zich nooit.'

De volgende ochtend kon Howard zich nog maar vaag herinneren

wat er afgelopen nacht was voorgevallen. Het had een droom kunnen zijn, maar op zijn bed lag die grote, witte poes.
Wantrouwend bekeek hij het dier van alle kanten. De poes kon het ogenschijnlijk niet schelen, want ze kneep haar ogen dicht.
'Bastet!' zei Howard zachtjes.
De poes schrok, sprong van het bed en dook onder de tafel.
'Bastet!' herhaalde Howard, ditmaal wat harder. Hij ging voor de tafel op zijn knieën zitten. 'Heb je je tong verloren? Vannacht was je zo spraakzaam!'
De poes gaf geen kik.
Howard zat oog in oog met de poes. 'Jij bent toch de Bastet die voorspelde dat ik succes zou boeken?' vroeg hij.
De poes zweeg.
Howard was geneigd het dier weg te jagen. Katten mocht hij sowieso niet. Hij vond ze verraderlijk en onberekenbaar. Maar Bastet week niet meer van zijn zijde. Zwijgend volgde ze al zijn bewegingen. Zodra hij een voet buiten de deur zette, stond zij naast hem. Tegen wil en dank raakte hij gewend aan zijn huisgenote. Geleidelijk begon hij het vanzelfsprekend te vinden dat de grote witte poes hem gezelschap hield terwijl hij zich naar het Dal der Koningen begaf, en dat hij via de poes gesprekken met zichzelf voerde. Sinds die bewuste nacht had hij geen antwoord meer van haar gekregen. Bastet verscheen zelfs niet in zijn dromen. Daardoor vroeg hij zich af in welke relatie de poes stond tot dat nachtelijk gesprek.
Wekenlang was Bastet zijn enige aanspreekpunt. Dankzij de poes durfde hij vrijuit te praten en hoefde hij niet bang meer te zijn dat hij zijn spraak zou verliezen. Zonder dat ze hem daartoe stimuleerde, maakte hij er een gewoonte van om zijn huisdier voor te lezen uit de boeken die hij bestudeerde. Met wakkere ogen volgde ze dan zijn mimiek om uiteindelijk – meestal na een uurtje – langzaam in slaap te vallen. Aldus werd hij in de loop van enkele maanden een kattenvriend. Hij kon zich een leven zonder Bastet zelfs niet meer voorstellen.

Toen die vervloekte oorlog eindelijk voorbij was, keerden de mannen terug naar Luxor, el-Koerna en Dra Aboe el-Naga en klopten bij Howard aan om werk. Ze verwonderden zich nog het meest om zijn vreemde uiterlijk. Carter-*effendi* was op merkwaardige wijze veranderd en leek verdacht veel op Lord Carnarvon. Niet alleen kleedde hij zich als de lord, hij had ook een soortgelijke snor laten groeien en liep met een stok, hoewel dat geenszins noodzakelijk was. Van veraf zou je denken dat het Lord Carnarvon was. Bovendien had hij voort-

durend een witte poes bij zich. Een poes die bijna zo groot was als een jonge tijger en waarmee hij vaak samenspraak hield, terwijl hij toch altijd zwijgzaam van aard was. Dat maakte hem verdacht, alsof hij een spion van de vijand was.
Zoals alle oorlogen kende ook deze veel winnaars en minder verliezers. Maar bij nader inzien, en gelet op het lot van het individu, waren er alleen verliezers. Zeker, Engeland, Frankrijk en de Verenigde Staten hadden de oorlog gewonnen. Aan de verliezerskant stonden Oostenrijk-Hongarije, het Osmaanse Rijk en Duitsland. Tien miljoen doden waren geteld. Dat was de prijs die de winnaars en de verliezers moesten betalen.
Voor Egypte brak een nieuwe tijd aan. Het land was geen vazalstaat meer. Een sultan regeerde als koning en de tijd bracht het met zich mee dat de Engelsen hun protectoraat, het land aan de Nijl, moesten opgeven.
Howard interesseerde dat niet. Hij formeerde een nieuwe arbeidersploeg en ging aan de slag in de magische driehoek waar tot nu toe nog niet gegraven was. Maar waar moest hij beginnen?
Carnarvon had in de oorlog wat rondgehangen in Londen omdat zijn familielandgoed Highclere Castle als lazaret werd gebruikt. De lord kondigde aan dat hij terug zou keren naar Luxor. Voor Howard wilde dat zeggen dat hij eindelijk succesvol moest zijn. Anders liep hij het gevaar dat Carnarvon er geen zin meer in had.
Howard was meedogenloos voor zijn arbeiders. Ze groeven willekeurig – en vergeefs – nieuwe grondtrechters in de helft van de tijd die daar gewoonlijk voor stond.
Tijdens de opgravingen sloot hij zijn poes in huis op. Nu verweet hij haar dat ze valse hoop gewekt had. Hij zag de toekomst somber in.
Met raadselachtige ogen keek Bastet hem aan. Hij kon haar blik niet duiden.
'Je hebt me belogen, verdomde kat,' stamelde Howard ontstemd. 'Ik gooi je het huis uit. Je bekijkt het maar.'
'Doe dat niet!' Het had er alle schijn van dat de poes plotseling weer sprak. Maar toen hij zich omdraaide, keek Bastet hem met grote ogen aan. 'Zei je wat?' vroeg hij vol ongeloof.
Hij ging voor Bastet op zijn knieën zitten. 'Je moet begrijpen dat ik succes nodig heb. Anders is het over en sluiten. Vertel me alsjeblieft waar ik moet graven. Vertel op!'
Roerloos, als versteend, zat de grote witte poes voor hem, alsof het haar niet aanging.
Hij greep haar bij de voorpoten vast en trok haar naar zich toe, tot vlak bij zijn gezicht. Bastet rochelde nogal chagrijnig terwijl hij

riep: 'Ik weet dat je me verstaat! Goeie genade, waarom geef je geen antwoord?'
Bastet gaf geen kik. Een tijdlang staarden mens en dier elkaar aan, als twee boksers vlak voor het gevecht. Daarna gooide hij de poes woedend van zich af en schreeuwde: 'De duivel heeft je gestuurd, smerige kat! Maak dat je wegkomt en laat je hier nooit meer zien!'
Howard trok de deur open. Bastet rende naar buiten, alsof de furiën achter haar aan zaten.

25

De volgende dag ging Howard naar het station van Luxor om Lord Carnarvon af te halen. Niet alleen de sombere herfst drukte zijn stemming, ook het besef dat de lord beslist niet tevreden zou zijn met wat hij in de oorlogsjaren tijdens diens afwezigheid had gepresteerd.
Vóór de oorlog kwam je in Luxor zelden een bedelaar tegen. Op het plein voor het station verdrongen zich nu talrijke haveloos geklede mannen en vrouwen met kleine kinderen op de arm. Met hun warrige haardos staken ze bedelend een hand uit naar iedereen die hen passeerde. Howard ging altijd zeer deftig gekleed, panamahoed op, en kon de bedelaars nauwelijks van het lijf houden. Hij was immers geen onbekende in Luxor. Degenen die hem geen geld vroegen, bedelden om werk. Er heerste hongersnood en de meeste mannen waren bereid om voor één piaster per dag aan de slag te gaan.
Toen hij het station door de hoofdingang betrad, zag hij een beklagenswaardig figuur. Een aan lagerwal geraakte man, met armstompjes net onder zijn schouders. Hij was gekleed in een zak en had een mandje om de nek gebonden. Howard aarzelde en wilde er een aalmoes ingooien. Plotseling hield hij onthutst zijn pas in. Beschaamd draaide de invalide man zich half om.
'Sayyed?' vroeg Howard mat.
'Carter-*effendi*,' zei de invalide man met neergeslagen ogen.
Howard schudde zijn hoofd. Hij kreeg bijna geen adem, zo schokkend vond hij het om Sayyed in deze toestand te zien.
Sayyed haalde zijn schouders op, alsof hij zich wilde verontschuldigen voor zijn afschrikwekkende verschijning. Alsof hij om begrip vroeg. Zijn armstompjes bewoog hij naar voren, wat deed denken aan de kale vleugels van een vogelkuiken dat nog in het dons zit.
'*Mahsjallah,*' zei hij geveinsd gelijkmoedig – zoals God het wil. Het glimlachje mislukte.
Howard deed een stap opzij om uit het gedrang te zijn. 'Wat is er

gebeurd?' vroeg hij schuchter. Passende woorden vielen hem op dat moment niet te binnen.
'Een pakje met springstof!' Sayyed grijnsde verbitterd. 'Het was voor Ali bedoeld.'
'Nou en?'
'Ali gaf het aan mij om het open te maken. Hij moet iets vermoed hebben.'
'Wat een klootzak.'
Sayyed knikte en keek naar de armstompjes. 'Degenen die niks te vertellen hebben, moeten het altijd ontgelden. De grote jongens komen er altijd goed vanaf.'
'Zegt Ali.'
'Nee, Carter-*effendi*. Dat zegt Sayyed. De oorlog heeft me een stuk wijzer gemaakt. Je moet niet voortdurend achter de grote jongens aan willen lopen.'
'Ben je dus geen nationalist meer? Begrijp ik dat goed?'
'Inderdaad, Carter-*effendi*. Sayyed is een gewone Egyptenaar geworden, meer niet...' Hij kreeg een sluwe blik in zijn ogen, zoals vroeger. Daarna voegde hij eraan toe: 'Maar ook niet minder.'
Howard was aangedaan en vocht tegen zijn tranen. 'Hoe kom je nu aan de kost, Sayyed? De tijden zijn veranderd... '
'U bedoelt dat ik niet meer als kruimeldief mijn brood kan verdienen? U hoeft geen blad voor de mond te nemen, Carter-*effendi*. Zonder armen en handen is dat verdomd moeilijk. Maar ik heb nog een goed stel hersens. Misschien kom ik iemand tegen die daar wat mee kan. Mijn broers zijn er trouwens ook nog. Ze zorgen goed voor me.'
Howard dacht na. Even later zei hij: 'Jouw hersens kan ik goed gebruiken. Wil je voor mij werken?'
'Met mijn hersens?' Sayyed keek hem vol ongeloof aan.
'Met jouw hersens,' bevestigde Howard. 'Ik heb een koerier nodig. Vijf piaster per dag. Oké?'
Omdat hij Howard geen hand kon geven, bukte hij zich diep om zijn hand te kussen. Howard zag wat hij van plan was en trok zijn hand snel terug. 'Ik reken op je,' zei hij terwijl hij wegliep.
Sayyed glimlachte.

De trein uit Caïro arriveerde zoals gebruikelijk met vertraging. Howard zwaaide met zijn hoed nadat hij de lord achter het raam van de coupé had herkend.
'Welkom in Boven-Egypte, mylord,' riep hij naar Carnarvon toen die in de deuropening verscheen. Na al die jaren was de oorlog eindelijk voorbij en zag Howard hem voor het eerst weer terug. De lord was

oud geworden. Lady Almina volgde haar man en zag er daarentegen bijna jeugdig fris uit.
Toen gebeurde er iets waar Howard geen rekening mee had gehouden. Met stomheid geslagen zag hij achter de lady plotseling het gezicht van een mooi meisje. Hun dochter Evelyn.
Hoewel er tien jaar verstreken waren, herinnerde Howard zich goed dat een nog heel jong meisje op het terras van het Winter Palace zijn hand vastpakte en vroeg of hij verdrietig was. Hij had toen net vernomen dat Lord Amherst overleden was. Was dat het kleine meisje van destijds? Als hij Evelyn niet herkend had, zou haar handdruk ervoor gezorgd hebben dat hij zich haar meteen herinnerde. 'Bent u nog steeds verdrietig, meneer Carter?' begroette ze hem. Ze omhelsde hem als een goede vriend. Howard wist niet wat hem overkwam. Een weldadig, warm gevoel trok door hem heen. Een gevoel dat hij voor altijd als verloren had gewaand.
'Wat ben jij mooi,' zei Howard zo zachtjes dat haar ouders hem niet konden horen. Evelyn had kort, bruin, golvend haar. Haar gezicht met de lichte ogen en de bijna rechte wenkbrauwen en smalle lippen straalde iets aristocratisch en verzorgds uit, zoals je dat vaak zag bij vrouwen die de cover van modebladen sierden. Hij was gefascineerd. Evelyn dankte hem overmoedig voor het compliment door met haar ogen te rollen, alsof ze wilde zeggen dat hij niet moest overdrijven. 'Ik mag toch Howard zeggen?' zei ze in plaats daarvan. 'We zijn immers oude vrienden, nietwaar?'
'Natuurlijk,' stotterde hij. Hij merkte dat hij nog steeds haar hand vasthield.
Lady en Lord Carnarvon waren met hun bagage in de weer. Dus ontging hun het innige weerzien tussen Howard en Evelyn. Onder de kruiers ontstond een hevig handgemeen. Iedereen wilde zich om de bagage van de reizigers uit Engeland bekommeren en hoopte op een gulle fooi.
Onderweg naar Hotel Winter Palace – ze zaten allemaal in de koets – zat Howard naast Evelyn en tegenover Lord Carnarvon, met wie hij in een vurig gesprek verwikkeld was.
'Er is nauwelijks wat veranderd sinds de laatste keer dat ik hier was,' zei de lord terwijl de koets via de Stationsstraat de stad uit reed.
'Inderdaad,' antwoordde Howard. 'Alleen de mensen zijn veranderd. De oorlog heeft ze nog armer gemaakt. De meesten zijn blij dat ze überhaupt wat te eten hebben.'
Lord Carnarvon knikte min of meer onverschillig. 'Dan heeft de oorlog in elk geval één voordeel gebracht... goedkopere arbeidskrachten. En u, meneer Carter?'

'Wat bedoelt u?'
'Nou ja, wat hebt u in de oorlog voor Engeland gedaan?'
Howard schraapte verlegen zijn keel, wierp Evelyn een vluchtige blik toe, rechtte zijn rug en antwoordde: 'Ik ben in dienst geweest van het Arabisch Departement, de Civiele Geheime Dienst van Zijne Majesteit.'
'O, wat opwindend! Howard is een geheim agent.' Evelyn ging dichter bij hem zitten, haakte een arm achter de zijne en zei: 'Je moet ons wat over die geheime missies van jou vertellen, Howard. Heb je ook een pistool?'
Howard vond de situatie stilaan pijnlijk worden. Maar nu het toch eenmaal zover gekomen was, zei hij: 'Natuurlijk. En een revolver. En een karabijn van het modernste type. Ik mag echter geen woord loslaten over mijn geheime missies.'
Lord Carnarvon glimlachte en wendde zijn blik af terwijl Evelyn Howard vol bewondering aankeek. 'Dat zal dan wel heel gevaarlijk zijn geweest!'
Howard tuitte zijn lippen even en antwoordde: 'Ach, niet echt gevaarlijker dan mijn gewone werk in het Dal der Koningen.'
Prompt keek de lord zijn archeoloog aan. 'Schiet het op met uw werk, meneer Carter? Ik weet zeker dat u een verrassing voor ons in petto hebt, nietwaar?'
'Een verrassing?' Howard keek geërgerd. 'Wat bedoelt u, mylord?'
'Kom op, voor de draad ermee. Vermoedelijk brengt u de nacht al door in het faraograf en hebt u die ontdekking geheim gehouden.'
Howard raakte verstrikt in zijn eigen woorden. 'Wat het graf van de farao betreft... wat zal ik daarop zeggen... ik zit er wat je noemt bovenop, maar...'
'Wat krijgen we nou?' viel Carnarvon hem in de rede. 'U schrijft in uw brief dat u de precieze ligging van het graf te weten bent gekomen. Toetanchamon vinden zou nog maar een kwestie van weken of maanden zijn. Er zijn inmiddels twee jaar verstreken, meneer Carter. Twee jaar waarin ik u zeer goed betaald heb. Ik verlang van u dat ik eindelijk iets terugzie van het kapitaal dat ik door de jaren heen in deze onderneming heb gestopt.'
Terwijl Howard zich terughoudend probeerde op te stellen, schoot Lady Almina hem te hulp. 'Je mag meneer Carter geen verwijten maken, Porchy. Succes laat zich niet afdwingen. Ik ben ervan overtuigd dat hij hard gewerkt heeft. Misschien heeft die merkwaardige farao nooit bestaan. In dat geval kan meneer Carter dat graf ook niet vinden en moet jij besluiten het werk te staken.'
'Mylady, ik zal Toetanchamon ongetwijfeld vinden, neemt u dat

maar van mij aan. Onlangs heb ik 's nachts de godin Bastet met de kattenkop ontmoet. Ze was zo wit als sneeuw en had rode ogen. Zij heeft me verzekerd dat ik over niet al te lange tijd de farao zal vinden.'

Lord Carnarvon en Lady Almina wierpen elkaar veelbetekenende blikken toe terwijl de koets voor de hotelingang tot stilstand kwam.

'We zien elkaar morgen in het Dal der Koningen,' zei de lord kortaangebonden. Niet voor het eerst voelde Howard zich diep vernederd door zijn werkgever.

Op weg naar hun hotelsuite op de begane grond zei de lord: 'Het wordt hoog tijd dat Carter ermee stopt. Hij woont al veel te lang als een kluizenaar in het Dal der Koningen. Volgens mij is hij een beetje kierewiet geworden. Hebben jullie gehoord wat hij zei? Hij zou de godin Bastet met de kattenkop ontmoet hebben! Volgens mij is hij doorgedraaid...' Carnarvon veegde met een hand over zijn gezicht.

'Dat is niet fair, papa!' riep Evelyn boos. Ze stampte met een voet op de grond. 'Het is niet raar wat meneer Carter zegt. Maar als hij op een dag wel rare dingen gaat zeggen, moet vooral jij je afvragen wie daar schuld aan is.'

'Evelyn!' Lady Almina riep haar dochter tot de orde. 'Zo mag je niet tegen je vader praten. Niet op die toon!'

'Het is niet eerlijk zoals papa met meneer Carter omgaat. Hij verwijt hem dat hij doet wat hij hem heeft opgedragen. Het is zijn taak om in het Dal der Koningen naar het graf van de farao te zoeken. Volgens mij gaat papa ook raar doen als hij twintig jaar lang op dezelfde plaats graaft terwijl niemand zeker weet of die farao geleefd heeft.'

'Evelyn!' begon haar moeder opnieuw op een bestraffende toon. 'Zo praat je niet over je vader. Ik wil dat je nu je excuses maakt!'

'Het is de waarheid!' zei Evelyn woedend. 'Voor de waarheid hoef je je nooit te verontschuldigen.'

'Je maakt nu je excuses bij je vader of je gaat meteen naar je kamer.' Twee vlijtige hotelbedienden in witte galabia's en met een rode fez op hadden de hotelgasten inmiddels naar hun suite – vier vertrekken met tussendeuren – begeleid. Zonder een woord te zeggen ging Evelyn naar haar kamer en sloeg de deur met een klap achter zich dicht.

De goudkleurige avondzon scheen warm op het platte dak van zijn huis op de zanderige heuvel. Toen hij daar arriveerde, liet hij zijn blik over het dal glijden dat opeens vreemd en ongenaakbaar op hem overkwam, zoals op de eerste dag. Hij wilde ermee stoppen. In feite

had hij niets bereikt. Hij kon slechts pronken met enkele toevallige vondsten en ontdekkingen die van geen belang waren. Lord Carnarvon had niet eens ongelijk. Eigenlijk had het project in de afgelopen jaren alleen maar geld gekost.
Terwijl hij bij de deur met twee handen over het zand veegde en de huissleutel eruit haalde, die hij steeds op dezelfde plaats begroef, moest hij opeens denken aan het kleine meisje Evelyn. Aangename, tedere gevoelens overspoelden hem. Het was een tijd geleden dat dit soort gevoelens hem overmand hadden. Zoals indertijd bij Leila. Toen hij Evelyn zag, was hij in verrukking gebracht, ontroerd, vol verwachting en hoopvol.
Veel te lang had hij zijn gevoelens verstopt en zich getoond als de ambitieuze archeoloog die maar één doel kende: succes. In het besef dat hij een ongebruikelijk en voor een vrouw onacceptabel bestaan leidde, was het niet in hem opgekomen dat ook de liefde verdwenen was. Hij had geen aversie tegen vrouwen. Toch leken hartstocht en lust voor altijd verdwenen uit zijn leven.
Plotseling was daar verandering in gekomen. Toen hij Evelyn zag, kreeg hij het gevoel dat hij door de bliksem was getroffen. Haar schoonheid had zijn fantasie en zijn verlangen geprikkeld en een vloed van gevoelens en gedachten in gang gezet, zoals indertijd in Swaffham toen hij verliefd was op Sarah Jones. Net als toen was hij intens verlegen. Howard was twee keer zo oud als Evelyn. Hij had haar vader kunnen zijn. Afgezien daarvan zou hij nooit de moed kunnen opbrengen haar te tonen wat hij voor haar voelde. Howard was onzeker, wanhopig en verward.
Besluiteloos ging hij onder de koepel aan de grote tafel zitten. Een tafel waaraan hij at, schreef en werkte. Soms diende de tafel zelfs als strijkplank voor een van zijn pakken. In zijn vroegere pension in Luxor werden de kleren voor hem gewassen, maar hier in de woestijn moest hij dat zelf doen. Howard liet in gedachten de ontmoeting met Evelyn nog een keer de revue passeren. Hij probeerde zich een hint in haar gedrag te herinneren waaruit hij mocht concluderen dat zij op haar beurt meer voor hem voelde dan alleen vriendschap. Zijn teleurstelling groeide, hoezeer hij zich alle details ook voor de geest probeerde te halen. Net als de gedachte sterker postvatte dat het meisje hem gewoon als een beminnelijke zonderling beschouwde.
Howard besloot datgene te doen waarmee je schuchterheid het beste kon overwinnen. Hij schreef haar een brief. Preciezer gezegd, hij ondernam een poging daartoe, want een brief heeft doorgaans als doel dat die de geadresseerde ook daadwerkelijk bereikt.
Bijna de halve avond had hij nodig om een stuk of tien goed gefor-

muleerde zinnen op papier te zetten. Het begon al met de aanhef waar hij maar niet uitkwam. *Beste juffrouw* klonk al net zo raar als *Lieve Eve*. Na een aantal mislukte pogingen, waarbij zijn schuchterheid en moed met elkaar overhooplagen, was hij het eindelijk met zichzelf eens over een gepast compromis waarin alle liefdevolle gevoelens maar ook een zekere terughoudendheid vervat waren. Howard schreef: *Mijn kleine Eve!*

Heel lang stond de aanhef eenzaam op het witte vel papier te wachten op een vervolg. Uiteindelijk schreef hij hoezeer hij onder de indruk was van de ontmoeting van de vorige dag. Haar schoonheid had hem betoverd, zo liet hij haar weten. Als hij wat jonger was geweest, zou hij het heerlijk hebben gevonden om haar het hof te maken.

Verdiept in die mooie gedachten, met de blik op de deur gericht, deed hij plotseling een merkwaardige ontdekking. Langzaam en geluidloos ging de deur vanzelf op een kier, alsof een geest binnenkwam. Howard had niet eens tijd om bang te worden, zo onverwacht en geruisloos ging alles in zijn werk. Sprakeloos staarde hij naar de deur. Hij legde zijn pen behoedzaam weg terwijl door de kierende deuropening Bastet verscheen, de grote witte poes die hij een paar dagen geleden het huis uit had gejaagd.

Daar had hij allang spijt van omdat hij sindsdien geen aanspraak meer had. Toch had de begroeting van Howard best wat vriendelijker gekund. 'Je hebt zeker honger, hè?!'

De grote, witte poes liet zich niets gelegen liggen aan zijn woorden. Met een opgeheven, borstelige staart schreed Bastet trots door de kamer, sprong in de oorfauteuil en rolde zich op tot een pluizige bal waarna ze Howard met knipperende ogen uitdrukkingsloos aanstaarde.

'Ik weet best dat je nergens anders beter te eten krijgt.' Howard stond op en haalde iets voor haar uit de raamloze voorraadkamer. Hij at bij voorkeur alles uit blik. De conserven liet hij in kisten uit Engeland komen. Zijn voorraad omvatte ook een zak rijst, brood in blik, gedroogde erwten en bonen. Genoeg voor een halfjaar.

Hij kwam terug met een blikje haring, kiepte de inhoud ervan op een bordje en zette dat voor de stoel waar Bastet het zich gemakkelijk had gemaakt. Daarna ging hij weer aan de tafel zitten om zijn brief af te schrijven. Hij had al grote moeite om de geschikte woorden te vinden. De aanwezigheid van Bastet bracht hem nu nog meer in verwarring. Hij voelde zich geobserveerd als een student die op zijn tentamen zwoegde. Poes deed af en toe onwillekeurig haar ogen dicht. Zodra ze die weer opende, wierp ze Howard een ondoorgrondelijke blik toe.

'Eet nou van je vis. Dat blikje heb ik voor jou opengemaakt!' riep hij naar Bastet.
De poes maakte geen aanstalten.
'Daar ben je zeker te trots voor, hè? Mij best. Dan lijd je maar honger.'
Het was inmiddels middernacht geweest. Howard kon zijn ogen niet meer openhouden. De grote, witte poes had nog steeds niet van de vis gegeten. Geleidelijk verspreidde zich een onaangename, zurige stank door de kamer, zoals alleen haring die veroorzaakt. Hij was te moe om zijn brief af te schrijven. Hij vouwde het vel papier dubbel en legde het in de tafellade.
'Dan niet,' morde Howard ontstemd. Hij zette het bordje met haring buiten de deur. Maar Bastet spinde en sliep inmiddels diep.

De volgende ochtend in alle vroegte werd er op de deur geklopt. 'Carter-*effendi!* Sayyed heeft belangrijk nieuws. Carter-*effendi!*'
Slaperig deed Howard de deur open en zag Sayyed voor zich staan. Om zijn nek hing een leren tas. Sayyed maakte een uitnodigende beweging met zijn kin: Howard moest de brief eruit halen. 'Telegram uit Engeland, Carter-*effendi!* Gisteravond gekomen, maar het was al donker,' zei hij terwijl hij nog steeds op adem kwam.
'Ja, het is al goed.' Howard scheurde de enveloppe open. In het telegram liet zijn zus hem weten dat hun moeder overleden was.
'Vervelend nieuws zeker.' Sayyed keek hem nieuwsgierig aan.
Howard haalde zijn schouders op en wendde zijn blik af zonder een getroffen indruk te maken. 'Mijn moeder is overleden,' zei hij mat.
'O jee, nu is de *effendi* zeker heel verdrietig.'
'Ja, hoewel ik me altijd een betere moeder gewenst heb, Sayyed. Een moeder die me een beetje liefde zou hebben gegeven. Een moeder die me niet liet voelen dat ik als elfde kind niet meer welkom was.'
'Het spijt me, Carter-*effendi*. Als je je moeder kon uitkiezen zouden er nu moeders met duizend kinderen zijn terwijl andere vrouwen kinderloos blijven.'
Howard moest erom lachen. 'Daar zeg je wat, Sayyed.'
'Hoe oud is uw moeder geworden?'
'Vijfentachtig.'
'Je wordt alleen maar zo oud dankzij de genade van Allah, Carter-*effendi!*'
'Dat is niet altijd zo, Sayyed. Mijn moeder had voor een deel haar realiteitszin verloren. Meestal was ze in gedachten bij haar man, mijn vader. Maar hij is al bijna dertig jaar dood.'
'Ik begrijp het,' zei Sayyed meevoelend.
Howard knikte peinzend. Plotseling zei hij, alsof hij het zojuist ont-

vangen bericht prompt uit zijn gedachtewereld had verbannen: 'Je drinkt toch een kop thee met mij?'
'Graag, Carter-*effendi*. Als u mij dan helpt met drinken?'
'Dat komt wel goed.'
Terwijl hij thee zette en schapenkaas, jam en brood op de tafel zette, zei hij zonder Sayyed aan te kijken: 'Ik moet jou iets vertellen wat mij verdrietiger maakt dan het overlijden van mijn moeder. Ik stop met mijn werk in het Dal der Koningen. Ik weet niet hoe het verder moet.' Hij zuchtte.
'Dat mag niet gebeuren, Carter-*effendi*. U mag niet opgeven. U zei toch zelf steeds dat het doel binnen handbereik is?'
'Inderdaad, Sayyed. Maar ik heb me gewoon vergist. Lord Carnarvon heeft gelijk als hij beweert dat ik hem in de afgelopen vijftien jaar alleen maar geld heb gekost.'
Howard bracht het kopje thee naar de mond van Sayyed en voerde hem als een kind. 'Ik zou het fijn vinden als je voor mij een brief wilt bezorgen. Maar je mag die niet persoonlijk aan de geadresseerde overhandigen, hoor je?'
'Ik begrijp het.' Sayyed kauwde op een stukje Turks brood. 'Carter-*effendi* is verliefd.'
Howard stokte. Hij keek de jongeman met een vragende blik aan. 'Hoe weet jij dat?'
'Als ik Carter-*effendi* zo hoor praten, weet ik al hoe laat het is. Hoe heet ze, waar logeert ze?'
'Ze heet Evelyn en is de dochter van Lord Carnarvon. De familie logeert in het Winter Palace.'
Sayyed knikte. 'Komt goed. Carter-*effendi* kan op mij rekenen.'
Liefdevol, bijna teder, haalde Howard de brief uit de la, las nog een keer door wat hij vannacht op papier had gezet en zette er zijn handtekening onder. Daarna deed hij de brief in een enveloppe en stopte die in de leren borstzak van Sayyed.
Nadat Sayyed vertrokken was, arriveerde Lord Carnarvon te paard. De lord was vol lof over het huis, dat hij maar één keer gezien had, en zei daarna meteen: 'Jammer dat we in de toekomst niet meer onder een dak kunnen wonen. Zoals ik gisteren al min of meer liet doorschemeren...'
'U hoeft er niet over uit te weiden, mylord. Ik neem het u zelfs niet kwalijk dat u geen zin meer hebt in dit project. Ik word nu eenmaal door pech op de hielen gezeten.'
'Ik ook, meneer Carter. In mijn planning heb ik geen rekening gehouden met de gevolgen van de oorlog. Hoewel Engeland gewonnen heeft, staat de toekomst van het land er niet bepaald rooskleurig

voor! De Engelse pond devalueert, we gaan een torenhoge inflatie tegemoet en het kost handenvol geld om het personeel van Highclere Castle aan het werk te houden. Tot nu toe heb ik meer dan vijftigduizend pond aan het project Toetanchamon uitgegeven. Vijftigduizend pond, meneer Carter! Stelt u zich eens voor wat ik met dat geld zoal had kunnen doen.'

Howard zweeg beschaamd. Hij schaamde zich hoewel hij het geld van de lord niet verkwist of anderszins lichtzinnig had uitgegeven. Kennelijk had hij in een luchtkasteel geloofd, dat was alles. Geloven betekent dat je ergens je hoop op vestigt. Howards wereld, die hoop als basis had, was als een kaartenhuis in elkaar gezakt.

'Daarom vraag ik u om uw werk met onmiddellijke ingang te staken,' vervolgde Carnarvon. 'De financiële afhandeling regel ik met de bankvestiging in Luxor.'

Nauwelijks was de lord uitgesproken of er vloog een schaduw door de kamer, gevolgd door een afgrijselijk gesis. Carnarvon, die beslist niet bang was uitgevallen, schrok er hevig van en vroeg verbouwereerd: 'Hebt u spoken in huis, meneer Carter?'

Howard keek naar de deur waar de schaduw achter verdwenen was. 'Dat was Bastet, mijn huisgodin. Kennelijk ergert ze zich verschrikkelijk aan wat u gezegd hebt. Zo gedraagt ze zich nooit, ze is heel vreedzaam van aard.'

'Zo, uw huisgodin,' zei Lord Carnarvon onzeker. Hij keek eveneens naar de deur. 'Met alle respect, meneer Carter, maar ik kan me voorstellen dat een langer verblijf in Engeland u goed zal doen.'

Howard stak zijn handen in de lucht en riep nerveus: 'Alsjeblieft niet! Engeland is mijn land niet meer. Hier woon ik, en hier zal ik sterven. Ik kom heus wel aan de kost, mylord!'

Lord Carnarvon trok zijn neus op voor zo weinig vaderlandsliefde. 'Meneer Carter, Engels onderdaan zijn is een genade zoals een adellijke titel van Zijne Majesteit de Koning dat is. Iedere Engelsman is alleen al door zijn afkomst geadeld. U zou zich van dat feit bewust moeten zijn.'

Howard haalde zijn schouders op en zei onverschillig: 'Goed, als u dat vindt, mylord. Maar wat heb ik aan een adellijke titel als ik niet weet waar ik van moet leven? Ik heb liever mijn buikje rond dan een adellijke titel.'

Lord Carnarvon sprong op. De boosheid over hetgeen Howard had gezegd, was van zijn gezicht te lezen. Hij wilde antwoord geven, hem terechtwijzen, maar hij gaf er opeens de voorkeur aan om er geen woord aan vuil te maken. Zwijgend stonden de twee mannen tegenover elkaar: de lord die geen tegenspraak duldde, al hele-

maal niet van iemand voor wiens levensonderhoud hij al vijftien jaar gezorgd had, en Howard die trots en waardig vasthield aan zijn mening.
Eindelijk doorbrak de lord het pijnlijke stilzwijgen en zei: 'Goed, alles is gezegd en afgehandeld, meneer Carter. Het beste ermee.'
Ontstemd en met een minachtende uitdrukking op het gezicht keek hij hoe de lord zijn paard besteeg en wegreed. Daarna draaide hij zich om en staarde naar het Dal der Koningen. Een vervloekt, gortdroog gebied vol kloven en spleten. Een landstreek die zijn lot had bepaald. Hij wist dat hij zich daar zijn hele verdere leven niet aan kon onttrekken.
Tegen de middag zag hij ver weg twee gestalten het dal naderen. Hij herkende Sayyed aan zijn trotse tred. Naast hem liep Evelyn. Hij had haar over het bergpad geleid om maar niet gezien te worden. Het bergpad dat naar Deir el-Bahari voerde. Toen Evelyn van ver naar hem zwaaide, liep Howard het tweetal tegemoet.
Howard en Evelyn omhelsden elkaar onstuimig. Sayyed trok zich verlegen terug en ging ongemerkt zijns weegs.
Opnieuw overmande dat heerlijke, verliefde gevoel hem, zoals altijd zodra Evelyn hem aanraakte. Zojuist was hij nog zwaarmoedig en radeloos. Nu was hij zijn hachelijke situatie vergeten, zelfs de minachting die hij kort daarvoor nog jegens de lord ervoer.
'Howard,' stamelde Evelyn. Ze stond op haar tenen, nam zijn hoofd tussen haar handen en kuste hem. 'Wat een mooie brief heb je mij geschreven. Ik hou van je, Howard!'
Hij werd nog rustelozer door de vanzelfsprekendheid waarmee ze dat zei. Toen ze hem losliet, zag hij naast haar een vogelkooi staan waarin een kleine, gele kanarie die onrustig rondfladderde achter het traliewerk.
'Die heb ik voor je meegebracht,' zei Evelyn lachend. 'Met dat goedleerse vogeltje voel je je beslist niet meer zo eenzaam. Je moet haar wel nog een naam geven. Het is een meisje!'
'Dan noem ik haar "Eve"!'
'Daar heb ik niets op tegen!'
Hand in hand liepen ze de heuvel op naar zijn huis. 'Je vader is vanmorgen hier geweest,' zei hij in het besef dat hij dat niet mocht verzwijgen.
'Weet ik,' zei Evelyn kort en bondig. 'Hoe is het gegaan?'
'Het is over en sluiten.'
'Wat bedoel je?'
'Je vader zei dat ik het werk met onmiddellijke ingang moet neerleggen.'

'O ja? Wat een boef! Het laatste woord is daar nog niet over gezegd. Ik zal een hartig woord met hem spreken!'
'Ik denk niet dat dat helpt, Eve. Je vader is vastbesloten om ermee op te houden. Eerlijk gezegd kan ik hem niet eens ongelijk geven. Mazzel kun je nu eenmaal niet afdwingen.'
'Dat kan wel, Howard. Dat kan zeker!' Evelyn keek boos. Het wekte bij Howard tedere gevoelens op. Hij vond het ontroerend om te zien hoe dat kleine persoontje hardnekkig vasthield aan haar mening. 'Dat kan wél!' herhaalde ze. 'Papa heeft een wens van mij nog nooit naast zich neergelegd.'
Howard voelde zich plotseling niet op zijn gemak.
Toen ze op de heuvel stonden, vroeg Evelyn hem om haar het huis te laten zien. Nadat ze alle kamers bekeken had, zei Howard nogal timide: 'Dit is natuurlijk niet Highclere Castle. Maar vergeleken met mijn vroegere onderkomens woon ik hier heel comfortabel. In Amarna kreeg ik 's nachts bezoek van ratten, slangen en schorpioenen. Mijn pensionkamer in Luxor had geen echte deur, waardoor feitelijk iedereen zomaar kon binnenlopen. Daarmee vergeleken kun je dit bijna een paleis noemen.'
Evelyn keek hem vol bewondering aan. 'Je bent zo bescheiden, Howard. Ik kan me niet voorstellen dat je ooit ontevreden bent geweest.'
'Ach wat, bescheidenheid is doorgaans niets anders dan geveinsde deemoed,' merkte hij op. 'Ik zou maar al te graag onbescheiden zijn geweest als ik die mogelijkheid had gekregen. Maar ik ben nu eenmaal niet met een zilveren lepel in de mond geboren. Daarom ben ik afhankelijk van mensen zoals je vader.'
Evelyn knikte nadenkend, waarna ze zei: 'Laat je me het Dal der Koningen zien, Howard? Ik ben daar op mijn twaalfde voor het laatst geweest. Dat is lang geleden. Ik kan me er amper meer iets van herinneren.'
Samen beklommen ze de rotspartijen boven het dal. Het uitzicht tot aan de Nijl was er grandioos.
Als een profeet strekte Howard zijn armen uit, keek naar het keteldal dat voor hun voeten lag en zei met het pathos van een acteur tijdens een belangrijk optreden: 'Dit is mijn wereld, Eve. Voor velen bestaat dit dal slechts uit rotsen, zand en puin. Voor mij herbergt het de geheimen van de mensheid.'
Bezield door zijn woorden ging Evelyn achter hem staan en sloeg haar armen om hem heen. Beiden voelden op dat moment de magische aantrekkingskracht van dit oord en ervoeren een onverklaarbaar geluksgevoel. Als Howard haar bij de hand had genomen en gezegd had dat ze moest springen, zou ze geen moment geaarzeld

hebben en met hem de diepte in zijn gegaan omdat het moment haar ziel gevangen hield.
Minutenlang stonden ze tegen elkaar aan gevlijd en genoten van het samenzijn. Maar er was een ooggetuige waar Howard noch Evelyn rekening mee had gehouden. Nog geen kilometer verder, achter een zandduin, keek Lord Carnarvon door zijn verrekijker en hield hen in de gaten. Het ontging hem niet dat de verliefden elkaar kusten en uiteindelijk op de grond gingen liggen. Toen dat hartstochtelijke spel bleef duren, schoof de lord zijn verrekijker woedend in, steeg op zijn paard en galoppeerde weg.

De volgende dag, terwijl de zomer nog even op zich liet wachten en er vanuit het oosten een zwoel briesje opstak, hield Howard het thuis niet meer uit. Hij moest Evelyn zien. Dus ging hij op weg naar Luxor. Onder het voorwendsel dat hij voor de zakelijke afwikkeling van de opgravingen was gekomen, had hij zijn opgravingsboekje meegenomen waarin alles tot op de pond en piaster was genoteerd.
In de lobby van het Winter Palace heerste grote opwinding omdat een overdreven geestdriftige, blonde en kleurrijk geklede jongedame – haar hoed was zo groot als een wagenwiel, weelderig bedekt met bloemen – zojuist onder begeleiding van haar man Archibald was gearriveerd. Archibald was een kleine, gezette man met een deftige, terughoudende manier van doen. Hij stond wat afzijdig tevreden te glimlachen terwijl zijn vrouw, met die enorme hoed op, tekeerging over de bescheiden kamer die men haar op de eerste verdieping had toegewezen, nog wel zonder uitzicht op de Nijl.
'Ik ben schrijfster,' riep ze opgewonden terwijl de receptionist tegenover haar stond en hij haar zelfs gehoord zou hebben als ze fluisterend sprak. 'Kennelijk ben ik in dit land niet bekend. Ik ben Agatha Christie en dat is mijn man Archie!'
De receptionist in zijn zwarte pak, en met een fez op, boog zo heftig dat de kwast van zijn hoedje wilde bewegingen maakte, precies zoals de mooie Isadora Duncan, over wie iedereen het tegenwoordig had, danste. 'Natuurlijk bent u ook bij ons in Egypte vermaard, mylady. Maar in deze tijd van het jaar is het hotel praktisch volgeboekt. Helaas kan ik u alleen deze kamer aanbieden. Een zeer luxueuze kamer, als ik zo vrij mag zijn.'
'Een morsig kamertje zonder uitzicht op de Nijl. Hoe moet ik daar inspiratie opdoen voor mijn nieuwe roman?'
Opgeschrikt door het tumult dat Agatha Christie veroorzaakte, laveerde de eveneens in het zwart geklede hotelmanager tussen de koffers, kisten en reistassen van de luidruchtige dame door en probeerde

haar te kalmeren. Dat bleek niet eenvoudig te zijn, om niet te zeggen onmogelijk.
'Wacht eens even!' De hotelmanager kreeg een ingeving. 'Lord Carnarvon is vanmorgen onverwacht afgereisd. U kunt die suite nemen, mevrouw Christie. Maar dan moet u even geduld hebben, alstublieft.'
'Lord Carnarvon? Die ken ik niet,' zei Agatha Christie. 'Maar als hij een suite had met uitzicht op de Nijl dan wil ik daar graag mijn intrek nemen.'
De manager knikte. 'De lord had vier kamers. Stuk voor stuk met uitzicht op de Nijl en het park.'
De kordate dame toonde zich daar voorlopig tevreden mee.
'Vind je ook niet, Archie?' vroeg ze enkel voor de vorm.
Ook Howard had het luidruchtige dispuut meegekregen. Hij liep naar de hotelmanager en vroeg onzeker: 'Zei u dat Lord Carnarvon is afgereisd? Dat moet een vergissing zijn. Hij is pas enkele dagen geleden gearriveerd.'
'O, mister Carter, goed dat ik u zie,' antwoordde de manager. 'De lord heeft een brief en een cheque voor u achtergelaten. Als u even wilt wachten...' Hij verdween in zijn kantoor, was in een oogwenk terug en overhandigde hem een cheque van drieduizend pond en de brief. Howard las: *Meneer Carter, neemt u ons niet kwalijk dat we zijn vertrokken. We hebben besloten terug te keren naar Engeland. Het bedrag waar de cheque voor staat, moet voldoende zijn voor het laatste, en ik bedoel ook echt het allerlaatste opgravingsseizoen. Als u ditmaal geen succes boekt, scheiden onze wegen voorgoed. Overigens wil ik u op het hart drukken om mijn dochter voortaan met rust te laten. Denk aan uw stand en uw leeftijd. C.*
De vluchtig neergekrabbelde woorden dansten voor de ogen van Howard. Hoe plezierig het ook was om een nieuw opgravingsseizoen financieel rond te hebben, de afwijzing met betrekking tot Evelyn ervoer hij als een oorvijg. 'Dat kan toch niet waar zijn,' zei hij mat. 'We houden van elkaar.' Hij vocht tegen zijn tranen.
'De lord en zijn gezin hebben vanochtend de trein naar Caïro genomen,' voegde de hotelmanager er nog aan toe, waarna hij wegliep.
Howard was zo in gedachten verzonken dat hij niet merkte dat de brutale schrijfster hem zonder blikken of blozen van top tot teen gadesloeg. Uiteindelijk liep ze naar hem toe en vroeg op een gematigde toon: 'Bent u een Engelsman, sir?'
'Ja,' zei Howard beduusd.
'Agatha Christie.' De dame stelde zich aan hem voor. 'Ik ben schrijfster en soms wat luidruchtig. Maar zwakke schrijvers zijn het papier

niet waard waarop hun woorden gedrukt staan. U kent toch mijn nieuwe roman *The mysterious affair at Styles*?'
'Helaas. Ik ben archeoloog en heb nauwelijks tijd om een goed boek te lezen.'
'Of het een goed boek is, laat ik in het midden, mister. Als het maar bekend is.'
'Mijn naam is Carter. Howard Carter.'
'Voor mij bent u Hercule Poirot. U hebt iets Frans over zich. Uw donkere haar, die snor. Ja, voor mij bent u Hercule Poirot. Ooit zal ik een roman schrijven die zich afspeelt in Egypte. Een man met uw uiterlijk zal daarin een rol spelen. Leuk dat ik met u kennisgemaakt heb...'

Howard nam het verdriet dat de brief van Carnarvon veroorzaakt had mee naar het Dal der Koningen. Waar moest hij er anders mee naartoe? Hij wist nog niet of hij het aanbod van de lord überhaupt zou accepteren. Misschien moest hij de cheque gewoon terugsturen met de opmerking dat hij geen smartengeld aannam.
Ongemerkt zat Bastet hem voortdurend op de hielen. Toen hij de poes in de gaten kreeg, was het te laat om haar weg te jagen. Als vanzelfsprekend liep ze naast hem mee naar de zessprong, waar het pad zich in vijf paden vertakte. Howard ging op een steen zitten. Bastet vlijde zich naast hem.
Zijn hartstocht voor Evelyn had hem onverwacht en met de kracht van een onweersbui overvallen. Daardoor kon hij niet helder denken. Het was niet eens in hem opgekomen dat hij veel ouder was dan zij en dat hij vergeleken met haar afkomst maar een armoedzaaier en een parvenu was. De liefde had geen boodschap aan leeftijd en afkomst. Toch had zijn armzalige verleden hem in één klap ingehaald.
Besluiteloos staarde hij naar het zand. Hij had alleen nog zijn trots. Daarom vatte hij het plan op om de cheque die door Carnarvon genereus was achtergelaten met enkele passende woorden terug te sturen. Toen hij dat besluit had genomen, en de gedachte van zich had afgezet dat hij het graf van de vergeten farao koste wat het kost moest vinden, zag hij opeens Bastet die met haar poten in het zand krabde. Ze deed dat op een manier zoals alle katten dat deden wanneer ze hun behoefte wilden doen. Maar toen ze met haar voor- en achterpoten bleef graven en een gat in de grond maakte, en daar ook niet mee stopte wanneer hij naar haar riep, stond hij op en ging kijken wat de poes aan het doen was.
'Ben je de farao soms aan het opgraven?' riep hij nogal geamuseerd, waarna hij de grote, witte kat probeerde weg te jagen uit het gat.

Bastet liet zich echter niet van de wijs brengen en bleef graven. Uiteindelijk haalde hij haar met twee handen eruit. Opeens zag hij er een blinkend voorwerp liggen dat door Bastet uit de grond was gewroet. Een ingedeukt stukje metaal, flinterdun en zo groot als een lucifersdoosje. Het glinsterde alsof het van goud was. Hij was echter meer geïnteresseerd in de schrifttekens.
Voorzichtig maakte hij het blikken plaatje, meer was het niet, schoon. Plotseling zag hij de koningsnaam. Drie nietige hiëroglyfen boven elkaar, een zonnecirkel, een scarabee en een halve cirkel met daaronder drie loodrechte streepjes.
'Neb-cherepoe-Re,' zei hij aandachtig. 'De koningsnaam van de vergeten farao.'
Koortsachtig groef hij het gat met blote handen dieper uit. 'Neb-cherepoe-Re,' stamelde hij telkens opnieuw. 'Re is de Heer van de gedaanteverwisseling.' Hij raakte buiten adem en zijn vingers deden zeer. Hij had inmiddels zo diep als een arm gegraven. 'Neb-cherepoe-Re!'
Was dit een teken van de goden? Ademloos legde hij het blikken plaatje in zijn hand. In de loop van duizenden jaren waren er deukjes ontstaan die een warrig netwerk vormden en de ontcijfering van andere schrifttekens vrijwel onmogelijk maakten. Een teken viel hem echter op: het zegelteken van de dodenstad. De priesters brachten het aan wanneer er in het Dal der Koningen een farao was begraven!
Hij had het gevoel of er een storm geluidloos door hem heentrok, zich in de lucht samenbalde en weer in het gat verdween. Hij voelde dat de vergeten farao heel dichtbij was, heel dicht bij Howard Carter uit Swaffham, Norfolk.
Achteraf kon hij niet zeggen hoelang hij daar zonder gereedschap had gegraven. Uiteindelijk kwam hij echter tot bezinning. Je bent gek, zei hij tegen zichzelf. Volkomen doorgedraaid. Daarna keek hij om waar de poes was gebleven.
'Bastet?' riep hij onzeker. 'Bastet, waar ben je?'
De poes kon toch niet in rook zijn opgegaan? Hoe ver hij ook om zich heen keek, Bastet was nergens te bekennen. Thuis trof hij haar evenmin aan. Ook die avond kwam ze niet opdagen, terwijl de deuren toch openstonden. De poes was verdwenen. Howard zou haar nooit meer terugzien.
De volgende dag wierp hij zijn voornemens van gisteren al overboord. Hij nam tachtig arbeiders in dienst en begon op de plaats te graven die de kat hem gewezen had.

26

Toen de familie Carnarvon was teruggekeerd op Highclere Castle meden Evelyn en haar vader elkaar dagenlang. Dat was niet moeilijk omdat het kasteel zo groot was dat zelfs de lord en de bedienden niet met zekerheid konden zeggen hoeveel kamers het slot had.
Alleen het diner – vroeg op de avond – werd traditioneel gezamenlijk genuttigd. Er werd echter nauwelijks gesproken. Daardoor ontstond er een onbehaaglijke sfeer in de donker gelambriseerde eetkamer waar rondom buitensporig grote voorouderportretten aan de muren hingen. De lange tafel in het midden van het vertrek bood plaats aan twintig gasten. Evelyn voelde zich steevast nogal verloren wanneer ze er alleen met haar ouders at. Die sfeer werd ook nog eens versterkt door het stilzwijgen.
De lord was met een niet echt geloofwaardig excuus op de proppen gekomen voor het plotselinge vertrek uit Luxor. Hij zou zich niet zo lekker hebben gevoeld en naar zijn eigen arts willen gaan om raad te vragen. Dat excuus van niks versterkte bij Evelyn het vermoeden dat haar vader iets had meegekregen van hetgeen er tussen haar en Howard speelde. Gelet op zijn opvattingen over stand en afkomst zou hij die relatie ronduit afwijzen.
Waarschijnlijk had het stilzwijgen tussen de lord en zijn dochter nog dagen of weken kunnen duren. Lady Almina leed echter nog het meest onder deze situatie en greep in, hoewel nietsvermoedend.
'Kan iemand mij uitleggen wat hier aan de hand is?' vroeg ze tussen het wildbraad – het jachtseizoen was net geopend – en het dessert in. De lady wierp Evelyn een verwijtende blik toe. Dochterlief keek haar vader daarop vragend aan, waarna de lord zijn vrouw aankeek en zei: 'Schat, het wordt tijd om jouw dochter eraan te herinneren dat ze een lady is en de dochter van een lord, en dat ze dus niet zomaar met Jan en Alleman kan omgaan.'
Lady Almina fronste haar wenkbrauwen. 'Daar heeft in onze familie nog nooit iemand aan getwijfeld. Wil je ons alsjeblieft uitleggen wat je precies bedoelt?'
Carnarvon legde zijn servet neer en wachtte tot de butler en het dienstmeisje de eetkamer uit waren. Daarna boog hij zich naar zijn vrouw, die rechts van hem aan de lange tafelzijde zat, en zei: 'Je dochter vindt het kennelijk nodig om stiekem een relatie te hebben met een van onze werknemers.'
Evelyn sprong op en wilde de eetkamer verlaten, maar de lord riep boos: 'Je blijft hier!' Hij sloeg met de vlakke hand zo hard op de tafel dat de kaarsen die de dis een deftig tintje gaven flakkerden. Het

meisje dat altijd door haar vader verwend was geweest, kon zich niet herinneren dat ze ooit zo streng door hem behandeld was.
Lady Almina stond perplex. Geschokt door de manier waarop Carnarvon tekeerging, richtte ze zich tot Eve en vroeg: 'Is het waar wat je vader zegt? Geef antwoord!'
Evelyn zweeg. Ze was gekrenkt door de arrogante formulering van haar vader. Dat had hij ongetwijfeld met opzet gedaan.
Buiten zichzelf en met een rood hoofd zei Lady Almina: 'Nu wil ik ook weten wie het gewaagd heeft jou het hof te maken.' Tegen Carnarvon zei ze: 'Ik mag hopen dat je die kerel op staande voet ontslagen hebt!'
De lord staarde naar de tafel. Hij had het er zichtbaar moeilijk mee om zijn vrouw antwoord te geven. Uiteindelijk glimlachte hij zelfgenoegzaam en zei: 'Dat heb ik niet gedaan. Je zult dat begrijpen als je eenmaal weet wie die schurk is.'
'Nou dan? Wie is het? Je hoeft me heus niet te sparen.'
De lord wierp zijn dochter een veelbetekenende blik toe. Alsof zij haar moeder moest antwoorden. Evelyn staarde echter zwijgend voor zich uit.
'We hebben het over onze bovenste beste meneer Carter!' zei Carnarvon. De lichte spot in zijn stem was niemand ontgaan.
Lady Almina keek hem vol ongeloof aan. 'Carter? Onze Carter? Dat kan toch niet?'
'Dat dacht ik ook. Maar ik heb met eigen ogen gezien hoe ze... nou ja, je weet wel.'
Verbijsterd richtte de lady zich tot haar dochter: 'Eve, vertel alsjeblieft dat het niet waar is!'
Evelyn schudde haar hoofd. 'Het is waar, mama. Ik hou van Howard!'
Lord Carnarvon en Lady Almina keken elkaar onthutst aan. Op dat moment kon in hun ogen niets schokkender zijn dan deze openbaring van hun dochter.
'Weet je wel wat je zegt, kindje!' vroeg de lord nadrukkelijk kalm. 'Die man zou je vader kunnen zijn, om maar te zwijgen van zijn afkomst!'
'Nou en?' zei Evelyn boos. 'Ik vind Howard een fascinerende man die jonger in het leven staat dan menige jonge kerel uit de oude adel. De meesten komen als grijsaards op de wereld, zo lijkt het wel.'
De lord trok een ernstig gezicht. Zijn houding kreeg iets dreigends.
'En Lord Beauchamp dan?' vroeg hij sluw. 'Je weet dat je aan hem ten huwelijk bent gegeven.'
'Hij is ongetwijfeld heel aardig, maar ik hou nu eenmaal van Howard. Waarom winden jullie je zo op? Ik ben oud genoeg om zelf te bepalen wat ik met mijn leven wil.'

'Dat betwijfel ik, kindje. Ik betwijfel zelfs of je beseft wat je doet als je je aan die mislukte archeoloog vergooit. Je bent veel te jong om überhaupt te weten wat liefde is. Wat jij als liefde beschouwt, is niets anders dan een vluchtige verliefdheid, de opwinding van het moment. Het verdwijnt even vlug als het gekomen is. Je moet die Carter zo snel mogelijk uit je hoofd zetten.'
'Dat doe ik niet!' zei Evelyn koppig.
Lord Carnarvon stond op en liep met de handen op de rug rusteloos heen en weer. Uiteindelijk zei hij: 'Goed, dan blokkeer ik de cheque van drieduizend pond die ik meneer Carter beloofd heb om er zijn allerlaatste opgraving mee te financieren. Hij zoekt het maar uit.'
Evelyn werd lijkbleek. Je kon duidelijk zien wat er zich in haar hoofd afspeelde. 'Heb jij Howard afgekocht?' stamelde ze.
Zonder zijn pas in te houden antwoordde Carnarvon: 'Hij heeft het bedrag in elk geval aangenomen. Eigenlijk waren we het samen al eens over de beëindiging van onze zakelijke relatie. Maar zo kon het ook.'
'Dat geloof ik niet,' zei Evelyn zachtjes. Ze vocht tegen haar tranen.
'Het is zijn laatste kans,' bracht de lord te berde. 'Niemand met gezond verstand zal die mafkees ook maar één penny geven om met zijn opgravingen door te kunnen gaan. Carter leeft al vijftien jaar op mijn kosten. Elk jaar belooft hij dat hij in het volgende opgravingsseizoen succes zal boeken. Volgens mij heeft hij ze, om het maar eens zachtjes uit te drukken, niet allemaal meer op een rijtje. Hij ziet spoken en praat met de goden van weleer. Dat is ook geen wonder als je weet dat hij al dertig jaar als een kluizenaar in de woestijn woont. Nee schat, zet die Carter alsjeblieft zo snel mogelijk uit je hoofd.'
'Dan was Howard ook de reden van ons overhaaste vertrek uit Luxor,' zei Evelyn verdrietig.
'Ik hoop dat we dit hoofdstuk nu kunnen afsluiten.' Hij liep naar zijn dochter en legde een hand op haar schouder. 'Je bent een mooie, elegante jongedame, Eve, en de trots van je vader. Ik wil alleen het beste voor je. Daarom zou je je snel met Lord Beauchamp moeten verloven. Wees lief en doe je vader geen schande aan.'
Lady Almina knikte heftig. De glinstering in de ogen van Evelyn ontging haar.

In de daaropvolgende dagen en weken meed Evelyn haar ouders steeds vaker. Kwaad was ze niet meer. Ze wilde alleen zijn en nadenken, en ze vroeg zich af waarom ze Howard zo fascinerend vond. Was het de avonturier in hem? Of die eigenaardige, geheimzinnige sfeer die hem omgaf? Haar gevoelens pendelden tussen verstilde

woede op haar vader en niet weten welke richting ze haar leven moest geven. Ze was volwassen genoeg om te begrijpen dat ze mogelijk een verkeerde beslissing nam als ze uit koppigheid en trots iets zou ondernemen.
Zorgeloos en in een opwelling van lichtzinnigheid was ze Howard om de hals gevlogen. Hij had haar gevoelens net zo uitbundig beantwoord. Bij beiden was er geen sprake van zelfoverwinning, noch van aanmoediging. Alles gebeurde heel spontaan, vanzelfsprekend en plotseling. Het leek wel een wonder.
Tot op de dag dat ze het meningsverschil met haar vader had, had ze geloofd dat ze zonder Howard niet verder kon met haar leven. Ze had het avontuurlijke plan opgevat om stiekem in haar eentje terug te reizen naar Egypte. Maar na enkele weken had de ontnuchtering die plannen verjaagd en was ze tot het besef gekomen dat zo'n avontuur niet de basis van een duurzame relatie kon zijn.
Daar kwam bij dat – natuurlijk niet toevallig – de jonge Lord Beauchamp haar juist op die eenzame dagen opzocht en haar uitnodigde voor een wandelingetje in de omgeving van Newbury. Sir Brograve Campbell Beauchamp, zo heette hij voluit, reed in een Rolls-Royce Ballooncar, een tweezitter waarvan je de motor ook met hoge snelheid nauwelijks hoorde. Achterin bevond zich een grote mand en een hoes waarin hij zijn eigen heteluchtballon had gestopt. Zoveel overmoed was niets voor Evelyn.
Lord Beauchamp deed er alles aan om de dochter van Lord Carnarvon voor zich te winnen. Hij zag er goed uit, had mooie handen en ook zijn manieren lieten niets te wensen over. Dat hij zeer welgesteld was, en zijn vader bestuurslid van Lloyds en een afgevaardigde van de Liberal Party in het Lagerhuis, vond Evelyn van ondergeschikt belang. Ook al realiseerde ze zich dat haar leven als geheel er beslist niet onder te lijden zou hebben als ze met hem trouwde.
Zes weken na haar terugkeer uit Egypte schreef ze op roze briefpapier de aanhef: *Mijn beminde Howard!* Nog voordat ze de brief af had, verscheurde ze die terwijl ze in tranen was. De snippers gooide ze uit het raam van de tweede verdieping van Highclere Castle. Ze dwarrelden naar beneden en mengden zich met de eerste verlepte herfstbladeren, als een laatste groet.
Drie weken later werd op Highclere Castle de volgende aankondiging gedaan: George Edward Stanhope Molyneux Herbert, vijfde Earl of Carnarvon, en zijn echtgenote Lady Almina maken bij dezen de verloving bekend van hun dochter Lady Evelyn Herbert en Sir Brograve Campbell Beauchamp, zoon van Edward Beauchamp en zijn echtgenote Lady Betty Campbell Beauchamp.

Dezelfde dag gingen driehonderd verlovingskaarten de deur uit. Een ervan was geadresseerd aan meneer Howard Carter, poste restante Luxor.

Op de dag van het verlovingsfeest werd Highclere Castle geteisterd door een ongekend heftig onweer. De hemel verduisterde en werd donkerblauw, bijna zwart. Het regende verschrikkelijk hard, alsof het de aankondiging was van een zondvloed. In het kasteelpark konden de bedienden met veel moeite de stoelen, tafels en het kostbare servies in veiligheid brengen dat voor het feest klaarstond.
De lady's en de lords, allemaal prominenten uit de Engelse society, gaven acte de présence. De grote hal van Highclere Castle was feestelijk verlicht. De dames droegen lange, bonte japonnen en de heren waren in jacquet, zoals het uur van de dag dat dicteerde. Het rook er heerlijk naar bloemen die samen met de schriftelijke gelukwensen werden afgeleverd. De muzikale omlijsting was niet volgens wens van Sir Brograve, maar Evelyn had voet bij stuk gehouden. In plaats van het voorziene strijkkwintet had ze een achtkoppig saxofoonorkest geregeld. Passend bij de muziek, die niet iedereen welgevallig in de oren klonk, precies zoals Evelyn dat bedoeld had, droeg ze een nauwsluitende, enkellange japon van witte organza. Haar decolleté was voorzien van een in lovertjes geborduurde gele kanarie. Bij haar knie was de stof geplooid als een theatergordijn. Achter haar hoofdband van dezelfde kleur had ze bij haar linkerslaap een blauwgroene pauwenveer gestoken.
Je kon niet zeggen dat Lady Evelyn er zeer gelukkig uitzag. Maar dat viel niet op dankzij de feestelijke stemming die alleen door de uitwisseling van loze beleefdheidsuitingen en discussies over de laagconjunctuur gedempt werd. Opvallend was daarentegen het stralende humeur van Lord Carnarvon. Sinds hij gekweld werd door jicht en artrose had hij veel van zijn vroegere zorgloosheid en bravoure moeten inleveren. Met de verloving van zijn dochter, geheel overeenkomstig zijn stand, was een wens in vervulling gegaan. Geestig zoals in zijn jonge jaren hield hij een rede waarin hij zich met een knipoog beklaagde over zijn zware lot als vader van een dochter die hij niets maar dan ook helemaal niets kon weigeren. Haar zeer eigenzinnig karakter deed hem denken aan Napoleon, die bovendien net als Evelyn klein van stuk was.
Een bode had een telegram gebracht. Evelyn opende het en zag meteen aan de enveloppe dat het bericht niet voor haar of Sir Brograve was, maar aan Lord Carnarvon gericht was. De afzender was Eastern Telegraph, Luxor, Egypte.

'Papa, voor jou!' riep Evelyn. Ze zwaaide met de enveloppe boven haar hoofd.
Carnarvon was in gesprek. Hij excuseerde zich en liep zijn dochter tegemoet. 'Amuseer je je, schat?' vroeg hij terwijl hij het telegram aannam.
Evelyn gaf geen antwoord. In plaats daarvan vroeg ze: 'Is het iets belangrijks, papa?'
Lord Carnarvon vertrok zijn gezicht. 'Daar lijkt het op,' zei hij terwijl hij langs Evelyn voor zich uit staarde. Hij gaf het telegram aan zijn dochter die hem nog altijd vragend aankeek.
Ze bewoog haar lippen terwijl ze zwijgend las: *In het Dal der Koningen eindelijk grandioze ontdekking gedaan + stop + schitterende grafkamer met ongeschonden zegels + stop + alles dichtgegooid in afwachting van uw komst + stop + gefeliciteerd + stop + Carter.*
Nauwelijks had ze de laatste zin gelezen of een bliksemflits hulde de zaal in een gifgroen licht, meteen gevolgd door een oorverdovende donderklap die door het gebouw echode en de oude muren liet trillen. De lampen knipperden en flakkerden als kaarsen die in de tocht staan. Evelyn drukte het telegram tegen haar borst, draaide zich om naar haar vader en riep angstig: 'Papa!'
Carnarvon was zich eveneens wezenloos geschrokken. Confuus rukte hij het telegram uit haar hand. 'Ik had je dat bericht niet moeten laten lezen,' stamelde hij zichtbaar van streek. De dames die van angst in de armen van hun begeleiders gevlucht waren, lieten hun beschermers nu weer los. De bloemengeur in de zaal had plaatsgemaakt voor een bijtende stank, een mengsel van teer en zwavel. Twee oudere dames van het platteland – niemand wist waarom of op wiens voorspraak ze waren uitgenodigd – lachten plotseling hysterisch. Ze schaterden het uit ook al bleef de rest van het gezelschap misprijzend naar hen kijken terwijl twee lords met een indrukwekkend postuur, waarachter je enige moed zou verwachten, halsoverkop naar buiten renden en kruistekens sloegen. Carnarvon was van de schrik bekomen. Zonder blikken of blozen stapte hij op een zeer kostbare Regency-stoel en riep: 'Dames en heren, geen paniek! Deze donderklap is een teken van de goden dat ze hun zegen geven aan de verloving van mijn dochter Eve en Lord Beauchamp. Laten we proosten op het jonge paar!'
De bliksem was ingeslagen op Highclere Castle. Als door een wonder had de inslag geen schade aangericht. Met grote moeite lukte het Lord Carnarvon om de gasten van het verlovingsfeest op zijn eigen geestige manier ervan te overtuigen dat iedereen ongedeerd was gebleven en dat het gebouw geen schade had geleden. Het feest werd hervat.

'Wat ga je nu doen?' riep Evelyn naar haar vader, die het telegram nog steeds in zijn hand hield. Ze moest boven het kabaal van het saxofoonorkest uit zien te komen. Om de stemming te redden, waren de muzikanten twee keer zo hard gaan spelen.
'Ik moet meteen naar Egypte!' Carnarvon zag lijkbleek. Evelyn probeerde de oorzaak daarvan te achterhalen. Was hij zo erg geschrokken van de blikseminslag of kwam het door de opwinding over de vermeende ontdekking van Carter?
'Ik ga met je mee,' zei Evelyn. Ze kon haar opwinding nauwelijks in bedwang houden.
De lord stak zijn handen afwerend op. 'In geen geval, kindje. Dat is alleen maar een excuus om Carter te ontmoeten. Je bent nu met Brograve verloofd en hebt een naam hoog te houden, vergeet dat alsjeblieft niet!'
Evelyn liet zich dat niet gezeggen. 'Brograve kan met ons meereizen! Daar komt bij dat jij het in de afgelopen vijftien jaar alleen maar over die vergeten farao hebt gehad. Misschien heeft Carter dat graf nu gevonden. Moet ik dan thuis op je zitten wachten? Dat kun je me niet aandoen, papa! Ik heb jouw wens in vervulling laten gaan door me met Campbell te verloven. Je kunt het nu niet maken om mij thuis te laten.'
Carnarvon en zijn dochter spraken zo luid dat ze de aandacht van de rest van de familie trokken. Lady Almina en de jonge Beauchamp, die zijn toekomstige schoonmoeder steeds aardiger begon te vinden, liepen naar het tweetal toe. 'Mogen wij misschien ook weten wat er aan de hand is?' vroeg de lady spottend.
'Een telegram uit Luxor.' Evelyn was haar vader voor. 'Howard Carter denkt het graf gevonden te hebben waar hij al vijftien naar op zoek is. We moeten meteen afreizen naar Egypte! Jij hebt toch wel zin om met ons mee te gaan, hè, Brograve?'
Ondanks haar opwinding ontging het haar niet dat haar moeder verstarde toen ze de naam van die archeoloog hoorde. Ze zei niets en keek Carnarvon met een gebiedende blik aan, alsof ze verwachtte dat hij bezwaar maakte. Carnarvon zweeg echter.
Uiteindelijk zei Beauchamp oprecht: 'Eve, ik wil niets liever dan met jou naar Egypte reizen. Maar ik hoop dat je begrijpt dat het ongepast is dat verloofden samen zo'n grote reis maken. In elk geval staat dat haaks op de morele opvattingen van mijn familie. Volgens mij is het beter dat jij zonder mij met je ouders naar Egypte gaat.'
'Ik blijf ook thuis,' zei Lady Almina in de hoop dat haar dochter dan van de reis zou afzien. Maar Evelyn hield voet bij stuk. Sterker nog,

ze wachtte koortsachtig op het moment dat ze de ontdekking van Howard met eigen ogen zou zien.
Lord Carnarvon riep zijn secretaris bij zich en gaf hem opdracht het volgende telegram te versturen: *Aan de heer Howard Carter, Luxor. Ik kom zo snel mogelijk met Evelyn. Carnarvon.*

DEEL DRIE

27

Na een stormachtige overtocht van Marseille naar Alexandrië, en een niet minder vermoeiende treinreis stroomopwaarts langs de Nijl naar Luxor, arriveerden Lord Carnarvon en zijn dochter Evelyn op zondag 26 november 1922 in het Dal der Koningen. Achttien dagen waren verstreken sinds de verloving van Evelyn en het moment dat de familie het telegram ontvangen had. In Highclere was het in dit jaargetijde vochtig en nevelig. Maar in Luxor was het klimaat aangenaam mild. Het deed denken aan de Engelse lente.

Er hing een merkwaardige spanning in de lucht. De ontdekking van Howard was inmiddels overal bekend. Het was lang geleden dat er in het Dal der Koningen een grote vondst was gedaan. Howard Carter was tegenwoordig überhaupt de enige die je in staat achtte om nog met iets spectaculairs op de proppen te komen. Inmiddels werd hij beschouwd als een zonderlinge Engelsman die eenzaam als een koptische monnik aan de rand van de woestijn leefde en tegen de stenen sprak. Dat beweerden althans degenen die hem wel eens ontmoet hadden.

Carnarvon en zijn dochter ontmoetten echter een andere Howard Carter dan ze gekend hadden. De onderdanige, deemoedige en inschikkelijke kant van zijn karakter had plaatsgemaakt voor zelfbewuste zelfverzekerdheid, onbuigzaamheid en zelfs verwaandheid. Zo kende niemand hem van vroeger.

In afwachting van de komende gebeurtenissen had Howard een assistent ingehuurd die al jaren voor het *Egypt Exploration Fund* werkte. Arthur Callender werd om onverklaarbare redenen 'Pecky' genoemd en had het postuur van een kleerkast. Zoals alle 'reuzen' was hij flegmatisch van aard, de ideale voorwaarde in de omgang met de arbeiders. Howard hield zich namelijk niet meer rechtstreeks bezig met de ploeteraars. Hij had een hagelwit pak aan met een gesteven boord en een vlinderdas. Compleet met een breedgerande panamahoed. Zoals Naville vóór de oorlog zat Howard onder een parasol en deelde bevelen uit.

Toen Carnarvon en Evelyn naar hem toe liepen, stond Howard wel-

iswaar op, maar hij weigerde uit de schaduw van de parasol te stappen. Gelet op wat er in archeologisch opzicht gebeurd was, groette hij Lord Carnarvon in buitengewoon korte bewoordingen, waarna hij zich tot Evelyn richtte en zei: 'Gefeliciteerd met je verloving, Eve. Ik heb het helaas te druk gehad om je schriftelijk te feliciteren.'
De verbittering in zijn stem was overduidelijk. En dat hij op de hoogte was van haar verloving vond ze nog verbluffender. 'Dank je,' antwoordde ze stokkend, waarna ze haar vader vragend aankeek.
Howard interpreteerde haar blik op de juiste manier en zei: 'Je vader heeft me vereerd met een verlovingskaartje, alsof hij het nodig vond dat ik op de hoogte werd gebracht. Zo is het toch, mylord?'
'Papa!' riep Evelyn woedend. 'Je had het rustig aan mij kunnen overlaten om Howard in kennis te stellen van mijn verloving!'
Carnarvon maakte een onzekere indruk. De situatie was dan ook pijnlijk. Plotseling zei hij op een autoritaire toon: 'Evelyn, het is aan de vader om de verloving van zijn dochter bekend te maken. De familie Carnarvon hecht veel waarde aan fatsoen en dat bepaalde zaken afgewikkeld worden zoals het een familie als de onze betaamt. Dat zou jij horen te weten.'
Toen de lord voorzichtig, alsof hij iets kon breken, de zestien treden afliep die Howard in het midden van de brede grondtrechter had laten blootleggen, nam Evelyn Howard terzijde en zei met neergeslagen ogen: 'Ik heb dit niet gewild. Mijn vader heeft me min of meer gedwongen om me met Beauchamp te verloven. Hij dreigde zelfs de cheque te blokkeren die hij voor je had achtergelaten om er het laatste opgravingsseizoen mee te financieren.'
'Ik begrijp het heel goed!' huichelde Howard begripvol. 'Dan ben ik je dus zelfs veel dank verschuldigd. Bedankt! Bedankt! Het is ook ongehoord dat ik geprobeerd heb een Engelse dame het hof te maken. Ik ben immers maar een gewone archeoloog, een loonslaaf, de zoon van een eenvoudige dierenschilder uit Norfolk. Ik smeek u om vergeving voor mijn ongepaste gevoelens, mylady. Sorry, maar ik moet nu weer aan het werk.'
Haastig volgde hij Carnarvon in de groeve. Onder aan de trap blokkeerde een ruwe muur de doorgang. De kleivoegen ervan waren voorzien van zegelafdrukken van Toetanchamon. En op een andere plaats bevonden zich hiëroglyfen die een jakhals en negen gevangenen voorstelden, ofwel het zegel van de dodenstad in het Dal der Koningen.
Alleen Howard zag meteen wat er aan de hand was. Een blik was voldoende. Hij wist dat ook dit graf al eens door rovers was bezocht. Als je goed keek zag je de opening in de vorm van een halve cirkel.

Een opening die met veel zorg weer gesloten en verzegeld was. Toch was Howard daar niet moedeloos van geworden. De opening was namelijk zo klein dat je je er met moeite doorheen kon wurmen. Hij hoefde niet bang te zijn dat grote voorwerpen of zelfs de koningsmummie waren verwijderd. Howard liet daar echter geen woord over los.
Voor deze dag had hij slechts een kleine ploeg arbeiders laten komen. Zijn beste werklui. Hen was indringend op het hart gedrukt zwijgzaamheid te betrachten.
Aandachtig bleef de lord voor de muur staan. Zijn nerveuze schoudertrekkingen waren een teken van opwinding over wat er stond te gebeuren. Howard sloeg dat met welgevallen gade. Voor hem was die aanblik immers niet nieuw, hij had de ontdekking allang verwerkt. Inmiddels toonde hij zich nadrukkelijk onbewogen.
'Carter!' stamelde Carnarvon opgewonden. 'Ik denk dat ik me bij u moet verontschuldigen voor mijn ongeduld. U bent een groot archeoloog!'
'Ach wat!' zei Howard terwijl hij Evelyn een vluchtige blik toewierp. 'Ik ben alleen maar een hardnekkige streber. En streberigheid is niet bepaald een christelijke deugd. Overigens is me dit met uw geld gelukt, mylord. Het spijt me dat het zo lang geduurd heeft. En dan te bedenken dat ik twee keer slechts vijf stappen van de eerste steentrede verwijderd was. De eerste keer werkte ik nog voor Theodore Davis. Het is mede uw schuld dat het daarna nog een keer misliep, mylord. U zei dat we met onze opgravingen de werkzaamheden bij de toegang van het graf van Ramses VI niet mochten belemmeren. Het puin uit dat graf kwam uitgerekend op de ingang van het graf van de vergeten farao te liggen.'
'Hoe bent u uiteindelijk op het juiste spoor gekomen, meneer Carter? Je zou het bijna een wonder kunnen noemen!'
'Het is ook een wonder, mylord. Maar daarover zwijg ik liever.'
Evelyn keek Howard nieuwsgierig aan. 'Een wonder?' vroeg ze schuchter.
Howard negeerde haar vraag en zei: 'Ik wil u nu vragen weer met mij naar boven te gaan.'
Even later gingen vijf arbeiders met puntige, loodzware ijzeren stangen aan het werk bij de muur. In minder dan een uur hadden ze het eerste steenblok losgewrikt.
'Licht!' riep Howard. Arthur Callender trok een stroomkabel naar beneden, met aan het uiteinde ervan een gloeilamp met een zwarte lampenkap. Met trillende handen schoof Howard de lamp door de opening en tuurde naar binnen. Wat hij te zien kreeg, was aanvan-

kelijk teleurstellend. Een met puin en zand gevulde gang voerde schuin de diepte in.
'Sloop die muur!' commandeerde Howard.
Een uur later was dat gebeurd.
'Na u,' zei Howard grijnzend terwijl hij de lord aankeek en een uitnodigend gebaar maakte.
Carnarvon was veel te opgewonden om de ironie in zijn woorden op te vangen. Evelyn merkte al helemaal niet dat Howard haar in de maling nam. Haar hart klopte in haar keel.
'Nee, u hoort voorop te lopen!' De lord maakte plaats voor Howard, die de lamp met beide handen vasthield en aan de afdaling begon terwijl hij de stroomkabel achter zich aantrok. Carnarvon en Evelyn volgden hem. Callender sloot de rij.
De gang was niet veel breder dan een armlengte en kniediep gevuld met steenschilfers, rotsblokken en zand. Het stonk er naar stof en dode insecten. Na enkele passen kwam het puin bijna tot aan het plafond van de gang. Ze konden niet verder. Kuchend en hoestend gaf Howard een teken dat ze terug moesten keren.
Buiten in de frisse lucht zei Howard tegen Carnarvon en Evelyn: 'U ziet dat we nog voor een flinke klus staan. Voor morgenmiddag hebben we dat puin niet afgevoerd. Bovendien weten we niet hoe diep die gang nog gaat. Ik stuur een bode naar Luxor zodra de doorgang open is. Als u me nu wilt excuseren.'
Hij nam weer plaats onder de parasol en was meteen druk doende met het geven van aanwijzingen. Tegen de avond was het puin in de onderaardse gang voor de helft afgevoerd. Callender stelde bewakers op. Zes bewapende mannen die direct onder zijn leiding vielen.
Op de rug van Sir Henry keerde Howard terug naar huis. Van ver zag hij dat er op hem gewacht werd.
'Spink!' riep Howard. In de duisternis herkende hij zijn vijand. 'Wat moet jij hier, verdomme! Maak dat je wegkomt, anders knal ik je neer!' Met een snelle beweging trok hij zijn revolver.
'Hou op met die onzin, Carter.' Onverschrokken liep Spink naar hem toe.
Met gestrekte arm richtte Howard op het hoofd van Spink. 'Rot op, Spink. Hoor je niet wat ik zeg? Ik tel tot drie...'
'Luister eerst wat ik te vertellen heb, Carter. Ik kom je een zakelijk voorstel doen. Je kunt veel geld verdienen. Héél veel geld!'
'Ik doe geen zaken met boeven. Ik heb jouw geld niet nodig.'
'Iedereen heeft geld nodig, Carter. Jij ook. We leven in een beroerde tijd. De zaken gaan allesbehalve voorspoedig, om niet te zeggen miserabel. En nu Mustafa Aga Ayat overleden is, kun je niet eens met

opgravingen wat bijverdienen. Er is niks te koop. En dan te bedenken dat er genoeg rijke Amerikanen zijn die niet weten wat ze met hun dollars moeten. Ik heb uitstekende contacten.'
Howard liet zijn wapen zakken. 'Waarom vertel je me dat? Je wilt toch niet zeggen dat je onder het bestaansminimum leeft? Je vader is een van de grootste stoommachinefabrikanten in Norfolk. En jij jammert over slechte tijden?'
Spink zweeg. Howard kreeg de indruk dat hij er verder niet over wilde uitweiden. Na lang aarzelen zei hij: 'Mijn vader heeft me onterfd.'
'Waarom zou hij dat gedaan hebben?' Carter schaterde van het lachen. Puur leedvermaak. 'Spink is onterfd! O, wat heb ik medelijden met jou, ellendelinge klootzak die je bent.'
Spink schraapte verlegen zijn keel. 'Mede door jouw toedoen ben ik in deze situatie verzeild geraakt, Carter!'
'Door mij?' Het klonk door de nacht.
'Met jouw hulp kon Elisabeth terugkeren naar Engeland.'
'Wat heeft Elisabeth daarmee te maken? Je kraamt onzin uit, Spink!'
'Nee. Elisabeth heeft zich van mij laten scheiden in Engeland. Bovendien heeft ze contact opgenomen met mijn vader. Kennelijk dachten beiden hetzelfde over mij. Wat je noemt twee handen op één buik. Letterlijk. Ze zijn inmiddels dan ook getrouwd. Elisabeth is een snol. Dat hij een rijke weduwnaar is, kwam natuurlijk heel gelegen.'
Het duurde even voordat de biecht van Spink tot Howard doordrong. Daarna lachte hij kostelijk. Er kwam maar geen eind aan. 'De ouwe Spink,' riep hij telkens weer, 'de ouwe Spink, ha, ha, trouwt met zijn ex-schoondochter, ha, ha, en onterft zijn zoon.' Hij klapte in zijn handen. 'Sinds vandaag ben ik gaan geloven dat er toch nog gerechtigheid bestaat in deze wereld. Het is kennelijk alleen een kwestie van tijd.'
Spink lachte verbitterd.
'En wat wil je nou van mij?' vroeg Howard nadat hij enigszins bekomen was.
'Ik heb gehoord dat jij een verzegeld faraograf hebt ontdekt. Dit is de kans van je leven, Carter. Van vandaag op morgen kun jij zo rijk zijn dat Carnarvon voor jou moet gaan graven. Niemand weet nog welke schatten daar liggen. Als je stiekem de kostbaarste spullen pakt en vóór de officiële opening die muur weer optrekt, zal niemand jou aanklagen. Alleen wij twee weten waar die schatten vandaan komen. Ik heb alles voorbereid. Jij hoeft je nergens druk om te maken. Doe mee en je wordt steenrijk.'

Howard lachte spottend. 'Het is aandoenlijk hoe jij je om mijn welzijn bekommert, Spink. Maar ik ken jou goed genoeg om te weten dat er een adder onder het gras zit. Zo is het toch?'
Spink haalde verlegen zijn schouders op. 'Fiftyfifty. Dat is gelet op de risico's die ik neem heel redelijk.'
'Dat zou je wel willen, hè?'
'Goed... twee derde voor jou, een derde voor mij. Verder ga ik niet, Carter!'
Het idee dat hij plotseling steenrijk zou zijn, deed hem zeker wat. Howard stelde zich voor hoe het zou zijn om over honderdduizend pond, een huis met bedienden en een auto te beschikken. Of een dahabija met bemanning en personeel, compleet met een salon op het achterdek en hutten voor de gasten. In het Winter Palace kon hij dan feesten geven zoals Theodore Davis en Aga Ayat dat hadden gedaan. Alle prominenten die zich in Boven-Egypte ophielden, zouden wachten op een uitnodiging. Hij zou de mooiste vrouwen kunnen krijgen. En Lord Carnarvon zou veel spijt hebben dat hij hem zijn dochter geweigerd had.
'We delen twee op een,' herhaalde Spink. Carter was opeens weer bij de les.
'Twee op een?' vroeg hij, alsof hij ontwaakte uit een droom. 'Jij kunt toch niet weten wat er in dat graf ligt, Spink? Wat weet jij van de waarde ervan?'
Spink stak zijn wijsvinger op. 'Mustafa Aga Ayat heeft ooit gezegd dat een eventueel verzegeld faraograf dat nog gevonden moet worden de grootste schat zal herbergen die de mensheid ooit gekend heeft. En Ayat kon het weten. Hij was de belangrijkste antiquiteitenhandelaar van Egypte. Overigens ook een van de rijkste mannen van het land.'
Plotseling dacht Howard terug aan een gebeurtenis van dertig jaar geleden. Hij herinnerde zich dat nog als de dag van gisteren. Op een van die lange avonden op Didlington Hall had Walter B. Painswick, hoogleraar in de geheime leer van de natuurkunde aan de Universiteit van Cambridge, de dochter van Amherst in hypnose gebracht om haar bewering dat ze de toekomst kon voorspellen op de proef te stellen. Tijdens dat experiment had Alicia voorspeld dat een van de aanwezigen de grootste schat van de mensheid zou ontdekken. Lord Amherst dacht destijds dat hijzelf daarmee bedoeld werd. Dat bleek later een vergissing te zijn. Had Alicia hem, Howard Carter, op het oog gehad met die voorspelling?
Spink interpreteerde de peinzende zwijgzaamheid van Howard als besluiteloosheid. Daarom zei hij, om hem over de streep te trekken:

'Als je niet op mijn voorstel ingaat, word je misschien beroemd. Maar roem kun je niet eten. Je oogst er doorgaans alleen afgunst mee. Zodra dat graf openligt, zal Lord Carnarvon de eer naar zich toetrekken en jou laten vallen als een baksteen. Over een paar jaar weet niemand meer wie je bent.'
'Onzin!' zei Howard boos. 'Wil jij mij wijsmaken dat jou iets gelegen ligt aan mijn roem? Je bent en blijft een boef, Spink! Denk je nou echt dat je mij kunt omkopen? Wat denk je wel, Spink! Howard Carter is een man van eer, van principes. Daarin verschillen wij als dag en nacht!'
Spink zag kennelijk in dat het op deze manier niet opschoot. Mankend liep hij naar zijn paard terwijl hij zijn hoofd schudde. Voordat hij in het zadel steeg, riep hij nog: 'Maak niet de fout van je leven, Carter. Denk er eerst nog eens goed over na.'

Howard deed die nacht geen oog dicht en stond tegen zessen op. Het was nog donker buiten. Zowel de opwinding over de ontdekking van het graf als het voorstel van Spink had hem van zijn slaap beroofd. Carnarvon had hem jarenlang vernederd. Voortdurend had hij hem gewezen op zijn lage afkomst en dat hij, Howard, al vijftien jaar uit zijn ruif at. Eigenlijk was dat reden genoeg om wraak te nemen. Spink had niet eens ongelijk toen hij beweerde dat niemand wist wat voor schatten er in dat graf lagen. Hoe ver was hij gekomen met zijn fatsoen? Het kleine vermogen, als je dat al zo kon noemen, had hij sowieso niet op eerlijke wijze verkregen. Sjoemelen had hem vaak meer opgebracht dan zijn jaarsalaris.
Verstrikt in die gedachten vond Howard dat het veel te snel ochtend werd. De gebeurtenissen namen hun loop. Toen hij in het Dal der Koningen arriveerde, waren de arbeiders al aan de slag gegaan. Callender en de bewakers hadden beurtelings enkele uren gewaakt en geslapen. Niemand wilde het grote moment missen. Zelfs de arbeiders, die doorgaans alleen om het geld groeven en amper belangstelling hadden voor archeologie, sleepten verwachtingsvol hun met puin gevulde manden naar boven. Kort voor het middaguur meldde de voorman Ahmed Gurgar dat ze voor nog een verzegelde 'deur' stonden.
Bijna uitzinnig van blijdschap sprong Howard uit zijn schaduwrijke troon, strompelde via de stenen treden de diepe grondtrechter in en door de smalle schacht. Hij kwam zwijgende, bijna vrome arbeiders tegen. Hij duwde ze aan de kant tot hij eindelijk voor de muur stond, die er vrijwel hetzelfde uitzag als de eerste. Ook deze 'deur' was voorzien van de naamring van Toetanchamon en het zegel van de dodenstad.

Voorzichtig, alsof hij bang was dat hij iets brak, betastte Howard met zijn vingers het muurwerk. Ahmed lichtte hem bij met een lamp en keek de archeoloog vragend aan. Toen Howard dat merkte, zei hij zowel ernstig als opgetogen terwijl hij zijn wijsvinger over de naamring met de koningsnaam Neb-Cheperoe-Re liet glijden: 'Ahmed, achter deze muur vinden we het graf van de vergeten farao!'
'Ja, *effendi,*' antwoordde Ahmed Gurgar net zo eerbiedig.
'Ja, *effendi!*' aapte Howard hem na. Hij greep zijn voorman bij de schouders, schudde hem wild door elkaar en riep terwijl zijn stem bijna oversloeg: 'Begrijp je überhaupt waar ik het over heb? Achter die muur bevindt zich een faraograf. Wij zijn de eersten die het na drieduizend jaar betreden. Het enige wat jij daarop te zeggen hebt is "Ja, *effendi*"!' Zeer geagiteerd duwde Howard de raïs van zich af.
Carnarvon en Evelyn waren zojuist gearriveerd uit Luxor. Ze hadden het geschreeuw gehoord en liepen naar beneden. Het bericht over de tweede verzegelde 'deur' had zich als een lopend vuurtje verspreid. Howard begroette het tweetal kortaf en knikte naar het zegel.
'Wat betekent dat...?' vroeg de lord.
'... dat betekent dat er leuke dingen achter kunnen liggen,' antwoordde Howard.
'U moet meteen het graf laten openen!'
Howard had de lord tot nu toe amper aandacht geschonken. Nu draaide hij zich opeens naar hem om en zei zachtjes, maar dreigend: 'Mylord, alleen ik bepaal wat hier gebeurt. U hebt het circus betaald, maar ik ben de directeur en laat onder mijn zweep de paarden en óók u dansen, mylord!'
Evelyn verstarde. Ze kon zich niet herinneren dat iemand ooit op zo'n toon tegen haar vader gesproken had. Ze verwachtte een uiterst pittig antwoord. Maar dat bleef uit. In plaats daarvan zei de lord zachtjes: 'Het spijt me, meneer Carter. Het is de opwinding. Natuurlijk bepaalt u het tijdschema.'
Howard had in zijn leven weinig triomfen meegemaakt, maar des te meer nederlagen en vernederingen. Misschien was dit zijn grootste triomf ooit. De trotse Lord Carnarvon, van wie je mocht aannemen dat hij nog nooit tegen iemand zijn excuses had gemaakt – waarom ook, ik ben perfect, zou hij zeggen – had zich verontschuldigd tegenover Howard Carter, de man van lage afkomst uit Swaffham, Norfolk.
Howard genoot van dit moment waarin de spanning groeide. Als opium snoof hij de stemming op en koesterde zich erin. Zijn euforie werd nog eens versterkt door de bewonderende blikken van Evelyn.

Nooit had ze kunnen denken dat Howard zo trots en haar vader zo inschikkelijk kon zijn.
Zwijgend gaf hij de raïs een teken. De man overhandigde hem een zware ijzeren stang met een geslepen punt. De lord en zijn dochter hielden zich nu op de achtergrond. Howard deed zijn jas uit, alsof er sprake was van een gevecht met een sterke tegenstander. Daarna hield hij het ijzeren gereedschap met twee handen boven zijn hoofd, haalde uit en ramde de stang in de linkerbovenhoek van de muur.
Het gesteente was broos. Vuistgrote steenbrokken vielen op de grond terwijl Howard de stang als een stoommachine in de muur ramde. Hij deed dat merkwaardig snel, alsof hij zijn hartritme aanhield. Het klonk of het hart van de farao opnieuw begon te kloppen.
Hij ploeterde door, al zweette hij als een paard en prikte het stof in zijn longen. Verbeten sloeg hij de zware ijzeren stang in het gesteente. Plotseling drong de stang voor de helft door de muur en bleef toen steken.
Hij trok een ernstig gezicht, waarna hij zich omdraaide naar Carnarvon die met een zakdoek voor zijn mond stond toe te kijken. Howard knikte.
Verbaasd zag Evelyn dat de raïs een kaars aanstak, alsof hij dit moment een feestelijk tintje wilde geven. Ahmed overhandigde hem die meteen nadat Howard de stang uit de muur had getrokken. Zo theatraal als een magiër, alsof hij deze act al honderd keer geoefend had, stak hij de kaars door het gat in de muur. Het vlammetje flakkerde, dreigde uit te gaan. Je kon bijna voelen dat de duizenden jaren oude lucht naar buiten kwam.
Behoedzaam zwaaide hij met de kaars, als een priester die een geheimzinnige ceremonie uitvoert. Bange, raadselachtige minuten verstreken. Eindelijk zei Howard: 'Er is geen gevaar!' Toen hij de vragende blik van Evelyn zag, legde hij uit: 'Je moet ervan uitgaan dat er zich in de loop van duizenden jaren giftige gassen hebben gevormd. Maar de kaars zou dan gedoofd zijn. Een oud mijnwerkerstrucje!'
Met behulp van de stang maakte hij het gat voorzichtig groter. Toen de opening zo groot als een kinderhoofd was, nam hij de lamp van zijn voorman over, schroefde de reflector eraf en stak de gloeilamp naar binnen.
Rusteloos gingen Lord Carnarvon en Evelyn naast hem staan. Howard stond op een omgekeerde mand. Met beide handen hield hij zich vast aan de rand van de opening en staarde ademloos naar binnen.

De lord, zijn dochter, Arthur Callender en de raïs vonden dat dat veel te lang duurde.
'Carter!' stamelde Carnarvon verwachtingsvol, bijna smekend. 'Zeg wat, Carter... alsjeblieft!'
'Wat zie je, Howard?' voegde Evelyn eraan toe.
Behoedzaam liet Howard de gloeilamp aan de stroomdraad naar beneden zakken. Het duurde een tijdje voordat zijn ogen gewend waren aan de ongewone lichtsterkte. Een eindje verderop, als achter een mistbank, bewogen merkwaardige gestalten en wilde dieren. Soms leek het of hun ogen flonkerden, alsof ze verblind werden door het wonderlijke elektrisch licht dat hen uit een duizendjarige slaap had opgeschrikt. Het licht van de lamp die aan de stroomdraad bungelde, veroorzaakte schaduwen die de kamer optisch een slingerende beweging gaven, als een schip in nood. En dat had tot gevolg dat de schatten die hier opgestapeld lagen – met goud bezette kisten, bakken en strijdwagens – glinsterden en blonken waardoor je je in de schatkamer van een kalief waande.
'Wat ziet u, Carter?' Lord Carnarvon sleurde Howard uit een fantastische wereld.
'Ik zie prachtige dingen,' antwoordde Howard. Hij kon onmogelijk beschrijven wat hij allemaal zag. Zijn woordenschat schoot gewoon tekort. Dit belangrijke moment, het besef ervan, liet al het andere in het niet zinken.
Howard stapte van de mand. Het leek of hij verdoofd was. Zwijgend maakte hij een uitnodigend gebaar naar Lord Carnarvon.
Er heerste een ademloze stilte terwijl de lord door de opening naar binnen tuurde. Een stilte die alleen doorbroken werd door het krakende, knarsende vlechtwerk van de mand waarop hij stond. Evelyn werd er zo door gegrepen dat ze zich vastklampte aan Howard, die zwijgend en bijna ongeïnteresseerd naar de grond staarde.
Minutenlang stond Carnarvon naar binnen te kijken, zoals Howard voor hem. Als een voyeur die de verboden dingen die hij zag verstild gretig in zich opnam. De situatie had iets magisch, iets fantastisch en, hoewel alle aanwezigen vele jaren op dit moment hadden gewacht, ook iets ongelooflijks. Sinds drieduizend jaar had niemand in de verzegelde grafkamer van de farao gekeken. Het unieke van dit moment liet iedereen verstarren.
Alleen Evelyn, die nog niet naar binnen had gegluurd, stond rusteloos te schuifelen. Uiteindelijk trok ze haar vader aan zijn mouw van de mand en stapte er zelf op. Ondanks de verhoging was ze te klein om naar binnen te kijken. Howard stapte naar voren, sloeg zijn armen om haar heupen en tilde de kleine Evelyn omhoog.

Evelyn genoot terwijl ze de faraoschat in ogenschouw nam. Maar niet minder van Howards omarming. Nadat ze zich had losgemaakt van die overweldigende aanblik kwam het tot een onverwachte toenadering. Langzaam liet Howard haar zakken terwijl Evelyn haar armen om zijn nek sloeg en hem heftig en onstuimig begon te kussen, alsof het de eerste keer was en de voorgaande belevenis haar van haar verstand beroofd had. Ze drukte zich zo hartstochtelijk tegen hem aan dat Howard dat weldadig prikkelende gevoel toeliet en haar aansporende bewegingen en liefkozingen willig beantwoordde.

Hoewel Lord Carnarvon zag wat er gebeurde, was hij zo overweldigd door de ontdekking dat hij datgene wat er tussen Howard en Evelyn plaatsvond van weinig belang achtte. Hij schreef de plotselinge gevoelsuitbarsting van zijn dochter toe aan de opwinding waar ze allemaal het slachtoffer van geworden waren. Hij vergiste zich echter.

Nadat ook Callender en de raïs een blik in de grafkamer hadden geworpen, liep het groepje van vijf naar boven, het daglicht tegemoet. Iedereen had het gevoel dat ze uit een andere wereld tevoorschijn kwamen, alsof ze drieduizend jaar geschiedenis achter zich hadden gelaten. Niemand was in staat iets te zeggen. Ze gingen bij de arbeiders zitten die rondom de grondtrechter een kring hadden gevormd.

Howard zat met opgetrokken knieën te kijken en liet zijn hoofd op zijn armen rusten. Als je niet beter wist, zou je denken dat het meer een uiting van diepe vertwijfeling was dan van trots over het behaalde succes, laat staan het ultieme geluksgevoel van een archeoloog. De arbeiders wisten niet wat ze ervan moesten denken. Carter-*effendi* leek immers terneergeslagen. Daarom voelde de raïs zich geroepen om hen bij te praten over de stand van zaken.

Nauwelijks was hij uitgepraat of de arbeiders kwamen in een vreugderoes. Ze dansten hand in hand en zongen overmoedig enthousiast rondom de ingang van de grafkamer. Een van de arbeiders ging hen voor en riep na elk couplet: 'Allah is groot, en Carter-*effendi* is een ware dienaar van Allah!'

Carnarvon staarde naar de steile rotspartijen. Hij was trots en straalde het machtsbesef van een overwinnaar uit. Voor hem was het spel voorbij. De farao had het onderspit moeten delven.

Evelyn was op dat moment niet zo geïnteresseerd in de archeologische ontdekking. Carters toestand lag haar meer aan het hart. De heftige omarming was voldoende geweest om de gevoelens die ze voor hem had opnieuw vrij spel te geven. Ze merkte bovendien als

eerste dat Howard beefde over zijn hele lichaam. Vol medeleven boog ze zich naar hem toe en legde een hand op zijn schouder.
Howard keek op. Evelyn zag toen dat hij huilde. De trotse, eigenzinnige Howard Carter huilde tranen met tuiten. En hij schaamde zich daar niet voor. 'Ik weet niet of het juist is wat ik gedaan heb,' fluisterde hij zichtbaar aangedaan. 'Ik voel me een indringer.'
Evelyn keek hem vragend aan. 'Hier heb je toch altijd naar verlangd?'
'Dat weet ik,' zei Howard. 'Maar nu mijn grootste wens vervuld is, heb ik plotseling zo mijn bedenkingen. Het gaat immers om het graf van een farao, een buitengewoon persoon. Heeft überhaupt iemand het recht een graf binnen te dringen en de rust van de overledene te verstoren?'
Evelyn keek hem radeloos aan. 'Dit is voor jou niet de eerste keer. Waarom heb je opeens last van gewetenswroeging?'
'Omdat dit waarschijnlijk de eerste oorspronkelijke grafkamer is waarin we de mummie van een koning zullen vinden. Alle andere graven die ik tot nu toe geïnspecteerd heb, zijn lang geleden leeggeroofd en inmiddels niet meer dan historische relicten.'
'Wil dat zeggen dat je je terugtrekt uit het project? Juist nu je levensdroom vervuld is? Doe niet zo raar, Howard. Als jij het werk neerlegt, zal iemand anders ermee doorgaan en alle roem verwerven. Ik weet zeker dat mijn vader dit project nooit en te nimmer opgeeft! Je moet beslist verdergaan op de ingeslagen weg.'
Howard knikte. Evelyn had gelijk. Hij kon het werk nu niet staken. Ongetwijfeld zou Carnarvon dan een andere projectleider inhuren. Howard moest zijn werk voltooien. Er zat simpelweg niets anders op.
'Waar is je vader?' vroeg hij opeens ongerust. Hij noch Evelyn had gemerkt dat Lord Carnarvon zich teruggetrokken had.
Raïs Ahmed Gurgar wees richting Nijl. 'Lord Carnarvon-*effendi!*' In de verte was de stofwolk van een ruiter te zien. 'Hij is zonder iets te zeggen op zijn paard gesprongen en weggereden,' voegde Ahmed eraan toe.
'Het lijkt wel of die farao jullie allemaal gek gemaakt heeft,' zei Evelyn hoofdschuddend. 'Kennelijk is papa vergeten dat hij een dochter heeft.'
Howard haalde zijn schouders op en grijnsde.

Aan de andere kant van de rivier begaf Lord Carnarvon zich meteen naar het post- en telegraafkantoor, niet ver van de Luxor-tempel. Hij had haast.
Vanbuiten leek het pand op een gevangenis. Het interieur deed sterk denken aan monnikscellen in een middeleeuws klooster. In het sche-

merige licht bevonden zich achter de tralies van loketten twee korzelig kijkende beambten die verbitterd overkwamen, waarschijnlijk omdat ze te weinig betaald kregen. Ze maakten meteen dat ze wegkwamen toen de lord in het Engels – Carnarvon kende nog steeds geen woord Arabisch – zei dat hij zeer dringend naar Caïro moest telefoneren.
Niet geheel ten onrechte stonden de beambten van het post- en telegraafkantoor sceptisch tegenover de uitvinding van de telefoon. Het werk van de duivel. Een telefoongesprek tot stand brengen leek op het manipuleren van een bliksemflits. Het was angstaanjagend en zelfs godslasterlijk. Dus moest de chef erbij worden gehaald om aan de dwingende wens van de Engelsman tegemoet te komen.
De chef van het post- en telegraafkantoor, ene Ali Mansour, verontschuldigde zich heftig voor de domheid van zijn ondergeschikten en beloofde de telefoonverbinding zo snel mogelijk tot stand te brengen. Of de lord zich naar de telefooncabine wilde begeven.
Carnarvon zat al tien minuten in iets wat vanbuiten op een biechtstoel leek en voor de rest op een verwaarloosd treintoilet zonder het niet nader te noemen interieur. Hij bleef strak naar de zwarte telefoon kijken in dat stinkende hok. Uiteindelijk kwam er een jengelende rinkeltoon uit het wandapparaat.
Carnarvon nam de hoorn op.
Aan de andere kant van de lijn meldde zich Arthur Merton, de Caïro-correspondent van de Londense *Times*.
'Merton?' brulde Carnarvon in de trechtervormige microfoon die uit een houten kastje stak dat aan de wand was aangebracht. 'Bent u dat, Merton? Met Carnarvon in Luxor!'
'Mylord, wat verschaft mij de eer?' brulde Merton even hard terug.
'Ik heb sensationeel nieuws, Merton. Sterker nog, dit is wereldnieuws!'
'Een gokje, mylord... u hebt in het Dal der Koningen het graf van die onbekende farao ontdekt! Hoe heet hij ook alweer?'
'Toetanchamon!'
'Dat zal toch niet waar zijn!'
'Ja, Merton, het is waar!'
'Gefeliciteerd, mylord. Wie is er nog meer van op de hoogte? Hebt u het nieuws al aan de plaatselijke krant gegeven?'
'Nee, Merton. Daarom bel ik u. De ontdekking is een puur Engelse aangelegenheid. Daarom wil ik dat het nieuws in de Londense *Times* komt te staan.'
'Heel edelmoedig van u, mylord. U moet weten dat de concurrentie ons altijd op de hielen zit en nooit slaapt!'

'Dat weet ik, Merton. Dat weet ik. Ik neem aan dat de *Times* graag de exclusieve rechten van dit wereldnieuws wil.'
'Dat zou zelfs heel edelmoedig van u zijn.'
'Hoezo edelmoedig? Dat is een kwestie van geld. Of dacht u dat ik dit sensationele nieuws gratis weggeef? Mister Merton, ik heb vijftigduizend pond in dit project gestoken. Het wordt tijd dat die investering vruchten gaat afwerpen.'
'Dat begrijp ik, maar ik heb bij de *Times* niet de bevoegdheid om de exclusieve rechten te kopen. Ik zal meteen meneer Geoffrey Dawson, de uitgever van de *Times*, op de hoogte brengen. Hij zal contact met u opnemen, mylord. Ik neem de eerstvolgende trein naar Luxor.'
'Oké, Merton. Ik verwacht u uiterlijk morgen in Hotel Winter Palace.'
Ali Mansour, de directeur van het post- en telegraafkantoor, vond een dringend telefoontje naar Caïro veel te belangrijk om zomaar ongecontroleerd te laten passeren. Daarom had hij met een koptelefoon die aan een schakelkast achter het getraliede loket was aangesloten elk woord gehoord. Hoewel zijn Engels niet best was, had hij toch begrepen dat Lord Carnarvon in het Dal der Koningen een faraograf had ontdekt – *mahsjallah*!
Lord Carnarvon verliet het telegraafkantoor en begaf zich naar het Winter Palace. Zijn kleren waren vuil en stoffig. Hij zag er met andere woorden uit als een arbeider die op de archeologische sites werkte. Door dorst geplaagd bleef de lord in de hotelbar hangen waar het om deze tijd van de dag nog niet druk was.
Toevallig hield zich in de hotelbar – belegd met hoogpolige vloertapijten waar je ook keek – een man op die hij al eens eerder gezien had. Op dat moment ontging het Carnarvon waar hij hem van kende. Daarom deed hij of hij de vreemdeling niet had opgemerkt.
De lord bestelde een coca-cola, een nieuwerwets drankje dat niet zozeer in adellijke krijgen maar vooral bij kunstenaars, musici en globetrotters populair was geworden. Hij bestelde tevens een scotch. Voor hij het wist had hij er een stuk of vier op. In elk geval was het genoeg om de opgetogen, verwaande houding waarmee hij te kijk liep de vrije loop te laten.
Kennelijk had de vreemdeling, die zich op de achtergrond hield, de verandering in diens gedrag opgemerkt. Hij liep naar Carnarvon en zei in keurig Engels: 'Kan men u ergens mee feliciteren, mylord? Zo ja, dan wil ik graag de eerste zijn.'
Carnarvon keek op en zag een getekend gezicht. Een huidplooi liep loodrecht over diens voorhoofd. 'Spink is de naam. Robert Spink,' zei de vreemdeling met het niet bepaald sympathieke voorkomen.

'Zo, en waarmee denkt u mij te kunnen feliciteren?' vroeg de lord.
'Met uw ontdekking, mylord! Dat zie ik zo. Spink weet alles wat er in en rondom Luxor gebeurt.'
Lord Carnarvon trok een ernstig gezicht. 'Meneer Spink, wat denkt u dat ik ontdekt heb, als ik zo vrij mag zijn?'
'Toetanchamon!' Er verscheen een brede grijns op zijn gezicht, zo typisch voor hem. 'Een duivelse kerel, die Carter!'
'Dat uitgerekend u dat over hem zegt, meneer Spink. Als ik me goed herinner hoort u niet bij zijn vriendenkring.'
'Dat is zo, mylord. Maar onze ruzies en meningsverschillen zijn iets uit een ver verleden. Ik denk er liever niet meer aan, hoewel ik er vrijwel dagelijks aan herinnerd word.' Moeizaam tilde hij zijn rechterknie op. 'Meer dan dertig jaar geleden heeft Carter mij kreupel gemaakt.'
'Waarom bent u hem uitgerekend naar Egypte gevolgd als u samen niet door een deur kunt?'
'Waarom? Waarom?' Spink werd fel. 'Vanwege de liefde ben ik naar Luxor gegaan. Ook die werd door Carter gesmoord. Ik wil iedere vrouw hebben die hem bevalt.'
Tot nu toe had Carnarvon nogal ongeïnteresseerd naar hem geluisterd. Plotseling kwam hij gespannen en rusteloos over. Hij dronk zijn glas in één teug leeg en maakte aanstalten om de hotelbar te verlaten.
Spink volgde hem als een bedeljongen. 'Neem me niet kwalijk, mylord. Het was niet mijn bedoeling u lastig te vallen met mijn persoonlijke kwesties.'
Carnarvon liep met grote stappen verder. Aldus probeerde hij deze onaangename kerel van zich af te schudden. Spink bleef hem echter halsstarrig volgen. Toen de lord aan de receptionist vroeg of zijn dochter al gearriveerd was, sneed Spink op een fluistertoon een ander onderwerp aan.
'Mylord, u hebt in het Dal der Koningen veel geld geïnvesteerd in de archeologische sites. U moet ervoor zorgen dat niemand anders op de loop gaat met de vruchten van die investering. Het gaat mij niet aan, maar Carter heeft al contact met mij opgenomen en gevraagd of ik bereid ben de kostbaarste voorwerpen uit het faraograf te gelde te maken.'
Nadat de receptionist ontkennend geantwoord had op de vraag van Carnarvon richtte de lord zich tot die vervelende Spink en siste: 'Meneer Spink, ik wil dat u me niet langer lastigvalt met uw intriges. Verdwijn voordat ik iets met u doe waar ik later spijt van krijg.'

Spink liet zijn schouders hangen, draaide zich om en verdween als een geslagen hond.
Carnarvon nam de veerboot naar de overkant van de rivier. Een zwoel avondbriesje streek langs het vuilwitte zeil terwijl de lord gekweld werd door duizend gedachten. Natuurlijk was Spink een onbeschofte kerel die vol listen en streken zat. Maar misschien had hij gelijk met zijn beschuldigingen. Carter, een kleinburgerlijke archeoloog van lage afkomst, had immers ook zijn dochter proberen te versieren. Hij had toch zelf gezegd, en niet zonder trots, dat hij jarenlang de kost had verdiend met het smokkelen van antiquiteiten? Als hij niet oppaste had hij straks misschien inderdaad het nakijken.
Op de andere oever stond een paard-en-wagen te wachten. Toen Carnarvon bij de woning van Howard arriveerde, zag hij licht achter de ramen. Hij vroeg de koetsier om op hem te wachten en liep de met stenen bezaaide heuvel op. Plotseling hoorde hij zijn dochter onbesuisd lachen. Het doorbrak de stilte van de woestijn. Voorzichtig deed hij de deur open en liep ongemerkt naar binnen. Opeens had hij spijt dat hij gedronken had. De alcohol miste zijn uitwerking niet. Hij had zelfs moeite om te voorkomen dat hij wankelde. Op de tast baande hij zich een weg door de schemerige voorkamer naar de zitkamer, waar hij geluiden hoorde. Opeens werd het stil. Beneveld van de drank luisterde hij in de duisternis of hij wat hoorde.
Hij wist niet hoe lang hij daar roerloos gestaan had. Met een heftige beweging duwde hij vervolgens de deur open en staarde naar binnen.
'Papa!' riep Evelyn verbijsterd. Halfbloot zat ze op Howards schoot en probeerde zich haastig te bedekken terwijl ze beiden niet wisten hoe snel ze uit deze compromitterende situatie moesten komen. Carter schikte zijn kleren en zei minachtend: 'U had eerst moeten kloppen. Dat is niet meer dan fatsoenlijk. Volgens mij geldt dat ook in adellijke kringen.'
Carnarvon keek als versteend toe en was sprakeloos. Hij hapte bijna naar adem van woede en verbittering terwijl hij zei: 'Meneer Carter, als u fatsoen had gehad, zou u met uw tengels van een verloofde vrouw zijn afgebleven!' Hij liep naar hem toe en nam een dreigende houding aan.
Met gestrekte armen wierp Evelyn zich tussen de twee mannen. 'Je kunt niet alleen Howard de schuld geven,' riep ze angstig. 'Ik zal je alles uitleggen!'
'Uitleggen? Wat valt er dan nog uit te leggen, schat?' Lord Carnarvon was meteen ontnuchterd. 'Je hebt je gedragen als een hoer uit Soho. Ik zou niet weten wat voor verklaring je daarvoor hebt.'
'Matig u, mylord!' riep Howard woedend. 'U hebt het over uw dochter!'

'... die u onteerd hebt, meneer Carter. Ik verwacht van u dat u bereid bent de consequenties ervan te dragen.'
Plotseling werd het stil. Zo stil dat je buiten de roep van het uiltje kon horen. Evelyn deed een stap opzij en staarde Howard met grote ogen aan. Ze hoopte dat hij zou antwoorden: Natuurlijk, mylord, ik zal met uw dochter trouwen. Maar hij zweeg. Hij zweeg alsof er niets gebeurd was. Verlegen wendde hij zijn ogen af.
'Howard!' zei Evelyn. 'Waarom zeg je niets?'
Howard keek haar aan. Ze had de indruk dat hij dwars door haar heen keek. 'Howard!'
Hij bleef hardnekkig zwijgen.
Evelyn vroeg zich af waarom hij niet tegen haar vader zei dat hij van haar hield. Of houdt hij niet van mij? schoot het door haar heen. Had ze zich dan zo in hem vergist? Teleurgesteld draaide ze zich om en negeerde de verwijtende blik van haar vader. Een blik waarmee hij haar duidelijk maakte dat het kennelijk nu pas tot haar doordrong hoe serieus Carter het meende.
Howard wist zelf niet wat hem overkwam. Natuurlijk hield hij van Evelyn. Maar sinds de lord hem aan zijn lage afkomst en zijn leeftijd herinnerd had, was er iets in hem gebroken. Hij besefte vanaf dat moment dat hij in die kringen nooit geaccepteerd zou worden. Hij vreesde dat ook hun liefde daar niet tegen bestand zou zijn. Misschien kon hij een positief antwoord beschouwen als een kort moment dat in het teken stond van de triomf. Maar het geluk zou zeker van korte duur zijn.
Met een hoofdknik wees Lord Carnarvon naar de deur en zei tegen zijn dochter: 'Onder aan de heuvel wacht een koetsier met paard en wagen. Ga nu! Ik kom eraan!'
Evelyn gehoorzaamde. De blik die ze Howard toewierp deed pijn.
'Meneer Carter, wat zich hier heeft afgespeeld, blijft tussen ons drieën,' begon Carnarvon toen ze alleen waren. 'Ik denk dat het rampzalig is als Lord Beauchamp, de verloofde van mijn dochter, hier ooit achter komt. Ik wil uw erewoord dat u over deze misstap zult zwijgen. Evelyn is jong en nieuwsgierig. Van u had ik echter wat meer terughoudendheid verwacht.' Met een korzelige uitdrukking op het gezicht stak hij zijn hand uit.
Howard keek ernaar alsof het de hand van een melaatse was. Hij aarzelde. Daarna schudde hij die hand zonder zijn afschuw te verbergen en zei: 'Afgesproken, mylord. Maar ik doe dat alleen voor Evelyn.'
Ooit had hij Lord Carnarvon bewonderd en gewaardeerd. Nu haatte en minachtte hij hem.

28

De volgende ochtend ontmoetten Howard, Carnarvon en Evelyn elkaar in het Dal der Koningen alsof er niets gebeurd was. Met opzet had Howard een kleine werkploeg geformeerd: Callender, zijn assistent, raïs Ahmed Gurgar en vier van zijn trouwste arbeiders met wie Howard inmiddels jarenlang had samengewerkt.
Het was laat in de herfst en de zon wierp lange schaduwen terwijl Howard en de raïs samen met de vier arbeiders door de onderaardse gang liepen. Callender, Lord Carnarvon en zijn dochter Evelyn wachtten vol ongeduld voor de zestien stenen treden die in de diepte voerden. Net als gisteren heerste er een sfeer van gespannen afwachting terwijl Howard de muur sloopte. Zelfs de praatzieke arbeiders die de brokstukken in manden naar boven sleepten, waagden het niet om ook maar iets te zeggen.
Na een halfuur kwam de raïs met zijn arbeiders naar boven en zei: 'Carter-*effendi* vraagt of u naar de grafkamer wilt gaan.'
In de muur die de grafkamer afsloot, gaapte een groot gat. Een volwassen man kon er gebukt gemakkelijk doorheen stappen. In de kamer was inmiddels een lamp neergezet die de kostbare bezittingen van de farao liet fonkelen. Iedereen was zo in vervoering gebracht door de aanblik van de goudschat dat niemand het waagde om naar binnen te gaan.
De gebeurtenissen van de vorige avond leken verleden tijd. Ook was er geen sprake meer van haatgevoelens die Howard jegens Lord Carnarvon had. Noch van teleurstelling van de zijde van Evelyn omdat Howard zijn liefde voor haar ontkend had.
'Na u!' zei Carnarvon toen Howard hem voor wilde laten gaan. De archeoloog stond er echter op dat de lord als eerste de schatkamer betrad. Toen dat dispuut wel erg lang ging duren, nam Evelyn het initiatief en waagde zich naar binnen. Gevolgd door haar vader. Howard sloot de rij.
Het drietal kreeg de rillingen toen ze zich voorstelden dat ze dezelfde lucht inademden als de slaven van de farao drieduizend jaar geleden. Het rook er merkwaardig zoet naar zand en stof. Door de geur begon iedereen oppervlakkig te ademen.
Links naast de ingang lagen de onderdelen van verschillende gedemonteerde strijdwagens. Erachter bevonden zich kisten, bakken, albasten vazen en allerlei decoratieve sierstukken zoals geen van de drie aanwezigen die ooit gezien had. Er stonden met goud afgewerkte bedden en ligbanken in de vorm van fabeldieren. En kisten, beschilderd of met inlegwerk gedecoreerd. En cassettes waarvan het

vermoeden bestond dat daarin kostbare sieraden waren opgeborgen. Verschillende sierlijk gevormde troonzetels, alsof ze voor kinderen bedoeld waren, blonken alsof ze van puur goud waren. Het zou zonde zijn om erin te gaan zitten want de rugleuningen waren versierd met kleurige reliëfs, hoofdzakelijk in donkerblauw en dof rood; taferelen uit het familieleven van de farao. En tussen die stoelen in zagen ze albasten voorwerpen die gelig fonkelden in het lamplicht. En er lagen boten waarvan de boeg en de achtersteven van dierenkoppen voorzien waren. En kruiken met deksels, in diverse afmetingen, drinkgerei en bekers, waarvan je zou denken dat die veeleer bedoeld waren voor de sier dan om uit te drinken.
Het leek of de nakomelingen van de overleden farao de hele huisraad hadden meegegeven voor het hiernamaals. Kostbaarheden van onschatbare waarde, maar ook eenvoudige gebruiksvoorwerpen, zoals borden, manden, sandalen en praktische doosjes van flinterdun hout. Howard was het eerst bekomen van de aanblik. De lord en Evelyn keken nog steeds sprakeloos om zich heen. Het was onmogelijk om de honderden, nee duizenden voorwerpen in je op te nemen. Howard was inmiddels aan het analyseren. Het was namelijk een chaos in deze grafkamer. Wat hij hier zag, bevestigde zijn eerste vermoeden dat de grafrovers hier al in een ver verleden waren binnengedrongen en waarschijnlijk gestoord werden waardoor ze maar weinig dingen hadden meegenomen.
Met een kritische blik inspecteerde hij de muren. Geen decoraties, slechts ruwe wanden waarin duidelijk beitelsporen te zien waren. Links aan de tegenoverliggende lange wand was het muurwerk anders van structuur. Dat gold ook voor de korte wand aan de rechterkant, waar twee levensgrote, angstaanjagende beelden van twee zwarte speerdragers een dichtgemetselde ingang bewaakten.
Lord Carnarvon ergerde zich dat Howard zo kritisch rondkeek. 'Wat vindt u ervan, meneer Carter?' fluisterde hij.
Howard draaide zich om, keek hem aan en antwoordde bedachtzaam: 'Volgens mij is datgene wat we hier zien slechts een klein gedeelte van wat er werkelijk ligt. Vermoedelijk bevinden we ons in de voorkamer van het graf en zijn er nog andere vertrekken met belangrijke grafgiften.'
'Meneer Carter!' zei Carnarvon onthutst, alsof hij hem maande om zich wat bescheidener op te stellen.
Howard wees naar wat hij zojuist ontdekt had: de onregelmatige structuur van de muren. 'Daar, ziet u dat? Twee dichtgemetselde muren! Volgens mij is daar nog nooit iemand binnen geweest, of ik moet me sterk vergissen.'

'Denkt u dat we achter een van die muren de mummie van farao Toetanchamon zullen vinden? Compleet met alle schatten die de oude Egyptenaren aan hun koningen meegaven in het hiernamaals?'
Howard werd kwaad. 'U hebt het steeds over schatten en rijkdommen, mylord! Alsof dat het belangrijkste is! Is het nooit bij u opgekomen dat het om meer gaat dan alleen goud en geld? We ontdekken op dit moment een stukje geschiedenis van de mensheid. Een mozaïeksteentje van ons eigen verleden.'
'Maar ik heb er mijn geld ingestoken,' diende Carnarvon hem heftig van repliek. 'U hebt dit stukje geschiedenis van de mensheid dankzij mijn geld ontdekt. Het zou fijn zijn als u zich dat af en toe realiseert!'
Plotseling stonden ze weer als twee rivalen tegenover elkaar. Niet eens de aanblik van de faraoschatten kon hun vijandschap beteugelen.
'Hou op!' riep Evelyn fel. 'Hebben jullie op dit belangrijke moment niets beters te doen dan elkaar beledigen? Jullie verdienen dit historische ogenblik niet! Ik haat jullie allebei!'
Onbeholpen stapte ze door het gat in de muur en liep weg. Howard en Carnarvon hadden niet verwacht dat ze zo zou reageren. Nu stonden ze er alleen voor met hun haatgevoelens.
Lord Carnarvon pakte een prachtige albasten kruik op, alsof hij de schat van Toetanchamon zojuist gekocht had. Hij hield die tegen het licht van de lamp. De kruik glansde als de volle maan aan de nachtelijke hemel. Argwanend hield Howard hem in de gaten.
'Dit fraaie ding zou best wel eens tweeduizend pond waard kunnen zijn,' zei de lord met een keurende blik.
Howard keek hem sprakeloos aan. Hij rukte het kostbare voorwerp uit de handen van de lord en riep woedend: 'U bent niet goed snik, Carnarvon! Denkt u nou echt dat u vrij kunt beschikken over de faraoschat?'
Buiten zinnen probeerde de lord hem de kruik weer af te nemen. 'Wat u hier ziet is allemaal van mij. Ik heb dat betaald. Wilt u soms ontkennen dat ik die ontdekking mogelijk heb gemaakt?'
Tijdens dat handgemeen gleed de albasten kruik uit de handen van Carnarvon en viel op de stenen grond in scherven. Het had niet veel gescheeld of Howard had zich op Carnarvon geworpen. Het feit dat Callender plotseling binnenkwam en vroeg wat er aan de hand was, voorkwam dat hij die stommiteit beging.
'Ik moet hier weg!' stamelde Howard terwijl hij zijn kraag losmaakte, alsof hij ademnood kreeg in deze kleine, benauwde grafkamer. In werkelijkheid werd de aanwezigheid van Carnarvon hem te veel.
Toen hij naar buiten liep, verscheen Lord Carnarvon eveneens, op de voet gevolgd door Callender.

'Het graf wordt tot morgen met balken gebarricadeerd,' commandeerde Howard. 'Bovendien verdubbelen we de wachtposten. Callender, u zorgt ervoor dat dat gebeurt en houdt toezicht!'
'Meneer Carter, ik heb in de afgelopen zesendertig uur amper geslapen!' riep Callender onthutst. 'Mijn ogen vallen dicht. Ik ben gewoon op.'
Howard keek de raïs vragend aan. 'Ahmed, bent u bereid toezicht te houden op de wachtposten?'
Ahmed Gurgar knikte zelfingenomen. 'Ja, Carter-*effendi*.'
'Kan ik op u rekenen?'
'Ja, Carter-*effendi*.'
Howard, Carnarvon en Evelyn vertrokken zonder afscheid van elkaar te nemen. Ze keken elkaar niet eens aan.

Na zijn terugkeer uit het Dal der Koningen zag Lord Carnarvon dat er zich onder de huurkoetsiers zwarthandelaren en andere schimmige figuren ophielden. Zoals altijd rond deze tijd van de dag stonden ze voor het Winter Palace als wolven die op zoek waren naar prooi. Robert Spink hing daar ook rond. Kortaf stuurde de lord zijn dochter naar haar kamer, waarna hij Spink een teken gaf om hem op gepaste afstand te volgen naar het hotelpark.
De lord ging op een bankje zitten onder een grote plataan waarvan de gevallen bladeren verspreid over het gazon lagen. Daarna wreef hij met zijn handen over zijn gezicht. Vele jaren had hij naar deze ontdekking verlangd. Nu het eenmaal zover was, en hij van deze triomf kon genieten, bracht het hem meer hoofdbrekens dan vreugde. Het leek of er een vloek op het graf van Toetanchamon rustte.
'Hebt u nog eens nagedacht over mijn voorstel, mylord?'
Toen Carnarvon opkeek, zag hij Spink voor zich staan, zoals altijd met een sluwe grijns op zijn gezicht. Met zo'n vent wil jij in zee gaan? schoot het door hem heen. Toen hij zich echter de ruzie met Howard herinnerde, twijfelde hij niet meer. Hij moest het doen om te voorkomen dat hij benadeeld werd en uiteindelijk misschien met lege handen achterbleef.
Spink ging naast hem zitten, stak de handen in de zakken van zijn afgedragen jas en staarde naar zijn vooruitgestoken benen. 'U weet toch,' begon hij op een arrogante toon, 'dat Egypte een wet heeft uitgevaardigd die de uitvoer verbiedt van alle archeologische voorwerpen, hoe klein en onbelangrijk ze ook zijn?'
'Wat vertelt u me nou, meneer Spink!'
'Helaas, mylord. Waarom zou ik u beliegen? Ik lijd nog het meest

onder die wet. Egypte heeft een koning en is sinds kort onafhankelijk. Tegenwoordig maken ze hier zelf de dienst uit.'
'Maar dat betekent dat de schatten in het graf van Toetanchamon niet uitgevoerd mogen worden!'
'Niet op legale wijze, mylord. De havendouane heeft de controle verscherpt. Sinds het geld in Europa met de dag minder waard wordt, is goederenkapitaal populairder dan ooit. Vooral kunstschatten.'
'Dat weet ik, meneer Spink. De faraoschat is het equivalent van een onvoorstelbaar groot vermogen. Amerika beleeft een ongekende hoogconjunctuur en koopt half Europa op. En ik zit waarschijnlijk op de grootste goudschat die de mensheid ooit gekend heeft en zie geen mogelijkheid om alles te gelde te maken!' Wanhopig schudde Carnarvon zijn hoofd.
Spink schraapte schuchter zijn keel. De lord restte niets anders dan de dubieuze Engelsman over de streep te trekken. 'Kom er nou maar mee voor de draad, meneer Spink! Ik ken u inmiddels goed genoeg om te weten dat u mij een voorstel wilt doen. Ik ben benieuwd!' Hij keek Spink met een provocerende blik aan.
'Er is maar één manier om de schat ongemerkt Egypte uit te krijgen. Door de lucht.'
'Door de lucht?' Carnarvon fronste vol ongeloof zijn wenkbrauwen. 'Met een vliegtuig? Bedoelt u dat? Volgens mij hebt u te veel stuiverromans gelezen, meneer Spink. Uw fantasie gaat met u op de loop.' Hij lachte meewarig.
'Neemt u mij niet serieus? Ik ga al!' Spink stond op en maakte aanstalten om de daad bij het woord te voegen.
Carnarvon kon hem nog net bij zijn jas grijpen en fluisterde: 'U bent wel erg snel gepikeerd. Uw voorstel klinkt gewoon te avontuurlijk!' Met tegenzin ging Spink weer zitten. Vervolgens haalde hij een zakmes tevoorschijn, maakte met een draaiende handbeweging een gat in de platgetreden grond en zei: 'Dit is Luxor en het Dal der Koningen.' Met de punt van het mes trok hij een golvende lijn die de Nijl voorstelde. Met erboven de Middellandse Zee en rechts de Rode Zee en het Arabisch schiereiland. Daarna liet hij zijn wijsvinger een denkbeeldige lijn volgen. 'Zoals u ziet, mylord, is het van Luxor naar Alexandrië verder dan van Luxor naar Arabië. En in Arabië gelden de Egyptische wetten niet. We transporteren de schat dus eerst naar Arabië. Vandaar verschepen we de hele boel waar dan ook naartoe. Niemand zal ons een strobreed in de weg leggen.'
De lord keek met een zekere scepsis naar de schets die Spink op de grond getekend had. Na een tijdje zei hij: 'Uw plan is bijna geniaal te noemen, meneer Spink. U vergeet echter een paar dingen die van

doorslaggevend belang zijn. Waar halen we dat vliegtuig vandaan? En wie durft dat toestel te vliegen? En van een vliegveld is al helemaal geen sprake. Dit is een verre van realistisch plan, Spink.'
Terwijl Carnarvon sprak, passeerde toevallig een invalide man zonder armen. Hij bleef enkele passen van hen vandaan staan, alsof hij om een aalmoes vroeg. Toen de lord hem zag, ontvielen hem de woorden: 'Arme kerel! Die verdomde oorlog ook!'
'Hebt u wat kleingeld over?' fluisterde Spink hem toe.
Zwijgend haalde de lord een muntstuk uit zijn vestzak en gaf het aan Spink, die het de invalide man lachend en met een vinnige handbeweging toewierp.
Verbaasd zag Carnarvon dat de invalide, niemand minder dan Sayyed, het muntstuk in zijn mond opving en het in de tas liet vallen die voor zijn borst hing. Daarna dankte hij het tweetal met een hoofdknik en liep naar de trap die naar de achteruitgang van het hotel voerde.
'Nee, uw plan is veel te gevaarlijk, te riskant,' zei de lord die het onderwerp weer oppakte. 'U zult dan ook geen piloot vinden die bereid is zo'n groot risico te nemen.'
Spink gebaarde wild met zijn wijsvinger en zei met gesmoorde stem: 'Dat is een kwestie van geld, mylord. Voor een bepaald bedrag heb ik een vliegtuig... een WACO 6... en een piloot tot mijn beschikking. We hebben het trouwens over een Engelsman. Hij heeft nog onder Kitchener in Khartoem gevochten. Achter het gebergte heeft hij een plaats gespot die zeer geschikt is als landingsbaan voor een Amerikaanse dubbeldekker. De transportkosten voor een gewicht van een halve ton met bestemming Arabië bedraagt, ongeacht wat het is, twintigduizend Amerikaanse dollar.'
'Twintigduizend dollar? U bent niet goed snik, Spink?'
'Dat zegt u nou wel, mylord. Maar u moet die kosten in relatie zien tot de winst van misschien wel een miljoen dollar. Ik heb geen idee wat die faraoschat waard is.'
'En u? Welke rol speelt u hierin, meneer Spink? Ik ga ervan uit dat u zich als bemiddelaar bijzonder goed laat betalen.'
'Maar mylord toch!' Spink deed of hij verontwaardigd was. 'Mijn bescheiden aandeel in deze zaak is bij de genoemde prijs inbegrepen. Dat spreekt toch vanzelf?'
De lord keek hem een moment lang minachtend aan, waarna hij opstond en zei: 'Wie garandeert mij dat de lading ook op de bestemming arriveert?'
'Ik, Robert Spink!'
'Uitgerekend u?' Carnarvon lachte hard.

Spink werd kwaad en zei. 'Ik ben niet zo dom als u denkt, mylord. Deze klus is tot in de kleinste details voorbereid. De kostbaarheden gaan in kisten met het opschrift "Machineonderdelen voor Londen". De piloot weet niet eens wat hij vervoert. Hij vertrekt achter het Dal der Koningen, maakt op een woestijnpiste in Boer Safaga een tussenlanding om te tanken en bereikt na een vlucht over de Rode Zee zijn bestemming nabij de Arabische kustplaats Ziba. Het toestel wordt daar opgewacht door een van mijn agenten. U kunt meegaan als u dat wilt. Dan verliest u de schat geen seconde uit het oog.'
'Geen denken aan!' riep de lord boos. 'Nooit van mijn leven kruip ik in een vliegtuig. Ik heb in een zeilboot een reis om de wereld gemaakt en de zwaarste stormen overleefd. Vliegen laat ik echter aan anderen over. En om een goede reden. Twaalf jaar geleden kwam mijn vriend Charles Rolls om bij een vliegtuigcrash. We zouden elkaar dezelfde dag ontmoeten. Rolls wilde mij een van zijn fraaie auto's verkopen. Die koop is nooit tot stand gekomen. Nee, ik moet niks van vliegtuigen hebben.'
'Dan wordt de kostbare vracht zonder u naar Arabië vervoerd. Mijn agent in Mekka zal voor de verscheping ervan naar Southhampton zorgen. U zult tevreden zijn over de afwikkeling.'
Rusteloos liep Carnarvon heen en weer voor het parkbankje. Hij wist dat Spink een afzetter was, een bedrieger, iemand die alleen aan zichzelf dacht. Natuurlijk was het risico groot als je het waagde een schat van die omvang aan hem toe te vertrouwen. Maar hij had geen andere keus omdat hij zeer veel geld geïnvesteerd had in de opgravingen. Als hij passief bleef, of fatsoenlijk of hoe je het ook wilde noemen – misschien wel dom – zou hij geen kans meer krijgen om geld te verdienen aan dit dure project. Die investering moest er koste wat het kost weer uitkomen. Hij had overigens niets anders voor ogen gehad toen hij vijftien jaar geleden groen licht gaf aan die financiering.
De lord hield zijn pas in en keek Spink strak aan. Zijn ogen flonkerden als glazen bollen terwijl hij zei: 'Oké, Spink. Vijftienduizend dollar en geen cent meer!'
Spink keek als een gekweld man, alsof hij zojuist vijftienduizend dollar verloren had. Uiteindelijk stemde hij in. 'Maar het moet snel,' drong hij aan. 'Ik heb dat geld vandaag nog nodig. Het vliegtuig landt tegen middernacht. Alles is al geregeld.'
'Maar u wist niet eens of ik akkoord zou gaan met dit plan, Spink!'
'Mylord, u bent een welgesteld man van de wereld. U weet van wanten. Ik wist bij voorbaat dat u deze deal niet aan uw neus voorbij zou

laten gaan. Het zou dom zijn om er niet op in te gaan. Daarom heb ik al kisten laten maken die anders voor het vervoer van mijn waterpompen zouden worden gebruikt.'
Verbaasd schudde Carnarvon zijn hoofd. 'Petje af, meneer Spink. Nu is het alleen nog zaak dat meneer Carter vannacht thuis blijft.'
Plotseling sprong Spink op, alsof een tarantula hem gebeten had. Hij verdween achter de struiken. Meteen zag Carnarvon wat daarvan de reden was. Howard liep door de achteruitgang van het hotel naar buiten.
Met een chagrijnig gezicht hield hij Carnarvon een telegram van het Oudheidkundig Bestuurscollege onder de neus. 'De pennenlikkers in Caïro vragen zich af wanneer de officiële opening van het graf plaatsvindt. Ze willen er beslist bij zijn. Hebt u ze op de hoogte gebracht van de stand van zaken?'
'In geen geval, meneer Carter!'
'Ik heb altijd geweten dat hier spionnen rondlopen. Wat moet ik die lui antwoorden?'
'Hm.' Carnarvon dacht na. Opeens kreeg hij een idee. Dat telegram uit Caïro kwam als geroepen. 'U neemt de nachttrein naar Caïro, meneer Carter. Daar meldt u zich bij het Oudheidkundig Bestuurscollege en zegt tegen die pennenlikkers, om in uw woorden te spreken, wat hier gebeurd is. Daarna kijken ze maar wanneer ze naar Luxor gaan. In de tussentijd pas ik op de winkel. U logeert daar natuurlijk in Hotel Shepheards. Dat hebt u verdiend, meneer Carter!'
'Bedankt, mylord,' stamelde Howard onzeker. Hij begreep niet waarom de lord zo plotseling van mening was veranderd. Maar zolang het in zijn voordeel was, kon het hem niet schelen.

In de nachttrein naar Caïro reisde Howard eerste klas. De slaapcoupé was voorzien van een uitklapbare wasbak van dof messing en twee elektrische wandlampen in de vorm van waaiers. Toen al kreeg hij een vreemd, bijna akelig gevoel. Waarom was de lord opeens van mening veranderd? Waarom stuurde hij hem 'eerste klas' naar Caïro en mocht hij logeren in Hotel Shepheards, waar alleen de rijke, belangrijke mensen verbleven?
Hij was verbijsterd toen de hotelmanager van Hotel Shepheards, een zeer deftige Engelsman, hem persoonlijk welkom heette en hem begeleidde naar zijn kamer met uitzicht op de Nijlpromenade waar op dit vroege uur altijd een grijswitte nevel hing. Nog nooit had Howard zo vorstelijk gelogeerd. En nog nooit was hij zo geprivilegieerd behandeld. Toen hij echter een blik op de voorpagina van de Londense *Times* wierp – de krant lag op zijn kamer voor hem

klaar – wist hij opeens precies hoe het zat. *Een Egyptische goudschat! Belangrijke vondst in de oude stad Thebe. Lord Carnarvon heeft er lang naar gezocht. Dal der Koningen, 29 november. Vanmiddag deden Lord Carnarvon en meneer Howard Carter hun sensationele ontdekking, mogelijk de archeologische vondst van de eeuw: de grafschat van de heidense vorst Toetanchamon...*
De speciale correspondent Arthur Merton had een artikel van twee pagina's geschreven over de vijftien jaar durende, moeizame zoektocht in het Dal der Koningen en de schat die Lord Carnarvon en Howard Carter in de voorkamer van het graf hadden ontdekt.
Als door de bliksem getroffen liet Howard de krant zakken. Zijn naam stond op de voorpagina van de Londense *Times!* Onwillekeurig dacht hij aan Sarah Jones die trots op hem wilde zijn en hem – goeie genade, dat was inmiddels dertig jaar geleden – aanspoorde om naar Egypte te gaan en een beroemd archeoloog te worden. Die wens was eindelijk in vervulling gegaan, hoewel dat lang geduurd had. Zou Sarah het geduld hebben opgebracht om zo lang te wachten?
Deze terugblik in het verleden duurde echter niet lang, want er werd hard op de deur geklopt.
'Arthur Merton, aangenaam.' De man stelde zich aan hem voor. Hij had donker haar, was klein van stuk en ging sportief gekleed. Net een Engelse golfspeler. Met een blik op de krant – Howard hield die nog steeds in zijn handen – zei hij: 'Ik zie dat u al geïnformeerd bent.'
'U bent dus Merton!' morde Howard. De verslaggever van de *Times* kon hij nu missen als kiespijn. Hij kon het niet laten om hem dat duidelijk te maken. 'Van wie hebt u deze informatie, meneer Merton?'
'Van Lord Carnarvon. Een telefonisch interview. Weet u dat dan niet, meneer Carter?'
'Ik hoor het nu pas,' zei Howard verontwaardigd. 'Maar nu alles gezegd is, kunt u weer vertrekken en me verder met rust laten, meneer... hoe heet u ook alweer?'
'Merton. In de krantenwereld heb ik een goede naam.'
'Goed. Laat die naam dan maar weer klinken in uw business. Als u mij maar nergens in betrekt.'
Merton bleef beleefd, al kostte hem dat veel moeite. In tegenstelling tot Howard wist hij namelijk dat ze vele maanden en misschien wel jaren tot elkaar veroordeeld waren. 'Meneer Carter, volgens mij realiseert u zich nog niet in welke situatie u zich bevindt,' zei hij op een felle toon.
'Nee.' Howard lachte spottend. 'U wel, meneer Merton?'
De kleine Engelsman slikte. 'Meneer Carter, wat er in het Dal der

Koningen ontdekt is, mag als dé archeologische vondst van de eeuw worden beschouwd! Begrijpt u dan niet dat nog nooit iemand een faraograf heeft ontdekt dat niet al was leeggeroofd? En dat in deze deplorabele tijd! Dat verhaal, uw verhaal, meneer Carter, laat de mensen weer dromen. In deze beroerde tijd waarin het geld elke dag minder waard wordt en de werkloosheidscijfers astronomisch hoog zijn, willen de mensen dromen. Geen enkele schrijver, zelfs niet Rudyard Kipling die de dieren laat praten, kan met een mooier verhaal op de proppen komen dan u!'

Howard gniffelde. De situatie waarin hij verzeild was geraakt, had dan ook iets komisch. Een wildvreemde verslaggever probeerde hem, Howard Carter, het belang van zijn eigen ontdekking uit te leggen. Even later antwoordde hij: 'Ja, als u het zo stelt, dan zal het wel kloppen. Wat heb ik daarmee te maken?'

Merton was in de veronderstelling dat hij deze onhandelbare archeoloog overtuigd had. Hij haalde diep adem en zei uiteindelijk: 'Dan heeft Lord Carnarvon u misschien ook niet verteld dat hij de exclusieve rechten van uw gemeenschappelijke project aan meneer Dawson heeft verkocht, de uitgever van de *Times*. Voor tienduizend pond en vijfenzeventig procent van de bijkomende rechten. Het contract is nog niet getekend, maar dat is slechts een formaliteit. Carnarvon en Dawson zijn het met elkaar eens geworden. Dat wil zeggen, en dat is overigens ook de reden waarom ik zo vroeg bij u op de stoep sta, dat alleen de *Times* u mag interviewen. U mag dus geen contact opnemen met of u laten benaderen door een andere krant, tenzij ik daar expliciet toestemming voor geef.'

Howard was in verwarring gebracht door deze woordenvloed en stamelde afwezig: 'Exclusieve rechten... gemeenschappelijk project... geen interviews. U bent niet goed bij uw hoofd, meneer Merton. Ik praat met wie ik wil en tegen u zeg ik liever geen woord meer.'

De kleine Merton ging pal voor hem staan, keek brutaal naar hem op en zei zelfverzekerd: 'Het is beter dat u zich eens gaat verdiepen in deze situatie, sir. Een contract met de Londense *Times* is geen uitnodiging voor een kinderfeestje, maar een keiharde zakelijke overeenkomst. Wij betalen voor de levering van bederfelijke waar die duurder is dan goud. Wij noemen dat nieuws, meneer Carter. En u houdt dat goud in uw handen. Stelt u zich eens voor dat u dat goud in piepkleine klompjes onder de mensen verdeelt. Daar haalt u veel minder belangstelling mee binnen dan als u de grote goudklomp aan één persoon overhandigt.'

'O, zo zit dat dus!' zei Howard. Maar wat afkeurend en ironisch be-

doeld was, wekte bij Merton de indruk dat zijn gesprekspartner begrepen had waar het om ging.
Om die reden zei hij vervolgens: 'Meneer Carter, beneden in de hotellobby wacht een groep van wel twintig journalisten van kranten en persagentschappen uit de hele wereld op u. Er zijn zelfs twee teams van bioscoopjournaals bij: Pathé News en British Movietone. Ze zullen zich als hyena's op u storten en u overstelpen met vragen. Maar ze zullen niets uit u krijgen, meneer Carter. Geen woord! U maakt zich ervan af met een glimlach of het advies dat ze zich tot meneer Merton moeten wenden. Hebt u mij begrepen, meneer Carter?'
'Denkt u dat ik doof of debiel ben?' zei Howard. Hij vond de *Times*-verslaggever steeds onsympathieker worden. 'Ik praat met wie ik wil,' voegde hij eraan toe, waarna hij beledigd zijn hoofd schuin hield.
Merton vouwde zijn handen, alsof hij zijn toevlucht nam tot het gebed, en zei opnieuw: 'Dat mag u in geen geval doen, meneer Carter. De *Times* legt zeer hoge contractuele boetes op als de exclusiviteit niet gewaarborgd wordt. Dat betekent dat Lord Carnarvon van ons geen penny krijgt en dat hij zich bij u schadeloos moet stellen. Dat laat u toch niet gebeuren, meneer Carter?'
'Nee,' antwoordde Howard mat. Zijn halve leven had hij hard gewerkt om een beroemd archeoloog te worden. In die lange, eenzame jaren waarin hij geen succes kende, droomde hij ervan hoe het zou zijn als hij de vergeten farao zou vinden. Nu het eenmaal zover was, werd die ontdekking al na enkele dagen een blok aan zijn been omdat men hem wilde inpalmen en monddood maken. Maar misschien was dat de prijs van het succes, dacht hij.
'Hopelijk heb ik u niet al te zeer laten schrikken,' zei Merton verzoeningsgezind. 'Maar dat zijn nu eenmaal de regels in de krantenbusiness. In wezen gaat het niet om nieuws of om mensen en hun lotgevallen, maar om geld. Het lijkt erop dat die Toetamoen van u veel geld, héél veel geld in het laatje gaat brengen!'
'Toetanchamon, meneer Merton!'
'Voor mijn part heet hij Toet-Mackenzie. Hoofdzaak is dat het verhaal klopt.'
'Toet-Mackenzie,' herhaalde Howard zachtjes terwijl hij knikte. 'Het graf van Toet-Mackenzie. Als u mij nu wilt excuseren, ik moet naar het Oudheidkundig Bestuurscollege.'
'Mag ik u een voorstel doen, meneer Carter? Ik denk dat u er goed aan doet om niet de hoofdingang te nemen. Ook niet de achteruitgang. Daar trappen journalisten al een tijdje niet meer in. Hotel

Shepheards heeft een zijdeur voor leveranciers. Zal ik met u meelopen?'
Met tegenzin stemde Howard in en liep door de keuken en de wasserij naar buiten.
De heren van het Oudheidkundig Bestuurscollege waren niet onder de indruk van Howards ontdekking. Dat gold met name voor directeur Pierre Lacau, een Franse jezuïet die zich tevens had verdiept in de egyptologie. Lacau kondigde echter aan dat hij zeer binnenkort poolshoogte zou komen nemen. Verder wees hij op het wettelijke verbod om zich archeologische vondsten toe te eigenen.
Howard liep via dezelfde heimelijke route terug het hotel in en wilde eerst een poosje rusten. Hij had slecht geslapen in de trein en wilde een dutje doen voordat hij die avond terug zou reizen naar Luxor. Toen hij eindelijk in slaap was gevallen, werd hij gewekt door de hoteldirecteur die in gezelschap was van een niet minder deftige heer, een zekere meneer Waller. Aan de tongval te horen was hij een Amerikaan. Hij probeerde Howard ervan te overtuigen dat hij de eigenaar was geworden van een zwarte T-Ford. Een geschenk van Lord Carnarvon, die zich momenteel nog in Luxor bevond. De auto stond voor de ingang van het hotel.
Howard wist niet wat hem overkwam. Hij trok aan zijn oorlel om zichzelf ervan te overtuigen dat hij niet droomde. 'Weet u zeker dat die auto voor mij is?' vroeg hij voorzichtig aan de Amerikaan.
'Heel zeker. Als u tenminste meneer Carter uit Luxor bent.'
'Maar ik kan niet rijden in zo'n ding!'
'Ik ben gekomen om u rijles te geven, meneer Carter. Ik zal u ogenblikkelijk inwijden in de geheimen van de stuurmanskunst. Het is heel gemakkelijk. Een auto heeft twee voetpedalen, een voor elke voet. Daarmee brengt u de mechaniek van het voertuig in werking. Met het stuur bepaalt u, via de voorwielen, welke kant u op wilt. Zelfs vrouwen leren in korte tijd hoe ze een auto moeten besturen. Zullen we dan maar, meneer Carter?'
In het bijzijn van een horde opgewonden journalisten – ze keken van dichtbij nieuwsgierig toe – reed Howard in de open T-Ford over de Nijlpromenade terwijl meneer Waller als bijrijder luid aanwijzingen gaf. Aanwijzingen die Howard bijna devoot herhaalde. Na een uurtje praktisch onderricht vond meneer Waller dat Howard, die zich tijdens de rijles beslist niet onhandig had getoond, voldoende 'geschoold' was om met deze Amerikaanse auto over de Egyptische wegen te rijden. Hij beloofde dat hij ervoor zou zorgen dat de zwarte auto binnen enkele dagen per schip naar Luxor werd vervoerd. Om kostenbesparende redenen was het Model T alleen in het zwart verkrijgbaar.

Howard reisde samen met Merton terug naar Luxor. In de trein schermde de verslaggever hem geroutineerd af voor de talrijke journalisten die alles in het werk stelden om met Howard in gesprek te komen. Een reporter die naar later bleek voor de *Daily Telegraph* schreef, probeerde dat in het uniform van een conducteur. Toen de trein op het station van Minja stond, poogde iemand anders het raam van Howards slaapcoupé vanbuiten open te schuiven om diens bagage te kunnen doorzoeken.
De rest van Howards bagage zat in de vrachtwagon. Menigeen die van niets wist zou zich wat dat betreft voor een raadsel geplaatst zien. Naast een ijzeren traliehek voor het barricaderen van het graf had Howard ook tweeëndertig bollen touw, verbandmateriaal van pakweg anderhalve kilometer lang en net zoveel watten gekocht om de grafgiften mee in te pakken. Verder zaten er twee levensechte, maar nagemaakte lichaamsdelen bij waarvan niemand de bestemming kende.
Met de gebruikelijke vertraging arriveerde de nachttrein in Luxor. Hoewel het nog vroeg in de ochtend was, verdrongen veel mensen zich op het perron. Onder hen de gouverneur van de provincie, de districtspolitiechef, de politiechef van Luxor en de directeur van Hotel Winter Palace. Toen de trein stilstond, kwam de laatstgenoemde meteen naar Howard toe, schudde hem de hand alsof hij een wereldreiziger was en feliciteerde hem met zijn roemruchte prestatie. De directeur van het Winter Palace vond zelfs dat een beroemd man als Howard Carter een woning met stromend water moest hebben en beslist niet aan de overkant van de Nijl diende te wonen. Hij zou zich geëerd voelen en pas gelukkig zijn als Howard op zijn kosten in een suite van zijn hotel zou verblijven. Howard verzekerde hem dat hij zich zeer op zijn gemak voelde in het huis bij de ingang van het Dal der Koningen. Hij woonde er zelfs comfortabel vergeleken met de andere onderkomens waar hij tijdens zijn lange carrière als archeoloog gewoond had. Maar zijn woorden waren aan dovemansoren gericht. Hij moest en zou in een koets stappen die hem naar het Winter Palace bracht.
De suite van Howard lag op de bel-etage tegenover die van Lord Carnarvon. Natuurlijk met uitzicht op de Nijl. De badkamer was betegeld in zwart en wit, had blinkende waterkranen van messing, en aan de muur naast de deur was een schakelpaneeltje aangebracht met vijf schakelaars. Eronder waren geëmailleerde bordjes bevestigd met de opschriften 'Reception', 'Roomservice', 'Message', 'Cleaning' en 'Manager'.
Howard ergerde zich aan zo veel luxe en technische snufjes. Zijn

streken verloor hij er echter niet door. Hij zette een van die schakelaars om omdat hij twijfelde of ze ook functioneerden zoals de bedoeling was. Hij schrok toen boven de deur een van de vijf lampjes aanging. Hij probeerde de aangerichte ellende ongedaan te maken door de overige schakelhendeltjes met de vlakke hand verscheidene keren over te halen.
Aanvankelijk gebeurde er niets. Na een tijdje werd er echter op de deur geklopt. Howard deed open. Voor de deur stonden achtereenvolgens, en keurig in een rij, een potige kruier, een etagekelner met een serveerdoek over zijn pols, een bode met schrijfgerei, een schoonmaker in een galabia – met poetsdoek en plumeau – en de hoteldirecteur in een zwart pak. Ze maakten tegelijk een buiging, waarna de manager op een eerbiedige toon vroeg: 'Wat kunnen we voor u doen, meneer Carter?'
Howard vond de ongenode opmars voor zijn deur zowel pijnlijk als gênant. Het leek of zijn wereld totaal was veranderd. Maar ook Howard was veranderd, want hij zei: 'Bedankt, heren. Ik controleer alleen even of de goede reputatie van dit hotel gerechtvaardigd is.'
Hij deed de deur dicht en lachte in zijn vuistje. Dertig jaar geleden had men hem het hotel uitgesmeten. De ouwe boef Brugsch – inmiddels overleden – had hem in het bijzijn van alle gasten van diefstal beschuldigd en ervoor gezorgd dat hij in de politiecel belandde. En kijk nou eens?
Toen hij zich omkleedde om naar het Dal der Koningen te gaan, klopte opnieuw een bode op de deur die meldde dat een invalide zonder armen, genaamd Sayyed, bij de receptie op hem wachtte. Deze Sayyed wilde meneer Carter dringend spreken en liet zich niet wegsturen.
'Stuur hem meteen naar mijn suite!' riep Howard kwaad. 'Trouwens... ik wil niet nog een keer horen dat je Sayyed een invalide noemt, begrepen?'
Sayyed was zeer opgewonden. 'Carter-*effendi!* Ik heb u overal gezocht en kwam vandaag pas te weten dat u in Caïro was. Er zijn verschrikkelijke dingen gebeurd!'
'Is al goed!' Howard probeerde hem te kalmeren. 'Ik was in Caïro en heb wat voor je meegebracht.' Hij liep naar de kleedkamer en kwam terug met in elke hand een kunstarm. Ze zagen er zo levensecht uit dat menigeen aan het twijfelen zou worden gebracht of het werkelijk om protheses ging. De leren banden, gespen, haakjes en ogen hielpen je echter snel uit de droom omdat de protheses daarmee aan de armstompjes bevestigd dienden te worden.
'Ze zullen nooit als vervanging kunnen dienen, maar misschien zul

je hiermee de situatie waarin je je bevindt beter kunnen aanvaarden,' zei Howard.
Sprakeloos staarde Sayyed naar de kunstarmen en hij begon te huilen van ontroering. Hij jankte als een kind, deze grote man zonder armen. Uiteindelijk zei hij zachtjes: 'Waarom doet u dat voor mij, Carter-*effendi!*'
Howard haalde zijn schouders op. Ook hij was ontroerd.
Terwijl Howard hem de protheses omdeed, vertelde Sayyed dat Lord Carnarvon Spink had ingehuurd om de kostbaarheden uit het faraograf het land uit te smokkelen. Hij had het gesprek tussen hen afgeluisterd.
'Spink en Carnarvon?' Howard hield onthutst op met wat hij aan het doen was. 'Dat had ik nooit achter de lord gezocht! Maar hij zal er niet ver mee komen, want de nieuwe antiquiteitenwetgeving verbiedt de uitvoer van ongeacht welke kunstschatten.'
'Dat kan wel zo zijn, Carter-*effendi,* maar Spink heeft een duivels plan uitgedacht. Vannacht is in de woestijn achter het Dal der Koningen een vliegtuig geland. Ik heb het lawaai gehoord. Maar Othman, mijn vriend uit el-Koerna, heeft met eigen ogen gezien dat een dubbeldekker daar geland is.'
'Midden in de nacht?'
'Het is volle maan, Carter-*effendi*. En met volle maan zie je in de woestijn een kameel op een kilometer afstand.'
'Wat heeft Othman dan precies gezien?'
'Vier mannen hebben een stuk of tien kisten naar het vliegtuig gesleept en ze ingeladen. Een uurtje later steeg het toestel op en vloog noordwaarts weg.'
'Heb je enig idee wat de bestemming is van dat vliegtuig?'
'Ja, Carter-*effendi*. Toen ik ze in het hotelpark aan het afluisteren was, zei een van hen dat de spullen naar Arabië zouden worden gevlogen.'
'Verdomde Spink! Dat heb je dan weer goed geregeld! Eerst probeert hij mij in zijn duistere praktijken te verwikkelen en nu dat mislukt is, klopt hij bij Carnarvon aan. Als er geld in het spel is, heeft zelfs een lord geen geweten. Ik moet meteen naar het Dal der Koningen.'
'Kijk, Carter-*effendi!* Ik heb armen!' Sayyed zwaaide met zijn protheses en was uitzinnig blij. 'Ik heb weer armen!' riep hij enthousiast.
'Maar je hebt ze niet gekregen om weer te gaan stelen!' waarschuwde Howard hem lachend. 'Kom, we gaan!'
In de lobby kwamen ze de bode tegen. Howard greep hem bij zijn mouw en wees naar Sayyed. 'Noemde jij hem een invalide? Je moet eens wat beter uit je doppen kijken!'
De bode zette grote ogen op. Vol ongeloof staarde hij naar de armen

van Sayyed en riep toen verbijsterd: '*Mahsjallah,* er is een wonder gebeurd. Allah heeft een wonder verricht!' Hij rende weg alsof hij achtervolgd werd door een zwerm wespen.

29

Opeens was alles anders. Howard verliet het hotel en was bezorgd over wat er in de tussentijd met 'zijn' graf was gebeurd. Het feit dat hij naar buiten ging, zou enkele dagen geleden als zodanig beslist geen opzien hebben gebaard. Nu leek het op spitsroeden lopen. Merton wachtte hem op voor de draaideur en duwde de verslaggevers opzij die hem met vragen en verzoeken bestookten en als lastige insecten waren.
Meer dan tien nieuwerwetse fototoestellen waren op hem gericht terwijl hij met Merton aan boord ging van een dahabija om ermee naar de overkant te varen. Zo gaat dat dus als je beroemd bent, dacht Howard terwijl hij zich afwendde van de verslaggevers die hem in twee boten achtervolgden.
Toen hij uitstapte, zag hij zich geconfronteerd met een grote camera van het bioscoopjournaal. Een ernstig kijkende man in een knickerbocker en met een pofpet op draaide aan een zwengel. Howard keerde de cameraman, die alles wat hij deed opnam, de rug toe.
Merton riep naar een koetsier en duwde Howard vervolgens in de tweezitter. Er was verder geen koets of ander voertuig te bekennen. Op die manier zorgden ze ervoor dat de verslaggeversmeute voorlopig het nakijken had.
'Hoelang duurt dit gedoe nog?' vroeg Howard aan Merton terwijl de koetsier naar zijn magere paard schreeuwde in een poging hem wat sneller te laten lopen.
Merton liet zijn ogen rollen. 'Dat hangt ervan af wat u verder nog in dat faraograf vindt, meneer Carter.'
'En als ik weiger nog iets te ontdekken omdat dit circus me op de zenuwen werkt? Wat gebeurt er als ik de ingang gewoon laat dichtgooien?'
'Denkt u nou echt dat de lord het daarmee eens zal zijn? Dat artikel in de *Times* heeft de wereld op zijn kop gezet. Morgen verschijnt er weer een artikel. Nee, meneer Carter, dit is niet meer te stuiten. En als u het voor gezien houdt, neemt iemand anders het van u over.'
Van ver zag Howard de drukte bij de ingang van het graf. Luid geschreeuw klonk door het Dal der Koningen. Verslaggevers verdrongen zich om een blik op de muur bij de ingang op te vangen. Op verzoek van Carnarvon had politiechef Hamdi-Bey een groep gewa-

pende agenten een kring om de grondtrechter laten vormen. Iedereen die te dichtbij kwam, werd met het geweer in de aanslag teruggedrongen.
Toen Howard en Merton naderbij kwamen, brak er paniek uit. Journalisten, toeristen en een stuk of tien nieuwsgierige politieagenten stortten zich op de koets die aan kwam rijden. Ze trokken, sjorden en duwde Howard eruit en voerden hem mee naar de grondtrechter. Het was zo heftig dat Howard soms voor zijn leven vreesde terwijl hij in de menigte bijna letterlijk naar 'zijn' graf werd gesleurd. Met de grootste moeite, terwijl hij geen knoop meer aan zijn pak had zitten, lukte het hem en Merton om naar de voorkamer van het graf te vluchten. De lord, Lady Evelyn en Callender hadden zich daar inmiddels in veiligheid gebracht.
'Meneer Merton, wat hebt u nou aangericht!' riep Carnarvon spottend.
De *Times*-verslaggever deed zijn jas uit, die er duidelijk gehavend uitzag, hing die over de arm van een van de levensgrote wachtpostbeelden en zei: 'Het was zijn idee, mylord. Daar zult u vrede mee moeten hebben.'
Gniffelend haalde Carnarvon zijn schouders op en veegde met zijn handrug het zweet van zijn voorhoofd. Het was benauwd in de voorkamer, verstikkend bijna. De sfeer was echter niet alleen om die reden beklemmend. Evelyn zat wat afzijdig op een houten klapstoeltje en keurde Howard geen blik waardig. Carnarvon klopte met zijn zakdoek afwezig het stof van de wielen van een strijdwagen. En Callender maakte aantekeningen.
Ook als Sayyed hem niets verteld had, zou hem niet ontgaan zijn dat de voorkamer geplunderd was. Diverse kisten, cassettes, vazen en beelden waren verdwenen. Howard kon niet zeggen hoeveel er gestolen was. In elk geval was het voldoende om er rijk van te worden.
Carnarvon zag dat Howard met een keurende blik om zich heen keek en probeerde te verdoezelen wat er gaande was door hem af te leiden met een praatje. 'Ik hoop dat u een aangename reis hebt gehad, meneer Carter. Was het hotel naar wens? Hotel Shepheards heeft dan ook een voortreffelijke naam. Een topper in de hotelleriebusiness, onder Engelse leiding. Heeft men u de auto laten zien? Wanneer komen de heren van het Oudheidkundig Bestuurscollege?'
'Als het hun uitkomt,' antwoordde Howard. 'Lacau toonde zich niet echt enthousiast over onze ontdekking. Wel mogen we naar eigen inzicht doorgaan met de werkzaamheden. Bovendien wees hij op de nieuwe wetgeving die de uitvoer van ongeacht welke antiquiteiten verbiedt.'

De lord schraapte verlegen zijn keel en Howard keek hem provocerend aan. Een krachtmeting tussen de twee mannen. Uiteindelijk maakte Carnarvon een eind aan dat zwijgende duel en richtte zich tot Merton. 'Hebt u een idee hoe we hier heelhuids uitkomen?'
'Ik zal zeggen dat er om zeven uur in het Winter Palace een persconferentie gehouden wordt waar u en meneer Carter bij aanwezig zullen zijn. Als u dat goed vindt, geef ik ze toestemming om foto's te maken.'
Meteen nadat Merton de voorkamer verlaten had, werd buiten opgewonden geroepen en geschreeuwd. Het kabaal ebde echter snel weg. Callender en de lord liepen naar boven om poolshoogte te nemen.
Howard bleef met Evelyn achter in de voorkamer. 'Ik ben teleurgesteld in je, Howard. Zeer teleurgesteld,' zei ze opeens.
Hij draaide zich om, keek haar aan en antwoordde: 'Ik ben me van geen kwaad bewust. Integendeel, je vader heeft me zeer vernederd. En jij schijnt het nog met hem eens te zijn ook.'
'Ik ben het zelden eens met mijn vader. Dat weet jij beter dan wie ook. Toen hij ons onlangs op heterdaad betrapte, hoopte ik dat je om mijn hand zou vragen. Maar je deed je mond niet open. Ik voelde me erg gekrenkt.'
Howard lachte verbitterd. 'De lord heeft meer dan eens te kennen gegeven dat mijn afkomst en mijn leeftijd hem danig dwarszitten. Bovendien ben je verloofd. Het lijkt wel of je dat vergeten bent. Ik denk dat we er een punt achter moeten zetten.'
'O ja? Vind je dat?' Evelyn sprong uit haar stoel en liep met kleine passen heen en weer door de voorkamer. 'Ik dacht dat wij veel van elkaar hielden. Kennelijk heb ik mij vergist.'
Howard pakte haar hand vast. 'Evelyn,' zei hij ernstig, 'je hebt je niet vergist. Maar onder de gegeven omstandigheden zou onze liefde hoe dan ook geen toekomst hebben gehad.'
Evelyn kreeg er tranen in de ogen van.
'Heus, je zou bij mij niet gelukkig zijn geworden.' Howard drukte een kus op haar voorhoofd.
Carnarvon liep naar beneden. 'De aankondiging van Merton dat er een persconferentie komt, heeft succes gehad,' zei hij opgelucht. 'De meute is vertrokken. Kom schat, we gaan.'
Gekwetst liep Evelyn weg, waarbij ze Howard een verwijtende blik toewierp. De lord volgde haar maar kwam even later terug, alsof hij een slecht geweten had.
'U hebt misschien gemerkt dat de grafschat niet compleet meer is, meneer Carter. Waarschijnlijk hebt u daar zo uw ideeën over.'
Hij houdt me voor een idioot, dacht Howard. Maar waarschijnlijk

vindt hij alle mensen van lage afkomst idioten. Zwijgend keek hij Carnarvon met half dichtgeknepen ogen aan.
'U weet heel goed hoeveel dit avontuur mij gekost heeft. Ik heb een paar van de mooiste voorwerpen meegenomen om de kosten te dekken. Ik vind dat dat best kan.'
Het lag Howard voor in de mond om te zeggen dat hij dacht dat hij dat uit liefde voor de wetenschap had gedaan. Maar hij zweeg. Hij zweeg omdat hij zich realiseerde dat de lord en hij in dat opzicht verschilden als dag en nacht.
'Dat zou u eigenlijk ook moeten doen. Neem iets moois mee voor uzelf,' begon de lord opnieuw. 'U hebt het verdiend, meneer Carter.'
Howard sprong bijna uit zijn vel. Zijn stem sloeg over terwijl hij tegen Carnarvon brulde: 'Dat kan dan wel uw opvatting van archeologie zijn, sir, ik zie dat heel anders. Deze schatten zijn niet van u of van mij. Ook niet van de Egyptische regering. Ze behoren de hele mensheid toe. Het zijn getuigenissen van de menselijke geschiedenis als geheel. Ik vind het afschuwelijk zoals u zich gedraagt. Maar eigenlijk had ik ook niets anders verwacht. Het laatste beetje achting wat ik voor u had, is vandaag verdwenen. En als u mij nu wilt excuseren.'

Vlak voordat de persconferentie in Hotel Winter Palace begon, nam Merton Howard terzijde. Hij drukte hem op het hart om vooral niet specifiek op de vragen van de verslaggevers in te gaan. Geen concrete informatie dus. Die afspraak maakte namelijk deel uit van het exclusieve contract dat tussen de lord en de *Times* gesloten was. In geval van twijfel zou Merton op adequate wijze antwoord geven.
Frisgewassen en in een net pak verscheen Howard Carter in de balzaal van het hotel. Honderden journalisten maakten daar hun opwachting. Magnesiumflitslicht veroorzaakte sissende geluiden en rookwolkjes terwijl Howard en Carnarvon links en rechts van Arthur Merton plaatsnamen aan een lange tafel waarop een wit tafellaken was gelegd. De bioscoopjournaals Universal News, British Paramount en Pathé News hadden elektrische lampen op hen gericht waardoor Howard, verblind door het licht, de vragenstellers in de balzaal amper kon zien.
James Molony van de *Evening Post* opende het vragenuurtje. 'Hoe hebt u het graf ontdekt, meneer Carter?'
Nog voordat Howard daarop kon ingaan, antwoordde Merton: 'Uw vraag wordt in de *Times* van 30 november beantwoord. Het staat u vrij om daaruit te citeren.'
Howard schudde onwillig zijn hoofd. 'De waarheid is dat een grote

witte poes mij de weg gewezen heeft. Ik noemde haar Bastet. Maar op een dag verdween ze spoorloos. Ik heb haar nooit meer gezien.'
'Meneer Carter, mijn naam is George Jalabert van de Parijse krant *Figaro*. Mijn lezers willen graag van u weten hoe u erachter bent gekomen dat farao Toetanchamon in het Dal der Koningen begraven ligt.'
Howard grijnsde hautain in het felle licht, waarna hij zei: 'Hij heeft mij elke nacht geroepen. Ik hoefde zijn roep maar te volgen.'
Er werd bedremmeld gezwegen. Zelfs Merton staarde uitdrukkingsloos voor zich uit.
Valentine Williams, correspondent van persagentschap Reuters, doorbrak op verlossende wijze de stilte met de vraag: 'Meneer Carter, hoe hoog schat u de waarde van wat er in de voorkamer van het faraograf is aangetroffen?'
'Geen shilling, meneer Williams. De kunstschatten zijn namelijk niet te koop. Dat geldt bijvoorbeeld ook voor de Tower Bridge, als u begrijpt wat ik bedoel.'
'John Peet van de British Broadcasting Company. We zenden uit voor zesendertigduizend luisteraars. Wat krijgt u van Lord Carnarvon betaald voor uw ontdekking?'
'Voor een archeoloog is het voldoende om van te leven. Maar voor een vrouw uit adellijke kringen is het ongetwijfeld te weinig.'
Er werd gelachen. Ook Lord Carnarvon kon er de grap wel van inzien, hoewel hij zich heel goed realiseerde dat die stekelige opmerking aan zijn adres gericht was.
Richard Bains van de *Observer* wilde weten: 'Meneer Carter, beschouwt u Lord Carnarvon als uw vriend?'
Heel even wist Howard niet wat hij moest zeggen. 'Mijn vriend? Ach, we zijn in elk geval geen aartsvijanden. We zijn nog nooit met elkaar op de vuist gegaan.'
'Robert McLeod van de *Daily Mail*. Meneer Carter, u woont alleen en bent misschien nu al de meest begerenswaardige vrijgezel ter wereld. Hebt u er nooit aan gedacht om te trouwen?'
'Daar heb ik wel aan gedacht, maar het geluk was niet aan mijn zijde. Archeologen horen niet te trouwen. Welke vrouw wil een man die altijd rouwranden onder zijn nagels heeft?'
Een verslaggever – in een wit marine-uniform – van de *New York Times* stelde zich voor als Ted Harris. Aan zijn lijzige, moeilijk verstaanbare tongval te horen was hij afkomstig uit een van de zuidelijke staten. 'Hello, Howard. U bent nu de koning van Luxor. Hoe voelt u zich in die rol?'
Howard maakte een onverschillig gebaar en antwoordde opvliegend:

'U moet weten dat ik al dertig jaar als archeoloog werkzaam ben. Al die tijd heeft geen hond zich om mij bekommerd terwijl ik toch zo nu en dan best wat aandacht wilde en nodig had. Nu wordt dit hele gedoe eromheen me al te veel. Maar om terug te komen op uw vraag: Het is heel vermoeiend om koning van Luxor te zijn.'
Knorrig volgde Lord Carnarvon wat er gezegd werd, waarbij hij soms ongeïnteresseerd naar het plafond staarde. Nadat Merton een uur en twintig minuten later de persconferentie beëindigd had met de tip dat alle informatie in de volgende uitgave van de Londense *Times* te lezen zou zijn, nam Lord Carnarvon hem terzijde en snauwde: 'Ik heb meneer Carter vijftien jaar lang betaald en wil dus niet dat hij als enige met de eer gaat strijken. Ik wil dat mijn naam in samenhang met de ontdekking als eerste genoemd wordt.'

De volgende dag wachtte Lord Carnarvon vol ongeduld op het bericht van Spink dat de kostbare grafgiften in Arabië waren gearriveerd en verscheept naar Engeland. Zodra hij die informatie had, wilde hij teruggaan naar huis om de waardevolle vracht in ontvangst te nemen.
Zoals gebruikelijk ontbeet hij samen met Evelyn onder een parasol op het terras van het Winter Palace. Hij wilde haar vertellen wat hij ging doen zonder de werkelijke reden van zijn plotselinge vertrek te vermelden. Er heerste een kille sfeer tussen vader en dochter. Beiden hadden zo hun eigen problemen. De lord had het er moeilijk mee dat alleen Carter in het middelpunt van de belangstelling stond. Hijzelf werd amper genoemd. En Evelyn was boos omdat de dingen anders verliepen dan ze zich had voorgesteld. Ze was nog steeds gekrenkt omdat Howard zonder weerwoord te geven het veld geruimd had, hoewel ze niet eens zeker wist of ze in staat was Lord Beauchamp een blauwtje te laten lopen.
Dus zaten ze zwijgend bij elkaar terwijl de lord zich in zijn kranten verdiepte. Op de *Egyptian Gazette* na waren ze allemaal enkele dagen oud. Ze dronken thee, lepelden hun yoghurt op en aten van het zwart geroosterd brood. Af en toe wierp Carnarvon een minachtende blik over zijn krant naar drie fotografen die zich bij de ingang van het terras achter een oleanderstruik verborgen hielden.
'Papa, weet jij waar meneer Carter is?' vroeg Evelyn min of meer tussen neus en lippen door.
Met een felle beweging legde de lord zijn krant op tafel en siste terwijl hij schichtig naar alle kanten keek of niemand zijn woedeaanval had gezien: 'Begin je nou alweer? Carter, Carter, Carter! Al dagenlang hoor ik alleen zijn naam... alsof hij werkelijk de koning van

Luxor is. Vraag alles wat je wilt weten maar aan een van de fotografen die hier rondhangen. Ik weet zeker dat ze je kunnen vertellen waar hij uithangt.'
'Het lijkt wel of je jaloers bent,' zei Evelyn lachend.
'Ach wat!' merkte de lord relativerend op. 'Denk je dat het leuk is om dag en nacht door die verslaggeversmeute achtervolgd te worden? Carter kan geen stap meer zetten zonder dat het de volgende ochtend in de krant staat. Hier, kijk maar!' Hij sloeg met zijn handrug op de krant die hij voor zich had liggen. 'Meneer Carter, de ontdekker van het faraograf, begaf zich gisteren tegen de avond naar de arcaden van het Winter Palace om zich bij kleermaker Georgios Konidaris een avondkostuum te laten aanmeten. Weerzinwekkend! Walgelijk!'
'Wat schrijven ze over Lord Carnarvon?' vroeg Evelyn met een ironische ondertoon.
Carnarvon gaf geen antwoord en trok bleek weg. Niet omdat hij zich ergerde over de opmerking van zijn dochter, maar vanwege een berichtje in de *Egyptian Gazette.* Hij verstarde. 'Vliegtuigcrash boven de Rode Zee. Een nog onbekend toestel is tijdens een roekeloze vlucht neergestort en in de golven verdwenen. De crash is gezien vanaf verscheidene schepen die naar het Suezkanaal voeren. Het ongeluk gebeurde tussen Ziba in Arabië en het Egyptische Boer Safaga.'
Woedend sloeg Carnarvon de krant dicht en sprong uit zijn stoel. 'Ik heb van alles te doen!' siste hij tegen zijn dochter, waarna hij haastig het terras verliet.

De lord ontmoette Spink in de tuin van diens woning. Het huis maakte een nogal verwaarloosde indruk sinds Spink om kosten te besparen meer dan de helft van zijn personeel had moeten ontslaan. Op een platgetreden gazon was hij croquet aan het spelen, waarbij hij met de langstelige hamer houten ballen door lage poortjes probeerde te slaan.
Buiten adem bleef Carnarvon voor Spink staan en stak de *Egyptian Gazette* naar hem uit. 'Hebt u vandaag de krant al gelezen, meneer Spink?'
Spink leunde wijdbeens op zijn croquethamer. 'Nee, mylord, maar als er iets belangrijks in staat, gaat u mij dat ongetwijfeld nu vertellen.'
'Zeker ga ik dat doen!' De lord hapte naar adem en vouwde de krant open. Met smalle lippen van kwaadheid las hij het bericht over de vliegtuigcrash voor.

Toen hij klaar was, wierp Spink de croquethamer weg en trok de krant uit handen van Carnarvon. Hij las het artikel halfluid voor, alsof hij niet kon geloven wat hij zojuist gehoord had, liet de krant daarna verbijsterd zakken en keek de lord sprakeloos aan. Hoofdschuddend liep hij vervolgens mankend naar een stenen tuinbankje en ging zitten.
'Dat heeft natuurlijk niemand kunnen voorzien,' zei hij zachtjes terwijl hij met de armen over elkaar naar de grond staarde. 'Mijn plan was voortreffelijk. Het spijt me dat het zo heeft moeten eindigen.'
'Bent u dan nog niet op de hoogte gebracht?' De lord liep naar hem toe.
'Nee, mylord. Ik wacht sinds gisteren op een telegram van mijn agent in Mekka. We hadden afgesproken dat hij een bericht zou sturen met de mededeling "Lading gearriveerd" zodra het vliegtuig in Ziba geland was. Nu snap ik waarom dat telegram maar niet komt.'
Carnarvon ging naast hem op de tuinbank zitten en hield zijn hoofd tussen zijn handen. 'Dringt het wel tot u door hoeveel geld ik nu kwijt ben?'
'Geen idee,' zei Spink. 'U wel?'
'Minstens een miljoen dollar.'
Spink floot tussen zijn tanden.
'Ik kan het nog steeds niet geloven.' De lord wreef met zijn handen over zijn gezicht.
'Een miljoen dollar,' herhaalde Spink mat. 'Toch mag u van geluk spreken dat u niet in dat vliegtuig wilde stappen. Anders was u nu... Het spijt me dat ik me zo direct uitdruk.'
'Is al goed,' zei Carnarvon. 'Het lijkt erop dat de goden van de oude Egyptenaren mij een lesje willen leren. Ik heb de schatten van Toetanchamon immers gestolen.'
'Gelooft u in die flauwekul, mylord?'
'Ik heb geen reden om er niet in te geloven. Het klinkt mij plausibeler in de oren dan de vrome heilsleer van een of andere westerse sekte.'
'Dat een gestudeerd man als u zoiets zegt. Interessant.'
'Laten we het niet over religie hebben.' Carnarvon sneed plotseling een ander onderwerp aan. 'Ik heb vijftienduizend dollar betaald voor een levering die niet heeft plaatsgevonden, meneer Spink. Ik reken erop dat u mij dat bedrag teruggeeft.'
Carnarvon had verwacht dat Spink woedend zou reageren en zich eruit wilde praten met het argument dat dit overmacht was. Tot zijn verbazing toonde Spink zich echter begripvol en verzekerde hem dat hij de komende dagen het hele bedrag zou terugbetalen.

De lord ergerde zich. Maar op deze tegemoetkoming had hij niet durven hopen.

Bijna drie weken waren verstreken sinds Howard het faraograf had ontdekt. Het jaar 1922 liep ten einde. Zoals gebruikelijk in dit seizoen arriveerde in Luxor de hoge adel, koningen en grootvorsten van het continent, lords uit Engeland, rijke Amerikaanse fabrikanten of hun vermogende weduwen, operasterren maar ook acteurs die men kende van de bioscoopfilms. En bioscopen waren er inmiddels ook in Egypte. Alle beroemdheden, rijken en schoonheden wilden natuurlijk ook het door Howard Carter ontdekte graf van Toetanchamon met eigen ogen zien.
De T-Ford die Howard in Caïro had gekregen, was inmiddels in Luxor gearriveerd. Verschillende keren per dag reed hij ermee via het Nijlveer naar het Dal der Koningen en terug. Hoge heren liftten met hem mee. Ook gaf hij informatie en rondleidingen. Dagelijks bewoog een lange stroom toeristen van de Nijl naar het faraograf. Howard liet zich door hen aanraken alsof hij een heilige was die wonderdaden verrichtte.
Hij had de omliggende faraograven een andere bestemming gegeven. Er kwam onder meer een laboratorium voor de scheikundigen die door het Museum van Caïro naar Luxor waren gestuurd. Verder had hij een magazijn ingericht om de grafgiften tijdelijk in onder te brengen. Maar er was ook gedacht aan een recreatieruimte, een eetzaal voor het personeel en aan een fotolaboratorium.
Het hotelpersoneel sleepte tafels met witte tafellakens, rieten stoelen en parasols aan. De bedienden kwamen met picknickmanden en schonken champagne in terwijl de heren hun rokertje hadden en de dames hun borduurwerk tevoorschijn haalden en de nieuwste roddels uitwisselden. Zodra Howard ergens zijn gezicht liet zien, sprong iedereen op en werd er gejuicht, geroepen, geapplaudisseerd, handen geschud en kreeg hij cadeautjes, werden hem brieven overhandigd en gaven sommigen hem visitekaartjes waarop ook het kamernummer van hun hotel in Luxor stond.
Howard was beroemd, dat stond als een paal boven water. En vrouwen zijn nu eenmaal dol op beroemdheden. Deftige societydames die hem enkele weken geleden geen blik waardig hadden gekeurd, overhandigden hem nu geurende briefjes waarin ze hem uitnodigden om thee te komen drinken of om hem attent te maken op het feit dat ze een huwbare dochter hadden en dat de bruidsschat aanzienlijk zou zijn.
In het post- en telegraafkantoor van Luxor was het drukker dan ooit.

Bij de Nijlsteiger waar jarenlang de ene raderboot plaats maakte voor de andere, lagen de stoomboten nu drie rijen dik aangemeerd. Hotel Luxor en het Winter Palace konden de grote toeloop niet aan. Voor de gasten werden tenten opgezet in de parktuin. De inwoners van Luxor verhuurden hun huizen en kampeerden zelf in de openlucht. Op sommige dagen was het op de weg naar het Dal der Koningen zo druk dat er geen doorkomen aan was.
Arthur Merton schreef de artikelenreeks van zijn leven. Elke dag was er wel nieuws. Zelfs de kleinste gebeurtenis was het vermelden waard. En wat hij schreef was wereldnieuws. Jarenlang was er alleen maar tot vervelens toe geschreven over het herstel na de oorlogsjaren, gebiedsopdelingen en conferenties. De mensen hunkerden inmiddels naar verhalen over goudschatten en avonturen.
Vooral in Amerika was het publiek dolenthousiast. In Chicago, Los Angeles en New York werd er op recepties maar over één ding gesproken: de schatten van de geheimzinnige farao en de niet minder geheimzinnige ontdekker van het graf. Oud-Egyptische reliëfs en grafschilderingen dienden als voorbeeld in de damesmode. Ook in de reclamewereld, op de billboards en affiches, deed farao Toetanchamon zijn intrede. Parfums en zeep droegen zijn naam. Howard had de sarcofaagkamer nog niet geopend, maar Hollywood kende inmiddels het 'Egyptian Theatre', een bioscoop geheel in stijl van een Egyptische tempel. Vele zouden daarna volgen.

Dagenlang piekerde Carnarvon over de vraag waarom Robert Spink de vrachtkosten zo bereidwillig wilde terugbetalen. Vijftienduizend dollar was immers niet niks. Ongetwijfeld had Spink een aanbetaling gedaan, misschien zelfs het hele bedrag overhandigd. Spink was een boef. Carnarvon vertrouwde het niet en vroeg zich af of hij bedrogen was in deze kwestie. Velen waren hem immers voorgegaan.
Vrijwel dagelijks werden er in Luxor recepties gehouden. Howard en Carnarvon waren er om beurten aanwezig om die bijeenkomsten het gewenste aanzien te geven. Tijdens een van die feestjes ontmoette de lord toevallig Ali Mansour, de chef van het telegraafkantoor. In die dagen was Mansour een graag geziene gast op recepties, vooral bij de aanwezige journalisten. Mansour dacht met weemoed terug aan de goeie ouwe tijd. Luxor was toen een rustig stadje met hoogstens vijf inkomende en uitgaande telegrammen en niet veel meer telefoongesprekken naar Caïro of Aswan. Tegenwoordig moest hij, in een zwart pak, zijn brood letterlijk in het zweet des aanschijns verdienen. Soms had hij de indruk dat het zelfs op het telegraafkantoor in Caïro niet zo druk was. Het moest in elk geval niet gekker worden. Die och-

tend lagen alle verbindingen plat. Vier uur lang kon er geen telegram Luxor in of uit en was telefoneren onmogelijk.
Carnarvon hoorde maar half wat Mansour te vertellen had. Opeens schoot hem iets te binnen. 'Meneer Mansour, u krijgt alle telegrammen die Luxor binnenkomen onder ogen, nietwaar?' onderbrak hij hem midden in een woordenvloed.
'Niet allemaal, mylord. Alleen de telegrammen in het Engels en Frans. Je mag van een eenvoudige Egyptische postbeambte niet verlangen dat hij Engels of Frans spreekt.' Hij streek met zijn wijsvinger over zijn snor en glimlachte verlegen.
Carnarvon knikte begripvol. 'Hoeveel buitenlandse telegrammen verwerkt u per dag?'
'Nou ja, een stuk of vijftig inkomende en uitgaande telegrammen, mylord. Had u dat faraograf maar nooit ontdekt.'
'Een ijdele wens,' zei Carnarvon. Bijna terloops voegde hij eraan toe: 'Heeft meneer Spink in de afgelopen dagen een telegram ontvangen?'
Mansour keek hem met grote ogen aan, alsof de lord een zeer ongepaste vraag had gesteld. Met een hand op zijn borst antwoordde hij verontwaardigd: 'Op dat soort vragen ga ik nooit in, mylord. In het postwezen heb ik me te houden aan de geheimhoudingsplicht. Het is strafbaar als ik antwoord geef op uw vraag.'
'Ik begrijp het.' Langzaam stak Carnarvon een sigaret op. Niet omdat hij daar zin in had, maar om tijd te winnen. Hij blies een rookwolkje uit en vroeg kalm: 'Voor hoeveel bent u bereid uw geheimhoudingsplicht even te vergeten?'
De postchef schudde heftig zijn hoofd. 'Doe geen moeite, mylord. Ali Mansour is niet omkoopbaar.'
De lord lachte. Hij verslikte zich in de rook en kreeg een flinke hoestbui. 'Dat geloof ik niet, meneer Mansour. Men zegt dat zelfs een koning zich laat omkopen. Alles heeft zijn prijs.' Hij haalde een bankbiljet uit de binnenzak van zijn jas, vouwde het papier op als de balg van een trekharmonica en liet het in zijn vuist verdwijnen. 'Is vijftig Engelse pond voldoende?' Hij stak zijn vuist naar hem uit.
Mansour werd nerveus en keek schichtig om zich heen. Zoals alle Egyptenaren werd hij onrustig bij de aanblik van geld. Toch schudde hij zijn hoofd.
Iemand als Carnarvon had voldoende mensenkennis om zich niet door deze halfslachtige weigering te laten ontmoedigen. Hij trok zijn vuist terug en stak de hand in zijn broekzak. 'Oké. Ik ben hier tot elf uur, mocht u van mening veranderen. Het kan altijd nog als u dat wilt.' Hij liet de postchef achter en begaf zich weer tussen de gasten, alsof het hem niet kon schelen wat Mansour besloten had.

Kort voor elven stond Carnarvon op het punt de receptie van Hotel Luxor te verlaten. Quasitoevallig ging Mansour naast de lord staan en zei zachtjes zonder hem aan te kijken: 'Het antwoord op uw vraag is ja.'
Dus toch! Carnarvon werd er rusteloos van. Ogenschijnlijk onverschillig, alsof hij in zichzelf sprak, keek de lord voor zich uit en vroeg: 'Herinnert u zich nog van wie hij dat telegram kreeg en wat erin stond?'
De chef van het telegraafkantoor wreef in zijn handen. Carnarvon begreep heel goed wat hij daarmee bedoelde. Achteloos stak hij een hand in zijn broekzak. Een hand die er gebald weer uitkwam. Mansour draaide zich een beetje om en stak zijn hand achter zijn rug naar hem uit.
'Een telegram uit Mekka. Daarom herinner ik me dat nog zo goed,' zei Mansour fluisterend, bijna zonder zijn lippen te bewegen. 'We krijgen namelijk zelden een telegram uit Mekka. Verder stonden er maar twee woorden in: Lading gearriveerd.'
Prompt realiseerde Carnarvon zich dat Spink hem op een verschrikkelijke manier bedrogen had. Ik had het kunnen weten, dacht hij. Goeie genade, Porchy, wat ben je voor een idioot! Je bent in zee gegaan met een boef. De lord hoorde niet dat Mansour beleefd afscheid van hem nam. Hij zag ook niet dat hij haastig het hotel uitliep. Hij was alleen maar bezig met de vraag hoe hij de faraoschat weer terug kon krijgen.
Had Spink een vals krantenbericht doen uitgaan? Was het vliegtuig wel neergestort? Of was het op de terugweg gecrasht? Was die ramp misschien het gevolg van een aanslag?
Verdoofd keerde de lord terug naar Hotel Winter Palace en bladerde in de krant tot hij het artikel had teruggevonden. Er stond inderdaad niet bij of dat vliegtuig op het moment van de ramp naar Arabië vloog of inmiddels op de terugweg was.
Carnarvon wist niet wat hij moest doen. Radeloos liep hij naar de bar, bestelde een scotch en ging in een grote leunstoel zitten om na te denken. Natuurlijk zou Spink alles ontkennen. Dus was het aan hem om te bewijzen dat Spink hem die faraoschat door de neus had geboord. Hoe moest hij dat aanpakken? Iemand als Carter had veel contacten. Hij zou wellicht de juiste man voor die klus zijn geweest. Maar dan moest hij toegeven dat hij de kostbare voorwerpen had gestolen en dat Spink hem bedrogen had. En dat durfde hij niet toe te geven. Ze stonden sowieso al op gespannen voet met elkaar.
Toen hij zijn derde scotch op had, liep hij de hotelbar uit en was nog

razender dan voorheen. Ondanks het late uur – het was kort voor enen – was het druk in de lobby. Het deed denken aan het tumult op het station vlak voordat de nachtrein vertrok. Her en der lagen stapels koffers en reistassen. Reizigers die in het hotel geen kamer hadden gekregen, overnachtten in ligstoelen.
Plotseling werd er geroepen en geapplaudisseerd. Sommige vrouwen krijsten hysterisch. In de draaideur van de hoofdingang verscheen een man in een wit pak met een vlinderdas in rood en blauw. Hij had witte schoenen aan, in zijn rechterhand pronkte een wandelstok met een zilveren knop. Vriendelijk groette hij het publiek dat om hem heen stond, waarbij hij welwillend zijn linkerhand opstak.
Iedereen keek vol respect en bewondering naar hem, alsof hij uit de hemel was neergedaald, terwijl hij zich een weg baande door de overvolle lobby, links de zes stenen treden nam en achter een glazen deur verdween met een messing plaatje waarop stond dat de gang naar de suites 122 tot 144 voerde. Lord Carnarvon maakte van het moment gebruik om ongemerkt door de lobby naar buiten te lopen.
In een schemerig verlicht huurrijtuig liet hij zich noordwaarts over de Sharia al-Bahr an-Nil rijden. Hij was aangeschoten en wist niet hoe hij Spink tegemoet moest treden. Luid sprak hij voor zich uit, ervan overtuigd dat de koetsier hem niet hoorde. 'Ik maak hem van kant,' herhaalde hij zo nu en dan. 'Een Carnarvon bedrieg je niet. En al helemaal niet als het om de goudschat van Toetanchamon gaat. Ik maak hem van kant!'
Voor het huis stapte hij uit en verzocht de koetsier om op hem te wachten. Ook als het wat langer duurde. Om zijn verzoek te benadrukken, gaf hij hem een baksjisj waar hij niet omheen kon. Daarna liep de lord door de voortuin naar het pand.
Met roepen en kloppen maakte hij zich kenbaar. Hoewel het een poosje duurde, deed uiteindelijk hofmeester Mahmoud open.
'Haal Spink!' eiste de lord bot. 'Ik wil hem meteen spreken. Nu direct!'
Geïntimideerd door dit bruuske optreden hief Mahmoud beide handen in de lucht en bezwoer bij Allah en de grijze haren van zijn moeder dat meneer Spink op reis was. Carnarvon geloofde er geen woord van. Hij duwde de hofmeester opzij, rende de trap op naar de bovenste etage en opende de ene deur na de andere. 'Waar ben je, verdomde oplichter! Waar hang je uit? Spink! Ik krijg je wel!'
Mahmoud was een knappe, breedgeschouderde Egyptenaar van middelbare leeftijd. Hij liet Carnarvon echter zijn gang gaan. Maar toen de lord de laatste deur naderde, ging hij voor hem staan. 'Dat is de slaapkamer van meneer Spink. Ik moet u dringend verzoeken daar niet naar binnen te gaan!'

Nog voordat hij dat kon verhinderen, had Carnarvon de klink al omgedraaid en de deur geopend. Een broeierige, drukkende slaapkamerlucht kwam hem tegemoet. Het leek wel het boudoir van een demi-mondaine: rood tapijt aan de muren, krullerig meubilair en een bed met een verstofte, roodgouden baldakijn. In dat bed trof hij twee jonge, zwartharige en opzichtig opgemaakte Egyptische vrouwen aan. Hun uiterlijk liet er geen twijfel over bestaan welke verboden spelletjes hier gespeeld werden.
Verbouwereerd hield de lord zijn pas in en wist even niet wat hij met deze onverwachte situatie aan moest. Uiteindelijk schoot Mahmoud hem te hulp en zei op een smekende toon: 'Dit blijft onder ons, mylord! Meneer Spink ontslaat me als hij erachter komt dat ik me in zijn slaapkamer amuseer.'
Krijsend trokken de meisjes het laken over zich heen. Mahmoud probeerde het uit te leggen. 'Dit is de eerste keer dat ik me heb laten verleiden tot zoiets, mylord. U moet me geloven!'
Carnarvon vond de seksuele avonturen van Egyptenaren zo oninteressant als de Londense metrotarieven. Na een lange, keurende blik deed hij de deur dicht en zei: 'Dat hangt helemaal van jou af of ik meneer Spink vertel over deze orgie in zijn slaapkamer, Mahmoud. Wat heb je er voor over?'
'Mylord! Gelet op de inkomensverhoudingen wordt in dit land een hofmeester relatief goed betaald. Maar vergeleken met de rijkdom van een lord ben ik een arme sloeber, een armoedzaaier!'
'Wie heeft het over geld?'
'Geen geld? Zeg dan maar wat u van me wilt, mylord. Ik laat al uw wensen in vervulling gaan.'
'Ik wil weten wat Spink in zijn schild voert. Waar hangt hij uit?'
Mahmoud keek hem gekweld aan. 'Meneer Spink heeft gedreigd mij te vermoorden als ik vertel waar hij nu is. Ik heb voor vier weken kleding moeten klaarleggen. Het beste wat hij nog in de kast had liggen. Maar ook die kleren zien er inmiddels afgedragen uit, om niet te zeggen armoedig. Op weg naar Suez heeft hij twee hutkoffers meegenomen.'
'Suez? Voor een reis naar Suez heb je toch geen twee hutkoffers vol kleren nodig?'
'Natuurlijk niet, mylord. Mag ik op uw geheimhouding rekenen?'
Carnarvon knikte met tegenzin en maakte een gebaar dat de man moest vertellen wat hij wist.
'Meneer Spink gaat in Suez aan boord van een schip uit Arabië. De bestemming van dat schip is Amerika.'
'Waarom?' zei de lord opgewonden. Toen de hofmeester zijn schouders

ophaalde, vroeg hij op een felle toon: 'Wanneer is Spink vertrokken?'
'Drie dagen geleden. Met de ochtendtrein. Ik heb toch uw woord dat u niet verklapt wat ik gezegd heb, hè, mylord?'
Opeens begreep Carnarvon wat er aan de hand was. Spink stond op het punt hem die faraoschat door de neus te boren. 'Nou kan hij wat beleven!' riep de lord kwaad. Hij kreeg zo'n duistere blik in de ogen dat Mahmoud geen woord meer durfde te zeggen.
Vastbesloten stampvoette de lord de trap af en liep naar buiten.
De volgende ochtend in alle vroegte, het was nog donker, klopte Carnarvon op de deur van Howards suite. Hij was klaar om op reis te gaan terwijl Howard slaperig opendeed. 'Meneer Carter, het spijt me dat ik u zo vroeg stoor,' zei hij kalm. 'Ik moet een paar dagen op reis. Mag ik voor mijn eigen veiligheid uw revolver lenen?'
Howard keek de lord met een onderzoekende blik aan, zo leek het althans. In werkelijkheid dacht hij na of hij dat wel zou doen. Daarna liep hij zwijgend terug om de revolver te halen. 'Voorzichtig, hij is geladen,' morde hij onverschillig.
De lord stamelde enkele woorden van dank. Hij wilde weer gaan en zei: 'Zou u tijdens mijn afwezigheid af en toe willen kijken hoe het met Evelyn gaat? Ik kan toch op u rekenen, meneer Carter!'
Howard knikte. 'Waar gaat de reis heen?' vroeg hij meer uit beleefdheid dan uit belangstelling.
'Caïro,' antwoordde de lord.
'Oké, goede reis dan,' zei Howard. 'En pas op met die revolver.'
Nog steeds slaapdronken kroop hij terug in bed en probeerde vergeefs de slaap te vatten. Hij piekerde over de vraag waarom de lord voor een reis naar Caïro een revolver nodig had. Hoe langer hij daarover nadacht, hoe meer hij tot de overtuiging kwam dat Carnarvon in een duistere zaak verwikkeld was.

Die avond nog arriveerde Lord Carnarvon in Suez, een stad aan de gelijknamige Golf. Het stadje had een kleine, oude kern met enkele moskeeën en een bazaar. De uitgestrekte haven van Suez was stevig in Britse handen. Hoewel Egypte al heel lang een soevereine staat was, werd het kanaal – de belangrijkste verbinding naar de kroonkoloniën – nog steeds door de Engelsen bewaakt. Britse uniformen bepaalden dan ook het straatbeeld. Er waren Engelse winkels en hotels waar alleen Britten kwamen.
In een van die hotels nabij de haven, in het El-Salam, nam Carnarvon zijn intrek. Het was geen deftig hotel, maar wel gunstig gelegen. Hij schreef zich in als meneer Reeves, omdat hem niets beters inviel. Evenwel zonder zijn adellijke titel.

Het kabaal in een havenstad, nog wel bij de monding van het belangrijkste kanaal ter wereld, was ondraaglijk. De lord was inmiddels gewend geraakt aan de rust van het Winter Palace, om maar te zwijgen van Highclere Castle. Hij deed dan ook geen oog dicht. Maar misschien kwam dat ook door de meest uiteenlopende plannen die 's nachts door zijn hoofd spookten.
Carnarvon was ervan overtuigd dat Spink zich in deze stad ophield. Hij wilde hem confronteren met de feiten. De volgende ochtend in alle vroegte ging hij op pad. Hij wilde eerst navraag doen in de hotels bij de haven. Toen hij een stuk of vijftien hotelrecepties had bezocht, en als baksjisj bijna evenveel Engelse ponden had moeten geven, werd hij rusteloos. Hij vreesde dat Spink er met de kostbare lading vandoor was gegaan. Daarom begaf hij zich naar de havenautoriteiten om informatie in te winnen over een schip uit Arabië dat in Suez had aangemeerd om te lossen.
De alomtegenwoordige hectische chaos in Suez had ook de kantoren van de havenautoriteiten in zijn greep. Zo gebeurde het dat hij ondanks de bereidwilligheid van talloze beambten in talrijke kantoren een volle dag nodig had om tot de conclusie te komen dat geen van de aangemelde schepen voor het transport van een faraoschat in aanmerking kwam. Ontmoedigd nam Carnarvon het besluit om de volgende dag terug te reizen naar Luxor.
Tijdens het bescheiden diner in het hotel raakte hij in gesprek met de eigenaar, ene Al-Ballas. De man vroeg hem naar de reden van zijn verblijf. Volgens hem logeerde niemand met gezond verstand vrijwillig in een stad als Suez, tenzij hij hier belangrijke zaken moest afhandelen. De lord, alias meneer Reeves – zijn ware identiteit gaf hij natuurlijk niet prijs – vertelde hem dat hij achter een boef aanzat die hem bedrogen had met enkele kisten vol elektrische pompen. En dat de dief ermee vandoor was gegaan naar Amerika.
Al-Ballas wilde graag weten hoe die boef heette.
'Robert Spink!' antwoordde Carnarvon bereidwillig.
'Spink?' vroeg de hoteleigenaar. 'Een hinkepoot? Trekt hij met een been?'
Daar hoorde Carnarvon van op. 'Ja,' zei hij verbluft.
'Een mank lopende meneer Spink heeft hier twee dagen gelogeerd. Gisteren is hij afgereisd. Nee, eergisteren. Als ik me goed herinner wachtte hij op een schip van de Transatlantic Shipping Company.'
Een telefoontje naar het rederijkantoor van de TSC smoorde de geringe hoop die Carnarvon nog had om Spink op de valreep de faraoschat afhandig te maken. De *North-Atlantic* van de TSC was

het Suezkanaal inmiddels gepasseerd en bevond zich op de Middellandse Zee.

30

Het was een vergissing om te denken dat de chaos rondom het faraograf en de ontdekker ervan een hoogtepunt had bereikt. Onder druk van Arthur Merton en honderden journalisten, die de artikelen in de *Times* praktisch overschreven omdat ze geen andere keus hadden, zag Howard zich gedwongen om bijna dagelijks met een gebeurtenis op de proppen te komen die het vermelden waard was. Als die topics uitbleven, zochten de verslaggevers hun heil bij beroemdheden die op weg waren naar het Dal der Koningen, wat aanleiding gaf tot allerlei roddels en andere onzin.
Inmiddels had Howard de tweede, kleine voorkamer van het graf geopend. Er lagen nog meer kostbare grafgiften. Maar wat bevond zich achter de rechterwand, waarvan de dichtgemetselde ingang door twee levensgrote wachtpostbeelden van ebbenhout werden bewaakt? Was daar farao Toetanchamon bijgezet? Lag hij in een gouden sarcofaag zoals men dat tot dan toe alleen op wandschilderingen had gezien?
Howard had aangekondigd dat hij op 17 februari de muur waarachter hij de mummie van de farao vermoedde zou slopen. Deze aankondiging had Merton in de *Times* vermeld. Het veroorzaakte een hysterie die zijn weerga niet kende. Al dagen van tevoren was er geen treinkaartje of scheepsticket meer te krijgen. Voor een hotelkamer in Luxor werden exorbitante prijzen gevraagd en betaald. Zelfs de bezemkast was onbetaalbaar geworden. In de dorpen op de andere Nijloever, zoals el-Koerna en Deir el-Bahari, werden ijlings hutten gebouwd en primitieve tenten van lappen stof neergezet. Fellahs met ondernemingszin richtten snackbars in waar je brochettes van schapenvlees en kebab met Turks brood kon krijgen. Overal in het Dal der Koningen rook je de tranige geur van oud vet en de bijtende stank van knoflook. Van 's ochtends vroeg tot 's avonds laat trokken de karavanen – ezels, muildieren en kamelen – over de onverharde wegen die van de Nijloever naar de landinwaarts gelegen dorpen voerden. Op de rug van kamelen werden bedden, kasten en fauteuils gestapeld, zelfs een piano voor de dochter van een Engelse archeoloog. Het waren gouden tijden voor de zwarthandelaren en vervalsers. Een oesjebti, niet groter dan een hand, kon je enkele maanden geleden nog kopen voor een pond. Nu werd daar vijftig pond voor gevraagd. Sensatiebeluste Amerikanen kochten alles wat er oud uit-

zag. En geldzuchtige Egyptenaren boden al het mogelijke aan om aan de kooplust van de buitenlanders tegemoet te komen. Zelfs de graven van hun grootouders moesten eraan geloven. In zilverpapier gewikkelde, gemummificeerde handen en voeten werden aangeprezen als de ledematen van een farao. En er waren zelfs kopers voor.

Twee dagen voordat die belangrijke belofte zou worden ingelost, liet Mahmoud Lord Carnarvon zoals afgesproken weten dat Spink terug was. Carnarvon ging meteen naar zijn huis.
'Dat is lang geleden. Het spijt me dat ik u die vijftienduizend dollar nog niet heb kunnen terugbetalen.' Met die woorden en geveinsd vriendelijk ontving Spink hem. Hij liep weg en kwam even later terug met een envelop, die hij aan de lord gaf.
Het was Carnarvon niet ontgaan dat Spink keurig en modern gekleed ging. Het stond in schril contrast met hoe hij er in de afgelopen tijd had bijgelopen. Hij bekeek hem van top tot teen met de zelfverzekerdheid van iemand die alles over de ander wist. Dat bracht Spink in verlegenheid.
'Dacht u nou echt dat u me om de tuin kon leiden?' vroeg de lord met een spottend lachje. 'U bent een lamlendige, onnozele schurk.'
'Wat krijgen we nou, mylord!' zei Spink onzeker. Natuurlijk vermoedde hij dat Carnarvon wist hoe de vork in de steel zat. Maar was hij echt op de hoogte? Daarom vroeg hij: 'Ik begrijp het niet, wat is er aan de hand?'
Spink had met veel rekening gehouden. Zelfs met de mogelijkheid dat de lord twijfelde of dat vliegtuig was neergestort in zee. Maar hij had nooit verwacht dat Carnarvon hem zou confronteren met de concrete gang van zaken. Spink werd opeens bleek toen de lord hem zo kalm als een politierechercheur de feiten opdiste.
'Meneer Spink, die faraoschat, mijn schat, werd met het door u gehuurde vliegtuig naar Ziba in Arabië gevlogen. Daar heeft een van uw agenten, iemand die net zo gewetenloos is als u, de spullen naar Suez verscheept. Het telegram waarin stond "Lading gearriveerd" was voor u het teken om zelf naar Suez te reizen en in Hotel El-Salam te wachten op de kostbare vracht. Het vliegtuig stortte op de terugweg van Ziba in zee omdat een van uw agenten de brandstoftanks voor de helft met water had gevuld. Een eenvoudig trucje, maar zo gemeen als maar zijn kan. U hebt een overtocht geboekt naar Amerika, zogenaamd toevallig op de *North-Atlantic.* Zoals ik zie hebt u de faraoschat al te gelde gemaakt.' Carnarvon ging vlak voor hem staan en keurde met duim en wijsvinger het garen waarvan Spinks pak was gemaakt.

Spink deinsde onthutst achteruit. De concrete beschuldigingen waren schokkend en maakten hem sprakeloos. Hij herstelde zich echter snel en zei met een sluwe blik in zijn ogen: 'Leuk verhaal, mylord. Mijn complimenten! Helaas strookt uw zienswijze niet met de feiten. Als ik die faraoschat in mijn bezit zou hebben, was ik nu rijk geweest en hoefde ik die onnozele verwijten van u niet aan te horen. Het was inderdaad riskant om de schat per vliegtuig het land uit te krijgen. Maar er zat nu eenmaal niets anders op. De kans dat het lukte, was fiftyfifty.'

Carnarvon lachte verbitterd. 'Ik was kansloos zult u bedoelen. Uw plannen waren er namelijk op gericht de schat van Toetanchamon in uw bezit te krijgen. U schrok er niet eens voor terug om die nietsvermoedende piloot de dood in te jagen!'

'Onzin. U hebt geen enkel bewijs voor uw beweringen. Waarom doet u geen aangifte, mylord? Bent u bang dat u dan misschien voor iedereen te kijk staat als de plunderaar van het faraograf? Ik ben me van geen kwaad bewust. Ik heb alleen bemiddeld in het transport van machineonderdelen, zoals op de kisten staat vermeld. Het spijt me, mylord. Ik wil niet meer lastiggevallen worden met uw avontuurlijke verhalen!'

Dreigend en met een chagrijnige trek op zijn gezicht ging de lord heel dicht bij Spink staan. Met een gesmoorde stem die overliep van woede siste hij: 'Meneer Spink, een vervelende karaktertrek van mij is dat ik een slechte verliezer ben. Misschien denkt u nu dat u als overwinnaar uit de strijd bent gekomen. Een fatale vergissing, meneer Spink. Ik geef u een week de tijd om te bekennen wat u geflikt hebt en de winst die u met die faraoschat hebt gemaakt aan mij uit te betalen. Anders...'

'Anders?' Spink legde de armen provocerend over elkaar en stak zijn kin vooruit om groter te lijken. 'Anders?'

'Anders vermorzel ik u als een insect onder mijn schoen, meneer Spink!' Carnarvon wreef met zijn rechterduim over zijn gebalde vuist, waarna hij zich omdraaide en zonder iets te zeggen wegliep.

Enkele seconden lang keek Spink hem sprakeloos na. Toen hij zich hersteld had, rende hij mankend achter de lord aan. Bij de poort van het huis greep hij de lord bijna struikelend bij een mouw vast. Carnarvon weerde zich, maar Spink liet niet los. Hij leek op een jachthond die zich in zijn prooi had vastgebeten. Woedend riep hij: 'Het is u of ik!'

Op de terugweg naar het hotel vroeg Carnarvon zich af wat Spink daar precies mee bedoeld had.

'Meneer Howard Carter, Dal der Koningen, Egypte.'
Manden vol brieven kreeg Howard in die dagen: gelukwensen, adviezen, uitnodigingen en net zo veel huwelijksaanzoeken van vermogende weduwen. Hij had amper tijd om al die post te lezen. Om die reden had hij bijna een brief van zijn zus Amy over het hoofd gezien. Met zijn zus Amy had hij een hartelijke broer-zusrelatie. Dit in tegenstelling tot zijn andere zussen. Net als hij had Amy in haar jeugd de kost proberen te verdienen met schilderen. Uiteindelijk leerde ze de Londense uitgever John Walker kennen, een knappe man van onberispelijk gedrag. Bovendien was hij steenrijk. Ze kregen een dochter, Phyllis. Een mooi meisje en de droom van menige jongeman. Haar innemende voorkomen werd echter vertroebeld door een karaktertrek die je wel vaker zag bij opvallend mooie meisjes. Phyllis was namelijk humeurig. Soms leek het zelfs of ze een hekel aan zichzelf had.
Howard vond die brief tussen de vele andere. Amy schreef dat ze met haar man en hun dochter een reis door Egypte ging maken. Ze was trots op haar beroemde broer en hoopte dat hij wat tijd voor haar kon vrijmaken. Het gezin zou op 17 februari arriveren.
John en Amy Walker hadden de meest ongeschikte dag uitgekozen die je maar kon bedenken. In Caïro kwamen ze erachter dat er geen treinkaartje of bootticket voor Luxor meer te krijgen was. Op die dag zou Howard Carter immers de laatste muur in de grafkelder slopen. Smeekbeden hielpen niet. Zelfs geen baksjisj. Dat het om naaste familie ging, kon de heren van Cook & Son evenmin vermurwen. Velen hadden immers al aangeklopt met de mededeling dat ze broer, zus, echtgenote, zoon of dochter van de archeoloog waren.
Op die milde lenteochtend was het onrustig in Luxor. Hoewel Howard in de grote hotels met affiches bekend had gemaakt dat er slechts een kleine groep genodigden – regeringsvertegenwoordigers, andere afgevaardigden van verschillende instanties en uitverkoren archeologen – toegang tot de voorkamer van het graf had, kwam er al vroeg in de ochtend een gestage stroom nieuwsgierigen op gang die zich naar het Dal der Koningen begaf dat op die dag tot in de wijde omtrek was afgesloten. Duizenden belangstellenden wilden zich deze gelegenheid niet laten ontgaan om als het even kon getuige te zijn van een unieke historische gebeurtenis.
Op die gedenkwaardige dag had Howard een vermogen kunnen opstrijken. Velen waren namelijk bereid grote sommen geld neer te tellen om maar aanwezig te kunnen zijn bij het slopen van de muur. Op weg van zijn huis, waar hij de nacht had doorgebracht, naar het graf van de farao werd hij bestormd door Amerikanen, Fransen en Zwit-

sers. Nogal wat heren gaven hem blanco cheques. Vrouwen vielen in zwijm toen ze hem heimelijk een briefje wilden toestoppen en hij hun pogingen met een glimlachje afwees.
Het tafereel in de grafkelder deed denken aan een bioscoop waar een stomme film werd gedraaid. Ongeveer dertig klapstoeltjes boden plaats aan de zwijgende uitverkorenen. Op de eerste rij zaten Lord Carnarvon en zijn dochter Evelyn. Niemand, zelfs niet de ervaren archeologen die het klappen van de zweep kenden, waagde het om ook maar iets te zeggen. Het leek of iedereen gefixeerd was op de vraag wat er zich achter die muur bevond.
Meer dan drieduizend jaar lang was die muur ongeschonden gebleven. Meer dan drieduizend jaar lang had niemand een blik achter die muur geworpen. Het leek of de tijd stilstond. De aanwezigen hadden het gevoel dat ze indringers waren.
Er werden lampen aangeknipt. Als in een trance ging Howard aan de slag met hamer en beitel, al snel gevolgd door een ijzeren stang waarna de hamer en beitel er weer aan te pas kwamen. Met blote handen haalde hij de steenbrokken uit het bovenste gedeelte van de muur en gaf ze door aan twee arbeiders die met hun manden klaarstonden. De hamerslagen hadden een merkwaardige, verstorende klank in deze beklemmende sfeer. Zelfs de lord die graag grapjes maakte als het spannend werd, keek zwijgend en met op elkaar geperste lippen toe.
Opeens was het zover. Howard had een gat in de muur geslagen. Hij hield een brandende kaars voor de opening, precies zoals enkele weken geleden toen ze de muur van de voorkamer gedeeltelijk gesloopt hadden. Het vlammetje flakkerde amper. Howard ging weer aan het werk. Toen hij drie muurstenen verwijderd had, gaf hij Callender een teken om de lamp te pakken zodat hij ermee in de grafkamer kon schijnen.
Callender deed wat er van hem gevraagd werd. Nog voordat hij de lamp op de juiste manier geplaatst had, schreeuwde Evelyn het plotseling uit. 'Goeie genade, papa!' De andere gasten reikhalsden. Een wand van puur goud fonkelde, glinsterde en glansde in het lamplicht. Iedereen kon het zien.
Tevreden gniffelend stapte Howard opzij en wierp de lord een blik toe. Het had iets bazigs, iets autoritairs. Alsof hij daarmee wilde zeggen: Nou dan, mylord, daar hebt u niet van terug, hè? Maar Howard zweeg en ging weer aan het werk. Hij hield pas op toen hij een grote opening in de muur had gemaakt.
Genoeglijk nam hij de aanblik van al dat goud in zich op. En hij genoot niet minder van de bewondering die hem ten deel viel. Plotse-

ling werden de aanwezigen onrustig. Wat had die gouden wand te betekenen?
Met een gebaar nodigde hij Carnarvon uit om hem te volgen. Daarna stapte hij door het gat in de grafkamer. In het licht van de lamp zag hij dat de vermeende wand de lange kant van een manshoge schrijn was, weelderig gedecoreerd met hiëroglyfen en kunstzinnige reliëfs die de mensen- en godenwereld voorstelden. Een gouden universum met taferelen uit het leven tussen hemel en aarde.
De ruimte tussen de schrijn en de wanden van deze onderaardse kamer was niet meer dan een halve meter breed. Iemand met een normaal postuur kon er zich net tussen wringen. Gedreven door nieuwsgierigheid en een onverklaarbare drang wurmde Howard zich rechts langs de schrijn en hoopte gezond en wel weer aan de andere kant tevoorschijn te komen. De lord gaf de moed al gauw op terwijl Howard zijwaarts verder schuifelde. Met de lamp scheen hij afwisselend naar de grond en het plafond. Hij passeerde afbeeldingen van goden, half mens en half dier, met prikogen van blauw email en omringd met geheimzinnige symbolen.
Aan de achterkant van de schrijn kreeg Howard haast geen adem meer. Het leek of de smalle 'gang' nog smaller werd. Hij twijfelde en vroeg zich af hij te ver was doorgelopen. Hij hield zijn pas in en wilde omkeren. Opeens zette hij toch door en wurmde zich door het laatste nauwe gedeelte, passeerde een hoek van de schrijn en stond onverwacht voor een gouden vleugeldeur die met een eenvoudige grendel gesloten was.
Aan de smalle kant van de schrijn was zo veel plaats dat hij de deur moeiteloos kon openen. Probleemloos liet de grendel zich naar een kant schuiven. Zeer behoedzaam opende hij de vleugeldeur omdat hij nogal bang was voor wat hij zou aantreffen. De deuren maakten een malend geluid. Geen geknars, geen gepiep. Slechts het slepende geluid van hout dat over hout gleed.
Natuurlijk had Howard gepiekerd over wat er zich achter die vleugeldeur bevond. Hij had echter nooit verwacht dat hij nog een vleugeldeur zou aantreffen. Ook die deur opende hij net zo behoedzaam als de eerste. En weer kwam hij bij een vleugeldeur uit van een andere schrijn. In totaal vier deuren van vier geschakelde schrijnen boden toegang tot een stenen sarcofaag waarin zich de mummie van de farao bevond.
Aandachtig en in zichzelf gekeerd liep Howard terug naar de voorkamer waar dertig paar ogen hem vragend en verwachtingsvol aanstaarden. Met een hulpeloos gebaar hief Howard zwijgend zijn handen, alsof hij woorden tekort kwam om te beschrijven wat

hij gezien had. Geen van de aanwezigen durfde hem iets te vragen. Leunend tegen de wand staarde hij in gedachten verzonken naar de grond. Na een tijdje richtte hij zich tot de toeschouwers en zei: 'Hij is het. Farao Toetanchamon.'
Plotseling ontlaadde de opgekropte spanning zich: de aanwezigen schreeuwden, jubelden en klapten in hun handen van enthousiasme. Sommigen stormden naar boven om het sensationele nieuws te verkondigen. Het verspreidde zich als een lopend vuurtje door het Dal der Koningen naar Luxor en de rest van de wereld: Howard Carter had farao Toetanchamon in zijn graf gevonden.
Niemand wist nog hoe de geheimzinnige koning eruitzag. Maar het feit dat Howard op de ongeschonden sarcofaag van de koning gestoten was, maakte van hem de grootste ontdekker aller tijden en de beroemdste man ter wereld. Howard Carter kwam op de voorpagina te staan van alle belangrijke kranten, van New York tot Los Angeles en van Tokio tot Londen. Het werd als sensationeel beschouwd om Howard gezien of gesproken te hebben, of zelfs met hem gedineerd te hebben. Maar slechts enkele uitverkorenen kregen die mogelijkheid. Howard liet zich zelden of nooit meer zien. Hoe meer hij zich terugtrok uit het openbare leven, hoe hysterischer het publiek reageerde zodra men hem ergens zag. De koning van Luxor kon zijn suite in het Winter Palace zelden verlaten zonder bejubeld te worden door een gigantische menigte die hem lastigviel en hem bijna letterlijk verzwolg. Honderden fans belegerden zijn hotel om een glimp op te vangen van de beroemdste archeoloog ter wereld. Howard maakte er een gewoonte van om het hotel via de wasserij door de zijingang te verlaten.
Tussen Carnarvon en Howard boterde het steeds slechter. Aanvankelijk was het Arthur Merton nog gelukt om de lord voor het voetlicht te brengen en te houden. Maar zijn roem verbleekte snel. Buitenlandse kranten die de artikelen van Merton overnamen, of als uitgangspunt namen voor hun eigen artikelen, gaven de voorkeur aan Carter.

Enkele dagen nadat Howard zijn grootste triomf gevierd had, arriveerden zijn zus Amy, zijn zwager John en zijn nichtje Phyllis in Luxor. Alleen in de hotelsuite van Howard konden ze ongestoord met elkaar praten.
John, de uitgever, had nooit zoveel opgehad met Howard. Inmiddels liep hij over van bewondering en herhaalde hij steeds hoe trots hij was dat hij een wereldberoemd man als zwager had.
Phyllis, de nicht van Howard, was van een innemende schoonheid

met een lang, slank postuur en een symmetrisch gezicht. Ze was zich zeer bewust van haar schoonheid en benadrukte haar aantrekkelijke uiterlijk met een modern, kort kapsel en extravagante kleding. Ondanks deze voordelen en het feit dat ze net twintig was, en dus de huwbare leeftijd had, gedroeg ze zich merkwaardig afwijzend tegenover mannen. Ze was vooral geïnteresseerd in organisaties die streden voor de gelijke rechten van de vrouw, en haar idool was Emmeline Pankhurst. Met tegenzin was ze meegegaan naar Luxor en ze mopperde al dagen over de leefomstandigheden in Egypte, de viezigheid, het smerige eten en de hitte overdag. 'En?' zei ze provocerend. 'Wanneer krijg ik die ouwe farao eindelijk te zien?'
'Hou je mond!' viel Amy haar rebelse dochter in de rede, waarna ze zich weer tot Howard richtte en zei: 'Sorry, Howard, ze zit nu eenmaal in een moeilijke leeftijd.'
'Ik wil niet steeds als een kind behandeld worden, mama!' riep Phyllis verontwaardigd. 'Wat moet oom Howard wel van mij denken?'
'Kijk maar eens naar buiten, Phyllis. Je vraag is dan meteen beantwoord,' zei Howard.
Ze wierp hem een koppige blik toe en liep naar het venster. Toen ze het gordijn opzij hield en naar buiten keek, werd voor het hotel enthousiast geroepen en geschreeuwd. Meteen werden er foto's van haar gemaakt en klonk er een spreekkoor. 'Carter, Carter, Carter!' Geschrokken deinsde Phyllis achteruit.
'Begrijp je nou wat ik bedoel?' zei Howard. 'Dat is de prijs die je moet betalen als je beroemd bent. Ik heb hier vijftien jaar lang gewoond zonder dat iemand zich voor mij of mijn werk interesseerde. Plotseling is alles anders. Ik word nu door mijn eigen roem achtervolgd. Maar al te graag zou ik jullie meenemen naar het Dal der Koningen en jullie het graf van Toetanchamon en alle kostbare grafgiften laten zien. Ik hoef het niet eens te proberen. Op de toegangswegen is het een chaos. Mensen vechten onder elkaar om maar een glimp op te kunnen vangen van de grafingang of om de mogelijkheid te krijgen de beroemde archeoloog Carter even aan te raken!' Er verscheen een grimas op zijn gezicht, als van een overmoedige schooljongen.
'Maar dat is toch fantastisch!' riep Phyllis enthousiast. 'Oom Howard is een ster. Net als Rudolfo Valentino. Ik heb gelezen dat hij op straat achtervolgd werd door vrouwen die hem de kleren van het lijf trokken.'
Howard lachte. Dat was opmerkelijk, want hij lachte zelden. 'God bewaar me voor dat soort uitwassen. Dan mag ik van geluk spreken dat ik nog steeds aangekleed mijn hotelkamer kan bereiken.'

Phyllis kreeg er geen genoeg van. 'Iedereen wil zeker ook een handtekening van je, oom Howard!'
'En of!' Howard wees naar enkele stapels brieven. Ze lagen op zijn bureau naast het raam. 'Bijna allemaal vrouwen. Van sommige brieven krijg ik een kleur!'
'Vertel, oom Howard! Wat schrijven de dames?' vroeg Phyllis opgewonden.
Nog voordat hij antwoord kon geven, zei haar vader: 'Een beetje terughoudendheid is wel gepast voor jou, jongedame. Val je oom niet lastig met je indiscrete vragen.'
'Laat maar, John. Misschien heb je gelijk en is dit soort nieuwsgierigheid indiscreet. Maar waarom zou ik een geheim maken van die brieven? Ik ken die vrouwen niet. En zij kennen mij alleen uit de krant. Het is bijna absurd te noemen; toen ik me in mijn jeugd voor vrouwen begon te interesseren, was ik te jong, te arm of te onbelangrijk. Tegenwoordig word ik gevierd als de koning van Luxor en dringen de vrouwen zich aan me op zonder aan hun reputatie te denken. Roem maakt begerenswaardig.'
Met grote ogen luisterde Phyllis naar wat Howard te vertellen had. Hij was zo anders dan de mannen die ze tot nu toe ontmoet had. Ze vond hem fascinerend. Opeens flapte ze eruit: 'Oom Howard, je bent heel beroemd. Dus heb je een secretaresse nodig die de post afhandelt, afspraken maakt en de organisatorische rompslomp in goede banen leidt. Vind je ook niet?'
Howard keek Phyllis onderzoekend aan. 'Bedoel je...'
'Ja. Ik heb het lyceum gedaan. Daar leer je dat soort dingen. Ik zal een heel goeie secretaresse voor je zijn, oom Howard.'
Niet alleen Howard was verrast. Ook Amy en John keken haar verbluft aan. Phyllis was ongetwijfeld slim en begaafd, maar in de uitgeverij van haar ouders had ze nog niet veel gepresteerd, ondanks het feit dat ze open en fel haar mening verkondigde dat vrouwen meer konden bereiken dan mannen, maar dat ze slechter betaald werden.
'Als dit niet weer zo'n gril van je is, en oom Howard stemt ermee in, dan heb ik er niets op tegen,' zei John Walker. 'Hoe denk jij daarover, Howard?'
'Niet eens een slecht idee. Maar we zijn allebei stijfkoppen. Ik vraag me dus af of wij straks door een deur kunnen. We denken er een paar dagen over na en dan spreken we elkaar weer.'
Tot verbazing van haar ouders was Phyllis voorlopig tevreden met dat antwoord. Ze wist niet dat haar idee haar leven grondig zou veranderen. Niemand, zelfs Howard niet, merkte dat het lot dat boven hen zweefde inmiddels doelgericht aan de touwtjes trok. De volgende

dag stond in de *Egyptian Gazette* namelijk een foto van Phyllis die achter het raam van Howards suite naar buiten keek. Nu wierp zich natuurlijk de grote vraag op of zij de geliefde van de koning van Luxor was.
Phyllis liet niet merken dat haar ego gestreeld was. Toen Howard zich enkele dagen later kon vinden in het voorstel dat Phyllis voor hem ging werken, verdween dat koppige, recalcitrante in haar als sneeuw voor de zon. Howard kende Phyllis niet goed genoeg om die verandering op te merken en daaruit zijn conclusies te trekken. In het andere geval was het leven van beiden misschien anders verlopen.
Met gemengde gevoelens nam haar moeder kennis van de nieuwe situatie. Het was Amy niet ontgaan dat Phyllis haar overmoedige aard beteugelde. Haar dochter onderdrukte haar chagrijnige aard en het gemopper dat vroeger aan de orde van de dag was. Bovendien deed ze zich ouder voor dan ze was. En ze maakte zich op als een volwassen vrouw. Voorheen ging ze zo opvallend mogelijk gekleed, nu als een fatsoenlijke, getrouwde dame. Dat wilde echter geenszins zeggen dat ze daardoor minder aantrekkelijk over kwam.
Toen Phyllis besloot om in Egypte te blijven, kon haar moeder het niet nalaten haar dochter aan haar eigen woorden te herinneren. 'Nog niet zo lang geleden vond je Egypte een smerig, heet land waar het eten je slecht bekwam.'
'Nou en?' antwoordde Phyllis snibbig, zoals vroeger. 'Wat kan mij het schelen wat ik ooit allemaal gezegd heb!'
En zo gebeurde het dat John en Amy twee weken later terugreisden en hun dochter achterlieten in Egypte.

31

Op hetzelfde moment – misschien een dag later, maar het was beslist in dezelfde week – verliet miss Sarah Jones haar huurflat van zes verdiepingen, een woonblok van bruine baksteen in Lower Eastside in New York. De lente had nog geen intocht gehouden in Manhattan, en vanaf de East River blies een gure wind door de straten.
Ze had een groen mantelpak aan en een leuk hoedje op. Zoals ze erbij liep, onderscheidde ze zich duidelijk van de andere mensen die zich op dit vroege uur door Orchard Street begaven. Sarah was de zestig al gepasseerd. Een leeftijd waarop andere vrouwen allang niet meer zo met hun uiterlijk bezig waren. Sarah had echter nog steeds dat statige dat haar ook in haar jonge jaren kenmerkte.
Natuurlijk was aan haar gezicht te zien dat ze een bewogen leven had gehad. Die sporen, zoals enkele verdriet- en zorgenrimpeltjes, waren

onuitwisbaar. Maar de schrammetjes van het leven deden geen afbreuk aan haar schoonheid. Want mooi was ze nog steeds.
In elke andere straat, waar ook ter wereld, had Sarah vermoedelijk de aandacht getrokken. Niet in Orchard Street, de meest bruisende straat van heel Lower Eastside, waar immigranten uit Rusland, Polen, Hongarije en Duitsland, maar vooral Joden uit de hele wereld, hun stek hadden gevonden. Borden met Hebreeuwse, Russische en Europese aanduidingen hingen overal in de straat aan lange palen. Orchard Street begon bij Houston Street en eindigde zeven blokken verder bij Canal Street. Daar stond ook de eerste wolkenkrabber van Lower Eastside. Voor de doorgaans arme bewoners in deze buurt was die toren het onmiskenbare symbool van een economische vooruitgang waar ze zelf deel van uitmaakten.
De kleine winkels en kraampjes stonden zelfs tot op de trottoirs, beschut onder de ijzeren balkons die met Z-vormige brandtrappen aan elkaar verbonden waren. De geur van versgebakken brood mengde zich met een penetrante vislucht. Maar je rook er ook leer en exotische kruiden. Kortom, een deftige buurt was het niet.
Dankzij de verkoop van de *Dame School* in Swaffham was ze in financieel opzicht zeker in staat geweest om ergens anders te gaan wonen. Sarah Jones was echter in Lower East Side blijven hangen. Dat was inmiddels dertig jaar geleden. Ze kon zich niet voorstellen dat ze ooit nog in een ander stadsdeel wilde wonen. Toen ze in New York arriveerde, had ze een jaar lang nodig gehad om haar draai te vinden. Teleurgesteld liep ze zelfs met de gedachte rond om weer terug te gaan naar Engeland. Tot ze een beambte van de immigratiedienst ontmoette, een Amerikaan van geboorte wiens inmiddels overleden ouders uit Manchester waren geïmmigreerd.
William Salt – Sarah dacht liever niet meer aan hem – had ervoor gezorgd dat ze aan de slag kon in de Seward Park School, een particuliere instantie die zich voornamelijk richtte op het taalonderwijs voor Europese immigranten. Die baan gaf haar ook het nodige zelfvertrouwen om een nieuw leven te beginnen.
De ontmoetingen met de knappe man uit Brooklyn, aan de andere kant van de East River, verliepen ongewoon harmonisch en leidden bij Sarah tot het besef dat William beslist iemand was met wie ze zich wel getrouwd zag. Onbekommerd deed ze alles wat hij van haar vroeg en ze gaf hem veel geld uit haar opgebouwde vermogen. Ze kenden elkaar al drie jaar, maar Sarah wist niet eens waar William Salt precies woonde. Op een dag ging ze naar het adres dat hij haar gegeven had. Ze kwam erachter dat William haar belogen had. Toen nam Sarah Jones een ongewoon besluit: ze volgde hem van zijn werk

naar Brooklyn Heights, waar hij in een van de oude Brownstones, rijtjeshuizen van rode baksteen, verdween. Een uur lang aarzelde ze omdat ze zich afvroeg hoe ze hem tegemoet moest treden. Uiteindelijk verzamelde ze voldoende moed en belde aan. Een afgetobde vrouw met twee kleine kinderen aan haar rok deed open. Ze zei dat ze mevrouw Salt was. De wereld van Sarah Jones stortte in.

Sarah was zo geschokt dat ze sindsdien iedere man wantrouwde. Hoewel de mogelijkheden om een relatie op te bouwen voor het oprapen lagen, weigerde ze alle aanzoeken.

Op die kille lenteochtend haalde het verleden haar onverwacht in. Krantenjongens stonden op elke straathoek en schreeuwden het nieuws uit. Doorgaans kon het Sarah niet schelen wat er geroepen werd, maar toen ze in Orchard Street afsloeg naar Seward Park hield ze plotseling haar pas in. Een opgeschoten knul met een pofpet op en in een korte broek riep bibberend van de kou en met een schelle stem die je door merg en been ging: 'De ontdekking van de eeuw! Howard Carter vindt een faraomummie van drieduizend jaar oud. *The New York Herald.*'

Howard Carter?

Heel even dacht Sarah dat haar hart stilstond. De naam riep herinneringen uit een ver verleden op. De aangenaamste herinneringen van haar leven. Howard Carter! Plotseling voelde ze zich weer jong, nog geen dertig, met een blinde hartstocht voor die schuchtere, lange jongen met dat donkere haar. Opeens was die betovering er weer waarin Howard haar had meegenomen. Howard Carter! Ze bleef staan, hield zich vast aan een gaslantaarn en deed haar ogen even dicht om hem weer voor de geest te halen. Als een roes overspoelde de herinnering haar. Ze moest zichzelf dwingen om haar ogen weer open te doen.

Daarna wenkte ze de rillende jongen, gaf hem twintig dollarcent en zei terwijl ze de opgevouwen krant van hem kreeg: 'Howard Carter en ik hielden vroeger heel veel van elkaar.'

'Yes, madam,' zei de jongen die bibberde van de kou. Lachend knikte hij haar toe. In Orchard Street liepen veel mensen rond die niet goed snik waren. Hij beet keurend op het muntstuk dat de gekke dame hem had gegeven, waarna hij weer luidkeels het nieuws verkondigde.

Op de voorpagina zag ze zijn foto. Een rijzige, imposante man met donkere wenkbrauwen, een donkere snor en met een lichte panamahoed op die trots over zijn voorhoofd was getrokken. Hij keek strak in de lens. Zijn houding had iets serieus en verraadde een zekere trots die heel naturel was. Goeie genade, Howard! Waar was die schuchtere, slungelachtige jongen gebleven?

Ze liep verder terwijl ze de krant voor zich uit hield. Haastig las ze het artikel, maar in gedachten ging ze dertig jaar terug in de tijd. Met een list had ze Howard overgehaald Swaffham te verlaten en archeoloog te worden. Weemoedig herinnerde ze zich het afscheid op het kleine station en de foto die ze hem stiekem had toegestopt. Heel lang had ze hartzeer gehad van dat afscheid. Daarom had ze besloten om naar Amerika te emigreren.
Ze vroeg zich af hoe het gegaan zou zijn als ze bij elkaar waren gebleven. De droom waarin ze zich gedurende enkele heerlijke maanden gekoesterd hadden, was beslist na korte tijd als een zeepbel uiteengespat. Het leven kent nu eenmaal zijn eigen wetten. En soms zijn die genadeloos. Een jongere vrouw zou op zeker moment haar plaats aan zijn zijde hebben geclaimd.
Heimelijk pinkte ze een traantje weg voordat ze het schoolgebouw binnenliep. Het victoriaanse portaal met de bakstenen zuilen had iets kils en zwaarmoedigs. Na dertig jaar was ze er nog steeds niet aan gewend, hoewel ze inmiddels al wat jaartjes directrice van deze school was.
Mary Scott was een bleke, roodharige lerares van Ierse afkomst. Sinds enkele jaren was Sarah bevriend met haar. Een eerlijke vriendschap. In de drukke gang liep Mary haar tegemoet en keek haar vragend aan. 'Wat is er aan de hand, Sarah? Je doet zo afwezig.'
Verward, alsof ze ontwaakte uit een droom, antwoordde ze met een gedwongen lachje: 'Herinner jij je je eerste grote liefde nog, Mary?'
Mary keek haar verbaasd aan. 'Ja. Patrick herinner ik me nog goed. Hij had minstens driehonderd zomersproeten op zijn gezicht en was twee jaar ouder dan ik. Waarom vraag je dat zo vroeg op de ochtend?'
'Howard was mijn grote liefde. Hij had geen enkele zomersproet en was dertien jaar jonger dan ik.'
'Tjee, wat opwindend. Waarom heb je me dat nooit verteld? En waarom begin je er uitgerekend nu over?'
Sarah Jones gaf haar de krant. Gretig las haar vriendin het artikel. Ze staarde naar de krantenfoto en zei vol ongeloof: 'Was die archeoloog jouw grote liefde?'
Ze knikte niet zonder trots en met op elkaar geperste lippen. 'Als ik hem niet had ontmoet, zou ik nu niet in New York zijn. Mijn emigratie naar Amerika was een vlucht voor die herinnering. Howard was vijftien en een leerling van mij. Een wederzijdse, tedere en oprechte liefde. Maar ook uitzichtloos. Ik heb hem aangespoord om naar Egypte te gaan en een eind gemaakt aan die verboden liefde.'
'Heb je daar nooit spijt van gehad?'

'Als haren op mijn hoofd. Mijn verstand zei dat het beter was zo. Maar omdat aan elk paadje, elke boom en elk muurtje herinneringen kleefden, nam ik het besluit alle schepen achter me te verbranden.'
'Hebben jullie elkaar nooit meer gezien?'
'Nooit meer.'
'Schreven jullie elkaar dan niet?'
'Nee. Dat zou alleen maar oude wonden hebben opengereten. Het afscheid was al moeilijk genoeg.'
Mary wendde haar blik af en dacht na. 'En als jullie elkaar nu weer zouden zien?' vroeg ze zonder Sarah aan te kijken.
'Na dertig jaar zijn Howard en ik veranderd, Mary. Ik denk dat hij mij niet eens meer zou herkennen. Hij is nu beroemd. Ongetwijfeld is hij met een mooie, jonge vrouw getrouwd. Egyptische vrouwen behoren tot de mooiste ter wereld.'
Mary streek met haar handrug over de krant en zei: 'Mannen van dat kaliber zijn getrouwd met hun werk.'
Ze realiseerde zich niet dat ze de spijker op de kop sloeg.

Als een koning hield Howard Carter hof in Luxor. Hotel Winter Palace was zijn paleis. En Phyllis hield zich bezig met het ceremonieel en deed dat met overgave. Ze had een kamer in zijn suite en bekommerde zich om de duizend dingetjes waarmee een man die van de ene dag op de andere wereldfaam had verworven zich geconfronteerd zag.
Howard noch Phyllis nam stelling tegen de geruchten dat ze een liefdesrelatie hadden. Hoewel Carter geërgerd reageerde op dat soort uitlatingen, voelde Phyllis zich gevleid. Met haar jeugdige charme en haar vrouwelijke finesse strikte ze Howard in haar netten. En hij was dankbaar voor haar toegenegenheid. In dat opzicht was hij nooit verwend geweest in het leven. Hij genoot dus des te meer van de dweperigheid die zijn mooie nichtje tentoonspreidde.
Op de dag dat ze bij haar oom was ingetrokken, had ze hem al zover gekregen dat hij instemde met haar verzoek om hem aan te spreken met 'Howard'. 'Oom Howard' vond ze ouderwets klinken. Ze kreeg het haast niet over haar lippen.
Phyllis organiseerde ook de bewaking die de koning van Luxor toekwam. Wanneer hij zich naar het Dal der Koningen begaf, werd hij begeleid door vier in galabia's gestoken politiemannen die hun handvuurwapens zichtbaar bij zich droegen en opdringerige bewonderaars op afstand hielden. Wanneer hij zich terugtrok in zijn suite hielden telkens twee van hen de wacht. Ook 's nachts.
De verering die zijn archeoloog ten deel viel, was Lord Carnarvon een

doorn in het oog. Hij zag echter geen mogelijkheid om Howards roem te betwisten. De buitenlandse krantenjournalisten lieten de lord links liggen. Daarentegen gingen ze om Howard enkele uitspraken te ontfutselen met elkaar op de vuist. De maat was vol toen tijdens het eerste transport van de grafgiften naar het Egyptisch Museum in Caïro een jonge Amerikaanse verslaggever aan hem vroeg voor welke krant hij schreef.
Evelyn lachte toen haar vader haar dat 's avonds in de hotelbar van het Winter Palace vertelde. 'Papa als krantenverslaggever! Waarom ook niet? Je zou ook mij kunnen vragen om een interview. Sorry, maar ik kan de grap er wel van inzien.'
De lord zag er de grap beslist niet van in. En dat Evelyn hem voor de gek hield, sterkte hem in zijn besluit. 'Morgen reizen we terug naar Engeland. Meneer Cook verzorgt de overtocht naar Genua.' Om zijn besluit te bekrachtigen, dronk hij een vol glas whisky in enkele teugen leeg. Het was die avond trouwens niet zijn eerste scotch.
'Waarom wil je opeens vertrekken?' vroeg Evelyn voorzichtig. 'Omdat een of andere reporter denkt dat jij ook voor een krant werkt? Papa toch! Sinds wanneer ga jij gebukt onder complexen?'
'Er zijn ook andere redenen. Maar daar wil ik het voorlopig niet over hebben.'
'Waarom niet? Heb jij geheimen voor je dochter?'
'Ik wil er niet over praten!' herhaalde Carnarvon. Het klonk bits. 'Bovendien ben jij verloofd. Campbell zit thuis op jou te wachten. Soms krijg ik de indruk dat je hem al vergeten bent.'
'Papa!' riep Evelyn verontwaardigd. 'Hoe kom je daarbij!'
'Niet zonder reden!' antwoordde hij fel. 'Maar dat thema laten we voorlopig maar buiten beschouwing.'
Evelyn keek kwaad en zinde op wraak. 'Laat Howard er alsjeblieft buiten,' zei ze. 'Die kwestie is gewoon niet meer aan de orde. Maar laat één ding duidelijk zijn... een paar weken geleden vond je Howard niet goed genoeg, en nu steekt hij de draak met ons. Als je over enkele maanden teruggaat naar Egypte zal hij zich bij het horen van de naam Lord Carnarvon achter de oren krabben en niet meer weten wie dat is.'
De lord bestelde nog een whisky, dronk het glas in enkele snelle teugen leeg en smeet het zo hard tegen de muur dat het in duizend scherven op de grond viel. Daarna stond hij moeizaam op en liep naar zijn kamer. Evelyn volgde hem met het schaamrood op haar kaken.
In de hotelbar was dat kleine voorval niet onopgemerkt gebleven. Evelyn noch Carnarvon hadden dat gemerkt.
Die nacht rond een uur sliep de lord als een blok, zachtjes snurkend.

Evelyn had de deur tussen de twee kamers dichtgedaan en sliep inmiddels ook. Ze hoorden niet dat een raam in de suite van Carnarvon voorzichtig werd opengeduwd. De lord sliep altijd met de ramen halfopen. Twee vensters boden uitzicht op het oostelijk gelegen park waar een grote tent stond om de vele toeristen onderdak te bieden.
Toch had niemand gemerkt dat een schimmige gestalte vanaf de achteruitgang van de lobby op de smalle muurrand was gesprongen en langs de ramen van de bel-etage sloop. Je hoefde beslist geen lenige geveltoerist te zijn om dat te presteren. En twee meter boven de grond was er van gevaarlijk 'koorddansen' evenmin sprake.
De man loerde door het open raam naar binnen. Toen hij niets verontrustends hoorde, ging hij met zijn gezette lijf op het kozijn zitten en luisterde opnieuw. Zonder het geringste geluid te maken stapte bij vervolgens naar binnen. Achter de dunne gordijnen – ze bewogen zachtjes in de koele bries – probeerde hij zich vergeefs te oriënteren. Daarom bleef hij even staan tot hij iemand zachtjes en regelmatig hoorde snurken. Toen hij er zeker van was dat niemand hem gehoord had, knipte hij zijn zaklamp aan en richtte die naar de vloer.
Op het parket lagen kostbare tapijten met oriëntaals dessin in rood en blauw. In het licht van zijn zaklamp zag hij opeens een paar schoenen verschijnen. Niet netjes naast elkaar, maar alsof iemand ze achteloos had uitgetrokken.
Langzaam en voorzichtig zette de indringer de ene voet voor de andere. Opeens zag hij in het licht van zijn zaklamp een gedeelte van een bed, een wit geval met barokke tierlantijnen. Daarin sliep Lord Carnarvon, die zich niet bewoog. Zelfs niet toen de lichtbundel over zijn gezicht gleed. De lichtsterkte was voldoende om iemand te wekken.
Daarna ging de indringer zo snel en nauwkeurig te werk dat je zou denken dat hij dat geoefend had. De man had een zwarte doek om zijn hoofd gewikkeld, zoals fellahs dat deden om zich tegen de zon te beschermen. Hij haalde een glazen cilinder tevoorschijn, draaide de schroefdop eraf en kiepte de zwarte inhoud naast Carnarvons hoofd dat op het kussen lag.
Heel even was in het licht van de zaklamp iets afschuwelijks te zien. Op een handbreedte van Carnarvons linkerwang loerde een schorpioen die zijn staart en de stekel aan het uiteinde ervan op zijn vermeende vijand had gericht. Traag bewoog de schorpioen zijn acht poten, alsof hij op een geheim teken wachtte om in de aanval te gaan.

De zaklamp ging uit. De in het zwart geklede man verdween even geruisloos als hij gekomen was door het raam naar buiten. Kalm keek hij om zich heen of iemand iets gezien had, liep daarna op de tast over de stenen rand terug naar de achteruitgang en verdween met een mankende tred tussen de struiken van het park.
Enkele minuten later klonk in het hotel een korte, felle schreeuw. Daarna werd het weer stil.

Hoewel Howard slechts een paar deuren verder sliep, kreeg hij niets mee van het voorval. Toen hij de volgende ochtend zijn hotelkamer verliet, liep Evelyn hem tegemoet en viel hem huilend om de hals. 'Howard, het gaat niet goed met papa. Hij heeft veertig graden koorts. De dokter is nu bij hem.'
'Wat heeft hij dan?' Aarzelend maakte hij zich los uit haar omarming.
'Ik weet het niet. Vannacht hoorde ik een schreeuw uit zijn kamer. Ik maakte me zorgen. Toen ik bij hem naar binnenliep, zat hij rechtop in bed en zei dat hij een nachtmerrie had. Ik moest maar weer gaan slapen. Vanmorgen zag ik dat hij hoge koorts had. Ook was hij nauwelijks aanspreekbaar.'
Howard probeerde haar te troosten. 'In dit klimaat zijn koortsaanvallen niet ongewoon. Ze verdwijnen net zo snel als ze gekomen zijn. Hij heeft het in de afgelopen weken niet gemakkelijk gehad.'
Op dat moment liep dokter Mohamed Badawi met een ernstig gezicht de kamer uit. Hij was de hotelarts van het Winter Palace. 'Het ziet er niet goed uit, mylady. Hij moet dringend naar het ziekenhuis. Zodra zijn toestand wat verbeterd is, wil ik dat uw vader naar Caïro vervoerd wordt. Dat is echt het beste. Ik ga met u mee, als u dat wilt.'
'Hoe gaat het nu met hem, dokter?'
'Hij is weer bij bewustzijn. Maar dat wil niet zeggen dat zijn algemene toestand verbeterd is.'
'Is het wel verstandig om papa te vervoeren?'
'De slaapwagon van de nachttrein naar Caïro is een mogelijkheid. En als ik u een goede raad mag geven, mylady... hoe eerder u daartoe besluit, hoe beter dat is voor de patiënt.'
Dokter Badawi was nog niet uitgesproken of de deur van de kamer ging open. In een okerkleurige pyjama liep Carnarvon de gang op. Zijn gezicht zag donkerrood, zijn huid zo gespannen dat die elk moment leek te kunnen scheuren. Het zweet parelde op zijn voorhoofd en zijn uitpuilende ogen leken op donkere knikkers.
'Papa!' riep Evelyn opgewonden. Howard en de arts staarden de lord

ontzet aan. Hij stond daar als een verschijning en begon plotseling hol te spreken. 'Ik heb de stem van Toetanchamon gehoord. De farao eist dat zijn schat wordt teruggebracht.'
'Hij slaat wartaal uit,' fluisterde Evelyn tegen de dokter. 'Er moet nu echt iets gebeuren, alstublieft!'
'Die wartaal is het gevolg van de koorts.' De arts liet zijn patiënt geen moment uit het oog.
Howard begreep als enige wat de lord in zijn koortswaan dreef. 'Volgens mij heeft het transport van de grafgiften erg veel indruk op hem gemaakt. Toegegeven, we voelen ons allemaal min of meer grafrovers... ik ook.'
De arts naderde Carnarvon heel behoedzaam, zoals hij dat ook bij een schuw paard zou doen, waarna hij hem bij zijn linkerbovenarm vastpakte en hem terugleidde naar zijn kamer. Evelyn en Howard volgden het tweetal. Ze hadden geen flauw idee in welk gevaar ze zich bevonden terwijl ze Carnarvon naar bed brachten.
Evelyn schudde het kussen op en voelde plotseling iets hards. Vervolgens haalde ze er een revolver onder vandaan. 'Wat heeft dit te betekenen?' vroeg ze ontdaan.
Howard pakte het wapen uit haar hand, schudde de patronen eruit en antwoordde op een sussende toon: 'Die revolver is van mij. Ik heb het wapen aan je vader geleend omdat hij zich bedreigd voelde door iemand.'
'Belachelijk!' zei Evelyn fel. Met enige terughoudendheid voegde ze eraan toe: 'Mijn vader? Wie zou Lord Carnarvon nou willen vermoorden?'
'Geen idee,' zei Howard. 'Maar met de verkoop van de exclusieve rechten aan de Londense *Times* heeft hij geen vrienden gemaakt.'
Evelyn haalde haar schouders op.
Toen Carnarvon weer in bed lag, keek hij verstard naar het plafond, alsof hij ver weg stemmen hoorde. Opnieuw voelde dokter Badawi zijn pols en knikte hij Evelyn bemoedigend toe. 'Het komt goed,' zei hij zachtjes en met een lage stem. Zo sprak hij altijd als hij niet meer wist hoe het verder moest.
Terwijl de arts, Evelyn en Howard om het bed stonden, begonnen de ogen van de lord plotseling te flonkeren. Alsof hij opeens aan de beterende hand was. Hij bleef naar het plafond staren en zei aarzelend: 'Evelyn! Carter moet komen!'
'Hij staat aan je bed, papa!' zei ze, dolblij dat haar vader weer helder was.
'Meneer Carter!'
'Ja, mylord.'

'Meneer Carter, ik heb besloten af te reizen. We nemen vanavond nog de nachttrein naar Caïro...'
'Maar, mylord, u bent ziek. U kunt beter nog een paar dagen in bed blijven voordat u een lange treinreis maakt.'
'Niks aan de hand!'
Plotseling ging Carnarvon rechtop zitten. Hij staarde voor zich uit terwijl hij sprak, alsof hij degenen die om hem heen stonden niet zag. 'Ik ben wat koortsig. Maar wat dan nog? Ik wil alleen maar zeggen dat het me spijt zoals ik u soms behandeld heb.'
'Is al goed, mylord. Daar hebben we het later wel over. Dat heeft tijd.'
'Nee, meneer Carter! Ik kom namelijk niet meer terug.'
Howard fronste zijn wenkbrauwen en keek Evelyn vragend aan. 'Hoe moet ik dat opvatten?' vroeg hij. 'Wilt u niet meer terugkomen?'
'Inderdaad. Ik maak de weg vrij voor u. U bent immers de koning van Luxor. Een Engelse lord is in dat opzicht een ondergeschikte.'
'Knap eerst maar weer eens op. Dan ziet u alles in een ander licht.'
'Nee, Carter. Ga nu. Laat de farao niet wachten vanwege een ziekelijke lord.' Daarna richtte hij zich tot zijn dochter en zei: 'Kom, we gaan inpakken.'

Zoals elke ochtend bracht Phyllis hem de nieuwste kranten. Sommige artikelen vond hij vermakelijk, andere verbazingwekkend in de zin dat het hem verwonderde wat er zich nu weer in het Dal der Koningen had afgespeeld. Die ochtend vond hij een artikel in de *Egyptian Gazette* verontrustend. De kop luidde: *De vloek van de farao.* Bij de trap die naar het graf van Toetanchamon leidde, aldus de krant, was een kleitablet gevonden met het inschrift: *De dood zal met zijn vleugels al degenen verpletteren die de rust van de farao verstoren.*
Woedend riep Howard zijn voorman Ahmed Gurgar ter verantwoording. 'Waarom heeft niemand mij over die vondst verteld? Waar is dat kleitablet nu?'
Ahmed bezwoer bij hoog en laag dat ze sinds het begin van de opgravingen geen kleitablet met dat inschrift hadden gevonden. Ook Callender wist van niets. Hij hield tijdens Howards afwezigheid toezicht op de werkzaamheden.
'De verslaggevers zuigen dat soort dingen toch niet uit hun duim?' tierde Howard.
Callender bewaarde ook in heikelere situaties zijn kalmte en zei bedaard: 'Waarom niet? Als je bedenkt wat ze inmiddels voor onzin geschreven hebben, mag je beslist ook twijfelen aan het waarheidsgehalte van dit artikel.'

Howard trok een gezicht. 'Daar hebt u gelijk in, Callender. Maar dat inschrift klinkt niet als iets wat een roddeljournalist heeft bedacht. Dit is een vloek die je in veel graven vindt. Ik weet niet wat ik van dit verhaal moet denken.'
'Nou moet ik u toch iets vragen,' zei Callender ernstig. 'Maakt u zich op enigerlei wijze zorgen over die tekst, als die al bestaat?'
'Ach, de katholieke Kerk bedreigt ons zondaars ook met de eeuwige verdoemenis. In dat licht zie ik die tekst.' Hij had die zin nog niet uitgesproken of hij begon te twijfelen. Hij verdrong die gedachten echter en voegde eraan toe: 'Hecht u er meer betekenis aan, Callender?'
'Natuurlijk niet,' antwoordde zijn assistent. 'Maar van de Egyptische arbeiders heeft de helft zich vandaag ziek gemeld. De onheilstijding verspreidt zich kennelijk als een lopend vuurtje.'
'Dat gaat echt te ver!' Howard stampte woedend op de vloer, alsof hij een brandend stuk papier met zijn voeten uit wilde trappen. Nog dezelfde dag bracht hij een bezoek aan de redactie van de *Egyptian Gazette.*

De hoofdredacteur was een kleine, gezette man met een kaal hoofd en een zonneklep. Hij was uitzinnig van vreugde omdat de beroemde meneer Carter zijn krant een bezoekje bracht. Met een hoge stem riep hij de hele redactie bijeen. Maar nog voordat deze onverwachte bijeenkomst in een jubelfeest ontaardde, vroeg Howard wie het artikel over de vloek van de farao had geschreven.
De hoofdredacteur noch de verslaggevers wisten wie dat was. De kleine, dikke man verklaarde dat het hem een raadsel was hoe dat artikel in zijn krant terecht was gekomen. Hij benadrukte zijn verklaring met draaiende handbewegingen. Howard voelde zich beetgenomen. Het vermoeden liet hem niet los dat dit zogenaamd uit de lucht gevallen artikel een geraffineerde gesponsorde intrige als basis had.

De aankomst in de lobby van Hotel Winter Palace leek op een zegetocht, zoals elke avond wanneer Howard terugkeerde van zijn werk. Er werd geapplaudisseerd alsof hij een grandioze theatervoorstelling had gegeven. Voortdurend klonk er hoerageroep en 'Carter! Carter! Carter!' Toeristen en fans hadden urenlang op dit moment gewacht. Die avond vroeg hij zich voor het eerst af hoe het zou zijn als de ovaties een dag uitbleven. Hij was inmiddels gewend en zelfs verslaafd geraakt aan dat dagelijks bad in de uitzinnige menigte. Zodra dat uitblijft, word ik ziek, dacht hij. En depressief, zoals iedereen die

ooit van de roem geproefd heeft en daarna wordt teruggeworpen in het normale leven.
In dat opzicht had Lee Keedick geen beter moment kunnen kiezen. Hij kwam binnen onder begeleiding van Phyllis.
'Howard, ik wil je graag voorstellen aan Lee Keedick,' zei ze. 'Meneer Keedick is een van de bekendste producenten van Amerika. Hij organiseert grote concerten, opera's, musicals en theatervoorstellingen. Hij wil je een voorstel doen.'
Knorrig gaf Howard de Amerikaan een hand. Hij had inmiddels heel wat zakenlui en vertegenwoordigers over de vloer gehad. Lee Keedick was misschien wat ouder dan de andere agenten, wellicht ook wat ouderwetser omdat hij als een impresario uit vervlogen tijden in rokkostuum rondliep. Bovendien had hij slechtere ogen dan de anderen, want hij had een bril met jampotglazen op waardoor zijn ogen onnatuurlijk groot leken. Zijn pluizige, witte haar lag als een weerbarstig kransje om zijn voor de rest kale schedel. Zijn voorkomen kreeg daardoor iets spiritueels, iets klerikaals. Dat strookte echter absoluut niet met de feiten. Keedick kende namelijk maar drie drijfveren: eten, vrouwen en geld verdienen. Drie dingen waar hij geen genoeg van kreeg.
Meneer Keedick kwam meteen ter zake als het ging om eten en geld verdienen. Hij nodigde Howard en Phyllis uit voor een diner in het restaurant van het Winter Palace. Twee uur lang at hij onafgebroken, alsof hij gedurende drie dagen geen vast voedsel tot zich had genomen. Tussen de gangen door vond hij met moeite tijd om Howard over zijn project te vertellen en hem een voorstel te doen.
'Meneer Carter, ' begon hij terwijl hij zijn mond depte met een servet, 'ik hoef u niet te vertellen dat u binnen enkele weken zo beroemd bent geworden dat Douglas Fairbanks en president Warren Harding daarbij in het niet vallen. De kranten staan vol van uw avontuur. Kortom, het zou dom zijn als we die marktwaarde niet omzetten in klinkende munt.'
'Zo, u noemt dat dus een avontuur, meneer Keedick,' merkte Howard beledigd op.
Phyllis kende de gevoelige kant van Howard en probeerde het ijs te breken. 'Howard, zo bedoelt meneer Keedick het niet. Natuurlijk weet hij dat je een serieuze archeoloog bent. De meeste mensen beschouwen de werkzaamheden in het Dal der Koningen als een fascinerend avontuur.'
'Voortreffelijk gezegd! Héél goed!' zei de producer enthousiast. Met een knipoog voegde hij er tegen Howard aan toe: 'Als ik zo vrij mag zijn... uw vrouw is niet alleen héél mooi, maar ook héél slim.'

'Phyllis is niet...' Howard kon zijn zin niet afmaken, want Keedick was hem voor. 'Ik weet dat we in de jaren twintig van de twintigste eeuw leven. De morele opvattingen zijn anders dan zeg twintig jaar geleden. Waarom zou je ook meteen trouwen? Kom nou toch, meneer Carter!'
Howard was in verwarring gebracht. 'Ik wil u een voorstel doen, meneer Carter,' vervolgde Keedick. 'Ik regel voor u een lezingentournee door de Verenigde Staten en Canada. Natuurlijk komen alleen de beste adressen in aanmerking: Carnegie Hall in New York, de National Theatres in Washington, Boston, Philadelphia, Chicago, Detroit.' Keedick tekende een groot vierkant in de lucht. 'De koning van Luxor vertelt over de ontdekking van de eeuw!' De Amerikanen zullen de zalen bestormen en u op hun schouders naar buiten dragen, dat garandeer ik u, zo waar ik Lee Keedick heet.'
'Weet u, meneer Keedick...'
'Noem me maar gewoon Lee.'
'Lee, ik ben geen operazanger of filmster!'
'Daarom juist, Howard. Jij bent iets heel bijzonders. Dat is nog nooit voorgekomen. En dat is nou juist de charme ervan. In Amerika betekent succes vijf procent talent, de rest is publiciteit. Met een filmster zal ik niet zo'n grote tournee organiseren. Zoals ik al zei, het zou dom zijn om niet op mijn voorstel in te gaan.'
'Dan ben ik maar dom!' antwoordde Howard kortaf. 'Het spijt me dat u die reis voor niks hebt gemaakt.'
'Howard!' Phyllis verschoof onrustig in haar stoel. 'Je weet niet eens wat meneer Keedick jou aanbiedt!'
'Een handvol dollars. Goed, misschien wat meer. Nou en?'
Keedick vouwde zijn handen alsof hij in gebed was. Daarna boog hij langzaam zijn hoofd tot zijn kin op zijn borst rustte. Vervolgens zei hij, waarbij hij elk woord benadrukte: 'Howard, ik bied jou duizend pond voor elke lezing die je doet. En twee auto's. Een zorgvuldig georganiseerde tournee houdt in dat je per dag drie lezingen kunt doen. Dat is drieduizend pond per dag en meer dan Mary Pickford en Gloria Swanson samen verdienen. Begrijp je het nou eindelijk, Howard? Na die tournee zul je steenrijk zijn!'
Hij keek de producer verbouwereerd aan. Was die man serieus of hield hij hem voor de gek? Duizend pond voor een lezing? Voor dat bedrag moest hij voorheen twee jaar werken. En dat was al niet slecht betaald. Hij werd duizelig bij de gedachte aan zo veel geld.
'En?' vroeg Keedick dwingend. Plotseling haalde hij een stapeltje witte vellen papier tevoorschijn. Een stuk of vijf van die vellen schoof hij over de tafel naar Howard. Hij legde er een gouden vul-

pen bij. 'Die mag je na ondertekening houden,' zei hij onverschillig. 'Gewoon om te laten zien dat Lee Keedick niet zo gierig is als altijd beweerd wordt. Het spreekt vanzelf dat je vrouw in de beste hotels verblijft: Waldorf-Astoria, Ritz, Savoy. En voor de overtocht is uiteraard alleen de *Berengaria* goed genoeg.'
'Howard!' riep Phyllis opgewonden toen ze zag dat hij nog steeds aarzelde. Ze reikte hem de gouden vulpen toe.
Howard restte niets anders dan zijn handtekening onder het contract te zetten.

Tegen de verwachting in was Carnarvon opeens aan de beterende hand en hij arriveerde onder begeleiding van zijn dochter Evelyn en dokter Badawi veilig en wel in Caïro. De arts wilde graag dat hij naar het ziekenhuis ging. Maar dat voorstel wees Carnarvon af. Over vier dagen vertrok het volgende schip met bestemming Genua. In de tussentijd wilde hij herstellen in het Continental-Savoy.
Dokter Badawi reisde terug naar Luxor. Hij was amper vertrokken of Lord Carnarvon kreeg opnieuw koortsaanvallen. En net als in Luxor begon hij weer te hallucineren. Het leek of hij bezeten was door de farao. Evelyn zat aan het bed van haar vader en legde koude kompressen op zijn gezicht terwijl haar vader in dialoog was met de farao. Af en toe sprak de lord op een griezelige toon, waarbij hij onder de kompressen vreemde geluiden uitstiet en met Toetanchamon sprak. Al die tijd bleef hij verstard en roerloos als een mummie in bed liggen. Van enige mimiek was geen sprake, alleen zijn lippen bewogen moeizaam.
Na de eerste nacht die ze met hem alleen had doorgebracht, werd ze bang en verstuurde ze een telegram naar haar moeder op Highclere Castle: Papa doodziek + stop + kom zo snel mogelijk hierheen + stop + Evelyn.
Op momenten dat Carnarvon weer helder was – ze werden steeds zeldzamer – legde hij de raad naast zich neer om naar het ziekenhuis te gaan. 'Als ik toch moet sterven,' zei hij kalm, 'dan liever in een fatsoenlijk hotel en niet in een of ander verwaarloosd ziekenhuis in Caïro. Dat staat niet goed in mijn gedenkschrift.'
In de daaropvolgende lange nacht probeerde Evelyn dat soort sombere gedachten uit zijn hoofd te praten. Maar terwijl ze sprak, verviel de lord opnieuw in een delirium en klonk zijn stem vreemd en verward. 'Ik ben het die over alle volkeren regeert, de heerser over beide landen, de volmaakte. Osiris zal hen die mijn rust verstoren met gloeiende ogen vervolgen, en hun leven zal eindigen nog voordat Re zijn stralenarmen naar hen heeft uitgestrekt.'

'Papa!' Met tranen in de ogen boog Evelyn zich over haar vader heen. 'Je maakt me bang!' zei ze zachtjes met een bibberstem terwijl ze de vochtige doek van zijn gezicht haalde. Een schreeuw die door merg en been ging echode door de nacht. Als versteend staarde Evelyn naar haar vader. Onder het kompres dat ze op zijn gezicht had gelegd om de koorts te temperen, zag ze het verschrompelde hoofd van een mummie. Zijn huid was geelbruin en op sommige plaatsen gescheurd en bladderig. Het haar op zijn benige schedel, met vooruitgestoken jukbeenderen en kin, leek op stoffig hooi. De ogen vond ze nog het ergste. Die opengesperde, verschrompelde ogen. De pupillen waren veranderd in donkere puntjes, net glaspareltjes. Ondanks dat macabere uiterlijk leek de mummie te leven. Evelyn zag de oogleden bewegen. Oogleden die elk moment tot stof konden vergaan, zo leek het.

Evelyn was onthutst, verbijsterd, totaal in verwarring gebracht, alsof iemand haar een klap had gegeven. Ze was niet in staat helder te denken, en ze twijfelde aan haar verstand en vroeg zich af of ze in een nachtmerrie gevangenzat. Ze wilde zich losrukken uit die verstarring en hard wegrennen, maar een onzichtbare macht hield haar gekluisterd aan het bed van haar zieke vader. Ze kon zelfs niet om hulp roepen; haar stem liet haar in de steek.

Met bovenmenselijke inspanning kreeg ze het voor elkaar om het natte kompres te pakken en het over het hoofd van de mummie te leggen. Prompt leek de verschrikkelijke ban gebroken. Evelyn sprong op. Onder de doek hoorde ze de vermoeide stem van haar vader. 'Ik heb zijn roep gehoord. Ik zal hem volgen.' Maar daar luisterde Evelyn al niet meer naar. In blinde paniek, terwijl ze niet ophield met schreeuwen, stormde ze de gang van het hotel op.

In een mum van tijd verschenen hotelgasten, etagekelners en overig personeel om te kijken wat er aan de hand was. Nog voordat Evelyn iets kon zeggen, gingen in het Continental-Savoy ook nog eens alle lichten uit.

Sommige vrouwen krijsten hysterisch. Mannen verschansten zich in hun kamers omdat ze in de veronderstelling waren dat het om een aanslag van Egyptische nationalisten ging. Toen ze een blik naar buiten wierpen, wisten ze wel beter: de hele stad Caïro was in duisternis gehuld.

Er stonden boze gasten op de gang terwijl het personeel kaarsen uitdeelde. Plotseling ging in heel Caïro als vanzelf het licht weer aan. Evelyn huilde, ze was op van de zenuwen. Ze wist niet of ze gedroomd had of dat het echt was wat zich voor haar ogen had afgespeeld.

Een etagekelner zag Evelyn met gesloten ogen tegen de deur van haar kamer leunen. 'Excuseer, madam, voelt u zich niet lekker?'
Een vriendelijke, in het wit geklede Egyptenaar keek haar glimlachend aan. In paniek klampte ze zich vast aan een arm van de man.
'U moet mij helpen, alstublieft!' fluisterde ze bang.
'Natuurlijk, madam,' zei de Egyptenaar. 'Wat kan ik voor u doen?'
Evelyn wees naar de deur. 'Zou u samen met mij naar binnen willen gaan?'
De etagekelner begreep niet waarom de Engelse dame ophef maakte over zoiets eenvoudigs als een stoomstoring. Nieuwsgierig draaide hij de klink om en liep naar binnen.
'Dat is mijn vader,' zei Evelyn terwijl hij de lord onder een vochtige doek zag liggen. 'Zou u alstublieft dat kompres van zijn gezicht willen halen?'
'Zoals u wilt, madam.' De etagekelner stapte naar voren en trok de doek van het gezicht.
Als in slow motion waagde ze het naar haar vader te kijken terwijl ze wachtte op een schreeuw van de Egyptenaar. De lord staarde met een starre blik naar het plafond. Zijn gezicht was vaal. Evelyn pakte zijn hand vast. Lord Carnarvon was dood.
'Papa,' zei ze zachtjes. 'Papa!'

32

Op de Cunard-kade in Southhampton was het een drukte van belang. Telkens wanneer de *Berengaria* aanmeerde voor een zesdaagse reis naar New York waren er twee keer zoveel kijklustigen als wanneer het ging om de *Aquitania* of de *Mauretania*. De *Berengaria* was immers heel bijzonder. Dit schip – niet het grootste – van rederij Cunard sprak bovendien het meest tot de verbeelding. Iedereen aan boord van deze oceaanstomer was prominent – zelfs de schoothondjes.
Het kwam dan ook niet vaak voor dat je de Prince of Wales, die op dat schip zijn eigen suite had, van dichtbij te zien kreeg. Of de maharadja van Jaipur, de Belgische koning, bekende lords, de Vanderbilts en de Rockefellers, prima donna's en acteurs van weerszijden van de Atlantische Oceaan – kortom, de high society van de wereld!
In alle vroegte waren de toeristen in drommen aanwezig. Nadat de meer dan duizend eenvoudige emigranten op het tussendek waren gepropt, vergaapten de kijklustigen zich aan de Rolls-Royces, de Daimlers, de Minerva's en de Duesenbergs die met enorme kranen aan boord werden gehesen en in het vrachtruim verdwenen.

Even na tienen arriveerden de eerste belangrijke passagiers. Doorgaans in twee auto's; een voor de bagage en de andere voor de hoge heren en dames. De kijklustigen achter de afzetting roddelden met elkaar over de grote hutkoffer van Louis Vuitton en over het aantal hoedendozen. En er werd vaak 'O' en 'Ah' geroepen als het om de garderobe van de dames ging. Soms werd er zelfs geklapt.
Over een kleine man in een eenvoudig pak van tweed werd meer gekletst dan over de dames. Hij zwaaide vrolijk terwijl hij met kleine pasjes over de steile loopplank in de buik van het zwarte schip verdween. Een jazzorkestje op de kade speelde *Sweet Lovin' Man*.
Meteen daarna verschenen Howard Carter en Phyllis Walker. Samen met zijn producer Lee Keedick. Er werd flink geapplaudisseerd. Op aanraden van Keedick ging Howard gekleed in een sportief Norfolkcolbert. Zijn Inverness-mantel liet hij onverschillig over een arm hangen. Nieuwgierig keek hij om zich heen terwijl hij zich afvroeg voor wie dat applaus bedoeld was. Opeens hoorde hij de mensen naar hem roepen. 'Carter! Carter! Carter!'
Phyllis was conform de nieuwste mode gekleed in een reismantelpakje, compleet met een dophoedje. Een stuk of twintig camera's waren op haar gericht. 'Dat is allemaal ter ere van jou,' fluisterde ze tegen hem. 'Ik ben zo trots op je!'
Hij was gewend geraakt aan dit gedoe om zijn persoon. Toch vroeg hij verlegen aan Keedick: 'Waar kennen die mensen me van? Hoe zijn ze te weten gekomen dat ik naar Amerika reis?'
Lee haalde een paar kranten uit zijn jaszak en hield die voor hem. De krantenkoppen logen er niet om. "Howard Carter naar VS" – "De koning van Luxor verovert Amerika" – "De ontdekker van het faraograf op tournee in de Verenigde Staten".
'Wat Lee Keedick doet, doet hij goed!' zei hij lachend. 'Dit is nog maar het begin! Wacht maar af wat er gebeurt als we eenmaal in Amerika zijn!'
Toen ze op het punt stonden om aan boord te gaan, werden ze opgehouden door een groep journalisten.
'Meneer Carter, uw financier Lord Carnarvon is op mysterieuze wijze om het leven gekomen. Men zegt dat hij getroffen is door de vloek van de farao. Moet u ook niet voor uw leven vrezen?'
'Meneer Carter, wat heeft die vloek te betekenen?'
'Meneer Carter, hoe denkt u uzelf te beschermen tegen die vloek?'
'Meneer Carter...'
Howard keek chagrijnig en zei resoluut tegen de verslaggevers: 'Onzin, heren! Klinkklare onzin!'
Nog voordat hij er iets aan kon toevoegen, ging Keedick met ge-

strekte armen voor hem staan om hem tegen de indringende vragen van de journalisten te beschermen. 'Ben je helemaal gek geworden, Carter?' fluisterde hij tegen hem. 'Betere reclame voor onze tournee kun je je niet wensen!' En tegen de verslaggevers zei hij: 'Meneer Carter bedoelt natuurlijk dat het overlijden van Lord Carnarvon een tragisch ongeluk is. Niemand weet wie hierna getroffen zal worden door de vloek van de farao. Overigens zal meneer Carter een kort interview geven aan degenen die meereizen naar Amerika.'

'Is de exclusiviteitsbepaling van de *Times* niet van toepassing aan boord van de *Berengaria?*'

'Die bepaling heeft alleen betrekking op de opgravingen en het nieuws uit Luxor. De aard van hetgeen meneer Carter u buiten de zevenmijlszone vertelt, is niet in het contract opgenomen.'

'Meneer Carter, die jonge vrouw aan uw zijde...'

'Meneer Carter, ik heb nog één vraag voordat u afreist...'

Lee Keedick stak dwingend zijn hand op. 'Geen vragen meer, geen commentaar. Veel dank, heren.'

Op het bovendek van de *Berengaria*, met de duurste hutten, had Keedick twee suites geboekt. Een voor hemzelf en de andere voor Howard en Phyllis.

'Hoe stelt u zich dat voor?' bulderde Howard toen hij merkte dat hij met zijn nichtje een suite moest delen. 'Phyllis is een aantrekkelijke, volwassen vrouw en ik ben haar oom!'

'Zo is het maar net!' stelde Keedick kalm vast. 'En wat die familieverhoudingen betreft... vergeet dat gedoe over oom en nicht. Je bent beroemd, Howard. Bijna wereldberoemd. Een jonge vrouw aan je zijde is de meest geschikte manier om je bekendheid te vergroten. Alle Amerikaanse kranten geven de voorkeur aan een foto met jou en een mooie jongedame boven die van ongeacht welke politicus. Daarin verschillen Amerika en Europa. In Europa zie je op de voorpagina politici in rokkostuum, in Amerika lachen de mooiste vrouwen je toe. Overigens kan ik me niet voorstellen dat je het gezelschap van miss Phyllis op enigerlei wijze onaangenaam vindt.'

'Natuurlijk niet, maar...!' Howard draaide eromheen.

'Nou dan,' onderbrak Keedick hem. 'Ik wil vanaf nu het woord "oom" of "nicht" niet meer horen. Dat geldt ook voor u, miss Phyllis. Ik hoop dat u begrijpt wat ik bedoel.'

'Natuurlijk, meneer Keedick,' zei Phyllis met een lachje.

Howard zweeg.

Het was al middag. De zon stond hoog aan de hemel toen de scheepshoorns van de *Berengaria* klonken. Aan dek gingen de

scheepsjongens van hut naar hut en van dek naar dek. Vriendelijk glimlachend riepen ze: '*All shore that's going ashore.*' Wat zoveel betekende als dat iedereen van boord moest gaan die niet op het schip thuishoorde.
Howard en Phyllis gingen bij de reling staan waaraan honderden gekleurde linten waren vastgeknoopt. Het briesje liet ze opwaaien en glinsteren terwijl de achterblijvers op de kade de uiteinden van die linten vasthielden. Plotseling weerklonk een luid gerommel, het statige schip trilde. De stoomturbines deden hun werk. Twee sleepstoomboten aan weerszijden van de *Berengaria* zetten zich schrap in de opgeworpen schuimende golven en trokken het schip van de kade weg. Kustvaarders, veerboten en enkele oude vrachtschepen waren nietig klein in vergelijking met de reusachtige oceaanstomer. Het ene lint na het andere brak, sommige dwarrelden als herfstbladeren het water in. Na een tijdje werden de kabels naar de sleepstoomboten losgemaakt. De hoge, bijna loodrechte boeg van de *Berengaria* draaide waarna het schip westelijk van het eiland Wight naar open zee voer.
De stewards kwamen met champagne. Op het achterdek had het scheepsorkest ingezet. Een of ander afscheidslied. Onwillekeurig dacht Howard terug aan zijn vroegere reizen op zee. Indertijd moest hij meestal genoegen nemen met het tussendek. En nu? Binnen enkele weken was zijn leven totaal veranderd. Vroeger beschouwde hij die vreemde zonzijde van het leven zo onbereikbaar als de hoogste toppen van de Himalaya. Plotseling had hij alles bereikt waar hij een leven lang van gedroomd had. De Amerika-tournee zou hem rijk maken, zo werd hem beloofd. Maar dit waren ook momenten waarop hij zich afvroeg of hij hier wel thuishoorde. Hij twijfelde of hij gelukkig zou worden van een leven in weelde. Een mooie wereld, dat wel, maar ook een wereld waarin hij ondanks alles waarschijnlijk rondliep met een leeg hart.
'Waar denk je aan, Howard?' Phyllis haalde hem terug in de werkelijkheid.
'Niets bijzonders, prinses,' antwoordde hij. 'Ik herinner me het tussendek van vroeger.'
'Toen was je nog niet beroemd, Howard!'
'Dat is zo. Maar ben ik om die reden een ander persoon geworden?'
Phyllis haalde haar schouders op en trok haar mondhoeken naar beneden.
Keedick kwam van de brug en liep naar hen toe. Hij zwaaide met een brief boven zijn hoofd en riep van ver: 'Dames en heren, het is Sir John Reynolds, de kapitein van dit fiere schip, een eer om ons uit

te nodigen voor een besloten captainsdiner. Zoals ik al zei: wat Keedick doet, doet hij goed.'
Het diner in de kleine salon van de kapiteinssuite op het bovendek was niet gespeend van enige pikanterie. Allereerst had Phyllis gekozen voor een extravagante paillettenjapon met een laag decolleté. Een japon die buitengewoon in de smaak viel bij Sir John Reynolds. Verder had die pikanterie alles te maken met de conversaties tijdens het copieuze diner. Conversaties die op geraffineerde wijze door Lee Keedick gestuurd werden.
Na enkele glazen sherry en champagne overlaadde Sir John Phyllis met complimenten en feliciteerde hij Howard met zijn goede smaak. 'Voor een beroemd man als u zal het niet eenvoudig zijn om getrouwd door het leven te gaan, hè, meneer Carter?'
Phyllis was dapper in de weer met enkele kreeftenscharen en keek Howard verwachtingsvol aan. Ook Keedick zat loerend klaar om hem te bespringen. Nog voordat Phyllis antwoord kon geven, zei Howard droogjes: 'We zijn niet getrouwd, Sir John. We kennen elkaar pas enkele maanden!'
Keedick keek met een schichtige blik beurtelings naar Howard en John Reynolds. Sir John boog instemmend zijn hoofd en zei: 'O, dan is miss Phyllis dus uw geliefde.'
'Ja, zo kun je dat wel noemen,' zei Keedick kort en bondig. Hij prees de voortreffelijke kaviaar in een poging om van onderwerp te veranderen. 'Kaviaar moet op het juiste moment in je mond uiteenspatten.'
'Eerlijk gezegd interesseer ik me niet zo voor archeologie,' haalde kapitein Reynolds uit. 'Ik heb mijn hele leven op zee doorgebracht. Aan wal beperkten mijn uitstapjes zich tot een afstand van niet meer dan tien mijl van de haven. Maar ik heb gelezen dat uw ontdekking van buitengewoon belang is, meneer Carter!'
Howard maakte een gebaar alsof hij wilde zeggen dat het niet de moeite waard was. Maar Keedick zei: 'Sir, voor het eerst in de geschiedenis heeft een archeoloog een ongeschonden faraograf ontdekt. Meneer Carter is de eerste en waarschijnlijk ook de laatste.'
'Ik begrijp het,' zei de kapitein met een peinzende blik. 'Dan hebt u het toeval aan uw zijde gehad. Mag ik het zo samenvatten?'
Howard grijnsde bijna minachtend. 'Dat is uw mening, Sir John. Ik noem het vastberaden je doel nastreven. Weet u, er zijn verschillende soorten toeval. Zoals het onverdiende toeval; het valt je in de schoot en is voor iedereen bereikbaar, als je mazzel hebt. Blijft over het toeval waar je hard voor gewerkt hebt. Dat is het toeval dat mij ten deel viel. Vermoedelijk ligt dat in uw business niet veel anders. Om kapi-

tein te worden op een schip als de *Berengaria* heb je niet alleen geluk nodig, maar ook doorzettingsvermogen.'
Reynolds haalde zijn schouders op en wendde verontwaardigd zijn blik af. 'Ik zal u een geheim verklappen, meneer Carter. Ik was veel liever kapitein op de *Aquitania* of de *Mauretania* geweest dan op deze bastaard.' Hij keek woest uit zijn ogen.
Howard, Phyllis en Keedick keken elkaar verwonderd aan. De Amerikaan vroeg: 'Hoe bedoelt u, Sir John? Noemt u de *Berengaria* een bastaard?'
Reynolds streek over zijn kortgeschoren bakkebaarden, boog zich naar voren – Keedick zat tegenover hem – en zei op een geheimzinnige toon: 'Hebt u op dit schip de waterkranen als eens goed bekeken?'
Keedick zat eveneens naar voren gebogen. Hij dacht immers dat hij een belangrijk geheim te horen kreeg en wilde er geen woord van missen. Teleurgesteld ging hij rechtzitten en zocht hulp bij Howard omdat hij geen flauw idee had waar Reynolds op aanstuurde.
'Ze zijn van fraai gepolijst messing,' zei Howard. Nogal gegeneerd voegde hij eraan toe: 'Alleen de bordjes met de Duitse opschriften "Warm" en "Kalt" zijn niet vervangen en doen wat vreemd aan op een Engels schip.'
'U zegt het, meneer Carter. Vreemd. Zéér vreemd!' Sir John knipperde onrustig met zijn ogen. Kennelijk verdroeg hij de champagne minder goed dan zijn gasten, want plotseling werd hij kwaad. 'De *Berengaria* was oorspronkelijk een Duits schip met de naam *Imperator,* een soort eerbetoon aan de Duitse keizer,' raasde hij. 'Na de oorlog kwam het schip als oorlogsbuit in Engelse handen en werd omgedoopt tot *Berengaria*. Over bastaard gesproken! De Duitsers kunnen trouwens geen schepen bouwen, in elk geval geen schepen die ook op ruwe zee handelbaar zijn. De meeste kunnen nog net windkracht zes aan. Als het heftiger wordt, beginnen ze te rollen en te stampen als een Zuid-Amerikaanse bananenboot. Deze schuit...' Reynolds klopte met zijn wijsvinger op het tafelblad, '... deze schuit vormt daarop geen uitzondering. Helaas moet ik er nu bij zeggen dat de weersverwachting niet best is.'
Bangig greep Phyllis Howard aan een arm vast: 'Howard?'
Sir John lachte hartelijk. 'U hoeft niet bang te zijn, miss Phyllis. De *Berengaria* heeft altijd punctueel zijn bestemming bereikt. Maar vraag niet hoe! Ha, ha, ha!'
Keedick zag de angst in de ogen van Phyllis en veranderde van onderwerp: 'Sir John, zou u mij een plezier willen doen en mij inzage willen geven in de passagierslijst?' vroeg hij beleefd.

Sir John bromde onwillig voor zich uit en zei: 'Jullie Amerikanen willen altijd het naadje van de kous weten.'
'Zeker,' zei Keedick. 'En of. Ik wil alleen maar weten welke prominente gasten er nog meer aan boord zijn. Het zou namelijk niet prettig zijn als iemand bij het van boord gaan in New York de show steelt ten koste van meneer Carter. U weet dat verslaggevers zich doorgaans op de eerste de beste storten. De rest heeft dan het nakijken.'
'Geen probleem,' zei Reynolds. 'De steward zal die lijst onder uw deur doorschuiven.'

Het captainsdiner eindigde tegen elf uur en niet echt in een prettige sfeer omdat Sir John Reynolds beneveld was door te veel sherry, champagne en de daaropvolgende whisky. Hij hield een lange monoloog over de christelijke zeevaart en dat Engeland de enige ware zeevarende natie ter wereld zou zijn.
Howard moest zijn uiterste best doen om Phyllis te kalmeren en haar ervan te overtuigen dat de *Berengaria* ondanks de alcoholconsumptie van de kapitein behouden zou arriveren in Amerika. In dit soort gevallen nam iemand anders immers de nautische taken van hem over. Bovendien beschikten zeevaarders over de vaardigheid – in tegenstelling tot gewone landrotten, archeologen en producers – om bij gevaar ogenblikkelijk nuchter te worden.
Phyllis nam genoegen met die verklaring. Het was duidelijk te merken dat ze zelf ook te veel gedronken had.
Ook Howard was een beetje aangeschoten. In elk geval kon hij bijna niet geloven wat er daarna gebeurde. Hun suite bestond uit een badkamer, met waterkranen die voorzien waren van een Duits opschrift, en aangrenzend een salon met twee slaapkamers ernaast. Phyllis liep haar kamer in. Even later kwam ze poedelnaakt terug en ging voor hem staan. Ze had alleen haar elegante schoenen en haar zijden kousen met kousenbanden aan. Hij zag een mooi, symmetrisch gevormd lichaam met welgevormde heupen en appelronde borsten. Ze was zo beeldig dat ze zelfs de afgestompte zintuigen van een archeoloog in verwarring brachten. Maar terwijl hij haar met een wellustige blik bekeek, herinnerde hij zich de genoemde vaardigheid waarover zeevaarders beschikten. Hij was meteen nuchter, alsof iemand een emmer met koud water boven zijn hoofd had leeggegoten. 'Phyllis, wat moet dat!' snauwde hij.
Phyllis wist dat ze mooi was. Zeker nu ze bloot voor hem stond. Met uitgestrekte armen liep ze naar hem toe en zei: 'Howard, je bent toch een man!'

Haar frivole stemming bracht hem aanvankelijk van de wijs, maar hij had zichzelf snel weer onder controle en zei op een barse toon: 'Zeker ben ik dat! Maar jij bent ook mijn nicht, de dochter van mijn zus!'
'Nou en?' zei Phyllis provocerend. 'Vind je me om die reden minder aantrekkelijk? Charles Darwin was met zijn nicht getrouwd!'
Howard bekeek haar van top tot teen en moest toegeven dat ze een lust voor het oog was. 'Dat staat daar los van,' zei hij. 'Het heeft met moraal te maken. En die nicht met wie Darwin getrouwd was, was de dochter van zijn oom of tante. Dat is een groot verschil.'
Phyllis liet zich niet wegsturen. Ze legde haar bleke armen om zijn nek en vlijde haar warme lichaam teder tegen hem aan. Howard liet haar even begaan. Hij genoot zelfs enkele verboden ogenblikken lang van deze zinnelijkheid. Daarna pakte hij haar bij haar polsen vast en duwde haar door de open deur haar kamer in, waar hij haar op het opengeslagen bed drukte. 'Ik wil dat je dit nooit meer doet, Phyllis,' zei hij ernstig.
'Maar ik hou van je, Howard!'
'Ik hou ook van jou, prinses. Maar jij en ik denken waarschijnlijk heel verschillend over de liefde. We moeten er vrede mee hebben dat wet en moraal de liefde tussen ons twee verbiedt.'
'Zelfs kapitein Reynolds dacht dat ik je vrouw was.'
'Reynolds! De kapitein vertegenwoordigt niet de wet. Bovendien is hij een zuiplap. Laat je niets gelegen liggen aan wat hij denkt of zegt. Daar staat tegenover dat als we elkaar toevallig ontmoet hadden, en geen familie van elkaar waren... dan...'
'Wat dan?'
Howard zweeg. Hij durfde het niet uit te spreken omdat Phyllis hetzelfde dacht.
'Wat dan?' herhaalde Phyllis haar vraag. Zonder op antwoord te wachten, begon ze zachtjes te huilen.

De volgende ochtend voer de *Berengaria* met volle kracht zuidwestelijk van Ierland, op vijftig graden noorderbreedte en tien graden westerlengte. Phyllis gaf er de voorkeur aan om in haar kamer te ontbijten. Toen Howard vroeg of ze ziek was, antwoordde ze dat ze zich alleen maar verdrietig voelde.
Het was stralend weer. Geen wolkje aan de lucht. Niets wees op het slechte weer waar de kapitein het de vorige avond over had. Dus nam Howard plaats in een ligstoel op het zonnedek en hield zich bezig met de lezing die hij inmiddels op papier had gezet. Hoe zorgde je ervoor dat pakweg tweeduizend mensen na een of twee uur niet

in slaap waren gevallen maar al die tijd geboeid naar je hadden geluisterd? Dat was de hamvraag. In dat opzicht was niet de inhoud het belangrijkste, maar de manier waarop je de lezing voordroeg. Volgens Keedick moest er nog gewerkt worden aan de mimiek en de gebaren.

Terwijl Howard met theatrale gebaren zijn lezing oefende, observeerde een andere passagier hem terwijl hij in een ligstoel naast hem lag. Hij gniffelde geamuseerd, tuitte zijn mond en liet zijn ogen rollen. Uiteindelijk begon hij Howard op een minder overdreven manier en met kleine bewegingen na te doen, waardoor het geheel erg komisch aandeed.

Toen Howard dat merkte, hield hij verbouwereerd op. Hij geneerde zich een beetje en zei tegen zijn buurman in de ligstoel: 'Ik hoop niet dat u denkt dat ik gek ben, meneer!'

'Waarom zou ik dat denken?' zei de kleine man van midden dertig glimlachend.

'Omdat ik me nogal eigenaardig gedraag. Ik oefen een lezing die ik in Amerika ga houden. Carter is de naam. Howard Carter.'

'De geweldige Carter die het faraograf ontdekt heeft?'

'Precies.'

De kleine man trok zijn donkere wenkbrauwen op; twee rechte streepjes die op en neer gingen. 'Aangenaam. Ik ben Chaplin. Charles Chaplin.'

'Wat heeft u ertoe gebracht om naar Amerika te gaan, meneer Chaplin?'

'De film. Ik ben acteur.'

'Acteur. Waarschijnlijk hoor ik u te kennen, meneer Chaplin. Maar ik heb de afgelopen dertig jaar in de woestijn doorgebracht. En daar zijn geen bioscopen. Excuseer me dat ik u niet ken.'

'Ach weet u, meneer Carter, soms is het best aangenaam om iemand te ontmoeten die jou niet kent. Ik wil graag een opmerking maken over uw voordracht. Het zijn niet de grote gebaren die een positief effect hebben, maar de kleine. Kijk maar eens hoe onze politici dat doen. Ze praten met felle, brede gebaren om zo datgene wat ze te vertellen hebben geloofwaardig te maken. Het tegendeel is dan vaak het geval. Sterker nog, ze maken zich belachelijk. Een kleine handbeweging is doorgaans voldoende om je woorden te benadrukken.' Plotseling draaide Chaplin zijn handen om, die tot dan toe gevouwen op zijn borst lagen, en hield zijn hoofd een beetje schuin.

'U bent ongetwijfeld een geweldige acteur, meneer Chaplin,' zei Howard vol bewondering. Ongewild had hij opeens een ervaren leermeester gevonden.

Een uur lang oefenden ze op zijn mimiek en gebaren. 'Hoe kan ik u bedanken?' zei Howard daarna.
Chaplin schudde zijn hoofd. 'U hebt mij al een dienst bewezen.'
'Ik?'
'Ja, toen u in Southampton op de kade arriveerde, werden u en de mooie jongedame die naast u liep bestormd door de journalisten. Dat gaf mij de gelegenheid bijna ongemerkt aan boord te gaan. Ik hoop dat dat weer lukt als we in New York zijn.'
'Daar zit Keedick achter, mijn producer. Hij weet precies hoe je met de pers moet omgaan. Sorry, het was niet mijn bedoeling uw show te stelen.'
'Zoals ik al zei, meneer Carter, u hebt mij juist een dienst bewezen.'
Terwijl ze spraken observeerde Chaplin met een kennersblik de strakke kuiten van twee dames in tenniskleding. Ze stonden bij de reling en wierpen af en toe een verleidelijke blik naar de twee mannen. Toen Howard interesse begon te tonen, en Chaplin dat merkte, fluisterde hij hem toe: 'Als ik u een goede raad mag geven, meneer Carter: pas op voor de mooie meisjes die zich bij de reling ophouden. Ze staan daar niet zomaar. Aan wal zou je ze hoeren noemen. Op zee gaat alles er wat galanter aan toe en worden ze alleenreizende dames met een tweepersoons hut genoemd. Ze varen met de *Berengaria* van Cunard naar New York. Om niet op te vallen reizen ze twee dagen later met de *Olympic* van White Star terug. Tussen ons... ze zijn mij te oud en te duur.'
Een steward kwam aangelopen en maakte aldus een eind aan het vertrouwelijke gesprekje. Hij serveerde de elf-uurbouillon. Chaplin wilde niets omdat het schip door de sterkere zeegang licht slingerde.
'U hebt kennelijk geen last van duizeligheid of misselijkheid,' zei Charles Chaplin met een jaloerse blik tegen Howard, die meteen van zijn bouillon begon te slurpen.
'Nee,' antwoordde hij blij. 'Ik ben in mijn leven maar twee keer duizelig geweest. De eerste keer toen ik voor het eerst een blote vrouw zag. Dat was Sarah, mijn onderwijzeres. En de tweede keer toen ik de voorkamer van het graf van Toetanchamon opende.'
'U bent te benijden,' stelde Chaplin vast. Hij bleef naar de horizon staren.
In het noordwesten verschenen donkergrijze wolken die op bloemkolen leken. De wind trok aan. Daardoor slingerde het schip steeds meer, en het begon bovendien een rollende beweging te maken. Howard en Chaplin zwegen. Midscheeps naderde een slank meisje in een schoolmeisjesjurk. Ze leek nog geen zestien, en was erg mooi.

'Charles, kun je niet beter naar je hut gaan?' zei ze met een hoge, vleiende stem. 'Je weet dat je ziek wordt van deze zeegang.'
Chaplin zette grote, blije ogen op. Zonder op haar vraag in te gaan, richtte hij zich tot Howard en zei: 'Is ze niet charmant? Dat is Lita, mijn vrouw. Hoewel...' corrigeerde hij zichzelf, '... getrouwd zijn we niet. Maar wel zo goed als, om zo te zeggen!'
Howard knikte geërgerd. Misschien is ze pas veertien, dacht hij. Toen hij over deze merkwaardige relatie nadacht, sprong Chaplin opeens overeind, drukte een hand voor zijn mond en liep naar zijn hut. Het meisje volgde hem.
Het ging nog harder waaien. Howard stond op en liep naar zijn suite. Hij maakte zich zorgen over Phyllis, die gevoelig was voor zeeziekte. Bleek en met gesloten ogen lag ze op bed. Het liefst wilde ze dood. Zo voelde iedereen zich die door deze kwaadaardige verschijnselen overvallen werd. Howard pakte haar hand vast, maar meer dan een flauw glimlachje kon ze niet opbrengen. Pas nadat ze enkele druppels had genomen van een bruin goedje, een medicijn dat de steward aan het ronddelen was, begon ze zich wat beter te voelen.
'Je had gisteren iets zonder alcohol moeten nemen,' zei Howard toen ze weer aanspreekbaar was.
Ze knikte. 'Het spijt me van gisteravond. Maar ik hou nu eenmaal van je.'
Hij knikte begrijpend. 'Ja, het was een vervelende situatie. Laten we het er niet meer over hebben.'
'Ik wil er wel over praten, Howard. Alsjeblieft!'
'Een andere keer, Phyllis. Een andere keer.'

Het grote feestbanket in de balzaal van de *Berengaria* viel figuurlijk gezien in het water vanwege de hoge zeegang. Amper een stuk of twintig passagiers met zeebenen kwamen genieten van een grandioos banket. Zelfs toen het schip de haven van New York binnenliep, zagen veel passagiers er nog steeds opvallend bleek uit.
Zoals in Southampton had Lee Keedick ook in New York alles tot in de puntjes geregeld. Hij had naar alle grote kranten radiotelegrammen verstuurd waarin de precieze aankomsttijd van de *Berengaria* was aangekondigd. Ook had hij het met het personeel op een akkoordje gegooid dat Howard Carter en Phyllis als eerste passagiers over de landingsbrug van boord zouden gaan. Reclamebureau Simon & Simon had opdracht gekregen om ervoor te zorgen dat er op de kade tien mannen en vrouwen aanwezig waren met spandoeken en borden waarop stond: '*Welcome King of Luxor*' en '*Howard Carter welcome to USA*'. Het havenorkest, dat elke binnenlopende oceaanstomer

met vlotte muziek begroette, zette de *Toetanchamonstomp* in, een compositie van een vindingrijke jazzcomponist.
Ondanks het vroege uur wemelde het van de belangstellenden op de pier. De hoge bakstenen panden in Lower Eastside lichtten op de achtergrond bloedrood op. Hier en daar zag je nog knipperende neonreclame. Het rook er naar een mengsel van zeewier, rioolwater en benzine. In de zijige ochtendlucht reden wel honderd of nog meer auto's ronkend en gehuld in verstikkende uitlaatgassen langzaam naar de Cunard-pier. Krantenjongens en venters drongen zich luidkeels in de menige. Scheepshoorns loeiden, auto's toeterden en soms klonken flarden muziek van het havenorkest boven alles uit: New York.
Phyllis ging gekleed in een korte, nette jurk. Ze leek er ouder in. Terwijl ze arm in arm met Howard liep, wees ze met haar linkerhand naar de pier waar de claqueurs met hun spandoeken stonden en telkens 'Carter!' riepen.
'Goeie genade!' Howard schudde zijn hoofd, alsof hij zijn ogen niet kon geloven. 'Knijp me even zodat ik weet dat ik niet droom. Als je me dit een jaar geleden voorspeld had, zou ik je voor gek hebben verklaard.'
Phyllis kon haar emoties met moeite in bedwang houden en klampte zich zo hard vast aan zijn arm dat het pijn deed. Ze vlijde haar hoofd tegen zijn schouder en zei zachtjes. 'Ik ben zo trots op je.'
Howard hoorde haar, alsof ze ergens ver weg stond. Het herinnerde hem aan een gebeurtenis van lang geleden. Maar nog voordat hij daar verder over kon nadenken, nog voordat hij zich dat goed herinnerde, flitste het van alle kanten op de kade. Het was voor de fotografen niet moeilijk om Howard te herkennen, die bij de reling stond.
Keedick had hem op alles voorbereid. Niets kon Howard uit zijn evenwicht brengen. Keedick leek sowieso alwetend. Hij wist zelfs wat de kranten- en radioverslaggevers zouden vragen. En uiteraard kende hij ook de geschikte antwoorden.
Nadat de landingsbrug was neergelaten, werden Howard en Phyllis, zoals gepland, door vier bemanningsleden in witte uniformen naar de uitgang geleid, waarna er met de militaire groet afscheid van het tweetal werd genomen. Toen ze op de deinende landingsbrug stonden, brak een oorverdovend gejubel uit. Hoeden werden in de lucht gesmeten. Reporters vochten om de beste plekjes. De lage, monotone bas van de scheepshoorn van de *Berengaria* weerklonk door de haven. Vanaf het bovendek dwarrelde serpentine naar beneden.
Op de pier wachtte de Amerikaanse directeur van de Cunard Line om de beroemde gast en zijn vrouw welkom te heten. Hij had een

enorme bos bloemen in zijn hand. Howard werd bestormd door de journalisten en gaf antwoord op alle vragen die hij inmiddels vanbuiten kende. Soms keek hij hulpeloos over zijn schouder waar Keedick bleef. De producer volgde hem echter op de voet en was steeds paraat. Met felle gebaren joeg hij de verslaggevers naar achteren en hij riep dat alle andere vragen tijdens de lezingen van meneer Carter beantwoord zouden worden.
Een eindje verder wachtte een Packard Towncar met een aparte open cabine. Hiermee werden Howard en Phyllis naar Hotel Waldorf-Astoria aan Park Avenue gereden. Daar heerste net zo'n uitbundige stemming als in de haven. Tien rijen dik verdrongen de belangstellenden zich voor het brede portaal. Reporters richtten hun grote fototoestellen op de beroemde gast. Minstens vijf filmcamera's legden de gebeurtenis in bewegende beelden vast. Zonder hulp van Keedick duurde het ditmaal twintig minuten voordat Howard en Phyllis zich door de lobby een weg naar de receptie hadden gebaand.
Daar stond Keedick met een stralend lachje op hen te wachten. Door de jampotglazen leken zijn toch al grote ogen nóg groter. Vol trots zei hij: 'Ik heb net mijn kantoor gebeld, Howard. De tournee is tot op de laatste stoel uitverkocht. Je zult dus nog wat meer lezingen moeten houden, er zit niets anders op.'
Howard staarde de producer aan, alsof de man hem zojuist iets ongehoords had meegedeeld.
Keedick merkte dat Howard dat niet zag zitten. Hij nam hem terzijde en fluisterde: 'Vergeet niet dat we het hebben over, in Engelse valuta, eh...' Hij bevochtigde zijn wijsvinger aan zijn lip en sloeg mompelend aan het rekenen op een denkbeeldig schoolbord, '... minstens vijftigduizend pond.'
'Vijftig...?'
'Duizend,' bevestigde Keedick. 'Heb ik je te veel beloofd? Niet slecht voor vier weken werk, hè?'
Howard kon het niet bevatten. Vijftigduizend pond! Dat was net zoveel als Lord Carnarvon had uitgegeven om de opgravingen in het Dal der Koningen gedurende vijftien jaar te financieren. Vijftigduizend pond! Daar had hij vijftien jaar van kunnen leven. En hij niet alleen. Met hem een groot aantal Egyptische dorpen. Het was voldoende om chic te gaan wonen in een herenhuis op een van de beste plekjes in Londen, South-Kensington of Mayfair. Natuurlijk met een Rolls-Royce voor de deur, een privéchauffeur, en een villa in Luxor met personeel om de wintermaanden door te komen. En dan nog hield hij genoeg over om de hele dag niets te hoeven doen.
'Howard!' De snijdende stem van Keedick sleurde hem terug naar de

werkelijkheid. 'Howard, je hebt nog maar zes uurtjes om wat uit te rusten in je suite. Om tien voor zeven vertrekt op het centraal station onze trein naar Philadelphia. De bagage wordt van de haven direct naar het station vervoerd. New York staat pas aan het eind van deze tournee op het programma. De Carnegie Hall, de Brooklyn Academy of Music en het Metropolitan Museum zijn al twee keer uitverkocht. Maar voor het zover is moeten we eerst Pittsburgh, Cleveland, Detroit, Toronto, Buffalo, Chicago, Cincinnati, Baltimore en Washington afwerken. De president van de Verenigde Staten, Warren Harding, nodigt je trouwens uit voor een receptie in het Witte Huis.'
Carter staarde naar de hotellobby. Het drong maar niet tot hem door dat Keedick het tegen hem had en niet tegen iemand anders.
'En als ik weiger?' stamelde Howard mat en zonder hem aan te kijken.
Keedick aarzelde even.
'Howard!' riep Phyllis onthutst.
Lee Keedick lachte zo hard en hartelijk dat zijn gezette lijf ervan schudde. Daarna richtte hij zich tot Phyllis en zei: 'Howard wil ons bang maken. De Engelsen staan bekend om hun sarcastische humor. Laat ik je dit vertellen, Howard. De komende vier weken is het vol aan de bak. Laat de gedachten van zonet niet eens in je opkomen. Het wordt een vermoeiende tournee, dat staat vast. Maar bij de geringste aanval van zwakte stel ik voor dat je weer even aan de vijftigduizend pond denkt die op je wacht! Dan ben je zo beter!' Met een vinger tekende Keedick een vijf met vier nullen in de lucht.
Phyllis knikte instemmend.
In de hotelkamer liet Howard zich op bed vallen en deed zijn ogen dicht. Had hij niet altijd beroemd willen zijn? Nu dat doel bereikt was, voelde hij zich daar niet op zijn gemak bij. Beroemd zijn lag als een steen op zijn borst. Hij kreeg het er benauwd van, alsof hij stikte. In de afgelopen dertig jaar had hij geleerd wat eenzaamheid was. Hij was er zelfs van gaan houden. Hij had heel wat jaren nodig gehad om erachter te komen dat je niet bang hoefde te zijn voor jezelf, en dat je jezelf niet moest haten. Op sommige momenten verlangde hij zelfs intens naar die eenzaamheid. De eenzaamheid bracht gevoelens die alleen de eenzaamheid je konden geven – onvoorwaardelijk geluk. In de eenzaamheid had Howard zichzelf gevonden. Nu was zijn leven in korte tijd totaal veranderd. In zijn hoofd hoorde hij nog steeds de luidruchtige reporters met hun domme, opdringerige vragen. En de auto's die hem voorbij raasden, de loeiende scheepshoorns, alsof er een dreigende aanvaring voorkomen moest worden.

Het Dal der Koningen was in de loop der jaren zijn thuis geworden. Op een kilometer afstand kon je horen dat een kei zich losmaakte van de rotsen en op de grond tussen de andere stenen viel. Met die gedachten viel hij in slaap.
Lee Keedick kwam Howard en Phyllis afhalen. Hij had ook de avondkranten bij zich. De aankomst van Howard in New York was er uitvoerig in beschreven. Het centraal station lag maar vier blokken van het Waldorf Astoria vandaan. Howard wilde er per se te voet heen.
Londen was beslist geen provinciestad. Ook daar was het inmiddels vergeven van de auto's. Maar de drukte in de straten tussen de hoge flats van New York was met niets te vergelijken. Auto's en nog eens auto's. Waar je ook keek. Rijen dik. Er waren politieagenten in stoere uniformen voor nodig om het verkeer over de talloze kruispunten te loodsen.
In Luxor maakte niemand zich druk als de trein vertraging had. Meer dan een halfuur moest het echter niet worden. De treinen in het centraal station vertrokken en arriveerden echter op de minuut. Pullman-Wagons kwamen precies op de plaats waar ze moesten staan tot stilstand. Keedick had een coupé eerste klas met veel pluche geboekt. Compleet met een salon, gelambriseerde wanden, een porseleinen wasbak en aan weerszijden van de salon de slaapcompartimenten. Je kon bijna zeggen dat Howard en Phyllis in de daaropvolgende weken in de Pullman-trein woonden.

33

De eerste lezing van Howard in Philadelphia deed al vermoeden dat de tournee één grote triomftocht zou worden. Kaartjes van vijf dollar werden voor vijfentwintig dollar verhandeld. De lezingen van de archeoloog – verlevendigd met een diavertoning – werden bovendien een sociaal evenement. Men arriveerde in avondkleding of keurig in het pak. Op aanraden van Keedick ging Howard in jacquet. Het stond hem elegant en het gaf hem iets ongenaakbaars.
Enkele dames verschenen als Nefertete met dikke schminkstrepen om de ogen op het podium. Ze hadden lange, nauwsluitende en voor een deel doorzichtige mummiekleding aan, met aan de voor- en achterzijde lange banden met hiëroglyfen. Handtasjes van bakeliet waren gemaakt naar het voorbeeld van de cassettes uit de schat van Toetanchamon. Niemand kon zich onttrekken aan de 'egyptemanie'. De kranten en tijdschriften stonden er vol van.
Op ongewoon superieure wijze kweet Howard zich van zijn taak. Hij

sprak open en vrij, lardeerde zijn anekdotes met grapjes waar de Amerikanen hard om moesten lachen, en het lukte hem elke avond om het publiek in de ban te houden met zijn beschrijvingen hoe hij zich voelde op het moment dat hij de grafkamer betrad. Recensenten prezen zijn voordrachtskunst en opperden verschillende keren dat Howard inmiddels thuishoorde in het rijtje van grote acteurs, onder wie Charlie Chaplin.
Op ontroerende wijze zorgde Phyllis ervoor dat het Howard aan niets ontbrak. Ze schermde hem af voor de talloze opdringerige dames die de stations en hotels belegerden. Ook matigde ze Keedick die telkens meer afspraken in de agenda wilde proppen. Ze gaf zelfs interviews over Howards welzijn, zijn leven in Luxor, zijn voorkeuren en antipathieën, maar over haar relatie met Howard zweeg ze als het graf.
Natuurlijk wijdden de kranten en tijdschriften zich ook aan dat gethema. In vette letters en met nog grotere foto's werd de vraag gesteld of deze vrouw de manager, echtgenote of minnares van Howard Carter was. Phyllis vond die raadselachtige rol wel prettig.
Niet zelden gebeurde het dat Howard in een hotel wakker werd en aan Phyllis vroeg: 'Waar zijn we eigenlijk?'
Ze antwoordde dan: 'In Cleveland, Detroit of Buffalo.' Eigenlijk speelde dat geen grote rol. De dagindeling was in alle grote steden immers hetzelfde: interviews geven, bezoekjes afleggen aan de notabelen van de stad, een of meer lezingen houden en daarna terug naar het hotel of de slaapwagon.
In Chicago kwam het tot een schandaal terwijl Howard samen met Keedick en Phyllis terugliep naar Hotel Four Seasons. Plotseling kwam een man naar hen toe die voor Howard ging staan. Hij droeg een zwart krijtstreeppak, had brillantine in zijn achterovergekamde haar en een kortgeknipte, brede snor. Verder had hij een breedgerande hoed op.
'Heel even, meneer Carter!' De onbekende met het valse glimlachje greep in de binnenzak van zijn jas.
'Wat wilt u van me?' vroeg Howard chagrijnig. 'Ik ben moe. Laat me met rust.'
De man haalde een fonkelend voorwerp uit zijn binnenzak. Een gouden hanger, zo groot als een handpalm. Een hanger waarop de hemelgodin Noet was afgebeeld in de gestalte van een gier, met erboven de koningsring met de troonnaam Toetanchamon. Howard zag meteen dat het een sieraad uit de grafschat van de farao was.
'Waar hebt u dat vandaan?'
Howard bleef kalm. Phyllis zag echter dat hem dat grote moeite kostte.

'Ik wil weten waar u dat sieraad vandaan hebt,' herhaalde Howard op een fellere toon.
'En ik wil weten of die fraaie hanger echt is, meneer Carter!' Op een provocerende manier liet hij het sieraad voor de ogen van Howard bungelen.
'Het is gestolen!' snauwde Howard. Hij was woedend. 'Ik ga aangifte doen bij de politie.'
De in het zwart geklede man grijnsde hautain. 'Dat is uw goed recht, meneer Carter. Maar ik heb dit sieraad van een handelaar gekocht. Ik heb de rekening en het certificaat bij me, begrijpt u? Een cadeautje voor mijn... u weet wel. Ik wil alleen weten of het echt is en geen vervalsing. Ik heb er nogal wat voor moeten neertellen.'
'U hebt er geen recht op. Het is gestolen goed dat via de zwarte markt in Amerika terecht is gekomen!'
De man haalde cynisch zijn schouders op en knipoogde naar hem. 'Nou en? Ik heb het voor veel geld gekocht, mister!'
Woedend graaide Howard naar het sieraad. Maar de vreemdeling liet het bliksemsnel in zijn jas verdwijnen. Daarop gaf Howard hem een draai om de oren. Prompt bliksemde het van de flitslichten. De man was al verdwenen met het juweel.
Het voorval werd breed uitgemeten in de kranten. Er werd druk gespeculeerd over de ruzie tussen de twee mannen. De uit de lucht gegrepen theorieën dwongen Howard om stelling te nemen.
Moest hij vertellen dat Lord Carnarvon zich een deel van de schat had toegeëigend? En dat daarbij de boef Spink hem van dienst was geweest? En dat Carnarvon de unieke kostbaarheden uit die grafschat wilde verkopen om daarmee zijn investering terug te verdienen?
Hij besloot om er geen woord over los te laten.

Als in een trance toerde Howard door het oosten van de Verenigde Staten en gaf lezingen. Het leek of hij een nieuw leven was begonnen. Nee, het leek niet alleen zo, het was zo. Een totaal ander leven dan hij gewend was. In enkele weken tijd verdiende hij meer geld dan hij zijn hele leven als archeoloog had vergaard. Zijn populariteit werd zo ongekend groot dat zelfs beroemdheden om zijn gunst dongen en zich in zijn glorie wilden koesteren.
In Washington trad Howard op in het National Theatre dat doorgaans was voorbehouden aan Amerikaanse klassiekers. Het succes overtrof alle verwachtingen. Duizenden mensen die geen kaartje hadden kunnen bemachtigen, belegerden hem na de lezing voor het theater.

Howard schrok toen hij met Phyllis op de trappen van het theater verscheen en ontvangen werd door een dolenthousiast publiek dat hem schreeuwend bejubelde. 'Carter! Carter! Carter!'
Phyllis bracht haar hoofd naar zijn oor – alleen zo kon ze zich verstaanbaar maken – en riep: 'Snap je nou eindelijk dat je de beroemdste man ter wereld bent?'
Afkeurend liet Howard zijn ogen rollen en antwoordde: 'Volgens mij vind jij dit wel leuk, hè? Toen ik nog een onbelangrijke en onbekende archeoloog in Luxor was, kon ik me tenminste vrij bewegen. Ik kon doen en laten wat ik wilde. Niemand zat me op de hielen of hield alles wat ik deed in de gaten. Ik begin nu terug te verlangen naar die tijd. Maar ja, dat is de prijs van het succes...'
'Wat ben je toch ondankbaar, Howard!' protesteerde Phyllis terwijl ze naar de juichende mensen zwaaide. 'Ben je de tijd soms vergeten dat je klaagde over het gebrek aan succes? Tientallen jaren heb je daarover gesomberd. En je vervloekte Carnarvon omdat hij je op je afkomst beoordeelde. Weet je niet meer dat je alle hoop op deze ene ontdekking gevestigd had? Nu heb je alles bereikt wat je wilt en word je overal als een koning bejubeld. En toch klaag je? Wat wil je eigenlijk, Howard?'
Hij bleef opvallend stil.
Eigenlijk was het de bedoeling dat Howard de volgende dag een kort bezoek bracht aan de president van de Verenigde Staten. Warren Harding was zeer geïnteresseerd in archeologie. Maar dat korte bezoekje veranderde onverhoeds in een soort staatsbezoek met prominente gasten. Zelfs Keedick, die zich doorgaans door niets van zijn stuk liet brengen, begon nerveus te worden toen hij de lijst met illustere gasten onder ogen kreeg.
Dezelfde avond verscheen een kleermaker van Engelse afkomst om Howard een rokkostuum aan te meten. Het was voor het eerst dat Howard daarin liep. Punctueel, vlak voor de feestelijke receptie, werd het kostuum in de oostvleugel van het Witte Huis afgeleverd. Het stond Howard prima. Maar in een rokkostuum zag iedere man er goed gekleed uit. Phyllis droeg een turkooise avondjapon van chiffon die bij haar rechterheup geraffineerd geplooid was. Het rokkostuum van Keedick had inmiddels heel wat meer sociale activiteiten meegemaakt. Het was dan ook niet verwonderlijk dat de revers en de mouwen door slijtage nogal glansden.
President Warren Harding kwam in alle opzichten over als een onopvallende man. Wel was hij opmerkelijk bleek en gedroeg hij zich gekunsteld. Harding was echter beslist geen kleurloze man. Het was algemeen bekend dat de president zijn echtgenote Flo ontrouw was

en dat hij van zijn minnares Nan Britton een kind had. Maar daarin onderscheidde hij zich niet veel van de andere gasten die zich op die avond lieten zien. Het was allemaal schone schijn, want in werkelijkheid leefden ze een losbandig leven zoals dat nog nooit in de Amerikaanse geschiedenis vertoond was.
'Hou me vast, Howard,' fluisterde Phyllis terwijl ze voor de ingang van het Witte Huis uit een zwarte Panhard Twin Six stapten, met dank aan de president. Het was de auto waarin Harding – als eerste president van de Verenigde Staten – naar zijn installatie werd gereden. 'Hou me vast, want ik weet niet goed hoe ik me bij al die beroemde mensen moet gedragen.'
Howard was ook een beetje onzeker. Maar hij herinnerde zich de woorden van zijn vader die eveneens met complexen kampte wanneer hij deftige lords en lady's ontmoette om hun paarden en jachthonden te schilderen. Howard zei: 'Stel je de mensen voor als skeletten waar je doorheen kijkt. Dan blijft er zelfs van de president van de Verenigde Staten weinig meer over.'
Het was beter geweest als Howard haar die kunstgreep niet verteld had. Althans niet in deze situatie. Want toen de president en zijn vrouw hen tegemoet traden, begon Phyllis plotseling te giechelen als een schoolmeisje en kon Howard haar alleen met veel moeite kalmeren.
Het welkomstdefilé verliep tamelijk ongedwongen. In elk geval minder stijfjes dan bij soortgelijke gelegenheden in Engeland gebruikelijk was. Dat sommige gasten zichzelf hadden uitgenodigd, droeg daar zeker aan bij. Hun invloed in Amerika was zo groot dat een zwakke president als Harding het zich eenvoudig niet kon permitteren hen te weigeren hier aanwezig te zijn. Zoals de rijke en machtige Henry Ford. Hij liep met de gedachte rond om het als presidentskandidaat op te nemen tegen Harding.
'Ford? De grote Ford?' vroeg Howard vol ongeloof.
'Als u daar mijn auto mee bedoelt, die is eerder klein,' antwoordde Ford. 'Maar als u daar mij mee voor ogen hebt, meneer Carter, dan beschouw ik dat als een compliment.'
'Weet u dat uw Ford mij in het gloeiend hete Dal der Koningen nooit heeft laten staan, meneer Ford?'
'Ach ja, mijn "Tin Lizzie", niet stuk te krijgen. Ik beschouw het als een eer dat ik u bij uw geweldige werk behulpzaam heb mogen zijn, meneer Carter.'
'Mijn naam is Kennedy. Joseph Kennedy uit Boston.' Een forse jonge kerel van een jaar of vijfendertig mengde zich in het gesprek. Hij was in gezelschap van zijn zo niet nog forsere echtgenote. 'Ik ben

reder, bankier en democraat.' Zijn handdruk verraadde iets van de kracht van de puriteinse Pilgrim Fathers. Zijn vrouw Rose voegde eraan toe: 'En katholiek! We zijn van Ierse afkomst.'
'Aangenaam,' zei Howard formeel. Het ontging hem niet dat mevrouw Kennedy een afkeurende blik op de avondjapon van Phyllis wierp.
'We zullen...' Mevrouw Kennedy sprak uitsluitend in het meervoud als ze het over zichzelf had, '... de republikeinen het Witte Huis uit jagen,' zei ze achter haar hand. 'Joseph, mijn man gaat dat doen. Of anders wel mijn zoon John Fitzgerald. Hij is net zes geworden.'
Als aan de grond genageld staarde Phyllis naar een man met donker haar en een dun snorretje. Met een vrolijk rondkijkende vrouw aan de arm liep hij naar hen toe. 'Ik geloof dat ik flauw ga vallen, Howard,' fluisterde Phyllis. 'Dat is Douglas Fairbanks en zijn vrouw Mary Pickford!'
'Hoor ik hen te kennen?' vroeg Howard hulpeloos.
'Howard, hij is de beroemdste filmacteur ter wereld. Ik heb Doug in veel films gezien. Als vrijbuiter, avonturier en als minnaar.'
Ze vond het erg dat Douglas Fairbanks nauwelijks aandacht voor haar had. Daarentegen gaf hij Howard na de begroeting een visitekaartje en hij vroeg hem bijna schuchter als een schooljongen om er een opdracht op te schrijven.
Howard krabbelde op het kaartje de woorden: *Aan de geweldige toneelspeler. Van een onbeduidende archeoloog.* Onderwijl nam Mary Phyllis terzijde. Met een hoofdknik duidde ze op de Kennedy's en zei zachtjes, zodat niemand dat kon horen: 'Vermoedelijk heeft Kennedy u al verteld dat hij katholiek is. Maar wat hij u zeker niet verklapt heeft, is dat hij een minnares heeft. Hij financiert stiekem haar films. Ze heet Gloria Swanson. Heel mooi, maar geen talent.'
Phyllis had liever een woordje gewisseld met de beroemde held van het filmdoek. De roddels uit Hollywood interesseerden haar niet. Ook andere societydames kwamen op haar af als motten naar een lamp.
Na het diner met de president en zijn echtgenote werd in kleine groepjes verder gebabbeld. Overeenkomstig de wet werd alleen water, een sapje of melk geschonken. Maar als je goed oplette, zag je dat hier en daar een zakflesje tevoorschijn werd gehaald en dat de verboden inhoud in een glas werd gekiept. Plotseling verstomden de gesprekken. Alle ogen waren gericht op de deur van de banketzaal waar een merkwaardig paar als een griezelige verschijning opdook. De man, in een zwart pak, was lang, mager en zo oud als Methusalem, ergens tussen de tachtig en negentig. Hij had een ingevallen

gezicht, waardoor zijn jukbeenderen wel erg zichtbaar waren. Zijn rimpelige huid leek op leer. Het spookachtige aan die verschijning was dat de betreurenswaardige man geen lichaamshaar meer had. Zelfs de wimpers waren verdwenen. Zijn wenkbrauwen waren nagetekend met een stift. En het viel iedereen meteen op dat hij een gladgekamde pruik op had om te verbergen dat hij een kaal hoofd had, waar hij zich kennelijk voor schaamde.
De vrouw aan zijn zijde was een jaar of vijftig en van een innemende schoonheid. Ze had een lange, nauwsluitende japon aan naar oud-Egyptisch voorbeeld. Haar donkere haar droeg ze hoog opgestoken en het was versierd met een groene, brede veer. Dit en het feit dat de make-up rond haar ogen kunstzinnig was aangebracht, verleende deze mooie vrouw iets ongenaakbaars en majestueus.
Lee Keedick, die toevallig enkele passen van Howard vandaan stond, liep naar hem toe en fluisterde: 'Dat is John D. Rockefeller, de rijkste man ter wereld. Hij heeft zijn dochter Edith Rockefeller-McCormick meegenomen. Ze zullen je dadelijk wel vertellen waarom ze hier zijn. Rockefeller lijdt trouwens aan alopecia. Een ziekelijke haaruitval over het hele lichaam. Trek je er maar niets van aan.'
Vanaf een afstand staarde Howard naar de rijke, maar ongelukkige man. Natuurlijk had hij gehoord dat Rockefeller steenrijk was. En dat hij een grillig karakter had, zuinig en bescheiden was. En dat hij met de metro naar kantoor ging, zelden uitging en met een paar nieuwe schoenen of sokken zo blij kon zijn als een kind met kerstcadeautjes. Maar er werd ook over hem gezegd dat hij altijd duizend dollar op zak had, waarvoor hij twee nieuwe Fords kon kopen. Dat geld had hij echter bij zich om elk moment een aanbetaling te kunnen doen als hij een overname op het oog had.
Howard staarde piekerend naar Rockefeller en zijn ziekte. Was dat de prijs van rijkdom? Wat zou die man ervoor over hebben gehad om te voorkomen dat het lot hem zo hard trof?
Terwijl hij daarover nadacht, stormde de opgewonden, excentrieke dame plotseling met uitgestrekte armen op hem af en riep zo hard dat iedereen het kon horen: 'Waarom hebt u dat gedaan, meneer Carter?'
Verward keek Howard Lee aan in de hoop dat hij hem bijstond. Keedick hield een hand voor zijn mond en fluisterde: 'Neem alles wat ze zegt met een korreltje zout. Mevrouw Rockefeller-McCormick beschouwt zichzelf als de reïncarnatie van een Egyptische koningin. Naar men zegt spreekt ze soms in een taal die niemand verstaat en vertelt ze dingen uit haar vorige leven. Volgens mij is dat het bewijs dat je knettergek kunt worden als je te veel geld hebt.'

'De reïncarnatie van een Egyptische koningin? Ook dat nog!' Howard zag er nogal vertwijfeld uit. Uiteindelijk richtte hij zich tot de dochter van Rockefeller en vroeg: 'Wat verwijt u mij dan?'
'U hebt de rust van de farao verstoord, meneer Carter. Osiris, zoon van aardgod Geb en hemelgodin Noet, die rechtspreekt over de doden, zal u daarvoor straffen.'
Howard schrok. Zo sprak een vrouw die haar verstand verloren had toch niet? 'Waar hebt u die kennis over de religie van de oude Egyptenaren opgedaan?' vroeg hij geïnteresseerd.
Het gezicht van de rijke dame klaarde op. Met een lachje antwoordde ze: 'Meneer Carter, het zal u bekend zijn dat de oude Egyptenaren in reïncarnatie geloofden. Kijk mij maar, ik ben het bewijs daarvan. In dit leven ben ik slechts mevrouw Rockefeller-McCormick uit Chicago, echtgenote van de rijke industrieel, en gezegend met het vermogen van de International Harvester Company. Maar drieduizend jaar geleden was ik de Egyptische koningin Anchesenamon, de vrouw van farao Toetanchamon.'
Opeens klonk overal gefluister. Enkele gasten die het gesprekje hadden meegekregen, slaakten een gedempte schreeuw van ontzetting. Anderen gniffelden vol ongeloof of meewarig.
Een gefascineerde Howard stond opeens niet onverschillig meer tegenover deze ontmoeting. Op magische wijze voelde hij zich aangetrokken tot deze vrouw. 'Kunt u bewijzen wat u zegt?' vroeg hij bijna schuchter.
Opnieuw vlinderde er een wetend lachje over haar gezicht. 'Natuurlijk, meneer Carter. Ik heb al uw berichten gelezen in de krant en stel vast dat u twee voorkamers en de grafkamer van de farao hebt ontdekt. De vierde kamer is u kennelijk ontgaan. Voor een archeoloog is die kamer van weinig belang. Ik ben er echter zeer aan gehecht. Er staan twee kleine mummiezerken in.'
Verbaasd zag Carter dat er op het gezicht van de rijke dame verdrietrimpeltjes verschenen. 'Is er... dan nog een kamer?' vroeg hij stamelend. 'Dat... dat kan niet!'
'Toch is het zo. Maar als ik u een goede raad mag geven, meneer Carter. Zoek er niet naar. Laat die kamer met rust. Want het geheim dat in die kamer is opgesloten, stemt mij heel verdrietig.'
Howard keek haar onthutst aan en wist niet goed wat hij met haar aan moest. Niet één keer was hem de gedachte bekropen dat ze onzin uitkraamde. Hij had in de afgelopen jaren inmiddels zoveel vreemde dingen meegemaakt dat dit er ook nog wel bij kon.
De raadselachtige vrouw keek Howard lang en indringend aan. Daarna zei ze kalm en op een toon waar Howard de rillingen van kreeg:

'Ik vond dat ik u dat moest vertellen, meneer Carter. Het is aan u om uw conclusies te trekken uit wat u te weten bent gekomen.'
Zwijgend had John D. Rockefeller het gesprek gevolgd. Er brak onrust uit onder de gasten die voor het grootste deel hadden meegekregen wat er gezegd was. In groepjes stonden ze te fluisteren en te discussiëren. Rockefeller en zijn geheimzinnige dochter lieten het opgewonden gezelschap achter en verlieten de zaal net zo rustig als ze gekomen waren.

Begin juli was het bloedheet en leek de stad soms wel op een bakoven. In die periode keerde Howard terug naar New York. Na zestig lezingen kwam er een eind aan het gesjouw. Hij had niet verwacht dat het zo vermoeiend zou zijn. Hij was dan ook uitgeput, leeg, opgebrand. Hij verlangde naar rust en wilde alleen maar slapen. De afsprakenagenda van Keedick was echter meedogenloos.
'Als ik geweten had wat de ontdekking van het graf van de farao met zich mee zou brengen, zou ik het graf weer hebben dichtgegooid en het geheim voor mezelf hebben gehouden,' zei hij voor zijn laatste optreden in de Carnegie Hall tegen Phyllis.
'Dat geloof ik niet.' Phyllis lachte. 'Je vergeet dat je al die jaren maar twee wensen had: Toetanchamon vinden en een beroemd archeoloog worden. Eindelijk heb je de farao gevonden en ben je zelfs de meest befaamde archeoloog ter wereld. Wees dus tevreden hoe het gegaan is. Elk succes heeft zijn prijs.'
Die avond was van hetzelfde laken een pak. Voor de Carnegie Hall – een bruin, plomp gebouw met Florentijnse invloeden – verdrongen zich duizenden kijklustigen om een glimp op te vangen van de beroemde ontdekker. 57th Street was afgesloten voor het verkeer en in de straten tussen de torenflats hing een drukkende warmte. In de Hall – het was een eer voor elke artiest om hier te mogen optreden – zaten drieduizend toeschouwers die zich vergeefs een beetje koelte toewaaiden.
Howard was die avond niet in gezelschap van zijn mooie nicht. Zij was in het hotel de koffers al aan het pakken. Hij kwam nerveus over, al tijdens de inleiding struikelde hij over zijn woorden, stokte, begon opnieuw maar kon zich ook toen niet concentreren. Het publiek schreef die verstrooidheid toe aan de hitte en toonde consideratie. Niemand vermoedde het drama dat zich in hem afspeelde tijdens die lezing.
Zoals elke avond vertelde hij over zijn beginperiode als archeoloog. De eerste jaren in Egypte verliepen moeizaam en stonden in het teken van ontbering. Maar terwijl hij sprak, zag hij plotseling op de

eerste rij een bevallige en al wat oudere dame zitten. Ze was zo innemend mooi, had zo'n sereen uiterlijk, dat hij zich door haar gehypnotiseerd voelde. Verward staarde hij naar die lieftallige vrouw. Ze had een groen mantelpak aan, in zoverre hij dat kon zien in het tegenlicht van de lampen die op hem gericht waren.
Sarah! Sarah Jones! Die naam schoot door hem heen. In de voorbije jaren had hij telkens aan haar gedacht. De tijd – bijna een eeuwigheid – had haar nooit uit zijn gedachten kunnen verbannen. Bij de aanblik van deze onbekende vrouw kwam alles weer terug. Zijn eerste liefde die hem bijna van zijn verstand beroofde. De scheidingsangst. De verbittering toen hij erachter kwam dat Sarah hem had belogen en zei dat ze met Charles Chambers ging trouwen.
Dertig jaar waren sindsdien verstreken. Hij herinnerde zich hoe zijn armzalige huis in brand was gestoken en haar foto in vlammen opging. Sindsdien was de herinnering aan hoe ze eruitzag langzaam verbleekt, zoals de handtekening onder een brief uit vervlogen tijden. Hij had zich nooit beziggehouden met de vraag hoe Sarah er nu uitzag.
Bij elk optreden nam Keedick helemaal links op de eerste rij plaats. Op sommige dagen dommelde hij in terwijl hij daar zat. Hij merkte als eerste dat er iets niet in orde was met Howard, en hij werd ongerust toen hij vaststelde dat Howard al na enkele minuten afweek van het script dat hij inmiddels vanbuiten kende. Ditmaal dwaalde hij af van waar hij het over moest hebben, en hij sprak over zijn jeugd en de reden waarom hij archeoloog was geworden. Oninteressant was dat beslist niet. Integendeel. Keedick hoorde hem daar voor het eerst over en vroeg zich af waarom hij daar vandaag pas – op de laatste dag van zijn tournee in de Verenigde Staten – over begonnen was.
Hij was verliefd geweest op zijn onderwijzeres, vertelde hij vrijmoedig. Hij vond haar de mooiste vrouw die hij ooit ontmoet had. Op een dag zei ze tegen hem dat ze met een man van haar stand en haar leeftijd zou trouwen. Dat was de reden waarom hij Engeland verlaten had. Vele jaren later kwam hij er toevallig achter dat ze dat huwelijk alleen maar had voorgewend om hem de kans te geven archeoloog te worden. Vergeefs had hij naar die vrouw gezocht. Hij kwam te weten dat ze naar Amerika was geëmigreerd.
Het werd zo stil in de Carnegie Hall dat hij alleen af en toe het ruisen van een zakdoek hoorde. Steels pinkten enkele dames een traantje weg. Ook Keedick was ontroerd. Waarom had die verdomde Howard dat verhaal niet eerder verteld?
Howard vroeg zich af of de onbekende vrouw op de eerste rij alleen maar een wensdroom was die hij al heel lang in zijn onderbewuste

had gekoesterd. Of zou het zo kunnen zijn dat de vrouw in dat groene mantelpak – Sarah hield vroeger van groen – misschien toch Sarah Jones was? Zwevend tussen hoop en vrees verzamelde hij moed. Hij zweeg met opzet even, een pauze die een eeuwigheid leek te duren, waarna hij zei: 'Dames en heren, kunt u zich voorstellen wat er in mij omgaat nu ik vaststel dat die vrouw zich in het publiek bevindt?'
Er brak een applaus los zoals de Carnegie Hall dat zelden beleefd had. Het publiek keek nieuwsgierig om zich heen.
Alleen Keedick zag dat de vrouw op de eerste rij haar rechterwijsvinger naar haar lippen bracht, er een kus op drukte en die naar het podium blies.
Na de lezing liep Keedick naar de vrouw in het groene mantelpak en zei: 'Ik ben Lee Keedick, de producer van meneer Carter. Zou u even met mij mee willen gaan?'
Sarah Jones was te verward en overweldigd door haar gevoelens om Keedick te vragen wat de bedoeling was. Als in een trance volgde ze hem naar de artiestenkleedkamers.
Geremd en schuchter als twee schoolkinderen stonden Sarah en Howard tegenover elkaar terwijl Keedick zich zwijgend terugtrok.
'Sarah!' zei Howard.
Op een vragende toon zei ze zachtjes: 'Howard?'
In de artiestenkleedkamer bevond zich links een grote, brede spiegel met rondom gloeilampen. En ervoor een grote, rechthoekige tafel met twee stoelen. Rechts stond een verrijdbare garderobestang. De koele sfeer in deze kamer droeg er kortom niet toe bij dat de sfeer tussen hen twee wat losser werd.
'Ik heb half Londen naar je afgezocht,' zei Howard, meer om iets te zeggen. 'Ik heb alle passagierslijsten doorgesnuffeld. Waarom heb je dat toen gedaan?'
Sarah was als eerste bekomen van de schok. 'Ik wilde dat je een beroemd archeoloog werd, Howard. Dat ben je geworden. Je hebt mijn wens in vervulling laten gaan.'
Hij maakte een afwijzend gebaar. 'Maar we hielden van elkaar! Waarom vond je het nodig om met een gemene leugen op de proppen te komen?'
'Er was geen andere mogelijkheid, Howard. Je was jong, te jong om te begrijpen dat je de kans van je leven niet mocht laten liggen. Bovendien is de eerste liefde zelden een lang leven beschoren. Als we toen... ik denk niet dat we dan nu nog samen zouden zijn geweest.'
'O nee?' riep Howard woedend. Sarah zag opeens weer die stijfkoppige jongen die niet berustte in het feit dat je eerste liefde nooit lang duurde.

'Nee,' zei Sarah.
Wrevelig haalde hij zijn schouders op en vroeg demonstratief onverschillig: 'Ben je... getrouwd?'
'Nee.'
'Waarom niet?'
'Het is er niet van gekomen.'
'Waar woon je?'
'Hier in New York. Lower East Side. In Orchard Street. Een flatgebouw met zes verdiepingen en zesendertig ijzeren balkons. Helemaal boven, aan de straatkant. Het uitzicht op de stad is fantastisch. Ik leid een school voor Europese immigranten. En jij? Ben jij getrouwd?'
'Nee,' zei Howard.
'Waarom niet?'
Nu pas realiseerde hij zich de stommiteit van de vraag die hij zojuist gesteld had. 'Het is er net als in jouw geval niet van gekomen.'
'En die mooie jonge vrouw dan met wie je in alle kranten op de foto staat?'
'Dat is mijn nichtje,' zei Howard kortaf. Hij merkte meteen dat Sarah hem niet geloofde.
Er werd geklopt. Lee Keedick stak zijn hoofd om de deur. 'Excuseer, mevrouw. Howard, de taxi is er.'
Howard maakte een gebaar naar Keedick dat hij moest ophoepelen. 'Ik wil dat we elkaar nog een keer zien voordat ik afreis,' zei hij. Bedeesd stak hij zijn rechterhand naar haar uit. 'Een dinertje voor twee in het Waldorf-Astoria? Om zeven uur, oké?'
Sarah pakte zijn hand vast. Beiden koesterden zich heel even in een weldadige herinnering.

Vergeefs wachtte Howard de volgende avond in het hotelrestaurant op Sarah. Hij had Phyllis over zijn ontmoeting met haar verteld. Hoewel ze jaloers van aard was, wilde ze op de laatste avond in New York het afspraakje met zijn jeugdliefde niet frustreren.
Toen Sarah tegen halfacht nog steeds niet was komen opdagen, vroeg hij zich af wat er aan de hand was. Had hij haar beledigd? Waarom zou ze uiteindelijk niet op zijn uitnodiging in willen gaan? Toen hij nog eens een halfuur vergeefs had gewacht, besloot hij haar te gaan zoeken. In Manhattan was dat geen gemakkelijke klus. Bovendien wist hij niet eens precies waar ze woonde. Orchard Street. Dat was hij in elk geval niet vergeten. En het flatgebouw had zesendertig ijzeren balkons aan de straatkant.
Het was nog licht buiten toen Howard in een taxi stapte. De chauf-

feur was een Napolitaan van geboorte. Een eigenzinniger Engels had Howard nog nooit gehoord. Een soort koeterwaals met allerlei taalinvloeden: Engels, Italiaans en Duits. De blonde taxichauffeur heette Tony en zei dat zijn Italiaanse vader met een Duitse was getrouwd. Na zijn geboorte waren ze naar Williamsburg geëmigreerd.
Tony kende de straten van Manhattan beter dan de Engelse taal. In elk geval wist hij waar Orchard Street lag. Als Howard onderweg de balkons van de verschillende flatgebouwen telde, zou Tony er wel voor zorgen dat hij voor de deur werd afgezet.
Ze reden door Park Avenue en passeerden Central Station en Union Square. De rit duurde een eeuwigheid, ondanks het feit dat hij zijn Oldsmobile de sporen gaf. Een halfuur later waren ze dan eindelijk in Orchard Street. Nadat ze nog eens een kilometer door de drukke straat hadden gereden, stopte Tony en wees naar een huis van bruinrode baksteen. Een flatgebouw met veel balkons. De trouwhartige chauffeur zei dat hij ze niet kon tellen, maar het waren er in elk geval een heleboel.
Howard telde de balkons. Inderdaad, op de kop af zesendertig. De ingang van het gebouw bevond zich aan de zijkant bij een inrijpoort. Op een van de bordjes zag hij de naam 'Sarah Jones'.
In het donkere trappenhuis liep hij de twaalf trappen op naar de bovenste verdieping. Howard was buiten adem. Hij aarzelde en vroeg zich af of dit bezoekje zin had. Misschien eindigde het in een grote teleurstelling en was het beter om er de brui aan te geven. Meteen besefte hij dat hij zichzelf die lafheid nooit zou vergeven.
Hij belde aan.
Sarah deed meteen open, er ging geen seconde overheen. Alsof ze achter de deur had staan wachten.
Ze was modieus elegant gekleed in een rode, mouwloze jurk met een decolleté. En ze had schoenen aan met hoge hak en riempjes over haar wreef. Hij was er zo door overweldigd dat hij iets anders zei dan hij zich had voorgenomen. Eigenlijk wilde hij vragen waarom ze niet was komen opdagen terwijl ze toch een afspraak hadden. In plaats daarvan vroeg hij zonder dat er iets verwijtends in doorklonk: 'Ik ben het. Komt het gelegen?'
'Natuurlijk,' zei Sarah lachend. 'Ik zat op je te wachten, Howard!'
Hij keek geërgerd. 'We hadden toch afgesproken om samen te dineren in het Waldorf-Astoria?'
'Dat heb jij inderdaad voorgesteld. Kom binnen.'
Hij bedankte haar beleefd en liep het smaakvol gemeubileerde appartement in. 'Gelukkig kon ik me nog herinneren dat je in

Orchard Street in een flat met zesendertig ijzeren balkons woont.'
'Gelukkig maar!' Sarah knikte en legde haar handen op zijn schouders. 'Ik heb nog nooit tussen de rijken en notabelen in het Waldorf-Astoria gedineerd, Howard. Ik vond gewoon dat het ons avondje moest worden. Ik wil niet dat morgen in de krant staat dat Howard Carter met een onbekende, in het rood geklede vrouw heeft gedineerd.'
'Inderdaad, dat is zo. Maar je hebt me jouw adres niet gegeven.'
'Dat weet ik,' antwoordde Sarah gniffelend. 'Maar wel een paar aanknopingspunten. Weet je wat ik dacht? Als Howard werkelijk belangstelling heeft, knoopt hij alles wat ik zeg goed in zijn oren.'
Verbaasd schudde Howard zijn hoofd. 'Nog steeds de Sarah van toen. De slimme Sarah die elke situatie aankan.' Terwijl hij dat zei, legde hij aarzelend zijn handen om haar middel.
'De schijn bedriegt,' zei ze terwijl ze hem strak aankeek. 'Ik was gisteren in jouw kleedkamer minstens zo onzeker als jij.'
'Dat is na al die jaren toch niet verwonderlijk?'
'Inderdaad, dat is ook zo. We hebben elkaar een half leven niet meer gezien. Dan kun je de draad niet zomaar weer oppakken. Helaas.'
Sarah haalde haar handen van zijn schouders, alsof ze tevoorschijn kwam uit een herinnering waarin ze lang vertoefd had. 'Kom!' zei ze. 'Ik heb zelf wat gekookt. Natuurlijk is het niet te vergelijken met wat je in het Waldorf-Astoria krijgt. Maar het is een intiemer samenzijn. Hier hoeven we ons voor niemand te verstoppen.'
Ze opende de schuifdeur tussen de salon en de kleine eetkamer. De tafel was liefdevol gedekt met wit servies en er stond een kandelaar met een brandende kaars op. De glazen stonden al klaar. Net als de rode wijn.
'Sarah!' riep Howard, die plotseling besefte dat dit avondje tot in de details gepland was.
Ze sloeg haar ogen neer. Alsof ze zich een beetje geneerde. En ze leek opeens in gedachten verzonken, alsof ze nog een keer nadacht over haar voornemen. Uiteindelijk wees ze naar de stoel waar Howard moest gaan zitten. Met een glimlach – hetzelfde lachje dat vele jaren in zijn herinnering was gebleven en dat nu vele herinneringen naar boven liet komen – liep ze naar de kleine keuken om verder te gaan met het bereiden van de maaltijd.
'Wist je dat ik naar Amerika was geëmigreerd?' riep Sarah terwijl ze in de keuken bezig was.
'Natuurlijk,' zei hij.
'Hoe ben je dat te weten gekomen?' Ze stak haar hoofd om de deur.
'Van Chambers. Zijn broer zat op het schip waarmee jij naar Amerika bent gevaren.'

'Dat meen je niet!'
'Toch is het zo, Sarah.'
'Wat is er van Charles Chambers geworden?'
'Toen ik hem de laatste keer zag, was hij organist in een cinematografisch theater.'
'Chambers?'
'Charles Chambers!'
Sarah serveerde het eten. Het was verre van gewoon wat er gebeurde. Toch kon hij zich daar later niets meer van herinneren, hoezeer hij ook zijn best deed. Hij was zo overweldigd door de gebeurtenissen dat hij niet meer wist of het eten voortreffelijk of middelmatig was.
Het begon toen ze plotseling mes en vork neerlegde en met een hand naar haar decolleté reikte. Haar borsten waren nog even mooi als vroeger. Ze haalde een papiertje uit haar decolleté en schoof het over de tafel naar hem toe. 'Ik weet niet of je je nog kunt herinneren dat je dit geschreven hebt,' zei ze.
Hij pakte het beduimelde papiertje op. Pas toen hij het gelezen had, herkende hij zijn eigen handschrift van toen: *'Voor de mooie Aphrodite die van Griekenland naar Swaffham is gekomen. Howard Carter.'*
'Heb je dit al die tijd bewaard?' vroeg hij vol ongeloof.
'Ja, Howard. Ik heb het bewaard als mijn kostbaarste bezit. De mooiste brief die ik in mijn leven gekregen heb. Het herinnert me aan mijn eerste en enige grote liefde.'
Haar woorden troffen hem als een pijl die zich in zijn hart boorde. Totaal hulpeloos en tot tranen toe geroerd vroeg hij zich af wat hij daarop moest zeggen.
De beroemde Howard Carter voelde zich de domme, onervaren schooljongen van toen. De knul die zijn onderwijzeres aanbad en ervan droomde met haar te vrijen. Hij had er zijn leven voor willen geven om dat doel te bereiken.
'Het had zo mooi kunnen zijn.' Hij stak zijn hand naar haar uit.
Sarah pakte die stevig vast en liet haar duim over zijn handrug glijden. Het harde werk in de hitte van de Egyptische woestijn had zijn huid verweerd. Uiteindelijk zei ze: 'Zo is het precies, Howard! Het had ook heel anders kunnen gaan. Naar alle waarschijnlijkheid. Ook de teleurstelling zou dan veel groter zijn geweest, denk je niet? De grote liefde is het domein van onze dromen, waar fantasie en verlangen alle grenzen overschrijden. In die dromen worden geen verkeerde stappen genomen, bestaat er geen teleurstelling. De realiteit is de doodsteek voor onze dromen.'
'Dat heb je al een keer gezegd, Sarah. Ik heb zo mijn twijfels.'

Ze gaf hem de fles wijn en vroeg hem om in te schenken. 'Op ons weerzien in New York!' proostte ze.
'Ik hou nog steeds van je!' Hij nam een flinke slok.
Ze gniffelde. Het kwam superieur over, echt haar stijl. Vervolgens zei ze: 'Op een ochtend was je naast mij wakker geworden en had je een vrouw met slappe borsten en kraaienpoten gezien. Dan was je op zoek gegaan naar jongere vrouwen en zou je me vreselijk gekrenkt hebben!'
'Nooit, Sarah! Je bent nog even mooi als toen. Ik ben trouwens ook niet meer de jongste!'
'Dat is zo. Maar dat je nu met een veel jongere vrouw omgaat, bewijst dat ik gelijk heb.'
'Phyllis? Ze is mijn nichtje, Phyllis Walker. Waarom geloof je me niet? Toegegeven, ze hemelt me op en ze ziet er leuk uit. Maar de relatie die ik met haar heb, is anders dan je denkt.'
'Je hoeft jezelf niet te rechtvaardigen, Howard.' Met gesloten ogen genoot Sarah van zijn nabijheid. Howard zag dat ook, maar waagde het niet te vragen waaraan ze dacht. Na een tijdje begon ze er zelf over. 'In gedachten zie ik het bos bij Thetford weer. Een grote, ondeugende knul zit op een boomstam en frunnikt aan mijn kleren. Ik herinner me dat niet voor het eerst, Howard. Alsof de lentezon het in mijn ziel gebrand heeft.'
In gedachten verzonken nam hij kleine slokjes van de wijn. Daarna staarde hij naar haar lieftallige gezicht, alsof hij gretig elk detail dat hem door de jaren heen ontglipt was weer in zich op wilde nemen. Hij zag de kleine spiertrekkingen bij haar mondhoeken. En de heftige onrust in haar ogen.
Terwijl hij haar observeerde, verlangde hij er intens naar om haar in zijn armen te sluiten. Alsof door haar aanblik de grond onder zijn voeten werd weggeslagen. Hij wilde haar kussen en strelen, maar hij durfde alleen haar hand aan te raken, terwijl hij dacht dat hij inmiddels elke schuchterheid tegenover vrouwen overwonnen had. Kwam het door het respect of de eerbied die hij voor deze superieure vrouw had? Of was hij gewoon bang dat hij iets verkeerds zou doen? Was het dezelfde angst die hij ervaren had toen hij nog een onzeker, onschuldig knulletje was?
Na een lang stilzwijgen deed Sarah haar ogen open. Het leek of ze uit een andere wereld tevoorschijn kwam. Ze stond zonder iets te zeggen op, nam Howard bij de hand en trok hem mee naar de naastgelegen kamer, een soort bibliotheek met talloze boeken aan de muren, een knus leeshoekje en een groot bureau in het midden. Door het venster zag je Lower East Side in een zee van fonkelende lichtjes, net ontelbaar veel glimwormpjes.

Sarah leunde tegen het bureau en trok hem naar zich toe tot ze tegen elkaar aan stonden. Prompt werd hij overweldigd door hetzelfde gevoel dat hij had toen ze elkaar voor het eerst liefkoosden. Zij ervoer dat ook zo en zei zachtjes: 'Herinner je je onze eerste keer nog? Je weet wel, op het bureau van baron von Schell. In de geheime kamer die de barones ter nagedachtenis van haar man had ingericht.'
'Natuurlijk weet ik dat nog,' zei Howard. Toen hij haar hoofd tussen zijn handen nam en hij zijn lippen op de hare drukte, wist hij weer precies wat er destijds in hem omging. Opnieuw voelde hij zich de jongen van vijftien die voor het eerst gretig een vrouw aanraakte. Geen meisje van zijn leeftijd, zoals het hoorde, maar een volwassen, ervaren en wereldwijze vrouw – dat dacht hij toen althans.
Ook de kamer veranderde voor zijn ogen in het zonderlinge onderkomen van de baron. Een kamer boordevol archeologische vondsten, sculpturen en een opgezette krokodil. Het gedempte licht verleende de kamer iets betoverends.
Net als toen ging zij op het bureau liggen terwijl hij haar uitkleedde. Maar in tegenstelling tot destijds, toen de angst groter was dan de liefdeslust, liet hij nu zijn hartstocht wel de vrije loop. Onstuimig vrijde hij met haar, en zij beantwoordde zijn opwinding in een wilde extase.
Ze liefkoosden elkaar bijna de hele nacht. Pas toen het ochtend werd, lieten ze elkaar bevredigd los.
Vergeefs zocht Howard naar de geschikte woorden. Ook Sarah vond het moeilijk om zich weer aan te passen aan de realiteit.
'Wanneer gaat je schip?' vroeg ze zowel liefdevol als hulpeloos.
'Vanmiddag om een uur,' zei hij. 'We moeten elkaar weer een keer zien.'
'Ja, dat moet beslist weer eens gebeuren,' zei Sarah. Ze gaf hem een afscheidskus.

Het was vroeg in de zomer. De Atlantische Oceaan lag er spiegelglad bij. De terugreis aan boord van de *Mauretania* was dan ook een waar genoegen. Howard en Phyllis lagen in hun ligstoel op het bovendek en genoten van de zon. De bakboordwind was krachtig maar aangenaam. Stewards brachten kleurrijke drankjes rond. In Amerika hadden de passagiers tijdelijk noodgedwongen geen alcohol gedronken. De schade werd nu ingehaald.
'Ben je tevreden?' vroeg Phyllis terwijl Howard met zijn ogen knipperde tegen het felle zonlicht en kleine slokjes van zijn bloody mary nam.
'Hm,' zei Howard slechts. Hij was met zijn gedachten elders.

'Lee Keedick zegt dat die tournee met jou hét succesnummer van zijn leven was.'
Hij gniffelde. 'Ja, als Keedick het zegt...'
'Je hebt een vermogen verdiend, Howard. Je hoeft niet meer in de woestijn te graven!'
Opeens werd hij spraakzaam. 'Ik heb je nou al honderd keer proberen duidelijk te maken dat mijn werk los staat van geld verdienen,' begon hij. 'Waarom dringt dat niet tot je door? Ik heb het stof van de woestijn nodig om te ademen, hoe belachelijk dat ook klinkt.'
'Wil je dan echt weer teruggaan naar Egypte?'
'Ik beschouw het als mijn plicht, Phyllis. Ik zal die taak tot een goed einde brengen. Ik heb het graf van Toetanchamon ontdekt en me als een beroemd archeoloog over de hele wereld laten bewonderen en lauweren. Maar nu begint het echte werk pas. Er moet nog ontzettend veel onderzocht en gecatalogiseerd worden.'
Phyllis was duidelijk teleurgesteld. Maar nog had ze de hoop niet opgegeven dat ze hem dat voornemen uit zijn hoofd kon praten. Ze bladerde fel in een modetijdschrift.
Er heerste een gespannen sfeer tussen hen. Al sinds de dag dat ze uit New York waren vertrokken en Howard pas in de vroege ochtend naar het hotel was teruggegaan. Phyllis had het niet gewaagd om het daar met hem over te hebben. Hij zei ook niet waar hij die nacht was geweest. Een tijdlang zaten ze zwijgend voor zich uit te staren. Daarna klapte Phyllis haar modetijdschrift dicht en liep weg.
De *Mauretania* voer zuidoostelijk van Newfoundland over de Atlantische Oceaan, vijftig graden westerlengte en tweeënveertig graden noorderbreedte. Howard lag te dutten in zijn ligstoel. Opeens hoorde hij de stem van een steward. 'Excuseer, een radiobericht voor u.'
Howard schrok.
De steward boog zich naar hem toe. Op een zilveren dienblad lag een lichtblauwe envelop.
Haastig haalde Howard een klein vel papier uit de enveloppe.

> Van New York Radio aan RMS *Mauretania*.
>
> *Soms is een moment van geluk voldoende om te zeggen dat je gelukkig geleefd hebt.*
> *Liefs, Sarah*

Howard stond op, liep naar de reling en keek naar de ondergaande zon. Ergens achter die horizon lag New York, Orchard Street en dat

flatgebouw met de zesendertig ijzeren balkons. In dat huis woonde de vrouw van wie hij eeuwig zou houden.
Telkens opnieuw las hij de woorden van Sarah. Opeens trok een windvlaag het papier uit zijn hand. Howard keek hoe het dwarrelend steeds kleiner werd en uiteindelijk verdween in het bruisende kielzog van het schip.

Nawoord

Howard Carter ging terug naar Egypte en werkte nog eens tien jaar in de grafkamer van Toetanchamon. Hij ontdekte de vierde kamer, waarin zich onder meer twee kleine mummiesarcofagen bevonden met vroeggeboortes. Het waren de dochters van de farao en koningin Anchesenamon.

Evelyn, de dochter van Lord Carnarvon, trouwde met haar verloofde Sir Brograve Campbell Beauchamp. Ze werden de lievelingen van de Engelse society.

Phyllis Walker week niet meer van Carters zijde. Na zijn terugkeer uit Egypte leefden ze een teruggetrokken bestaan in een deftig appartement in het Londense Albert Court. De roem van Howard verdween net zo snel als die gekomen was.

Tot op de dag van vandaag duiken op de internationale kunstmarkt voorwerpen op uit het graf van Toetanchamon. Archeologische kunst die door Spink in 1922 gestolen en te gelde was gemaakt. Spink investeerde de winst in aandelen en effecten. Op de beruchte Zwarte Vrijdag in 1929 verloor hij zijn hele vermogen. Hij raakte aan de drank en belandde uiteindelijk in een christelijk tehuis voor dakloze mannen in de Londense stadswijk Lambeth. Hij probeerde de gouden beker die de naam van farao Toetanchamon droeg, en die hij van Howard Carter gestolen had, te verkopen. Al zijn pogingen mislukten omdat niemand geloofde dat de beker echt was. Uit woede en vertwijfeling gooide hij het pronkstuk later in het graf van Carter.

In 1936 keerde Sarah Jones terug naar Londen. Maar zoals het leven kan gaan – Sarah Jones en Howard Carter hebben elkaar nooit meer ontmoet.

Lees ook van Karakter Uitgevers B.V.

'Pérez-Reverte verdient een herontdekking in Nederland en België.' – Maarten Steenmeijer in *de Volkskrant*

In de *Volkskrant* slaat recensent Maarten Steenmeijer de spijker op de kop: het is hoog tijd dat Arturo Pérez-Reverte – net als overal elders ter wereld – bij ons zijn doorbraak beleeft, aangezien deze Spaanse meester met kop en schouders boven Brown en Zafón uitsteekt.

De club Dumas

'Een directe concurrent van Zafóns *De schaduw van de wind.*' – *Subterrenean Press*

Lucas Corso handelt in zeldzame boeken. Als hij op zekere dag op een manuscript stuit van Dumas' *De drie musketiers* en een ander mysterieus boek waarvan hij de authenticiteit moet aantonen, is dat het startschot voor een avontuurlijke tocht door archieven, bibliotheken en tweedehands boekwinkeltjes.

ISBN 978 90 6112 449 8

Het paneel van Vlaanderen

'Een van begin tot eind uitermate spannende roman van hoog literair niveau.' – *HP/De Tijd*

Het paneel van Vlaanderen is een fascinerend, intelligent spel van valstrikken en spiegeleffecten, waarin geschiedenis, schilderkunst, muziek en vooral de mathematische logica van het schaakspel een rol spelen.

ISBN 978 90 6112 728 4